GRAESSE · BENEDICT · PLECHL

ORBIS LATINUS

GRAESSE · BENEDICT · PLECHL

ORBIS LATINUS

Lexikon lateinischer geographischer Namen

HANDAUSGABE

LATEINISCH — DEUTSCH
DEUTSCH — LATEINISCH

Vierte revidierte und erweiterte Auflage

herausgegeben und bearbeitet von Helmut Plechl

unter Mitarbeit von Günter Spitzbart

KLINKHARDT & BIERMANN · BRAUNSCHWEIG

Gesamtherstellung: Fränkische Gesellschaftsdruckerei Würzburg

ABKÜRZUNGSVERZEICHNIS

	Abkürzungen	*Abbreviations*	*Abreviations*
a.	an, am	on, upon	à, sur
abgeg.	abgegangen	lost	mort
Ägypt.	Ägypten	Egypt	l'Égypte
aserbaidsch.	aserbaidschanisch	Azerbaïjan	de l'Azerbaïjan
aufgeg.	aufgegangen	included consumed	absorbé
b.	beatus, -i, -a, -ae	→	→
BA.	Bezirksamt	jurisdiction of a district	chef-lieu de district (sous-préfecture)
Bay.	Bayern	Bavaria	la Bavière
Befestig.	Befestigung	fortification	fortification
Belg.	Belgien	Belgium	la Belgique
Bez.	Bezirk	circuit, area	circuit,arrondissement
Bulg.	Bulgarien	Bulgaria	la Bulgarie
bzw.	beziehungsweise	respectively	relativement
castell.	castellum	→	→
castr.	castrum	→	→
Co.	County	County	
coenob.	coenobium	→	→
d.	der, die, das	the	le, la
d. (vor lat. Namen)	divus, -i, -a, -ae	→	→
Dänem.	Dänemark	Denmark	le Danemark
dagestan.	dagestanisch	dagestan	du Daghestan
Dep.	departamento	department	département
Dép.	Département	department	département
Deutschl.	Deutschland	Germany	l'Allemagne
district.	districtus	→	→
ducat.	ducatus	→	→
eccl.	ecclesia	→	→
eh.	ehemals, ehemalig	former	autrefois
einschl.	einschließlich	including	inclus
Engl.	England	England	l'Angleterre
entspr.	entspricht, entsprach	correspond to	correspond à
fan.	fanum	→	→
Fl.	Fluß	river	le fleuve
fluv.	fluvius	→	→
Frankr.	Frankreich	France	la France
Fraz.	Frazione	quarter	fraction, quartier
Fstg.	Festung	fortress	la forteresse
Fstm.	Fürstentum	principality	la principauté
GB.	Gerichtsbezirk	jurisdiction	ressort, juridiction
Geb.	Gebirge	mountains	montagnes, monts
Grafsch.	Grafschaft	county	comté
Griechenl.	Griechenland	Greece	la Grèce
Großhgt.	Großherzogtum	grand-duchy	Grand-Duché
Hgt.	Herzogtum	duchy	duché
hist.	historisch	historical	historique

	Abkürzungen	*Abbreviations*	*Abreviations*
Hst.	Hauptstadt	capital	capitale
i.	in, im	in	en
Ital.	Italien	Italy	l'Italie
Jugoslaw.	Jugoslawien	Jugoslavia	la Yougoslavie
Kgr.	Königreich	kingdom	royaume
Kl.	Kloster	monastery	monastère
Komit.	Komitat	suite, county	comitat
Kr.	Kreis	circle	cercle, arrondissement
Kt.	Kanton	canton	canton
Kurfstm.	Kurfürstentum	electorate	Electorat
lac.	lacus	→	→
Landsch.	Landschaft	province, district	paysage
M-	Mittel-	middle-	moyen
marchion.	marchionatus	→	→
Mgft.	Markgrafschaft	margraviate	margraviat (marquisat)
monast.	monasterium	→	→
Mü	Mündung	mouth (of a river)	embouchure
N.	Norden	north	nord
N-Algerien	Nordalgerien	North Algeria	l'Algérie du Nord
N-Baden	Nordbaden	North Baden	Bade du Nord
N-Bayern	Niederbayern	Lower Bavaria	Basse-Bavière
N-Brabant	Nordbrabant	North Brabant	Brabant du Nord
ndl.	nördlich	northern	septentrional, du nord
Nfl.	Nebenfluß	tributary, affluent	affluent
N-Holland	Nordholland	North Holland	la Hollande du Nord
Niederl.	Niederlande	Netherlands	les Pays-Bas
N-Irland	Nordirland	North Ireland	l'Irlande du Nord
N-Marokko	Nordmarokko	North Morocco	le Maroc du Nord
NO.	Nordosten	north-east	nord-est
nö.	nordöstlich	north-eastern	du nord-est
N-Österr.	Niederösterreich	Lower Austria	Basse-Autriche
Nom.	Nomos	→	→
Norweg.	Norwegen	Norway	la Norvège
N-Schles.	Niederschlesien	Lower Silesia	Basse-Silésie
N-Tunesien	Nordtunesien	North Tunesia	la Tunésie du Nord
NW.	Nordwesten	northwest	nord-ouest
NW-	Nordwest-	northwest	nord-ouest
nw.	nordwestlich	north-western	du nord-ouest
O.	Osten	east	est
O-Ägypt.	Oberägypten	Upper Egypt	la Haute-Égypte
O-Afrika	Ostafrika	East-Africa	l'Afrique orientale
O-Anatolien	Ostanatolien	East-Anatolia	l'Anatolie orientale
O-Bayern	Oberbayern	Upper Bavaria	la Haute Bavière
od.	oder	or	ou
Österr.	Österreich	Austria	l'Autriche
östl.	östlich	eastern, oriental	de l'est, oriental
O-Flandern	Ostflandern	East-Flanders	la Flandre orientale
O-Franken	Oberfranken	Upper Franconia	la Haute-Franconie
O-Österr.	Oberösterreich	Upper Austria	la Haute-Autriche
Opf.	Oberpfalz	the Upper Palatinate	le Haut-Palatinat

	Abkürzungen	*Abbreviations*	*Abreviations*
O-Pfalz	Oberpfalz	the Upper Palatinate	le Haut-Palatinat
O-Preußen	Ostpreußen	East Prussia	la Prusse orientale
O-Schlesien	Oberschlesien	Upper Silesia	la Haute Silésie
pag.	pagus	→	→
palat.	palatium	→	→
palatin.	palatinatus	→	→
PB.	Politischer Bezirk	political district	district politique
poln.	polnisch	Polish	polonais
Pom.	Pommern	Pomerania	la Poméranie
Portug.	Portugal	Portugal	le Portugal
Pr.	Provinz	province	province
principat.	principatus	→	→
promont.	promontorium	→	→
Protekt.	Protektorat	protectorate	protectorat
Prov.	Provinz	province	province
prov.	provincia	→	→
RB.	Regierungsbezirk	administration circuit	département gouvernement
Reg.	Region, Regione	region	région
regn.	regnum	→	→
Rep.	Republik	republic	république
Rheinprov.	Rheinprovinz	Rhine province	province Rhénane
RSFSR	Russische Sozialistische Föderative Sowjet-Republik (Rossijskaja Sovetskaja Federativnaja Socialisticeskaja Respublika)	Russian social federal Soviet-Republic	République socialiste fédérative russe
Ru.	Ruine	ruin	ruine
Rumän.	Rumänien	Roumania	la Roumanie
S.	Süden	south	sud
S-	Süd-	south-	sud-
s.	sanctus, -i, -a, -ae	→	→
Schl.	Schloß	castle	château
Schles.	Schlesien	Silesia	la Silésie
Schottl.	Schottland	Scotland	l'Écosse
Schwed.	Schweden	Sweden	la Suède
sdl.	südlich	southern, meridonal	du sud, méridional
SO.	Südosten	south-east	sud-est
SO-	Südost-	south-east	sud-est
sö.	südöstlich	south-eastern	du sud-est
Span.	Spanien	Spain	l'espagne
ss.	sancti, -ae, -orum	→	→
SSR	Sozialistische Sowjet-Republik (Sovetskaja Socialisticeskaja Republika)	U.S.S.R. (Union of Soviet Socialist Republics)	URSS
St.	Sankt	Saint	Saint
Sv.	Sväty, Sveti, Svetlá	→	→
SW.	Südwesten	south-west	sud-ouest
SW-	Südwest-	south-west	sud-ouest
sw.	südwestlich	south-western	du sud-ouest
Szt.	Szent	→	→
territor.	territorium	→	→
Tschechoslow.	Tschechoslowakei	Czecho-Slovakia	la Tchécoslovaquie

	Abkürzungen	*Abbreviations*	*Abreviations*
u.	und	and	et
U-	Unter	lower-	sous (?)
UdSSR	Union der Sozialistischen Sowjet-Republiken (= SSSR: Sojuz Sovetskich Sozialisticeskich Republik)	U.S.S.R.	URSS Union des républiques socialistes soviétiques
ukrain.	ukrainisch	ukrainian	ukraine
umf.	umfaßt, umfaßte	comprise, comprised, included	comprend, comprenait
Ung.	Ungarn	Hungary	la Hongrie
ung.	ungarisch	hungarian	hongrois
USA	Vereinigte Staaten von Amerika	United States of America U.S.A.	Les Etats-Unis
v.	von	of	de
Vorgeb.	Vorgebirge	promontory	promontoire
W.	Westen	west	ouest
W-	West-	west-	ouest-
weißruss.	weißrussisch	white russian	de Biélorussie, blanc-ruthène
westfries.	westfriesisch	west-frisian	frison-occidental
Westpr.	Westpreußen	West-Prussia	la Prusse occidentale
Woiw.	Woiwodschaft	province in Poland	province en Pologne
wstl.	westlich	western, occidental	de l'ouest, occidental
zw.	zwischen	between (among)	entre

LATEINISCH—DEUTSCH

A

Aahusium → Aarhusum

Aalburgum, Aelburgum, Alborgum, Alburgum: Aalborg (Jütland), Dänem.

Aanantum: Asnan (Nièvre), Frankr.

Aara → Abrinca

Aarhusium, Ahusia, Arhusia, Arusium: Aarhus (Jütland), Dänem.

Aarhusum, Aahusium, Ahusa, Ahusia: Ahaus (Westfalen), Deutschl.

Aari mons → Aurimontium

Aasa (munitio): Aas, Fstg. bei Akershus sdl. Oslo, Norweg.

Aaziacum → Aciacum

Abacaenum: Tripi (Sizilien), Ital.

Abacantus, Abancaius: Abancay (Apurimac), Peru.

Abacum, Abuzanum, Abudiacum: Abbach (N-Bayern), Deutschl.

Abalium → Aballo

Aballaba, Abelleba: Appleby (Westmorland), Engl.

Aballo, Abalium, Avallo: Avallon (Yonne), Frankr.

Abancaius → Abacantus

Abantonium → Alba Antonia

Abanvivariensis comit. → Abavyvariensis comit.

Abasci: Abassabad [Abbass Abad] am Aras sdl. Nachitschewan (Nachitschewanische ASSR), UdSSR.

Abavyvariensis comit., Abanvivariensis comit.: Aba-Ujvar, eh. Grafsch. im heutig. Komit. Borsod-Abauj-Zemplén, Ungarn.

Abbacella → Abbatis cella

Abbaticovilla → Abbatis villa

Abbatis burgus: Bourg-l'Abbé (Loiret), Frankr.

Abbatis cella, Abbacella, Appacella, Appencellensis, Appolitanense monast.: Appenzell (Appenzell Innerrhoden), Schweiz.

Abbatis pons: Pont-l'Abbé (Finistère), Frankr.

Abbatis villa: Abbans-Dessous (Doubs), Frankr.

Abbatis villa, Abbavilla, Abbaticovilla: Abbeville (Somme), Frankr.

Abbavilla → Abbatis villa

Abbefortia: Abbotsford (Roxburghshire), Schottl.

Abbenhulis: Appelhülsen (Westfalen), Deutschl.

Abbentonia, Abingdonensis, Abintonia, Abindonia, Aebbanduna: Abingdon (Berkshire), Engl.

Abbenwilare: Appenweier (Baden), Deutschl.

Abcudia: Abcoude [Abcoude-Baambrugge] (Utrecht), Niederl.

Abdara, Abdera, Abdra: Adra (Almería), Span.

Abdera → Abdara

Abdiacum → Fauces

Abdra → Abdara

Abdua, Addua, Adus, Attua: Adda, Nfl. d. Po (Lombardei), Ital.

Abela → Albicella

Abella, Abellae: Avella (Avellino), Ital.

Abellae → Abella

Abelleba → Aballaba

Abellinum, Abellola: *Avellino* (Avellino), Ital.

Abellinum Marsicum, Marsicum Vetus: Marsico Vetere (Potenza), Ital.

Abellola → Abellinum

Abenda → Powundia

Abensperga, Aventinum, Castrum

Rauracense, Abusina, Arusena: Abensberg (N-Bayern), Deutschl.
Aberavonium: Aberavon (Glamorganshire), Engl.
Aberdona, Aberdonum, Aberdonia, Aberdonium, Abredonia: Aberdeen (Aberdeenshire), Schottl.
Aberdonia → Aberdona
Aberdonium → Aberdona
Aberdonum → Aberdona
Abergonium, Gobannium: Abergavenny (Monmouthshire), Engl.
Abia, Ampla: Abens, Nfl. d. Donau (N-Bayern), Deutschl.
Abiacum: Abjat (Dordogne), Frankr.
Abiliacum: Abbily (Indre-et-Loire), Frankr.
Abindonia → Abbentonia
Abingdonensis → Abbentonia
Abinio: Avigneau (Yonne), Frankr.
Abintonia → Abbentonia
Ablesia: Ableiges (Seine-et-Oise), Frankr.
Ablonium: Ablon-sur-Seine (Seine-et-Oise), Frankr.
Abnicum: Ani [Anisi] bei Eriwan (Armen. SSR), UdSSR.
Abnobius → Danubius
Aboa: Turku [Åbo] (Turku-Pori), Finnland.
Abochi → Hohbuoki
Aboenses insulae, Alandia: Ålands-Inseln [Ahvenanmaa], Inselgruppe (Bottnischer Meerbusen), Finnland.
Aborras → Chaboras
Abotis: Abû Tîg (O-Ägypten), Ägypten.
Abrahae mons → Pirus mons
Abrantium: Abrantes (Estremadura), Portug.
Abredonia → Aberdona
Abrenothium, Abrinca: Abernethy (Perthshire), Schottl.
Abria lacus: Abersee [Sankt-Wolfgangsee], See (O-Österr.), Österr.
Abricca → Obrinca
Abrinca → Abrenothium
Abrinca, Aara, Ara, Araris, Arola, Arula, Ingena: Aar, Nfl. d. Rheins (Aargau), Schweiz.
Abrincae, Abrincatae, Abrincatui, Abrunca, Avrences: Avranches (Manche), Frankr.
Abrincatae → Abrincae
Abrincatui → Abrincae
Abrunca → Abrincae
Abrutium, Apruntum: Abruzzen [Abruzzi], Landsch. (L'Aquila, Chieti, Pescara, Teramo), Ital.
Absorus → Chrepsa
Absorus, Apsorus, Ausoriensis civ., Absyrtium, Ausara: Osor [Ossero, Ossor] auf d. Ins. Cres [Cherso] (Kroatien), Jugoslaw.
Absternacum → Epternacum
Absyrtides insulae: Norddalmatinische Inseln, Teil der Dalmatinischen Inseln [Dalmatinski otoči] (Kroatien), Jugoslaw.
Absyrtium → Absorus
Absyrtium → Chrepsa
Abucini portus, Abucinus: Port-sur-Saône (Haute-Saône), Frankr.
Abucinus → Abucini portus
Abudiacum → Abacum
Abula → Albicella
Abus, Umber, Album aestuarium: Humber, Meeresarm (Yorkshire u. Lincolnshire), Engl.
Abusina → Abensperga
Abuzanum → Abacum
Abyla → Albicella
Aca Ptolemais → Acco
Academia Julia → Helmstadium
Acanthopolis: Dornstetten (Württemberg), Deutschl.

Acaunum → Agaunum

Accatuccis: Huelva (Huelva), Span.

Acchara → Achera

Acci → Guadicia

Accipitrum insulae: Azoren, Inselgruppe im Atlantik, Portug.

Accitodunum, Acitodunum, Agedunum, Ageduni monast., Ahunum: Ahun (Creuse), Frankr.

Acco, Aca Ptolemais, Colonia Ptolemais, Ptolemais: Akko [Acco, Accon, Akka, Akkon, St-Jean-d'Acre, San Giovanni d'Acri], Israel.

Accusiorum col. → Gratianopolis

Acedes, Acedum, Cenetum, Cenetense castr.: Ceneda (Venedig), Ital.

Acedum → Acedes

Acernum: Acerno (Salerno), Ital.

Acerrae: Acerra (Caserta), Ital.

Acerrae: Gera (Como), Ital.

Achaea → Achaiae principat.

Achaja → Achaiae principat.

Achaiae principat., Achaea, Achaie principat., Achaja, Morea: Achaia, eh. Fstm. (Peloponnes), Griechenl.

Achaie principat. → Achaiae principat.

Achardi burgus: Bourg-Achard (Eure), Frankr.

Achatius: Eschach, Nfl. d. Neckar (Württemberg), Deutschl.

Achelous: Acheloos, Fl., Mü.: Patraikòs Kólpos [Meerbusen von Patras], Griechenl.

Achera, Acchara: Achern (Baden), Deutschl.

Acherhusia, Aggerhusium: Akershus sdl. Oslo, Norwegen.

Achillea nova: Kilya [Kilia] abgeg. bei Eceabat [Maydos] (Edirne; Thrakien), Türkei.

Achyrum: Achtyrka nw. Charkow (Ukrain. SSR), UdSSR.

Aciacum, Aaziacum: Azy-sur-Marne (Aisne), Frankr.

Acilia Augusta → Straubinga

Acilio, Aguillonum urbs, Aquilonia, Aquilonium: Aiguillon (Lot-et-Garonne), Frankr.

Acimincum, Salancema, Acumincum, Acominium: Slankamen [Salankemen, Szalankamen], bestehend aus Novi Slankamen [Neuslankamen, Újzalánkemén, Új-Szlankamen] u. Stari Slankamen [Altslankamen, Ózalánkemén, Ó-Szlankamen] (Wojwodina), Jugoslaw.

Acincum Sicambriae → Buda

Acita → Zephyria

Acitodunum → Accitodunum

Aclae → Aclea

Aclea, Aclae: Acle (Co. Norfolk), Engl.

Acmonia, Acmoniensis: abgeg. bei Banaz (Kütahya; Phrygien), Türkei.

Acmoniensis → Acmonia

Acominium → Acimincum

Acona → Saxonicae aquae

Acrae: Palazzolo Acreide (Syrakus), Ital.

Acronius lacus → Potamicus lacus

Acropolis: Agropoli (Salerno), Ital.

Actania: Terschelling, Ins. d. Westfries. Ins. (N-Holland), Niederl.

Actulfivillare: Asswiller [Aßweiler] (Bas-Rhin), Frankr.

Acula → Aquula

Acumincum → Acimincum

Acunum → Ancunum

Acus: Aiguilles (Hautes-Alpes), Frankr.

Acusio colonia → Ancunum

Acusio Segalaunorum → Ancunum
Acuti monast., Antimonasterium: Eymoutiers (Haute-Vienne), Frankr.
Acuti montes, Montium terra: Spitsbergen [Spitzbergen], Inselgruppe i. ndl. Eismeer, Norwegen.
Acutus, Agotius, Augustius: Agout, Nfl. d. Tarn (Tarn), Frankr.
Acutus mons: Montaigu (Vendée), Frankr.
Acutus mons, Aspricollis: Scherpenheuvel [Montaigu] (Brabant), Belg.
Acythus → Zephyria
Ad Almonam monast. → Alemanni monast.
Ad altam arborem → Quedlinburgum
Ad Angelos → s. Angeli civ.
Ad Aquas: Kiskalán [Kalan, Călan, Klein-Klandorf] (Hunedoara), Rumän.
Ad Aquas Helvetias → Aquae Helveticae
Ad Aquilas → Ala
Ad Aquilas → Aquila
Ad Bacenas → Bacenae
Ad Caballos: Bagnacavallo (Ravenna), Ital.
Ad Campos → Feldkircha
Ad Capras: Capraia e Limite (Pisa), Ital.
Ad Carceres: Kerzers [Chiètres] (Freiburg), Schweiz.
Ad Casas Caesarianas: abgeg. bei Figline Valdarno (Florenz), Ital.
Ad Centenarium → Ceretum
Ad Centuriones → Ceretum
Ad Cerem vicus: Vic-sur-Cère (Cantal), Frankr.
Ad Decimum: Borghetto bei Civita Castellana (Viterbo), Ital.
Ad Dianam → Diana
Ad Duodecimum: Dodewaard (Gelderland), Niederl.
Ad Duodecimum, Dodeismes villa: Delme (Moselle), Frankr.
Ad Fabarias → Fabaria
Ad Figlinas: Figino Serenza (Como), Ital.
Ad Fines: Pfyn (Thurgau), Schweiz.
Ad Fines → Aviliana
Ad Fines → Fimae
Ad Fines, Caesarianae Casae: San Giovanni Valdarno [San Giovanni in Altura] (Arezzo), Ital.
Ad Fines, Rasinanum: Rosignano Marittimo (Livorno), Ital.
Ad Flexum: Rivoltella (Brescia), Ital.
Ad Flexum → Flexum
Ad Fonticulos, Ad Funtulos: Fontanelice [Fontana Elice] (Bologna), Ital.
Ad Funtulos → Ad Fonticulos
Ad Herculem → Herculis Labronis portus
Ad Horrea → Horrea
Ad Icaunam pons: Pont-sur-Yonne (Yonne), Frankr.
Ad Incisa saxa: Incisa Belbo (Alessandria), Ital.
Ad Labodas aquas → Thermae Selununtiae
Ad Lacum monast. → Lacensis abbat.
Ad Laedum castr.: Château-du-Loir (Sarthe), Frankr.
Ad Lippos → Lippi
Ad Malum, Martis statio: Ulzio [Oulx] (Turin), Ital.
Ad Maureim, Ad Mures: Mauerkirchen (O-Österr.), Österr.
Ad Monilia: Moneglia (Genua), Ital.
Ad Montem → Amoenus mons
Ad Monticulum pons → Mussipons

Ad Morum: Vélez Rubio (Almería), Span.
Ad Mosellam cella: Zell a. d. Mosel (Rheinprov.), Deutschl.
Ad Motionem pons → Mussipons
Ad Mures → Ad Maureim
Ad Muroas: Börcs westl. Györ [Raab] (Györ-Sopron), Ung.
Ad Nonum → Meriniacum
Ad Novas → Novus vicus
Ad Octavum, Ripulae: Rivoli (Turin), Ital.
Ad Palatium, Palatium: Palazzo, Fraz. v. Arcevia (Arcona), Ital.
Ad Perticas: Maria delle Pertiche (Pavia), Ital.
Ad Pontem: abgeg. bei Farndon (Nottinghamshire), Engl.
Ad Pontem, Muripons: Murau (Steiermark), Österr.
Ad quattuor rotas → Quattuor rotae
Ad Rhenum: Rheineck (St. Gallen), Schweiz.
Ad Rubras → Rubrae
Ad Salinas, Salinae: Montesilvano (Teramo), Ital.
Ad Sanctos → Xantae
Ad Sequanam pons, Duodecim pontes: Pont-sur-Seine (Aube), Frankr.
Ad Sextias → Sestiae
Ad Silanum: Prades-d'Aubrac (Aveyron), Frankr.
Ad Stabulum: Le Boulou (Pyrénées-Orientales), Frankr.
Ad Statuas: Oliva (Valencia), Span.
Ad Summos Puteos: Sompuis (Marne), Frankr.
Ad Summum Arnam: Somme-Arn (Marne), Frankr.
Ad Summum Axonam: Sommaisne (Meuse), Frankr.
Ad Summum Bionam: Somme-Bionne (Marne), Frankr.
Ad Summum Pidum: Sommepy [Sommepy-Tahure] (Marne), Frankr.
Ad Summum Sartham: Somme-Sarthe (Orne), Frankr.
Ad Summum Suppiam: Somme-Suippe (Marne), Frankr.
Ad Summum Turbam: Somme-Tourbe (Marne), Frankr.
Ad Summum Vidulam: Somme-Vesle (Marne), Frankr.
Ad Taffum fan. → Landava
Ad Tarum: Castel Guelfo (Bologna), Ital.
Ad Tres Lares, Mediolarium: Midlaren (Drente), Niederl.
Ad Turrem: Tourves (Var), Frankr.
Ad Turrem Librisonis → Ad Turrem Libyssonis
Ad Turrem Libyssonis, Ad Turrem Librisonis: Porte Torres (Sardinien), Ital.
Ad Turres, Tauriacum: Toury (Eure-et-Loir), Frankr.
Ad ventum insulae: Inseln über dem Winde [Leeward Islands], Inselgruppe (Karibisches Meer), Kleine Antillen.
Ad Vicenas → Vicenarum nemus
Adae ins. → Adami ins.
Adaloha → Hadelia
Adamantia, Adamantum: Amantea (Cosenza), Ital.
Adamantum → Adamantia
Adami insula, Adae insula: L'Isle-Adam (Seine-et-Oise), Frankr.
Adana, Adane: Ahden (Westfalen), Deutschl.
Adane → Adana
Adarna, Aderna, Ederna, Ethrina: Eder, Nfl. d. Fulda (Hessen-Nassau), Deutschl.
Adarnacha → Auturnacum
Adax: Aude, Fl., Mü: Mittelmeer (Aude), Frankr.

Addiga → Athesis
Addua → Abdua
Addua, Adua, Danus, Idanus, Indus: Ain, Nfl. d. Rhône (Ain), Frankr.
Addua glarea: Ghiera d'Adda, Landschaft (Lombardei), Ital.
Adellum: Elda (Valencia), Span.
Ademari mons, Adhemardi mons, Aemarorum mons, Montilium: Montélimar (Drôme), Frankr.
Aderna → Adarna
Adertauna → Epternacum
Adesla: Oldesloe (Schleswig-Holstein), Deutschl.
Adestum → Ateste
Adhelaides palatium: Franqueville (Somme), Frankr.
Adhemardi mons → Ademari mons
Adiacium: Ajas [Ajasch] am Golf v. Alexandrette [Iskenderun Körfezi] (Seyhan; Kilikien), Türkei.
Adiacium, Urcinium, Ursinum: Ajaccio (Korsika), Frankr.
Adilberinwilare: Alberweiler (Württemberg), Deutschl.
Adilsriuti, Adilsruthi: Adelsreuthe (Baden), Deutschl.
Adilsruthi → Adilsriuti
Adilwilare: Adelwil (Luzern), Schweiz.
Adinga → Aldinga
Adoncum, Aduncum: Adonco (Como), Ital.
Adonum: Adony bei Székesfehérvár [Stuhlweißenburg] (Fejér), Ung.
Adora → Viadrus
Adranum: Aderno (Catania), Ital.
Adriae scopulus: Palagruža [Pelagosa, Palagruž], Ins. i. Adriat. Meer (Kroatien), Jugoslaw.
Adua → Addua
Aduallas, Adulas: Rheinwaldhorn, Berg (Graubündner Alpen), Schweiz.
Aduaticorum oppidum → Duacum Catuacorum
Adulas → Aduallas
Adule, Adulis: abgeg. bei Massaua (Eritrea), Äthiopien
Adulis → Adule
Adullia: Douriez (Pas-de-Calais), Frankr.
Aduncum → Adoncum
Adus → Abdua
Adversa, Aversae: Aversa (Caserta), Ital.
Advocatorum terra → Vocatorum terra
Aebbanduna → Abbentonia
Aebudae insulae, Ebudae, Beteoricae, Hebrides insulae: Hebriden [Hebrides, Western Isles], Inselgruppe, Schottl.
Aecha, Eicha: Aichach (O-Bayern), Deutschl.
Aedissa → Athesis
Aedunum → Nivernum
Aeduorum civitas → Augustodunum
Aefternacum → Epternacum
Aefterneca → Epternacum
Aegerius lacus, Egerniacus lacus: Ägerisee, See (Zug), Schweiz.
Aegida → Justinopolis
s. Aegidii villa, Aegidiopolis, Anathilia, Floriana vallis: Saint-Gilles [Saint-Gilles-du-Gard] (Gard), Frankr.
Aegidiopolis → s. Aegidii villa
Aegidora, Egidora, Eidera, Eldora: Eider, Fl., Mü: Nordsee (Schleswig-Holstein), Deutschl.
Aegirtius: Gers, Nfl. d. Garonne (Lot-et-Garonne), Frankr.
Aegitna: Agay, Teil von St-Raphaël (Var), Frankr.
Aegitua → Canoe
Aegium → Egea
Aegri, Egri, Agareia, Aqua regia:

Ägeri [Ober- u. Unterägeri] (Zug), Schweiz.

Aegusa: Favignana, Ins. d. Ägatischen Inseln (Trapani), Ital.

Aelaniticus sinus, Elaniticus sinus: Kalîg el-'Aqaba [Golf v. Akaba], Meerbusen (Rotes Meer).

Aelara → Alara

Aelburgum → Aalburgum

Aelia Riccina → Helvia Riccina

Aelii Dubis pons → Pontarlium

Aelza: Elzach (Baden), Deutschl.

Aemarorum mons → Ademari mons

s. Aemiliani ecclesia: Saint-Émilion (Gironde), Frankr.

Aemilianum Ruthenorum, Amilhanum, Milliadum: Millau (Aveyron), Frankr.

Aemines portus: Île-des-Embiez, Ins. i. Mittelmeer (Var), Frankr.

Aeminium → Conimbriga

Aemodae insulae → Hethlandicae insulae

Aemona → Corcoras

Aemonia nova, Aremonia nova: Novigrad [Novi Grad, Cittanova] in Istrien (Kroatien), Jugoslaw.

Aena → Aria Atrobatum

Aenesi → Anasia

Aenipons inferior: Otting (O-Bayern), Deutschl.

Aenosia → Enosis

Aenostadium → Bojodurum

Aenus → Oenus

Aequa → Aequensis vicus

Aequana juga: Monte Tore und die benachbarten Berge bei Sorrent (Neapel), Ital.

Aequensis vicus, Aequa: Vico Equense (Neapel), Ital.

Aequolesima → Engolisma

Aequorum civitas → Augustodunum

Aequulanum, Ecanum: Troia (Foggia), Ital.

Aequum Faliscum → Castellana civ.

Aera, Aerea, Ercojena, Erigena: Ayr (Ayrshire), Schottl.

Aerea → Aera

Aereus, Evus: Ayr, Fl., Mü: Firth of Clyde (Ayrshire), Schottl.

Aeria: Mont Ventoux, Berg (Vaucluse), Frankr.

Aeringa: Ering (N-Bayern), Deutschl.

Aerisburgum → Eresburgum

Aerwilra: Ahrweiler (Rheinprov.), Deutschl.

Aesebiki: Esebeck (Hannover), Deutschl.

Aesica: Greatchesters (Co. Cumberland), Engl.

Aesium, Aexium, Asium, Essium: Iesi (Ancona), Ital.

Aesnidi → Astnidensis civitas

Aesticampium: Sommerfeld [Lubsko] (Brandenburg), Deutschl.

Aestivale → Aestivalium in Carnia

Aestivalium in Carnia, Aestivalle, Sastivale, Stivale: Étival [Étival-lès-LeMans] (Sarthe), Frankr.

Aethereus mons → Serenus mons

Aethonia → Aetonia

Aetilia, Alteia: Authie, Fl., Mü: Ärmelkanal (Pas-de-Calais), Frankr.

Aetinga: Ätingen (Solothurn), Schweiz.

Aetonia, Aethonia, Etona: Eton (Buckinghamshire), Engl.

Aetuaticus vicus: Tavetsch [Tujetsch, Val Tavetsch bzw. Tujetsch] (Graubünden), Schweiz.

Aexium → Aesium

Affalstria → Alstra

Affaltra, Affeltra: Affoldern (Waldeck), Deutschl.

Affeltra → Affaltra

Afflegemium, Affligemium, Afflinga, Afflingis, Hafflinga, Hafflingis,

Affliniense, Haffligense coenob.: Afflighem (Brabant), Belg.
Affligemium → Afflegemium
Afflinga → Afflegemium
Afflingis → Afflegemium
Affliniense coenobium → Afflegemium
Affoltera: Großaffoltern (Bern), Schweiz.
Agabra, Egabra: Cabra (Córdoba), Span.
Agara, Agira, Agra, Egra, Oegra, Ogra, Agria: Ohře [Eger], Nfl. d. Elbe (Böhmen), Tschechoslow.
Agareia → Aegri
s. Agatha, Santia, Agathopolis, s. Agathae fan.: Sant' Agata de' Goti (Benevent), Ital.
s. Agathae fanum → s. Agatha
Agathopolis → s. Agatha
Agaunensis eccl. → Agaunum
Agaunum, Acaunum, Agaunensis eccl., Claudii forum, Vallensium civ., Veragrorum civ.: Saint-Maurice [Sankt Moritz] (Wallis), Schweiz.
Ageduni monasterium → Accitodunum
Agedunum → Accitodunum
Ageium: Ay (Marne), Frankr.
Agelli: Clinchamps [Mesnil-Clinchamps] (Calvados), Frankr.
Agenensis pag., Aginensis pag.: Agenais, Landsch. (Lot-et-Garonne), Frankr.
Agennapium → Genapia
Agensinatium civ.: Agen (Lot-et-Garonne), Frankr.
Agerana vallis: das Gerental (Waadt), Schweiz.
Agerentia: Acerenza (Potenza), Ital.
Agger Gandavensis, Cataracta Gandavensis, Gandavensis ager: Sas van Gent (Seeland), Niederl.
Aggerhusium → Acherhusia
Aggeri → Angaria
Aggerimensis → Angaria
Aggeripontum: Thamsbrück (Pr. Sachsen), Deutschl.
Aggrena: San Filippo del Mela (Messina), Ital.
Agilara, Aquilaria, Aguilaria: Aguilar de Campóo (Palencia), Span.
Agilla: Cerveteri (Rom), Ital.
Aginensis pag. → Agenensis pag.
Agino, Aginus: Aa, Fl., Mü: Ärmelkanal (Pas de Calais), Frankr.
Aginus → Agino
Agira → Agara
Aglesburgus: Aylesbury (Buckinghamshire), Engl.
Agonthiensis → Aguntum
Agotius → Acutus
Agra → Agara
Agramontium: Agramunt (Lérida), Span.
Agramontium: Aigremont-le-Duc (Côte-d'Or), Frankr.
Agranum → Zagrabia
Agria → Agara
Agria, Agriensis civ., Egria: Eger [Erlau] (Heves), Ung.
Agriensis civ. → Agria
Agrimum: Aghrim (Galway), Eire.
Agrippina colonia, Colonia, Ubiopolis: Köln (Rheinprov.), Deutschl.
Agromera → Barbaria
Agropolis, Maroshelyinum, Novomarchia, Vasarhelyinum: Tîrgu Mureş [Marosvásárhely, Neumarkt, Oşorhei] (Siebenbürgen), Rumän.
Aguilaria → Agilara
Aguillonum urbs → Acilio
Aguntum, Agonthiensis, Avonciensis, Intichinga, Intica, India: Innichen [San Candido] (Bozen), Ital.

Ahunum → Accitodunum
Ahusa → Aarhusum
Ahusia → Aarhusium
Ahusia → Aarhusum
Aiamontinum, Aymontium, Esuris: Ayamonte (Huelva), Span.
Aicha → Eichaha
Aichstadium, Aichstetensis, Aureatensis, Rubicolensis, Rubiconensis, Hecstediensis, Heichstetensis, Eichstetensis eccl., Aurea, Aureatum, Astania, Eustadium, Eisteta, Eichstadium, Eichstetium, Eihistatense coenob., Alanarisca, Dryopolis: Eichstätt (M-Franken), Deutschl.
Aichstetensis → Aichstadium
Airaudi castr. → Heraldi castell.
Airdria: Airdrie (Lanarkshire), Schottl.
Airiacum: Airy (Yonne), Frankr.
Aisti → Estonia
Aitra: Aitrach (Württemberg), Deutschl.
Akiermana → Maurocastrum
Ala: Ölsburg (Braunschweig), Deutschl.
Ala, Alena, Ola, Aquilegia: Aalen (Württemberg), Deutschl.
Ala, Alena, Ola, Aquilegia, Ad Aquilas: Aelen [Aigle] (Waadt), Schweiz.
Alabon, Alabona: Alagón (Zaragoza), Span.
Alabona → Alabon
Alacer portus: Portalegre (Alto Alemtejo), Portug.
Alamannia → Suevia
Alamannia → Teutonicorum terra
Alamannorum terra → Teutonicorum terra
Alamona → Alcmana
Alanarisca → Aichstadium
Alandia → Aboenses insulae
Alanensis pag., Alnetensis pag., Alniensis pag., Alunensis pag., Alnisium: Aunis, Landsch. (Charente-Maritime), Frankr.
Alanguera → Alanorum fanum
Alanguerum → Alanorum fanum
Alanorum fanum, Alanguera, Alanguerum: Alverca (Estremadura), Portug.
Alantia → Elza
Alantia, Alencum: Allanche (Cantal), Frankr.
Alapa: Wölpe, Nfl. d. Aller (Hannover), Deutschl.
Alara, Aelara, Alera, Alra: Aller, Nfl. d. Weser (Hannover), Deutschl.
Alarantes: Tallard (Hautes-Alpes), Frankr.
Alarici castr.: Alairac (Aude), Frankr.
Alarum curtis: Ollern (N-Österr.), Österr.
Alasenza, Alisinza: Alsenz, Nfl. d. Nahe (Bayern, RB. Pfalz), Deutschl.
Alata castra, Alatius burgus, Aneda, Edinburgum, Edenburgum, Edinum, Puellarum castra: Edinburgh, Hst. v. Schottl.
Alatius burgus → Alata castra
Alaunus → Aufona
Alava → Olavia
Alba → Albis
Alba → Helvae
Alba, Alba ad Saravum: Sarralbe [Saaralben] (Moselle), Frankr.
Alba, Alba Sebusiana, Album castrum, Leucopolis, Wizinburgensis civitas, Sebusium: Wissembourg [Weißenburg] (Bas-Rhin), Frankr.
Alba, Albula: Aube, Nfl. d. Seine (Aube), Frankr.
Alba ad Saravum → Alba

Alba Antonia, Albantonium, Abantonium: Aubenton (Aisne), Frankr.

Alba augia Naviscorum: Weißenohe (O-Franken), Deutschl.

Alba bona, Bona aula: Aubonne (Waadt), Schweiz.

Alba Bulgarica, Alba Graeca, Belgrada, Bellogradum Pelgranum, Singidunum: Belgrad [Beograd], Jugoslaw.

Alba Carolina, Alba transsilvana, Alba ultrasilvana : Alba Julia [Karlsburg] (Unter-Weißenburg), Rumän.

Alba Dominarum: Frauenalb (Baden), Deutschl.

Alba ecclesia: Hranice [Mährisch Weißkirchen] (Mähren), Tschechoslow.

Alba Graeca → Alba Bulgarica

Alba Ingaunorum, Albiga: Albenga (Genua), Ital.

Alba Leucorum, Albus mons, Albimontium: Blamont (Doubs), Frankr.

Alba mala, Albamarla: Aumale (Seine-Maritime), Frankr.

Alba maris, Alba maritima: Biograd [Zaravecchia] bei Zadar [Zara] (Kroatien), Jugoslaw.

Alba maritima → Alba maris

Alba petra: Aubepierre-sur-Aube (Haute-Marne), Frankr.

Alba quercus: Alburquerque (Badajóz), Span.

Alba regalis: Székesfehérvár [Stuhlweißenburg] (Fejér), Ung.

Alba Sebusiana → Alba

Alba terra: Aubeterre (Aube), Frankr.

Alba transsilvana → Alba Carolina

Alba ultrasilvana → Alba Carolina

Albamarla → Alba mala

Albani villa: Saint Albans (Hertfordshire), Engl.

Albania: Albanien [Shqiperia].

Albania: Albano Laziale (Rom), Ital.

Albania: Aubagne (Bouches-du-Rhône), Frankr.

Albania: Schirwan u. das sdl. Dagestan (Teile der Aserbaidschan. SSR u. Dagestan. ASSR), UdSSR.

Albania → Almiana

Albania → Scotia

Albantonium → Alba Antonia

Albanus mons: Montalbán (Córdoba), Span.

Albanus mons, Aureolus mons: Montauban (Tarn-et-Garonne), Frankr.

Albaracinum: Albarracin (Teruel), Span.

Albea → Albis

Albechowa, Albensis pag., Albinsis pag., Alvinsis pag.: Albgau, eh. Gau (Moselle, Meurthe-et-Moselle, Vosges), Frankr.

Albenacium, Albinatium, Albenacum: Aubenas (Ardèche), Frankr.

Albenacum → Albenacium

Albencum: Albenque (Tarn-et-Garonne), Frankr.

Albensis comit.: Alsófeher [Unterweißenburg], eh. ung. Komit. (Siebenbürgen), Rumän.

Albensis pag. → Albechowa

Albensium civitas → Vivarium

Albergica prov.: Vorarlberg, Land u. Landsch., Österr.

Albergum → Aalburgum

Alberti campus: Champaubert (Marne), Frankr.

Alberti villa: Ulbersdorf [Dziadów Most] (N-Schlesien, Kr. Oels), Deutschl.

Albertum, Ancora: Albert (Somme), Frankr.

Albgozesleba: Elxleben (Thüringen), Deutschl.

Albi pag. → Albiensis pag.

Albia → Albigensis urbs

Albia → Albis

Albiana → s. Bonifacii civ.

Albianense fretum → s. Bonifacii sinus

Albianum, Eibilinga: Aibling (O-Bayern), Deutschl.

Albiburgum → Albiorium

Albicastrum, Album castell., Castrobracum, Castrobracense oppid.: Castello Branco (Beira Baixa), Portug.

Albicella, Abela, Abyla, Abula, Obila: Avila (Avila), Span.

Albiensis pag., Albigiensis, Albigensis, Albi pagus: Albigeois, Landsch. (Tarn), Frankr.

Albiensium castra → Castra

Albiga → Alba Ingaunorum

Albigensis insula: Lisle-sur-Tarn (Tarn), Frankr.

Albigensis pagus → Albiensis pag.

Albigensis urbs, Albia: Albi (Tarn), Frankr.

Albigensium castra → Castra

Albigiensis pagus → Albiensis pag.

Albimontium → Alba Leucorum

Albimontium, Blancoburgum: Blankenburg (Braunschweig), Deutschl.

Albina: Alm, Nfl. d. Traun (O-Österr.), Österr.

Albinatium → Albenacium

s. Albini fan. → Cornutius

s. Albini monasterium: Saint-Aubin-des-Bois (Calvados), Frankr.

Albiniacum, Aubignium: Aubigny-sur-Nère (Cher), Frankr.

Albinovum, Alvanium, Alvum novum: Alveneu [Alvagne] (Graubünden), Schweiz.

Albinsis pag pag. → Albechowa

Albinum: Vandóies di Sotto [Niedervintl] (Bozen), Ital.

Albiobola → Trajectum ad Rhenum

Albiorium, Wittenberga, Calegia, Albiburgum, Leucorea: Wittenberg (Pr. Sachsen), Deutschl.

Albis, Albia, Heilba, Herlba, Alpia, Alvea, Helbia, Albius, Albea, Alba: Elbe [Labe] Fl., Mü: Nordsee (Hamburg), Deutschl.

Albius → Albis

Alblas → Delfi

Albola → Habala

Albonis castr.: Albon (Drôme), Frankr.

Albratiswilare: Alberswil (Luzern), Schweiz.

Albretum, Lebreti vicus: Labrit (Landes), Frankr.

Albriki: Elverich (Rheinprov.), Deutschl.

Albucio, Albutio, Albucium, Albucum, Albunum, Albussonium: Aubusson (Creuse), Frankr.

Albucium → Albucio

Albucum → Albucio

Albula: Albula, Nfl. d. Hinterrheins (Graubünden), Schweiz.

Albula: Weißeritz, Nfl. d. Elbe (Sachsen), Deutschl.

Albula → Alba

Albulfi palat., Albulfi-villa: Albisheim (Bayern, RB. Pfalz), Deutschl.

Albulfi-villa → Albulfi palat.

Album aestuarium → Abus

Album castellum → Albicastrum

Album castrum → Alba

Album Mariscum → Bellomariscus

Albuneus lacus: Lago di Bagni, See (Rom), Ital.

Albunum → Albucio
Alburacis, Aurigera, Aregia: Ariège, Nfl. d. Garonne (Haute-Garonne), Frankr.
Alburgum → Aalburgum
Albus lacus: Weißensee (Pr. Sachsen), Deutschl.
Albus mons → Alba Leucorum
Albus portus: Whitehaven (Co. Cumberland), Engl.
Albussonium → Albucio
Albutio → Albucio
Alcala regalis, Attegovia: Alcalá-la-Real (Jaén), Span.
Alcanitium: Alcañices (Zamora), Span.
Alcanitium: Alcañiz (Teruel), Span.
Alcasarium Salinarum, Salacia imperatoria: Alcacer do Sal (Baixo Alemtejo), Portug.
Alcedronensis urbs → Antisiodorum
Alceja, Altalia, Alchia, Alzeia, Altzeia, Alcinache castr.: Alzey (Hessen), Deutschl.
Alcena, Alzena, Altenachium, Holtena: Altena (Westfalen), Deutschl.
Alchia → Alceja
Alciacum: Auxy [Auxy-aux-Moines] (Saône-et-Loire), Frankr.
Alciacum: Auxy [Auxy-le-Château] (Loiret), Frankr.
Alciatum: Alzate (Como), Ital.
Alcimoënnis → Ulma Suevorum
Alcinache castr. → Alceja
Alcinoi mons, Ilcii, Ilicii, Umbronis, Lucis mons, Alcinous, Alcinus, Lucinus, Ilcinus: Montalcino (Siena), Ital.
Alcinous → Alcinoi mons
Alcinus → Alcinoi mons
Alcmana, Alcmon, Alcmona, Alcmonia, Alamona, Alemo, Alemannus, Almuna, Almonus: Altmühl, Nfl. d. Donau (M-Franken), Deutschl.
Alcmaria, Alcmarium: Alkmaar (N-Holland), Niederl.
Alcmarium → Alcmaria
Alcmon → Alcmana
Alcmona → Alcmana
Alcmonia → Alcmana
Alcocerum: Alcocer (Guadalajara), Span.
Aldenardum, Oldenardum: Oudenaarde [Audenarde] (O-Flandern), Belg.
Aldenburgense monast., Flansburgum: Oudenburg (W-Flandern), Belg.
Aldenrotha: Altenrode (Westfalen), Deutschl.
Aldergemum: Auweghem (O-Flandern), Belg.
Alderwicum: Audruicq (Pas-de-Calais), Frankr.
Aldesum: Alsum (Hannover), Deutschl.
Aldinga, Adinga: Aldingen (Württemberg), Deutschl.
Alduabis → Dova
Alduadubis → Dova
Aldunsteiga: Altensteig (Württemberg), Deutschl.
Alebium, Dalebium: Delebio (Sondrio), Ital.
Alecta, Aletae, Alethis, Electa: Alet (Aude), Frankr.
Alemanni monast., Ad Almonam monast.: Altmühlmünster (O-Pfalz), Deutschl.
Alemanni terra → Suevia
Alemannia → Teutonicorum terra
Alemannorum terra → Teutonicorum terra
Alemannus → Alcmana
Alemo → Alcmana
Alena → Ala

Alenconium, Alentio: Alençon (Orne), Frankr.
Alencum → Alantia
Alengonis portus: Langon (Gironde), Frankr.
Alentio → Alenconium
Alenus: Aln, Fl., Mü: Nordsee (Co. Northumberland), Engl.
Alera → Alara
Alesia: Alais [Alès] (Gard), Frankr.
Alesia, Alessium: Lezhë [Alessio, Leş], Albanien.
Alesia, Alisia, Alexia, Urbium mater: Alise-Sainte-Reine (Côte-d'Or), Frankr.
Alesiensis ager: Auxois, Landsch. (Côte-d'Or), Frankr.
Alessium → Alesia
Alestra → Alstra
Aletae → Alecta
Aletae, Maclovia, Maclovium, Maclopolis, Macloviopolis, s. Maclovii fanum, Sanmaclovium: Saint-Malo (Ille-et-Vilaine), Frankr.
Alethis → Alecta
Aletrium: Alatri (Rom), Ital.
Aletum: Guichen (Ille-et-Vilaine), Frankr.
Aletum → s. Servani oppidum
Alexandria a Palea → Alexandria Statiellorum
Alexandria Stalicellorum → Alexandria Statiellorum
Alexandria Statiellorum, Alexandria Stalicellorum, Palea, Alexandria a Palea: Alessandria (Alessandria), Ital.
Alexandrovium: Zaporožje [Saporoshje, Alexandrowsk] (Ukrain. SSR), UdSSR.
Alexani civ., Alexanum, Veretum: Alessano (Lecce), Ital.
Alexanum → Alexani civitas
Alexanum → Veretum
Alexia → Alesia
Alexianum: Alixan (Drôme), Frankr.
Alexodonum → Haugustaldium
Alfelda: Alfeld (Hannover), Deutschl.
Alfurtestedensis civ. → Halberstadium
Algarbia: Algarve, Prov., Portug.
Algaria, Algerium, Corax, Caracodes portus: Alghero (Sardinien), Ital.
Algea, Algoia, Algovia, Almangovia: Allgäu, Landsch. (Bayern, RB. Schwaben), Deutschl.
Algerium → Algaria
Algerium, Argerium: Algerien.
Algiae saltus: Vallée d'Auge [Pays d'Auge], Landsch. (Calvados), Frankr.
Algoia → Algea
Algovia → Algea
Alicantium: Alicante (Valencia), Span.
Alietum: Izola [Isola d'Istria] (Slowenien), Jugoslaw.
Alimania → Limania
Alineswilare: Altschweier (Baden), Deutschl.
Alione → Lancastria
Alisacinsis → Alisatia
Alisatia, Elisatia, Alsatia, Helisatia, Elisgaugium, Elisatium, Elisatus, Elisantia, Halsatium, Alsava, Auxentium, Alisacinsis, Alsacinsis, Alsacensis, Elsacinsis: L'Alsace [Elsaß], Landsch., Frankr.
Alisia → Alesia
Alisinza → Alasenza
Alisnis: Elsfleth (Oldenburg), Deutschl.
Aliso → Almana
Alisontia: Elz, Nfl. d. Rheins (Baden), Deutschl.

Alisum → Hailprunna
Allada → Killaloa
Allectum, Donum Dei, Toadunum: Dundee (Co. Angus), Schottl.
Allenstenium: Allenstein [Olsztyn] (O-Preußen), Deutschl.
Allobrogum → Rochia
Allobrogum aquae → Gratianae aquae
Allobrogum colonia → Genava
Allodiensis Brana → Brana Allodiensis
Alma: Alme (Westfalen), Deutschl.
Almana, Aliso: Alme, Nfl. d. Lippe (Westfalen), Deutschl.
Almangovia → Algea
Almantica: Almanza (León), Span.
Almarazum: Almaraz (Cáceres), Span.
Almari lacus → Fleus lacus
Almarinum, Almerinum: Almeirim (Estremadura), Portug.
Almera fluvius → Fleus lacus
Almerinum → Almarinum
Almiana, Albania, Amiano: Albegno (Bergamo), Ital.
Alminium, Almissum, Dalmasium: Omiš [Almissa] (Kroatien), Jugoslaw.
Almissum → Alminium
Almonus → Alcmana
Almuna → Alcmana
Almus: Lom, Nfl. d. Donau (Bez. Mihajlovprad), Bulgarien.
Almus: Lom [Lom-Palanka] (Bez. Mihajlovgrad), Bulgarien.
Alna: Allen (Westfalen), Deutschl.
Alnetensis pag. → Alanensis pag.
Alnetum, Alnium: Aunay-sur-Odon (Calvados), Frankr.
Alniacum: Aulnoy (Nord), Frankr.
Alniensis pag. → Alanensis pag.
Alnisium → Alanensis pag.
Alnium → Alnetum
Alnovia: Jelšava [Jolsva, Eltsch] (Slowakei), Tschechoslow.
Alone Contestanorum: Guardamar del Segura (Alicante), Span.
Alopolis → Is
Alostum, Halosta: Aalst [Alost] (O-Flandern), Belg.
Alpes, Alpia, Alpium urbs: Aups (Var), Frankr.
Alpes summae, Evelinus mons: Sankt Gotthard [Gotthard, Passo del San Gottardo], Paß (Tessin), Schweiz.
Alpha: Aa [Westfälische Aa], Nfl. d. Werre (Westfalen), Deutschl.
Alpha: Aa, Nfl. d. Aare (Aargau), Schweiz.
Alpia → Albis
Alpia → Alpes
Alpica, Alpicensis portus: Le Pecq (Seine-et-Oise), Frankr.
Alpicensis portus → Alpica
Alpis Cottia, Alpis Cottica, Janus mons: Mont Genèvre [Col de Montgenèvre, Colle di Monginevro], Paß i. d. Cottischen Alpen), Frankr.
Alpis Cottica → Alpis Cottia
Alpis Vesula: Monte Viso [Monviso], Berg i. d. Cottischen Alpen (Cuneo), Ital.
Alpium urbs → Alpes
Alra → Alara
Alruna fluv. → Olruna
Alsa: Als [Alsen], Ins. (Jütland), Dänem.
Alsa → Ella
Alsacensis → Alisatia
Alsacinsis → Alisatia
Alsae fretum: Als Fjord [Alsen Föhrde], Meerenge zw. Alsen u. Jütland, Dänem.
Alsatia → Alisatia

Alsava → Alisatia

Alsegaudia → Alsgaugensis pag.

Alsegaugiensis pag. → Alsgaugensis pag.

Alsena: Almada bei Lissabon (Estremadura), Portug.

Alsfelda: Alsfeld (Hessen), Deutschl.

Alsgaugensis pag., Alsegaudia, Alsegaugiensis pag., Elisgaudium, Elisgaugium: Ajoie [Ajoye, Elsgau], Landsch. u. eh. Gau zw. Montbéliard u. Ferrette (Doubs, Territoire de Belfort, Haut-Rhin, Kt. Bern), Frankr. u. Schweiz.

Alsnensis → Oelsna

Alstadium: Allstedt (Thüringen), Deutschl.

Alstra → Elstra

Alstra, Alestra, Elstra: Schwarze Elster, Nfl. d. Elbe (Pr. Sachsen), Deutschl.

Alstra, Alstria, Halstera, Affalstria: Alster, Nfl. d. Elbe (Hamburg), Deutschl.

Alstra, Halestra: Aalter (O-Flandern), Belg.

Alstria → Alstra

Alta arx, Altum castrum, Vissegradum: Višegrad [Wischegrad] a. d. Drina (Bosnien-Herzegowina), Jugoslaw.

Alta Assia → Hassia superior

Alta crista (monast.): Hautcret, Kl. (Waadt), Schweiz.

Alta cumba (monast.): Haute-Combe [Hautecombe], Kl. (Savoie), Frankr.

Alta eccl.: Hochkirch [Kościelec] (N-Schlesien), Deutschl.

Alta regia, Altrea: Altrich (Rheinprov.), Deutschl.

Alta ripa: Altripp (Bayern, RB. Pfalz), Deutschl.

Alta ripa: Hauterive (Orne), Frankr.

Alta ripa: Tolna [Tolnau] (Tolna), Ung.

Alta specula, Summontorium: Hohenwart (O-Bayern), Deutschl.

Alta villa: Eltville [Eltville a. Rhein] (Hessen-Nassau), Deutschl.

Altae ripae civitas → Brega

Altaha, Altha, Altense monast.: Niederalteich (N-Bayern), Deutschl.

Altalia → Alceja

Altbura: Altenbeuren (Baden), Deutschl.

Altchiricha: Altkirchen (O-Bayern), Deutschl.

Altdorfium, Palaeocome: Altdorf (M-Franken), Deutschl.

Alteia → Aetilia

Altena: Altenhof a. Schorfheide (Brandenburg), Deutschl.

Altena → Eltnae

Altena, Altonavia, Altenavia: Altona bei Hamburg (Schleswig-Holstein), Deutschl.

Altenachium → Alcena

Altenavia → Altena

Altenburgum, Palaeopyrgum, Plisna: Altenburg (Sachsen), Deutschl.

Altendorfium: Altorf [Altdorf] (Bas-Rhin), Frankr.

Altendorfium, Altorfium: Altdorf (Uri), Schweiz.

Altenhovia → Vetus curia

Altense monasterium → Altaha

Alterpretum: Altstätten (St. Gallen), Schweiz.

Altha → Altaha

Althaea → Olcania

Altheia, Altilia: Authie (Calvados), Frankr.

Altilia → Altheia

Altinae → Eltnae

Altinensis → Eltnae

Altinis → Eltnae

Altisidorum → Antisidorum

Altisolium → Vetus solium
Altitona: Hohenburg [Hohenbourg], Ru. bei Wissembourg [Weißenburg] (Bas-Rhin), Frankr.
Altitona (monast.), s. Odiliae monast., s. Odiliae montis monast.: Odilienberg [Sainte-Odile, Hohenburg], Kl. sw. Straßburg (Bas-Rhin), Frankr.
Altobracum: Monts d' Aubrac, Geb. (Aveyron, Lozère), Frankr.
Altomontium, Altus mons, Balbia: Montalto Uffugo (Cosenza), Ital.
Altona: Altenau (Hannover), Deutschl.
Altonavia → Altena
Altonis monast.: Altomünster (O-Bayern), Deutschl.
Altorfium → Altendorfium
Altorphium → Vetusta villa
Altovadum → Vadum altum
Altrea → Alta regia
Altriacum, Autreum: Autrey-lès-Gray (Haute-Saône), Frankr.
Altsaxonum prov. → Saxonia
Altum castrum → Alta arx
Altus mons: Hohenberg bei Erlenbach (U-Franken), Deutschl.
Altus mons: Montalto di Castro (Rom), Ital.
Altus mons → Altomontium
Altzeia → Alceja
Aluata → Olta
Alunensis pag. → Alanensis pag.
Alupochori → Pagae
Alutas → Olta
Alvanium → Albinovum
Alvea → Albis
Alvemari pons, Audemari pons, Audomari pons: Pont-Audemer (Eure), Frankr.
Alvernia, Arvernia: Auvergne (Puy-de-Dôme, Cantal, Haute-Loire), Frankr.
Alvernia inferior → Limania
Alvinsis pag. → Albechowa
Alvum novum → Albinovum
Alzeia → Alceja
Alzena → Alcena
Amagria: Amager, Ins., Dänem.
Amagusta → Fama Augusta
Amalia: Åmål (Älvsborg), Schwed.
Amalphia, Amalphis, Melfia, Melphia: Amalfi (Salerno), Ital.
Amalphis → Amalphia
Amalrici villare: Ammerschwihr [Ammerschweier] (Haut-Rhin), Frankr.
Amana: Ohm, Nfl. d. Lahn (Hessen-Nassau), Deutschl.
Amandiburgus → Amandopolis
Amandopolis, Amandiburgus, Elno, Santamandum: Saint-Amand-les-Eaux (Nord), Frankr.
Amandopolis, s. Amandus: Saint-Amand-lez-Puurs [Sint-Amands-bij-Puurs] (Antwerpen), Belg.
s. Amandus → Amandopolis
Amanes portus → Bilbaum
Amans → Emaus
Amansensis vicus → Emaus
Amaraha: Ammern (Pr. Sachsen), Deutschl.
Amaranthus: Amarante (Douro Litoral), Portug.
Amardela, Mertala: Ammertal (O-Pfalz), Deutschl.
Amarinum: Saint-Amarin (Haut-Rhin), Frankr.
Amartswilare: Ammerswil (Aargau), Schweiz.
Amasea: Amasya (Amasya; Kappadokien), Türkei.
Amasia Cattorum → Marburgum
Amasis → Amisus
Amasius → Amisus
Amates → Amidis
Amatius → Lamecus

s. Amatoris fan.: Saint-Amour (Jura), Frankr.
Amatrica, Amatricum: Amatrice (Rieti), Ital.
Amatricum → Amatrica
Ambacia, Ambasia: Amboise (Indre-et-Loire), Frankr.
Ambal, Ambalum, Amelandia: Ameland, Ins. (Friesland), Niederl.
Ambalum → Ambal
Ambalva: Amblève, Nfl. d. Ourthe (Lüttich), Belg.
Ambalva: Amel (Rheinprov.), Deutschl.
Ambasia → Ambacia
Ambera → Ambra
Amberbacense monast. → Amerbacense monast.
Amberga: Amberg (O-Pfalz), Deutschl.
Amberiacum: Ambérieux-en-Dombes (Ain), Frankr.
Amberlacensis fiscus: Amberloup (Luxemburg), Belg.
Ambertum: Ambert (Puy-de-Dôme), Frankr.
Ambianis → Ambianum
Ambianum, Ambianis: Amiens (Somme), Frankr.
Ambietosa: Ambieteuse (Pas-de-Calais), Frankr.
Ambivaritum → Antwerpium
Ambra: Ammer, Nfl. d. Isar (Bayern), Deutschl.
Ambra, Ambera: Ammer, Nfl. d. Neckar (Württemberg), Deutschl.
Ambra, Emmera: Emmer, Nfl. d. Weser (Westfalen), Deutschl.
Ambratia: Plasencia (Cáceres), Span.
Ambresburia, Ambrosii vicus: Amersbury (Wiltshire), Engl.
Ambriae lacus: Ammersee, See (O-Bayern), Deutschl.
Ambrichi → Ambriki
Ambriki, Ambrichi: Embrick (Westfalen), Deutschl.
Ambroniacum: Ambronay (Ain), Frankr.
Ambrosii vicus → Ambresburia
Ambrosiopolis → Saxopolis
Ambrovicus → Lambrae
Ambulejus ager → Gubernium castell.
Ambuletum → Gubernium castell.
Amedes → Amidis
Amelandia → Ambal
Amelia → Emilia
Amellana: Waterford [Port Láirge] (Waterford), Eire.
Amellanensis comit.: Waterford [Contae Phort Láirge, Port Láirge], Grafsch., Eire.
Amelunxia: Amelunxen (Westfalen), Deutschl.
Amera → Amisus
Amerbacense monast., Amberbacense monast., Amorbachense monast.: Amorbach (U-Franken), Deutschl.
Ameria, Ameriae: Aymeries [Aulnoye-Aymeries] (Nord), Frankr.
Ameriae → Ameria
Amersfordia, Amersfortia, Amursfortum, Amivadum: Amersfoort (Utrecht), Niederl.
Amersfortia → Amersfordia
Ameslabrunno: Esselborn (Hessen), Deutschl.
Amiana → Almiana
Amidis, Amates, Amedes, Amisium, Damasia: Hohenems (Vorarlberg), Österr.
Amilhanum → Aemilianum Ruthenorum
Amilianum, Emilii civ.: Milhaud (Gard), Frankr.
Amisia → Amisus
Amisium → Amidis

Amisus, Amasis, Amasius, Amisia, Emesa, Amera: Ems, Fl., Mü: Nordsee (Hannover), Deutschl.

Amivadum → Amersfordia

Amma: Emme [Kleine Emme, Waldemme], Nfl. d. Reuß (Luzern), Schweiz.

Amma → Emma

Ammae vallis, Emmanae vallis: Emmental, Landsch. (Bern), Schweiz.

Amoenaeburgum: Annaburg (Pr. Sachsen), Deutschl.

Amoenitatis villa: Wunstorf (Hannover), Deutschl.

Amoenus mons, Ad Montem, Audimus: Amden [Ammon] (St. Gallen), Schweiz.

Amonium → Giastum

Amorbachense monast. → Amerbacense monast.

Amphiacum: Ampilly-le-Sec (Côte-d'Or), Frankr.

Amphiochia, Aubiae, Aurienses aquae, Aurigenses aquae, Orenses aquae, Originis aquae: Orense (Orense), Span.

Ampla → Abia

Ampliputeum, Magnum podium: Amplepuis (Rhône), Frankr.

Ampuniana: Ampugnani bei Pero-Casevecchie (Korsika), Frankr.

Amrinus: Wildenloh (Oldenburg), Deutschl.

Amsara, Amsaris, Hemiscara, Eimscherna: Emscher, Nfl. d. Rheins (Westfalen u. Rheinprov.), Deutschl.

Amsaris → Amsara

Amstela: Amstel, Fl., Mü: IJsselmeer (N-Holland), Niederl.

Amsteladamum → Amstelodamum

Amstelodamum, Amsteladamum, Amsterodamum, Amstelredamum, Amstelredamense oppid.: Amsterdam (N-Holland), Niederl.

Amstelredamense oppidum → Amstelodamum

Amstelredamum → Amstelodamum

Amsterodamum → Amstelodamum

Amursfortum → Amersfordia

Anagelum: Annagh (Co. Leitrim), Eire.

Analiacum: Nailhac (Dordogne), Frankr.

Anania, Anaunia, Anonium: Val di Non [Nonsberg, Nonstal], Tal u. Landsch. (Trient), Ital.

Anapium: Annappes (Nord), Frankr.

Anarasum: Anras (O-Tirol), Österr.

Anasa → Anesus

Anasia, Anausia, Aenesi: Ober- u. Niederense (Westfalen), Deutschl.

Anassianensis ager: Niederösterreich, Land, Österr.

Anassianum, Anassum, Anisia, Anesus, Anasus, Enesus, Enasa, Ensium civ.: Enns (O-Österr.), Österr.

Anassum → Anassianum

Anasus → Anassianum

Anasus → Anesus

Anathilia → s. Aegidii villa

Anaunia → Anania

Anausia → Anasia

Anaxipolis: Městec Králové [Königsstadtl] (Böhmen), Tschechoslow.

Ancelli Burbo → Burbo Anselmi

Ancencimbra → Zimbra

Ancenesium, Angenisium, Angenium: Ancenis (Loire-Atlantique), Frankr.

Anchenruti: Ankenreute (Württemberg), Deutschl.

Anciacum: Ancy-le-France (Yonne), Frankr.

Anclamium: Anklam (Pommern), Deutschl.
Anconitanus ager → Marchia Anconitana
Ancora → Albertum
Ancunum, Acunum, Acusio colonia, Acusio Segalaunorum: Ancône (Drôme), Frankr.
Andarnacum → Auturnacum
Andecamulum: Rancon (Haute-Vienne), Frankr.
Andegabum, Andegavum, Andegavis, Juliomagus Andium: Angers (Maine-et-Loire), Frankr.
Andegavense Brisacum → Brisacum Andegavense
Andegavensis ager, Andegavorum, Andegovinorum comit.: Anjou, Prov. (Maine-et-Loire, Mayenne, Sarthe, Indre-et-Loire), Frankr.
Andegavis → Andegabum
Andegavorum comit. → Andegavensis ager
Andegavum → Andegabum
Andegovinorum comit. → Andegavensis ager
Andela, Andelahense coenob.: Andlau (Bas-Rhin), Frankr.
Andelagus → Andeleium
Andelahense coenobium → Andela
Andelaon → Andennae
Andelaus → Andelocium
Andelaus → Andennae
Andeleium, Andeliacum, Andelagus, Andelium: Les Andelys (Eure), Frankr.
Andeliacum → Andeleium
Andelium → Andeleium
Andelocium, Andelaus: Andelot (Haute-Marne), Frankr.
Andelus → Pampalona
Andematunum, Lingonae, Lingones, Langonum urbs, Lingonum civ.: Langres (Haute-Marne), Frankr.
Andennae, Andelaus, Andelaon: Andenne (Namur), Belg.
Andeolii burgus, Vivariense monast.: Bourg-Saint-Andéol (Ardèche), Frankr.
Anderlacum: Anderlecht (Brabant), Belg.
Andernachis → Auturnacum
Andernacum → Auturnacum
Andernensis villa → Andria
Anderpus → Antwerpium
Andethannae → Epternacum
Andevorpum → Antwerpium
Andowera: Andover (Hampshire), Engl.
Andracium: Buchenort (O-Österr.), Österr.
Andranacum → Auturnacum
s. Andreae burgus: Andreasberg (Hannover), Deutschl.
s. Andreae coenobium → Andreopolis
s. Andreae fan.: Saint-André (Alpes-Maritimes) Frankr.
s. Andreae fan. → Senderovia
s. Andreae insula, Ros insula: Sankt-Andrä-Insel [Andreasinsel, Szent Endre- od. Szentendre-Insel], Ins. bei Vác [Waitzen] (Pest), Ung.
s. Andreae monast.: Saint-André (Charente), Frankr.
Andrei villa in pago Megenensi → Auturnacum
Andrenacum → Auturnacum
Andrensis villa → Andria
Andreopolis, s. Andreae coenob., Reguli fanum: Saint Andrews (Fifeshire), Schottl.
Andresiacum: Andrésy (Seine-et-Oise), Frankr.
Andretium: Klis [Clissa] (Kroatien), Jugoslaw.
Andria: Andria (Bari), Ital.
Andria, Andernensis villa, Andren-

sis villa: Andres (Pas-de-Calais), Frankr.

Andurnum: Andorno (Novara), Ital.

Andusara, Anduxara, Uciense castr.: Andújar (Jaén), Span.

Andusia: Anduze (Gard), Frankr.

Anduxara → Andusara

Anecium, Annecium, Annesium, Annesiacum: Annecy (Haute-Savoie), Frankr.

Aneda → Alata castra

s. **Anemundi castr.**, s. **Chanemundi fan.:** Saint-Chamond (Loire), Frankr.

Anesus → Anassianum

Anesus, Enesus, Enasa, Anasus, Enesis, Anisus, Anasa: Enns, Nfl. d. Donau (O-Österr.), Österr.

Anetum palatium: Anet (Eure-et-Loir), Frankr.

Angaria, Aggeri, Aggerimensis, Angeriensis: Enger (Westfalen), Deutschl.

Angela: Angelmann (Westfalen), Deutschl.

Angeli castell., Angelicum castr., Crescentii turris: Engelsburg [Castel Sant'Angelo, Torre dei Crescenzi], Bauwerk in Rom, Ital.

s. **Angeli civ.** → Santangellium

s. **Angeli civ., Angelopolis, Ad Angelos:** Sant'Angelo Lodigiano (Pavia), Ital.

Angelicum castrum → Angeli castellum

Angelopolis → s. Angeli civitas

Angelopolis → Santangellium

Angelorum cella, Engelhartescella, Joviacum: Engelhartszell (O-Österr.), Österr.

Angelorum mons: Engelberg (Obwalden), Schweiz.

Angelostadium → Ingolstadium

s. **Angelus Papalis** → Calium

Angenisium → Ancenesium

Angenium → Ancenesium

Anger, Angeris, Inger, Ingeris: Indre, Nfl. d. Loire (Indre-et-Loire), Frankr.

Angeriaci fan.: Saint-Jean-d'Angély (Charente-Maritime), Frankr.

Angeriensis → Angaria

Angeris → Anger

Angermannia: Angermanland, Landsch. (Norrland), Schwed.

Angermannus fluvius: Ångermanelf, Fl., Mü: Bottnischer Busen (Västernorrland), Schwed.

Angia, Angianum: Enghien (Hennegau), Belg.

Angia, Angianum: Enghien-les-Bains (Seine-et-Oise), Frankr.

Angianum → Angia

Angiensis Constantiensis lacus → Potamicus lacus

Angledura: Anglure (Marne), Frankr.

Angleriae comit.: Anghiera, eh. Grafsch. (Novara, Varese), Ital.

Anglesaga, Mona: Anglesey, Ins. (Irische See), Engl.

Anglia, Anglia minor: Angeln, Landsch. (Schleswig-Holstein), Deutschl.

Anglia, Britannia Romana, Britannia maior, Britannia propria: England.

Anglia media → Mercia (regnum)

Anglia minor → Anglia

Anglia orientalis: Ostanglien [East Anglia], eh. Kgr. u. Landsch. (Co. Norfolk u. Suffolk), Engl.

Anglicum mare → Oceanus Britannicus

Anglomonasterium, Angolmonasterium: Ingelmunster (W-Flandern), Belg.

Angolisma → Engolisma

Angolmonasterium → Anglommonasterium
Angolstadium → Ingolstadium
Angrina: Angeren (Geldern), Niederl.
Anguis mons: Sierra de Montánchez, Geb. (Cáceres), Span.
Angulisamum, Ingelhemium: Ober- u. Niederingelheim (Hessen), Deutschl.
Angulus Alpium: Albeck (Württemberg), Deutschl.
Angus, Angusia: Angus [eh. Forfar], Grafsch., Schottl.
Angusia → Angus
Anhaltinum, Anhaltinus principatus, Ascania: Anhalt, Hgt., Deutschl.
Anhaltinus principatus → Anhaltinum
Aniacum: Agny (Pas-de-Calais), Frankr.
Aniacum, Atanacum: Aignay-le-Duc (Côte-d'Or), Frankr.
Aniani eccl. Aurelianis: Aniane (Hérault), Frankr.
Aniani fan.: Saint-Aignan (Morbihan), Frankr.
Aniani fan.: Saint-Aignan (Sarthe), Frankr.
Anianus lacus: Agnano-See, eh. See bei Agnano Terme (Neapel), Ital.
Anicio → Anicium Velavorum
Anicium Velavorum, Vellavorum civ., Vellava urbs, Canicium, Anicio, Podium Aniciense: Le Puy-en-Velay [Le Puy] (Haute-Loire), Frankr.
Anilla → s. Carilesi oppidum
Anisandum → Annandi civitas
Anisia → Anassianum
Anisiacovicus: Anizy-le-Château (Aisne), Frankr.
Anisus → Anesus
Ankinaha, Enkinaha, Inchinaha, Echinacha, Enkina: Ecknachdorf (O-Österr.), Österr.
Anna: Valendas (Graubünden), Schweiz.
Annaberga, Annaburgum, Annaemontium: Annaberg (Sachsen), Deutschl.
Annaeburgum → Annaberga
Annaemontium → Annaberga
Annandi civ., Anisandum: Annan (Dumfriesshire), Schottl.
Annandi vallis → Annandia
Annandia, Annandi vallis: Annandale, Tal (Dumfriesshire), Schottl.
Annandus: Annan, Fl., Mü: Solway Firth (Dumfriesshire), Schottl.
Annecium → Anecium
Annesiacum → Anecium
Annesium → Anecium
Anni castra → Enna
Annibalis portus: Vila Nova da Portimão [Portimão] (Algarve), Portug.
Anninsula → s. Carilesi oppidum
Annonacum, Annoniacum: Annonay (Ardèche), Frankr.
Annoniacum → Annonacum
Anonium → Anania
Anraffa: Anraff (Waldeck), Deutschl.
Ansa, Antium, Assa Paulina: Anse (Rhône), Frankr.
Ansbachum → Onoldinum
Anseaticae urbes → Hanseaticae urbes
Ansela: Anstel (Rheinprov.), Deutschl.
Anselmi Burbo → Burbo Anselmi
Anselmium Borbonium → Burbo Anselmi
Anser, Serculus: Serchio, Fl., Mü: Mittelmeer (Pisa), Ital.
Anseria: Oye [Oye-Plage] (Pas-de-Calais), Frankr.
Anseris campus → Gansaraveldi

Ansloa, Ansloga, Asloa: Oslo [Kristiania, Christiania], Hst. v. Norwegen.
Ansloga → Ansloa
Anstruttera: Anstruther [Anster] (Fifeshire), Schottl.
Antaeupolis: Kau el Kebir (O-Ägypt.), Ägypten.
Antaradus, Carchusa, Tortosa: Tartoûs [Tartūs] (Latakia), Syrien.
Antebremacum, Antebrimacum: Ambernac (Charente), Frankr.
Antebrimacum → Antebremacum
Antennacum: Anthenay (Marne), Frankr.
Anternacum → Auturnacum
Anternaum → Auturnacum
Antesana: Andiesenhofen (O-Österr.), Österr.
Anthonina civitas → Trajectum ad Rhenum
Anthonium, Antonia: Antoing (Hennegau), Belg.
Antiana, Arriana: Udvár [Baranya-Udvard] (Baranya), Ung.
Antibarum: Bar [Antivari] (Montenegro), Jugoslaw.
Anticaria, Antiquaria: Antequera (Málaga), Span.
Antilia: Anthill (Bedfordshire), Engl.
Antillicae insulae: Antillen, Inselgruppe, Westindien.
Antimonasterium → Acuti monast.
Antiniacum: Antigny (Vienne), Frankr.
Antiniacum: Antigny-le-Château (Côte-d'Or), Frankr.
Antinoupolis: Cheikh Abadeh [Schech Abadeh] (M-Ägypt.), Ägypten.
Antipatris: Kalaat Ras el-'Ain östl. Tel Aviv, Israel.
Antiqua civitas → Halberstadium
Antiqua terra → Vetus terra
Antiquaria → Anticaria
Antiquipolis, Stargardia antiqua: Oldenburg (Schleswig-Holstein), Deutschl.
Antiquum castrum: Althausen [Olszówka] (W-Preußen), Deutschl.
Antiquum castr. → Flexum
Antiquum Passagium, Passagium: Altefähr auf Rügen (Pommern), Deutschl.
Antiquum vadum: Altenfurt (M-Franken), Deutschl.
Antiquus mons: Altenberg (M-Franken), Deutschl.
Antisidorum, Autisidorum, Audissidorum, Altisidorum, Alcedronensis urbs: Auxerre (Yonne), Frankr.
Antium → Ansa
Antium → Neptunium
Antium, Ilantium: Ilanz (Graubünden), Schweiz.
Antivestaeum promont., Bolerium promont.: Land's End, SW-Spitze v. Engl. (Co. Cornwall).
Antolvinga: Andelfingen (Württemberg), Deutschl.
Antona meridionalis, Hantona, Southantonia, Trisantonis portus: Southampton (Hampshire), Engl.
Antona septentrionalis: Northampton (Northamptonshire), Engl.
Antonacense castellum → Auturnacum
Antonae castellum → Hamptoni curia
Antonia → Anthonium
Antoniacum → Auturnacum
Antonii mons: Tönisberg (Rheinprov.), Deutschl.
Antonini et Adriani Balneae → Badena
s. Antonini villa: Saint-Antoine-de-Ficalba (Lot-et-Garonne), Frankr.

Antrafa: Antriff, Nfl. d. Schwalm (Hessen-Nassau), Deutschl.
Antrinacha → Auturnacum
Antrinum: Antrim (Co. Antrim), N-Irland.
Antuatum ager → Caballiacensis ager
Antwarpia → Antwerpium
Antwerpha → Antwerpium
Antwerpia → Antwerpium
Antwerpis → Antwerpium
Antwerpium, Antwerpia, Antwerpis, Antwerpo, Antwerpha, Antwarpia, Handowerpia, Andevorpum, Anderpus, Ambivaritum, Atuatuca: Antwerpen [Anvers] (Antwerpen), Belg.
Antwerpo → Antwerpium
Anxanum → Lancianum
Anxellodunum → Exelodunum
Anxia: Anzi (Potenza), Ital.
Anzinwilare → Azeluntwilare
Apamea → Birtha
Apamia, Apamiae, Fredelatum, Fridelacum: Pamiers (Ariège), Frankr.
Apamiae → Apamia
Apenestae → Vesta
Apenroa → Oppenra
Aperiascio → Eperiae
Aperiessium → Eperiae
Apezella: Arzell (Hessen-Nassau), Deutschl.
Aphrodisium → Sicca venerea
Aphroditopolis: Atfih [Atfiyeh] am Nil nö. El Fajum, Ägypten.
Apiaria, Appiarensis: Orjahovo [Orjachowo, Orehovo, Orechowo, Rahovo, Rachowo] (Vraca), Bulgarien.
Apica → Apsiacum
Apicium: Apice (Benevento), Ital.
Apoldia: Apolda (Thüringen), Deutschl.
Apollinares aquae → Seterrae aquae
Apollinopolis magna: Idfû [Edfu] (O-Ägypt.), Ägypten.
Apollinopolis parva: abgeg. nö. El Uqṣor [Luxor] (O-Ägypt.), Ägypten.
Apostolorum porta → Porta
Appacella → Abbatis cella
Appencellensis → Abbatis cella
Appenwilare: Appenweiler (Württemberg), Deutschl.
Appianum: Albiano (Trient), Ital.
Appiarensis → Apiaria
Appolitanense monast. → Abbatis cella
Apriancum: Chabrignac (Corrèze), Frankr.
Apriancum: Chevry-Cossigny (Seine-et-Marne), Frankr.
Aprimonasterium, Novientium, Eboreshemium: Ebersheim (Bas-Rhin), Frankr.
Aprimons → Ebersberga
Apruntum → Abrutium
Apsiacum, Apica, Epiacum, Eppficha: Epfig (Bas-Rhin), Frankr.
Apsorus → Absorus
Apsorus → Chrepsa
Apta Julia → Apta Vulgientium
Apta Vulgientium, Apta Julia: Apt (Vaucluse), Frankr.
Apua → Tremulus pons
Apud Indaginem Marchionis → Haganoa
Apud s. Judocum: Saint-Josse (Pas-de-Calais), Frankr.
Apulia: Piltene [Pilten] (Lettische SSR), UdSSR.
Aqua bella → Aqua pulchra
Aqua pulchra, Aqua bella, Bellae aquae, Carbonaria: Aiguebelle (Savoie), Frankr.
Aqua regia → Aegri
Aquae: Ax-les-Thermes (Ariège), Frankr.

Aquae → Aquisgranum
Aquae → Badena
Aquae calidae → Solis mons
Aquae Convenarum → Bagneriae
Aquae Helveticae, Ad Aquas Helvetias, Aquae Verbigenae, Bada, Badena, Badenia, Balnea naturalia, Balneae naturales, Castellum Aquarum, Castellum Thermarum, Padae, Thermae Helveticae, Thermopolis, Vicus Thermarum: Baden a. d. Limmat (Aargau), Schweiz.
Aquae Mattiacae → Visbada
Aquae Parisiorum → Balneoletum
Aquae Segestae → Baldomeri villa
Aquae Solis → Solis mons
Aquae sparsae → Petrocoriorum aquae
Aquae Verbigenae → Aquae Helveticae
Aquaeburgum: Wasserburg a. Inn (O-Bayern), Deutschl.
Aquaelupae, Lupiae aquae, Lupi amnis: Guadalupe (Cáceres), Span.
Aquarum castellum → aquae Helveticae
Aquasgranum → Aquisgranum
Aquelina → Engolisma
Aquense palatium → Aquisgranum
Aquensis insula: Île d'Aix, Ins. (Charente-Maritime), Frankr.
Aquensis urbs → Aquisgranum
Aquensis vicus, Bigerronum aquae: Bagnères-de-Bigorre (Hautes-Pyrénées), Frankr.
Aquesina → Engolisma
Aquianum: Évian-les-Bains (Haute-Savoie), Frankr.
Aquifolietum: La Houssaye-en-Brie (Seine-et-Marne), Frankr.
Aquila, Ad Aquilas: Laigle (Orne), Frankr.
Aquila in Vestinis, Aquilia, Avia: L'Aquila [Aquila, L'Aquila degli Abruzzi] (L'Aquila), Ital.
Aquila provincia: L'Aquila [Aquila], Prov. (Abruzzen u. Molise), Ital.
Aquilaria → Agilara
Aquilegia → Ala
Aquilejense monast., Aquilense, Brennovicum, Maurianum monast., Mauri monast., Mauromonasterium, Maioris monast., Maius monast., s. Joannis in valle Mauroana monast.: Marmoutier [Maursmünster] (Bas-Rhin), Frankr.
Aquilense → Aquilejense monast.
Aquilesina → Engolisma
Aquilia → Aquila in Vestinis
Aquilinus → Eglis
Aquilonaris marchia → Nortmarchia
Aquilonaris silva → Gabreta silva
Aquilonia → Acilio
Aquilonium → Acilio
Aquincum → Buda
Aquis → Aquisgranum
Aquis palatium → Aquisgranum
Aquiscinctum: Anzin [Anchin] (Nord), Frankr.
Aquisgrani → Aquisgranum
Aquisgranum, Aquisgrani, Aquis palatium, Granum palatium, Palatium aquae, Granis aquae, Aquae, Aquasgranum, Grani palatium, Aquense palatium, Aquis, Aquensis urbs: Aachen (Rheinprov.), Deutschl.
Aquistriae → Guistrium
Aquitanicum mare → Cantabricum mare
Aquitanicus oceanus → Cantabricum mare
Aquula, Acula, Tarinae aquae: Acquapendente (Rom), Ital.
Ara: Ahr, Nfl. d. Rheins (Rheinprov.), Deutschl.

Ara → Abrinca
Ara → Brandinos
Ara → Ora
Ara, Hara: Altenahr (Rheinprov.), Deutschl.
Ara Caesaris: Arsago (Mailand), Ital.
Ara lapidea, Lapidea arx, De Praeclara: Pöchlarn (N-Österr.), Österr.
Ara Ubiorum → Bonna
Arabonensis comit., Javariensis comit., Jawariensis comit.: Raab (Györ), eh. Komitat (Györ-Sopron), Ung.
Arabrace: Arapkír [Arabkir] (Malatya, Kommagene), Türkei.
Araceli → Aracilium
Aracilium, Araceli: Huarte-Araquil (Pamplona), Span.
Aracosia: Ariza (Zaragoza), Span.
Aradiensis comit., Orodiensis comit.: Arad, eh. ung. Komit. (Arad), Rumän.
Arae Bacchi → Bacaracum
Arae Jovis → Aranguesia
Arae Patrenses: Pátrai [Patras, Paträ] (Achaia), Griechenl.
Aragnum: Aernen (Wallis), Schweiz.
Aragonense castr. → Emporiae
Aragonia, Celtiberia, Iberia terra: Aragonien [Aragón], eh. Kgr. u. Landsch., Span.
Aramonoeum, Aramons: Aramon (Gard), Frankr.
Aramons → Aramonoeum
Arandis → Ulricum
Aranguesia, Arae Jovis: Aranjuez (Madrid), Span.
Arania → Brandinos
Aranum, Arunci, Septem arae: Arronches (Alto Alemtejo), Portug.
Arar → Argenza
Araris → Abrinca
Araris → Argenza
Araris pagus → Argogia
Araugia, Aravia, Arowa, Arovia, Arovium: Aarau (Aargau), Schweiz.
Araur → Arauraris
Arauraris, Araur, Arauris, Araurius, Eravus, Rhauraris: Hérault, Fl., Mü: Golfe du Lion (Hérault), Frankr.
Arauris → Arauraris
Araurius → Arauraris
Arausiacum → Oragnia
Arausio → Oragnia
Arausionis castr.: Oranienburg (Brandenburg), Deutschl.
Aravia → Araugia
Arbacala: Villena (Alicante), Span.
Arbona, Arbor Felix: Arbon (Thurgau), Schweiz.
Arbor Felix → Arbona
Arborea, Oristana: Oristano (Sardinien), Ital.
Arborella → Episcopi villa
Arborosa → Arbosia
Arbosia, Arbosium, Arborosa: Arbois (Jura), Frankr.
Arbosium → Arbosia
Arbuda, Tininium: Knin (Kroatien), Jugoslaw.
Arburgum, Arolaeburgum, Arolae mons: Aarburg (Aargau), Schweiz.
Arca, Arcua, Arquae, Arcae palatium, Arcae Caletenses, Archarum castr.: Arques-la-Bataille (Seine-Maritime), Frankr.
Arcadiopolis → Bergulae
Arcae Caletenses → Arca
Arcae Eburovicum pons → Arcuatus pons
Arcae palatium → Arca
Arcae Remenses → Carolopolis
Arcarum pons → Arcuatus pons

Arcegovina (regio): Herzegowina [Hercegovina], Land u. Teil v. Bosnien-Herzegowina, Jugoslaw.
Arcennum, Arcenum, Brecennum, Braccianum, Brygianum: Bracciano (Rom), Ital.
Arcenum → Arcennum
Arces ad angustias Hellesponti: die Festungswerke an den Dardanellen (Meeresstraße zw. d. Halbins. Gallipoli u. Kleinasien), Türkei.
Archa → Herka
Archangelopolis, s. Michaeli Archangeli fan., Michaelopolis: Archangelsk [Archangel, Neu Cholmogor, Nowo Cholmogory] (RSFSR), UdSSR.
Archarum castrum → Arca
Archembaldi Burbo → Borboniae aquae
Archiacum, Arciacensis Campania, Artiacum villa super fluvium Albam: Arcis-sur-Aube (Aube), Frankr.
Archiae pons → Arcuatus pons
Archipelagus: Ägäisches Meer [Aigaion Pelagos, Aigaios Pontos].
Arciacensis Campania → Archiacum
Arcilacis → Vergilia
Arcimbaldi Burbo → Borboniae aquae
Arcius: Are, Nfl. d. Isère (Savoie), Frankr.
Arcolium, Arcus Juliani: Arcueil (Seine), Frankr.
Arctica terra → Pigrum mare
Arctopolis → Ursorum castr.
Arctopolis → Verona
Arctopolis, Bernburgum, Ursopolis: Bernburg (Anhalt), Deutschl.
Arcua → Arca
Arcuatus pons, Arcus pons, Pons de Arcis, Archiae pons, Arcarum pons, Arcae Eburovicum pons: Pont-de-l'Arche (Eure), Frankr.
Arcum: Arkona, Vorgeb. auf Rügen (Pommern), Deutschl.
Arcus Juliani → Arcolium
Arcus pons → Arcuatus pons
Arda, Ardaha: Aar, Nfl. d. Lahn (Hessen-Nassau), Deutschl.
Ardaca, Ardaha: Ardagh (Co. Cork), Eire.
Ardaha → Arda
Ardaha → Ardaca
Ardartum: Ardfert (Co. Kerry), Eire.
Ardea: Ardes [Ardes-sur-Couze] (Puy-de-Dôme), Frankr.
Ardea, Ardra, Ardresium, Ardretium, Ardense oppid., Hardres: Ardres (Pas-de-Calais), Frankr.
Ardenburgum, Rodembergum: Aardenburg (Seeland), Niederl.
Ardenna → Ardennensis silva
Ardenna → Osneggi montes
Ardennensis silva, Ardoennensis, Ardenna, Arduenna, Arduina silva, Arduendunum: die Ardennen [Ardenner Wald, Les Ardennes, Ösling], Geb., Belg. u. Frankr.
Ardense oppidum → Ardea
Ardesca: Ardèche, Nfl. d. Rhône (Ardèche), Frankr.
Ardevicum → Harderovicum
Ardexis: Ardez [Steinsberg] (Graubünden), Schweiz.
Ardimacha, Ardmacha, Armacanum: Armagh, Grafsch. u. Stadt, N-Irland.
Ardiscus: Argeş [Argeşul, Ardschisch], Nfl. d. Donau (Iltov), Rumän.
Ardiscus, Arga: Curtea de Argeş (Walachei), Rumän.
Ardmacha → Ardimacha
Ardoennensis → Ardennensis silva
Ardra → Ardea

Ardresium → Ardea
Ardretium → Ardea
Ardruvium → Ordrusium
Ardua ex monte: Villard-Eymont (Isère), Frankr.
Ardua retro montem: Villard-Reymond (Isère), Frankr.
Ardua villa: Villard-de-Lans (Isère), Frankr.
Arduendunum → Ardennensis silva
Arduenna → Ardennensis silva
Arduina silva → Ardennensis silva
Areae, Obia: Hyères (Var), Frankr.
Areburgium, Aremontium, Areburium: Arenberg (Rheinprov.), Deutschl.
Areburium → Areburgium
Arecanum, Arenacum, Arnhemium, Arnum: Arnheim (Gelderland), Niederl.
Aredata → Lincia
Aredatum → Lincia
Aredunovicus: Ardin (Deux-Sèvres), Frankr.
Arefluctus → Harflevium
Aregia → Alburacis
Arelas → Arelatensis colonia
Arelate → Arelatensis colonia
Arelatense regn. → Burgundia (regnum)
Arelatensis colonia, Arelate, Arelatum, Arelas, Constantia: Arles [Arles-sur-Rhône] (Bouches-du-Rhône), Frankr.
Arelatum → Arelatensis colonia
Aremonia nova → Aemonia nova
Aremontium → Areburgium
Arenacum → Arecanum
Arenae Olonenses: Les Sables-d'Olonne (Vendée), Frankr.
Arensberga: Arensberg (Pr. Sachsen), Deutschl.
Arensium: Arleux (Nord), Frankr.
Arenswaldensis civ.: Arnswalde (Brandenburg), Deutschl.
Areopolis → Udvarhelyium
Areverno → Claromontium
Arga → Ardiscus
Argadia, Argathelia: Argyllshire, Grafsch., Schottl.
Argaionense castr., Augustoalbense castr., Virgao, Urgao, Urgavonense municipium: Arjona (Jaén), Span.
Argathelia → Argadia
Argelia: Artern (Pr. Sachsen), Deutschl.
Argensis mons → Montargium
Argentacum: Argentat (Corrèze), Frankr.
Argentalis burgus: Bourg-Argental (Loire), Frankr.
Argentaria: L'Argentière-la-Bessée (Hautes-Alpes), Frankr.
Argentaria → Argentoratum
Argentaria, Argentovaria, Argentuaria, Robus: Horbourg [Horburg] (Haut-Rhin), Frankr.
Argenteus mons: Sierra de Segura, Geb. (Andalusien), Span.
Argentina: Zvornik (Bosnien-Herzegowina), Jugoslaw.
Argentina → Argentoratum
Argento, Argentomagus, Pictonum: Argenton-Château (Deux-Sèvres), Frankr.
Argentolum: Argenteuil-sur-Armançon (Yonne), Frankr.
Argentolum ad Sequanam: Argenteuil [Argenteuil-sur-Seine] (Seine-et-Oise), Frankr.
Argentomagus: Argenton-sur-Creuse (Indre), Frankr.
Argentomagus → Argento
Argentomum: Argentan (Orne), Frankr.
Argentoratum, Argentina, Argentum, Argentaria, Argentoria, Strato-

burgis, Stradburgo, Stazburgensis, Straceburgensis: Strasbourg [Straßburg] (Bas-Rhin), Frankr.
Argentoria → Argentoratum
Argentovaria → Argentaria
Argentuaria → Argentaria
Argentum → Argentoratum
Argenus → Viducasses
Argenza, Arar, Araris, Ergitia: Ehn, Nfl. d. Ill (Bas-Rhin), Frankr.
Argerium → Algerium
Argi mons → Montargium
Arginus mons → Montargium
Argogia, Argoya, Argovia, Arguna, Araris pag., Verbigenus pag., Urbigenus pag.: Aargau, Kanton, Schweiz.
Argonna, Argonnensis silva: die Argonnen [Argonner Wald, L'Argonne], Geb. (Champagne), Frankr.
Argonnensis silva → Argonna
Argous portus, Ferrarius portus: Portoferraio auf Elba (Livorno), Ital.
Argovia → Argogia
Argoya → Argogia
Arguna → Argogia
Argus mons → Montargium
Arhaugia: Ahrgau, Landsch. (Rheinprov.), Deutschl.
Arhusia → Aarhusium
Aria Atrebatum, Aena, Heria, Atura, Vicojulium: Aire-sur-la-Lys (Pas-de-Calais), Frankr.
Arialbinum: Binningen (Basel), Schweiz.
Ariani castr., Arianum: Ariano (Rovigo), Ital.
Arianorum castellum → Sostomagus
Arianum → Ariani castrum
Ariarica pons → Pontarlium
Aricinus lacus → Aricius lacus
Aricius lacus, Aricinus lacus: Nemisee [Lago di Nemi], See (Rom), Ital.
Arida Gamancia → Arroasia
Aringovensis pag.: Argengau, eh. Landsch. (Württemberg), Deutschl.
Arinianum: Arignano (Turin), Ital.
Ariodunum: Erding (O-Bayern), Deutschl.
Aripolis → Ingolstadium
Arisburgum → Eresburgum
Aristadium → Arnstadium
Aristallium → Herestallium
Arlabeca → Herlebeca
Arlantum, Arlatovicus: Arlanc (Puy-de-Dôme), Frankr.
Arlapa → Erlaphus
Arlatovicus → Arlantum
Arlaunum → Arlunum
Arliae pons → Pontarlium
Arlunum, Arlaunum, Arolunum, Arolaunum, Orolaunum, Oralunum: Arlon (Luxemburg), Belg.
Armacanum → Ardimacha
Armasanicae: Aimargues (Gard), Frankr.
Armbuglia: Arenbögel (Westfalen), Deutschl.
Armeniacensis comit., Armeniacum: Armagnac, Landsch. (Gers), Frankr.
Armeniacum → Armeniacensis comit.
Armenopolis: Gherla [Armenierstadt, Számos-Újvárš] (Cluj), Rumän.
Armentariae, Armenteria: Armentières (Nord), Frankr.
Armenteria → Armentariae
Armentio: Armançon, Nfl. d. Yonne (Yonne), Frankr.
Arminii arx: Hermannsburg (Hannover), Deutschl.
Armorica, Armoricanus tractus, Bri-

tannia minor, Britannia cismarina: Bretagne, Landsch. u. eh. Hgt., Frankr.
Armoricae Orae → Letavia
Armoricanus tractus → Armorica
Arnacum Ducum, Arnetium Ducium, Arnejum Ducis, Vidubio: Arnay-le-Duc (Côte-d'Or), Frankr.
Arnafa, Arnapha, Arnapa: Erft, Nfl. d. Rheins (Rheinprov.), Deutschl.
Arnago → Ernaginum
Arnapa → Arnafa
Arnapha → Arnafa
Arnari → Ornari
Arnasia: Mázia [Matsch] (Bozen), Ital.
Arnavia: Hostinné [Arnau] (Böhmen), Tschechoslow.
Arnejum Ducis → Arnacum Ducum
Arnemuda: Arnemuiden (Seeland), Niederl.
Arnetium Ducium → Arnacum Ducum
Arnhemium → Arecanum
Arnolshova: Arnoldshof (O-Bayern), Deutschl.
Arnostadium → Arnstadium
Arnowa: Ober- u. Frauenornau (O-Bayern), Deutschl.
Arnstadium, Arnostadium, Aristadium: Arnstadt (Thüringen), Deutschl.
s. Arnulphi oppid.: Saint-Arnoult-des-Bois (Eure-et-Loir), Frankr.
Arnum → Arecanum
s. Arodius → Atanus
Arola → Abrinca
Arolae mons → Arburgum
Arolaeburgum → Arburgum
Arolaunum → Arlunum
Arolunum → Arlunum
Aromata promont.: Kap Guardafui, d. östl. Landspitze v. Afrika, Somalia.
Arosia: Västerås [Westerås] am Mälarsee (Västmanland), Schwed.
Arosia Orientalis → Upsalia
Arosis → Orontes
Arosius fluv.: Arroux, Nfl. d. Loire (Saône-et-Loire), Frankr.
Arothia: Arolsen (Waldeck), Deutschl.
Aroverno → Claromontium
Arovia → Araugia
Arovium → Araugia
Arowa → Araugia
Arpacona → Arpajonum
Arpajoni castrum → Arpajonum
Arpajonum, Arpajoni castr., Arpacona: Arpajon (Seine-et-Oise), Frankr.
Arquae → Arca
Arquata, Arquatum: Arqua (Padua), Ital.
Arquata, Arquatum: Arqua (Rovigo), Ital.
Arquatum → Arquata
Arrabo → Raba
Arriaca → Carraca
Arriana → Antiana
Arroa: Arröe [Aerö], Ins. sdl. Fünen, Dänem.
Arroasia, Arida Gamancia, Arrowasia: Arrouaise bei Le Transloy (Pas-de-Calais), Frankr.
Arrobo → Raba
Arrosa: Aire, Nfl. d. Aisne (Ardennes), Frankr.
Arrowasia → Arroasia
Arsignanum, Lanae arx: Arzignano (Vicenza), Ital.
Arsinarium promont.: Cap Vert [Kap Verde], die westl. Spitze Afrikas, Sénégal.
Arta, Arte: Arth (Schwyz), Schweiz.
Artabrum promont. → Finisterrae promont.
Artajum: Artas (Isère), Frankr.

Artaxata, Neronia: Artaschat am Aras bei Eriwan (Armenische SSR), UdSSR.
Arte → Arta
Artegia: Athis [Athis-Mons] (Seine-et-Oise), Frankr.
Artemisium Dianium → Hemeroscopium
Artesia, Atrebatensis comit.: Artois, Landsch. u. eh. Grafsch. (Pas-de-Calais), Frankr.
Arthenaeum: Artenay (Loiret), Frankr.
Artiacum, Artiacum villa supra flumen Ararim: Arcey (Doubs), Frankr.
Artiacum villa super fluvium Albam → Archiacum
Artiacum villa supra flumen Ararim → Artiacum
Artobriga: Arzberg (O-Österr.), Österr.
Artzesium → Arzes
Arula → Abrinca
Arula mons: Arlberg [Arlbergpaß], Paß zw. Vorarlberg u. Tirol, Österr.
Arulae: Arles-sur-Tech (Pyrénées-Orientales), Frankr.
Arulae pons → Bruga
Arunci → Aranum
Aruntina: Arundel (Co. Sussex), Engl.
Arus silvensis: Adour, Fl., Mü: Golf v. Biscaya (Basses-Pyrénées), Frankr.
Arusena → Abensperga
Arusium → Aarhusium
Arva: Alcoléa del Rio (Sevilla), Span.
Arva: Avre, Nfl. d. Eure (Eure-et-Loir), Frankr.
Arvensis comit.: Arva, eh. ung. Komit. (Slowakei), Tschechoslow.
Arvernia → Alvernia
Arvita, Arwitti: Erwitte (Westfalen), Deutschl.
Arvonia: Caernarvonshire, Grafsch., Engl.
Arvonia, Seguntium: Caernarvon [Carnarvon] (Caernarvonshire), Engl.
Arwitti → Arvita
Arx → Burgum
Arzaniorum oppidum → Thospia
Arzes, Artzesium: Erciş [Akanis] (Van; O-Anatolien), Türkei.
Asa →Hasa
Asalpha, s. Asaphi fan., Elva: Saint Asaph [Llanelwy] (Flintshire), Engl.
s. Asaphi fanum → Asalpha
Asbania → Hasbania
Asbanicum → Hasbania
Asbiki: Esbeck (Westfalen), Deutschl.
Asboka, Asbokae: Asbeck (Westfalen), Deutschl.
Asbokae → Asboka
Asca, Ascha, Aschaha, Askaha: Aschach (O-Österr.), Österr.
Ascaha: Eschach (Württemberg), Deutschl.
Ascaha, Asgaha, Jasgaha: Waldaschach (U-Franken), Deutschl.
Ascahi, Cochalensis villa, Covalacae: Kochel (O-Bayern), Deutschl.
Ascalingium: Ahlden (Hannover), Deutschl.
Ascania → Anhaltinum
Ascania, Ascaria: Aschersleben (Pr. Sachsen), Deutschl.
Ascaria → Ascania
Ascha: Äschach (Bayern, RB. Schwaben), Deutschl.
Ascha → Asca
Aschaffenburgum → Schaffnaburgum

Aschaha → Asca
Aschenza: Eschenz (Thurgau), Schweiz.
Aschera: Aschern (Thüringen), Deutschl.
Aschowa, Ascwia: Eschau (Bas-Rhin), Frankr.
Asci: Esch (Hannover), Deutschl.
Asciburgi montes, Vandalici montes, Gigantei montes: Riesengebirge [Krkonoše], Geb., Deutschl. (Schlesien) u. Tschechoslow. (Böhmen).
Asciburgium: Asberg (Rheinprov.), Deutschl.
Asciburgius mons → Silentius mons
Asciburgum → Dispargum
Ascinium → Esna
Asciriches Brucca → Brucca
Ascloha, Aseloha, Haslacum: Elsloo (Limburg), Niederl.
Ascowilare: Eschweiler (Rheinprov.), Deutschl.
Ascradis: Aizkraukle [Ascheraden] in Livland (Lettische SSR), UdSSR.
Ascrivium → Catharus
Ascwia → Aschowa
Aseloha → Ascloha
Asenbruggensis → Osnabrugga
Asgabrunnum: Eschborn (Hessen-Nassau), Deutschl.
Asgaha → Ascaha
Asia → Hassia
Asila → Bruttiorum ins.
Asinarus fluv.: Asinaro, Fl., Mü: Golfo di Noto (Siracusa), Ital.
Asindo → Assidonia
Asisinatium municipium → Assisium
Asithi: Oesede (Hannover), Deutschl.
Asium → Aesium
Asius → Clavarum
Asius fluv.: Chiascio [Chiagio], Nfl. d. Tiber (Perugia), Ital.
Askaha → Asca
Asloa → Ansloa
Asnapium → Ganipa
Asnesum, Sanctum promont.: Assens (Fünen), Dänem.
Asnidia → Astnidensis civitas
Asnoburgensis → Osnabrugga
Asoltesleba: Andisleben (Pr. Sachsen), Deutschl.
Asopus: Aspe (Hannover), Deutschl.
Asovia, Assovium: Asow (RSFSR), UdSSR.
Aspadana: Esfahan [Isfahan, Ispahan], Iran.
Aspalatos → Spalatrum
Aspera: Asperen (S-Holland), Niederl.
Aspera vallis: Vallespir, Landsch. (Pyrénées-Orientales), Frankr.
Asperencia → Sparnacum
Aspis: Aspe (Alicante), Span.
Aspis, Aspis in Tripolitana: abgeg. am Mittelmeer (Trabulus), Libyen.
Aspis in Tripolitana → Aspis
Aspola: Aspel (Rheinprov.), Deutschl.
Asprenaca → Sparnacum
Aspricollis → Acutus mons
Asprimons → Asprimontium
Asprimontium, Asprimons: Aspremont (Hautes-Alpes), Frankr.
Assa: Asse, Berg im Harz (Braunschweig), Deutschl.
Assa → Hasa
Assa Paulina → Ansa
Asschaberga: Ascheberg (Westfalen), Deutschl.
Asschinha → Oberescha
Assia → Hassia
Assidonia, Asindo, Methymna Sidonia: Medina-Sidonia (Cádiz), Span.
Assindensis → Astnidensis civitas

Assindia → Astnidensis civitas

Assinium: Assynt (Sutherlandshire), Schottl.

Assisium, Asisinatium municipium: Assisi (Perugia), Ital.

Assovium → Asovia

Asta regia → Xeresium

Astanholteremarki: Osterholz [Osterholz-Scharmbeck] (Hannover), Deutschl.

Astania → Aichstadium

Astarcensis ager, Astracum: Astarac, Landsch. (Haute-Garonne), Frankr.

Astawalda: Oostwald (Groningen), Niederl.

Astenbechi: Astenbeck (Hannover), Deutschl.

Asterburgi → Osterburga

Asterga → Osterga

Asterhusum: Osterhusen (Hannover), Deutschl.

Asthuvilla, Rammashuvilla: Ramshövel (Westfalen), Deutschl.

Astigis, Astygis vetus, Firma Augusta: Écija (Sevilla), Span.

Astnidensis civ., Assindensis, Essendiensis civ., Aesnidi, Essendia, Assindia, Asnidia: Essen (Rheinprov.), Deutschl.

Astracum → Astarcensis ager

Astraeus, Inachus fluv.: Vistritsa [Bistritsa], Nfl. d. Spercheiós (Sterea Hellas), Griechenl.

Astringi → Osterga

Astula → Grabovia

Asturga, Asturgia, Asturica colonia: Astorga (León), Span.

Asturgia → Asturga

Asturia → Austria

Asturica colonia → Asturga

Asturis → Neuburga

Astygis vetus → Astigis

Atabyrinus mons → Itabyrius mons

Atabyris mons: Ataïro, Berg auf Rhodos, Griechenl.

Atacinus vicus: Aussière (Aude), Frankr.

Atagis, Isarcus fluv., Eisacus, Isacus: Isarco [Eisack], Nfl. d. Adige [Etsch] (Bozen), Ital.

Atalanta: Atalante [Thalandonisi], Ins. im Nördl. Golf v. Euböa, Griechenl.

Atanacum → Aniacum

Atanense monasterium → Atanus

Atanus, Atanense monast., Athanatum, s. Aredius: Saint-Yrieix-la-Perche (Haute-Vienne), Frankr.

Atarseo: der Attersee [Kammersee] (O-Österr.), Österr.

Atelae Veromanduorum → Atellae villa

Atellae villa, Atelae Veromanduorum: Athies-sous-Laon (Aisne), Frankr.

Atesis → **Athesis**

Ateste, Adestum: Este (Padua), Ital.

Atha, Athum: Ath [Aat] (Hennegau), Belg.

Athanatum → Atanus

Athenae ad Ehnum → Helmstadium

Athenae ad Salam → Ihena

Athenae Anglorum → Oxonia

Athenae Rauracae → Basilea Rauracorum

Athenria: Athenry (Co. Galway), Eire.

Athernacum → Auturnacum

Athesia regio, Athesinus ager: Alto Adige [Oberetsch, Tiroler Etschland], Landsch. u. Teil der Region Trentino-Alto Adige, Ital.

Athesinus ager → Athesia regio

Athesis, Atesis, Addiga, Aedissa: Adige [Etsch], Fl., Mü: Adriat. Meer (Venezia), Ital.

Athiso, Atisis: Toce, Fl., Mü: Lago Maggiore, Ital.
Atholia: Athole, Landsch. (Perthshire), Schottl.
Athorpa: Atrop (Rheinprov.), Deutschl.
Athos Georgianus → s. Georgii mons
Athum → Atha
Athurnus: Volturno, Fl., Mü: Golfo di Gaeta (Caserta), Ital.
Atila → Attila
Atiliacum: Tilly (Eure), Frankr.
Atisis → Athiso
Atlanticus oceanus → Externum mare
Atrebatensis comit. → Artesia
Atrebates → Origiacum
Atrianus: Tartaro, Fl., Mü: Canale Bianco (Rovigo), Ital.
Attacum: Ateca (Zaragoza), Span.
Attalense coenobium: Ettal (O-Bayern), Deutschl.
Attegovia → Alcala regalis
Attendori: Attendorf (Steiermark), Österr.
Attila, Atila: Attel (O-Bayern), Deutschl.
Attiniacus: Attigny (Ardennes), Frankr.
Attipiacum: Attichy (Oise), Frankr.
Attoariorum pag. → Hatoariorum pag.
Attobriga, Veltenburgicum monast., Weltinopolis: Weltenburg (N-Bayern), Deutschl.
Attua → Abdua
Atuaticorum oppid. → Bellomontium
Atuatuca → Antwerpium
Atura → Aria Atrobatum
Aubiae → Amphiochia
Aubignium → Albiniacum
Auca → Auga
Aucensis fluv.: Oka, Nfl. d. Wolga (RSFSR), UdSSR.
Auclacum, Elcechum, Helcechum: Auxi-le-Château (Pas-de-Calais), Frankr.
Audemari pons → Alvemari pons
Audimus → Amoenus mons
Audissidorum → Antisidorum
Auditiacus → Baldomeri villa
s. Audoeni villa → Corobilium
d. Audomari fan., d. Audomari palatium, Audomaropolis, Audonoarum: Saint-Omer (Pas-de-Calais), Frankr.
d. Audomari palat. → d. Audomari fan.
Audomari pons → Alvemari pons
Audomaropolis → d. Audomari fanum
Audonoarum → d. Audomari fan.
Audriaca villa, Odreia villa: Orry-la-Ville (Oise), Frankr.
Audura, Autura, Ebura: Eure, Nfl. d. Seine (Eure), Frankr.
Audus saltus, Aurasius mons: Aurès [Djebel Aures], Geb. im O. von Algerien
Auerstadium, Averstadium, Awartestete: Auerstedt (Pr. Sachsen), Deutschl.
Aufona, Alaunus: Avon, Fl., Mü: Ärmelkanal (Hampshire), Engl.
Auga, Augae, Augur, Auca, Auglum: Eu (Seine-Maritime), Frankr.
Augae → Auga
Augea → Augia insula
Augea, s. Maria Augensis (monast.): Auer [Ora] (Bozen), Ital.
s. Augendi fan., s. Claudii fan., Claudiopolis: Saint-Oyen (Savoie), Frankr.
s. Augendi fan., s. Claudii fan., Claudiopolis, Sanclaudianum: Saint-Claude (Jura), Frankr.

Augense monasterium → Augia insula
Augensis → Augia insula
Augia → Auwa
Augia → Awa
Augia → Awia
Augia, Auwa, Awa: Au am Leithaberge (N-Österr.), Österr.
Augia, Awa, Ouwa: Au a. d. Donau (O-Österr.), Österr.
Augia, Awia: Au bei Wädenswil (Zürich), Schweiz.
Augia, Ougia: Au bei Freising (N-Bayern), Deutschl.
Augia Brigantia, Augia major: Mehrerau, Kl. (Vorarlberg), Österr.
Augia dives → Augia insula
Augia domini → Herginisowa
Augia inferior: Untere Au nö. Aflenz (Steiermark), Österr.
Augia insula → Ufnowa
Augia insula, Augia dives, Augia major, Auwa, Augea, Richenavia, Reichenavia, Sinlazesouwa, Sintleones Awa, Sinethlauzowa, Sintlezzesowa, Sintlozisaugia, Sinthlesaugia: Reichenau, Ins. im Bodensee (Baden), Deutschl.
Augia insula, Augia minor, Augensis, Augense monast.: Weißenau (Württemberg), Deutschl.
Augia lacus Tigurini → Ufnowa
Augia major → Augia Brigantia
Augia major → Augia insula
Augia maior → Rhenaugia
Augia minor → Augia insula
Augia Rheni → Rhenaugia
Augia sacra → Elgovia
Augia superior: Obere Au nö. Aflenz (Steiermark), Österr.
Augia Virginium: Magdenau (St. Gallen), Schweiz.
Auglum → Auga
Augminiona → Dalmannio
Augubium, Eugubium, Iguvium: Gubbio (Perugia), Ital.
Augur → Auga
Augusta Antonini, Gastinum, Gastenium: Gastein (Salzburg), Österr.
Augusta Auscorum, Auscitana civ., Climberis, Climberrum, Elimberrum: Auch (Gers), Frankr.
Augusta Dacica → Ulpia Trajana
Augusta Francorum → Augustodunum
Augusta Gambriviorum → Hammonia
Augusta Genannia → Augusta Vindelica
Augusta Leontinorum: Augusta [Agosta] (Syrakus), Ital.
Augusta Lugdunensis → Leona
Augusta Misnensium → Augustoburgum
Augusta Nemetum: Saint-Flour (Cantal), Frankr.
Augusta Nemetum → Nemetis
Augusta nova → Turris cremata
Augusta Pax → Begia
Augusta Raetorum → Augusta Vindelica
Augusta Rauracorum, Augusta Rauraca, Augusta Raurica: Augst (Basel-Land), Schweiz.
Augusta Raurica → Augusta Rauracorum
Augusta Romanduorum → Luciliburgum
Augusta Turgoiorum → Constantia
Augusta Turonum → Turoni civ.
Augusta Verumanduorum → Quintinianum
Augusta Vindelica, Augusta Vindelicorum, Augusta Vindelicia, Augusta Raetorum, Augusta Genannia, Augustidunum, Zigaris: Augs-

burg (Bayern, RB. Schwaben), Deutschl.
Augusta Vindelicia → Augusta Vindelica
Augusta Vindelicorum → Augusta Vindelica
Augustadia → Dea Vocontiorum
Augustae aqua → Tasta Datiorum
Augusti vicus: Sidi el Hani östl. Kairouan, Tunesien.
Augustidunum → Augusta Vindelica
s. Augustini parochia: Augustinusga (Friesland), Niederl.
Augustius → Acutus
Augustoalbense castr. → Argaionense castr.
Augustoburgum, Augusta Misnensium: Augustusburg, Schloß (Sachsen), Deutschl.
Augustodunensis pag.: Autunois, Landsch. u. eh. Gau (Saône-et-Loire), Frankr.
Augustodunum, Aequorum civ., Aeduorum civ., Hedua, Eduense palatium, Augusta Francorum: Autun (Saône-et-Loire), Frankr.
Augustodurum, Bajocae, Bajocassium civ., Naeomagus: Bayeux (Calvados), Frankr.
Augustoritum Lemovicum: Limoges (Haute-Vienne), Frankr.
Augustum: Aoste (Isère), Frankr.
Aulica, Aulicensis, Elzium, Regia aula: Elze (Hannover), Deutschl.
Aulicensis → Aulica
Aulisa → Vilisa
Aumignona: Omignon, Nfl. d. Somme (Somme), Frankr.
Aunus: Auneau (Eure-et-Loir), Frankr.
Aura: Aure, Nfl. d. Eure (Eure), Frankr.
Auracium, Auraicum, Aurascum: Auray (Morbihan), Frankr.
Auracum → Ura
Auraicum → Auracium
Auranana, Urana, Lauranum: Vrana [Aurana] sö. Zadar [Zara] (Kroatien), Jugoslaw.
Auranensis lacus: Vransko jezero [Vranasee, Lago di Vrana, Lago di Aurana], See sö. Zadar [Zara] (Kroatien), Jugoslaw.
Auraria Magna, Aurariacum: Abrud [Groß Schlatten] (Cluj [Klausenburg]), Rumän.
Auraria Parva: Zlatna [Zalatna, Kleinschlatten, Goldmarkt] (Alba Julia [Karlsburg]), Rumän.
Aurariacum → Auraria Magna
Aurascum → Auracium
Aurasium: Auras [Uraz] (N-Schlesien), Deutschl.
Aurasius mons → Audus saltus
Aurea → Aichstadium
Aurea Tempe, Aureum arvum, Planities aurea: Goldene Aue, Tal d. Helme (Pr. Sachsen), Deutschl.
Aurea vallis: Orval (Meuse), Frankr.
Aureatensis → Aichstadium
Aureatum → Aichstadium
Aurelia Aquensis civ. → Badena
Aureliacum, Auriliacum: Aurillac (Cantal), Frankr.
Aurelianense palatium, Aurelianum, Auriliana civ., Avrilanis civ.: Orléans (Loiret), Frankr.
Aurelianensis ager: Orléanais, Landsch. (Loir-et-Cher, Loiret, Eure-et-Loir, Seine-et-Oise, Indre), Frankr.
Aureliani pons → Aureolus pons
Aurelianum → Aurelianense palat.
Aurelianum, Origianum: Origano (Venetien), Ital.
s. Aurelii monasterium → Hirsaugia
Aureolus mons → Albanus mons

Aureolus pons, Aurelianii pons: Pontirol Nuove (Bergamo), Ital.
Aureum arvum → Aurea Tempe
Aureus mons: Monte d'Oro, Berg (Korsika), Frankr.
Aureus mons → Aurimontium
Aureus mons → Montorium
Aurgi, Flavium Aurgitanum, Jaena, Giennum, Gienna, Gihenninnia: Jaén (Jaén), Span.
Auri mons → Aurimontium
Auriacum: Auriac-de-Bourzac (Dordogne), Frankr.
Auriacum, Aurica: Aurich (Hannover), Deutschl.
Auriacum Ducis → Ura
Aurica → Auriacum
Auricum → Ulricum
Aurigera → Alburacis
Auriliacum → Aureliacum
Auriliana civitas → Aurelianense palatium
Aurimontanum, Ursimontanum: Ormont (Waadt), Schweiz.
Aurimontium, Auri mons, Aari mons, Aureus mons: Goldberg [Złotoryja] (N-Schlesien), Deutschl.
Auriniaca → Ebodia
Aurio: Évron (Mayenne), Frankr.
Auriolum → s. Claudii forum
Auripolis → Ingolstadium
Aurisium: Roth am Sand (M-Franken), Deutschl.
Auroffa: Ober- u. Niederauroff (Hessen-Nassau), Deutschl.
Ausa, Ausonensis vicus, Voconiae aquae: Vich (Barcelona), Span.
Ausara → Absorus
Ausara ins. → Chrepsa
Auscitana civ. → Augusta Auscorum
Ausimi, Ausimum: Osimo (Ancona), Ital.
Ausimum → Ausimi
Ausonensis vicus → Ausa
Ausonia → Italia
Ausoriensis civ. → Absorus
Ausoriensis ins. → Chrepsa
Aussona, Aussonica, Auxonia: Auxonne (Côte-d'Or), Frankr.
Aussonica → Aussona
Austa, Austia, Ustla: Ústí nad Labem [Aussig] (Böhmen), Tschechoslow.
Auster → Austrasia
Auster → Austria
Austerbatium → Austrebatium
Austeti, Awisteti, Ewisteti: Anstett (Salzburg), Österr.
Austia → Austa
Austrachia → Austrasia
Australis Bevelandia → Bevelandia australis
Austrasia → Austria
Austrasia → Orientalis plaga
Austrasia, Austrachia, Auster: Austrasien, Teil des Frankenreichs.
Austrasiacus → Austria
Austrasii → Austria
Austravia, Pratentia castra, Petrense oppid., Osterha, Osterhovensis eccl., Quintanis: Osterhofen (N-Bayern), Deutschl.
Austrebantensis pag. → Austrebatium
Austrebatium, Austerbatium, Austrebantensis pag.: Osterbant [Ostrebant], Landsch. (Pr. Hennegau, Dép. Nord), Belg. u. Frankr.
Austria → Francia orientalis
Austria → Licerium Conseranum
Austria, Asturia, Auster, Austrasia, Austrasiacus, Austrasii, Haustria, Luitbaldi marchionis marchia, Oriens, Orientale regnum, Orientalis pag., Ostericha, Marchia orientalis, Ostrogothia: Österreich

[Ostmark], Land (eh. Mgft. u. Hgt).

Austrifrancia → Francia orientalis

Ausugii vallis, Euganea vallis: Valsugana [Val Sugana], Tal (Trient), Ital.

Ausugum: Borgo di Valsugana (Trient), Ital.

Autina, Autinum: Ofena (Aquila), Ital.

Autinga → Oetinga

Autinum → Autina

Autisidorum → Antisidorum

Autreum → Altriacum

Autricum in Carnutibus → Carnotena urbs

Autura → Audura

Auturnacum, Anternacum, Andernacum, Andrenacum, Andranacum, Athernacum, Adarnacha, Antrinacha, Anternaum, Andernachis, Antoniacum, Antonacense castell., Andrei villa in pago Megenensi: Andernach (Rheinprov.), Deutschl.

Auva, Chemiagus, Chiemus lacus, Kymensis lacus, Chiemium, Chienum: Chiemsee, See (O-Bayern), Deutschl.

Auwa → Augia

Auwa → Augia ins.

Auwa, Augia: Au bei Freiburg (Baden), Deutschl.

Auwa, Augia, Ougia: Au im Bregenzerwald (Vorarlberg), Österr.

Auxellodunum → Exelodunum

Auxentium → Alisatia

Auxonia → Aussona

Auxumum: Aksum bei Adua (Tigre), Äthiopien.

Avallensis pag.: Avallonais, Landschaft (Yonne), Frankr.

Avalles, Avallis villa: Avaux [Avaux-le-Chateau] (Ardennes), Frankr.

Avallis villa → Avalles

Avallo → Aballo

Avallocium: Alluyes (Eure-et-Loir), Frankr.

Avalonia → Glasconia

Avaricum, Bitorica, Betorica, Beturigas, Betoregasci, Betoregas, Betorix: Bourges (Cher), Frankr.

Avario, Veronius: Aveyron, Nfl. d. Tarn (Tarn-et-Garonne), Frankr.

Avaticorum stagnum → Bibra lacus

Avedonaeum: Aunac (Charente), Frankr.

Aveirum → Averium

Avella Vaccaeorum: Villabon (León), Span.

Avellana, Avellum, Hasalaha: Burghaslach (M-Franken), Deutschl.

Avellum → Avellana

Avenacum, Aveniacum, Aventacum: Avenay-Val-d'Or (Marne), Frankr.

Avendi castr. → s. Romarici mons

Aveni pons: Pont-Aven (Finistère), Frankr.

Aveniacum → Avenacum

Avenio, Cavarum, Avennicorum civ.: Avignon (Vaucluse), Frankr.

Avenionensis comitatus → Venascinus comitatus

Avenlifius, Linius: Liffey [An Life], Fl., Mü: Dublin Bay (Co. Dublin), Eire.

Avennae, Avesnae, Avisnae: Avesnes-sur-Helpe (Nord), Frankr.

Avennicorum civ. → Avenio

Aventacum → Avenacum

Aventicensis lacus, Aventicus lacus, Murtensis lacus: Murtensee [Lac de Morat], See (Freiburg), Schweiz.

Aventicum: Avenches [Wiflisburg] (Waadt), Schweiz.

Aventicus lacus → Aventicensis lacus
Aventinum → Abensperga
Averium, Aveirum: Aveiro (Beira Litoral), Portug.
Aversae → Adversa
Averstadium → Auerstadium
Avesnae → Avennae
Aviarium → Petuera castrum
Aviliana → Ad Fines
Aviliana, Villiana, Ad Fines: Avigliana (Turin), Ital.
Avilla, Flavionavia: Avilés (Oviedo), Span.
Avimons: Oisemont (Somme), Frankr.
Aviscus mons → Episcopi mons
Avisium: Aviz (Alto Alemtejo), Portug.
Avisnae → Avennae
Avium: Avio (Trient), Ital.
Avolodia → Avolotium
Avolotium, Avolodia: Allonnes (Eure-et-Loir), Frankr.
Avonciensis → Aguntum
Avrences → Abrincae
Avrilanis civitas → Aurelianense palatium
Avus: Ave, Fl., Mü: Atlant. Ozean (Douro Litoral), Portug.
Awa → Augia
Awa, Augia, Ouwa: Au vorm Wald (N-Bayern), Deutschl.
Awanleiba: Auleben (Pr. Sachsen), Deutschl.
Awartestete → Auerstadium
Awia → Augia
Awia, Augia, Ouwa: Au sö. Rorschach (St. Gallen), Schweiz.
Awisteti → Austeti
Axa: Axbridge (Co. Somerset), Engl.
Axa, Axiacum: Essey (Côte-d'Or), Frankr.
Axa, Axiacum, Axium, Esseium: Essay (Orne), Frankr.
Axa, Axium, Esseium: Essey-les-Ponts (Haute-Marne), Frankr.
Axalita: Lora del Rio (Sevilla), Span.
Axanta → Uxantis
Axella, Axia: Axel (Seeland), Niederl.
Axelodunum → Haugustaldium
Axia → Axella
Axiacum → Axa
Axium → Axa
Axius → Vardarius
Axona: Aisne, Nfl. d. Oise (Oise), Frankr.
Axuna: Aime (Savoie), Frankr.
Ayennum: Ayen (Corrèze), Frankr.
Aygarus: Eygues, Nfl. d. Rhône (Vaucluse), Frankr.
Aymontium → Aiamontinum
Ayrolum, Oriens: Airolo (Tessin), Schweiz.
Azeluntwilare, Anzinwilare, Azzelenwilare: Atzenweiler (Württemberg), Deutschl.
Azinestedi, Azmestedi: Oßmannstedt (Thüringen), Deutschl.
Azmestedi → Azinestedi
Azzelenwilare → Azeluntwilare

B

Babardia, Baudobrica, Bobardia, Bochbardum, Bodabricum, Bodobria, Bontobrica, Boppardia, Botobriga: Boppard (Rheinprov.), Deutschl.
Babaria → Bavaria
Babeberga → Bamberga
Babecillum, Barbecillum, Barbezilus, Barbicellum: Barbezieux (Charente), Frankr.
Babenbergensis → Bamberga
Babina, Babinensis: Babiná [Bábaszék, Frauenstuhl] (Slowakei), Tschechoslow.
Babinensis → Babina
Babunewilare, Bobunewilare: Bennwihr [Bennweier] (Haut-Rhin), Frankr.
Babylonia → Bagdetia
Babylonium mare → Viride mare
Bacacum, Bagacum, Baiacum Nerviorum, Bavacum: Bavay (Nord), Frankr.
Bacaracum, Arae Bacchi, Bacheracum, Wacheracum, Bachracum, Bachoracum, Bacchiara, Naucravia: Bacharach (Rheinprov.), Deutschl.
Bacca → Basti
Baccae, Baccis villa, Baccium, Bactiacum: Bex (Waadt), Schweiz.
Bacchiara → Bacaracum
Baccis villa → Baccae
Baccium → Baccae
Bacenae, Ad Bacenas: Binasco (Mailand), Ital.
Baceroda: Baasrode [Baesrode] (O-Flandern), Belg.
Bacheracum → Bacaracum
Bachis: Bäch (Schwyz), Schweiz.
Bachoracum → Bacaracum
Bachracum → Bacaracum
Bacium, Bacivum, Basia, Basiacum, Basium: Baisieux (Hennegau), Belg.
Bacivum → Bacium
Bacodurum → Batavia
Baconia → Buchonia
Bacrodensis vicus: Marienrode (Hannover), Deutschl.
Bacsiensis comit.: Bács-Bodrog [Bačka, Batschka], eh. Komit. (Vojvodina), Jugoslaw.
Bactiacum → Baccae
Bada → Aquae Helveticae
Bada → Badena
Bada → Boda
Badaebrunna → Paderbronna
Badaliki → Badilicka
Badena → Aquae Helveticae
Badena, Aquae, Aurelia Aquensis civ., Bada, Balneae Antonini et Adriani, Calidae Aquae, Thermae Inferiores: Baden-Baden (Baden), Deutschl.
Badenia → Aquae Helveticae
Badenvilla, Badenvillense castrum: Badenweiler (Baden), Deutschl.
Badenvillense castrum → Badenvilla
Badilicka, Badaliki, Baduliki: Belecke (Westfalen), Deutschl.
Badonicus mons → Solis mons
Badrinus → Vatrenus
Badua: Badorf (Rheinprov.), Deutschl.
Baduanus pagus → Betuwa
Baduhenna silva → Septem saltus
Baduhennae lucus → Septem saltus
Baduliki → Badilicka
Baecula: Bailen (Jaén), Span.
Baetpalma → Bapalma
Bagacum → Bacacum

Bagalosum: Bakel (N-Brabant), Niederl.
Baganum: Baga (Barcelona), Span.
Bagaudarum castrum, Fossatense monast., s. Mauri Fossatensis abbatia: Saint-Maur-des-Fossés (Seine), Frankr.
Bagdadum → Bagdetia
Bagdetia, Babylonia, Bagdadum, Baldacum, Nova Babylon: Bagdad [Baghdad], Hst. v. Irak.
Bagella → Bugella
Bagisinus ager, Bajocassinus, Bajocensis ager, Bellocasius, Bojocassinus ager: Bessin, Landsch. (Calvados), Frankr.
Bagneriae, Aquae Convenarum: Bagnères-de-Luchon (Haute-Garonne), Frankr.
Bagyona, Bajonium: Bayon (Meurthe-et-Moselle), Frankr.
Baiacum Nerviorum → Bacacum
Bajanum → Tornacum Nerviorum
Bajenna → Salucia
Bailodium: Bailleul (Hennegau), Belg.
Bailodium, Baliolus, Belli locus: Baileux (Hennegau), Belg.
Baimocium, Baimoza, Baimotzensis: Bojnice [Bajmócz, Bodnice, Bojnic] (Slowakei), Tschechoslow.
Baimotzensis → Baimocium
Baimoza → Baimocium
Baina → Bennensis
Bainardi castell. → Bernardi castr.
Bajoaria → Bavaria
Baioaricus ducat. → Bavaria
Bajocae → Augustodorum
Bajocassinus ager → Bagisinus ager
Bajocassium civ. → Augustodorum
Bajocensis ager → Bagisinus ager
Baiolum → Balleolum
Bajona, Bojatum, Baionia, Lapurdum, Lasburdensis: Bayonne (Basses-Pyrénées), Frankr.
Baionia → Bajona
Baionium: Bayon (Gironde), Frankr.
Bajonium → Bagyona
Bajorzuna → Biertana
Baira → Barium
Bairiaci castr. → Brientii castr.
Bajuaria → Bavaria
Bajuvaria → Bavaria
Balbastro → Barbastrum
Balbia → Altomontium
Balcium, Bauzium, Bretolii: Les Baux-de-Breteuil (Eure), Frankr.
Baldacum → Bagdetia
Baldecki: Baldegg (Luzern), Schweiz.
Baldericheswilare: Baldensweiler (Württemberg), Deutschl.
Baldinga: Unterbaldingen (Baden), Deutschl.
Baldinga, Paldinga: Bahlingen (Baden), Deutschl.
Baldomeri villa, Aquae Segestae, Auditiacus: Saint-Galmier (Loire), Frankr.
s. Baldonerii monast. → s. Garmerii monast.
Baldum castell.: Castelbaldo (Padua), Ital.
Baldus portus → Balliae portus
Balearis maior → Maiorica ins.
Balga: Balgach (St. Gallen), Schweiz
Balga: Nauter, Fl., Mü: Frisches Haff (O-Preußen), Deutschl.
Balga castr.: Balga [Wessjoloje], (O-Preußen), Deutschl.
Balga curtis: Balge (Hannover), Deutschl.
Balgentiacum, Baugenciacum, Belgenciacum: Beaugency (Loiret), Frankr.
Balgiacum → Baugiacum
Balgiacum, Baugiacum, Boiacum: Bouhy (Nièvre), Frankr.
Balgium, Baugiacense castrum, Bau-

gium: Baugé (Maine-et-Loire), Frankr.
Baliolus → Bailodium
Ballava → Ballova
Balleolum, Baiolum, Ballolium: Bailleul-Sir-Berthoult (Pas-de-Calais), Frankr.
Balleretum: Belleray (Nièvre), Frankr.
Balliae portus, Baldus portus: Portbail (Manche), Frankr.
Balliola → Balliolum
Balliolum, Balliola, Ballolium, Belgiolum, Belliolum: Bailleul [Belle] (Nord), Frankr.
Ballolium → Balleolum
Ballolium → Balliolum
Ballova, Ballava: Balve (Westfalen), Deutschl.
Balma → Balma Puellarum
Balma → Bapalma
Balma Puellarum, Balma, Palma, Parma: Baume-les-Dames (Doubs), Frankr.
Balnea, Balneolae, Calidae aquae: Bagnols-sur-Cèze (Gard), Frankr.
Balnea naturalia → Aquae Helveticae
Balneae Antonini et Adriani → Badena
Balneae naturales → Aquae Helveticae
Balneolae → Balnea
Balneoletum, Aquae Parisiorum, Balneolum: Bagnolet (Seine), Frankr.
Balneolum: Bagnolo Mella (Brescia), Ital.
Balneolum: Bagnols-les-Bains (Lozère), Frankr.
Balneolum → Balneoletum
Balneoregium → Balneum regis
Balneum Mariae: Mariánské Lázně [Marienbad] (Böhmen), Tschechoslow.
Balneum regis, Balneoregium, Eporediensis, Rhoda: Bagnoregio [Bagnorea] (Viterbo), Ital.
Balsamia → Belxa
Balsamorum regio → Belxa
Baltici maris ostium → Codanus sinus
Balticum fretum maius: Großer Belt [Store Bælt], Meerenge d. Ostsee.
Balticum fretum minus, Sundicum fretum minus: Kleiner Belt [Lille Bælt], Meerenge der Ostsee.
Balticum mare, Barbarum mare, Orientale mare, Scithicum mare, Slavanicus sinus, Suebicum mare, Suevicum mare: Ostsee [Baltijas Jura, Baltijos Jura, Baltiskoje more, Bałtyk, Itämeri, Läänemeri, Östersjön, Østersø].
Baltimorensis: Baltimore (Maryland), USA.
Baltiona, Belenizona, Belitionum, Bellinzonium, Berinzona, Bilitio, Bilitiona, Bilitionis castr., Bilitionum: Bellinzona (Tessin), Schweiz.
Baltium → Baucium
Baltoswillare: Ballwil (Luzern), Schweiz.
Baluclavia, Cembalo, Symbolum: Balaklava (Krim), UdSSR.
Balzanum → Bauzanum
Bamberga, Babeberga, Babenbergensis, Brandeberga, s. Georii civ., Papeberga, Paperga, Pavonis mons: Bamberg (O-Franken), Deutschl.
Bambola → Calatajuba
Bamestra: De Beemster, Polder (N-Holland), Niederl.
Bancona, Bauconica, Bonconica, Oppenhemium, Rufiana: Oppenheim (Hessen, Rheinhessen), Deutschl.
Banea vallis: Val de Bagnes, Tal (Wallis), Schweiz.

Banfia: Banff (Banffshire), Schottl.
Banfiensis comit.: Banffshire [Banff], Grafsch., Schottl.
Bangertium, Baucorensis, Baugoria, Bovium, Pangor: Bangor (Caernarvonshire), Engl.
Bapalma, Baetpalma, Balma, Batmalmae, Palma, Papalma: Bapaume (Pas-de-Calais), Frankr.
Bapinco → Vapincum
Baradinum → Varadinum
Barafletum, Barbefluctus, Barbefluvium, Barbiflodium: Barfleur (Manche), Frankr.
Baralbunensis → Barium ad Albulam
Baranivarum civ.: Beli Manastir [Monostor, Pélmonostor] (Kroatien, Baranja), Jugoslaw.
Baranyensis comit., Voronianus comit.: Baranja [Baranya], eh. Komit. (Baranya, Kroatien), Ungarn u. Jugoslaw.
Barbansonium, Barbencio: Barbençon (Hennegau), Belg.
Barbara Britannia → Britannia barbara
Barbaria, Agromera, Berberorum terra: Berberei [Land der Berber], N-Marokko, N-Algerien u. N-Tunesien.
Barbaria, Barbarica Continens: Somali-Halbinsel, Landsch., Somalia u. Äthiopien.
Barbarica Continens → Barbaria
Barbaricum mare → Barbaricus sinus
Barbaricus sinus, Barbaricum mare: „Meer von Zanguebar", Teil d. Indischen Ozeans vor der Küste v. O-Afrika.
Barbarum mare → Balticum mare
Barbarum promont., Magnum promont.: Cabo de Espichel, Kap (Estremadura), Portug.
Barbastar → Barbastrum
Barbastrum, Balbastro, Barbastar: Barbastro (Huesca), Span.
Barbata: Barbados, Ins. (Atlantik), Kleine Antillen.
Barbecillum → Babecillum
Barbefluctus → Barafletum
Barbefluvium → Barafletum
Barbencio → Barbansonium
Barbezilus → Babecillum
Barbicellum → Babecillum
Barbiflodium → Barafletum
Barbium, Barbogum, Barbugeri: Barby (Pr. Sachsen), Deutschl.
Barbogum → Barbium
Barbugeri → Barbium
Barca → Barcum
Barcaria → Bavaria
Barcastrum → Barium ad Albulam
Barcelum, Caeliobrica: Barcellos (Minho), Portug.
Barcheria, Bercheria, Berchesira: Berkshire [Berks], Grafsch., Engl.
Barchino → Barcinona
Barchonium: El Barco (Orense), Span.
Barcia, Burcia, Burica, Wurcza terra: Burzenland [Jara Bîrsei, Barcasáog], Landsch. bei Braşov [Kronstadt] (Siebenbürgen), Rumän.
Barcilona → Barcinona
Barcino nova → Barcinona
Barcinona, Barchino, Barschaluna, Barcinonensis: Barcelona (Barcelona), Span.
Barcinona, Barcilona, Barcino nova, Barcinonova: Barcelonnette (Basses-Alpes), Frankr.
Barcinonensis → Barcinona
Barcinonova → Barcinona
Barcovicum, Barovicum, Barvicum, Berewicum super Twedam, Berovicum, Julia Felix, Tuesis: Berwick on Tweed (Northumberland), Engl.

Barcum, Barca: Barco, aufgeg. in Orzinuovi (Brescia), Ital.
Barda, Bardo, Brido, Burda, Wartensis: Wartha [Bardo] (N-Schlesien), Deutschl.
Bardaburgensis marchionat. → Brandenburgensis marchionat.
Bardanga → Bardongavensis pag.
Bardanias → Vardanes
Bardarius → Vardarius
Bardenuvicum, Bardevicum, Bardincum, Bardorum vicus, Bardovicum: Bardowick (Hannover), Deutschl.
Bardevicum → Bardenuvicum
Bardincum → Bardenuvicum
Bardium → Barthum
Bardo → Barda
Bardongavensis pag., Bardanga: Bardan-Gau [Bardengau], eh. Gau zw. Elbe u. Ilmenau (Hannover), Deutschl.
Bardorum vicus → Bardenuvicum
Bardovicum → Bardenuvicum
Bardum → Barthum
Bardunensis → Verodunum
Barentonium: Barenton (Manche), Frankr.
Baretium → Varesium
Baretum → Barium
Baretum → Barulum
Barga, Bargensis, Barra, Beraha: Barr (Bas-Rhin), Frankr.
Bargemontium, Bergamonum: Bargemon (Var), Frankr.
Bargensis → Barga
Bargensis civ., Perga: Bergen (O-Bayern, Kr. Traunstein), Deutschl.
Barianus ager, Baritana prov.: Bari, Prov. (Apulien), Ital.
Bariensis → Barium
Barinsis → Barrensis pag.
Baris → Parisiense monast.
Baris castell. → Barium ad Albulam
Barissus → Bartha
Baritana prov. → Barianus ager
Barium → Barrensis pag.
Barium, Baira, Baretum, Berea, Japix, Varum: Bari (Bari), Ital.
Barium, Bariensis: Bar (Ukrain. SSR), UdSSR.
Barium ad Albulam, Baralbunensis, Barcastrum, Baris castell., Barra, Barro super Albam: Bar-sur-Aube (Aube), Frankr.
Barium ad Sequanam, Barro Sequanensis urbs, Barrum super Secanam: Bar-sur-Seine (Aube), Frankr.
Barium Ducis, Barrivilla ad Ornam, Barum Ducis, Barrum Ducis: Bar-le-Duc (Meuse), Frankr.
Barixia → Brixia
Barlecum → Barologus
Barmia → Barolum
Barna → Barne
Barne, Barna, Odessus: Varna [Warna, Stalin], Bulgar.
Barologus, Barlecum, Veruliacum: Barlieu (Cher), Frankr.
Barolum → Barulum
Barolum, Barmia, Bormium, Barulum, Thermae Bormianae: Bormio (Sondrio), Ital.
Baronis curtis: Baroncourt [Dommary-Baroncourt] (Meuse), Frankr.
Barovicum → Barcovicum
Barra → Barga
Barra → Barium ad Albulam
Barrensis comit. → Barrensis pag.
Barrensis pag., Barium, Barinsis, Barrensis comit., Barresium, Barum: Barrois, Landsch. (Aube, Haute-Marne, Meuse), Frankr.
Barresium → Barrensis pag.

Barrivilla ad Ornam → Barium Ducis
Barro Sequanensis urbs → Barium ad Sequanam
Barro super Albam → Barium ad Albulam
Barrojus, Birgus: Barrow, Fl., Mü: St. George's Channel, Eire.
Barrum Ducis → Barium Ducis
Barrum super Secanam → Barium ad Sequanam
Barrus mons → Monbarrum
Barsacum: Barsac (Drôme), Frankr.
Barsacum: Barsac (Gironde), Frankr.
Barschaluna → Barcinona
Barschiensis comit., Barsdiensis, Barsensis: Bars [Tekov], eh. Komit. (Slowakei), Tschechoslow.
Barsdiensis → Barschiensis comit.
Barsensis → Barschiensis comit.
Bartha, Barissus, Barussius: Bartsch [Barycz], Nfl. d. Oder (N-Schlesien), Polen u. Deutschl.
Barthum, Bardum, Bardium: Barth (Pommern), Deutschl.
Bartonia: Barten, Landsch. (O-Preußen), Deutschl.
Bartpha: Bardejov [Bartfeld] (Slowakei), Tschechoslow.
Barulum → Barolum
Barulum, Baretum, Barolum: Barletta (Bari), Ital.
Barum → Barrensis pag.
Barum Ducis → Barium Ducis
Barussius → Bartha
Baruthum, Burythum, Byruthum: Bayreuth (O-Franken), Deutschl.
Barvicum → Barcovicum
Barygaza: Bharuch [Broach] (Gujarat), Indien.
Barygazenus sinus, Cambaiensis sinus: Golf v. Cambay [Khambhat ni Khadi], Meerbusen (Arabisches Meer), Indien.
Basala → Basilea Rauracorum
Basalchowa, Basila pag., Basileensis pag.: Basel, Kt. u. eh. Gau, Schweiz.
Basatum civitas → Vasatica civitas
Basela → Basilea Rauracorum
Basentinus, Casuentus: Basento, Fl., Mü: Golf v. Tarent (Matera), Ital.
Basia → Bacium
Basiacum → Bacium
Basiana, Possega: Slavonska Požega [Pozsega, Požega, Poschega] (Kroatien), Jugoslaw.
Basila → Basilea Rauracorum
Basila pag. → Basalchowa
Basilea minor: Klein-Basel, Teil v. Basel (Basel-Stadt), Schweiz.
Basilea Rauracorum, Athenae Rauracae, Basala, Basela, Basila, Basilia, Basilia Rauracorum, Basula, Bazela, Munatiana colonia: Basel, Schweiz.
Basileensis pag. → Basalchowa
Basilia → Basilea Rauracorum
Basilia Rauracorum → Basilea Rauracorum
Basinga, Basinium, Bazininga, Bazinium: Pezinok [Bösing, Bazin] (Slowakei), Tschechoslow.
Basinga, Basyngum: Basing (Hampshire), Engl.
Basiniacum → Bassiniacus pag.
Basinium → Basinga
Basium → Bacium
Basonis mons: Montbazon (Indre-et-Loire), Frankr.
Basonis villare, Bazunvilla: Bouzonville (Moselle), Frankr.
Bassacum, Baziacum: Bassac (Charente), Frankr.
Bassanum → Passanum
Bassia Assia → Hassia inferior
Bassiniacus pag., Basiniacum, Bessi-

neium: Bassigny, Landsch. (Haute-Marne, Meuse), Frankr.
Basti, Bacca, Vasti: Baza (Granada), Span.
Bastonacum, Bastonecum, Bastonia, Belsonacum: Bastogne [Bastenaken, Bastnach] (Luxemburg), Belg.
Bastonecum → Bastonacum
Bastonia → Bastonacum
Basula → Basilea Rauracorum
Basyngum → Basinga
Batava → Batavia
Batavia, Bacodurum, Batava, Batavinum, Bathavinus, Battavia, Bazowa, Bazsowensis, Bazzowa, Padua, Passavium, Patavia, Patavium, Pattavia, Pazowa: Passau (N-Bayern), Deutschl.
Batavie ins. → Betuwa
Bataviensis → Hollandia
Batavinum → Batavia
Batavoburgium, Batavorum oppidum, Bathenis arx: Batenburg (Gelderland), Niederl.
Batavorum ins. → Betuwa
Batavorum oppidum → Batavoburgium
Bathavinus → Batavia
Bathenis arx → Batavoburgium
Bathensis villa: Bátovce [Bát, Frauenmarkt] (Slowakei), Tschechoslow.
Bathia → Solis mons
Bathmonasterium → Bathonia
Bathonia → Solis mons
Bathonia, Bathmonasterium: Bátmonostor (Bács-Kiskun), Ung.
Batia, Betia, Biatia, Boetia, Vatia: Baeza (Jaén), Span.
Batiana: Baix (Ardèche), Frankr.
Batmalmae → Bapalma
Battavia → Batavia
Batua → Betuwa
Batua → Bulva
Batulo → Betulus
Baucium, Baltium: Les Baux-en-Provence (Bouches-du-Rhône), Frankr.
Bauconica → Bancona
Baucorensis → Bangertium
Baudobrica → Babardia
Baudria: Boudry (Neuenburg), Schweiz.
Baudria → Baujovium
Baugenciacum → Balgentiacum
Baugiacense castr. → Balgium
Baugiacum → Balgiacum
Baugiacum, Balgiacum: Bagé-le-Châtel (Ain), Frankr.
Baugium → Balgium
Baugoria → Bangertium
Baujovium, Baudria, Bellijocum, Bellojocum, Bellojovium, Bellus jocus: Beaujeu (Rhône), Frankr.
Bautae → Bonnopolis
Bauvaria → Bavaria
Bauxare → Bauzanum
Bauzanum, Balzanum, Bauxare, Bocalnum, Bocentum, Bolcannum, Bolzanum, Bulsanum, Pausanum, Pauzana, Pocanum, Pozanum, Pozonium: Bolzano [Bozen] (Reg. Trient-Oberetsch), Ital.
Bauzium → Balcium
Bavacum → Bacacum
Bavaria, Babaria, Bajoaria, Baioaricus ducat., Bajuaria, Bajuvaria, Barcaria, Bauvaria, Baveria, Bavoaria, Bawaria, Bewaria, Boariorum ducat., Bojaria, Bojoariorum prov., Noreja, Norica, Noricus ducat., Wabaria, Wawaria: Bayern, Land, Deutschl.
Bavaria inferior: Niederbayern, Landsch. (Bayern), Deutschl.
Bavaria superior: Oberbayern, Landsch. (Bayern), Deutschl.

Bavarica curia, Curia, Hofa, Hofium, Pedepontium, Reginoburgi, Regnitiana curia, Regnitiorum curia, Suburbium, Variscorum curia: Stadtamhof [Regensburg-Stadtamhof] (O-Pfalz), Deutschl.
Baveria → Bavaria
Bavoaria → Bavaria
s. Bavonis Bocla, Bocla, Boucla s. Bavonis: Sint-Blasius-Boekel [Boucle-Saint-Blaise] (O-Flandern), Belg.
s. Bavonis Boucla → s. Bavonis Bocla
Bawaria → Bavaria
Bazela → Basilea Rauracorum
Baziacum → Bassacum
Bazininga → Basinga
Bazinium → Basinga
Bazoarium: Borsodszirák [Borsod] (Borsod-Abauj-Zemplén), Ung.
Bazowa → Batavia
Bazsowensis → Batavia
Bazunvilla → Basonis villare
Bazzowa → Batavia
Bearnia, Benearnia, Benecharnum, Beneharnia: Béarn, Landsch. u. eh. Prov. (Basses-Pyrénées), Frankr.
Beata curia, Pietra curia, Picta curia: Corbetta (Mailand), Ital.
Beata Maria Slilo deaco → Solliacum
s. Beati mons: Sankt Beatenberg (Bern), Schweiz.
s. Beatus: Saint-Béat (Haute-Garonne), Frankr.
Bebenhusa, Febiana castra: Bebenhausen (Württemberg), Deutschl.
Bebiana castra: Babenhausen (Bayern, RB. Schwaben), Deutschl.
Beca → Bracla
Bechina, Bechinia castra: Bechyně [Bechin] (Böhmen), Tschechoslow.
Bechinia castra → Bechina
Bechtrum: Bechtheim (Hessen, Pr. Rheinhessen), Deutschl.
Becilinisruti → Wazelinsruthi
Bedacum, Bedajum, Bidajum: Burghausen (O-Bayern), Deutschl.
Bedajum → Bedacum
Bedavicus → Bedense castr.
Bedense castr., Bedavicus, Bedinse castr.: Bitburg (Rheinprov.), Deutschl.
Bedensis pag., Bentensis pag., Bietgowensis pag.: Bitgau, eh. Gau in der Eifel (Rheinprov.), Deutschl.
Bedfordia: Bedford (Bedfordshire), Engl.
Bedfordiensis comit.: Bedfordshire, Grafsch., Engl.
Bedinse castr. → Bedense castr.
Bedoinum: Bédoin (Vaucluse), Frankr.
Bedriacum, Vetriacum: Calvatone (Cremona), Ital.
Beehaimi → Bohemia
Befortium, Belfortia, Belloforte castr.: Belfort (Territoire de Belfort), Frankr.
Begardum, Bigardia: Bégard (Côtes-du-Nord), Frankr.
Begawiensis → Pegavia
Begia, Beiara, Colonia Pacensis, Pax Augusta: Beja (Baixo Alemtejo), Portug.
Beheimia → Bohemia
Behemensis terra → Bohemia
Behemi → Bohemia
Beiara → Begia
Beichlinga arx, Beichlingium: Beichlingen (Pr. Sachsen), Deutschl.
Beichlingium → Beichlinga arx
Beina → Bennensis
Bekescotium: Bikschote [Bixschoote] (W-Flandern), Belg.
Bela: Langenbielau [Bielawa] (N-Schlesien), Deutschl.
Belacum: Bellac (Haute-Vienne), Frankr.

Belcastrum, Bellicastrum, Geneocastrum: Belcastro (Catanzaro), Ital.
Belcinensis pag. → Beugesia
Belegori → Belgora
Belegra: abgeg. bei Montorio (Teramo), Ital.
Belemum, Bethlehemum, Restello: Belem bei Lissabon, Portug.
Belenizona → Baltiona
Beleridae insulae: Îles Sanguinaires [Isole Sanguinarie], Inselgruppe im Golf v. Ajaccio (Korsika), Frankr.
Beleris ins.: Isola Serpentara, Ins. vor der Küste von Sardinien (Pr. Cagliari), Ital.
Beleus mons, Peleus mons: Belchen, Berg im Schwarzwald (Baden), Deutschl.
Belfortia → Befortium
Belgae fontes → Theodorodunum
Belgarda → Belgrada
Belgarda → Belgradia
Belgardia Pomeranorum → Belgrada
Belgenciacum → Balgentiacum
Belgiolum → Balliolum
Belgis → Kila
Belgium novum → Eboracensis nova civitas
Belgora, Belegori, Belgrana: Belgern (Pr. Sachsen), Deutschl.
Belgrada → Alba Bulgarica
Belgrada, Belgardia Pomeranorum, Belgarda, Belgradia, Belgroensis urbs, Naudralba: Belgard [Białogard] (Pommern), Deutschl.
Belgradia → Belgrada
Belgradia, Belgarda: Belgard [Białogarda] (Pommern, Kr. Lauenburg), Deutschl.
Belgrana → Belgora
Belgroensis urbs → Belgrada
Beliardi mons, Bellicardus, Belligardus mons, Bilgardis, Biligardis, Biligardus, Monspelgardum, Pelicardis, Piligardae: Montbéliard [Mömpelgard] (Doubs), Frankr.
Belica, Bellicium, Bellicum: Belley (Ain), Frankr.
Beligno vallis → Brennia vallis
Belina: Bílina [Biela], Nfl. d. Elbe (Böhmen), Tschechoslow.
Belina, Bilina: Bílina [Bilin] (Böhmen), Tschechoslow.
Belion: Lima [Limia], Fl., Mü: Atlantik (Minho), Portug.
Belisia → Bilisium
Belisiensis → Bilisium
Belislae monast., Monast. de Blisia: Munsterbilzen [Münsterbilsen], Kl. bei Bilzen (Limburg), Belg.
Belitionum → Baltiona
Bella: Bell (Rheinprovinz), Deutschl.
Bella aqua → Aqua pulchra
Bella insula → Bellinsula
Bella Reparia, Bella Riparia, Bellus Riparius: Beaurepaire (Isère), Frankr.
Bella Riparia → Bella Reparia
Bella vallis: Beauval (Somme), Frankr.
Bella villa ad Sagonam, Lusnavico: Belleville-sur-Saône (Rhône), Frankr.
Bellae aquae → Aqua pulchra
Bellae aquae Cameriorum: Aiguebelette-le-Lac (Savoie), Frankr.
Bellaqueus fons, Bellofontanum, Bleaudi fons, Bliaudi fons: Fontainebleau (Seine-et-Marne), Frankr.
Bellegardia: Bellegarde (Gers), Frankr.
Bellelagium: Bellelay (Bern), Schweiz.
Bellemons, Bellus mons: Bermont (Territoire de Belfort), Frankr.
Belli locus → Bailodium

Bellicadrum, Belliquadrum, Billoquarda, Ugernum, Uguernium: Beaucaire (Gard), Frankr.
Bellicardus → Beliardi mons
Bellicastrum → Belcastrum
Bellicetum: Le Beausset (Var), Frankr.
Bellicium → Belica
Bellicum → Belica
Belligardum: Bellegarde-en-Forez (Loire), Frankr.
Belligardus mons → Beliardi mons
Bellijocensis ager, Belloiocum: Beaujolais, Landsch. (Ain, Loire, Rhône), Frankr.
Bellijocum → Baujovium
Bellilocus: Bewdley (Worcestershire), Engl.
s. Bellini fanum, Bellinum: Bellino (Cuneo), Ital.
Bellinsula, Bella ins., Calonesus, Colonesus, Pulchra ins., Vindelis: Belle Île, Ins. (Morbihan), Frankr.
Bellinum → s. Bellini fanum
Bellinzonium → Baltiona
Belliolum → Balliolum
Bellipratum → Bellopratum
Belliquadrum → Bellicadrum
Bellismum: Bellême (Orne), Frankr.
Bellocasius → Bagisinus ager
Bellofontanum → Bellaqueus fons
Belloforte castr. → Befortium
Bellogradum Pelgranum → Alba Bulgarica
Bellojocum → Baujovium
Belloiocum → Bellijocensis ager
Bellojovium → Baujovium
Bellomariscus, Album Mariscum: Beaumaris (Anglesey), Engl.
Bellomons: Beaumont (Haute-Loire), Frankr.
Bellomons: Belmont (Rhône), Frankr.
Bellomontium, Atuaticorum oppid.: Beaumont (Hennegau), Belg.
Bellomontium in Argona: Beaumont-en-Argonne (Ardennes), Frankr.
Bellomontium Rogerii, Bellus mons Rogerii: Beaumont-le-Roger (Eure), Frankr.
Bellomontium Vicecomitis: Beaumont-sur-Sarthe [Beaumont-le-Vicomte] (Sarthe), Frankr.
Bellonum → Bellunum
Bellopratum, Bellipratum, Bellum pratellum: Beaupréau (Maine-et-Loire), Frankr.
Bellovacensia → Glaromontium
Bellovacorum civ. → Bellovacus
Bellovacus, Bellovacorum civ., Belvacum, Caesaromagus, Bratuspantium: Beauvais (Oise), Frankr.
Bellovicinum, Tovana: Beauvoisin (Gard), Frankr.
Bellum castrum: Castelbello [Kastelbell] (Bozen), Ital.
Bellum forte: Beaufort-en-Vallée (Maine-et-Loire), Frankr.
Bellum pratellum → Bellopratum
Bellum vadum → Bilbaum
Bellunum, Bellonum, Berunum, Venenum: Belluno (Belluno), Ital.
Bellus fons Viennensis: Schönbrunn, Schloß in Wien, Österr.
Bellus jocus → Baujovium
Bellus locus: Beaulieu (Louth), Eire.
Belluslocus: Beaulieu (Cantal), Frankr.
Bellus locus: Bewley Castle (Westmorland), Engl.
Bellus locus ad Ligerim: Beaulieu (Loiret), Frankr.
Bellus locus iuxta Lochas: Beaulieu-les-Loches (Indre-et-Loire), Frankr.
Bellus locus prope Barcorium: Beau-

lieu-sous-Bressuire (Deux-Sèvres), Frankr.

Bellus locus Regis: Beaulieu [Bewley, King's Beaulieu] (Hampshire), Engl.

Bellus mons → Bellemons

Bellus mons Rogerii → Bellomontium Rogerii

Bellus Riparius → Bella Reparia

Belna, Belnocastrum, Belnum: Beaune (Côte-d'Or), Frankr.

Belna Rolandi, Vellaudunum: Beaune-la-Rolande (Loiret), Frankr.

Belnocastrum → Belna

Belnum → Belna

Beloacum, Waslogium: Beaulieu-en-Argonne (Meuse), Frankr.

Belogradum: Belgorod (Kursker Gebiet), UdSSR.

Belsa → Ovilaba

Belsia: Beauce, Landsch. (Eure-et-Loire), Frankr.

Belsinum: Masseube (Gers), Frankr.

Belsinum: Vivel del Rio Martin (Teruel), Span.

Belsonacum → Bastonacum

Belvacum → Bellovacus

Belxa, Balsamia, Balsamorum regio: Balsamgau [Balsamer Land], eh. Gau in der Altmark (Pr. Sachsen), Deutschl.

Belza, Belzium: Bełz [Belz] (Ukrain. SSR), UdSSR.

Belzium → Belza

Benearnia → Bearnia

Benecharnum → Bearnia

Benedicta vallis: Valbenoîte, Kl. bei Saint-Étienne (Loire), Frankr.

s. **Benedicti Burana abbatia** → Buria

s. **Benedicti fanum,** s. **Benedictus iuxta Granum:** Svätý Beňadik [Hronský Beňadik, Garamszentbenedek, Szent Benedek] a. d. Gran ndl. Lewenz (Slowakei), Tschechoslowakei.

Benedictionis vallis: Vlotho (Westfalen), Deutschl.

Benedictobura → Buria

s. **Benedictus iuxta Granum** → s. Benedicti fanum

Beneducium → Bonaedulcium

Beneharnia → Bearnia

Beneleiba: Billeben (Thüringen), Deutschl.

Beneschovium: Benešov nach Černou [Deutsch-Beneschau, Německý Benešor] (Böhmen), Tschechoslow.

Bennavenna, Davintria, Isannavatia: Daventry [Daintree] (Northamptonshire), Engl.

Bennensis, Baina, Beina: Benna (Vercelli), Ital.

Bennopolis → Hildesia

Bennopolitanus → Hildesia

Bensbura castra: Bensberg (Rheinprov.), Deutschl.

Bentensis pag. → Bedensis pag.

Benthemia, Benthemium: Bentheim (Hannover), Deutschl.

Benthemium → Benthemia

Beraha → Barga

Beraldi mons: Montberon (Haute-Garonne), Frankr.

Berberorum terra → Barbaria

Bercerrium → Bercorium

Bercheria → Barcheria

Berchesira → Barcheria

Bercizoma, Bercomum, Bergae ad Zomam: Bergen-op-Zoom (N-Brabant), Niederl.

Bercomum → Bercizoma

Bercorium, Bercerrium, Brochorium: Bressuire (Deux-Sèvres), Frankr.

Berea → Barium

Berechia: Beregovo [Beregszasz] (Ukrain. SSR), UdSSR.

Bereghiensis comit.: Bereg, eh. ung. Komit. um Mukačovo [Munkács] (Ukrain. SSR), UdSSR.

Berewicum super Twedam → Barcovicum

Berga: Altenbergen (Westfalen), Deutschl.

Berga: Barrow (Essex), Engl.

Berga: Berg (St. Gallen), Schweiz

Berga: Berge (Hannover), Deutschl.

Berga: Berge (Westfalen), Deutschl.

Berga: Berger (Akershus), Norw.

Berga: Burgh Gate (Surrey), Engl.

Berga: Oberbergen (Baden), Deutschl.

Berga: Perg (O-Österr.), Österr.

Berga, Bergum: Bergen (N-Holland), Niederl.

Berga, Bogenbergensis, Hodoeporicum Mariae (monast.): Bogenberg (N-Bayern), Deutschl.

Berga, Mons: Berg (Rheinprovinz), Deutschl.

Berga, Mons: Berg-lez-Vilvorde (Brabant), Belg.

Berga, Mons s. Odilae (monast.): Sint-Odilienberg (Limburg), Niederl.

Berga, Perega, Perga: Berg (N-Bayern), Deutschl.

Berga Selja → Bergae

Bergae: Berga a. Kyffhäuser (Pr. Sachsen), Deutschl.

Bergae, Selja Berga: Bergen (Hordaland), Norw.

Bergae ad Zomam → Bercizoma

Bergae castr. → Bragium

Bergae Divae Gertrudis, Bergae s. Gertrudis, Gertrudeberga, s. Gertrudis mons: Gertruidenberg (N-Brabant), Niederl.

Bergae s. Gertrudis → Bergae Divae Gertrudis

Bergae s. Vinoci, Vinociberga, Vinocimontium, Bergua: Bergues [Bergues-Saint-Winoc, Sint Winoksberg] (Nord), Frankr.

Bergallia vallis, Brunna vallis, Praejulia vallis: Bergell [Val Bregaglia], Landsch. (Graubünden), Schweiz.

Bergamonum → Bargemontium

Bergamum, Burgomatis civ., Pergamum, Pergamus, Vergamum: Bergamo (Bergamo), Ital.

Bergeracum, Brageracum: Bergerac (Dordogne), Frankr.

Berghorna: Barghorn bei Rastede (Oldenburg), Deutschl.

Berginium, Bergium castr.: Berga (Barcelona), Span.

Bergintium, Bergintrum, s. Mauritius: Saint-Maurice-de-Rumilly (Haute-Savoie), Frankr.

Bergintrum → Bergintium

Bergium castr. → Berginium

Bergstrassia, Strada montana: Bergstraße, Straße zw. Darmstadt u. Heidelberg (Hessen, Baden), Deutschl.

Bergua → Bergae s. Vinoci

Bergulae, Arcadiopolis, Virgulae: Lüleburgaz [Burgas] (Kirklareli), Türkei.

Bergum → Berga

Bergundia → Burgundia (prov.)

Berichus: Berghaus bei Mittelhess (Westfalen), Deutschl.

Beringa: Behringen (Thüringen), Deutschl.

Berinzona → Baltiona

Berka: Berkach (Thüringen), Deutschl.

Berkaha: Berkach (Württemberg), Deutschl.

Berlinensis → Berolinum

Berlinum → Berolinum

Berma → Verona

Bermata → Brocomagus
Bermensis civ.: Barmen [Wuppertal-Barmen] (Rheinprov.), Deutschl.
Berna → Verona
Bernacum: Bernay [Bernay-de-l'Eure] (Eure), Frankr.
Bernardi castr., Bainardi castell.: Châteaubernard (Charente), Frankr.
Bernburgum → Arctopolis
Berne Magna: Großbeeren (Brandenburg), Deutschl.
Bernensis pag.: Bern, Kt. in d. Schweiz.
Bernhardi cella: Bernhardzell (St. Gallen), Schweiz.
Bernhardi villa: Bernsdorf [Chudzowice] (N-Schlesien), Deutschl.
Bernifelda: Bornefeld (Westfalen), Deutschl.
Bernriedensis → Beronicum
Bernstadium: Bernstadt (Sachsen), Deutschl.
Bernum → Verona
Beroa: abgeg. bei Beuron (Hohenzollern, Kr. Sigmaringen), Deutschl.
Beroea → Chalybon
Beroea → Vergi
Beroldi villa, Berolstadium: Bernstadt [Bierutów] (N-Schlesien), Deutschl.
Berolinensis → Berolinum
Berolinum, Berlinensis, Berlinum, Berolinensis: Berlin, Hst. v. Deutschl.
Berolstadium → Beroldi villa
Berona → Verona
Berona, Beronense monast., s. Michahelis monast., Peronis monast.: Beromünster (Luzern), Schweiz.
Beronense monast. → Berona
Beronia → Beronicum
Beronicum, Beronia, Bernriedensis, Vermilacum: Bernried (O-Bayern), Deutschl.
Beronivilla, Beronowilare: Bernwiller [Bernweiler] (Haut-Rhin), Frankr.
Beronivilla, Berunivillare: Baerendorf (Bas-Rhin), Frankr.
Beronowilare → Beronivilla
Berovicum → Barcovicum
Bersensis eccl.: Bassum (Hannover), Deutschl.
s. Bertini abbatia, Bertinocurtis: Bertincourt (Pas-de-Calais), Frankr.
Bertinocurtis → s. Bertini abbatia
Berulfi mons: Montbron (Charente), Frankr.
Beruna → Verona
Berunivillare → Beronivilla
Berunum → Bellunum
Barytos → Julia Felix
Besalia → Vesalia
Besantio → Vesontio
Beseldunum → Bisaldunum
Besidiae, Besidianum, Besignanum, Besinianum, Bisinianum: Bisignano (Cosenza), Ital.
Besidianum → Besidiae
Besignanum → Besidiae
Besinianum → Besidiae
Bespremiensis → Vesprimia
Bessapara: Pazardžik [Pasardschik, Tatar-Pazardžik, Tatar-Pasardschik, Tatarpazarciği] (Pazardžik), Bulg.
Bessineium → Bassiniacus pag.
Bessua → Besua
Bestisiacum, Bistisiacum: Béthisy [Béthisy-St-Pierre] (Oise), Frankr.
Bestvalia → Westfalia
Besua, Bessua, Besuae fons: Bèze (Côte-d'Or), Frankr.
Besuae fons → Besua
Betanum, Betenum: Betheln (Hannover), Deutschl.

Betenum → Betanum
Beteoricae → Aebudae insulae
Beterrae → Biterrae
Bethania, Bewthum, Bitum, Bythonia: Beuthen [Bytom] (O-Schlesien), Deutschl.
Bethinia → Bethunia
Bethlehemum → Belemum
Bethovia → Petenas
Bethunia, Bethinia, Bitunia: Béthune (Pas-de-Calais), Frankr.
Betia → Batia
Betobia → Petenas
Betonia, Extremadura Castellana, Extremadura Legionensis, Vettonia: Extremadura [Estremadura], Landsch. (Pr. Badajoz u. Cáceres), Span.
Betoregas → Avaricum
Betoregasci → Avaricum
Betorica → Avaricum
Betorix → Avaricum
Bettinga, Bettinum: Bettingen (Rheinprovinz), Deutschl.
Bettinum → Bettinga
Bettonia → Vetuna
Bettovia → Petenas
Betulus, Batulo: Besós, Fl., Mü: Mittelmeer (Katalonien), Span.
Beturigas → Avaricum
Betuwa, Baduanus pag., Batavie ins., Batavorum ins., Batua, Patavum ins.: Betuwe, Landsch. (Gelderland), Niederl.
Beucinum, Bucephalia, Buezzovium, Bunitium, Buxonium: Bützow (Mecklenburg-Schwerin), Deutschl.
Beugesia, Belcinensis pag., Bugia: Bugey, Landsch. (Ain), Frankr.
Beuronensis: Beuron (Hohenzollern), Deutschl.
Bevelandia australis: Zuid-Beveland [Südbeveland], Halbins. (Seeland), Niederl.
Bevelandia septentrionalis: Noord-Beveland [Nordbeveland], Halbins. (Seeland), Niederl.
Beverna → Biverna
Bevernense castr.: Bevern (Hannover, Kr. Bremervörde), Deutschl.
Beverovicum: Beverwijk (N-Holland), Niederl.
Bewaria → Bavaria
Bewthum → Bethania
Bezelines: Wetzles (N-Österr.), Österr.
Bezzelinsruthi → Wazelinsruthi
Bialikamia: Białykamień östl. Lemberg (Ukrain. SSR), UdSSR.
Bialoquerca: Belaja Zerkow sdl. Kiew (Ukrain. SSR), UdSSR.
Biatia → Batia
Bibacum: Biberbach (O-Pfalz), Deutschl.
Bibaracha, Bibaraha: Bieberbach, Nfl. d. Main (Hessen), Deutschl.
Bibaraha → Bibaracha
Bibera → Byvera
Bibera, Bibra: Biberbach (Bayern, RB. Schwaben), Deutschl.
Biberacum, Bibra, Bragodunum: Biberach a. d. Riß (Württemberg), Deutschl.
Biberaha: Bieber (Hessen-Nassau), Deutschl.
Bibiscum → Vibiscum
Bibonium: Böblingen (Württemberg), Deutschl.
Bibra → Bibera
Bibra → Biberacum
Bibra lac., Avaticorum stagnum, Birra, Mastramela lac.: Étang de Berre, See (Bouches-du-Rhône), Frankr.
Biburgum → Epinaburgum
Bicestria, Guitonium, Gummi-

castrum, Vicestria, Vincestria: Bicêtre, Hospiz (Seine), Frankr.
Bichina, Bicina, Petina: Pitschen [Byczyna] (O-Schlesien), Deutschl.
Bichini, Bigni: Püchau (Sachsen), Deutschl.
Bicina: Wieste, Nfl. d. Wümme (Hannover), Deutschl.
Bicina → Bichina
Bicina, Bidiscum, Bithae, Bithis, Bittae: Bitche [Bitsch] (Moselle), Frankr.
Bicornis, Furca, Furcula: Furka [Gabelberg] (Uri), Schweiz.
Bidajum → Bedacum
Bidgostia, Bromberga: Bydgoszcz [Bromberg] (Posen), Polen.
Bidinum, Bydena, Widdinum: Vidin [Widin] (Vidin), Bulg.
Bidiscum → Bicina
Bidossa, Vedasus, Vidassus: Bidassoa [Bidasse], Fl., Mü: Atlantik, Frankr. u. Span.
Bidruntum, Bituntum, Budruntum: Bitonto (Bari), Ital.
Bielca: Bielsk Podlaski [Bjelsk] (Białystok), Polen.
Bielcensis palatin.: Bjelsk [Bielsk Podlaski], eh. Woiw. (Białystok), Polen.
Bielcensis palatin. → Podlachia
Biella, Biellum, Bienna, Bipennis, Bipennium, Petenisca, Petinesca: Biel [Bienne] (Bern), Schweiz.
Biellensis lac., Biennensis, Bipennensis: Bieler See [Lac de Bienne] (Bern), Schweiz.
Biellum → Biella
Bienna → Biella
Biennensis → Biellensis lac.
Biertana, Bajorzuna, Biorzuna, Birzuni: Birten (Rheinprovinz), Deutschl.
Bietbergis: Bettenbourg, Großhgt. Luxemburg.
Bietgowensis pag. → Bedensis pag.
Bigardia → Begardum
Bigargium palatium: Garges-lès-Gonesse (Seine-et-Oise), Frankr.
Bigaugia → Pegavia
Bigaugiensis → Pegavia
Bigerrensis comit. → Bigorria
Bigerronum aquae → Aquensis vicus
Bigni → Bichini
Bigorrense castr., Tarba, Tarbae: Tarbes (Hautes-Pyrénées), Frankr.
Bigorrensis vicus: Vic-en-Bigorre (Hautes-Pyrénées), Frankr.
Bigorria, Bigerrensis comit., Biguria: Bigorre, Landsch. u. eh. Grafsch. (Hautes-Pyrénées), Frankr.
Bigowia → Pegavia
Biguria → Bigorria
Bihacium, Wihiza: Bihać [Bihatsch] (Bosnien), Jugoslaw.
Bihariensis comit.: Biharea [Bihar], eh. Komit. (Kreischgebiet), Rumän.
Biharium: Biharea [Bihar] (Kreischgebiet), Rumän.
Bilaicha: Blaichach (Bayern, RB. Schwaben), Deutschl.
Bilbaum, Amanes portus, Bellum vadum: Bilbao (Baskische Provinzen), Span.
Bilefeldia → Bilivelda
Bilena, Billena: Bille, Nfl. d. Elbe (Schleswig-Holstein), Deutschl.
Bilestinum: Beilstein (Rheinprovinz), Deutschl.
Bilgardis → Beliardi mons
Bilgrinescella: Pilgerzell (Hessen-Nassau), Deutschl.
Bilhomum, Biliomagus, Billemum: Billom (Puy-de-Dôme), Frankr.
Biliganum → Polygium

Biligardis → Beliardi mons
Biligardus → Beliardi mons
Bilina → Belina
Biliomagus → Bilhomum
Bilisia → Bilisium
Bilisium, Belisia, Belisiensis, Bilisia: Bilzen [Bilsen] (Limburg), Belg.
Bilitio → Baltiona
Bilitiona → Baltiona
Bilitionis castrum → Baltiona
Bilitionum → Baltiona
Bilium castr.: Haro (Logroño), Span.
Bilivelda, Bilefeldia, Bilveldia: Bielefeld (Westfalen), Deutschl.
Billemum → Bilhomum
Billena → Bilena
Billoquarda → Bellicadrum
Bilveldia → Bilivelda
Bimonium, Binovium, Vinovia Brigantum: Binchester (Durham), Engl.
Binbinna: Bimmen (Rheinprovinz), Deutschl.
Binchium: Binche (Hennegau), Belg.
Bindogladia → Vindogladia
Bindrium → Buscoduca
Binga: Bingen (Hohenzollern), Deutschl.
Binga → Bingia
Bingia, Binga, Bingium, Pingia, Vincum: Bingen (Rheinhessen), Deutschl.
Bingium → Bingia
Binovium → Bimonium
Bintensis abbatia, Bunda, Floridus hortus, Poundum: Baindt (Württemberg), Deutschl.
Biorzuna → Biertana
Bipennensis → Biellensis lac.
Bipennis → Biella
Bipennium → Biella
Bipontium, Bipontum, Geminus pons: Zweibrücken (Bayern, RB. Pfalz), Deutschl.
Bipontum → Bipontium
Bira → Birtha
Birca: Björkö nw. Stockholm, Schweden.
Birca, Birkaha, Birkha: Birkach [Stuttgart-Birkach] (Württemberg), Deutschl.
Birchaa: Pirawarth (N-Österr.), Österr.
Birchenowa → Birkenowa
Bircofelda: Birkenfeld (Rheinprovinz), Deutschl.
Birflitum: Biervliet (Seeland), Niederl.
Birgila: Buergeln (Freiburg), Schweiz.
Birgus → Barrojus
Birgusia, Burgasia: Bourgoin (Isère), Frankr.
Biriciana castra: Burgmannshofen (Bayern, RB. Schwaben), Deutschl.
Birkaha → Birca
Birkenowa, Birchenowa: Birkenau (Hessen, Kr. Bergstraße), Deutschl.
Birkha → Birca
Birra → Bibra lacus
Birtha, Apamea, Bira, Macedonopolis: Birecik (Urfa), Türkei.
Birthalbinum: Biertan [Birthälm, Berethalom] (Siebenbürgen), Rumän.
Birtinga: Birtlingen (Rheinprov.), Deutschl.
Birzuni → Biertana
Bisaldunum, Beseldunum, Bisilduna: Besalú (Gerona), Span.
Bisamnis: Bisagno, Fl., Mü: Golf v. Genua, Ital.
Bisanga → Bisariga
Bisariga, Bisanga: Biesingen (Bayern, RB. Pfalz), Deutschl.
Biserectum → Bitectum

Bisilduna → Bisaldunum
Bisinga, Pissinga: Bissingen a. d. Teck (Württemberg), Deutschl.
Bisinianum → Besidiae
Bisonium → Posonium
Bisontium → Vesontio
Bistisiacum → Bestisiacum
Bistonis palus: Wistonis [Bistonis, Buru Göl, Límnē Mpourou, Limni Buru, Limni Vristóni], See (Thrakien), Griechenl.
Bistricia: Bistriţa nw. Bacău (Moldau), Rumän.
Bistricia, Bistrovitsium: Bistriţa [Bistritz, Beszterce] (Siebenbürgen), Rumän.
Bistricia ariada: Bistriţa Bîrgăului [Kleinbistritz, Borgo-Beszterce] (Siebenbürgen), Rumän.
Bistriciensis distr.: Beszterce Naszod [Nösnerland], eh. ung. Komit. um Beszterce [Bistriţa, Bistritz, Nösen] (Siebenbürgen), Rumän.
Bistrovitsium → Bistricia
Bisuntio → Vesontio
Bisunzium → Vesontio
Bitectum, Biserectum: Bitetto (Bari), Ital.
Biterrae, Beterrae, Biterrensium civ., Blitera, Bliterrae: Béziers (Hérault), Frankr.
Biterrensium civ. → Biterrae
Bithae → Bicina
Bithervium → Viterbium
Bithis → Bicina
Bitorica → Avaricum
Bitorinus pag., Biturica, Bituricensis ducat.: Berry, eh. Hgt. u. Prov. (Cher, Creuse, Indre, Loire), Frankr.
Bitricium → Utricium
Bittae → Bicina
Bittovia → Petenas
Bitum → Bethania
Bitunia → Bethunia
Bituntum → Bidruntum
Biturgia: Bucine (Arezzo), Ital.
Biturica → Bitorinus pag.
Bituricensis ducat. → Bitorinus pag.
Biturigum civ. → Burdigala
Bituritae: Bedarrides (Vaucluse), Frankr.
Biverna, Beverna: Bever, Nfl. d. Ohre (Hannover), Deutschl.
Bivium, Stabulum: Bivio [Stalla] (Graubünden), Schweiz.
Bizantia → Vesontio
Bizya, Byzia: Vize [Viza, Wiza] (Kirklareli), Türkei.
Blabia, Blavatum, Blaventum, Blavetum, Blavium: Blaye [Blaye-et-Sainte-Luce] (Gironde), Frankr.
Blabia, Ludovici portus: Port-Louis (Morbihan), Frankr.
Blabira, Blaburra, Blabyra, Blauburanum, Burrhonium: Blaubeuren (Württemberg), Deutschl.
Blabius, Blavia: Blavet, Fl., Mü: Atlantik (Morbihan), Frankr.
Blaburra → Blabira
Blabyra → Blabira
Blaesae → Blesae
s. Blaesi monast. in Sylva nigra, s. Blasii monast. in Hyrcinia, s. Blasii cella: Sankt Blasien (Baden), Deutschl.
Blancoberga: Blankenberge (W-Flandern), Belg.
Blancoburgum → Albimontium
Blanconis fanum: Blankenhain (Thüringen), Deutschl.
Blandeca → Blendeka
Blandenona, Cameliomagus: Broni (Pavia), Ital.
Blandiniense monast. ss. Petri et Pauli → Blandinium
Blandinium, ss. Petri et Pauli Blan-

diniense monast., s. Petri in monte Blandinio abbatia: Saint-Pierre-au-Mont-Blandin, Kl. in Gent (O-Flandern), Belg.
Blangejum, Blangiacum: Blangy-sur-Ternoise (Pas-de-Calais), Frankr.
Blangiacum → Blangejum
Blara: Blair (Ayrshire), Schottl.
s. Blasii cella → s. Blaesi monast. in Sylva nigra
s. Blasii monast. in Hyrcinia → s. Blaesi monast. in Sylva nigra
Blatnicensis villa: Blatnica [Turčiansky Blatnicu, Blatnicza Szebeszlo] (Slowakei), Tschechoslow.
Blatobulgium: Birrens (Dumfriesshire), Schottl.
Blauburanum → Blabira
Blaudiacum → Blauvacus
Blauvacus, Blaudiacum: Blauvac (Vaucluse), Frankr.
Blavatum → Blabia
Blaventum → Blabia
Blavetum → Blabia
Blavia → Blabius
Blavium → Blabia
Blavius: Blau, Nfl. d. Donau (Württemberg), Deutschl.
Bleaudi fons → Bellaqueus fons
Blechingia, Bleckingia: Blekinge, Landsch. u. Prov. (Gotland), Schwed.
Bleckingia → Blechingia
Blendeka, Blandeca, Blindeca: Blendecques (Pas-de-Calais), Frankr.
Blesae, Blaesae, Blesense palatium ad Ligerim, Blesum: Blois (Loir-et-Cher), Frankr.
Blesense palatium ad Ligerim → Blesae
Blessa: Blies [Blies-Ebersing od. Blies-Guersviller] (Moselle), Frankr.
Blesum → Blesae
Bleterum: Bletterans (Jura), Frankr.
Bletisa, Eletisa: Ledesma (Salamanca), Span.
Bliaudi fons → Bellaqueus fons
Blindeca → Blendeka
Bliriacum, Bluriacus: Bléré (Indre-et-Loire), Frankr.
Blita: Blija (Friesland), Niederl.
Blitabrum, Butragum: Buitrago (Guadalajara), Span.
Blitera → Biterrae
Bliterrae → Biterrae
Bluriacus → Bliriacum
Boactes: Vara, Nfl. d. Magra (La Spezia), Ital.
Boandus, Bovinda, Buinda, Buvinda: Boyne, Fl., Mü: Irische See (Meath), Eire.
Boariorum ducat. → Bavaria
Bobardia → Babardia
Bobbium → Bobium
Bobianum, Bojanum, Bovianum, Bovinianum: Bojano (Campobasso), Ital.
Bobinga → Pobinga
Bobium, Bobbium, s. Columbani coenob., Ebobium: Bobbio (Piacenza), Ital.
Bobium Umbriae, Sassina, Saxina: Sarsina (Forli), Ital.
Bobrane fluv.: Bober, Nfl. d. Oder (Schlesien, Brandenburg), Deutschl.
Bobunewilare → Babunewilare
Bocalnum → Bauzanum
Bocardi insula: L'Île-Bouchard [L'Isle-Bouchard] (Indre-et-Loire), Frankr.
Boccholtia → Bocholdia
Bocensis civ.: Bückeburg (Schaumburg-Lippe), Deutschl.
Bocentum → Bauzanum

Bochanium, Buccinium, Buchanium: Bouchain (Nord), Frankr.
Bochaugia → Buochaugia
Bochbardum → Babardia
Bochela → Buochela
Bochium → s. Egidii vallis
Bocholdia, Boccholtia, Bocholta, Bogadium: Bocholt (Westfalen), Deutschl.
Bocholta: Bocholtz (Limburg), Belg.
Bocholta → Bocholdia
Bochonia → Buchonia
Bochorna: Bakum (Oldenburg), Deutschl.
Bocla: Bokel (Hannover, Kr. Stade), Deutschl.
Bocla: Buchladen (Hannover), Deutschl.
Bocla → s. Bavonis Bocla
Bocla s. Bavonis → Bavonis s. Bocla
Boconia → Buchonia
Boconica: Bockenheim [Frankfurt/Main-Bockenheim] (Hessen-Nassau), Deutschl.
Boda, Bada, Botum, Buda: Bode, Nfl. d. Saale (Pr. Sachsen, Anhalt), Deutschl.
Bodabricum → Babardia
Bodama villa regia → Bodma
Bodami castr. → Bodma
Bodamicus lacus → Potamicus lacus
Bodencus → Bodincus
Bodincomagus → Casale s. Evasii
Bodincus, Bodencus, Eridanus, Padus: Po, Fl., Mü: Adriat. Meer, Ital.
Bodma, Bodama villa regia, Bodami castr., Bodoma, Bodomia palat. regium, Botamum castr., Bothama, Podona, Potamicum palat., Potamum: Bodman a. Bodensee (Baden), Deutschl.
Bodobria → Babardia
Bodokiensis → Bodokium
Bodokium, Bodokiensis: Bodoc [Bodok, Sepsibodok] (Kronstadt), Rumän.
Bodoma → Bodma
Bodomia palat. regium → Bodma
Bodotria aestuarium: Firth of Forth, Meerbusen (Nordsee), Schottl.
Bodoxia: Bodok (Slowakei), Tschechoslow.
Bodrogiensis comit.: Budrug, eh. Grafsch. (Teile d. Komit. Csongrad u. d. Vojvodina), Ung. u. Jugoslaw.
Boemani → Bohemia
Boemia → Bohemia
Boemones → Bohemia
Boemorum silva → Gabreta silva
Boeonus: Diu (Gujarat), Indien.
Boeotonomacum: Ribchester (Lancashire), Engl.
Boerosia: Borås (Älvsborg), Schwed.
Boetia → Batia
Bogadium → Bocholdia
Bogalagus → Vologesia
Bogaria → Bulgaria
Bogus → Bohus
Bohemia, Beehaimi, Beheimia, Behemensis terra, Behemi, Boemani, Boemia, Boemones, Bojaemum, Bojahemia, Ceca, Cichuwindones, Peonia, Poema, Poemia, Wohemia: Böhmen [Čechy], Land u. Teil d. Tschechoslow.
Bohemiae silva → Gabreta silva
Bohemica Broda → Broda Bohemica
Bohemicus saltus → Gabreta silva
Bohus, Bogus, Hypanis: Südlicher Bug [Ukrainischer Bug, Boh, Južnyj Bug], Fl., Mü: Dnjepr-Liman (Ukrain. SSR), UdSSR.
Boiacum → Balgiacum
Bojaemum → Bohemia
Bojahemia → Bohemia
Bojanova: Bojanowo (Posen), Polen.

Bojanum → Bobianum
Bojaria → Bavaria
Bojatum → Bajona
Bojatum → Buchsium
Bojoariorum prov. → Bavaria
Bojobinum → Praga
Bojocassinus ager → Bagisinus ager
Bojodurum, Aenostadium: Innstadt, aufgeg. in Passau (N-Bayern), Deutschl.
Bojorum ager → Burbonensis prov.
Bojus ager → Langobardia
Bolandia, Bonlandia: Bolanden (Pfalz), Deutschl.
Bolcannum → Bauzanum
Bolconis fanum: Bolkenhain [Bolków] (N-Schlesien), Deutschl.
Bolensis pag. → Bononiensis ager
Bolerium promontorium → Antivestaeum promontorium
Bolescino: Eichendorf [Pollentschine, Boleścin] (N-Schlesien), Deutschl.
Boleslai fanum antiquum → Boleslaium vetus
Boleslai fanum novum → Boleslaium novum
Boleslaiensis → Boleslaium vetus
Boleslaium novum, Boleslai fanum novum, Boleslavia nova, Neoboleslavia: Mladá Boleslav [Jungbunzlau] (Böhmen), Tschechoslow.
Boleslaium vetus, Boleslai fanum antiquum, Boleslaiensis, Boleslavia antiqua, Boleslavia vetus: Stará Boleslav [Altbunzlau] (Böhmen), Tschechoslow.
Boleslavia, Boleslavia Silesiae, Tilonis villa: Bunzlau [Bolesławiec] (N-Schlesien), Deutschl.
Boleslavia antiqua → Boleslaium vetus
Boleslavia nova → Boleslaium novum
Boleslavia Silesiae → Boleslavia
Boleslavia vetus → Boleslaium vetus
Boletum: abgeg. bei Barbastro (Huesca), Span.
Bollane villa: Bollendorf [Villa Bollona], Großhgt. Luxemburg.
Bollane villa, Bollunvilla, Buoldonis villa: Bollendorf (Rheinprov.), Deutschl.
Bollunvilla → Bollane villa
Bolonduarium: Balatonmáriafürdö (Somogy), Ung.
Bolonesium → Bononiensis ager
Bolonia → Bononia
Bolonia → Bononia in Francia
Bolonia → Polonia
Bolstara: Bolstern (Württemberg), Deutschl.
Bolsverda: Bolsward (Friesland), Niederl.
Bolsverda: Bouloire (Sarthe), Frankr.
Boltonium: Bolton [Bolton-le-Moors] (Lancashire), Engl.
Bolzanum → Bauzanum
Bomelia → Bomlo
Bomerania → Pomerania
Bomium: Cowbridge (Glamorgan), Engl.
Bomium: Ewenny (Glamorgan), Engl.
Bomlo, Bomelia, Bumela: Zaltbommel (Gelderland), Niederl.
Bona aula → Alba bona
Bona cella, Boncella: Gutenzell bei Ochsenhausen (Württemberg), Deutschl.
Bona vallis: Bonnevaux (Haute-Savoie), Frankr.
Bona vallis, Bonnovallis: Bonneval (Eure-et-Loir), Frankr.
Bona villa → Bonnopolis
Bonae aquae: Bonn (Freiburg), Schweiz.
Bonae aquae: Eaubonne (Seine-et-Oise), Frankr.

Bonae aquae: Eaux-Bonnes (Basses-Pyrénées), Frankr.
Bonaedulcium, Beneducium, Boneducium: Bonaduz (Graubünden), Schweiz.
Boncella → Bona cella
Bonconica → Bancona
Boneducium → Bonaedulcium
Bonefa, Boneffia, Bunefia: Boneffe (Namur), Belg.
Boneffia → Bonefa
Bonesii vallis → Bonna vallis
s. Bonifacii civ., Albiana, Marianum: Bonifacio (Korsica), Frankr.
s. Bonifacii monasterium → Fuldense coenob.
s. Bonifacii sinus, Albianense fretum, Hetruscum fretum: Bouches de Bonifacio [Bocche di Bonifacio, Straße v. San Bonifacio], Meerenge zw. Korsika u. Sardinien, Frankr. u. Ital.
Bonilii, Bonus locus: Bonlieu (Jura), Frankr.
Bonlandia → Bolandia
Bonna, Ara Ubiorum, Bonna ad Rhenum, Bunna, Ubiorum arx, Verona: Bonn (Rheinprovinz), Deutschl.
Bonna ad Rhenum → Bonna
Bonna vallis, Bonesii vallis: Valbonnais (Isère), Frankr.
Bonnopolis, Bautae, Bona villa: Bonneville (Haute-Savoie), Frankr.
Bonnovallis → Bona vallis
Bononia, Bolonia, Felsina: Bologna (Bologna), Ital.
Bononia, Malatae, Vylocum: Ilok [Újlak] wstl. Neusatz (Vojvodina), Jugoslaw.
Bononia in Francia, Bolonia, Gesoria, Iccius portus, Itius portus, Morinorum portus: Boulogne-sur-Mer (Pas-de-Calais), Frankr.
Bononiensis ager, Bolensis pag., Bolonesium: Boulonnais, Landsch. (Pas-de-Calais), Frankr.
Bonsidelia: Wunsiedel (O-Franken), Deutschl.
Bontobrica → Babardia
Bonus aër → s. Trinitatis fanum
Bonus fons: Bonnefontaine (Jura), Frankr.
Bonus fons in Terascia: Bonne-Fontaine (Ardennes), Frankr.
Bonus locus → Bonilii
Bonus mons: Belmont (Waadt), Schweiz.
Boppardia → Babardia
Borbetomagus → Vormatia
Borbitomagus → Vormatia
Borbonensis prov. → Burbonensis prov.
Borbonia → Bormonis aquae
Borboniae aquae, Borbonicae aquae, Borboniense castr., Burbonium, Archembaldi Burbo, Arcimbaldi Burbo: Bourbon-l'Archambault (Allier), Frankr.
Borbonicae aquae → Borboniae aquae
Borboniense castrum → Borboniae aquae
Borbonium Anselmium → Burbo Anselmi
Borburgum → Broburgum
Bordiaus → Burdigala
Borgomanicum → Burgomanerum
Borgundia → Burgundia (prov.)
Borgundia → Burgundia (regnum)
Borimons → Brunonis mons
Boringia, Bornholmia, Holmus: Bornholm, Ins. in d. Ostsee, Dänem.
Borma: Bormes (Var), Frankr.
Bormianae Thermae → Barolum

Bormium → Barolum

Bormonis aquae, Borbonia, Borvonis aquae, Vernova castr.: Bourbonne-les-Bains (Haute-Marne), Frankr.

Borna castra: Berne (Oldenburg), Deutschl.

Bornholmia → Boringia

Bornis, Burnis: Borna (Sachsen), Deutschl.

Borsodiensis comit.: Borsod, eh. ung. Komit. (Borsod-Abauj-Zemplén), Ung.

Borussia → Prussia

Borussorum Thorunum → Thorunium

Borvonis aquae → Bormonis aquae

Bosagnia → Vesalia

Bosani villa, Bosonis villa, Bucconis villa: Bouzonville-aux-Bois (Loiret), Frankr.

Bosania → Posonium

Boscoducum → Buscoduca

Boscus Alzeraci: Bois-Anzeray (Eure), Frankr.

Boscus communis → Comeranum

Bosina → Bosnia

Bosinga: Bösingen (Württemberg), Deutschl.

Bosna: Bosna, Nfl. d. Save (Bosnien), Jugoslaw.

Bosna → Bosnia

Bosnia, Bosina, Bosna: Bosnien, Land u. Teil v. Jugoslaw.

Bosonis villa → Bosani villa

Bosonium → Posonium

Bosoviensis villa, Bozoe, Bozoviensis, Bozovium, Buzavignensis, Buzoe, Buzona: Bosau (Schleswig-Holstein), Deutschl.

Bosowa, Bussaria, Buzaugia, Posa: Bosau (Pr. Sachsen), Deutschl.

Bosphorus, Ochsenfurtum ad Moenum: Ochsenfurt (U-Franken), Deutschl.

Bosporus → Constantinopolitanum fretum

Bosporus Thraciae → Constantinopolitanum fretum

Bossena: Sarajevo [Serajewo] (Bosnien), Jugoslaw.

Bostampium → Bostanium

Bostanium, Bostampium, Postampium, Postemum, Potestampium: Potsdam (Brandenburg), Deutschl.

Bostroniae vallis, Gerardi vallis: Vaugirard (Seine), Frankr.

Botamicus lacus → Potamicus lacus

Botamum castr. → Bodma

Botfelda → Bothfeldinum

Bothama → Bodma

Bothfeldinum, Botfelda: Bodfeld, abgeg. im Harz (Hannover), Deutschl.

Bothnia occidentalis → Westrobotnia

Bothnicus sinus: Bottnischer Meerbusen [Bottenhavet, Bottenviken, Pohjanlahti, Gulf of Bothnia], Teil d. Ostsee.

Botobriga → Babardia

Botrum → Botrys

Botruntina urbs, Buthrotum, Butrorotum, Votrontinus: Butrint [Butrinto, Vutrinto] (Gjirokastër), Alban.

Botrys, Botrum: Batroûn [Batrun] sw. Tripoli, Libanon.

Botum → Boda

Boucla s. Bavonis → s. Bavonis Bocla

Bovianum → Bobianum

Bovinae → Bovines

Bovincum → Vibinum

Bovinda → Boandus

Bovines, Bovinae: Bouvines (Nord), Frankr.

Bovingolo → Boviniacum

Boviniacum, Bovingolo: Bouvignies (Nord), Frankr.

Bovinianum → Bobianum
Bovinum: Bouin (Vendée), Frankr.
Bovium: Boverton (Glamorgan), Engl.
Bovium → Bangertium
Bovo → Bubus
Boxum: Bussières (Saône-et-Loire), Frankr.
Boynum, Peinna, Perna, Peyna, Poynum: Peine (Hannover), Deutschl.
Bozanum → Posonium
Bozoe → Bosoviensis villa
Bozokiensis: Bzovík [Bozók] (Slowakei), Tschechoslow.
Bozolum: Bozzolo (Mantua), Ital.
Bozonium → Posonium
Bozoviensis → Bosoviensis villa
Bozovium → Bosoviensis villa
Brabantia, Brabanticorum terra, Brabrancia, Bracbantisiorum terra, Bracbantum, Brachbatensis pag., Bragbandum, Bragobantus pag., Bratucpantus, Brawancia: Brabant, Landsch. zw. Maas u. Schelde, Belg. u. Niederl.
Brabanticorum terra → Brabantia
Brabrancia → Brabantia
Bracara Augusta → Bracharaugusta
Bracbantisiorum terra → Brabantia
Bracbantum → Brabantia
Bracchia, Bractia: Brač [Brazza], Ins. im Adriat. Meer (Dalmatien), Jugoslaw.
Braccianum → Arcennum
Bracharaugusta, Bragium, Bracara Augusta: Braga (Minho), Portug.
Brachbatensis pag. → Brabantia
Braciacum ad Sequanam, Brajum, Brajacum ad Sequanam: Bray-sur-Seine (Seine-et-Marne), Frankr.
Bracla: Brackel, Teil v. Dortmund (Westfalen), Deutschl.
Bracla, Braclis, Beca, Pecca: Brakel (Westfalen), Deutschl.
Braclavia → Bratislavia
Braclis → Bracla
Bractia → Bracchia
Braea, Breda: Brée (Limburg), Belg.
Braga → Praga
Bragantia, Brigantia Lusitaniae: Bragança (Tras-os-Montes), Portug.
Bragbandum → Brabantia
Brageracum → Bergeracum
Bragium → Bracharaugusta
Bragium, Bergae castr.: Briis-sous-Forges (Seine-et-Oise), Frankr.
Bragobantus pag. → Brabantia
Bragodunum → Biberacum
Bragodurum, Brigabannis, Brigobanna: Bräunlingen (Baden), Deutschl.
Brajacum ad Sequanam → Braciacum ad Sequanam
Braida: Brà (Cuneo), Ital.
Braina → Brennacum
Brajum → Braciacum ad Sequanam
Bramenium → Bremenium
Brammovicum: Bramans (Savoie), Frankr.
Brana ad Vidulam → Brennacum
Brana Allodiensis: Braine-l'Alleud [Eigenbrakel] (Brabant), Belg.
Brancastrum → Brannodunum
Brandeberga → Bamberga
Brandeburgum, Brandenburgum, Brennoburgum: Brandenburg a. d. Havel (Brandenburg), Deutschl.
Brandeburgum novum: Neubrandenburg (Mecklenburg-Strelitz), Deutschl.
Brandenburgensis marchionat., Bardaburgensis marchionat., Brandenburgicus electoratus, Brundeburgensis marchionat.: Brandenburg, Mgft. u. Kurfstm., Deutschl.

Brandenburgicus electoratus → Brandenburgensis marchionat.
Brandenburgum → Brandeburgum
Brandesium, Brundusium: Brandýs nad Labem [Brandeis a. d. Elbe] (Böhmen), Tschechoslow.
Brandinos, Ara, Arania: Arran, Ins. (Firth of Clyde), Schottl.
Branesia → Oldenburgum
Brangonia → Vigornia
Brannodunum, Brancastrum: Brancaster (Co. Norfolk), Engl.
Brannovium → Vigornia
Branogenium → Vigornia
Bransberga → Brunsberga
Brantholmium → Brantosomum
Brantosomum, Brantholmium: Brantôme (Dordogne), Frankr.
Brasilia, Brasiliensis terra: Brasilien [Brasil], Land, S-Amerika.
Brasiliapolis: Brasilia, Hst. v. Brasilien.
Brasiliensis terra → Brasilia
Brassovia, Corona, Stephanopolis: Braşov [Kronstadt] (Siebenbürgen), Rumän.
Brathaslavia → Wratislavia
Bratislavia, Braclavia: Brazlaw a. Bug (Ukrain. SSR), UdSSR.
Bratucpantus → Brabantia
Bratuspantium → Bellovacus
Braunensis → Brunovia
Braunodunum, Brunodunum, Brunopolis, Prunoi: Braunau a. Inn (O-Österr.), Österr.
Braunsberga → Brunsberga
Brauslavia → Wratislavia
Brauvillarium → Brunwilarium
Braviarum ad Samaram: Bray-sur-Somme (Somme), Frankr.
Brawancia → Brabantia
Braxima villa: Villabragima (Valladolid), Span.
Brecania → Brechinium
Brecennum → Arcennum
Brechinia → Brechiniensis comit.
Brechinia, Breconium: Brecknock [Brecon] (Brecknockshire), Engl.
Brechiniensis comit., Brechinia: Brecknockshire, Grafsch. (Wales), Engl.
Brechinium, Brecania: Brechin (Co. Angus), Schottl.
Brecislaburgum → Posonium
Breconium → Brechinia
Breda → Braea
Breda Bohemicalis → Broda Bohemica
Bredana civ.: Breda (N-Brabant), Niederl.
Bredefortia, Brefortium: Bredevoort [Breedevoort, Breevoort] (Gelderland), Niederl.
Bredenaia: Bredeney [Essen-Bredeney] (Rheinprovinz), Deutschl.
Brefortium → Bredefortia
Brega, Briga, Altae ripae civ., Budorgis: Brieg [Brzeg] (N-Schlesien), Deutschl.
Bregaetium, Bregetio, Severinum: Szöny (Komorn), Ung.
Bregalia, Bregenses thermae, Vibericus vicus: Brig [Brigue] (Wallis), Schweiz.
Bregantia → Brigantium
Bregenses thermae → Bregalia
Bregetio → Bregaetium
Bregetio → Brigantium
Brema, Bremae, Bremensis, Bremia, Fabirana Saxonum, Fabiranum, Phabiranum, Pregmensis civ., Premensis: Bremen (Hansestadt), Deutschl.
Bremae → Brema
Brembus: Brembo, Nfl. d. Adda (Mailand), Ital.
Bremenium, Bramenium: High

Rochester (Co. Northumberland), Engl.
Bremensis → Brema
Bremetum, Bremita: Breme (Pavia), Ital.
Bremia → Brema
Bremita → Bremetum
Bremogartum, Prima Guardia: Bremgarten a. d. Reuss (Aargau), Schweiz.
Brena, Breona, Briennense castr., Briennium, Briona: Brienne-le-Château (Aube), Frankr.
Brennacum, Braina, Brana ad Vidulam, Brinagum, Brinaicum, Brinnacum, Bronium: Braine (Aisne), Frankr.
Brennia comitis, Bronium: Braine-le-Comte ['s-Gravenbrakel] (Hennegau), Belg.
Brennia vallis, Beligno vallis, Breunia vallis: Val Blenio [Blenio], Tal (Tessin), Schweiz.
Brennoburgum → Brandeburgum
Brennovicum → Aquilejense monast.
Brennus mons → Pyrenaeus mons
Brentesia, Brentus, Medoacus maior, Parentus: Brenta, Fl., Mü: Adriat. Meer (Venezien), Ital.
Brentus → Brentesia
Breona → Brena
Bresacum → Brisacum
Bresalanza, Brzesaianea: Kunersdorf [Brzezia Łąka] (N-Schlesien), Deutschl.
Brescia, Bresica, Bressicia, Briscium: Brest [Brest Litowsk, Brześć] (Weißruss. SSR), UdSSR.
Bresica → Brescia
Bressia → Sebusianus ager
Bressiae burgus → Sebusianorum burgus
Bressicia → Brescia
Brestia → Brestum
Brestia Cujaviae → Brescia
Brestiensis palatin.: Brest [Brest Litowsk], eh. Woiw. (Białystok, Lublin, Weißruss. SSR), Polen u. UdSSR.
Brestum, Brestia, Brivates portus: Brest (Finistère), Frankr.
Bretelium → Bretolium
Bretenoro → Britannorum villa
Bretiniacum: Brétigny-sur-Orge (Seine-et-Oise), Frankr.
Bretizlavensis civ. → Wratislavia
Bretoliensis → Bretolium
Bretolii → Balcium
Bretolium, Bretelium, Britolium, Britolum: Breteuil [Breteuil-sur-Iton] (Eure), Frankr.
Bretolium, Bretoliensis, Britolium: Breteuil (Oise), Frankr.
Breucomagus → Brocomagus
Breunensis → Brevnovia
Breunia vallis → Brennia vallis
Breunovensis → Brevnovia
Brevis: Brewitz bei Dambeck (Pr. Sachsen), Deutschl.
Brevnovia, Breunensis, Breunovensis: Břevnov [Großbrewnow], Teil v. Prag (Böhmen), Tschechoslow.
Brexellum → Brixellum
Brexia → Brixia
Brexia → Sebusianus ager
Brezeum: Brézé (Maine-et-Loire), Frankr.
Brezlaensis → Wratislavia
Brezlaia → Wratislavia
Brezlawensis → Wratislavia
Bria Comitis Roberti: Brie-Comte-Robert (Seine-et-Marne), Frankr.
Briaca: Brihuega (Guadalajara), Span.
Briacensis pag. → Briensis pag.
Brianzoni castr. → Brigantium
Briaria → Bribodurum

Bribodurum, Briaria, Bridoborum, Brivodurum: Briare (Loiret), Frankr.
Briceium → Bricesum
Bricesum, Briceium, Brium: Briey (Meurthe-et-Moselle), Frankr.
Brichena: Brigach, Quellfl. d. Donau (Baden), Deutschl.
Brictii mons → Brisonis mons
Brictionis mons → Brisonis mons
Brictium: Brietzen [Brzyków] (N-Schlesien), Deutschl.
Brida → Brivas
Brido → Barda
Bridoborum → Bribodurum
Briegius saltus → Briensis pag.
Briela, Helium: Brielle (S-Holland), Niederl.
Briennense castr. → Brena
Briennium → Brena
Briensis pag., Briacensis pag., Briegius saltus, Brigensis ager: Brie, Landsch. (Seine-et-Marne, Aisne, Aube), Frankr.
Brientii castr., Bairiaci castr.: Châteaubriant (Loire-Atlantique), Frankr.
Brienzola: Brienz (Bern), Schweiz.
Brieza fida: Treuenbrietzen (Brandenburg), Deutschl.
Briga: Breg, Quellfl. d. Donau (Baden), Deutschl.
Briga → Brega
Brigabannis → Bragodurum
Brigabannis → Brigobane
Briganconia → Pergantium
Brigannis → Brigobane
Brigantia → Brigantium
Brigantia, Flavia Lambris: Betanzós (La Coruña), Span.
Brigantia Lusitaniae → Bragantia
Brigantinum → Brigantium
Brigantinus comit.: Bregenz, eh. Grafsch. (Vorarlberg), Österr.
Brigantinus lacus → Potamicus lacus
Brigantium, Bregantia, Brigantia, Brigantinum, Pergentia, Praegantinum, Pregentium: Bregenz (Vorarlberg), Österr.
Brigantium, Bregetio, Brianzoni castr., Brigantia, Origantium, Virgantia castell., Vorgantia: Briançon (Hautes-Alpes), Frankr.
Brigantium Flavium → Flavium Brigantum
Brigantum Vinovia → Bimonium
Brigense monast. → Faraemonast.
Brigensis ager → Briensis pag.
Brigiana: Burriana (Castellón de la Plana), Span.
Brigianus conventus: Brig [Brigue], Bez. (Wallis), Schweiz.
Brigidum Saccum → Brisacum Andegavense
Brigobane, Brigabannis, Brigannis: Hüfingen (Baden), Deutschl.
Brigobanna → Bragodurum
Brigolium: Brigueuil (Charente), Frankr.
Brimnum: Brummen (Gelderland), Niederl.
Brinagum → Brennacum
Brinaicum → Brennacum
Brinna → Brunna
Brinnacum → Brennacum
Brinnium → Brunna
Brinolia, Brinolium, Brinonia: Brignoles (Var), Frankr.
Brinolium → Brinolia
Brinonia → Brinolia
Briocae, Briocensis, Brioci castr., s. Brioci Fanum, Briocum, s. Briocus: Saint-Brieuc (Côtes-du-Nord), Frankr.
Briocensis → Briocae
Brioci castr. → Briocae
s. Brioci Fanum → Briocae

Briocum → Briocae
s. **Briocus** → Briocae
Brioisara → Pontisara
Briona → Brena
Brionum: Briones (Logroño), Span.
Briovera, s. Laudinus, s. Laudus in Constantino, s. Lauti castr., Sanlaudum: Saint-Lô (Manche), Frankr.
Bripium, Brivium: Brivio (Como), Ital.
Brisaca → Brisacum
Brisachum → Brisacum
Brisacum, Bresacum, Brisaca, Brisachum, Brisiacus mons, Brissacha, Brizacum, Prisaca, Prisacha, Prissaugia: Breisach (Baden), Deutschl.
Brisacum Andegavense, Brigidum Saccum: Brissac (Maine-et-Loire), Frankr.
Brisacum novum: Neuf-Brisach [Neu-Breisach] (Haut-Rhin), Frankr.
Brisagaugia → Brisgovia
Brisagaviensis pag. → Brisgovia
Brisaugia → Brisgovia
Briscaugia → Brisgovia
Brischaugia → Brisgovia
Briscium → Brescia
Briscolia → Bristolium
Brisgaudia → Brisgovia
Brisgaugia → Brisgovia
Brisgaugiensis pag. → Brisgovia
Brisgoia → Brisgovia
Brisgovia, Brisagaugia, Brisagaviensis pag., Brisaugia, Briscaugia, Brischaugia, Brisgaudia, Brisgaugia, Brisgaugiensis pag., Brisgoia, Brisigausinsis pag., Brisigavia, Prisgauvensis pag., Prisigavia: Breisgau, Landsch. (Baden), Deutschl.
Brisia → Brixia
Brisiacus mons → Brisacum
Brisigausinsis pag. → Brisgovia
Brisigavia → Brisgovia
Brisonis mons, Brictii mons, Brictionis mons, Brissoni mons: Montbrison (Loire), Frankr.
Brissacha → Brisacum
Brissoni mons → Brisonis mons
Bristoliensis manica: Bristol Channel [Kanal von Bristol], Meerbusen (Atlantik), Engl.
Bristolium, Briscolia, Bristollia, Bristuma: Bristol (Co. Somerset, Gloucestershire), Engl.
Bristollia → Bristolium
Bristuma → Bristolium
Britannia barbara, Caledonia, Pictavia, Scotia Britannica: Schottland [Scotland] ndl. der Linie zw. d. Firth of Clyde u. Firth of Forth.
Britannia cismarina → Armorica
Britannia maior → Anglia
Britannia minor → Armorica
Britannia propria → Anglia
Britannia Romana → Anglia
Britannia secunda → Vallesia
Britannicum fretum → Caletanum fretum
Britannicus oceanus → Germanicum mare
Britannodunum, Britonum castrum, Dumbritonium: Dumbarton (Dumbartonshire), Schottl.
Britannorum villa, Bretenoro: Bretenoux (Lot), Frankr.
Britexta: Briatexte (Tarn), Frankr.
Britolium → Bretolium
Britolum → Bretolium
Britonum castrum → Britannodunum
Brittona: Brütten (Zürich), Schweiz.
Britzna: Brezno [Bries, Breznobanya] (Slowakei), Tschechoslow.
Brium → Bricesum
Briva Curretia: Brive-la-Gaillarde (Corrèze), Frankr.

Briva Isarae → Pontisara
Brivas, Brida, Brivata, Brivatum in Arvernia, Brivatensis: Brioude (Haute-Loire), Frankr.
Brivata → Brivas
Brivatensis → Brivas
Brivates portus → Brestum
Brivatum in Arvernia → Brivas
Brivium → Bripium
Brivodurum → Bribodurum
Brixa → Brixia
Brixanerium → Brixia
Brixellum, Brexellum, Brixillum: Brescello (Reggio Emilia), Ital.
Brixia, Barixia, Brexia, Brisia, Brixianus, Brixna, Prixia, Prizia: Brescia (Brescia), Ital.
Brixia, Brixa, Brixanerium, Brixina, Brixina Norica, Brixinora, Pressena, Prisna, Prissia, Prixia, Prixinona: Bressanone [Brixen] (Bozen), Ital.
Brixianus → Brixia
Brixillum → Brixellum
Brixina → Brixia
Brixina Norica → Brixia
Brixinora → Brixia
Brixna → Brixia
Brizacum → Brisacum
Broagium, Bruagium, Jacopolis: Brouage [Hiers-Brouage] (Charente-Maritime), Frankr.
Broburgum, Borburgum, Brugburgum, Burgburgium: Bourbourg (Nord), Frankr.
Brocariaca → Brocariacum
Brocariacum, Brocariaca, Brucariacum, Bruchariacum, Brucheriacum: La Boucherasse bei Sceaux (Yonne), Frankr.
Brochorium → Bercorium
Brocmeria: Brokmerland, Landsch. in O-Friesland (Hannover), Deutschl.
Brocomagus, Bermata, Breucomagus, Brucomagus: Brumath (Bas-Rhin), Frankr.
Brocsela → Bruxella
Broda Bohemica, Breda Bohemicalis: Český Brod [Böhmisch-Brod] (Böhmen), Tschechoslow.
Broda Germanica, Broda Teutonica, Teutobroda: Havlíčkův Brod (Německý Brod, Deutsch Brod] (Böhmen), Tschechoslow.
Broda Teutonica → Broda Germanica
Brodnicensis → Strasburgum in Culmensi tractu
Broilum: Broglio (Tessin), Schweiz.
Bromagus → Viromagus
Bromberga → Bidgostia
Brondulum: Brondolo (Venedig), Ital.
Bronium → Brennacum
Bronium → Brennia comitis
Brosella → Bruxella
Brossa frateria → Saxopolis
Brouwari portus, Bruvenhavia: Brouwershaven (Seeland), Niederl.
Bruagium → Broagium
Brubacum: Braubach a. Rhein (Hessen-Nassau), Deutschl.
Brucariacum → Brocariacum
Brucca, Asciriches Brucca, Leitae pons, Pons super Leytam, Prukensis: Bruck a. d. Leitha (N-Österr.), Österr.
Brucca, Prucca: Bruck (M-Franken), Deutschl.
Brucca, Prucca, Prucha: Bruck (O-Bayern, BA. Ebersberg), Deutschl.
Brucca Asciriches → Brucca
Bruccum → Bruga
Bruccum, Brusum: Brux (Vienne), Frankr.
Brucellae → Bruxella

Bruchariacum → Brocariacum

Brucheriacum → Brocariacum

Bruchsalium, Bruchsella, Brusella, Brucsalium, Bruochsella: Bruchsal (Baden), Deutschl.

Bruchsella → Bruchsalium

Bruckevilla → Brugae

Brucomagus → Brocomagus

Brucsalium → Bruchsalium

Bructerus mons, Proculus mons, Ruptus mons: Brocken, Berg im Harz, Deutschl.

Brudgensis civ. → Brugae

Brudgis → Brugae

Bruenna → Brunna

Brueriae: Bruyères (Vosges), Frankr.

Bruga → Brugae

Bruga, Arulae pons, Bruccum, Bruggo: Brugg (Aargau), Schweiz.

Bruga ad Ederum: Erndtebrück (Westfalen), Deutschl.

Brugae, Brucke villa, Brudgensis civ., Brudgis, Bruga, Brugae Flandrorum, Brugense castr., Brugga, Bruggae, Bruggis, Brugiae, Brugias, Flandrense municipium: Bruges [Brügge, Brugge] (W-Flandern), Belg.

Brugae Flandrorum → Brugae

Brugburgum → Broburgum

Brugense castr. → Brugae

Brugga → Brugae

Bruggae → Brugae

Bruggis → Brugae

Bruggo → Bruga

Brugiae → Brugae

Brugias → Brugae

Brugnatum, Brunetum, Bruniacum: Brugnato (La Spezia), Ital.

Brulensis → Bruolensis

Bruna → Brunna

Brundeburgensis marchionat. → Brandenburgensis marchionat.

Brundisia → Brundusia

Brundusia, Brundisia, Bruntrutum, Pons Ragnetrudis: Porrentruy [Pruntrut] (Bern), Schweiz.

Brundusium → Brandesium

Brunecca → Brunopolis

Brunecium → Brunopolis

Brunetum → Brugnatum

Bruniacum → Brugnatum

Bruningis: Bräunlings (Bayern, RB. Schwaben), Deutschl.

Brunna, Bruna, Bruenna, Brinna, Brinnium, Brunnensis, Eburodunum Quadorum: Brno [Brünn] (Mähren), Tschechoslow.

Brunna vallis → Bergallia vallis

Brunnensis → Brunna

Brunnum: Bronnen (Württemberg, Kr. Biberach), Deutschl.

Brunodunum → Braunodunum

Brunonis domus: Brunkensen (Braunschweig), Deutschl.

Brunonis mons → Brunsberga

Brunonis mons, Borimons, Burnonis mons: Bourmont (Haute-Marne), Frankr.

Brunonis vicus → Brunsvicum

Brunopolis → Braunodunum

Brunopolis → Brunsvicum

Brunopolis, Brunecca, Brunecium: Brunico [Bruneck] (Bozen), Ital.

Brunovia, Braunensis: Broumov [Braunau] (Böhmen), Tschechoslow.

Brunsberga, Brunonis mons, Braunsberga, Bransberga: Braunsberg [Braniewo] (O-Preußen), Deutschl.

Brunsbutta: Brunsbüttel (Schleswig-Holstein), Deutschl.

Brunsvicum, Brunonis vicus, Brunopolis, Brunsviga, Brunsvigia, Pentapolis: Braunschweig (Braunschweig), Deutschl.

Brunsviga → Brunsvicum

Brunsvigia → Brunsvicum

Bruntrutum → Brundusia
Brunwilarium, Brauvillarium, Brunwylrensis: Brauweiler (Rheinprovinz), Deutschl.
Brunwylrensis → Brunwilarium
Bruochsella → Bruchsalium
Bruolensis, Brulensis, Pryelensis: Brühl (O-Pfalz), Deutschl.
Brusca: Breusch [Breusch-Wickersheim] (Bas-Rhin), Frankr.
Brusca, Bursca, Prusca: Breusch, Nfl. d. Ill (Bas-Rhin), Frankr.
Bruscia → Prussia
Bruscia → Prussia Orientalis
Brusella → Bruchsalium
Brusella → Bruxella
Brussia → Prussia
Brustemia, Brustum: Brustem (Limburg), Belg.
Brustum → Brustemia
Brusum → Bruccum
Bruttinum → Cantazarae prov.
Bruttiorum ins., Asila, Esula: Isola di Capo Rizzuto (Catanzaro), Ital.
Bruvenhavia → Brouwari portus
Bruxella, Bruxellae, Brucellae, Brosella, Brocsela, Brusella: Bruxelles [Brüssel, Brussel], Hst. v. Belg.
Bruxellae → Bruxella
Bruxia → Pontum
Brygianum → Arcennum
Brystacia → Umbriaticum
Bryszinitzum: Přísečnice [Preßnitz] (Böhmen), Tschechoslow.
Brzesaianea → Bresalanza
Bubulae → Bullaeum
Bubus, Bovo: Čiovo [Bua], Ins. (Dalmatien), Jugoslaw.
Bucaresta, Buchurestum, Thyanus: Bucureşti [Bukarest], Hst. v. Rumän.
Buccensis: Bucken (Schleswig-Holstein), Deutschl.
Buccii Capitis pag. → Buchsium
Buccina, Phorbantia: Levanzo [Isola di Levanzo], Ins. (Ägatische Inseln), Ital.
Buccinae arx: Trompette, Schloß bei Bordeaux (Gironde), Frankr.
Buccinium → Bochanium
Bucconis villa → Bosani villa
Bucellae: Bucellas bei Lissabon, Portug.
Bucellum: Borello (Forlì), Ital.
Bucephalia → Beucinum
Bucha: Wachenbuchen (Hessen-Nassau), Deutschl.
Buchananum promont.: Buchan Ness, Vorgeb. (Aberdeenshire), Schottl.
Buchania: Buchan, Landsch. (Aberdeenshire), Schottl.
Buchanium → Bochanium
Buchonia, Fagonia, Baconia, Bochonia, Boconia, Buchovia, Buconia: Buchengau, eh. Gau um Fulda (Hessen-Nassau u. Thüringen), Deutschl.
Buchovia → Buchonia
Buchovia → Buochaugia
Buchsa, Pugum: Buchs a. Rhein (St. Gallen), Schweiz.
Buchsium, Buxium, Bojatum, Capitis Buccii pag.: Le Buch, Landsch. (Gironde), Frankr.
Buchurestum → Bucaresta
Bucia: Butera (Caltanisetta), Ital.
Buciacum: Bucy-le-Long (Aisne), Frankr.
Buckinghamia → Neomagus
Buconia → Buchonia
Bucquoium, Buquoja: Bucquoy (Pas-de-Calais), Frankr.
Bucus → Busium
Buda → Boda
Buda, Aquincum, Acincum Sicam-

briae, Herculis Castra, Ovena, Sicambria, Vetus Buda, Wuda: Ofen [Buda] u. Alt Ofen [Ó Buda], Teile v. Budapest, Ung.
Buda Vetus → Buda
Budatium → Marsallo
Budica: Büttgen (Rheinprovinz), Deutschl.
Budina: Budyně [Budin] (Böhmen), Tschechoslow.
Budissa, Budissina: Bautzen (Sachsen), Deutschl.
Budissina → Budissa
Budorgis → Brega
Budoris: Monheim a. Rhein (Rheinprovinz), Deutschl.
Budoris → Budrichium
Budovicium, Budovitium, Budovisia, Buduissa, Marobudum: České Budějovice [Budweis, Böhmisch-Budweis] (Böhmen), Tschechoslow.
Budovisia → Budovicium
Budovitium → Budovicium
Budra → Bulva
Budrichium, Budoris: Büderich (Rheinprovinz), Deutschl.
Budruntum → Bidruntum
Buduissa → Budovicium
Buezzovium → Beucinum
Bufeleiba villa: Bufleben (Thüringen), Deutschl.
Buffoleti portus: Porto Buffole (Treviso), Ital.
Buga: Bug [Westlicher Bug], Nfl. d. Weichsel (Warschau), Polen.
Bugella, Bagella, Gamuellus: Biella (Vercelli), Ital.
Bugia → Beugesia
Buhsa → Herzogenbuhsa
Buila: Bühl a. d. Wörnitz (Bayern, RB. Schwaben), Deutschl.
Buinda → Boandus
Bukehamia → Neomagus
Bukehamiensis comit. → Neomagensis comit.
Bulgaria, Bogaria, Burgaria, Vulgaria: Bulgarien [Bulgarija].
Bulium: Bulle [Boll] (Freiburg), Schweiz.
Bullaeum, Bubulae: Bulles (Oise), Frankr.
Bullio, Bullium, Bullonium, Bullum: Bouillon (Luxemburg), Belg.
Bullium → Bullio
Bullonium → Bullio
Bullum → Bullio
Bulsanum → Bauzanum
Bulva, Batua, Budra: Budva [Budua] (Montenegro), Jugoslaw.
Bumela → Bomlo
Bunda → Bintensis abbatia
Bundium: Bondo (Graubünden), Schweiz.
Bunefia → Bonefa
Bungiacensis silva, Laochonia sylva: Forêt de Bondy, Wald bei Bondy (Seine), Frankr.
Bunitium → Beucinum
Bunna → Bonna
Bunnopolis → Hildesia
Bunomia: Giannitsá [Jiannitsa, Janitza, Jenidže] (Sella), Griechenl.
Buochaugia, Bochaugia, Buchovia: Buchau a. Federsee (Württemberg), Deutschl.
Buochela, Bochela: Buhlen (Hessen-Nassau, Kr. Waldeck), Deutschl.
Buolaha: Bullau (Hessen), Deutschl.
Buoldonis villa → Bollane villa
Buozwilare: Bütschwil (St. Gallen), Schweiz.
Buquoja → Bucquoium
Bura: Buer [Gelsenkirchen-Buer] (Westfalen), Deutschl.
Bura → Burensis
Bura → Buria

Burana s. Benedicti abbatia → Buria
Burbo Ancelli → Burbo Anselmi
Burbo Anselmi, Burbo Ancelli, Borbonium Anselmium, Nisineji Aquae: Bourbon-Lancy (Saône-et-Loire), Frankr.
Burbo Archembaldi → Borboniae aquae
Burbo Arcimbaldi → Borboniae aquae
Burbonensis prov., Bojorum ager, Borbonensis prov.: Bourbonnais, Landsch. u. eh. Prov. (Allier, Cher, Puy-de-Dôme), Frankr.
Burbonium → Borboniae aquae
Burcana, Burchana, Burchania, Byrchanis: Borkum, Ins. (Ostfries. Inseln), Deutschl.
Burchana → Burcana
Burchania → Burcana
Burcia → Barcia
Burcinalium: Kranenburg (Rheinprovinz), Deutschl.
Burda → Barda
Burdegallia → Burdigala
Burdigala, Biturigum civ., Burdegallia, Viviscorum civ., Bordiaus: Bordeaux (Gironde), Frankr.
Burense monast. → Buria
Burensis, Bura, Burias: Beuern (Rheinprovinz), Deutschl.
Burgalis, Burglynum, Purgilinum: Velké Vřeštóv [Großbürglitz] (Böhmen), Tschechoslow.
Burgaria → Bulgaria
Burgasia → Birgusia
Burgavia, Burgovia, Burgo, Burgowe castr.: Burgau (Bayern, RB. Schwaben), Deutschl.
Burgburgium → Broburgum
Burgdorfium: Burgdorf (Hannover), Deutschl.
Burgdorfium, Burgvilla, Burgivilla: Burgdorf (Bern), Schweiz.
Burgetum: Le Bourget-du-Lac (Savoie), Frankr.
Burgetum ad Mincium: Borghetto bei Valeggio sul Mincio (Verona), Ital.
Burgi, Burgum, Burgis Hispaniae, Burgitana civ.: Burgos (Burgos), Span.
Burgi fons: Fontaine-le-Bourg (Seine-Maritime), Frankr.
Burgila: Bürglen (Uri), Schweiz.
Burgis Hispaniae → Burgi
Burgitana civ. → Burgi
Burgivilla → Burgdorfium
Burglynum → Burgalis
Burgo → Burgavia
Burgomanerum, Borgomanicum: Borgomanero (Novara), Ital.
Burgomatis civ. → Bergamum
Burgovia → Burgavia
Burgowe castr. → Burgavia
Burgscheidinga → Schidinga
Burgum: Le Bourg auf Jersey, Ins. d. Kanalinseln, Großbritannien.
Burgum: Porvoo [Borga] (Uusimaa), Finnland.
Burgum → Burgi
Burgum, Arx, Castrum: Burg (Pr. Sachsen), Deutschl.
Burgum bonae Genelae: Bollène (Vaucluse), Frankr.
Burgum dives: Richebourg, Kl. bei Beauvau (Maine-et-Loire), Frankr.
Burgum Eugippius: Laag bei Unterangerberg (Tirol), Österr.
Burgum francum, Burgus francus Eporediensis: Borgofranco d'Ivrea (Turin), Ital.
Burgum s. Mariae: Bourg-Sainte-Marie (Haute-Marne), Frankr.
Burgum novum: Bourgneuf (Charente-Maritime), Frankr.

Burgum novum ad Ligerim, Neoburgum: Bourgneuf-en-Retz (Loire-Atlantique), Frankr.
Burgum super Sabulones: Burgh by Sands (Cumberlandshire), Engl.
Burgundia inferior → Burgundia (prov.)
Burgundia (prov.), Bergundia, Borgundia, Burgundia inferior, Burgundiae ducat.: Bourgogne [Burgund, Niederburgund], Landsch. u. eh. Prov. (Saône-et-Loire, Ain, Côte-d'Or, Haute-Marne, Yonne), Frankr.
Burgundia (regnum), Borgundia, Burgundionorum regn., Burgundionum regn., Arelatense regn.: Burgund, eh. Königreich, SO-Frankr. u. die W-Schweiz.
Burgundia superior → Burgundiae comit.
Burgundiae comit., Burgundia superior, Sequania: Freigrafschaft Burgund [Franche-Comté], Landsch. u. eh. Prov. (Doubs, Jura, Haute-Saône), Frankr.
Burgundiae ducat. → Burgundia (prov.)
Burgundionorum regn. → Burgundia (regnum)
Burgundionum regn. → Burgundia (regnum)
Burgus: Bourg-Lastic (Puy-de-Dôme), Frankr.
Burgus: Burgh upon Bain (Lincolnshire), Engl.
Burgus Ageduni: Le Bourdeix (Dordogne), Frankr.
Burgus Carentoniae: Bourg-Charente (Charente), Frankr.
Burgus Chabaldorum: Bourg-Archambault (Vienne), Frankr.
Burgus s. Dalmatii: Borgo San Dalmazzo (Cuneo), Ital.
Burgus francus Eporediensis → Burgum francum
Burgus francus Laumellinorum: Suardi [Borgofranco] (Pavia), Ital.
Burgus Panicalis: Borgo Panigale bei Bologna (Bologna), Ital.
Burgusium: Burgusio [Burgeis] bei Mals (Bozen), Ital.
Burgvilla → Burgdorfium
Buria: Gottsbüren (Hessen-Nassau), Deutschl.
Buria, s. Benedicti Burana abbatia, Benedictobura, Bura, Burense monast., Burinensis, Buronensis, Pura, Puronensis: Benediktbeuern (O-Bayern), Deutschl.
Burias → Burensis
Burica → Barcia
Buriciana urbs: Burkheim (O-Franken), Deutschl.
Burinensis → Buria
Burla Fontana → Episcopi fons
Burnis → Bornis
Burnonis mons → Brunonis mons
Buronensis → Buria
Burrhonium → Blabira
Bursca → Brusca
Bursfelda, Campus rusticorum: Bursfelde (Hannover), Deutschl.
Burtanga: Boertange [Bourtange] (Groningen), Niederl.
Burtona: Burton-upon-Trent (Staffordshire), Engl.
Burythum → Baruthum
Buscioduca → Buscoduca
Buscoduca, Bindrium, Boscoducum, Buscioduca, Buscoducis, Buscum ducis, Sylva ducis: 's-Hertogenbosch [Herzogenbusch, Bois-le-Duc] (N-Brabant), Niederl.
Buscoducis → Buscoduca
Buscum ducis → Buscoduca
Busentiacum: Buzançais (Indre), Frankr.

Busiris: Abusir (Nil-Delta), Ägypten.
Busium, Bucus, Buxium: Buis-les-Baronnies (Drôme), Frankr.
Busonium → Posonium
Bussaria → Bosowa
Bussiacum in Otha: Bussy-en-Othe (Yonne), Frankr.
Bussiacum iuxta Stratam: Bussy-Lettré (Marne), Frankr.
Bussiacum magnum: Bussy-le-Grand (Côte-d'Or), Frankr.
Busta Gallorum: Bastia Mondovi (Cuneo), Ital.
Buswilare → Buxovilla
Butavia: Bütow [Bytów] (Pommern), Deutschl.
Buthrotum → Botruntina urbs
Butinga: Büdingen (Hessen), Deutschl.
Butragum → Blitabrum
Butrorotum → Botruntina urbs
Buttensulza: Buttisholz (Luzern), Schweiz.
Butyri mons: Butterberg, abgeg. bei Chełmno [Culm] (Bromberg), Polen.
Buvinda → Boandus
Buvindum: Carlingford [Cairlinn] (Co. Louth), Eire.
Buxhemium: Buxheim (Bayern, RB. Schwaben), Deutschl.
Buxiliae, Vigiliae: Bisceglie (Bari), Ital.
Buxium → Buchsium
Buxium → Busium
Buxonium → Beucinum
Buxovilla: Buschwiller [Buschweiler] (Haut-Rhin), Frankr.
Buxovilla, Buswilare, Buxwilare: Bouxwiller [Buchsweiler] (Bas-Rhin), Frankr.
Buxudis, Buxus: Boussu (Hennegau), Belg.
Buxus → Buxudis
Buxwilare → Buxovilla
Buzaugia → Bosowa
Buzavignensis → Bosoviensis villa
Buzoe → Bosoviensis villa
Buzona → Bosoviensis villa
Byblos → Byblus
Byblus, Byblos, Gebal, Gubla: Dschebeil [Djebail, Gebail, Ibail, Jebaïl, Jubeil], Libanon.
Bydena → Bidinum
Byenna → Vindobona
Byrchanis → Burcana
Byruthum → Baruthum
Byssa, Prisatina: Biese, Nfl. d. Uechte (Pr. Sachsen), Deutschl.
Bythonia → Bethania
Byvera, Bibera: Bebra (Hessen-Nassau), Deutschl.
Byzia → Bizya

C

Cabalaunum, Caballinum, Cabellio, Cabillo, Cabillonum: Chalon-sur-Saône (Saône-et-Loire), Frankr.
Caballiacensis ager, Antuatum ager, Caballica prov., Caballicus ducat., Cabellicus ducat.: Chablais, Landsch. (Haute-Savoie), Frankr.
Caballica prov. → Caballiacensis ager
Caballicus ducat. → Caballiacensis ager
Caballinum → Cabalaunum
Caballio, Cabellio, Cavellio, Gabi-

lona, Cabellicorum civ.: Cavaillon (Vaucluse), Frankr.
Cabarnis → Platea
Cabelia, Cabeliacum, Cabliacum: Chablis (Yonne), Frankr.
Cabeliacum → Cabelia
Cabellicorum civ. → Caballio
Cabellicus ducat. → Caballiacensis ager
Cabellio → Cabalaunum
Cabellio → Caballio
Cabillo → Cabalaunum
Cabillonensis pag., Gabilonensis ager: Châlonnais, Landsch. u. eh. Grafsch. (Saône-et-Loire, Côte-d'Or), Frankr.
Cabillonum → Cabalaunum
Cabiomagum: Cabanac [Cabanac-Cazeaux] (Haute-Garonne), Frankr.
Cabliacum → Cabelia
Cabreria: Cabriès (Bouches-du-Rhône), Frankr.
Cabreria → Capraria
Cachentum, Caticantum: Cachan (Seine), Frankr.
Cadacherium: Cadagues (Gerona), Span.
Cadamum, Cadana, Cadanum: Kadaň [Kaaden] (Böhmen), Tschechoslow.
Cadana → Cadamum
Cadanum → Cadamum
Caderossium: Caderousse (Vaucluse), Frankr.
Cadillacum, Catelliacum: Cadillac (Gironde), Frankr.
Cadomum → Cadomus
Cadomus, Cadomum: Caen (Calvados), Frankr.
Cadubrium, Cadubrum, Plebis castrum: Pieve di Cadore (Belluno), Ital.
Cadubrum → Cadubrium
Caduinum: Cadouin (Dordogne), Frankr.
Caduliacum: Chaâlis [Châlis] (Oise), Frankr.
Caduppa, Cadussa villa, Caturicae, Catusiacum: Chaource (Aube), Frankr.
Cadurcensis pag., Catorcinus pag.: Quercy, Landsch. (Aveyron, Lot, Tarn-et-Garonne), Frankr.
Cadurcorum civ. → Cadurcum
Cadurcum, Cadurcorum civ., Debona, Dibona, Diolindum, Divona, Doveona, Dujona: Cahors (Lot), Frankr.
Cadussa villa → Caduppa
Caelanum, Coelanum: Celano (L'Aquila), Ital.
Caeliobrica → Barcelum
Caelius mons: Mönchsrot (Bayern, RB. Schwaben), Deutschl.
Caelius mons: Türkheim (Bayern, RB. Schwaben), Deutschl.
Caelius mons, Chalaminza, Clementia, Keleminza: Kellmünz (Bayern, RB. Schwaben), Deutschl.
Caene: abgeg. sdl. Kitta (Peloponnes), Griechenl.
Caene: abgeg. sdl. Mosul, Irak.
Caepionis mons → Scipionis mons
Caepionis turris: Chipiona (Cádiz), Span.
Caerleolio → Carleolum
Caesarea: Kösching (O-Bayern), Deutschl.
Caesarea → Germanicia
Caesarea, Caesareensis abbat., Caesariensis, Cesarea: Kaisheim (Bayern, RB. Schwaben), Deutschl.
Caesarea ins.: Jersey, Ins. (Kanalinseln), Engl.
Caesarea lutra, Caesaroluthera, Caesaropolis, Lutria, Lutra Caesarea: Kaiserslautern (Bayern, RB. Rheinpfalz), Deutschl.

Caesarea Mauretaniae → Julia Caesarea
Caesareensis abbat. → Caesarea
Caesareopolis → Kesmarkinum
Caesarianae Casae → Ad Fines
Caesariensis → Caesarea
Caesaris burgus, Caesaroburgus, Charoburgum, Chereburgus, Coriallum: Cherbourg (Manche), Frankr.
Caesaris burgus, Sigerici castr.: Castrogeriz (Burgos), Span.
Caesaris ins., Caesaris verda, s. Suitberti ins., s. Swyberti castra, Werda, Werdina, Werida: Kaiserswerth [Düsseldorf-Kaiserswerth] (Rheinprovinz), Deutschl.
Caesaris mons: Kaysersberg (Haut-Rhin), Frankr.
Caesaris praetorium, Tiberii forum: Kaiserstuhl (Aargau), Schweiz.
Caesaris verda → Caesaris ins.
Caesaroburgus → Caesaris burgus
Caesarodunum → Turoni civ.
Caesaroluthera → Caesarea lutra
Caesaromagus → Bellovacus
Caesaropolis → Caesarea lutra
Caesarotium → Gisortium
Caestris → Castrisis
Caetobriga → Cetobriga
Caetobrix → Cetobriga
Caferonianum castell. → Garfinianum castell.
Caino, Chinonium: Chinon (Indre-et-Loire), Frankr.
Cajodunum: Kėdainiai [Keïdany] (Litauen), UdSSR.
Cairus, Charras: Kairo, Hst. v. Ägypten.
Cala, Calensis villa, Calla, Cellae ad Matronam, Kala: Chelles (Seine-et-Marne), Frankr.
Calabrea: Póros [Kalauria], Ins. im Saronischen Golf (Ägäisches Meer), Griechenl.
Calabria → Cantazarae prov.
Calagurris: Calahorra (Logroño), Span.
Calami eccl., s. Petri de Calamis eccl.: Chaumes-en-Brie (Seine-et-Marne), Frankr.
Calamita: Alma, Fl., Mü: Schwarzes Meer (Krim), UdSSR.
Calarona: Chalaronne, Nfl. d. Saône (Saône-et-Loire), Frankr.
Calata Hieronis: Caltagirone (Catania), Ital.
Calatajuba, Bambola: Calatayud (Saragossa), Span.
Calba ad Salam, Calva, Calvis: Calbe (Pr. Sachsen), Deutschl.
Calbium promont.: Pointe du Raz, Vorgeb. (Finistère), Frankr.
Calcaria: Tadcaster (Yorkshire), Engl.
Calcaria, Calcarium: Kalkar (Rheinprovinz), Deutschl.
Calcarium → Calcaria
Calcarium forum → Forcalquerium
Calcua → Calleva
Caldarium: Caldaro [Kaltern] (Bozen), Ital.
Caldebeccum → Calidobecum
Caldebornensis villa, Fontes frigidi: Kaltenborn (Thüringen), Deutschl.
Cale, Calle, Callensis portus, Lusitaniae portus, Portugallensis civ.: Porto [Oporto] (Douro), Portug.
Calea → Celsona
Caleba Atrebatium → Calleva
Calebachus: Kilbeggan [Cill Bheagáin] (Co. Westmeath), Eire.
Caledonia → Britannia barbara
Caledonium castr., Duncheldinum: Dunkeld (Perthshire), Schottl.

Caledonium mare → Caledonius oceanus

Caledonius oceanus, Caledonium mare, Ducaledonius sinus, Deucaledonius sinus: Kaledonisches Meer [Schottisches Meer], Teil d. Atlantik wstl. Schottl.

Calegia → Albiorium

Calena → Oxonia

Calensis villa → Cala

Calentes aquae: Chaudes-Aigues (Cantal), Frankr.

Calesium, Caletum, Calisium: Calais (Pas-de-Calais), Frankr.

Caletanum fretum, Britannicum fretum, Gallicum fretum, Morinorum fretum: Straße v. Dover [Straße von Calais, Strait of Dover, Pas de Calais], Meerenge zw. Engl. u. Frankr.

Caletensis ager, Caleti pag.: Caux, Landsch. (Seine-Maritime), Frankr.

Caleti pag. → Caletensis ager

Caletum → Calesium

Caleva → Calleva

Calewa, Calva, Calwa, Kalewa: Calw (Württemberg), Deutschl.

Calicula, Faventia Hosca, Ilergetum: Huescar (Granada), Span.

Calidae aquae: Archena (Murcia), Span.

Calidae aquae: Caldas de Montbuy (Barcelona), Span.

Calidae aquae: Les Eaux-Chaudes (Basses-Pyrénées), Frankr.

Calidae Aquae → Badena

Calidae aquae → Balnea

Calidae aquae → Teplicia

Calidae aquae → Vichium

Calidobecum, Caldebeccum, Calidum beccum: Caudebec-en-Caux (Seine-Maritime), Frankr.

Calidum beccum → Calidobecum

Calidus mons → Calmontium Bassiniae

Calinula, Carinula: Carinola (Caserta), Ital.

Calipus: Sado, Fl., Mü: Atlantik (Baixo Alemtejo), Portug.

Calisia → Calissia

Calisiensis palatin.: Kalisz [Kalisch], eh. Woiw. (Bromberg, Posen), Polen.

Calisium → Calesium

Calisium → Calissia

Calissensis civ. → Calissia

Calissia, Calisia, Calisium, Calissensis civ., Kalis, Kalisia: Kalisz [Kalisch] (Posen), Polen.

Caliste → Calliste

Calium, s. Angelus Papalis, Callis, Callium: Cagli (Pesaro), Ital.

Calix: Calosso (Asti), Ital.

Calix: Kalek [Kallich] (Böhmen), Tschechoslow.

Calla → Cala

Calle → Cale

Callensis portus → Cale

Calleva, Caleba Atrebatium, Calcua, Caleva: Silchester (Hampshire), Engl.

Callis → Calium

Calliste, Caliste: Thera [Thira, Santorin, Santorínē], Ins. (Kykladen), Griechenl.

Callium → Calium

Calloniana urbs: Caltanissetta (Sizilien), Ital.

Calloscopium: Katakolon (Peloponnes), Griechenl.

Callunda: Kallundborg [Kalundborg] (Seeland), Dänem.

Calmaria, Calmarnia: Kalmar (Kalmar), Schwed.

Calmarnia → Calmaria

Calmatensis villa → Calmons

Calmons, Calmatensis villa: Clermont-en-Argonne (Meuse), Frankr.

Calmontium Bassiniae, Calidus mons, Calvimontium, Calvus mons, Velecassino: Chaumont [Chaumont-en-Bassigny] (Haute-Marne), Frankr.

Calmosiacum: Chaumousey (Vosges), Frankr.

Calniacum: Chauny (Aisne), Frankr.

Calonesus → Bellinsula

Calossia: Chalosse, Landsch. (Landes), Frankr.

Calpurniana civ.: Bujalance (Córdoba), Span.

Calva → Calba ad Salam

Calva → Calewa

Calvariae mons: Kalwaria Zebrzydowska [Krakau], Polen.

Calvela, Calverla: Calberlah (Hannover), Deutschl.

Calverla → Calvela

Calvii montis castr.: Moncalvo (Alessandria), Ital.

Calvimontium → Calmontium Bassiniae

Calviniacum: Chauvigny (Vienne), Frankr.

Calvis → Calba ad Salam

Calvisii forum: Calvisano (Brescia), Ital.

Calvium: Calvi (Korsica), Frankr.

Calvomons, Calvomontium, Calvus mons: Caumont-sur-Garonne (Lot-et-Garonne), Frankr.

Calvomontium → Calvomons

Calvus mons: Kahlenberg, Berg bei Wien (N-Österr.), Österr.

Calvus mons → Calmontium Bassiniae

Calvus mons → Calvomons

Calvus mons Normanniae: Caumont-l'Éventé (Calvados), Frankr.

Calvus mons Provinciae: Caumont-sur-Durance (Vaucluse), Frankr.

Calvus mons Vasconiae: Caumont (Tarn-et-Garonne), Frankr.

Calwa → Calewa

Calydria: Bozca Ada [Tenedos], Ins. (Ägäisches Meer), Türkei.

Camalodunum → Colcestria

Camaracum, Cameracum, Cameracus: Cambrai (Nord), Frankr.

Camaria, Gaji Marii ager, Marii campus: Camargue, Landsch. u. Ins. (Bouches-du-Rhône), Frankr.

Camarica: Vitoria (Álava), Span.

Cambaetum Lusitanorum: Miranda do Corvo (Coimbra), Portug.

Cambaiensis sinus → Barygazenus sinus

Camberiacum, Camberium, Cameriacum, Camerinum Lemniorum, Chamarium, Chambariacum: Chambéry (Savoie), Frankr.

Camberium → Camberiacum

Cambia, Cambum, Chambda, Chambia, Champa, Kamba: Cham (O-Pfalz), Deutschl.

Cambisonum: Chamesson (Côte-d'Or), Frankr.

Cambodunum: Cleckheaton (Yorkshire), Engl.

Cambodunum → Wiloa

Camboricum → Cantabrigia

Camborinus burgus → Camborium

Camborium, Camborinus burgus, Cambortium, Chambordium: Chambord (Loir-et-Cher), Frankr.

Cambortium → Camborium

Cambria → Vallesia

Cambrobritannia → Vallesia

Cambum → Cambia

Cambus: Cambois (Co. Northumberland), Engl.

Cambus, Chamba, Chambus: Kamp, Nfl. d. Donau (N-Österr.), Österr.

Cameliacum → Chambliacum
Cameliomagus → Blandenona
Camenecia, Camenecum Podoliae, Caminiecum: Kamenec-Podolskij (Ukrainische SSR), UdSSR.
Camenecum Podoliae → Camenecia
Camentia: Kamenz (Sachsen), Deutschl.
Camentia: Kamenz [Kamieniec Ząbkowicki] (N-Schlesien), Deutschl.
Camera: La Chambre (Savoie), Frankr.
Cameracense castr., Cameracesii castell.: Le Cateau [Le Cateau-Cambrésis] (Nord), Frankr.
Cameracensis ager: Cambrésis, Landsch. (Nord), Frankr.
Cameracesii castell. → Cameracense castr.
Cameracum → Camaracum
Cameracum ad Albium: Kemberg (Pr. Sachsen), Deutschl.
Cameracus → Camaracum
Cameriacum → Camberiacum
Camerinum Lemniorum → Camberiacum
Cameriorum Bellae aquae → Bellae aquae Cameriorum
Caminata: Kannenwald (Württemberg), Deutschl.
Caminata: Kematen a. d. Krems (O-Österr.), Österr.
Caminata: Kemnade (Braunschweig), Deutschl.
Caminiecum → Camenecia
Caminizi rivus: Chemnitz, Nfl. d. Mulde (Sachsen), Deutschl.
Caminum: Cammin i. Pom. (Pommern), [Kamień Pomorski, Kammin i. Pom.] Deutschl.
Cammunti → Caput Montis
Campa: Gamp a. d. Salzach (Salzburg), Österr.
Campania Francica, Campania Francisci, Campania Gallica: Champagne, Landsch. u. eh. Prov. (Ardennes, Aube, Marne, Haute-Marne), Frankr.
Campania Francisci → Campania Francica
Campania Gallica → Campania Francica
Campania romana: Campagna di Roma, Landsch. um Rom, Ital.
Campessia → Gampis
Campi, Campia: Kampen [Campen] (Overijssel), Niederl.
Campi, Campia, Campus: Champ-le-Duc (Vosges), Frankr.
Campi canini → Grisonia
Campia → Campi
Campidona, Campidonensis eccl., Campita, Campodunum, Kemptena: Kempten (Bayern, RB. Schwaben), Deutschl.
Campidonensis eccl. → Campidona
Campililium, Liliorum campus: Lilienfeld (N-Österr.), Österr.
Campimontium: Chamonix [Chamonix-Mont-Blanc] (Haute-Savoie), Frankr.
Campinia: Kempenland [Kempen, Campine], Landsch. (Antwerpen, N-Brabant, Limburg), Belg. u. Niederl.
Campiniacum: Champigny-sur-Aube (Aube), Frankr.
Campinni, Campunni, Kempensis: Kempen (Rheinprov.), Deutschl.
Campis → Gampis
Campita → Campidona
Campiveria → Campoveria
Camplum: Campoli Apennino (Frosinone), Ital.
Campodunum → Campidona
Campoveria, Campiveria, Vera, Vur-

nia: Veere [Vere] (Seeland), Niederl.
Campso → Gampis
Campsum → Gampis
Campunni → Campinni
Campus: Kampen (Hannover, Kr. Nienburg), Deutschl.
Campus → Campi
Campus Agni: Chamagne (Vosges), Frankr.
Campus Bonus: Le Chambon (Ardèche), Frankr.
Campus Celatus: Chancelay (Côte-d'Or), Frankr.
Campus Cervor: Champcervon (Manche), Frankr.
Campus Follis: Champhol (Eure-et-Loir), Frankr.
Campus Gillardi: Champgillart (Marne), Frankr.
Campus Lungae, Campus Navis: Magh Luinge, Kl. auf Tiree (Ins. d. Inneren Hebriden), Schottl.
Campus lupi → Cantalupus
Campus Mamberti: Camembert (Orne), Frankr.
Campus Mollis: Champmol, Teil v. Dijon (Côte-d'Or), Frankr.
Campus Navis → Campus Lungae
Campus Pauli: Campoli bei Caulonia (Reggio Calabria), Ital.
Campus s. Petri: Camposampiero (Padua), Ital.
Campus Rotundus in Gastina: Champrond-en-Gâtine (Eure-et-Loir), Frankr.
Campus rusticorum → Bursfelda
Campus Savinelli: Champcevinel (Dordogne), Frankr.
Campus Secretus: Campsegret (Dordogne), Frankr.
Campus Tortus: Camptort [Ogenne-Camptort] (Basses-Pyrénées), Frankr.
Camulodunum → Colcestria
Cana, Canstadium, Cantaropolis: Cannstatt [Stuttgart - Bad Cannstatt] (Württemberg), Deutschl.
Canalicum: Calizzano (Savona), Ital.
Canapitium: Canavese, Landsch. (Piemont), Ital.
Cancitis → Quentia
Canda → Gantum
Candacum, Caneda vicus: Candes-St-Martin (Indre-et-Loire), Frankr.
Candalicae: Hüttenberg (Kärnten, GB. Eberstein), Österr.
Candea, Candeum: Candé (Maine-et-Loire), Frankr.
Candeum → Candea
Candida casa: Withorn (Wigtownshire), Engl.
Candra: Kandern (Baden), Deutschl.
Caneda vicus → Candacum
Canencebae → Tibiscum
Canetum: Canet (Pyrénées-Orientales), Frankr.
Canetum: Le Cannet (Alpes-Maritimes), Frankr.
Canetum: Canneto Pavese (Pavia), Ital.
Cangiacum: Changy (Saône-et-Loire), Frankr.
s. Canici fanum, Canicopolis, Kilkena, Kilkenia: Kilkenny [Cill Chainnigh] (Co. Kilkenny), Eire.
Canicium → Anicium Velavorum
Canicopolis → s. Canici fanum
Canicopolitanus comit.: Kilkenny [Contae Chill Chainnigh], Grafsch., Eire.
Canigo mons: Mont Canigou, Berg (Pyrénées-Orientales), Frankr.
Caninus tergus → Tergum caninum
Canisia: Nagykanizsa [Großkanizsa] (Zala), Ung.
Canisius mons → Cinisius mons

Canoae → Canoe
Canobium: Cannobio (Novara), Ital.
Canobium: Canobbio (Tessin), Schweiz.
Canoe, Aegitua, Canoae: Cannes (Alpes-Maritimes), Frankr.
Canorga: La Canourgue (Lozère), Frankr.
Canosium: Canosa di Puglia (Bari), Ital.
Canovium: Caerhun (Caernarvonshire), Engl.
Canstadium → Cana
Cantabricum mare, Aquitanicum mare, Aquitanicus oceanus, Cantabricus oceanus, Francicum mare, Franciscus sinus, Gallicus oceanus, Tarbellum mare: Golf v. Biskaya [Golfe de Gascogne, Golfo de Vizcaya, Golfo de Gascuña, Kantabrisches Meer, Mar Cantabrico], Teil d. Atlantik.
Cantabricus oceanus → Cantabricum mare
Cantabriga → Cantabrigia
Cantabrigia, Camboricum, Cantabriga: Cambridge (Cambridgeshire), Engl.
Cantacium, Catacium, Catancium, Catanzium: Catanzaro (Catanzaro), Ital.
Cantalupus, Campus lupi, Cantellupum: Chanteloup-les-Vignes (Seine-et-Oise), Frankr.
Cantaropolis → Cana
Cantazarae prov., Bruttinum, Calabria: Kalabrien [Calabria], Landsch. u. Region, Ital.
Cantellupum → Cantalupus
Cantiera: Kintyre, Halbins. (Argyllshire), Schottl.
Cantierae rostrum → Epidium promont.
Cantii littora: Downs, Hügellandsch. (Hampshire, Kent, Surrey, Sussex), Engl.
Cantilia: Chantelle (Allier), Frankr.
Cantium: Kent, Grafsch., Engl.
Cantius → Quentia
Cantuaria, Darvernum, Duror verno, Durrovernum: Canterbury (Kent), Engl.
Cantus avium: Champ-d'Oiseau (Côte-d'Or), Frankr.
Canum campus: Hundsfeld [Psie Pole, Breslau-Hundsfeld] (N-Schlesien), Deutschl.
Capedunum: Kapfenstein (Steiermark), Österr.
Capella: Capel (Cardiganshire), Engl.
Capella: Kapelln (N-Österr.), Österr.
Capella: Kappel (Baden, Kr. Freiburg), Deutschl.
Capella: Kappel (Baden, Kr. Villingen), Deutschl.
Capella: Kappel bei Buchau (Württemberg), Deutschl.
Capella: Kappel (St. Gallen), Schweiz.
Capella: Kappel (Zürich), Schweiz.
Capella: Kappelen (Appenzell-Außerrhoden), Schweiz.
Capella: Kappl (Tirol), Österr.
Capella s. Asterii: La Chapelle-St-Astier (Dordogne), Frankr.
Capella de Moresio: La Chapelle-Mouret (Dordogne), Frankr.
Capella Domini Gilonis: La Chapelle-d'Angillon (Cher), Frankr.
Capella Gaudini: La Chapelle-Gaudin (Deux-Sèvres), Frankr.
Capella in Vastineto → Capella Reginae
Capella iuxta Creciacum: Les Chapelles-sur Crecy (Seine-et-Marne), Frankr.
Capella (monast.): Kappel am Albis (Zürich), Schweiz.

Capella (mons), Capula: Kapela [Große u. Kleine Kapela, Velika u. Mala Kapela], Geb. (Kroatien), Jugoslaw.
Capella Pomerii: La Chapelle-Pommier (Dordogne), Frankr.
Capella prope insulam: Kapelle aan de IJssel (S-Holland), Niederl.
Capella Reginae, Capella in Vastineto: La Chapelle-la-Reine (Seine-et-Marne), Frankr.
Capella s. Remigii: La Chapelle-St-Rémy (Sarthe), Frankr.
Capella s. Supplicii: La Chapelle-St-Sulpice (Seine-et-Marne), Frankr.
Capella Tirolis: La Chapelle-Thireuil (Deux-Sèvres), Frankr.
Capella villa: Eisenkappel (Kärnten), Österr.
Capena: Canepa-Levà (Genua), Ital.
Capena, Capenatium municipium: abgeg. bei Leprignano (Rom), Ital.
Capenatium municipium → Capena
Capestanum → Caprasium
Capha, Cavum, Kaffa, Theodosia: Feodosia [Feodosija] (Krim), UdSSR.
Capitis Buccii pag. → Buchsium
Capmunti → Caput Montis
Caprae dorsum: Ziegenrück (Pr. Sachsen), Deutschl.
Caprae mons: Chèvremont (Territoire de Belfort), Frankr.
Capraria: Capraia [Isola di Capraia], Ins. östl. Korsika (Mittelmeer), Ital.
Capraria: La Gomera, Ins. (Atlantik), Kanarische Inseln.
Capraria, Cabreria: Cabrières (Hérault), Frankr.
Caprarius mons: Gaisberg, Berg bei Heidelberg (Baden), Deutschl.
Caprasium, Capestanum, Capua stagni: Capestang (Hérault), Frankr.
Capreae → Capria
Capria, Capreae: Capri [Isola di Capri], Ins. (Neapel), Ital.
Caproniensis villa: Koprivnica [Kopreinitz, Kaproncza] (Kroatien, Podravina), Jugoslaw.
Caprulae: Caorle (Venedig), Ital.
Caprusium: Chevreuse (Seine-et-Oise), Frankr.
Capsa: Gafsa, Tunesien.
Capua stagni → Caprasium
Capula → Capella (mons)
Capungum, Caufunga, Confugia, Confugium, Confunga, Confungia: Nieder- u. Oberkaufungen (Hessen-Nassau), Deutschl.
Caput Aqueum: Capaccio (Salerno), Ital.
Caput Bonae Spei: Kap der Guten Hoffnung [Cape of Good Hope, Kaap die Goeie Hoop] (Kapland), Südafrika.
Caput Corsum → Sacrum promont.
Caput Denaci: Capdenac (Lot), Frankr.
Caput Montis, Cammunti, Capmunti, Caput Montium: Kempten (Hessen), Deutschl.
Caput Montium → Caput Montis
Caput Oeni → Endena vallis
Carabussa → Cimarus
Caracodes portus → Algaria
Caractonum: Allerton (Yorkshire), Engl.
Caradona → Cardona
Caradrina, Drinus: Drin [Drim], Fl., Mü: Adriat. Meer, Albanien.
Caramania: Caramagna Ligure (Imperia), Ital.
Caramania: Karaman, Landsch. u. eh. Prov. (Anatolien), Türkei.
Caramentum, Rainaldi castell., Regi-

naldi castr.: Château-Renault (Indre-et-Loire), Frankr.

Carantania, Carantanum, Carantanus, Carenta, Carentani, Carentini, Carinthia, Carniteni, Carnotensis ager, Carnutum, Carunto, Charintirichi, Corinthia, Karenti, Karintani: Kärnten, Landsch., Österr.

Carantanum → Carantania

Carantanus → Carantania

Carantonum, Carentonium, Charentonius pons: Charenton-le-Pont (Seine), Frankr.

Carantonus: Charente, Fl., Mü: Atlantik (Charente-Maritime), Frankr.

Caranusca → Saraburgum

Caravacium, Carraca: Caravaggio (Bergamo), Ital.

Carbonacum → Corbeja nova

Carbonaria → Aqua pulchra

Carbonaria silva: La Forêt Charbonnière [Kohlenwald], eh. Forstgebiet zw. Sambre u. Dyle (Hennegau), Belg.

Carcaviana: Kirkwall auf Mainland (Orkney-Inseln), Schottl.

Carchusa → Antaradus

Carcinites sinus: Karkinit-Bucht [Karkinitskij Zaliv], Meeresbucht (Schwarzes Meer), UdSSR.

Cardaliacum: Cardaillac (Lot), Frankr.

Cardanum: Cardano al Campo (Varese), Ital.

Cardona, Caradona, Carta domus: Karden (Rheinprov.), Deutschl.

Cardonum: Čakovec [Csakathurn] (Kroatien), Jugoslaw.

Carea, Carium, Cherium, Chierium: Chieri (Turin), Ital.

Caregius: Careggi (Florenz), Ital.

Carenta → Carantania

Carentani → Carantania

Carentini → Carantania

Carento, Crociatonum: Carentan (Manche), Frankr.

Carentonium → Carantonum

Cargapolis: Kargopol (Archangelsker Gebiet), UdSSR.

Cariciacum, Carisiacum, Charisagum, Karisiacum: Quierzy (Aisne), Frankr.

Caricta, Carricta: Carrick-on-Suir (Co. Tipperary), Eire.

s. Carilesi oppid., Anilla, Anninsula, Carilesus: Saint-Calais (Sarthe), Frankr.

Carilesus → s. Carilesi oppid.

Carilocus: Charlieu (Loire), Frankr.

Cariniacum, Carniacum, Eposium, Yvodium: Carignano (Turin), Ital.

Cariniacum, Epoissum, Epusum, Evosium, Ivosium, Yvodium: Carignan (Ardennes), Frankr.

Carinthia → Carantania

Carinula → Calinula

Cario comitum, Carrio comitum: Carrión de los Condes (Palencia), Span.

Caris, Carus, Chares, Charus, Scara: Cher, Nfl. d. Loire (Cher), Frankr.

Carisiacum → Cariciacum

Carisiacum → Cresiacum

Caritaeum, Caritas, Caritatis oppid., Charitaeum, Charitas, Charitatis oppid.: La Charité-sur-Loire (Nièvre), Frankr.

Caritas → Caritaeum

Caritatis oppid. → Caritaeum

Carium → Carea

Carleolum, Caerleolio, Carliolae, Karleolum, Lagubalium, Legionum civ., Ligualia, Lugae vallum, Lugovallum, Luguvallium, Luguvallum Brigantum: Carlisle (Co. Cumberland), Engl.

Carliolae → Carleolum
Carmaniola: Carmagnola (Turin), Ital.
Carmen Tradi, Carmentuadis villa: Carmentray (Seine-et-Marne), Frankr.
Carmentuadis villa → Carmen Tradi
Carmo → Charmona
Carnia, Carniolia, Chreina marcha, Crania, Karniolensis ager: Krain [Krajnska], Landsch. (Slowenien), Jugoslaw.
Carniacum → Cariniacum
Carnicum Julium → Vaconium
Carnioburgum, Coriticum: Kranj [Krainburg](Slowenien), Jugoslaw.
Carniolia → Carnia
Carniteni → Carantania
Carnivorus sinus, Polanus sinus: Quarnero [Kvarner, Carnaro, Quarnaro], Meerbusen (Adriat. Meer, Istrien), Jugoslaw.
Carnoetum: Carnoët (Finistère), Frankr.
Carnotas → Carnotena urbs
Carnotena urbs, Autricum in Carnutibus, Carnotas, Carnotes, Carnotum, Carnutum: Chartres (Eure-et-Loir), Frankr.
Carnotensis ager → Carantania
Carnotes → Carnotena urbs
Carnotum → Carnotena urbs
Carnotum → Carnutum
Carnovia, Carnuvia, Cornuvia: Krnov [Jägerndorf] (Mähren-Schlesien), Tschechoslow.
Carnuntum → Carnutum
Carnutensis terra: Chartrain, Landschaft (Eure-et-Loir), Frankr.
Carnutum → Carantania
Carnutum → Carnotena urbs
Carnutum, Carnotum, Carnuntum, Cornutum: Ruinen bei Petronell (N-Österr.), Österr.
Carnuvia → Carnovia
Carocelia → Garocelia
Carodunum → Cracovia
Carolesium → Quadrigellensis pagus
Caroli corona: Karlskrona (Blekinge), Schwed.
Caroli hesychium, Carolsruha, Hesychia Carolina: Karlsruhe (Baden), Deutschl.
Caroli villa → Carolopolis
Caroliae, Quadrigellae: Charolles (Saône-et-Loire), Frankr.
Carolina antiqua, Carolopolis: Kokkola [Gamlakarleby] (Vaasa), Finnland.
Carolina nova, Carolopolis, Neocarolina: Nykarleby [Uusikaarlepyy] (Vaasa), Finnland.
Carolinae aquae, Carolinae thermae: Karlovy Vary [Karlsbad] (Böhmen), Tschechoslow.
Carolinae thermae → Carolinae aquae
Carolinus campus: Karlobag [Carlopago] (Kroatien), Jugoslaw.
Carololesium, Caroloregium: Charleroi (Hennegau), Belg.
Carolomontium: Charlemont, eh. Fstg. bei Givet (Ardennes), Frankr.
Carolomontium Hibernicum: Charlemont (Armagh), N-Irland.
Carolopolis → Carolina antiqua
Carolopolis → Carolina nova
Carolopolis, Arcae Remenses, Caroli villa: Charleville (Ardennes), Frankr.
Caroloregium → Carololesium
Carolostadium: Karlstadt a. Main (U-Franken), Deutschl.
Carolostadium, Quadrata: Karlovac [Karlstadt, Károlyváros] (Kroatien), Jugoslaw.

Carolostadium Suevicum: Karlstad (Värmland), Schwed.
Carolovicia, Carolovitium: Sremski Karlovci [Karlowitz, Srijemski Karlovci, Karlovci, Karlócza, Karlóca] (Wojwodina), Jugoslaw.
Carolovitium → Carolovicia
Carolsruha → Caroli hesychium
Caronium → Flavium Brigantum
Carophium: Charost (Cher), Frankr.
Carpates, Carpatici montes, Sarmatici montes: Karpaten [Carpaţi, Karpathen, Kárpátok, Karpaty], Geb., Rumän., Tschechoslow., Polen u. UdSSR.
Carpatici montes → Carpates
Carpena, Carpio, Kerpena: Kerpen (Rheinprovinz), Deutschl.
Carpentoracte Meminorum: Carpentras (Vaucluse), Frankr.
Carpio → Carpena
Carpium: Carpi (Modena), Ital.
Carpona: Krupina [Karpfen, Korpona] (Slowakei), Tschechoslow.
Carraca → Caravacium
Carraca, Arriaca: Guadalajara (Guadalajara), Span.
Carrectanus marchionatus: Carretto, eh. Markgrafsch. (Piemont), Ital.
Carrenorum colonia → Carrhae
Carrhae, Carrenorum colonia, Charrae: Harran [Karrhai] (Urfa), Türkei.
Carricta → Caricta
Carrio comitum → Cario comitum
Carrofum: Charroux (Vienne), Frankr.
Carrofum: Charroux-d'Allier (Allier), Frankr.
Carsici civ., Carsicum civ., Civeda: La Ciotat (Bouches-du-Rhône), Frankr.
Carsicum civitas → Carsici civ.
Carta domus → Cardona
Cartemunda: Kerteminde (Fünen), Dänem.
Cartenna → Murostoga
Carthago Spartaria → Spartaria
Carthus: Cree, Fl., Mü: Wigtown Bay (Kirkcudbrightshire), Schottl.
Carthusia: Karthaus, abgeg. bei Hildesheim (Hannover), Deutschl.
Carthusia grandis, Carthusia magna: La Grande-Chartreuse, Kl. (Isère), Frankr.
Carthusia magna → Carthusia grandis
Carumba, Carumbus: Caromb (Vaucluse), Frankr.
Carumbus → Carumba
Carunto → Carantania
Carus → Caris
Carusa: Gerze (Sinop), Türkei.
Carusadius mons: Karst [Carso, Kras], Geb. (Slowenien, Kroatien), Jugoslaw.
Carvo: Grave (N-Brabant), Niederl.
Casa: Gais (Appenzell), Schweiz.
Casa candida → Candida casa
Casa Dei: La Chaise-Dieu (Haute-Loire), Frankr.
Casae Dei foedus → Foedus cathedrale Dei
Casalaqueum: Cazalegas (Toledo), Span.
Casale s. Evasii, Bodincomagus, Casalium, Industria, Monteferratum: Casale Monferrato (Alessandria), Ital.
Casale majus: Casalmaggiore (Cremona), Ital.
Casalium → Casale s. Evasii
Casandria: Kadzand [Cadzand] (Seeland), Niederl.
Casanum → Cassanum
Casanum → Kazanum
Cascale: Cascaes, abgeg. Fstg. östl. Lissabon (Estremadura), Portug.

Cascantum: Cascante (Navarra), Span.
Caschovia → Cassovia
Casecongidunus: Cugnon (Luxemburg), Belg.
Casella → Castella
Casella, Casellarum oppid.: Caselle Torinese (Turin), Ital.
Casellarum oppid. → Casella
Caseolum: Choiseul (Haute-Marne), Frankr.
Caseorum forum → Kesmarkinum
Casiacum, Caziacum: Chézy-sur-Marne (Aisne), Frankr.
Casimirca, Casimiria: Kazimierz (Lodz), Polen.
Casimiria → Casimirca
Casinense monast. → Casinus mons
Casinomagus: Chassenon (Charente), Frankr.
Casinomagus, Cassinomagus: Gimont (Gers), Frankr.
Casinum, Cassinum, s. Germani castr.: Cassino [San Germano] (Frosinone), Ital.
Casinus mons, Casinense monast., Cassinas, Cassinus mons: Montecassino, Abtei (Frosinone), Ital.
Casletum, Casseletum, Casselinus mons, Cassellum, Cassilium, Castri mons, Morinorum castell.: Cassel (Nord), Frankr.
Caspirus: Kaschmir, Land u. Landschaft, Indien u. Pakistan.
Cassala, Cassella, Cassellae, Cassla, Cassula, Castellum Cattorum, Castellum ad Fuldam: Kassel (Hessen-Nassau), Deutschl.
Cassanum, Casanum, Cassianum: Cassano al Ionio (Cosenza), Ital.
Casseletum → Casletum
Casseletum, Casteletum: Châtelet (Hennegau), Belg.
Casselinus mons → Casletum
Cassella → Cassala
Cassella → Castella
Cassellae → Cassala
Cassellum → Casletum
Cassianum → Cassanum
Cassilia → Juernis
Cassilium → Casletum
Cassinas → Casinus mons
Cassinogilum palatium: Chasseneuil, (Charente), Frankr.
Cassinomagus → Casinomagus
Cassinum → Casinum
Cassinus mons → Casinus mons
Cassla → Cassala
Cassovia, Caschovia: Košice [Kaschau, Kassa] (Slowakei), Tschechoslow.
Cassubia: Kaschubien [Land der Kaschuben, Kaszuby], Landsch. (W-Preußen, Pommern), Deutschl. u. Polen.
Cassubia → Pomerania ulterior
Cassula → Cassala
Castagnedolum: Castagneto (Pisa), Ital.
Castalia: Castellón de la Plana (Castellón de la Plana), Span.
Castania: Castellaneta (Tarent), Ital.
Castanovitium: Kostajnica [Hrvatska Kostajnica] (Kroatien), Jugoslaw.
Castelavium Auravium → Sostomagus
Casteletum → Casseletum
Castella → Castilia
Castella, Casella, Cassella, Castellum: Kastel [Mainz-Kastel] (Hessen), Deutschl.
Castellamium → Imum castr.
Castellana civ., Aequum Faliscum, Junonia colonia, Civitas Castellana: Cività Castellana (Viterbo), Ital.
Castellana civ., Civitas Castelli, Ti-

berinum: Città di Castello (Perugia), Ital.

Castellana Extremadura → Betonia

Castellavium → Sostomagus

Castelle regnum → Castilia

Castelletum: Le Catelet (Aisne), Frankr.

Castellio, Concae, Conchae, Conchus: Conches-en-Ouche (Eure), Frankr.

Castellio ad Carim: Châtillon-sur-Cher (Loir-et-Cher), Frankr.

Castellio ad Ingerim: Châtillon-sur-Indre (Indre), Frankr.

Castellio ad Ligerim: Châtillon-sur-Loire (Loiret), Frankr.

Castellio ad Luppiam: Châtillon-Coligny [Châtillon-sur-Loing] (Loiret), Frankr.

Castellio ad Matronam, Castellionum: Châtillon-sur-Marne (Marne), Frankr.

Castellio ad Sequanam: Châtillon-sur-Seine (Côte-d'Or), Frankr.

Castellio Burgundiae: Châtillon-sur-Chalaronne (Ain), Frankr.

Castellio inferior: Niedergestelen [Châtillon-le-Bas] (Wallis), Schweiz.

Castellio Medulci: Castillon-la-Bataille (Gironde), Frankr.

Castellio Pedemontii: Châtillon (Aostatal), Ital.

Castellio Pictaviae, s. Leonis mons: Châtillon-sur-Sèvre (Deux-Sèvres), Frankr.

Castellio Piscaria: Castiglione del Lago (Perugia), Ital.

Castellio superior: Obergestelen [Châtillon-le-Haut] (Wallis), Schweiz.

Castellionum: Castiglione d'Adda (Mailand), Ital.

Castellionum → Castellio ad Matronam

Castellodunum, Castrodunum, Dunum: Châteaudun (Eure-et-Loir), Frankr.

Castellona → Salina

Castellum: Kastl (O-Pfalz), Deutschl.

Castellum → Castella

Castellum ad Cattorum → Cassala

Castellum ad Fuldam → Cassala

Castellum Aquarum → Aquae Helveticae

Castellum maris, Stabiense castell.: Castellammare di Stabia (Neapel), Ital.

Castellum Thermarum → Aquae Helveticae

Castenica: Kessenich [Bonn-Kessenich] (Rheinprovinz), Deutschl.

Castilia, Castella, Castelle regnum, Celtiberia: Kastilien [Castilla], Landsch. u. eh. Kgr., Span.

Castilia nova: Neukastilien [Castilla la Nueva], Landsch. u. eh. Kgr., Span.

Castilia vetus: Altkastilien [Castilla la Vieja], Landsch. u. eh. Kgr. Span.

Castilio → Emporiae

Castilio, Teruentum, Truentinum castell.: Civitella del Tronto (Teramo), Ital.

Castilio Consentina: Castiglione Cosentino (Cosenza), Ital.

Castilio Mantuana: Castiglione Mantovano (Mantua), Ital.

Castilio maritima: Castiglione Messer Marino (Chieti), Ital.

Castilio Stiverorum: Castiglione Stiviere (Mantua), Ital.

Castillamium impitinis → Imum castr.

Castinacum → Castinetum

Castinetum, Castinacum: Châtenois [Kestenholz] (Bas-Rhin), Frankr.
Castiodum, Castiodunum: Oeschenbach (Bern), Schweiz.
Castiodunum → Castiodum
Castra, Albiensium castra, Albigensium castra: Castres [Castres-sur-l'Agout] (Tarn), Frankr.
Castra Comneni → Sora
Castra Lichen → Duo montes (castra)
Castri locus → Montes
Castri locus Nerviorum → Montes
Castri mons → Casletum
Castricomium → Castrimonium
Castriferrei comit.: Eisenburg [Vasvár], eh. ung. Komit. (Vas, Burgenland, Slowenien), Ung., Österr. u. Jugoslaw.
Castriferrense oppid., Castrum ferreum: Vasvár [Eisenburg] (Vas), Ung.
Castrimonium, Castricomium, Marii villa: Marino (Rom), Ital.
Castrisis, Caestris: Kästris [Castrich] (Graubünden), Schweiz.
Castrobracense oppid. → Albicastrum
Castrobracum → Albicastrum
Castrodunum → Castellodunum
Castrum: Castro dei Volsci (Frosinone), Ital.
Castrum → Burgum
Castrum ferreum → Castriferrense oppid.
Castrum Marlhaci → Meriolacense castr.
Castrum Rauracense → Abensperga
Casuentus → Basentinus
Casulae: Casoli (Chieti), Ital.
Casus: Kasos [Caso, Kaşot], Ins. (Ägäisches Meer), Griechenl.
Catacium → Cantacium
Catalaunia, Catalonia, Catalonnia, Cathalannia, Gothalannia: Katalonien [Cataluña, Catalunya], Landsch. u. eh. Fstm., Span.
Catalaunum, Catelaunorum civ.: Châlons-sur-Marne (Marne), Frank.
Catalonia → Catalaunia
Catalonnia → Catalaunia
Catancium → Cantacium
Catani mons: Moncada (Barcelona), Span.
Catanzium → Cantacium
Cataracta Gandavensis → Agger Gandavensis
Catarae → Catharus
Cataya, Catayum: Cathay, eh. Kgr., China.
Catayum → Cataya
Catelaunorum civ. → Catalaunum
Catelliacum → Cadillacum
Caterlogum: Carlow [Ceatharlach] (Carlow), Eire.
Cathalannia → Catalaunia
Cathanasia: Dunmore [An Dún Mór] (Galway), Eire.
Cathanasia, Cathenesia: Caithness, Grafsch., Schottl.
s. Catharinae monast.: Katharinenkloster [Deir Katerina, Sinaikloster], Kl. auf d. Dschebel Musa (Sinaigeb.), Ägypten.
Catharus, Cattarus, Catarae, Ascrivium: Kotor [Cattaro] (Montenegro), Jugoslaw.
Cathenesia → Cathanasia
s. Catherinae mons: Jebel Katherin [Dschebel Katherin, Gebel Katerina, Katharinenberg], Berg (Sinaigeb.), Ägypten.
Caticantum → Cachentum
Catina, Katane: Catania (Sizilien), Ital.
Catobrigius pag., Cleggovia, Lastobrigicus pag.: Klettgau, Landsch.

(Baden, Schaffhausen), Deutschl. u. Schweiz.
Catolacum → Dionysianum fan.
Catoneum, Cotoneum: Codogno (Mailand), Ital.
Catorcinus pag. → Cadurcensis pag.
Cattarus → Catharus
Cattimelibocum: Katzenelnbogen (Hessen-Nassau), Deutschl.
Cattorum vicus: Katwijk aan de Maas (N-Brabant), Niederl.
Cattus: Katzbach [Kaczawa], Nfl. d. Oder (N-Schlesien), Deutschl.
Catuacum → Duacum Catuacorum
Catuli ara: Gattinara (Vercelli), Ital.
Catulina castra → Tullina
Catulliacus → Dionysianum fan.
Caturicae → Caduppa
Caturicae, Caturigae, Caturicomagus: Chorges (Hautes-Alpes), Frankr.
Caturicomagus → Caturicae
Caturigae → Caturicae
Catusiacum → Caduppa
Cauca: Coca (Segovia), Span.
Cauciacum, Cauciacus: Choisy-au-Bac (Oise), Frankr.
Cauciacum regium ad Sequanam: Choisy-le-Roi (Seine), Frankr.
Cauciacus → Cauciacum
Caucoliberis, Caucoliberum: Collioure (Pyrénées-Orientales), Frankr.
Caucoliberum → Caucoliberis
Cauda vulpis: Daraçya yarimadasi, Halbins. (Muğla), Türkei.
Cauderiae: Caudiès-de-Fenouillèdes (Pyrénées-Orientales), Frankr.
Caudinae Fauces → Furculae Caudinae
Caufunga → Capungum
Caulium vallis: Le Val des Choues [Abbaye du Val des Choues], eh. Kl. bei Châtillon-sur-Seine (Côte-d'Or), Frankr.
Caulonia, Vetrium castr., Veterum castr.: Castelvetere in Val Fortore (Benevent), Ital.
Caulum: Kollam [Quilon] (Kerala), Indien.
Caunae, Cobiomachus, Cobiomagus: Caunes-Minervois (Aude), Frankr.
Caunus mons: Sierra del Moncayo, Geb. (Aragonien), Span.
Cauria, Caurium, Caurita: Cória (Cáceres), Span.
Caurita → Cauria
Caurium → Cauria
Caurzimensis, Gurimensis: Kouřim [Kauřim] (Böhmen), Tschechoslow.
Cauteriae: Cauterets (Hautes-Pyrénées), Frankr.
Cava Juliani → Flaviae Aquae
Cavarum oppidum → Avenio
Cavea: Cava Manara (Pavia), Ital.
Cavellio → Caballio
Cavortium: Caours (Somme), Frankr.
Cavortium: Cavour (Turin), Ital.
Cavum → Capha
Cazanum → Kazanum
Caziacum → Casiacum
Cazzeses: Götzis (Vorarlberg), Österr.
Ceba: Ceva (Cuneo), Ital.
Cebanum → Genava
Cebenna mons, Cemmenus mons, Gebennae montes: les Cévennes [Cevennen], Gebirgskette, Frankr.
Ceca → Bohemia
Cechoviensis urbs, Zlechoviensis urbs: Želechovice [Zlechau] (Mähren), Tschechoslow.
Ceilanus → Ceylanum
Celama → Siga

Celeia → Kirchaina
Celeia, Cilia: Celje [Cilli] (Slowenien), Jugoslaw.
Celeia, Petronella: Petronell (N-Österr.), Österr.
Celeusum → Cellae domus
Celi porta → Coeli porta
Celia, Celium, Coelinus ager: Ceglie del Campo (Bari), Ital.
Celinum: Schlins (Vorarlberg), Österr.
Celinum: Tschlin [Schleins] (Graubünden), Schweiz.
Celium → Celia
Cella: Celle (Hannover), Deutschl.
Cella: Zell am Harmersbach (Baden), Deutschl.
Cella: Zell im Wiesental (Baden), Deutschl.
Cella: Zell (Luzern), Schweiz.
Cella: Zell (Zürich), Schweiz.
Cella: Zella [Zella-Mehlis] (Thüringen), Deutschl.
Cella → Maria Cella
Cella, Cella ad lacum inferiorem: Zell am See (Salzburg), Österr.
Cella, Cellensis eccl.: Zell (U-Franken, Kr. Schweinfurt), Deutschl.
Cella ad lacum inferiorem → Cella
Cellae: Celles (Hérault), Frankr.
Cellae: Celles-lès-Condé (Aisne), Frankr.
Cellae: Árnissa [Ostrovo] am Limni Begoritis (Pella), Griechenl.
Cellae ad Matronam → Cala
Cellae domus, Celeusum: Ettling (O-Bayern, Kr. Ingolstadt), Deutschl.
Cellensis eccl. → Cella
Celsa: Gelsa (Zaragoza), Span.
Celsa → Elizatium
Celsona, Calea: Solsona (Lérida), Span.
Celsum castr.: Champtoceaux [Château-Céaux] (Maine-et-Loire), Frankr.
Celtiberia → Aragonia
Celtiberia → Castilia
Celtorum mons: Plomb du Cantal [Mont Cantal], Berg u. Geb., (Cantal), Frankr.
Celuria → Rosarum mons
Cembalo → Baluclavia
Cembum → Ganipa
Cemmenus mons → Cebenna mons
Cenadiensis comit., Csanadiensis comit.: Csanád, eh. Komitat (Csongrád), Ung.
Cenadium: Makó [Chanad, Csanád, Tschanad] (Csongrád), Ung.
Cenebum → Ganipa
Cenestum: Sainte-Lucie-de-Tallano [Santa-Lucia-di-Tallano] (Korsika), Frankr.
Cenetense castr. → Acedes
Cenetum → Acedes
Cenetum, Cernetum: Cerreto Sannita (Benevent), Ital.
Cenionis oppidum → Falmuthum
Cenisius mons → Cinisius mons
Cenna, Cinna: Langenzenn (M-Franken), Deutschl.
Cennacum: Ciney (Namur), Belg.
Cenomani civ., Cenomania civ., Cenomanum, Cremomanum, Suindinum, Vindinum: Le Mans (Sarthe), Frankr.
Cenomania civ. → Cenomani civ.
Cenomannensis ager, Cinomannico pag.: Maine, Landsch. u. eh. Prov. (Sarthe, Mayenne, Loir-et-Cher), Frankr.
Cenomanum → Cenomani civ.
Cenonis ostium → Falmuthum
Centronum civ., Mosterium in Tarantasia, Monasterium in Tarantasia, Tarantasia, Darantasia, Claudii forum: Moûtiers (Savoie), Frankr.

Centulum, s. Richarii monast., Richerii monast.: Saint-Riquier (Somme), Frankr.
Centum: Cento (Ferrara), Ital.
Centum colles → Centumcollis
Centumcollis, Centum colles: Hundertbücheln [Százhalom] bei Agnita [Agnetheln] nö. Hermannstadt (Siebenbürgen), Rumän.
Cepelia: Csepel [Csepel Sziget], Ins. d. Donau, sdl. Budapest, Ung.
Cepha castr.: Hasan Kef [Hasankeyf] (Diyarbakir), Türkei.
Cepusiensis comit.: Spiš [Zips, Szepes], Landsch. u. eh. Grafsch. (Slowakei), Tschechoslow.
Cepusiensis comit. → Scepusiensis comit.
Cepusium, Scepusiensis arx, Scepusium, Scepus, Varallium: Spišské Podhradie [Kirchdrauf, Szepesvóralja, Podgrodzie] (Slowakei), Tschechoslow.
Cerbalus: Cervaro, Fl., Mü: Adriat. Meer (Foggia), Ital.
Cercidius: Liamone, Fl., Mü: Golf v. Sagone (Korsika), Frankr.
Cercunum → Clurium
Cerdania: Cerda (Valencia), Span.
Ceredania, Ceretani: La Cerdaña [Cerdagne], Landsch. u. eh. Grafschaft (Katalonien, Pyrénées-Orientales), Span. u. Frankr.
Cerenthia: Cerenzia (Catanzaro), Ital.
Ceresius lacus, Cerusius lacus, Coresium stagnum, Lucanus lacus: Luganer See [Lago di Lugano, Ceresio], See (Tessin, Como), Schweiz u. Ital.
Ceretani → Ceredania
Ceretanorum jugum, Ceretanum podium: Puigcerdá (Gerona), Span.
Ceretanum podium → Ceretanorum jugum
Ceretica: Cardigan (Cardiganshire), Engl.
Ceretum, Ad Centuriones, Ad Centenarium: Céret (Pyrénées-Orientales), Frankr.
Cergeium → Sargeium
Cergeium, Cergiacum: Cergy (Seine-et-Oise), Frankr.
Cergiacum → Cergeium
Cergiacus → Sargeium
Cernagora: Montenegro [Crna Gora, Kara Dagh], Land u. eh. Fstm., Jugoslaw.
Cerne: Arguin, Ins. (Atlantik), Mauretanien.
Cernetum → Cenetum
Cersi castr.: abgeg. bei Eßlingen (Württemberg), Deutschl.
Cersilla → Sarcella
Certaldum: Certaldo (Florenz), Ital.
Certeratae, Corterate, Cotracum, Cutracum: Coutras (Gironde), Frankr.
Certiacum → Zurzacha
Cerusius lacus → Ceresius lacus
Cervia: Chièvres (Hennegau), Belg.
Cerviacus → Sargeium
Cerviae → Sargeium
Cervimontium: Hirschberg [Jelenia Góra] (N-Schlesien), Deutschl.
Cervimontium: Walzenhausen (Appenzell-Außerrhoden), Schweiz.
Cervimontium ad Salam: Hirschberg a. d. Saale (Thüringen), Deutschl.
Cervimontium Westfaliae: Hirschberg (Westfalen), Deutschl.
Cervium: Cierfs [Tschierv] (Graubünden), Schweiz.
Cesarea → Caesarea
Cesarista: Ceyreste (Bouches-du-Rhône), Frankr.
Cesina: Cesena (Forlì), Ital.
Cesius mons → Cetius mons

Cestria → Devana
Cestria, Cestriensis comit.: Cheshire [Chester], Grafsch., Engl.
Cestriensis comit. → Cestria
Cetius mons, Cesius mons, Comagenus mons: Wienerwald, Geb. (N-Österr.), Österr.
Cetius portus → Setiena
Cetobriga, Caetobriga, Caetobrix, s. Yvonis fanum: Setúbal (Estremadura), Portug.
Ceylanum, Ceilanus, Taprobane: Ceylon [Langkā], Land u. Ins. (Indischer Ozean).
Chabellium, Chabulium: Chabeuil (Drôme), Frankr.
Chaboras, Aborras: Khabur [Nahr Khabour], Nfl. d. Euphrat, Türkei u. Syrien.
Chabulium → Chabellium
Chactornia: Ciacova [Csákovár] (Banat), Rumän.
Chaembelius: Kamles (N-Österr.), Österr.
Chagina: Kagen bei Reichertsheim (O-Bayern), Deutschl.
Chaingiacum, Cymgiacum: Chaigny (Loiret), Frankr.
Chalaminza → Caelius mons
Chalbaha, Kalbaha: Kalbach (Hessen-Nassau), Deutschl.
Chaldowa: Aue, Nfl. d. Weser (Hannover), Deutschl.
Chalusus → Trabena
Chalybon, Beroea, Halapa: Haleb [Aleppo, Alep, Halab] (Aleppo), Syrien.
Chamarium → Camberiacum
Chamba → Cambus
Chambariacum → Camberiacum
Chambda → Cambia
Chambia → Cambia
Chambliacum, Cameliacum: Chambly (Oise), Frankr.
Chambordium → Camborium
Chambus → Cambus
Chamo, Kamo: Cham (Zug), Schweiz.
Champa → Cambia
s. Chanemundi fanum → s. Anemundi castrum
Chanoricum, Chanrea: Chanonry, aufgeg. in Fortrose (Ross and Cromarty), Schottl.
Chanrea → Chanoricum
Chapella: Kapla [Ober Kappel] (Slowenien), Jugoslaw.
Chapella: Kappeln (O-Österr.), Österr.
Chapfas, Chaphes: Kaps (O-Bayern, Kr. Rosenheim), Deutschl.
Chaphes → Chapfas
Chardinum → Gerdinum
Charentonius pons → Carantonum
Chares → Caris
Charidemi promont.: Kap Gata [Cabo de Gata], Vorgeb. (Almería), Span.
Charintirichi → Carantania
Charisagum → Cariciacum
Charitaeum → Caritaeum
Charitas → Caritaeum
Charitatis oppid. → Caritaeum
Charmona, Carmo: Carmona (Sevilla), Span.
Charoburgum → Caesaris burgus
Charrae → Carrhae
Charras → Cairus
Charus → Caris
Chastilium Florentinum: Castiglion Fiorentino (Arezzo), Ital.
Chatuaria → Hatoariorum pag.
Chavinga: Kaufing (O-Österr.), Österr.
Chelma, Chelmum: Chełm [Cholm] (Lublin), Polen.
Chelmensis comit.: Chełm [Cholm], eh. Woiw. (Lublin), Polen.
Chelmum → Chelma

Chelonatas promont.: Kap Glarenza bei Kyllini, Vorgeb. (Peloponnes), Griechenl.
Chemiagus lacus → Auva
Chemmis → Panopolis
Chemnitium, Kemnitium: Chemnitz [Karl-Marx-Stadt] (Sachsen), Deutschl.
Chensinga: Kenzingen (Baden), Deutschl.
Chereburgus → Caesaris burgus
Cherium → Carea
Chersonesus Cimbrica, Jutlandia: Jütische Halbins. [Kimbrische Halbins., Jysk Halvø], Landsch. u. Halbins. zw. Nord- u. Ostsee (Jütland, Schleswig-Holstein), Dänem. u. Deutschl.
Chersonesus Crimaea → Chersonesus Taurica
Chersonesus Tartarica → Chersonesus Taurica
Chersonesus Taurica, Chersonesus Crimaea, Chersonesus Tartarica: Krim [Krym], Halbins. (Schwarzes Meer), UdSSR.
Chersonium: Cherson (Ukrain. SSR), UdSSR.
Chiemium → Auva
Chiemus lacus → Auva
Chienum → Auva
Chierium → Carea
Chilichbergensis vicus: Ober- u. Unterkirchberg (Württemberg), Deutschl.
Chilmoria: Kilmore (Co. Tipperary), Eire.
Chilmoria: Kilmore (Armagh), N-Irland.
Chilonium, Kielia, Kilia, Kilonia, Kilonum, Kylo: Kiel (Schleswig-Holstein), Deutschl.
Chimacum, Simacum: Chimay (Hennegau), Belg.
Chinejum, Chinniacum: Chiny (Luxemburg), Belg.
Chiniacum → Chinejum
Chinonium → Caino
Chiovia, Kiovia, Kijodia: Kijev [Kiew] (Ukrain. SSR), UdSSR.
Chippenhamum: Chippenham (Wiltshire), Engl.
Chirauwa: Kirchau (N-Österr.), Österr.
Chirichowilari, Kirikwilari: Kirrwiller [Kirweiler] (Bas-Rhin), Frankr.
Chissinga, Cussingum, Kissinga: Kissingen (U-Franken), Deutschl.
Chitzzinga, Kizinga: Kitzingen a. Main (U-Franken), Deutschl.
Choama: Kom [Kum], sdl. Teheran, Iran.
Chohina → Cochemium
Choinitia: Kaunitz (Westfalen), Deutschl.
Choinitia, Conimbria, Coniza: Chojnice [Konitz] (Bromberg), Polen.
Cholonpurgum → Colmaria
Chorasmias lacus, Oxianus lacus: Aralsee [Aralskoje more], See in Turkestan, UdSSR.
Choriani villa, Chorini villa: Kohren [Kohren-Salis] (Sachsen), Deutschl.
Chorini villa → Choriani villa
Chornewburga → Neuburga forensis
Chotansriuti: Kottes (N-Österr.), Österr.
Chotewicense monast. → Godewicum monast.
Chotinum: Chotin [Hotin] (Ukrain. SSR), UdSSR.
Chrana → Crana
Chreina marcha → Carnia
Chrema → Cremisa
Chremimonasteriensis → Cremisa
Chremisa → Cremisa

Chremissae monast. → Cremisa
Chremsa → Cremisa
Chrepsa, Cressa, Absorus, Absyrtium, Apsorus, Ausara ins., Ausoriensis ins.: Cres [Cherso, Čres], Ins. d. Kvarnerinseln (Kroatien), Jugoslaw.
Chrisopolis → Julia Augusta
Christa: Chrast (Böhmen), Tschechoslow.
Christi Memela, Kirsmomela: Christmemel, abgeg. im Memelland (Litauen), UdSSR.
Christi Mons, Oglasa: Isola di Montecristo, Ins. (Toskan. Inseln), Ital.
Christa → Crista
Christianae portus: Kristinehamn (Värmland), Schwed.
Christiani munitio: Friedrichsort, eh. Fstg. u. Teil v. Kiel (Schleswig-Holstein), Deutschl.
Christiani munitio: Kristiansand (Vest-Agder), Norw.
Christiania → Christianopolis
Christianopolis: Kristianopel (Blekinge), Schwed.
Christianopolis, Christiania, Christianostadium: Kristianstad (Kristianstad), Schwed.
Christianostadium → Christianopolis
Christianostadium ad Boberam: Christianstadt [Krzystkowice] (Brandenburg), Deutschl.
s. **Christinae lacus** → Vulsiniensis lacus
s. **Christophori fanum:** Havanna [La Habana, Havana, San Christóbal de la Habana], Cuba.
Christopolis: Kavalla [Kabala, Kawala] (Kavalla), Griechenl.
Chronopolis, Tilsa: Tilsit [Sowjetsk, Sovetsk] (O-Preußen), Deutschl.
Chrozna: Krossen a. d. Elster (Pr. Sachsen), Deutschl.
Chrudima, Chrudimensis, Chrudimum: Chrudim (Böhmen), Tschechoslow.
Chrudimensis → Chrudima
Chrudimum → Chrudima
Chrusna, Chrusni castell., Crusena: Creussen (O-Franken), Deutschl.
Chrusni castell. → Chrusna
Chruvati, Cruwati: Korbetha (Pr. Sachsen), Deutschl.
Chrysii Auraria: Baia de Criş [Körösbánya, Altenburg] (Siebenbürgen), Rumän.
Chrysius, Chrysus, Crysus: Crişul Repede [Sebes Körös, Schnelle Kreisch], Nfl. d. Kreisch, Rumän. u. Ung.
Chrysus → Chrysius
Chuenicensis villa: Konice [Konitz] (Mähren), Tschechoslow.
Chuestina, Chuistina: Kösten (O-Franken), Deutschl.
Chuigeburgum → Kyburgum
Chuistina → Chuestina
Chunticha: König (Hessen), Deutschl.
Chussenaho, Cussenacum, Kuessenaho: Küßnacht am Rigi (Schwyz), Schweiz.
Chuthna → Kutta
Chutna → Kutta
Chutta → Kutta
Chuttina → Kutta
Chuzenhusa, Chuzzenhusa, Chuzinhusi: Kutzenhouse [Kutzenhausen] (Bas-Rhin), Frankr.
Chuzinhusi → Chuzenhusa
Chuzzenhusa → Chuzenhusa
Ciani urbs: Zinnitz (Brandenburg), Deutschl.
Cibinium, Hermanni villa, Hermanopolis, Hermanostadium: Sibiu

[Hermannstadt, Nagyszeben] (Siebenbürgen), Rumän.

Cibinium minus: Sabinov [Zeben, Klein-Zeben, Kisszeben] (Slowakei), Tschechoslow.

Cica → Siza

Cicensis → Siza

Ciceres → Zizaria

Cicestria: Chichester (Co. Sussex), Engl.

Cichuwindones → Bohemia

Cicis → Siza

Cicorni, Cicurni: Zeickhorn (O-Franken), Deutschl.

Cicurni → Cicorni

Cidini: Zehden a. d. Oder [Cedynia] (Brandenburg), Deutschl.

Ciestra: Krückau, Nfl. d. Elbe (Schleswig-Holstein), Deutschl.

Cilavina vallis: Zillertal, Tal (Tirol), Österr.

Cilensi pag. → Silensi pag.

Cilia → Celeia

Cilianum: Cigliano (Vercelli), Ital.

Cilicia: Zülz [Biała] (O-Schlesien), Deutschl.

Cillensis villa, Schilla: Wechselburg (Sachsen), Deutschl.

Cillinorum aquae: Caldas de Reyes (Pontevedra), Span.

Cilmaculum, Comachium, Comacium, Comaclium, Comaclum, Comacula: Comacchio (Ferrara), Ital.

Cimarum promont.: Kap Spatha [Akroterion Spatha], Vorgeb. (Kreta), Griechenl.

Cimarus, Carabussa, Garabusa: Agria Grambûsa, Ins. am Kap Grambûsa (Kreta), Griechenl.

Cimbarsaca: Semmerzake (O-Flandern), Belg.

Cimbria, Jutia, Jutlandia: Jütland [Jylland], Landsch., Dänem.

Cimbria parva → Femera

Cimbrorum portus: Cimbrishamn [Simbrishamn] (Kristianstad), Schwed.

Cimbrorum promont.: Skagens Hornt [Grenen], Nordspitze v. Jütland, Dänem.

Ciminius lacus, Cyminius lacus, Elbii lacus: Lago di Vico [Cimino], See (Viterbo), Ital.

Cimiterium, De Cimterio: Kirchhof bei Kamp-Lintfort (Rheinprov.), Deutschl.

Cimmericum mare → Nigrum mare

Cincioneswilare → Zinzinwilare

Cinereus mons → Cinisius mons

Cineris mons → Cinisius mons

Cinisius mons, Canisius mons, Cenisius mons, Cinereus mons, Cineris mons, Citteneus mons: Col du Mont Cenis [Colle del Moncenisio], Paß (Savoie), Frankr.

Cinna → Cenna

Cinna, Sinna, Symno, Zeinna, Zinnensis: Zinna [Kloster Zinna] (Brandenburg), Deutschl.

Cinnibantum: Kimbolton (Huntingdonshire), Engl.

Cinomannico pag. → Cenomannensis ager

Cinum, Scinum: Sent [Sins] (Graubünden), Schweiz.

Circesium: Qarqisiya a. Euphrat, abgeg. bei El Beṣîré [El Buseire, El Busera], Syrien.

Circoniensis lacus: Cerknisko Jezero [Lago di Cerknica, Zirknitzer See] (Slowenien), Jugoslaw.

Circonium, Czernicum: Cerknica [Zirknitz] (Slowenien), Jugoslaw.

Cirenensis villa, Cyrenensis villa: Ober- u. Niederzier (Rheinprov.), Deutschl.

Cireola: Zirl (Tirol), Österr.

Ciriacum, Cyriacum: Ciriè (Turin), Ital.

Ciricium, Cirna, Cyriscum, Czercum: Czersk (Warschau), Polen.

Cirmini, Crimini: Zscherben (Pr. Sachsen), Deutschl.

Cirna → Ciricium

Cirta, Constantina, Kirtha: Constantine [Ksantina], Algerien.

Ciscia → Siza

Cisindria: Zisinder, Nfl. d. Geeste (Hannover), Deutschl.

Cismaria: Cismar (Schleswig-Holstein), Deutschl.

Cistercium: Cîteaux (Côte-d'Or), Frankr.

Citica → Siza

Citicensis → Siza

Citici → Siza

Citium → Siza

Citiza → Siza

Citrum, Pinga: Kitros (Emathia), Griechenl.

Citteneus mons → Cinisius mons

Cituatum ins., Cituorum ins.: Große Schütt Insel [Ostrov, Csallóköz, Vel'ký Žitný Ostrov], gebildet von Donau, Kleiner Donau u. Waagdonau (Slowakei), Tschechoslow.

Cituorum ins. → Cituatum ins.

Citzi → Siza

Cius: Gemlik (Bursa), Türkei.

Civeda → Carsici civ.

Civitas aurea → Julia Augusta

Civitas Castellana → Castellana civ.

Civitas Castelli → Castellana civ.

Civitatula → Tuta civitas

Ciza → Siza

Cizi → Siza

Cizuris → Zizaria

Ckockta: Köckte bei Gardelegen (Pr. Sachsen), Deutschl.

Claderanensis, Cladorubi, Claduranensis, Gladrubensis villa: Kladruby [Kladrau] (Böhmen), Tschechoslow.

Cladorubi → Claderanensis

Claduranensis → Claderanensis

Clameciacum, Clamiacum, Clementiacum, Climiciacum: Clamecy (Nièvre), Frankr.

Clamiacum → Clameciacum

Clamorgania, Clamorgensis comit., Glamorgensis comit.: Glamorgan, Grafsch. (Wales), Engl.

Clamorgensis comit. → Clamorgania

Clanius: Regi Lagni, Fl., Mü: Golf v. Gaeta, Ital.

Clantius ager: das Gebiet um Chianni (Pisa), Ital.

Clanum, Claudiacastra, Claudiocestria, Clevum, Glevum, Glocestria: Gloucester (Gloucestershire), Engl.

Clara: Dragutinovo [Karlova], Teil v. Miloševo [Banatsko Miloševo, Novo Miloševo] (Banat), Jugoslaw.

Clara vallis, Claraevallis, Claravallense coenob.: Clairvaux, Kl. (Aube), Frankr.

Clara Werda: Schönenwerd (Solothurn), Schweiz.

Claraevallis → Clara vallis

Claramontium → Claromontium

Claravallense coenob. → Clara vallis

Clarenna, Kirchaina: Kirchheim am Ries (Württemberg), Deutschl.

Clarenna ad Lici confluentem → Raina

Clarentia: Clarencefield (Dumfriesshire), Schottl.

Clarentia: Kyllini [Kyllene, Killini, Kulléne, Glarentsa] (Peloponnes), Griechenl.

Claretum: Les Clairets (Orne), Frankr.

Clarholtensis villa: Klarholz (Westfalen), Deutschl.

Clari campi → Claricampensis vicus

Clariacum ad Ligerim, Cleriacum: Cléry [Cléry-St-André] (Loiret), Frankr.

Clariacum ad Oldam: Clérac (Charente-Maritime), Frankr.

Claricampensis vicus, Clari campi: Klaarkamp (Friesland), Niederl.

Clarilocus → Clarus locus

Claritas Julii: Espejo (Córdoba), Span.

Clarium: Chiari (Brescia), Ital.

Clarofontanum palatium: Hellbrunn, Schl. bei Salzburg (Salzburg), Österr.

Claromons: Chiaramonte Gulfi (Syrakus), Ital.

Claromons → Claromontium

Claromontensis pag.: Clermontois, eh. Grafsch. (Meuse, Marne), Frankr.

Claromontium, Areverno, Aroverno, Claramontium, Claromontum, Clarus mons: Clermont-Ferrand (Puy-de-Dôme), Frankr.

Claromontium, Bellovacensia, Claromons, Claromontum, Clarus mons: Clermont [Clermont-de-l'Oise, Clermont-en-Beauvaisis] (Oise), Frankr.

Claromontium, Claromontum: Clermont (Haute-Savoie), Frankr.

Claromontium Lutevense, Claromontum: Clermont-l'Hérault (Hérault), Frankr.

Claromontum → Claromontium

Claromontum → Claromontium Lutevense

Clarorum urbs → Verodunum

Clarus → Glaris

Clarus fons: Clairefontaine (Seine-et-Oise), Frankr.

Clarus fons → Ebraldi fons

Clarus fons → Sherborna

Clarus locus, Clarilocus: Clairlieu (Meurthe-et-Moselle), Frankr.

Clarus mons: Clermont-lez-Nandrin (Lüttich), Belg.

Clarus mons → Claromontium

Clattovia, Glatowia, Glatovia: Klatovy [Klattau] (Böhmen), Tschechoslow.

Claudia fossa: Chioggia (Venedig), Ital.

Claudiacastra → Clanum

Claudianopolis → Claudiopolis

s. Claudii fanum → s. Augendi fan.

s. Claudii forum: Carinola (Latina), Ital.

Claudii forum → Agaunum

Claudii forum → Centronum civ.

s. Claudii forum, Auriolum: Oriolo Romano (Viterbo), Ital.

s. Claudii mons: Podravska Moslavina a. d. Drau (Kroatien, Podravina), Jugoslaw.

Claudiocestria → Clanum

Claudiopolis → s. Augendi fan.

Claudiopolis, Claudianopolis, Colosvaria, Colosvarium, Colosia, Colosium, Clusa, Colocia, Colozza: Cluj [Klausenburg, Kolozsvár] (Siebenbürgen), Rumän.

Clausa: Chiusa Forte (Udine), Ital.

Clausa → Clausa Veronensis

Clausa vallis, Clusa vallis, Clusae vallis: Fontaine-de-Vaucluse [Vaucluse] (Vaucluse), Frankr.

Clausa Veronensis, Clausa: Chiusa di Verona [Etschklause, Berner Klause, Veroneser Klause], Engpaß (Verona), Ital.

Clausentum: Bitterne (Hampshire), Engl.

Clausina, Clausium, Clusina: Chiusa [Klausen] (Bozen), Ital.

Clausium → Clausina
Claustrensis abbatia → Claustrum
Claustroburgum → Neuburga
Claustroneoburgum → Neuburga
Claustrum: Covolo [Kofel], Engpaß (Belluno), Ital.
Claustrum: Lencloître (Vienne), Frankr.
Claustrum → Neuburga
Claustrum, Claustrensis abbatia: Himmerich bei Randerath (Rheinprov.), Deutschl.
Clausulae → Sclusa castr.
Clavarum, Asius, Claverinum, Claverium: Chiavari (Genua), Ital.
Clavasium: Chivasso (Turin), Ital.
Clavenna: Chiavenna [Clävnn, Cleven] (Sondrio), Ital.
Claverinum → Clavarum
Claverium → Clavarum
Cleggovia → Catobrigius pag.
Clementia → Caelius mons
Clementiacum → Clameciacum
Clementis castr.: Plement (Bromberg), Polen.
Clepiacum → Clipiacum
Clepiacum in pago Altnetensi: Aulnoy (Seine-et-Marne), Frankr.
Cleriacum → Clariacum ad Ligerim
Clericum: Clairac (Lot-et-Garonne), Frankr.
s. **Clericus:** San Quirico d'Orcia (Siena), Ital.
Clevensis urbs → Clivis
Clevum → Clanum
Clewis: Kleewiesen bei Hoßkirch (Bayern, RB. Schwaben), Deutschl.
Cliciacum → Clipiacum
Clidesdalia, Giotiana, Glotana vallis: Clydesdale [Vale of Clyde], Landsch. (Lanarkshire), Schottl.
Climberis → Augusta Auscorum
Climberrum → Augusta Auscorum
Climiciacum → Clameciacum
Clinga: Klingenmünster (Bayern, RB. Pfalz), Deutschl.
Cliniacum, Clunacum, Cluniacum, Cluninium: Cluny (Saône-et-Loire), Frankr.
Clipiacum, Clepiacum, Cliciacum, Clipiacus, Clippi: Clichy [Clichy-la-Garenne] (Seine), Frankr.
Clipiacus → Clipiacum
Clippi → Clipiacum
Clissonium: Clisson (Loire-Atlantique), Frankr.
Clivia → Clivis
Cliviensis ducat.: Kleve, eh. Hgt. (Rheinprov.), Deutschl.
Clivis, Clevensis urbs, Clivia: Kleve (Rheinprov.), Deutschl.
Clivus s. Andreae: La Côte-Saint-André (Isère), Frankr.
Clivus s. Lucii, s. Lucius: Luciensteig [Luziensteig, Luzisteig], Paß im Rätikon (Graubünden), Schweiz.
Clobuschina: Klopschen [Kłobuczyn] (N-Schlesien), Deutschl.
Clocniza: Gloggnitz (N-Österr), Österr.
Clodana: Klätkow [Kłodkowo] (Pommern), Deutschl.
Clodava: Kladau [Kłodawa], Nfl. d. Mottlau (Danzig), Polen.
Clodianus → Cluvianus
Clodoaldi fanum → Novientum
Clodova: Kladovo a. d. Donau (Serbien), Jugoslaw.
Clona: Clonmel [Cluain Meala] (Co. Tipperary), Eire.
Clonfertia: Clonfert (Co. Galway), Eire.
Clota, Cludae aestuarium, Glotae aestuarium: Firth of Clyde, Meerbusen, Schottl.
Clotariensis villa → Clottena

Clotena → Clottena
Clotenensis villa → Clottena
Clottena, Clotariensis villa, Clotena, Clotenensis villa: Klotten (Rheinprov.), Deutschl.
Cluanum: Cloyne [Cluain] (Co. Cork), Eire.
Cluda, Cludanus, Glota: Clyde, Fl., Mü: Firth of Clyde (Dunbartonshire), Schottl.
Cludae aestuarium → Clota
Cludanus → Cluda
Clunacum → Cliniacum
Cluniacum → Cliniacum
Clunica → Gluniacum
Cluninium → Cliniacum
Clurium, Cercunum: Chiuro (Sondrio), Ital.
Clusa: Cluses (Haute-Savoie), Frankr.
Clusa → Claudiopolis
Clusa → Clausulae
Clusa → Sclusa castr.
Clusa vallis → Clausa vallis
Clusae vallis → Clausa vallis
Clusina → Clausina
Clusinum monast. → s. Michaelis monast. Clusini
Clusinus vicus: Klus bei Gandersheim (Braunschweig), Deutschl.
Clusonia vallis, Clusonium: Clusone (Bergamo), Ital.
Clusonium → Clusonia vallis
Cluvianus, Clodianus, Fluvianus: Fluviá, Fl., Mü: Mittelmeer (Katalonien), Span.
Cnapdalia: Knapdale, Landsch. (Argyllshire), Schottl.
Coactia → Connacia
Coagium, Congia: Kjøge [Køge] (Seeland), Dänem.
Coatia silva, Cotia silva: Forêt de Compiègne, Wald (Oise), Frankr.
Cobena: Köben [Chobienia] (N-Schlesien), Deutschl.
Cobiomachus → Caunae
Cobiomagus → Caunae
Coburgensis civ. → Coburgum
Coburgensis ducat. → Coburgicus ducat.
Coburgicus ducat., Coburgensis ducat.: Coburg [Sachsen-Coburg], eh. Hgt. (Thüringen, Franken), Deutschl.
Coburgum, Coburgensis civ., Devona: Coburg (O-Franken), Deutschl.
Cobylaglowa: Kobelau [Kobyla Głowa] (N-Schlesien), Deutschl.
Cocermutium: Cockermouth (Co. Cumberland), Engl.
Cochalensis villa → Ascahi
Cochara: Kocher, Nfl. d. Neckar (Württemberg), Deutschl.
Cochara: Oberkochen (Württemberg), Deutschl.
Cochemium, Cochima, Cochomus, Chohina: Cochem [Kochem] (Rheinprov.), Deutschl.
Cochima → Cochemium
Cochomus → Cochemium
Cociacum, Codiciacum, Cuchyacum, Cuclacum: Coucy-le-Château-Auffrique (Aisne), Frankr.
Codania → Hafnia
Codanonia, Seelandia, Selandia, Zeelandia: Sjælland [Seeland], Ins., Dänem.
Codanum mare → Codanus sinus
Codanus sinus, Baltici maris ostium, Codanum mare, Nortmanniae fretum, Suevicum mare, Wendilae mare: Kattegatt, Teil d. Ostsee zw. Dänem. u. Schwed.
Codiciacum → Cociacum
Coelanum → Caelanum
Coeli corona: Himmelkron (O-Franken), Deutschl.

Coeli locus: Himmelstädt [Mironice] (Brandenburg), Deutschl.
Coeli porta: Himmelpfort (Brandenburg), Deutschl.
Coeli porta, Celi porta: Himmelpforten (Westfalen, Kr. Soest), Deutschl.
Coelinus ager → Celia
Coenobium: Cernobbio (Como), Ital.
Coenobium: Kanobin, Libanon.
Coenobium insulanum: Ostrog (Ukrain. SSR), UdSSR.
Coenobium Mariae vallense → Coenobium b. Virginis Mariae
Coenobium b. Virginis Mariae, Coenobium Mariae vallense: Marienthal [Sankt Marienthal], Kl. bei Ostritz (Sachsen, Kr. Bautzen), Deutschl.
Coenoenum, Gnoja: Gnoien (Mecklenburg-Schwerin), Deutschl.
Coetnum, Cossonis flumen: Couesnon, Fl., Mü: Golf v. Saint-Malo (Manche), Frankr.
Cognacum, Conacum, Conaleum, Condate: Cognac (Charente), Frankr.
Coja: Claye-Souilly (Seine-et-Marne), Frankr.
Coijavia → Cujavia
Cola: Coll, Ins. (Innere Hebriden), Schottl.
Colania, Coldania, Coluda: Coldingham (Lanarkshire), Schottl.
Colbeca: Cölbigk (Anhalt), Deutschl.
Colbrega → Colmensis
Colcestria, Camalodunum, Camulodunum, Colonia, Procolitia: Colchester (Co. Essex), Engl.
Colda → Golda
Coldaha → Golda
Coldania → Colania
Coldinga: Kolding (Jütland), Dänem.
Coleda: Kölleda (Pr. Sachsen), Deutschl.
Colidici: Colditz (Sachsen), Deutschl.
Colimbria → Conimbriga
Colinaeum: Collinée (Côtes-du-Nord), Frankr.
Coliniacum, Colinium: Coligny (Ain), Frankr.
Colinium → Coliniacum
Colinum → Juxta Albim colonia
Collis: Colle Umberto (Treviso), Ital.
Collis Martis: Colmars [Colmars-les-Alpes] (Basses-Alpes), Frankr.
Collis Peregrinorum, Marbachium: Marbach (Württemberg), Deutschl.
Collum longum: Collonge-la-Madeleine (Saône-et-Loire), Frankr.
Colmaria, Cholonpurgum, Colmbra, Coloburgum, Columbare, Columbaria, Columbarium, Columbrae: Colmar (Haut-Rhin), Frankr.
Colmbra → Colmaria
Colmensis, Colbrega, Colubrega: Kolberg [Kołobrzeg] (Pommern), Deutschl.
Colmensis civ. → Culma
Coloburgum → Colmaria
Coloci → Lobavia
Colocia → Claudiopolis
Colomeria, Columbaria: Coulommiers (Seine-et-Marne), Frankr.
Colomia: Kolomyja [Kolomea] (Ukrain. SSR), UdSSR.
Colonesus → Bellinsula
Colonia: Coulaines (Sarthe), Frankr.
Colonia → Agrippina colonia
Colonia → Colcestria
Colonia → Colonia Brandenburgica

Colonia → Coloniacum
Colonia → Juxta Albim colonia
Colonia ad Spream → Colonia Brandenburgica
Colonia Bergensis → Vetus mons
Colonia Brandenburgica, Colonia, Colonia ad Spream, Colonia Brandenburgica ad Spream, Colonia Marchiae, Colonia Marchica, Colonia Marchionum: Kölln a. d. Spree, Teil v. Berlin, Deutschl.
Colonia Brandenburgica ad Spream → Colonia Brandenburgica
Colonia Marchiae → Colonia Brandenburgica
Colonia Marchica → Colonia Brandenburgica
Colonia Marchionum → Colonia Brandenburgica
Colonia Munatiana → Basilea
Colonia Pacensis → Begia
Colonia Ptolemaïs → Acco
Coloniacum, Colonia: Cologny (Genf), Schweiz.
Color vallis, Colorum vallis, Lorium, Vauculeriae: Vaucouleurs (Meuse), Frankr.
Colorum vallis → Color vallis
Colosensis comit. → Colosvariensis comit.
Colosia → Claudiopolis
Colosium → Claudiopolis
Colosvaria → Claudiopolis
Colosvariensis comit., Colosensis comit.: Klausenburg [Cluj, Kolozsvár], eh. ung. Komit. (Siebenbürgen), Rumän.
Colosvarium → Claudiopolis
Colozza → Claudiopolis
Colstidi: Kohlstädt (Lippe-Detmold), Deutschl.
Colubrega → Colmensis
Coluda → Colania
s. Columbani coenob. → Bobium
s. Columbani fanum: San Colombano al Lambro (Mailand), Ital.
Columbare → Colmaria
Columbaria → Colmaria
Columbaria → Colomeria
Columbarium → Colmaria
Columbarium promont.: Kap Figaro [Capo Figari], Vorgeb. (Golf v. Olbia, Sardinien), Ital.
Columbrae → Colmaria
Columbus: Saint Columb Major (Co. Cornwall), Engl.
Columnae Jovis mons, Grajus mons: Kleiner Sankt Bernhard [Col du Petit Saint-Bernard, Colle del Piccolo San Bernardo], Paß (Grajische Alpen), Frankr. u. Ital.
Columnarum caput: Kap Colonne [Capo delle Colonne], Vorgeb. (Catanzaro), Ital.
Columnarum fretum → Herculeum fretum
Colvidum: Koudum (Friesland), Niederl.
Comachium → Cilmaculum
Comacium → Cilmaculum
Comaclium → Cilmaculum
Comaclum → Cilmaculum
Comacula → Cilmaculum
Comagenus mons → Cetius mons
Comara, Comarnum, Comoaronium, Comorra, Crumenum: Komárno [Komorn] (Slowakei), Tschechoslow.
Comarnum → Comara
Comaromensis comit.: Komorn, eh. ung. Komit. (Komárom u. d. Gebiet um Komárno), Ung. u. Tschechoslow.
Combelli villa: Combeaux (Seine-et-Marne), Frankr.
Combralia → Convalles
Comensis lacus: Lago di Como [Comer See, Lario] (Como), Ital.

Comeranum, Boscus communis: Boiscommun (Loiret), Frankr.
Comesianorum conventus → Gampis
Comianus mons: Kumberg, abgeg. bei Königstetten (N-Österr.), Österr.
Comineum, Comminica: Comines [Komen] (W-Flandern), Belg.
Comineum, Comminium: Comines (Nord), Frankr.
Comitatis mola → Comitis mola
Comitis Brennia → Brennia comitis
Comitis mola, Comitatis mola: Grevesmühlen (Mecklenburg-Schwerin), Deutschl.
Comitis Roberti → Bria
Comitum vallis: Gräfenthal (Thüringen), Deutschl.
Commagena → Tullina
Commeniae, Commerciacum: Commercy (Meuse), Frankr.
Commerciacum → Commeniae
Comminica → Comineum
Comminium → Comineum
Comoaronium → Comara
Comorra → Comara
Compendium: Compiègne (Oise), Frankr.
Compostella, Flavionia s. Jacobi monast., Flavionum, s. Jacobus de Compostella, Stellae campus: Santiago de Compostela [Santiago de Galicia] (La Coruña), Span.
Conacum → Cognacum
Conada → Cons
Conaleum → Cognacum
Conca, Concha, Concia: Cuenca (Cuenca), Span.
Concae → Castellio
Concae → Conquestus
Concae, Conchae: Conques (Aveyron), Frankr.
Concana, s. Julianae fan.: Santillana (Santander), Span.
Concangium → Kendalia
Concha → Conca
Conchae → Castellio
Conchae → Concae
Conchus → Castellio
Concia → Conca
Concinum → Miranda Durii
Condaeum ad Nerallum: Condé-sur-Noireau (Calvados), Frankr.
Condaeum ad Scaldim, Condatum, Condetum, Condate ad Scaldim: Condé-sur-l'Escaut (Nord), Frankr.
Condate: Northwich (Cheshire), Engl.
Condate → Cognacum
Condate → Cons
Condate → Monasteriolum Senonum
Condate → Redones
Condate ad Scaldim → Condaeum ad Scaldim
Condatum → Condaeum ad Scaldim
Condetum → Condaeum ad Scaldim
Condida → Cons
Condivincum → Namnetum civ.
Condochates: Gandak, Nfl. d. Ganges (Bihar), Indien.
Condomium Vasconum, Condomus, Condum: Condom (Gers), Frankr.
Condomus → Condomium Vasconum
Condriacum, Condrievium, Condrium, Condrusium: Condrieu (Rhône), Frankr.
Condrievium → Condriacum
Condrium → Condriacum
Condrusium → Condriacum
Condum → Condomium Vasconum
Conelianum: Conegliano (Treviso), Ital.
Coneum, Cuneum, Cunejum: Cuneo (Cuneo), Ital.
Confluens → Confluentes

Confluens, Confluentes, Monasterium in valle s. Gregorii: Munster [Münster im Münstertal, Münster im Gregoriental] (Haut-Rhin), Frankr.
Confluentes: Conflans [Conflans-Sainte-Honorine] (Seine-et-Oise), Frankr.
Confluentes: Confolens (Charente), Frankr.
Confluentes: Koblenz (Aargau), Schweiz.
Confluentes: Sepúlveda (Segovia), Span.
Confluentes → Confluens
Confluentes, Confluens, Confluentia, Cophelenci: Koblenz (Rheinprovinz), Deutschl.
Confluentes, Confluentia Burgundiae superioris: Conflans-sur-Lanterne (Haute-Saône), Frankr.
Confluentes, Confluentia Centronum: Conflans (Savoie), Frankr.
Confluentes, Confluentia insulae Franciae: Conflans (Seine), Frankr.
Confluentes, Confluentia Lotharingiae: Conflans-en-Jarnisy (Meurthe-et-Moselle), Frankr.
Confluentia → Confluentes
Confluentia Burgundiae superioris → Confluentes
Confluentia Centronum → Confluentes
Confluentia insulae Franciae → Confluentes
Confluentia Lotharingiae → Confluentes
Confluentia Westphalica: Beckum (Westfalen), Deutschl.
Confluentis monasterium → s. Gregorii monast.
Confoederatio Helvetica → Swicia
Confugia → Capungum
Confugium → Capungum
Confunga → Capungum
Confungia → Capungum
Confusio → Cuphese castr.
Congangium → Kendalia
Congavata: Stanwix (Co. Cumberland), Engl.
Congia → Coagium
Congletonum: Congleton (Cheshire), Engl.
Congus, Zaïrus: Congo [Rio Zaïre], Fl., Mü: Atlantik, Congo-ex-belge.
Coniae vallis: Val di Cogne, Tal (Valle d'Aosta), Ital.
Conimbria → Choinitia
Conimbria → Conimbriga
Conimbriga, Colimbria, Conimbria, Aeminium: Coimbra (Beira-Litoral), Portug.
Coniri: Könnern (Pr. Sachsen), Deutschl.
Coniza → Choinitia
Connacia, Coactia: Connaught, [Connacht, Cúige Chonnacht] eh. Prov. (Galway, Mayo, Sligo, Leitrim, Roscommon), Eire.
Connovius: Conway, Fl., Mü: Irische See (Caernarvonshire), Engl.
Conovium: Conway [Aberconway] (Caernarvonshire), Engl.
Conquestus, Concae: Le Conquet (Finistère), Frankr.
Cons, Conada, Condate, Condida, Cossiacum: Cosne-sur-Loire (Nièvre), Frankr.
Consentina prov., Contazarae prov.: Cosenza, Prov. (Kalabrien), Ital.
Conseranum, Consoranum: Conserans, Landsch. (Ariège), Frankr.
Consorannorum aquae → Licerium Conseranum
Consoranum → Conseranum
Constantia → Arelatensis colonia

Constantia, Augusta Turgoiorum, Valeria: Konstanz (Baden), Deutschl.
Constantiana, Tomis: Constanţa [Constantza, Köstendsche, Küstendže, Kustendie Konstanza], Rumän.
Constantiense territ. → Constantinus pag.
Constantina → Cirta
Constantiniana silva: Selva de Mar (Gerona), Span.
Constantinopolitanum fretum, Bosporus, Bosporus Thraciae, Maris pontici ostium, Stenum Brachii s. Georgii: Bosporus [Thrakischer Bosporus, Straße v. Konstantinopel, Karadeniz Boğazi, Istanbul Boğazi), Meerenge zw. Schwarzem u. Marmarameer, Türkei.
Constantinus pag., Constantiense territ.: Cotentin, Halbins. (Manche), Frankr.
Consulinum → Stilida
Contazarae prov. → Consentina prov.
Contegium, Gontis: Conthey [Gundis] (Wallis), Schweiz.
Contejum → Contiacum
Contiacum, Contejum: Conty (Somme), Frankr.
Continum → Miranda Durii
Contorius mons → Monconturium
Contra Acincum → Pestinum
Contrum: Gunten (Bern), Schweiz.
Convalium: Küblis (Graubünden), Schweiz.
Convalles, Combralia: Combrailles, Landsch. (Creuse, Puy-de-Dôme), Frankr.
Convenarum Aquae → Bagneriae
Convenensis tractus: Comminges, Landsch. (Haute-Garonne, Gers), Frankr.
Conventria, Coventranum, Coventria: Coventry (Warwickshire), Engl.
Conversanum, Cupersanum: Conversano (Bari), Ital.
Cophelenci → Confluentes
Copingi, Kopinga: Köping (Västmanland), Schwed.
Coqueda: Coquet, Fl., Mü: Nordsee (Roxburghshire), Schottl.
Corantana: Karnburg (Kärnten), Österr.
Corax: Corace, Fl., Mü: Mittelmeer (Catanzaro), Ital.
Corax: Kodor, Fl., Mü: Schwarzes Meer (Grusin. SSR), UdSSR.
Corax → Algaria
Corba: Korb (Württemberg), Deutschl.
Corba: La Courbe (Orne), Frankr.
Corbachium, Corbacum, Curbechi: Korbach (Hessen-Nassau), Deutschl.
Corbacum → Corbachium
Corbaria: La Corbière (Haute-Saône), Frankr.
Corbaria, Corberia: Korbers [Corbières] (Freiburg), Schweiz.
Corbea → Corbeja nova
Corbeja nova, Carbonacum, Corbea, Corbia, Corbiensis abbatia, Tanfanae lacus: Corvey, Kl. (Westfalen), Deutschl.
Corbeja vetus: Corbie (Somme), Frankr.
Corbellum → Corbolium
Corbeniacum, Corbiniacum, s. Maculfi vicus: Corbeny (Aisne), Frankr.
Corberia → Corbaria
Corbia → Corbeja nova
Corbiena: Khorrämabad (Khusistan), Iran.
Corbiensis abbatia → Corbeja nova

Corbilo: Corsept (Loire-Atlantique), Frankr.
Corbiniacum → Corbeniacum
Corbiniacum Nivernense: Corbigny (Nièvre), Frankr.
Corbo, Corbonum: Corbon (Orne), Frankr.
Corbolium, Corbellum, Corbonium ad Sequanam, Josedium: Corbeil [Corbeil-Essonnes](Seine-et-Oise), Frankr.
Corbonensis pag., Corboniensis pag.: Corbonais, Landsch. (Orne), Frankr.
Corboniensis pag. → Corbonensis pag.
Corbonium ad Sequanam → Corbolium
Corbonum → Corbo
Corcagia, Corcavia: Cork (Co. Cork), Eire.
Corcavia → Corcagia
Corcomium → Gorichemium
Corcoras, Aemona, Emonensis civ., Labachus, Labacum, Laybacum, Tauriscorum col.: Ljubljana [Laibach, Lubiana] (Slowenien), Jugoslaw.
Corcura: Kirkuk [Karkuk, Kerkuk], sö. Mossul, Irak.
Corduae: Cordes (Tarn), Frankr.
Coresium stagnum → Ceresius lacus
Coria → Curia urbs
Coriallum → Caesaris burgus
Coricensis civ. → Curia urbs
Corinium: Wantage (Berkshire), Engl.
Corinthia → Carantania
Coriolanum Calabriae: Corigliano Calabro (Cosenza), Ital.
Coriosopitum, Cornu Galliae, Crisopitum, Curiosolimagus, Curisopitum: Quimper (Finistère), Frankr.
Coriticum → Carnioburgum
Corius: Kura, Fl., Mü: Kasp. Meer (Aserbaidsch. SSR), UdSSR.
Cormaricum, Cormeriacum: Cormery (Indre-et-Loire), Frankr.
Cormeriacum → Cormaricum
Cormiciacum: Cormicy (Marne), Frankr.
Cornacum: Vukovar (Kroatien), Jugoslaw.
Cornelia → Wimpina
Cornelianum: Corneillan (Gers), Frankr.
Cornelii forum → Emula
s. Cornelii monast., s. Cornelius, Endensis eccl., Hinda, Inda: Kornelimünster (Rheinprov.), Deutschl.
s. Cornelius → s. Cornelii monast.
Cornetum, Cornuetum, Novum castr.: Corneto Tarquinia (Rom), Ital.
Cornewnburga → Neuburga forensis
Cornilianum: Cornigliano Ligure (Genua), Ital.
Cornu Galliae → Coriosopitum
Cornualis prov. → Cornubia
Cornubia, Cornualis prov., Dumnonii prov.: Cornwall, Grafsch. u. Landsch., Engl.
Cornuetum → Cornetum
Cornutius, s. Albini fan.: Saint-Aubin-du-Cormier (Ille-et-Vilaine), Frankr.
Cornutum → Carnutum
Cornuvia → Carnovia
Corobilium, s. Audoeni villa: Saint-Ouen [Saint-Ouen-sur-Seine] (Seine), Frankr.
Corocotinum, Cretense castr.: Le Crotoy (Somme), Frankr.
Corona → Brassovia
Corona, s. Corona: Sankt Corona am Schöpfl (N-Österr.), Österr.
Corona, Corona sancta: Zlatá Ko-

runa [Goldenkron] (Böhmen), Tschechoslow.

Corona sancta → Corona

Coronaeburgum: Kronborg, Schl. bei Helsingør (Seeland), Dänem.

Coronia: Landskrona (Malmöhus), Schwed.

Corregium: Correggio (Reggio Emilia), Ital.

Corsianum → Corsilianum

Corsilianum, Corsianum: Corsignano, abgeg. bei Pienza (Siena), Ital.

Corsora, Crucisora: Korsør (Seeland), Dänem.

Cortenacum → Cortiniacum

Corterate → Certeratae

Corteriacum → Cortracum

Cortiniacum, Cortenacum, Curtenacum: Courtenay (Loiret), Frankr.

Cortracum, Corteriacum, Curtracum: Courtrai [Kortrijk] (W-Flandern), Belg.

Corvantiana vallis, Curwala: Churwalden (Graubünden), Schweiz.

Corvantiense monast., Corvariense monast., Curiovallis: eh. Kl. in Churwalden (Graubünden), Schweiz.

Corvariense monast. → Corvantiense monast.

Corvi ins.: Corvo, Ins. (Atlantik), Azoren.

Corvi pons: Pontecorvo (Latium), Ital.

Corythus, Croton, Laura: Cortona (Arezzo), Ital.

Coselia, Kozli: Cosel [Kosel, Koźle] (O-Schlesien), Deutschl.

Cosfeldia, Cosveldia, Costfeldia: Coesfeld (Westfalen), Deutschl.

Cosilinum: Padula (Salerno), Ital.

Cosla: Kusel (Bayern, RB. Pfalz), Deutschl.

Coslinum, Scurgum: Köslin [Koszalin] (Pommern), Deutschl.

Cosminecum: Koźmin [Koschmin] (Posen), Polen.

Cossiacum → Cons

Cossoagus, Cossoanus: Kosi (Uttar Pradesh), Indien.

Cossoanus → Cossoagus

Cossobus, Cossovo, Cossovopolis, Merlinius campus, Merulae campus: Kosovo polje [Amselfeld, Kosovo, Kosovë, Fusha e Kosovës], Landsch. (Serbien), Jugoslaw.

Cossonis flumen → Coetnum

Cossovo → Cossobus

Cossovopolis → Cossobus

Costfeldia → Cosfeldia

Costorpitum → Motenum

Costrinum, Custrinum: Küstrin [Kostrzyn] (Brandenburg), Deutschl.

Cosveldia → Cosfeldia

Coszeborii → Olesnicza

Cotatis, Cuticium: Kutaissi [Kutais] (Grusinische SSR), UdSSR.

Cotbusium: Cottbus (Brandenburg), Deutschl.

Cotelini aula → Quedlinburgum

Cotha, Cothena: Köthen (Anhalt), Deutschl.

Cothena → Cotha

Cothusa: Zele (O-Flandern), Belg.

Cotia silva → Coatia silva

Cotoneum → Catoneum

Cotracum → Certeratae

Cottiae Alpes, Cotziae Alpes: Cottische Alpen [Alpes Cottiennes, Alpi Cozie] (Dauphiné, Piemont), Frankr. u. Ital.

Cotwicum → Godewicum

Cotziae Alpes → Cottiae Alpes

Covalacae → Ascahi

Covalia: Kyle, Landsch. (Ayrshire), Schottl.

Covaliacus: Tîrnava [Kokel, Küküllö], Nfl. d. Mureş [Marosch]; eigentl. nur der Unterlauf d. Tîrnava Mare [Große Kokel, Nagy-Küküllö], hier auch für den ganzen Flußlauf (Siebenbürgen), Rumän.

Covaria: Kövár (Kreischgebiet), Rumän.

Covariensis distr., Kowariensis distr.: Kövár, Gebiet sdl. Baia Mare (Kreischgebiet), Rumän.

Coventranum → Conventria

Coventria → Conventria

Covinum: Couvin (Namur), Belg.

Covordia: Koevorden [Coevorden] (Drente), Niederl.

Coxtidi: Kochstedt [Dessau-Kochstedt] (Pr. Sachsen), Deutschl.

Cozgougia → Gotzgaugia

Cracina ins., Crocina ins., Pictaviensis ins., Radis, Rea, Reacus, Regia ins., Rhea ins.: Île de Ré, Ins. (Atlantik; Charente-Maritime), Frankr.

Cracovia, Carodunum: Kraków [Krakau] (Krakau), Polen.

Crana, Cranacha, Chrana: Kronach (O-Franken), Deutschl.

Cranacha → Crana

Crania → Carnia

Crasnostavia, Crastnostavia: Krasnystaw (Lublin), Polen.

Crassa → Graca

Crastnostavia → Crasnostavia

Cratumnum, Credonensis vicus, Credonium, Creonium: Craon (Mayenne), Frankr.

Cratzania munitio: Kräzeren (St. Gallen), Schweiz.

Creae aestuarium: Wigtown Bay, Meeresbucht (Irische See), Schottl.

Credelium → Crollejum

Credilium, Credulium, Creolium: Creil (Oise), Frankr.

Credonensis vicus → Cratumnum

Credonium → Cratumnum

Credulio: Crillon-le-Brave (Vaucluse), Frankr.

Credulium → Credilium

Crema, Crimina, Grummis, Grymmis: Grimma (Sachsen), Deutschl.

Cremiacum, Stramiacum, Stramiatis: Crémieu (Isère), Frankr.

Cremisa, Cremisanum monast., Cremsmustuorensis vicus, Chremimonasteriensis, Chremissae monast.: Kremsmünster (O-Österr.), Österr.

Cremisa, Cremisia, Cremisium, Chrema, Chremisa, Chremsa, Cremsa: Krems (N-Österr.), Österr.

Cremisanum monast. → Cremisa

Cremisia → Cremisa

Cremisium → Cremisa

Cremnae: Ždanov [Mariupol] (Ukrain. SSR), UdSSR.

Cremnicium: Kremnica [Kremnitz], Körmöcbánya] (Slowakei), Tschechoslow.

Cremomanum → Cenomani civ.

Cremonensis ager: das Gebiet um Cremona (Cremona), Ital.

Crempis: Krempe (Schleswig-Holstein), Deutschl.

Cremsa → Cremisa

Cremsmustuorensis vicus → Cremisa

Creolium → Credilium

Creonium → Cratumnum

Crepiacum in Lauduno, Crispiacum in Lauduno, Crespejum: Crépy [Crépy-en-Laonnais] (Aisne), Frankr.

Crepicordium: Crèvecoeur-sur-l'Escaut (Nord), Frankr.

Crepicordium, Crepicorium: Crèvecoeur-le-Grand (Oise), Frankr.
Crepicorium → Crepicordium
Crequium: Créquy (Pas-de-Calais), Frankr.
Crescentii turris → Angeli castellum
Cresciacum → Cresiacum
Cresiacum, Carisiacum, Cresciacum, Cressiacum, Criciacum, Criscecus villa, Crissa: Crécy-en-Ponthieu (Somme), Frankr.
Crespejum → Crepiacum in Lauduno
Cressa → Chrepsa
Cressiacum → Cresiacum
Crestidium → Crista
Crestum → Crista
Cretense castr. → Corocotinum
Creucchovilare: Schankweiler (Rheinprovinz), Deutschl.
Creutzberga, Cruciburgum: Kreuzburg [Kluczbork) (O-Schlesien), Deutschl.
Crevantium: Crevant (Indre), Frankr.
Criciacum → Cresiacum
Cridsina: Groß Kreidel [Krzydlina Wielka] u. Klein Kreidel [Krzydlina Mała] (N-Schlesien), Deutschl.
Crimina → Crema
Crimini → Cirmini
Criscecus villa → Cresiacum
Crisenaria: Cressy (Seine-Maritime), Frankr.
Crisium: Križevci [Kreuz, Kreutz, Körös] (Kroatien), Jugoslaw.
Crisopitum → Coriosopitum
Crisopolinorum civ. → Vesontio
Crispejum, Crispiacum, Crispinianum: Crépy-en-Valois (Oise), Frankr.
Crispiacum → Crispejum
Crispiacum in Lauduno → Crepiacum in Lauduno
Crispinianum → Crispejum
Crispinium: Crespin (Nord), Frankr.
Crissa → Cresiacum
Crista, Christa, Crestidium, Crestum, Crista Arnaudorum: Crest (Drôme), Frankr.
Crista Arnaudorum → Crista
Croae → Crua
Croatia: Kroatien [Hvratska, Horvátország], Landsch. u. Teil v. Jugoslaw.
Croatia militaris: Militärgrenze, Prov. im eh. Österr.-Ung. (Kroatien, Slawonien), Jugoslaw.
Crocconis castr.: Krakow am See (Mecklenburg-Schwerin), Deutschl.
Crociatonum → Carento
Crociliacum → Crocilliacum
Crocilliaca, Crucillae: Croisilles (Calvados), Frankr.
Crocilliaca, Crucillae: La Croisille-sur-Briance (Haute-Vienne), Frankr.
Crocilliacum, Crociliacum: Le Croisic (Loire-Atlantique), Frankr.
Crocina ins. → Cracina ins.
Crociotonorum portus: Barneville-sur-Mer (Manche), Frankr.
Crodonum: Gourdan [Gourdan-Polignan] (Haute-Garonne), Frankr.
Croja → Crua
Crollejum, Credelium, Curlejum: Gréville [Gréville-Hague] (Manche), Frankr.
Cromartinus comit.: Cromarty, Teil d. Grafsch. Ross and Cromarty, Schottl.
Cromartium: Cromarty (Ross and Cromarty), Schottl.
Cromena, Crumavia: Český Krumlov [Böhmisch-Krumau] (Böhmen), Tschechoslow.

Cronberga: Cronenberg [Wuppertal-Cronenberg] (Rheinprovinz), Deutschl.

Cronium mare → Pigrum mare

Crosa: Creuse, Nfl. d. Vienne (Indre-et-Loire), Frankr.

Crosna: Crossen [Krosno Odrzańskie] (Brandenburg), Deutschl.

Crossiacum: Croissy-sur-Seine (Seine-et-Oise), Frankr.

Croton → Corythus

Crovia, Groveorum regio: Kröv a. d. Mosel (Rheinprovinz), Deutschl.

Croviacum, Crovium: Crouy (Aisne), Frankr.

Crovium → Croviacum

Croydona, Cruda terra: Croydon (Surrey), Engl.

Crozina: Greußen (Thüringen), Deutschl.

Crua, Croja, Croae, Eriboea: Krujë [Kroya, Kruja, Croia, Akçahisar] (Durrës), Albanien.

Crucenacum, Cruciniacum, Crutziniacum villa, Cruziniacum: Kreuznach (Rheinprovinz), Deutschl.

Cruciburgum → Creutzberga

Cruciburgum ad Vierram: Creuzburg (Thüringen), Deutschl.

Cruciburgum Venedicum: Kreuzburg [Enino, Jenino] (O-Preußen), Deutschl.

Crucillae → Crocilliaca

Cruciniacum → Crucenacum

s. **Crucis fanum, Sancta Crux:** Heiligenkreuz (N-Österr., PB. Baden), Österr.

s. **Crucis oppid.:** Sainte-Croix-aux-Mines [Heiligkreuz] (Haut-Rhin), Frankr.

s. **Crucis promont.:** Kap Creus [Cabo Creus], Vorgeb. (Gerona), Span.

s. **Crucis promont.:** Kap Cruz [Cabo Cruz], Vorgeb., Cuba.

s. **Crucis vallis:** Heiligkreuztal (Württemberg), Deutschl.

s. **Crucis villa:** Heiligkreuz bei Trier (Rheinprovinz), Deutschl.

Crucisora → Corsora

Crucium: Grüsch (Graubünden), Schweiz.

Cruda terra → Croydona

Cruetzlinum → Crutzelinum

Cruftela, Cruftilla: Kröftel (Hessen-Nassau), Deutschl.

Cruftilla → Cruftela

Crumaha: Krumbach (Baden, Kr. Stockach), Deutschl.

Crumavia → Cromena

Crumenum → Comara

Crumlavia, Crumlovium: Moravský Krumlov [Mährisch-Kromau] (Mähren), Tschechoslow.

Crumlovium → Crumlavia

Cruona → Grona

Crupna, Grupna: Krupka [Graupen] bei Teplice [Teplitz] (Böhmen), Tschechoslow.

Crusbicia, Crusvicia, Crusviciensis villa, Crusvicum: Kruszwica [Kruschwitz] (Bromberg), Polen.

Crusena → Chrusna

Crusinia: Crissey (Jura), Frankr.

Crustulus: Crostolo, Nfl. d. Po (Modena), Ital.

Crusvicia → Crusbicia

Crusviciensis villa → Crusbicia

Crusvicum → Crusbicia

Crutzelinum, Cruetzlinum: Kreuzlingen (Thurgau), Schweiz.

Crutziniacum villa → Crucenacum

Cruwati → Chruvati

s. **Crux oratorium:** Croix-Caluyaux (Nord), Frankr.

Cruziniacum → Crucenacum

Crybenstenium: Kriebstein, Schloß (Sachsen), Deutschl.

Crypta: Grotta (Gorizia), Ital.

Crypta aurea: Grottaglie (Tarent), Ital.
Crypta rosaria: Grottarossa (Rom), Ital.
Crysus → Chrysius
Csanadiensis comit. → Cenadiensis comit.
Csikiensis sedes: Szin (Borsod-Abauj-Zemplén), Ung.
Cuba: Kaub a. Rhein (Hessen-Nassau), Deutschl.
Cubitanus circulus, Cubitense territorium: Elbogen [Loket], eh. Kreis (Böhmen), Tschechoslow.
Cubitense territorium → Cubitanus circulus
Cubitus: Loket [Elbogen] (Böhmen), Tschechoslow.
Cuburia, Cuburiense coenob.: Saint-François-Cuberien, eh. Kl. (Finistère), Frankr.
Cuburiense coenob. → Cuburia
Cuccium: Neštin (Serbien), Jugoslaw.
Cuchyacum → Cociacum
Cuclacum → Cociacum
s. Cucufati monast.: San Cugat del Vallés (Barcelona), Span.
Cuculli mons: Montecuccolo (Genua), Ital.
Cucullus castr.: Kuchl a. d. Salzach (Salzburg), Österr.
Cuda: Coa, Nfl. d. Douro, Portug.
Cufestum → Cuffinstanium
Cuffese castr. → Cuphese castr.
Cuffinstanium, Cufestum: Kostheim [Mainz-Kostheim] (Hessen), Deutschl.
Cugolanda: Kuhlendahl (Rheinprovinz), Deutschl.
Cugtiniacum: Quétigny (Côte-d'Or), Frankr.
Cujavia, Coijavia, Cujaviensis pag.: Kujawien [Kujawy], Landsch., Polen.
Cujaviensis pag. → Cujavia
Cuisellus Lincasiorum: Cuiseaux (Saône-et-Loire), Frankr.
Culculi → Gemellae
Culembacensis marchionatus → Culmbacensis marchionatus
Culenburgum: Culemborg [Kuilenburg] (Gelderland), Niederl.
Culma, Colmensis civ., Culmensis, Culmia: Chełmno [Culm, Kulm] (Bromberg), Polen.
Culmbacensis marchionatus, Culembacensis marchionatus: Bayreuth, eh. Markgrafsch. (O-Franken), Deutschl.
Culmen s. Bernhardini: Sankt-Bernhardin-Paß [Passo di San Bernardino], Paß (Graubünden), Schweiz.
Culmen ursi → Speluca
Culmensis → Culma
Culmia → Culma
Culpa: Kupa [Kulpa, Kolpa], Nfl. d. Save (Kroatien), Jugoslaw.
Cuma → Novocomum
Cumania: Kumanien [Kunság], Landsch. (Bács-Kiskun, Pest, Csongrád, Szolnok), Ung.
Cumania major, Cumanorum majorum regio: Großkumanien [Nagykunság], Landsch. u. eh. Komit. (Szolnok), Ung.
Cumania minor: Kleinkumanien [Kiskunság], Landsch. (Bács-Kiskun, Pest, Csongrád), Ung.
Cumanorum majorum regio → Cumania major
Cumbiscura → Lapscura
Cumbria: Cumberland, Grafsch., Engl.
Cuminarius vicus: Santa Cruz de la Zarza (Toledo), Span.
Cuminum: Comino, Ins. bei Malta (Mittelmeer), Ital.

Cuncianum: Gozzano (Novara), Ital.

Cunejum → Coneum

Cuneum → Coneum

Cuneus: Kap Santa Maria [Cabo de Santa Maria], Kap am Atlantik (Algarve), Portug.

Cuneus aureus: Splügen [Spluga] (Graubünden), Schweiz.

Cunigamia: Cunninghame, Landsch. (Ayrshire), Schottl.

Cunigeshunderus, Cuningishuntra comitatus, Kunigissunderus pag., Kuningessundra: Königsundergau, eh. Gau um Wiesbaden zw. Rhein, Main u. Taunus (Hessen-Nassau), Deutschl.

Cuningishuntra comitatus → Cunigeshunderus

Cunonis villa: Kientzheim (Haut-Rhin), Frankr.

Cunra: Kuinder, Fl., Mü: Zuidersee (Friesland), Niederl.

Cuntium → Guntia

Cupa: Coppa, Nfl. d. Po (Pavia), Ital.

Cupersanum → Conversanum

Cuphese castr., Confusio, Cuffese castr., Kiphusa, Kiphusanus mons: Kyffhäuser, Berg u. Burg (Pr. Sachsen), Deutschl.

Cupra, Cuprum: Coupar Angus (Forfarshire), Schottl.

Cuprimontium: Kupferberg [Miedzianka] (N-Schlesien), Deutschl.

Cuprimontium: Kupferberg [Měděnec] (Böhmen), Tschechoslow.

Cuprum → Cupra

Curbavia, Curvae viae: Courbevoie (Seine), Frankr.

Curbechi → Corbachium

Curbici → Sorbiga

Curcensis villa → Gurca

Curensis fluv., Currensis fluv., Currentia: Corese, Nfl. d. Tiber (Perugia), Ital.

Curetia, Currentia, Curretia: Corrèze, Nfl. d. Vézère (Corrèze), Frankr.

Curia → Bavarica curia

Curia urbs, Rhaetorum curia, Coria, Curo, Curiensis, Coricensis civ., Curima: Chur (Graubünden), Schweiz.

Curictum, Curicum, Portunata ins., Vegia: Krk [Veglia], Ins. (Kroatien), Jugoslaw.

Curicum → Curictum

Curienses Alpes: Graubündener Alpen, Schweiz.

Curiensis → Curia urbs

Curima → Curia urbs

Curiosolimagus → Coriosopitum

Curiovallis → Corvantiense monast.

Curiovallis ligae tres → Grisonia

Curisopitum → Coriosopitum

Curius lacus: Lago d'Orta [Ortasee, Cusio] (Novara), Ital.

Curlandia, Curonia, Curonium: Kurland [Kurzeme], Landsch. (Lettland), UdSSR.

Curlandiae sinus → Curonensis lacus

Curlejum → Crollejum

Curmiliaca: Cormeilles (Oise), Frankr.

Curo → Curia urbs

Curonensis lacus, Curonicus sinus, Curlandiae sinus: Kurisches Haff [Kuršių marēs], Meerbusen/See (O-Preußen), Deutschl. u. UdSSR.

Curonensis peninsula, Elixoia: Kurische Nehrung [Kuršių neringa], Landzunge (O-Preußen), Deutschl. u. UdSSR.

Curonia → Curlandia

Curonicus sinus → Curonensis lacus

Curonium → Curlandia

Currensis fluv. → Curensis fluv.

Cupri Fifanorum

Currentia → Curensis fluv.
Currentia → Curetia
Curretia → Curetia
Curretia Briva → Briva Curretia
Curta: Körmend (Vas), Ung.
Curtenacum → Cortiniacum
Curtina → Gurtina
Curtipetra: Courpière (Puy-de-Dôme), Frankr.
Curtis Bosonis: Courbouzon (Loir-et-Cher), Frankr.
Curtismilium: Cortemilia (Cuneo), Ital.
Curtracum → Cortracum
Curtuna → Gurtina
Curumens: Silandro [Schlanders] (Bozen), Ital.
Curvae viae → Curbavia
Curwala → Corvantiana vallis
Curzula ins.: Korčula [Curzola], Ins. (Dalmatien), Jugoslaw.
Cusa: Kues (Rheinprov.), Deutschl.
Cusacum: Cosnac (Corrèze), Frankr.
Cusdonum: Coudun (Oise), Frankr.
Cusentia: Cosenza (Cosenza), Ital.
Cusionum: Cuggiono (Mailand), Ital.
Cusis → Petrovaradinum
Cusne: Kösen (Pr. Sachsen), Deutschl.
Cussenacum → Chussenaho
Cussetum: Cusset (Allier), Frankr.
Cussingum → Chissinga
Custodia Dei, Herrnhutum: Herrnhut (Sachsen), Deutschl.
Custrinum → Costrinum
Cusus → Vagus
Cuticium → Cotatis
Cutna → Kutta
Cutnis → Kutta
Cutracum → Certeratae
Cuttina → Kutta
Cuxhavia: Cuxhaven (Hamburg), Deutschl.
Cuzalina, Hageri vicus: Högersdorf (Schleswig-Holstein), Deutschl.
Cyca → Siza
Cydlina: Cidlina [Szidlina], Nfl. d. Elbe (Böhmen), Tschechoslow.
Cygnea → Suetana
Cygnea → Zwickowa
Cygneum → Zwickowa
Cygnopolis → Peronna
Cymgiacum → Chaingiacum
Cyminius lacus → Ciminius lacus
Cynavia → Zwickowa
Cyntianum: Genzano di Roma (Latium), Ital.
Cyrenensis villa → Cirenensis villa
Cyriacum → Ciriacum
s. Cyricus → Ruoli vallis
Cyriscum → Ciricium
Cysamus: Kastéllion (Kreta), Griechenl.
Cyterium: Cerisana (Cosenza), Ital.
Czasslavia → Czasslawia
Czasslawia, Czasslavia, Schatzlavia: Čáslav [Časlau, Tschaslau] (Böhmen), Tschechoslow.
Czenstochavia: Częstochowa [Tschenstochau] (Kattowitz), Polen.
Czercum → Ciricium
Czernichovia, Tzernogavia: Černigov [Tschernigow] (Ukrain. SSR), UdSSR.
Czernicum → Circonium
Czeslawizi: Zesselwitz [Czesławice] (N-Schlesien), Deutschl.
Cziczani → Zizani
Czobotha: Zobten am Berge [Sobótka] (N-Schlesien), Deutschl.
Czongradiensis comit.: Csongrád, Komit., Ung.
Czucha, Zcucha: Zauche, Landsch. (Brandenburg), Deutschl.
Czucha, Zcucha: Zauche [Sucha] (N-Schlesien), Deutschl.
Czwettla → Zwetla

D

Dabornaha, Thaberna: Dauborn (Hessen-Nassau), Deutschl.
Dachanum → Tachovia
Dachinabades, Decanum, Omenogaria: Dekkan [Decan, Dekhan], Landsch. d. Halbins. Vorderindien, Indien.
Dachstenium, Dagoberti saxum: Dachstein (Bas-Rhin), Frankr.
Daciae regn. → Dania
Dactale → Datilo
Dagarense monast. → Tigurina sedes
Daghoa, Dago: Hiiumaa [Dagö], Ins. (Estland), UdSSR.
Daglanium: Daglan (Dordogne), Frankr.
Dagna: Dange, Fl., Mü: Kurisches Haff (Litauen), UdSSR.
Dago → Daghoa
Dagoberti saxum → Dachstenium
s. **Dagobertus in Satanaco (monast.):** Saint-Dagobert, Kl. in Stenay (Meuse), Frankr.
Dahtela: Dachtel (Württemberg), Deutschl.
Dalamancia → Glomaci
Dalanium: Dalum (Hannover, Kr. Meppen), Deutschl.
Dalebium → Alebium
Dalecarlia, Dalia: Dalarne [Dalarna, Dalekarlien], Landsch., Schwed.
Dalecarlius: Dalelf, Fl., Mü: Bottnischer Meerbusen (Upsala), Schwed.
Dalia: Dal (Dalsland), Landsch. (Älvsborg), Schwed.
Dalia → Dalecarlia
Dalkethum: Dalkeith (Co. Midlothian), Schottl.
Dalmannio, Augminiona: Oumignon, Nfl. d. Somme, Frankr.
Dalmantia → Glomaci
Dalmasium → Alminium
Dalmeriacum: Daumeray (Maine-et-Loire), Frankr.
Dalmiagum → Dulecum
Dalmium, Delminium: Duvno [Zupanjac] (Bosnien-Herzegowina), Jugoslaw.
Damarus → Tamarus fluv.
Damasia → Amidis
s. **Damianus:** San Damiano d'Asti (Asti), Ital.
Damiata, Tamiathis: Dumyat [Damiette] (Nil-Delta), Ägypten.
Damma, Dammum: Damme (W-Flandern), Belg.
Dammaria → Domna Maria
Dammartinum, Dampnus Martinus in Govella, Dominium Martini, Domnus Martinus in Goella: Dammartin-en-Goële (Seine-et-Marne), Frankr.
Dammona, Damum: Appingedam [Den Dam] (Groningen), Niederl.
Dammum → Damma
Damnonium promont., Ocrinium, Dumnonium promont.: Lizard Point, Kap (Cornwall), Engl.
Damovilla: Damville (Eure), Frankr.
Dampetra → Domna Petra
Dampetra, Domnus Petrus: Dampierre (Seine-et-Oise), Frankr.
Dampetra, Donna Petra, Donum Petri: Dampierre-sur-Salon (Haute-Saône), Frankr.
Dampetra subtus Boyacum: Dampierre-sur-Bouhy (Nièvre), Frankr.
Dampetra super Alvam, Domni Petra

super Auvam: Dampierre-sur-Auve (Marne), Frankr.
Dampetra super Meviam: Dampierre-sur-Moivre (Marne), Frankr.
Dampnus Martinus in Govella → Dammartinum
Dampvillerium, Damvillerium, Danis Villa: Damvillers (Meuse), Frankr.
Damum → Dammona
Damvillerium → Dampvillerium
Danabius → Danubius
Danapris, Borysthenes: Dnjepr, Fl., Mü: Schwarzes Meer (Ukraine), UdSSR.
Danastris, Dinastris, Tyras: Dnjestr [Nistru], Fl., Mü: Schwarzes Meer (Ukraine), UdSSR.
Danecastrum → Danum
Dangellum, Danjolium: Dangeau (Eure-et-Loir), Frankr.
Dania, Daciae regn., Danorum regn.: Dänemark [Danmark].
Danicum fretum, Sundicum fretum, Oresundae fretum: Öre Sund [Øre Sund, Öresund, Sund], Meerenge zw. Dänem. u. Schwed.
s. **Daniel in Monte:** San Daniele Po (Cremona), Ital.
Danjolium → Dangellum
Danis Villa → Dampvillerium
Danorum opus → Danorum vallum
Danorum regn. → Dania
Danorum vallum, Danorum opus: Danewerk [Dannevirke], Grenzwälle bei Schleswig (Schleswig-Holstein), Deutschl.
Danovius → Danubius
Dantiscum → Gedanum
Danubii insula → Donaverda
Danubius, Abnobius, Danabius, Danovius, Danuvius, Flavus Massagetes, Hister, Ister, Donaugia, Tanubius, Tonubius: Donau [Duna, Dunai, Dunaj, Dunărea, Dunav], Fl., Mü: Schwarzes Meer (Rumän.).
Danubrium: Deneuvre (Meurthe-et-Moselle), Frankr.
Danum, Danecastrum: Doncaster (Yorkshire), Engl.
Danus → Addua
Danuvius → Danubius
Daradus: Dra [Oued Dra], Fl., Mü: Atlantik, Marokko.
Darae Gaetulia: Tafilalt [Tafilelt], Oasen, Marokko.
Darantasia → Centronum civ.
Darbeta → Dorostolus Livanorum
Dargardensis → Dargunensis villa
Dargunensis villa, Dargardensis, Dargunium: Dargun (Mecklenburg-Schwerin), Deutschl.
Dargunium → Dargunensis villa
Dariorigum, Dartoritum, Duriorigum Venetorum, Venedia, Venenas, Venetiae in Bretonia, Venetum, Venetorum civ.: Vannes (Morbihan), Frankr.
Darlintonium → Darlitonia
Darlitonia, Darlintonium: Darlington (Co. Durham), Engl.
Darmstadium: Darmstadt (Hessen), Deutschl.
Darnacum, Darneiacum, Darnerium: Darney (Vosges), Frankr.
Darnasia: Diessenhofen (Thurgau), Schweiz.
Darneiacum → Darnacum
Darnerium → Darnacum
Darnis: Derna (Cyrenaika), Libyen.
Darocinium, Desium: Dej [Dés, Deés] (Siebenbürgen), Rumän.
Dartoritum → Dariorigum
Darventus, Derventus: Derwent, Nfl. d. Trent (Derbyshire), Engl.
Darvernum → Cantuaria
Dasena → Tactschena

Dassela, Dassila: Dassel (Hannover), Deutschl.
Dassila → Dassela
Datilo, Dactale: Datteln (Westfalen), Deutschl.
Datira → Dela
Daudyana: Diyadin [Diadin] (Ağri), Türkei.
Davandria → Daventria
Daventria, Davandria, Devonturum, Taventeri: Deventer (Overijssel), Niederl.
Davianum, Veinetum: Veynes (Hautes-Alpes), Frankr.
Davidis fanum, Menapia, Menevia: Saint David's [Mynyw] (Pembrokeshire), Engl.
Davintria → Bennavenna
Davium sacellum, Ecclesbrae, Varia Capella: Falkirk (Stirlingshire), Schottl.
De Alta Fago → Hohbuoki
De Arcibus castr.: Les Arcs (Var), Frankr.
De Calida Fontana: Chaudefontaine (Marne), Frankr.
De Castello Villico → Villanum castr.
De Cimterio → Cimiterium
De domo Remigii, Domus Remigii: Domrémy-la-Pucelle (Vosges), Frankr.
De Foresto: Hain (Sachsen, Kr. Borna), Deutschl.
De Lato Lapide: Breitenstein (Württemberg), Deutschl.
De Olivo monte castr. → Olivula portus
De Praeclara → Ara lapidea
De Pratis: Wiesen (O-Österr.), Österr.
De Quercu → Eicha
De Quercubus: Eschêne [Eschêne-Autrage] (Territoire de Belfort), Frankr.
De Rupe: La Roche-en-Ardennes (Ardennes), Frankr.
De Salinis → Salmana
De Septem castris → Septem castra
Dea, Deova, Deva, Dira: Dee, Fl., Mü: Nordsee (Aberdeenshire), Schottl.
Dea, Deva, Diva: Dee, Fl., Mü: Irische See (Cheshire), Engl.
Dea Vocontiorum, Augustadia, Dia: Die (Drôme), Frankr.
Deanensis silva: Forest of Dean, Waldlandsch. (Gloucestershire), Engl.
Deanum: East Dean (Gloucestershire), Engl.
Debbenum: Dobbeln bei Söllingen (Braunschweig), Deutschl.
Debelum: Döbeln (Sachsen), Deutschl.
Debona → Cadurcum
Debrecinum, Debrettinum: Debrecen [Debreczin] (Hajdú-Bihar), Ung.
Debrettinum → Debrecinum
Decanum → Dachinabades
Decem pagi, Duosa: Dieuze (Moselle), Frankr.
Decentianum, Desentianum, Dixentianum: Desenzano del Garda [Desenzano sul Lago] (Brescia), Ital.
s. **Decentius:** Saint-Yzans-de-Médoc (Gironde), Frankr.
Dechenchas in Frisia → Doccinga
Decia, Diecea, Diessa, Dietia: Diez (Hessen-Nassau), Deutschl.
Decidava, Singidawa: Deva [Diemrich] (Siebenbürgen), Rumän.
Decima: Detzem (Rheinprov.), Deutschl.
Decimus: Diémoz (Isère), Frankr.
Decimus: Dizimieu (Isère), Frankr.
Decuma: Palma del Rio (Córdoba), Span.

Decumanorum colonia, Narbo, Narbona: Narbonne (Aude), Frankr.
Decus regionis: Landser (Haut-Rhin), Frankr.
Dedessa: Dédestapolcsány [Dédes] (Borsod-Abauj-Zemplén), Ung.
Degernowa: Degernau (Baden, Kr. Waldshut), Deutschl.
Dei cella: Gotteszell (N-Bayern, BA. Viechtach), Deutschl.
Dei cella superior: Oberzell bei Stödtlen (Württemberg), Deutschl.
Dei curia: La Cour-Dieu bei Ingrannes (Loiret), Frankr.
Dei insula → Oya
Dei insula in Fyonia: Holm, Kl. sdl. Odense (Fünen), Dänem.
Dei locus → Loeum
Dei lucus: Gadebusch (Mecklenburg-Schwerin), Deutschl.
Dei vallis: Beringhausen (Westfalen), Deutschl.
Dei villa: Villedieu (Cantal), Frankr.
Dei villa: Villedieu-les-Poëles (Manche), Frankr.
Dela → Dola
Dela, Datira: Delle [Dattenried] (Territoire de Belfort), Frankr.
Delbna → Dellina
Delbruggia: Delbrück (Westfalen), Deutschl.
Delchana: Dalke, Nfl. d. Ems (Westfalen), Deutschl.
Deleminci → Glomaci
Delemontium, Telamontium: Delémont [Delsberg] (Bern), Schweiz.
Delfi, Delfum, Delphi, Delphium, Alblas, Tablae Batavorum: Delft (S-Holland), Niederl.
Delfum → Delfi
Delhiensis → Dellium
Delisboa: Delsbo (Gävleborg), Schwed.
Delitium, Delitschia: Delitzsch (Pr. Sachsen), Deutschl.
Delitschia → Delitium
Dellina, Delbna: Dalbke bei Lipperreihe (Westfalen), Deutschl.
Dellium, Delhiensis, Dillika: Delhi [Neu-Delhi, New Delhi], Hst. v. Indien.
Delmenhorstium: Delmenhorst (Oldenburg), Deutschl.
Delminium → Dalmium
Delphi → Delfi
Delphicum templum, s. Maria de Mare: Saintes-Maries-de-la-Mer (Bouches-du-Rhône), Frankr.
Delphinatus: Dauphiné, Landsch. u. eh. Prov. (Hautes-Alpes, Drôme u. Isère), Frankr.
Delphini arx: Fort Dauphin, Madagascar.
Delphini portus: Portofino (Genua), Ital.
Delphinium: Lankada [Kolokythia] auf Chios (Sporaden), Griechenl.
Delphium → Delfi
Delvunda: Delvenau, Nfl. d. Elbe (Schleswig-Holstein), Deutschl.
Demeniae vallis: Val di Demona [Val Demone], eh. Prov. (Sizilien), Ital.
Demetrias → Platea
Demmium, Timina: Demmin (Pommern), Deutschl.
Denbiga, Denbighum: Denbigh (Denbighshire), Engl.
Denbigensis comit.: Denbighshire, Grafsch. (Wales), Engl.
Denbighum → Denbiga
Dendera, Galthera, Tenera, Tentra: Dendre [Dender], Nfl. d. Schelde (O-Flandern), Belg.
Deninga: Teningen (Baden), Deutschl.
Denonium ad Scaldim, Dyniacum: Denain (Nord), Frankr.

Dentata vallis: Lavaldens (Isère), Frankr.
Dentelinus ducat., Dentilonis ducat. (inter Sequanam et Isaram): Dentelin, eh. Hgt. im Frankenreich (Nord, Pas-de-Calais, z. Teil Aisne, Oise, Somme u. W-Flandern), Frankr. u. Belg.
Dentilonis ducat. (inter Sequanam et Isaram) → Dentelinus ducat.
Deobriga, Miranda Iberica: Miranda de Ebro (Burgos), Span.
s. Deodati fanum, s. Deodatus, Juncturae Galileenses, Theodata: Saint-Dié (Vosges), Frankr.
Deodatum → Theodota
s. Deodatus → s. Deodati fanum
s. Deodatus apud Blesas: Saint-Dyé-sur-Loire (Loir-et-Cher), Frankr.
Deorum currus: Konggebirge (Elfenbeinküste), W-Afrika.
Deorum insulae: Islas Cíes [Islas de Bayona], Inselgruppe (Pontevedra), Span.
Deorum portus, Divini portus, Oranum: Ouahran [Oran] (Oran), Algerien.
Deova → Dea
Deppa, Dieppa: Dieppe (Seine-Maritime), Frankr.
Deramithia → Dermuta
Derbatum → Dorostolus Livanorum
Derbicensis comit. → Derbiensis comit.
Derbiensis comit., Derbicensis comit.: Derbyshire, Grafsch., Engl.
Derebia → Derventio
Dermuta, Deramithia, Tremunda: Dartmouth (Devonshire), Engl.
Dernus lacus, Ernus lacus: Lough Erne, See (Co. Fermanagh), N-Irland.
Derpatum → Dorostolus Livanorum
Derptum → Dorostolus Livanorum
Derrhis promont.: Kap Drepanon [Akra Derris, Akra Drépanon] (Chalkidike), Griechenl.
Dersovia → Dirsovia
Dertona, Terdona, Turduna: Tortona (Alessandria), Ital.
Dertosa: Tortosa (Tarragona), Span.
Derventia → Derventio
Derventio, Derebia, Derventia: Derby (Derbyshire), Engl.
Derventus → Darventus
Desentianum → Decentianum
Deserta civ. → Sempronium
Desertina → Speluca
Desertum, Dysartum: Dysart (Fifeshire), Schottl.
s. Desiderii fanum, Desideriopolis: Saint-Dizier (Haute-Marne), Frankr.
s. Desiderii mons: Montdidier (Somme), Frankr.
s. Desiderii oppid., Sandesiderianum: Saint-Didier-sur-Doulon (Haute-Loire), Frankr.
Desideriopolis → s. Desiderii fanum
s. Desiderius in Vallavia: Saint-Didier-en-Velay (Haute-Loire), Frankr.
Desium → Darocinium
Deslonardum: Dieulouard (Meurthe-et-Moselle), Frankr.
Desmonia: Desmond [South Munster], Landsch. u. eh. Grafsch. (Co. Cork u. Kerry), Eire.
Dessavia: Dessau (Anhalt), Deutschl.
Dessenii pontes → Disia
Dethmolda → Thiotmelli
Detmolda → Thiotmelli
Detmoldia → Thiotmelli
Deucaledonius oceanus → Oceanus septentrionalis
Deucaledonius sinus → Caledonius oceanus
Deva → Dea

Deva → Devana

Deva, Diva: Dives, Fl., Mü: Ärmelkanal (Calvados), Frankr.

Deva, Diveta: Dives-sur-Mer (Calvados), Frankr.

Devales → Diva

Devana, Cestria, Deva, Devona vetus, Legionum urbs: Chester (Cheshire), Engl.

Deviotia, Teviotia, Rosburgensis comit.: Roxburghshire, Grafsch., Schottl.

Devona → Coburgum

Devona → Suefortum

Devona vetus → Devana

Devonia, Devoniensis comit.: Devonshire, Grafsch., Engl.

Devoniensis comit. → Devonia

Devonturum → Daventria

Dewinum → Duinum

Deysterna mons: Deister, Geb. (Hannover, Hessen-Nassau), Deutschl.

Dia → Dea Vocontiorum

Diablintum, Noeodunum, Novodunum: Jublains (Mayenne), Frankr.

Diana, Ad Dianam: Zana (Batna), Algerien.

Dianae castell.: Diano Castello (Imperia), Ital.

Dianae lacus: Étang de Diane (Korsika), Frankr.

Dianium: Giannutri [Isola di Giannutri], Ins. im Tyrrhen. Meer (Grosseto), Ital.

Dianium Artemisium → Hemeroscopium

Dibio → Diviodunum

Dibni → Duba

Dibona → Cadurcum

Diciacum, Duciacum, Duodeciacum, Dusiaca: Douzy (Ardennes), Frankr.

Dicimuda, Dismuda, Dixmuda: Dixmuiden [Dixmude, Diksmuide] (W-Flandern), Belg.

Dictis: Ambleside (Westmorland), Engl.

Didymi montes: Râs el Hadd, Vorgeb. (Oman), Arabien.

Didymotichus, Plotinopolis: Didymotichon [Dimotika, Demotika, Dimetoka] (Evros), Griechenl.

Diecea → Decia

Diegi villa: Villadiego (Burgos), Span.

Diemeni ins.: Tasmania [Tasmanien, Vandiemensland], Ins., Australien.

Diensis tractus: Diois, Landsch. (Drôme), Frankr.

Dieppa → Deppa

Diessa → Decia

Diessa → Disia

Diesta → Distemium

Diestum → Distemium

Diethmelium → Thiotmelli

Dietia → Decia

Dietmellum → Thiotmelli

Dietrammi cella, s. Martini cella: Dietramszell (O-Bayern), Deutschl.

Digentia: Licenza (Rom), Ital.

Dila, Verdonia: Verdon, Nfl. d. Durance (Basses-Alpes, Var), Frankr.

Dilinga, Dillinga: Dillingen (Bayern, RB. Schwaben), Deutschl.

Dillena: Dill, Nfl. d. Lahn (Hessen-Nassau), Deutschl.

Dillika → Dellium

Dillinga → Dilinga

Dilna: Banská Belá [Bélabánya, Dilln, Dillen] (Slowakei), Tschechoslow.

Dimola → Timella

Dinandum, Dinondium, Dionantum, Dyonantum: Dinant (Namur), Belg.

Dinastris → Danastris
Dinckelspuhla → Zeapolis
Dinellum, Dinnanum: Dinan (Côtes-du-Nord), Frankr.
Dingolfinga, Dingolvinga: Dingolfing (N-Bayern), Deutschl.
Dingolvinga → Dingolfinga
Diniensium civ.: Digne (Basses-Alpes), Frankr.
Dinnanum → Dinellum
Dinondium → Dinandum
Dinsa, Dunsa, Donza: Deinze (O-Flandern), Belg.
Diocletiani palatium → Spalatrum
Diolindum → Cadurcum
Dionantum → Dinandum
s. Dionisii monast. apud Parisius → Dionysianum fan.
Dionysianum fan., Catolacum, Catulliacus, s. Dionisii monast. apud Parisius, s. Dionysii oppid., Dionysiopolis, s. Dionysius in Francia: Saint-Denis (Seine), Frankr.
s. Dionysii oppid. → Dionysianum fan.
s. Dionysii palat.: Saint-Denis-le-Ferment (Eure), Frankr.
s. Dionysii promont.: Kap Monastir, Tunesien.
Dionysiopolis → Dionysianum fan.
s. Dionysius: Sankt Dionysen (Steiermark), Österr.
s. Dionysius de Valleta → Plumbata eccl.
s. Dionysius in Francia → Dionysianum fan.
Dioscoridis ins.: Socotra [Sokotra], Ins. im Arabischen Meer.
Diostiensis → Distemium
Dippo, Elbora, Libora, Libura: Talavera la Real (Badajoz), Span.
Dira → Dea
Dirschavia → Dirsovia
Dirsovia, Dirschavia, Dersovia: Tczew [Dirschau] (Pommerellen), Polen.
Disbargum → Dispargum
Discentium → Speluca
Disena, Dissina: Diesen [Diessen] (N-Brabant), Niederl.
Disentina → Speluca
Disia, Dessenii pontes, Diessa, Dyezzensis villa, Tessenium: Diessen (O-Bayern), Deutschl.
Disibodense coenob. → s. Disibodi monast.
s. Disibodi monast., Disibodense coenob., Mons s. Disibodi, s. Tisibodi monast.: Disibodenberg (Bayern, RB. Pfalz), Deutschl.
Dismuda → Dicimuda
Disna, Dissensis curia: Dissen (Hannover), Deutschl.
Dispargum → Doesburgum
Dispargum → Schidinga
Dispargum, Asciburgum: Duisburg (Brabant), Belg.
Dispargum, Disbargum, Diusburgum, Duicziburgum, Duisburgum, Duysburgum, Dyspargum, Dysporum, Dystporum, Germanopolis, Hespargum, Teutoburgum, Tuiscoburgum: Duisburg (Rheinprov.), Deutschl.
Dissensis curia → Disna
Dissertinum → Speluca
Dissina → Disena
Distemium, Diesta, Diestum, Diostiensis: Diest (Brabant), Belg.
Ditmarcia → Thethmarchi
Ditmarsia → Thethmarchi
Diuca → Diutia
Diusburgum → Dispargum
Diutia, Diuca, Diuza, Divicia, Divitensis, Ducensis urbs, Duiza, Duntense castr., Dutinum, Tuitium, Tuyncense castr.: Deutz [Köln-Deutz] (Rheinprov.), Deutschl.
Diuza → Diutia

Diva → Dea
Diva → Deva
Diva, Devales: Deva, Fl., Mü: Atlantik (Santander), Span.
Diveta → Deva
Divicia → Diutia
Dividunum, Divodurum, Mediomatrica, Mediomatricum, Mediomatricus, Metae, Metis, Metium, Mettae, Mettensis civ.: Metz (Moselle), Frankr.
Divini portus → Deorum portus
Divio → Diviodunum
Diviodunensis pag., Divionensis comit.: Dijonnais, Landsch. u. eh. Grafsch. (Côte-d'Or), Frankr.
Diviodunum, Dibio, Divio, Divionense castr., Divionum: Dijon (Côte-d'Or), Frankr.
Divionense castr. → Diviodunum
Divionensis comit. → Diviodunensis pag.
Divionum → Diviodunum
Divitensis → Diutia
Divodurum → Dividunum
Divona → Cadurcum
Dixentianum → Decentianum
Dixmuda → Dicimuda
Diziacum → Fiscus Isiacensis
Dizinga: Ditzingen (Württemberg), Deutschl.
Doadum, Theodoadum, Theoduadum, Theotuadus, Theodwadum, Dovaeum, Dowaeum: Doué-la-Fontaine (Maine-et-Loire), Frankr.
Doberanum, Dobranum, Dobrum: Doberan (Mecklenburg-Schwerin), Deutschl.
Dobocensis comit., Szolnociensis comit.: Szolnok-Doboka, eh. ung. Komit. um Dej [Dés] (Siebenbürgen), Rumän.
Dobranum → Doberanum
Dobricinium → Dobrinia
Dobrinia, Dobricinium, Dobrinum, Dobrizinium: Dobrzyiń [Golub-Dobrzyń] (Bromberg), Polen.
Dobrinum → Dobrinia
Dobris: Dobritz (Anhalt), Deutschl.
Dobrizinium → Dobrinia
Dobrum → Doberanum
Doccinga, Dechenchas in Frisia, Doccomium, Doccumum, Dockcetum, Dockinga: Dokkum (Friesland), Niederl.
Doccomium → Doccinga
Doccumum → Doccinga
Docea, Tossia, Tusia: Tosya (Kastamonu), Türkei.
Dockcetum → Doccinga
Dockinga → Doccinga
Dodeismes villa → Ad Duodecimum
Doenga → Tubinga
Doesburgum, Dispargum, Drusiana arx, Drusoburgum, Duisburgum Geldrorum, Tuiscoburgum: Doesburg (Gelderland), Niederl.
Dognipetrus → Domna Petra
Dola: Döllach (Steiermark), Österr.
Dola, Dela: Deal (Co. Kent), Engl.
Dola, Dola Sequanorum, Dolum, Tholensis civ.: Dôle (Jura), Frankr.
Dola Britonum, Neodunum: Dol-de-Bretagne (Ille-et-Vilaine), Frankr.
Dola Sequanorum → Dola
Dolchinium → Ulcinium
Doleia → Theologia
Dolense castrum → Dolum
Dolgala: Dörgelin (Mecklenburg-Schwerin), Deutschl.
Dolmensis comit. → Dulcomensis pag.
Dolorosus mons → Stirlinga
Dolucensis vicus: Halinghen (Pas-de-Calais), Frankr.
Dolum → Dola

Dolum, Dolense castr., Telum: Déols (Indre), Frankr.

Dombensis pag., Dumbae, Dumbarum principat.: Dombes, Landsch. (Ain), Frankr.

Domestica vallis: Domleschg [Tumliasca], Tallandsch. (Graubünden), Schweiz.

Domina Maria in Montesio → Domna Maria in Montesio

Domina Petra → Domna Petra

Dominarum vallis: Frauenthal, Kl. (Zug), Schweiz.

Dominarum vallis → Morialium vallis

Dominarum vallis, b. Mariae vallis: Frauental (Württemberg, Kr. Mergentheim), Deutschl.

s. Dominici insula → Hispaniola

Dominicopolis, s. Dominicus: Santo Domingo [Ciudad Trujillo], Dominikanische Republ.

s. Dominicus → Dominicopolis

Dominium Martini → Dammartinum

Dominorum campus: Urmezö (Karpato-Ukraine, Ukrainische SSR), UdSSR.

Dominorum vallis: Spania-Dolina [Herrengrund, Urvölgy] (Slowakei), Tschechoslow.

Dominus Aper → Domnus Aper

Dominus Baseolus → Domnus Baseolus

Dominus Petrus → Domnus Petrus

Domitiacum, Pratum Donziaci, Donzy: [Donzy-le-Pré] (Nièvre), Frankr.

Domitiana vallis: Babadag (Dobrudscha), Rumän.

Domitii forum, Frontinianum: Frontignan (Hérault), Frankr.

Domitium: Doemitz (Mecklenburg-Schwerin), Deutschl.

Domna Maria, Dammaria: Dammarie (Eure-et-Loir), Frankr.

Domna Maria in Montesio, Domina Maria in Montesio: Donnemarie-en-Montois (Seine-et-Marne), Frankr.

Domna Petra, Dampetra, Dognipetrus: Dampierre [Dampierre-de-l'Aube] (Aube), Frankr.

Domna Petra, Domina Petra: Dompierre-sur-Authie (Somme), Frankr.

Domna Petra, Domnus Petrus, Donna Petra: Dampierre-sur-Vingeanne [Dampierre-et-Flée] (Côte-d'Or), Frankr.

Domna Petra versus Sedelocum: Dompierre-en-Morvan (Côte-d'Or), Frankr.

Domni frons → Domnus Frons

Domni Petra super Auvam → Dampetra super Alvam

Domnus Aper, Dominus Aper: Domèvre-en-Haye (Meurthe-et-Moselle), Frankr.

Domnus Baseolus, Dominus Baseolus: Dombasle-sur-Meurthe (Meurthe-et-Moselle), Frankr.

Domnus Frons, Domni frons, Donfrontium, Dumfronium: Domfront (Orne), Frankr.

Domnus Martinus, s. Martini de Larona monast.: Dommartin (Ain), Frankr.

Domnus Martinus ad Planeas: Dommartin-la-Planchette (Marne), Frankr.

Domnus Martinus Francus: Dommartin-le-Franc (Haute-Marne), Frankr.

Domnus Martinus in Goella → Dammartinum

Domnus Martinus iuxta s. Paulum: Dommartin-sur-Vraine (Vosges), Frankr.

Domnus Martinus supra fluvium

Mosae: Dommartin-lès-Toul (Meurthe-et-Moselle), Frankr.

Domnus Petrus → Dampetra

Domnus Petrus → Domna Petra

Domnus Petrus, Dominus Petrus, Domus Petri: Dompierre-sur-Besbre (Allier), Frankr.

Domoduscella, Oscella: Domodossola (Novara), Ital.

Domsla: Domslau [Domasław] (N-Schlesien), Deutschl.

Domus: Hausen bei Saaldorf (O-Bayern), Deutschl.

Domus Consilii: Rathhausen (Luzern), Schweiz.

Domus Juncetana: Vieux-Joncs [Oude Biesen, Alten Biesen], Ballei bei Rijkhoven (Limburg), Belg.

Domus Petri → Domnus Petrus

Domus Remigii → De domo Remigii

Domus Schalovinorum: Neuhausen [Gurjewsk] (O-Preußen, Kr. Königsberg), Deutschl.

Donastienum → Sebastianopolis

s. **Donati monast. de Podio:** San Donato, Kl. in Poggibonsi (Siena), Ital.

s. **Donatus:** Saint-Donat (Puy-de-Dôme), Frankr.

s. **Donatus:** San Donato di Ninea (Cosenza), Ital.

s. **Donatus:** Sankt Donat (Kärnten), Österr.

s. **Donatus, Massa Pedrulia:** San Donato bei Fiesso Umbertiano (Rovigo), Ital.

s. **Donatus in Comino:** San Donato Val Camino (Frosinone), Ital.

Donaugia → Danubius

Donaverda, Danubii insula, Vertia, Werda, Werdea: Donauwörth (Bayern, RB. Schwaben), Deutschl.

Doncheriacum, Doncherium, Duncherium: Donchery (Ardennes), Frankr.

Doncherium → Doncheriacum

Doneschinga, Esginga: Donaueschingen (Baden), Deutschl.

Donfrontium → Domnus Frons

Dongei villa: Dugny-sur-Meuse (Meuse), Frankr.

Donincum, Dulincum, Dulingium, Duridium, Dullendium: Doullens (Somme), Frankr.

Donna Petra: Dampierre-sous-Brou (Eure-et-Loir), Frankr.

Donna Petra → Dampetra

Donna Petra → Domna Petra

s. **Donnini burgus, Fidentia, Julia Chrysopolis:** Fidenza [Borgo San Donnino] (Parma), Ital.

Donum Dei → Allectum

Donum Martini: Dommartin (Somme), Frankr.

Donum Petri → Dampetra

Donza → Dinsa

Dorcae → Drocae

Dorcasinum castr. → Drocae

Dorcestria, Dorciniae civ., Dornovaria, Durnium, Durnovaria: Dorchester (Co. Dorset), Engl.

Dorcestriensis comit. → Dorsetia

Dorchenwilare: Torkenweiler (Württemberg), Deutschl.

Dorciniae civ. → Dorcestria

Dordanum, Dordiacum, Dordinga, Durdanum: Dourdan (Seine-et-Oise), Frankr.

Dordiacum → Dordanum

Dordinga → Dordanum

Dordonia, Dronia, Duranius, Durranus: Dordogne, Nfl. d. Gironde (Gironde), Frankr.

Dordracum, Dorteracum, Dortracum, Dordrectum: Dordrecht (S-Holland), Niederl.

Dordrectum → Dordracum

Dorestadum, Dorstadum, Dorstedi, Durostadium: Wijk-bij-Duurstede (Utrecht), Niederl.
Dorestotelus → Turestodelus
Dormunda → Tremonia
Dornacum: Dornach (Solothurn), Schweiz.
Dornacum → Tornacum Nerviorum
Dornatta: Dohren (Hannover, Kr. Harburg), Deutschl.
Dornocum, Dornodunum, Dunoverum, Dunrodunum: Dornoch (Sutherlandshire), Schottl.
Dornodunum → Dornocum
Dornovaria → Dorcestria
Dorobernia → Dubri
Dorobernium → Dubri
Doromellum: Dormelles (Seine-et-Marne), Frankr.
Dorostena, Dristia, Durostolus, Durostorum: Silistra [Silistre] (Silistra), Bulg.
Dorostolus Livanorum, Darbeta, Derbatum, Derpatum, Derptum, Tarbatensis eccl., Tarbatum, Tharbatense castr., Thervetensis urbs, Torpatum: Tartu [Dorpat] (Estland), UdSSR.
Dorsetia, Dorcestriensis comit.: Dorset, Grafsch., Engl.
Dorstadum → Dorestadum
Dorstedi → Dorestadum
Dorteracum → Dordracum
Dortracum → Dordracum
Dotecum: Deutekom [Doetinchem] (Gelderland), Niederl.
Dotis → Theodota
Dova, Dubius, Alduabis, Alduadubis: Doubs, Nfl. d. Saône (Saône-et-Loire), Frankr.
Dovaeum → Doadum
Dovarnena, Vidana, Vindana portus: Douarnenez (Finistère), Frankr.
Doveona → Cadurcum
Dovera → Dubri
Dovoria → Dubri
Dowaeum → Doadum
Dowina: Devín [Devény, Theben] (Slowakei), Tschechoslow.
Draa → Dravus
Drabescus: Drama (Mazedonien), Griechenl.
Dracenae, Draconianum, Draguinianum: Draguignan (Var), Frankr.
Dracomontium: Trachenberg [Żmigród] (N-Schlesien), Deutschl.
Draconerium: Dronero (Cuneo), Ital.
Draconianum → Dracenae
Draconis mons: Mondragon (Vaucluse), Frankr.
Dracus: Drac, Nfl. d. Isère (Isère), Frankr.
Dragamuntina, Travemunda: Travemünde (Schleswig-Holstein), Deutschl.
Draginni pag. → Dreini pag.
Dragozla: Dragučova [Tragutsch] bei Maribor [Marburg] (Slowenien), Jugoslaw.
Draguinianum → Dracenae
Draha → Dravus
Drahaus castr.: Drahotuše [Drahotusch] (Mähren), Tschechoslow.
Draigni pag. → Dreini pag.
Dratinaha: Trattenbach (O-Österr.), Österr.
Dravis → Dravus
Dravoburgum: Oberdrauburg (Kärnten), Österr.
Dravus, Draa, Draha, Dravis, Drowa, Tra, Traba, Trabus, Traha, Trahus: Drau [Drava], Nfl. d. Donau, Österr. u. Jugoslaw.
Drawza → Druentia
Dreckenacum: Dreckenach (Rheinprov.), Deutschl.
Dreginni pag. → Dreini pag.
Dreini pag., Draginni pag., Draigni

pag., **Dreginni pag.**, **Dreni pag.**, **Trachina pag.**: Dreingau, eh. Gau ndl. d. Lippe (Westfalen), Deutschl.

Dreni pag. → Dreini pag.

Drenthia → Trenta

Drentia → Trenta

Dresda: Dresden (Sachsen), Deutschl.

Dresena → Dressenium

Dressenium, Dresena, Driesena: Driesen [Drezdenko] (Pommern), Deutschl.

Dribura: Obertreba (Thüringen), Deutschl.

Driburgum: Driburg (Westfalen), Deutschl.

Driburi → Tribur

Driela: Driel (Gelderland), Niederl.

Driencurtum → Novum Castellum

Driesena → Dressenium

Driffordia: Treffurt (Pr. Sachsen), Deutschl.

Drinus → Caradrina

Drispenstedium: Drispenstedt (Hannover), Deutschl.

Dristia → Dorostena

Drobeta → Drubetis

Drocae, Dorcae, Dorcasinum castr., Drocum, Druidum fanum, Durocassae: Dreux (Eure-et-Loir), Frankr.

Drocensis comit., Durocensis comit.: Dreux, eh. Grafsch. (Eure-et-Loir), Frankr.

Drocum → Drocae

Drogeda, Droghdaea, Pontana: Drogheda [Droichead Átha] (Co. Louth), Eire.

Droghdaea → Drogeda

Dromaria, Drumoria: Dromore (Co. Down), N-Irland.

Dronia → Dordonia

Dronswilare: Trutzenweiler (Württemberg), Deutschl.

Dronthemium → Tronthemium

Droomanni villa → Tremonia

Drotmanni villa → Tremonia

Drowa → Dravus

Drubetis, Drobeta, Zeverinum: Turnu Severin (Oltenien), Rumän.

Drubicensis villa → Trobiki

Druentia, Drawza, Drwacza, Drywanza: Drwęca [Drewenz], Nfl. d. Weichsel (Bromberg), Polen.

Druentia, Durantia, Ruentia: Durance, Nfl. d. Rhône (Vaucluse), Frankr.

Druidum fanum → Drocae

Druma, Druna: Drôme, Nfl. d. Rhône (Drôme), Frankr.

Drumoria → Dromaria

Druna → Druma

Druna → Traunus

Drusi castell., Germanici castell., Lapis regius: Königstein i. Taunus (Hessen-Nassau), Deutschl.

Drusiana arx → Doesburgum

Drusiana fossa: Drusus-Kanal, eh. Kanal zw. Jssel u. Rhein (Gelderland), Niederl.

Drusiana urbs, Frauenburgum: Frauenburg [Frombork] (O-Preußen), Deutschl.

Drusiana vallis, Trusiana vallis: Walgau, Landsch. (Vorarlberg), Österr.

Drusis lacus: Drausensee [Jezioro, Druzno], See sdl. Elbing (O-Preußen, RB. W-Preußen), Deutschl.

Drusoburgum → Doesburgum

Drwacza → Druentia

Drymum: Trinum (Anhalt), Deutschl.

Dryopolis → Aichstadium

Drywanza → Druentia

Duaca Gallica, Galliva, Gallovidia,

Galloya: Galway [Gaillimh] (Co. Galway), Eire.
Duacum Catuacorum, Aduaticorum oppid., Catuacum: Douai (Nord), Frankr.
Duba, Dibni, Dubena, Thebae Saxonicae: Düben (Pr. Sachsen), Deutschl.
Dubena → Duba
Dubius → Dova
Dubla → Dublensis pag.
Dublana, Dublinia, Dublinium, Dublinum, Eblanda: Dublin [Baile Átha Cliath], Hst. v. Eire.
Dublensis pag., Dubla: De Duffel, Landsch. u. eh. Gau am Niederrhein (Gelderland), Niederl.
Dublinensis comit.: Dublin [Contae Bhaile Átha Gliath], Grafsch., Eire.
Dublinia → Dublana
Dublinium → Dublana
Dublinum → Dublana
Dubrae → Dubri
Dubri, Dubrae, Dubros, Dorobernia, Dorobernium, Dovera, Dovoria, Dubris portus: Dover (Co. Kent), Engl.
Dubris portus → Dubri
Dubros → Dubri
Ducaledonius sinus → Caledonius oceanus
Ducalis civ.: Cittaducale (L'Àquila), Ital.
Ducensis urbs → Diutia
Duciacum → Diciacum
Ducium: Ducey (Manche), Frankr.
Duclarum: Duclair (Seine-Maritime), Frankr.
Duderstadium: Duderstadt (Hannover), Deutschl.
Dudlebi urbs: Doudleby [Daudleb] (Böhmen), Tschechoslow.
Dudmala → Dumella
Duellium, Duellus mons, Juliomagus, Twelus, Twiela, Tuela, Tuila alta: Hohentwiel, Berg bei Singen (Baden), Deutschl.
Duellus mons → Duellium
Duesmensis pag., Dusmensis comit., Dusmisus pag.: Duesmois, Landschaft u. eh. Grafsch. (Côte-d'Or), Frankr.
Duglasium: Douglas (Isle of Man), Großbritannien.
Duicziburgum → Dispargum
Duina → Taruntus
Duinum, Dewinum, Pucinum: Duino Aurisina [Duino] (Triest), Ital.
Dujona → Cadurcum
Duirium: Niederzwehren [Kassel-Niederzwehren] (Hessen-Nassau), Deutschl.
Duisburgum → Dispargum
Duisburgum Geldrorum → Doesburgum
Duismum → Dusmium
Duiza → Diutia
Dulcinus campus: Campodolcino (Sondrio), Ital.
Dulcis aqua: Dolceacqua (Imperia), Ital.
Dulcis vallis: Vaduz, Liechtenstein.
Dulcomensis pag., Dolmensis comit., Dulmensis pag.: Dormois, Landschaft u. eh. Grafsch. (Meuse u. Ariège), Frankr.
Dulecum, Dalmiagum: Duleek (Co. Meath), Eire.
Dulincum → Donincum
Dulingium → Donincum
Dullendium → Donincum
Dulmenni: Dülmen (Westfalen), Deutschl.
Dulmensis pag. → Dulcomensis pag.
Dumbae → Dombensis pag.
Dumbarum, Vara: Dunbar (Co. East Lothian), Schottl.

Dumbarum principat. → Dombensis pag.
Dumblanum: Dunblane (Perthshire), Schottl.
Dumbritinum → Britannodunum
Dumella, Dutmala, Dudmala: Dommel, Nfl. d. Maas (N-Brabant), Belg. u. Niederl.
Dumfrega → Dunfreia
Dumfronium → Domnus Frons
Dummera lacus, Estia palus: Dümmer [Dümmersee], See (Hannover), Deutschl.
Dumnissus → Dumno
Dumno, Dumnissus, Duna: Daun (Rheinprov.), Deutschl.
Dumnonii prov. → Cornubia
Dumnoniorum Isca → Isa Dumnoniorum
Dumnonium promont.→ Damnonium promont.
Duna → Dumno
Duna → Taruntus
Dunae ostium, Dunaemunda: Daugavgriva [Dünamünde] (Lettland), UdSSR.
Dunaemunda → Dunae ostium
Duncheldinum → Caledonium castrum
Duncherium → Doncheriacum
Dunelmensis comit.: Durham, Grafsch., Engl.
Dunelmum, Duremum: Durham (Durham), Engl.
Dunensis comit.: Down, Grafsch., N-Irland.
Dunensis tractus, Dunensium pag.: Dunois, Landsch. (Eure-et-Loir), Frankr.
Dunensium pag. → Dunensis tractus
Dunestorium castr.: Dunster (Co. Somerset), Engl.
Dunfreia, Dumfrega: Dumfries (Dumfriesshire), Schottl.
Dungalensis comit.: Donegal [Dún na nGall, Contae Dhún na nGall], Grafsch., Eire.
Dungalia: Donegal [Dún na nGall] (Co. Donegal), Eire.
Duni castrum → Regiodunum
Dunkelspila → Zeapolis
Dunkeranum, Eblana portus: Dundalk [Dún Dealgan] (Co. Louth), Eire.
Dunkerca, Dunquaercae: Dunkerque [Dünkirchen] (Nord), Frankr.
Dunoverum → Dornocum
Dunquaercae → Dunkerca
Dunrodunum → Dornocum
Dunsa → Dinsa
s. Dunstanus: Saint Dunstan (Co. Kent), Engl.
Duntense castr. → Diutia
Dunum: Downpatrick (Co. Down), N-Irland.
Dunum: Dunningen (Württemberg), Deutschl.
Dunum → Castellodunum
Dunum ad Mosam: Dun-sur-Meuse (Meuse), Frankr.
Dunum aestuarium: Robin Hood's Bay, Ort (Yorkshire, North Riding), Engl.
Dunum regis → Regiodunum
Duo montes (castra), Castra Lichen: Gleichen [die Beiden Gleichen], Ruinen bei Göttingen (Hannover), Deutschl.
Duodeciacum → Diciacum
Duodecim pontes → Ad Sequanam pons
Duorum regium → Turicum Helvetiorum
Duosa → Decem pagi
Duplavilis: Valdobbiadene (Treviso), Ital.
Duplex aquae → Zwifeltum

Dura, Duria, Marcodurum: Düren (Rheinprov.), Deutschl.
Dura, Duria, Tura: Thur, Nfl. d. Rheins, Schweiz.
Dura, Durnum: Dour (Hennegau), Belg.
Durachium: Duras (Limburg), Belg.
Duracium: Duras (Lot-et-Garonne), Frankr.
Duracium → Thoarcum
Durae aquae → Turicum Helvetiorum
Duranius → Dordonia
Duranius mons: Mont Dore, Berg (Puy-de-Dôme), Frankr.
Durantia → Druentia
Durastellum, Durestallum: Durtal (Maine-et-Loire), Frankr.
Durbis → Durbutum
Durbutum, Durbis: Durbuy (Luxemburg), Belg.
Durdanum → Dordanum
Duregum → Turicum Helvetiorum
Duremum → Dunelmum
Durenfurtum: Dyhernfurth [Brzeg Dolny] (N-Schlesien), Deutschl.
Durestallum → Durastellum
Durgaugensis pag. → Turgovia
Duria → Dura
Duria → Turgovia
Duria → Vagus
Durias, Turis, Turium: Turia [Guadalaviar], Fl., Mü: Mittelmeer (Valencia), Span.
Duridium → Donincum
Duringa → Thuringia
Duringas → Turinga
Duringi → Thuringia
Duriorigum Venetorum → Dariorigum
Durium: Donzère (Drôme), Frankr.
Durlacum, Turrelacum, Turris ad lacum: Durlach [Karlsruhe-Durlach] (Baden), Deutschl.
Durlus: Thurles [Durlas] (Co. Tipperary), Eire.
Durna: Düren (Saarland), Deutschl.
Durninga, Thurninga: Durningen (Bas-Rhin), Frankr.
Durninum: Deurne (N-Brabant), Niederl.
Durnium → Dorcestria
Durnomagus: Dormagen (Rheinprov.), Deutschl.
Durnovaria → Dorcestria
Durnum → Dura
Durobrevae → Durobrivis
Durobrivae → Durobrivis
Durobrivis, Durobrevae, Durobrivae, Roffa, Rossa: Rochester (Co. Kent), Engl.
Duroburgum: Hartenberg (Bayern, RB. Pfalz), Deutschl.
Durocassae → Drocae
Durocensis comit. → Drocensis comit.
Durocobrivae, Durocobrivis: Hempstead sö. Saffron Waldon (Co. Essex), Engl.
Durocobrivis → Durocobrivae
Durocornovium: Cirencester [Cicester] (Gloucestershire), Engl.
Durocortorum Remorum → Remi
Durolenum Cantiorum: Lenham (Co. Kent), Engl.
Durolipons, Gumcestria: Godmanchester (Huntingdonshire), Engl.
Durolitum: Leyton (Co. Essex), Engl.
Duronum: Étroeungt (Nord), Frankr.
Duror verno → Cantuaria
Durostadium → Dorestadum
Durostolus → Dorostena
Durostorum → Dorostena
Durranus → Dordonia
Durrovernum → Cantuaria
Dursta: Dorst, Nfl. d. Lahn (Hessen-Nassau), Deutschl.

Durstina: Dorsten (Westfalen), Deutschl.

Durus campus: Härtsfeld, Landsch. (Württemberg), Deutschl.

Durus mons, Taurus mons, Thurus mons: Hohe Tauern [Alti Tauri], Geb., Österr. u. Ital.

Durwilare → Turewilare

Dusa: Douze, Nfl. d. Midouze (Landes), Frankr.

Dusiaca → Diciacum

Dusium: Duns (Berwickshire), Schottl.

Dusla: Düssel (Rheinprov.), Deutschl.

Dusmensis comit. → Duesmensis pag.

Dusmisus pag. → Duesmensis pag.

Dusmium, Duismum: Duesme (Côte-d'Or), Frankr.

Dusnensis, Dussina: Teutschenthal (Pr. Sachsen), Deutschl.

Dusseldorpium, Dusselledorpum, Dussellodorvum: Düsseldorf (Rheinprov.), Deutschl.

Dusselledorpum → Dusseldorpium

Dussellodorvum → Dusseldorpium

Dussina → Dusnensis

Dutinum → Diutia

Dutlinga, Duttlinga, Juliomagus, Tulingum: Tuttlingen (Württemberg), Deutschl.

Dutmala → Dumella

Duttlinga → Dutlinga

Duxonum: Duchcov [Dux] (Böhmen), Tschechoslow.

Duysburgum → Dispargum

Dycia: Dieue (Meuse), Frankr.

Dyezzensis villa → Disia

Dyla → Thilia

Dyniacum ad Scaldim → Denonium

Dyonantum → Dinandum

Dysartum → Desertum

Dyspargum → Dispargum

Dysporum → Dispargum

Dystporum → Dispargum

E

Easo → Oeaso

Eauna, Ejauno, Eona, Jauna: Yenne (Savoie), Frankr.

Eba, Maranus mons: Montemarano (Avellino), Ital.

Ebaraha: Ebrach (O-Bayern), Deutschl.

Ebarespergensis forestis, Eberespergensis forestis: Ebersberger Forst, Wald östl. München (O-Bayern), Deutschl.

Ebchestrensis → Vindomora

Ebeltoftia, Pomagrium: Aebeltoft (Jütland), Dänem.

Ebera, Ebra, Eberaha, Eberacum, Ebuacum, Eboracense monast., Everacensis: Ebrach (O-Franken), Deutschl.

Eberacum → Ebera

Eberaha → Ebera

Eberespergensis forestis → Ebarespergensis forestis

Ebernburgum (castr.): Ebernburg, Ruine (Bayern, RB. Pfalz), Deutschl.

Ebersberga, Ebersperga, Ebersburgum, Eburobergomum, Aprimons: Ebersberg (O-Bayern), Deutschl.

Ebersburgum → Ebersberga

Ebersperga → Ebersberga

Eberstacella: Eberstallzell (O-Österr.), Österr.

Eberstenium: Ebersteinburg, Ruine (Baden), Deutschl.
Eberstenium, Eberstinum: Eberstein (Kärnten), Österr.
Eberstinum → Eberstenium
Ebeshamenses thermae → Ebeshamum
Ebeshamum, Ebeshamenses thermae: Epsom (Surrey), Engl.
Ebilingua → Weibilinga
Ebillinum: Ayerbe (Huesca), Span.
Ebilsawa: Eibelsau (N-Österr.), Österr.
Ebinwilare: Ebenweiler (Württemberg), Deutschl.
Ebirsola: Oberebersol (Luzern), Schweiz.
Eblana portus → Dunkeranum
Eblanda → Dublana
Ebobium → Bobium
Ebodia, Evodia, Orniacum, Auriniaca, Ricina, Riduna: Alderney [Aurigny], Ins. (Kanalinseln), Großbritannien.
Ebodiae fretum: Race of Alderney, Meerenge zw. Alderney (Ins. d. Kanalinseln, Großbritannien) u. dem Festland (Manche, Frankr.).
Ebolum: Eboli (Salerno), Ital.
Eboracense monast. → Ebera
Eboracensis comit.: Yorkshire, Grafsch., Engl.
Eboracensis nova civ., Belgium novum, Novum Eboracum, Neoeboracum: New York, USA.
Eboracum: York (Yorkshire), Engl.
Eboreshemium → Aprimonasterium
Eborica, Eboricensis, Ebroicensis, Ebroicae, Ebroicum, Eburo, Mediolanum Eburovicum: Évreux (Eure), Frankr.
Eboricensis → Eborica
Eborobritum: Alcobaça (Estremadura), Portug.
Ebra: Burgebrach (O-Franken), Deutschl.
Ebra → Ebera
Ebraldi fons, Ebraldium, Evrandi fons, Evraldi fons, Clarus fons: Fontevrault-l'Abbaye (Maine-et-Loire), Frankr.
Ebraldium → Ebraldi fons
Ebredunum, Embrodunum, Eburodunum: Embrun (Hautes-Alpes), Frankr.
Ebrodunensis lacus, Eburodunensis lacus, Neocastrensis lacus, Neocomensis lacus: Lac de Neuchâtel [Neuenburger See, Lac d'Yverdon], See, Schweiz.
Ebrodunum, Eburodunum: Yverdon [Iferten, Ifferten] (Waadt), Schweiz
Ebrogilum → Ebrolium
Ebroicae → Eborica
Ebroicensis → Eborica
Ebroicum → Eborica
Ebrolium, Ebrolodunum, Ebrogilum: Ébreuil (Allier), Frankr.
Ebrolodunum → Ebrolium
s. Ebrulfi monast. → Uticum
Ebuacum → Ebera
Ebuda occidentalis, Leogus ins.: Isle of Lewis [Lewes, Lews, Isle of Lewis with Harris, Lewis and Harris], Ins. (Äußere Hebriden), Schottl.
Ebuda orientalis, Skia: Skye, Ins. (Innere Hebriden), Schottl.
Edudae → Aebudae insulae
Ebura → Audura
Eburo → Eborica
Eburobergomum → Ebersberga
Eburobrica → s. Florentini oppid.
Eburobriga, s. Florentini castr.: Saint-Florentin (Yonne), Frankr.
Eburodunensis lacus → Ebrodunensis lacus
Eburodunum → Ebredunum

Eburodunum → Ebrodunum
Eburodunum Quadorum → Brunna
Eburum → Olmuncia
Ecanum → Aequulanum
Eccenwilare: Eggenweiler bei Ettenkirch (Württemberg, Kr. Tettnang, Deutschl.
Ecclesbrae → Davium Sacellum
Ecclesiae: Iglesias (Sardinien), Ital.
Echa, Maseca, Maseum, Maslarium: Maaseik [Maeseyk] (Limburg), Belg.
Echabrunna: Echenbrunn (Bayern, RB. Schwaben), Deutschl.
Echecilla: Echzell bei Friedberg (Hessen), Deutschl.
Echedum: Nagyecsed [Ecsed] (Szabolcs-Szatmár), Ung.
Echinacha → Ankinaha
Echirichiswilare: Esseratsweiler bei Sigmaringen (Hohenzollern), Deutschl.
Echterna → Ganda
Eckesioea, Eckesium: Eksjö (Jönköping), Schwed.
Eckesium → Eckesioea
Ecla: Eickel [Wanne-Eickel] (Westfalen), Deutschl.
Ecmunda → Egmonda
Ecolesimus pagus → Engolismensis pag.
Ecolisina → Engolisma
Ecolisma → Engolisma
Ectodurum, Leutkircha, Leutkerka, Liutechilchi: Leutkirch (Württemberg), Deutschl.
Edcina, Idcina: Ézanville (Seine-et-Oise), Frankr.
Edelberga → Heidelberga
Edenburgum → Alata castra
Ederna → Adarna
Edinburgum → Alata castra
Edinum → Alata castra
Edmontium → Egmonda
s. **Edmundi burgus** → Faustini villa
Edrinus lacus, Idranus lacus: Lago d'Idro [Idrosee, Eridio] (Brescia), Ital.
Edrum → Idrinum
Eduense palatium → Augustodunum
Edulius mons: Monte Perdido [Mont Perdu], Berg in den Pyrenäen (Huesca), Span.
Effeldera: Effeltrich (O-Franken), Deutschl.
Efflaria → Eifla
Efternacense oppid. → Epternacum
Egabra → Agabra
Egara → Ergavica
Egea, Aegium: Aigion [Ägion, Bostitsa, Vostitsa] (Peloponnes), Griechenl.
Egerniacus lacus → Aegerius lacus
Egga: Egg (Zürich), Schweiz.
Eggenburga: Eggenburg (N-Österr.), Österr.
Egia → Iglovia
s. **Egidii vallis, Bochium:** Klosterbuch [Kl. Ilgenthal] bei Döbeln (Sachsen), Deutschl.
Egiditania → Igaeditanorum civ.
Egidora → Aegidora
Egilium: Isola del Giglio, Ins. (Toskan. Inseln), Ital.
Eginwilare: Eggenweiler (Baden, Kr. Überlingen), Deutschl.
Egisleba: Eßleben (U-Franken), Deutschl.
Egisvila: Eisdorf (Pr. Sachsen), Deutschl.
Egitania nova → Equitania
Eglinga: Egling (O-Bayern, Kr. Wolfratshausen), Deutschl.
Eglis, Aquilinus: Agly [Egly], Fl., Mü: Étang de Leucate (Pyrénées-Orientales), Frankr.
Eglisawia: Eglisau (Zürich), Schweiz.
Egmonda, Egmunda, Egmondia, Eg-

montium, Ecmunda, Ekmunda, Edmontium: Egmond Binnen u. Egmond aan de Hoef (N-Holland), Niederl.
Egmondia → Egmonda
Egmontium → Egmonda
Egmunda → Egmonda
Egolissima → Engolisma
Egolvinga: Egelfing (O-Bayern, Kr. Weilheim), Deutschl.
Egonum vicus → Vicohabentia
Egopolis, Keskemetensis: Kecskemét (Bács-Kiskun), Ung.
Egra: Cheb [Eger] (Böhmen), Tschechoslow.
Egra → Agara
Egri → Aegri
Egria → Agria
Egurrorum forum → Methymna sicca
Ehrenberti saxum: Ehrenbreitstein [Koblenz-Ehrenbreitstein], Fstg. (Rheinprovinz), Deutschl.
Ejauno → Eauna
Eibilinga → Albianum
Eicha: Aich bei Eggen (O-Bayern), Deutschl.
Eicha: Eichham (O-Bayern), Deutschl.
Eicha → Aecha
Eicha, De Quercu: Eich bei Burglengenfeld (O-Pfalz), Deutschl.
Eichaha: Eichach (Württemberg), Deutschl.
Eichaha, Aicha: Eichen bei Herbertingen (Württemberg), Deutschl.
Eichalda: Eichhalde (Baden), Deutschl.
Eichana: Eich (Hessen, Kr. Worms), Deutschl.
Eichsfeldia: das Eichsfeld, Landsch. (Pr. Sachsen u. Hannover), Deutschl.
Eichstadium → Aichstadium
Eichstetensis eccl. → Aichstadium
Eichstetium → Aichstadium
Eidera → Aegidora
Ejecta, Essexia, Trinobantium regio: Essex, Grafsch., Engl.
Eiffalia → Eifla
Eiffaliae monast., Eiffliae monast., Monasterium, Monasterium Eiffliae, Niumonasterium: Münstereifel (Rheinprovinz), Deutschl.
Eiffila → Eifla
Eifflia → Eifla
Eiffliae monast. → Eiffaliae monast.
Eifla, Eiflia, Eiffalia, Eiffila, Eifflia, Efflaria, Eiphla: die Eifel, Landsch. u. Geb. (Rheinprovinz), Deutschl.
Eiflia → Eifla
Eihistatense coenob. → Aichstadium
Eilenburgum, Ilenburgum: Eilenburg (Pr. Sachsen), Deutschl.
Eiloha: Großeichen (Hessen), Deutschl.
Eimeno: Aa, Fl., Mü: Ärmelkanal (Pas-de-Calais), Frankr.
Eimscherna → Amsara
Eindovia: Eindhoven (N-Brabant), Niederl.
Einrichi pag., Henrici pag.: „Heinrich"-Gau, eh. Gau sdl. d. unteren Lahn (Hessen-Nassau), Deutschl.
Einsidla → Meginradi cella
Einsilda → Meginradi cella
Eiphla → Eifla
Eipilinga → Weibilinga
Eisacus → Atagis
Eisenberga → Eiseoberga
Eisenstadium → Ferreum castrum
Eiseoberga, Eisenberga, Ferreus mons, Isenberga: Eisenberg (Thüringen), Deutschl.
Eistavensis → Staviacum
Eisteta → Aichstadium

Eittera, Eitthera: Eitra, (Hessen-Nassau), Deutschl.
Eitthera: Eiteren (Utrecht), Niederl.
Eitthera → Eittera
Ekanscetha, Ekonsceda: Eicherscheid (Rheinprovinz, Kr. Monschau), Deutschl.
Ekka: Egg a. d. Günz (Bayern, RB. Schwaben), Deutschl.
Ekka: Königsegg, Schloß bei Hosskirch (Württemberg), Deutschl.
Ekmunda → Egmonda
Ekonsceda → Ekanscetha
Elaniticus sinus → Aelaniticus sinus
Elaris → Elauris
Elarono → Olerona
Elauris, Elaris, Helerius: Allier, Nfl. d. Loire (Nièvre), Frankr.
Elaveris pons → Pontarlium
Elbangum → Elbinga
Elberfeldia: Elberfeld [Wuppertal-Elberfeld] (Rheinprovinz), Deutschl.
Elbii lacus → Ciminius lacus
Elbii vicus: Vico nel Lazio (Frosinone), Ital.
Elbinca → Elbinga
Elbinga, Elbingus, Elbinca, Elbangum, Elbingense castr.: Elbing [Elbląg] (O-Preußen, RB. W-Preußen), Deutschl.
Elbingense castr. → Elbinga
Elbingus: Elbing [Elbingfluß, Elbląg], Fl., Mü: Frisches Haff (O-Preußen, RB. W-Preußen), Deutschl.
Elbingus → Elbinga
Elbora → Dippo
Elbovium, Ellebovium: Elbeuf (Seine-Maritime), Frankr.
Elcebus, Helvetum: Ehl (Bas-Rhin), Frankr.
Elcechum → Auclacum
Eldana, Saldania: Saldaña (Palencia), Span.
Eldora → Aegidora
Electa → Alecta
Electria, s. Mandrachi ins.: Samothraki [Samothrake, Semadirek], Ins. (Thrakisches Meer), Griechenland.
Elegium: Erlach (N-Österr.), Österr.
Elenwangensis urbs → Elewanga
Elephanta: Gharapuri, Ins. bei Bombay, Indien.
Elephantiacum → Elewanga
s. Elerii fanum: Saint Helier [Saint-Hélier] auf Jersey (Kanalinseln), Engl.
Eletisa → Bletisa
Eleutheropolis, Freistadium: Freystadt [Kożuchów] (N-Schlesien), Deutschl.
Eleutheropolis ad Vagum, Galgocinum, Palgocium: Hlohovec [Freistadtl, Freystadtl, Frakštat, Galgóc] (Slowakei), Tschechoslow.
Eleutheropolis Tessinensis, Freistadium: Fryštát [Freistadt, Frysztat] (Schlesien), Tschechoslow.
Elewanga, Elewangense monast., Elenwangensis urbs, Ellwanga, Elephantiacum: Ellwangen (Württemberg), Deutschl.
Elewangense monast. → Elewanga
Elfertunum: Northallerton (Yorkshire), Engl.
Elgina, Elgis: Elgin (Morayshire), Schottl.
Elgis → Elgina
Elgoranus: Ghagra [Ghaghara, Gogra, Sardschu], Nfl. d. Ganges (Bihar), Indien.
Elgovia, Eligovia, Sacer pag., Augia sacra: Elgg (Zürich), Schweiz.
Elia, Helia: Ely (Cambridgeshire), Engl.

Eligovia → Elgovia
Eligovia → Levinia
Elimberrum → Augusta Auscorum
Elinza: Neckarelz (Baden), Deutschl.
Eliocrata, Eliocroca: Lorca (Murcia), Span.
Eliocroca → Eliocrata
Elisana: Lucena (Córdoba), Span.
Elisantia → Alisatia
Elisatia → Alisatia
Elisatium → Alisatia
Elisatus → Alisatia
Elisgaudium → Alsgaugensis pag.
Elisgaugium → Alisatia
Elisgaugium → Alsgaugensis pag.
Elisungi: Niederelsungen (Hessen-Nassau), Deutschl.
Elixoia → Curonensis peninsula
Elizatium, Salecio, Salesia, Salusia, Selsa, Celsa, Salsa Rhenana, Seletio: Seltz [Selz] (Bas-Rhin), Frankr.
Ella, Alsa, Ellus, Illa, Ylla: Ill, Nfl. d. Rheins (Bas-Rhin), Frankr.
Ellebogium → Malmogia
Ellebovium → Elbovium
Ellesponticum brachium s. Georii → Hellespontus
Ellespontum → Hellespontus
Ellestra → Elstra
Ellinwilare: Ellenweiler bei Oppenweiler (Württemberg), Deutschl.
Ellus → Ella
Ellwanga → Elewanga
Elmaha: Elm [Elmbach], Nfl. d. Kinzig (Hessen-Nassau), Deutschl.
Elmantica → Salamantica
Elmena → Helmana
Elmeri civ.: Helmershausen (Thüringen), Deutschl.
Elna: Liane, Fl., Mü: Ärmelkanal (Pas-de-Calais), Frankr.
Elna, Helenensis civ.: Elne (Pyrénées-Orientales), Frankr.
Elnesowa: Elsau (Zürich), Schweiz.
Elno → Amandopolis
Eloro → Olerona
Elricum: Ellrich (Pr. Sachsen), Deutschl.
Elsacinsis → Alisatia
Elsenora, Helsingora: Helsingør (Seeland), Dänem.
Elsingburgum, Helsingoburgum, Helsinga: Helsingborg [Hälsingborg] (Malmöhus), Schwed.
Elsinpacensis vicus: Elsenbach (O-Bayern), Deutschl.
Elstera → Elstra
Elstra → Alstra
Elstra, Alstra, Ellestra, Elstera, Elyster, Helhestra: Weiße Elster, Nfl. d. Saale (Pr. Sachsen), Deutschl.
Eltenum → Eltnae
Elti: Eelde (Drente), Niederl.
Eltnae, Altena, Altinae, Altinensis, Altinis, Eltenum, Eltnensis: Hochelten (Rheinprovinz), Deutschl.
Eltnensis → Eltnae
Eltzia: Elz (Hessen-Nassau), Deutschl.
Elusa: Eauze (Gers), Frankr.
Elusio, Elusum: Luz-Saint-Sauveur (Hautes-Pyrénées), Frankr.
Elusum → Elusio
Elva → Asalpha
Elva → Helvae
Elyster → Elstra
Elza, Alantia: Elz, Nfl. d. Neckar (N-Baden), Deutschl.
Elzium → Aulica
Emaus, Amans, Amansensis vicus, Esmantia: Amance (Haute-Saône), Frankr.
Embasis, Emsia: Ems [Bad Ems] (Hessen-Nassau), Deutschl.
Embdanus comit., Frisia orientalis:

Ostfriesland, Landsch. (Hannover), Deutschl.
Embrecha villa → Embrica
Embrica, Embrecha villa, Embricensis, Emerica, Emmericum: Emmerich (Rheinprovinz), Deutschl.
Embricensis → Embrica
Embrikni: Hochemmerich (Rheinprovinz), Deutschl.
Embrium: Ems [Domat] (Graubünden), Schweiz.
Embrodunum → Ebredunum
Emda: Westeremden (Groningen), Niederl.
Emda, Emetha: Emden (Hannover), Deutschl.
Emelia: Emly (Co. Tipperary), Eire.
Emerica → Embrica
Emesa → Amisus
Emesgoa, Emisga, Emesgones, Emesgonia: Emsland [Emsgau], Landschaft u. eh. Gau a. d. mittleren u. unteren Ems (Hannover, Westfalen), Deutschl.
Emesgones → Emesgoa
Emesgonia → Emesgoa
Emetha → Emda
Emilia, Amelia: Emilia, Landsch. (Emilia-Romagna), Ital.
Emilii civ. → Amilianum
Emisga → Emesgoa
Emma, Emmana, Amma: Emme [Große Emme, Emmat, Emmen], Nfl. d. Aare (Solothurn), Schweiz.
Emmana → Emma
Emmanae vallis → Ammae vallis
Emmera → Ambra
Emmericum → Embrica
Emna → Grona
Emonensis civ. → Corcoras
Empna → Grona
Emporiae, Aragonense castr.: Castel Sardo [Castellaragonese] (Sardinien), Ital.
Emporiae, Castilio: Castellón de Ampurias (Gerona), Span.
Emporium Arabiae: Al Mukalla [Macula, Makalla] (Hadramaut), Protekt. Aden.
Emporium Avalites: Zeila a. Golf v. Aden, Somalia.
Emsia → Embasis
Emula, Cornelii forum, Ymula: Imola (Bologna), Ital.
Enasa → Anassianum
Enasa → Anesus
Enchiriacus vicus: Enkirch (Rheinprovinz), Deutschl.
Enchusa, Enchusia, Enkusa: Enkhuizen (N-Holland), Niederl.
Enchusia → Enchusa
Encopia → Enecopia
Endena vallis, Caput Oeni, Engadi vallis, Japodum vallis: Engadin [Engiadina], Landsch. (Graubünden), Schweiz.
Endensis ecclesia → s. Cornelii monast.
Endinga: Endingen (Baden), Deutschl.
Eneberges, Enna, Marubio: Marebbe [Enneberg] (Bozen), Ital.
Enecopia, Encopia: Enköping (Uppsala), Schwed.
Enesis → Anesus
Enesus → Anassianum
Enesus → Anesus
Engadi vallis → Endena vallis
Engelhartescella → Angelorum cella
Engelheima → Engolisma
Engi: Engen (Baden), Deutschl.
Engillinis willare: Englisweiler bei Steinhausen (Württemberg), Deutschl.
Engolisena → Engolisma
Engolisma, Aequolesima, Angolisma, Aquelina, Aquesina, Aquilesina,

Ecolisina, Ecolisma, Egolissima, Engelheima, Engolisena, Equolesima, Inculisma, Ratiastum: Angoulême (Charente), Frankr.
Engolismensis pag., Ecolesimus pag., Inculismensis pag.: Angoumois, eh. Grafsch. (Charente), Frankr.
Enjedinum → Enyedinum
Eningia → Femingia
Enkina → Ankinaha
Enkinaha → Ankinaha
Enkusa → Enchusa
Enna → Eneberges
Enna, Anni castra: Enna [Castrogiovanni] (Enna), Ital.
Ennanta: Ennenda (Glarus), Schweiz.
Enosis, Aenosia: Sant 'Antioco, [Isola di Sant 'Antioco], Ins. (Mittelmeer) vor Sardinien, Ital.
Ensdorfense monast. → Ensdorfium
Ensdorfium, Ensdorfense monast., Ensdorpium: Ensdorf (O-Pfalz), Deutschl.
Ensdorpium → Ensdorfium
Enshemium → Ensishemium
Ensigausium, Icidmagus, Illigusium: Yssingeaux (Haute-Loire), Frankr.
Ensishemium, Enshemium, Urunca: Ensisheim (Haut-Rhin), Frankr.
Ensium civ. → Anassianum
Enus → Oenus
Enyedinum, Agnettinum, Enjedinum, Nagy-Enyedinum: Aiud [Nagyenjed, Strassburg] (Siebenbürgen), Rumän.
Eona → Eauna
Epagris: Andros, Ins. (Kykladen), Griechenl.
Epamantadurum: Mandeure (Doubs), Frankr.
Epauna, Epaunensis, Epona, Eponensis, Palenza, Palum: Pau (Basses-Pyrénées), Frankr.
Epaunensis → Epauna
Eperiae, Aperiascio, Aperiessium, Eperiesinum: Prešov [Eperies, Eperjes, Preschau] (Slowakei), Tschechoslow.
Eperiesinum → Eperiae
Epftirnacha → Epternacum
Ephterniacum → Epternacum
Epiacum → Apsiacum
Epidaurus → Rhaugia
Epidelium promont.: Kap Kamilion [Akroterion Kamelion], Vorgeb. (Peloponnes), Griechenl.
Epidium, Ilea: Islay [Isla], Ins. (Innere Hebriden), Schottl.
Epidium promont., Cantierae rostrum: The Mull of Kintyre, Vorgeb. (Argyllshire), Schottl.
Epidorensis praefectura, Eyderstadia: Eiderstedt, Landsch. u. Halbins. (Schleswig-Holstein), Deutschl.
Epimia → Epiphania
Epinaburgum, Biburgum: Biburg (N-Bayern, Kr. Kelheim), Deutschl.
Epiphanea, Epiphania Ciliciae: Gözhane (Seyhan), Türkei.
Epiphania, Epimia, Epiphania Syriae: Hama (Hama), Syrien.
Epiphania Ciliciae → Epiphanea
Epiphania Syriae → Epiphania
Episcopalis cella, Episcopi cella: Bischofszell (Thurgau), Schweiz.
Episcopalis mons, Episcopi mons, Suppyhora castrum: Letohrad [Geiersberg, Kyšperk, Supý Hora] (Böhmen), Tschechoslow.
Episcopatus → Vescovatum
Episcopi castr.: Bishops Castle (Shropshire), Engl.
Episcopi cella → Episcopalis cella
Episcopi fons, Burla Fontana: Fontaine-l'Évêque (Hennegau), Belg.
Episcopi insula: Bischofswerda (Sachsen), Deutschl.

Episcopi mons: Frauenberg, Berg bei Hersfeld (Hessen-Nassau), Deutschl.
Episcopi mons → Episcopalis mons
Episcopi mons, Aviscus mons: Évècquemont (Seine-et-Oise), Frankr.
Episcopi pons: Pont-l'Évêque (Calvados), Frankr.
Episcopi villa: Bischwiller [Bischweiler] (Bas-Rhin), Frankr.
Episcopi villa: Bresles (Oise), Frankr.
Episcopi villa, Arborella: L'Arbresle (Rhône), Frankr.
Epitalium, Zonchium: abgeg. bei Agoulinitsa (Peloponnes), Griechenl.
Epoissum → Cariniacum
Epona → Epauna
Epona → Pferinga
Eponensis → Epauna
Epora: Montoro (Córdoba), Span.
Eporedia → Iporegia
Eporediensis → Balneum regis
Eporegia → Iporegia
Eposium → Cariniacum
Eppficha → Apsiacum
Epternacum, Absternacum, Adertauna, Aefternacum, Aefterneca, Andethannae, Efternacense oppid., Epftirnacha, Ephterniacum, Epternacus: Echternach, Luxemburg.
Epternacus → Epternacum
Eptiacum: Ober- u. Untereppach (Württemberg), Deutschl.
Epusum → Cariniacum
Equestris colonia → Neodunum
Equestrium civ. → Neodunum
Equitania, Egitania nova: Idanha-a-Nova (Beira Baixa), Portug.
Equolesima → Engolisma
Eraldium castrum → Heraldi castell.
Eravus → Arauraris
Erbenwilare: Erbenweiler (Württemberg), Deutschl.
Erbuni → Eroanum
Ercariaco → Erchrecum
Ercheco → Erchrecum
Ercherego villa → Erchrecum
Erchrecum, Ercariaco, Ercheco, Ercherego villa: Achery (Aisne), Frankr.
Ercojena → Aera
Ercta mons: Monte Pellegrino, Berg (Palermo), Ital.
Ercuriacum: Écly (Ardennes), Frankr.
Ercuriacum → Ribodi mons
Erdodium: Ardead [Arded, Ardud, Erdöd] (Kreischgebiet), Rumän.
Erebantium promont., Errebantium promont.: Kap Testa [Capo Testa], Vorgeb. (Sardinien), Ital.
Eremus Deiparae matris monast. → Meginradi cella
Ereneum: Ernée (Mayenne), Frankr.
Eresburgum, Aerisburgum, Arisburgum, Erisburgo, Erisburgum, Heresburgum, Herisburgo: Obermarsberg (Westfalen), Deutschl.
Erfesfurdum → Erfordia
Erfordia, Erfesfurdum, Erfurtum, Erphurta, Erphesfurtum, Herbsfordia: Erfurt (Pr. Sachsen), Deutschl.
Erfurtum → Erfordia
Ergavica, Egara, Latae aquae: Igualada (Barcelona), Span.
Ergitia → Argenza
Eriboea → Crua
Eribolum, Heraclea Pontica: Ereğli [Bender Ereğli, Bendereğli, Eregri, Erekli, Harakly] (Zonguldak), Türkei.
Erichinga: Erching bei Hallbergmoos (O-Bayern), Deutschl.

Erichinga: Langdorf (Thurgau), Schweiz.
Ericinum: Osilo (Sassari), Ital.
Ericus portus, Erycis portus: Lerici (La Spezia), Ital.
Eridanus: Radaune [Radunia], Nfl. d. Mottlau [Motlawa] (Danzig), Polen.
Eridanus → Bodincus
Erigena → Aera
Erigon → Nestus
Erila → Erla
Erisburgo → Eresburgum
Erisburgum → Eresburgum
Erkenholteswilare: Ergetsweiler bei Fronhofen (Württemberg), Deutschl.
Erla → Erlacum
Erla, Erila, Erlaha, Herla: Erla (N-Österr., PB. St. Pölten), Österr.
Erlacensis vicus → Erlacum
Erlacum, Erla, Erlacensis vicus, Herilacum: Erlach [Cerlier] (Bern), Schweiz.
Erlae, Herla: Erla (N-Österr., PB. Amstetten), Österr.
Erlafa → Erlaphus
Erlaha → Erla
Erlanga: Erlangen (M-Franken), Deutschl.
Erlaphus, Erlafa, Arlapa: Große Erlauf [Große Erlaf], Nfl. d. Donau (N-Österr.), Österr.
Ermslebia: Ermsleben (Pr. Sachsen), Deutschl.
Ernaginum, Arnago: Saint-Gabriel bei Tarascon (Bouches-du-Rhône), Frankr.
Ernerensis urbs: Eenrum (Groningen), Niederl.
Ernodunum → Exelodunum
Ernolatia, Hospitale in Pyrno: Spital am Pyhrn (O-Österr.), Österr.
Ernus lacus → Dernus lacus
Eroanum, Erbuni, Terva, Tibium: Jerevan [Eriwan, Erewan] (Armen. SSR), UdSSR.
Erpachium: Erbach im Odenwald (Hessen), Deutschl.
Erpha: Herpf (Thüringen), Deutschl.
Erphesfurtum → Erfordia
Erphurta → Erfordia
Errebantium promont. → Erebantium promont.
Erroris ins.: Alboran, Ins. (zw. Span. u. Marokko), Span.
Erubris, Rubora: Ruwer, Nfl. d. Mosel (Rheinprovinz), Deutschl.
Eruodunum: Saint-Ambroix (Gard), Frankr.
Erycis portus → Ericus portus
Erythropolis, Robya: Rødby (Lolland), Dänem.
Esara → Isara
Esca: Esk, Fl., Mü: Solway Firth (Co. Cumberland), Engl.
Esca: North u. South Esk, Flüsse, Mü: Nordsee (Co. Angus), Schottl.
Escarliae (monast.), Scarleiae: Les Écharlis, Kl. bei Villefranche (Yonne), Frankr.
Escha: Hochdorf (Luzern), Schweiz.
Escheda, Esta: Este, Nfl. d. Elbe (Hannover), Deutschl.
Escia: Eskdale, Landsch. (Dumfriesshire), Schottl.
Esco: abgeg. bei Kempten (Bayern, RB. Schwaben), Deutschl.
Esconia → Estonia
Escovium, Escuina, Itiscoana, Scoa: Écouen (Seine-et-Oise), Frankr.
Escuina → Escovium
Escuriacum monast., Escuriale monast., Scoriacum, Scoriale monast., Scorialense monast.: El Escorial (Madrid), Span.

Escuriale monast. → Escuriacum monast.
Escus, Oescus: Gigen (Pleven), Bulg.
Escus, Oescus, Oesus: Iskŭr [Isker, Iskăr], Nfl. d. Donau (Pleven), Bulg.
Esena, Esenae: Esens (Hannover), Deutschl.
Esenae → Esena
Esginga → Doneschinga
Esia → Oesia
Esilinga, Ezelinga, Ezzilinga: Esslingen a. Neckar (Württemberg), Deutschl.
Esmantia: Amance (Aube), Frankr.
Esmantia → Emaus
Esna, Ascinium, Esnensis vicus: Eesen (W-Flandern), Belg.
Esnensis vicus → Esna
Espernacum → Sparnacum
Espinoium → Spinetum
Esseium → Axa
Esselinga: Eßlingen (Zürich), Schweiz.
Essendia → Astnidensis civ.
Essendiensis civ. → Astnidensis civ.
Essexia → Ejecta
Essium → Aesium
Essona, Exona: Essonne, Nfl. d. Seine (Seine-et-Oise), Frankr.
Essona, Exona: Essonnes [Corbeil-Essonnes] (Seine-et-Oise], Frankr.
Esta → Escheda
Estensis marchionatus: Este, Markgrafsch. (Padua), Ital.
Esteva → Staviacum
Estia palus → Dummera lacus
Estiensis terra → Estonia
Estionum mons: Steinwald, Berg bei Feldkirch (Vorarlberg), Österr.
Estlandia → Estonia
Estola: Esla, Nfl. d. Duero (León), Span.
Estonia, Aisti, Esconia, Estiensis terra, Estlandia, Lealensis terra, Ystenses: Estland [Eesti, Estonia], Teil d. UdSSR.
Estriacum: Étréchy (Cher), Frankr.
Estrici: abgeg. bei Brunnkirchen (N-Österr.), Österr.
Esula → Bruttiorum ins.
Esuris → Aiamontinum
Ethereus mons → Serenus mons
Ethi, Hechti: Echte (Hannover), Deutschl.
Ethrina → Adarna
Etilinga: Ettling (N-Bayern), Deutschl.
Etobema, Segorvia: Segorbe (Castellón-de-la-Plana), Span.
Etocetum → Lichfeldum
Etona → Aetonia
Ettelinga → Ettlinga
Ettenheimense monast.: Ettenheimmünster (Baden), Deutschl.
Ettenhemium: Ettenheim (Baden), Deutschl.
Ettenhemium, Ettonis monast., Hattonis castr.: Hattonchâtel (Meuse), Frankr.
Ettersburgum: Ettersburg (Thüringen), Deutschl.
Ettlinga, Ettelinga: Ettlingen (Baden), Deutschl.
Ettonis monast. → Ettenhemium
Euanthia, Oeanthia: Galaxidion [Galaxidi] (Sterea Hellas), Griechenl.
Euchaites, Theodoropolis: Merzifon [Marsivan] (Amasya), Türkei.
Euganea vallis → Ausugii vallis
Eugenii ins.: Inishowen [Inis Eoghain], Halbins. (Co. Donegal), Eire.
s. Eugenii vicus: Saint-Héand (Loire), Frankr.
Eugubium → Augubium

s. Eulaliae fanum: Santa Olalla (Huelva), Span.
Eumenia: Omegna (Novara), Ital.
Eura → Uraha
Euracum palat. → Luriae castr.
Eurae castr.: Yèvre-le-Chatel (Loiret), Frankr.
Eustadium → Aichstadium
s. Eutropii fanum, s. Tropetis fanum: Saint-Tropez (Var), Frankr.
Evahonium: Évaux-les-Bains (Creuse), Frankr.
Evelinus mons → Alpes summae
Everacensis → Ebera
Everha: Hohenebra (Thüringen), Deutschl.
Eversberga: Eversberg (Westfalen), Deutschl.
Evessia: Évrecy (Calvados), Frankr.
Evodia → Ebodia
Evonium, Stephanodunum: Dunstaffnage Castle, Ruine (Argyllshire), Schottl.
Evosium → Cariniacum
Evraldi fons → Ebraldi fons
Evrandi fons → Ebraldi fons
Evremodium: Envermeu (Seine-Maritime), Frankr.
Evus → Aereus
Ewisteti → Austeti
Excestria → Exonia
Excubiae: Scurcola (L'Àquila), Ital.
Exelodunum, Anxellodunum, Auxellodunum, Ernodunum, Exoldunum, Exsoldunum, Issoldunum, Ossoldunum: Issoudun (Indre), Frankr.
Exidolium: Exideuil (Charente), Frankr.
Exilissa → Septa
Exitanorum oppid., Menoba: Vélez-Málaga (Málaga), Span.
Exoldunum → Exelodunum
Exona → Essona
Exonia, Excestria, Isca Dumnoniorum: Exeter (Devonshire), Engl.
Exsoldunum → Exelodunum
Externum mare, Atlanticus oceanus, Occidentalis oceanus, Oceanus: Atlantischer Ozean [Atlantic Ocean, Océan Atlantique, Oceano Atlantico].
Extrema, Stremontium: Estremoz (Alto Alementejo), Portug.
Extrema Durii, Extremadura Lusitaniae: Estremadura, Landsch. u. Pr., Portug.
Extrema Minii → Portugallia interamnensis
Extremadura Castellana → Betonia
Extremadura Legionensis → Betonia
Extremadura Lusitaniae → Extrema Durii
Eyderstadia → Epidorensis praefectura
Ezelinga → Esilinga
Ezerus lacus: Limni Jiannitson [Límnē Giannitsōn. Jenidže Göl], eh. See bei Giannitsá [Jiannitsa] (Pella), Griechenl.
Eziacum: Ézy-sur-Eure (Eure), Frankr.
Ezzilinga → Esilinga

F

Fabaria, Ad Fabarias, Fabarium, Favares, Favaria, Favarium: Pfäfers (St. Gallen), Schweiz.
Fabarium → **Fabaria**
Fabia prisca → Serpensis civ.
Fabirana Saxonum → Brema
Fabiranum → Brema
Fabiranum → Fabrianum
Fabrianum, Fabiranum: Fabriano (Ancona), Ital.
Faciniacum, Falciniacum, Fociniacensis pag., Fociniacum, Focunatium, Fossiniacum, Fossigniacus tractus: Faucigny, Landsch. (Haute-Savoie), Frankr.
Facum: Vake (O-Flandern), Belg.
s. Facundi coenob.: Sahagún (León), Span.
Faenteium: Fanas (Graubünden), Schweiz.
Faeroae insulae, Faeroenses insulae: Färöer [Færøerne, Fóroyar], Inseln zw. Island u. Schottl.
Faeroenses insulae → Faeroae insulae
Fagonia → Buchonia
Fagonis villa → Fagonium
Fagonium, Fagonis villa: Felsberg [Favugn] (Graubünden), Schweiz.
Fagus: Foug (Meurthe-et-Moselle), Frankr.
Falaba → Valva
Falaria: Falerone (Ascoli Piceno), Ital.
Falaria: Fellers [Falera] (Graubünden), Schweiz.
Falasa, Falaza, Falesia: Falaise (Calvados), Frankr.
Falaza → Falasa
Falchonaha: Falken (Pr. Sachsen), Deutschl.
Falciniacum → Faciniacum
Falcobergum, Falkenberga: Fauquembergues (Pas-de-Calais), Frankr.
Falcoburgum: Falkenburg [Złocieniec] (Pommern), Deutschl.
Falcomontium: Falkenberg [Niemodlin] (O-Schlesien), Deutschl.
Falconis mons: Montfaucon (Aisne), Frankr.
Falconis mons → Tectensis pag.
Falconis petra: Falkenstein (Bayern, RB. Pfalz), Deutschl.
Falcopia: Falköping (Skaraborg), Schwed.
Falcostenium: Falkenstein (Sachsen), Deutschl.
Faldera → Novum monast.
Faleba → Valva
Falesia → Falasa
Falisca, Faliscum, Flascis, Flasconis vicus: Fläsch (Graubünden), Schweiz.
Faliscorum mons, Fiasconus mons, Flasconus mons, Phisconus mons, Physcon mons: Montefiascone (Viterbo), Ital.
Faliscum → Falisca
Falkebor → Tectensis pag.
Falkenberga → Falcobergum
Falmenia → Falmiensis pag.
Falmiensis pag., Falmenia: Famenne, Landsch. (Luxemburg, Namur), Belg.
Falmuthum, Cenionis oppid., Cenonis ostium, Valemuthum, Valmotum, Voliba, Volubae portus: Falmouth (Co. Cornwall), Engl.
Falstra: Falster, Ins. Dänem.
Falufelda: Vahlefeld (Westfalen), Deutschl.

Fama Augusta, Amagusta: Famagusta, Zypern.
Fananum: Fanano (Modena), Ital.
Fanari: Groß- u. Kleinfahner (Thüringen), Deutschl.
Fanarum, Phanaria: Phanari (Preveza), Griechenl.
Fanesiorum ins. → Julina ins.
Fania, Fania silva: La Fagne, Landsch. (Hennegau, Namur), Belg.
Fania silva → Fania
Faniae: Hohes Venn [Hautes Fagnes], Geb., Deutschl. u. Belg.
Faniolum, Jovis fan.: Fanjeaux (Aude), Frankr.
Fanis: Fains-la-Folie (Eure-et-Loir), Frankr.
Fara, Ferra: La Fère (Aisne), Frankr.
Faraemonasterium, Farense monast., Brigense monast.: Faremoutiers (Seine-et-Marne), Frankr.
Fardensis → Fardium
Fardium, Fardensis, Fardunensis, Ferda, Ferdi, Ferdia, Fereda, Freda, Phardum, Tuliphurdum, Vardunum, Verda, Verdensis, Verdia, Werdunum: Verden a. d. Aller (Hannover), Deutschl.
Fardunensis → Fardium
Farense monast. → Faraemonasterium
Fargaha → Vargila
Fargalaha → Vargila
Fargila → Vargila
Farila → Vargila
Farinaria in Heinoavio: Les Moulins (Nord), Frankr.
Faringa → Pferinga
Fariti → Variti
Farnesia, Farnesium castr.: Farnese (Viterbo), Ital.
Farnesium castr. → Farnesia
Farria ins. → Sacra ins.
Fascia vallis: Val di Fassa [Fassa tal], Landsch. (Trient), Ital.
Fasna: Vaasen (Gelderland), Niederl.
Faucenae → Fauces
Faucense oppid. → Fauces
Fauces: Fützen (Baden), Deutschl.
Fauces, Abdiacum, Faucenae, Faucense oppid., Fiessense oppid., s. Magni coenob.: Füssen (Bayern, RB. Schwaben), Deutschl.
Fauces Caudinae → Furculae Caudinae
Fauces Noricorum → Schadwienna
Fauces Pertusae: Col de Pertus [Collado del Perthus] (Pyrénées-Orientales; Pr. Gerona), Frankr. u. Span.
Faustini villa, s. Edmundi burgus: Bury St. Edmunds (Co. Suffolk), Engl.
Favares → Fabaria
Favaria → Fabaria
Favarium → Fabaria
Faventia: Faenza (Ravenna), Ital.
Faventia: Fayence (Var), Frankr.
Faventia Hosca → Calicula
Favianae → Mutarensis civ.
Favianis oppid. → Mutarensis civ.
Favonii portus: Favone (Korsika), Frankr.
Fearnum, s. Maidoci fanum: Fearn (Co. Ross and Cromarty), Schottl.
Febiana castra → Bebenhusa
Federgewe → Federitga
Federitga, Federgewe: eh. Gau, umf. etwa d. Krummhörn u. Brokmerland in O-Friesland (Hannover), Deutschl.
Felaowa → Velua
Feldkircha, Feldkiricha, Veldkir-

chium, Velcuria, Valcircum, Ad Campos: Feldkirch (Vorarlberg), Österr.
Feldkiricha → Feldkircha
Felepa → Vellepo
Felinia → Felmia
Felinum → Vellinum
Felix porta: Seligenporten (O-Pfalz), Deutschl.
Fellae pons: Pontebba [Pontefella] u./od. Pontafel [aufgeg. in Pontebba] (Udine), Ital.
Felmia, Felinia: Felenne (Namur), Belg.
Felsica: Velzeke [Velzeke-Ruddershove] (O-Flandern), Belg.
Felsina → Bolonia
Feltchrucha: Felda, Nfl. d. Ohm (Hessen-Nassau), Deutschl.
Felua → Velua
Felum → Velua
Femera, Cimbria parva, Fimbria, Imbra: Fehmarn, Ins. (Ostsee), Deutschl.
Femingia, Eningia, Fenmingia, Finlandia, Finnia, Finnonia, Venedia: Finnland [Finland, Suomi].
Fenacum → Wasnacha
Fenmingia → Femingia
Fenni: Vinn bei Moers (Rheinprov.), Deutschl.
Fera vallis, Ferrea vallis: Valle di Fraele [Freeltal] (Sondrio), Ital.
Ferda → Fardium
Ferdi → Fardium
Ferdia → Fardium
Ferdinandi ins., Fernandi ins.: Isla de Fernando Póo, Ins. (Atlantik, Golf v. Biafra).
Fereda → Fardium
Ferena: Verna (Hessen-Nassau), Deutschl.
Fereoli oppid., s. Ferrioli oppid.: Saint-Fargeau (Yonne), Frankr.
Feretrus mons: Macerata Feltria (Pesaro e Urbino), Ital.
Fergunna → Miriquidni
Fergussii scopulus → Rupes Fergusii
Feringa → Pferinga
Feritas Alesii, Feritas Balduini, Firmitas Adelheidis, Firmitas Alesia, Firmitas Balduini: La Ferté-Alais (Seine-et-Oise), Frankr.
Feritas Aureni, Firmitas Aureniensis: La Ferté-Beauharnais (Loir-et-Cher), Frankr.
Feritas Balduini → Feritas Alesii
Feritas Milonis, Firmitas Milonis: La Ferté-Milon (Aisne), Frankr.
Fermanagensis comit.: Fermanagh, Grafsch., N-Irland.
Fermesum: Farmsum (Groningen), Niederl.
Fernambocum, Recifensis: Recife [Pernambuco] (Pernambuco), Brasilien.
Fernandi ins. → Ferdinandi ins.
Ferneium: Ferney [Ferney-Voltaire] (Ain), Frankr.
Feroniae fanum: Pietrasanta (Lucca), Ital.
Ferra → Fara
Ferrandi mons: Montferrand (Drôme), Frankr.
Ferranus comit. → Suentensis pag.
Ferraria: Ferrara (Ferrara), Ital.
Ferrariae: La Ferrière-Airoux (Vienne), Frankr.
Ferrariae, Ferrarium monast., Segestae aquae: Ferrières [Ferrières-en-Gâtinais] (Loiret), Frankr.
Ferrarium monast. → Ferrariae
Ferrarius portus → Argous portus
Ferrata, Ferreta, Ferretae, Ferretum, Pferretae, Pfirretum, Pfyreta, Phiretum: Ferrette [Pfirt] (Haut-Rhin), Frankr.
Ferratus mons, Montis ferrati mar-

chionatus: Monferrato [Montferrat], Landsch. u. eh. Markgrafsch. (Piemont), Ital.

Ferrea porta: Eisernes Tor [Großes Eisernes Tor, Porţile de Fier, Gvozdena vrata, Železna vrata], Strompaß (Donau) wstl. Turnu Severin, Rumän. u. Jugoslaw.

Ferrea porta → Pylae Albanicae

Ferrea porta, Vascapum: Eisernes Tor [Porţile de Fier, Poarta de Fier a Transilvaniei, Vaskapu], Paß sw. Hunedoara [Eisenmarkt] (Siebenbürgen), Rumän.

Ferrea vallis → Fera vallis

Ferrera: Ferrières (Haute-Savoie), Frankr.

Ferrera: Ferrières (Tarn), Frankr.

Ferreta → Ferrata

Ferretae → Ferrata

Ferretum → Ferrata

Ferreum castr., Eisenstadium, Kismartonium: Eisenstadt [Kismarton] (Burgenland), Österr.

Ferreus mons: Eisenberg [Albrechtice] (Böhmen), Tschechoslow.

Ferreus mons → Eiseoberga

Ferri ins.: Ferro [Hierro], Ins. (Atlantik), Kanarische Inseln.

s. **Ferrioli oppid.** → Fereoli oppid.

Ferrucius villa ad Garumnam: Castelferrus (Tarn-et-Garonne), Frankr.

Fescanum, Fiscanum, Fisci campus: Fécamp (Seine-Maritime), Frankr.

Fessa, Fessanum regnum: Fès [Fez], eh. Sultanat, Marokko.

Fessa, Fezza: Fès [Fez], Marokko.

Fessanum regnum → Fessa

Fetna, Vidrus: Utrechtse Vecht [Utrechtsche Vechte], Fl., Mü: IJsselmeer (N-Holland), Niederl.

Fevershamium: Faversham (Co. Kent), Engl.

Fevus: Varaita, Nfl. d. Po (Cuneo), Ital.

Fezza → Fessa

Fiasconus mons → Faliscorum mons

Ficella → Vesalia

s. **Fidei fanum:** Sainte-Foy-la-Grande (Gironde), Frankr.

s. **Fidei fanum:** Santa Fe (New Mexico), USA.

s. **Fidei fanum:** Santafé (Granada), Span.

s. **Fidelis villa:** Saint-Phal (Aube), Frankr.

Fidentia → s. Donnini burgus

Fidentiacum: Fézenzaguet, Landsch. (Gers), Frankr.

Fiehttarpa: Vechtrup (Westfalen), Deutschl.

Fiessense oppid. → Fauces

Filiceriae, Fulgeriae: Fougères (Ille-et-Vilaine), Frankr.

Filikiensis distr.: das Gebiet um Fil'akovo [Fülek] (Slowakei), Tschechoslow.

Filtris: Vilters (St. Gallen), Schweiz.

Filumari: Ober- u. Niedervellmar (Hessen-Nassau), Deutschl.

Filwila → Vilwila

Filwula → Vilwila

Fimae, Ad Fines, Fines Remorum, Fismae: Fismes (Marne), Frankr.

Fimbria → Femera

Fimbriae fretum: Fehmarnsund, Meerenge (Ostsee), Deutschl.

Finarium: Finale Ligure [Finale Borgo, Finalborgo] (Savona), Ital.

Fines Remorum → Fimae

Finestinga → Vinstinga

Finis muri → Finis vallis

Finis vallis, Finis muri, Segedunum: Wallsend (Co. Northumberland), Engl.

Finistangis → Vinstinga

Finisterrae promont., Artabrum pro-

mont.: Kap Finisterre [Cabo de Finisterre] (Galicien), Span.

Finlandia → Femingia

Finmarchia, Finnomarchia, Lappladia Norwegica: Finnmark [Norwegisch Lappland, Finnmarken, Finnmark fylke], Landsch. u. Prov., Norwegen.

Finnia → Femingia

Finnicus sinus: Finnischer Meerbusen [Finska viken, Finskij zaliv, Soome laht, Suomenlahti], Teil d. Ostsee.

Finnomarchia → Finmarchia

Finnonia → Femingia

Finnum, Vynnum: Vinnum (Westfalen), Deutschl.

Finola: Vehne, Nfl. d. Aue (Oldenburg), Deutschl.

Fionia: Fünen [Fyn], Ins., Dänem.

Firma, Firmana, Firmum Picenum: Fermo (Ascoli Piceno), Ital.

Firma Augusta → Astigis

Firmana → Firma

Firmanorum castell.: Firmiano (Ascoli Piceno), Ital.

Firmitas: La Ferté-sur-Chiers (Ardennes), Frankr.

Firmitas ad Albulam: La Ferté-sur-Aube (Haute-Marne), Frankr.

Firmitas Adelheidis → Feritas Alesii

Firmitas Alesia → Feritas Alesii

Firmitas Auculphi, Firmitas Qualquarii: La Ferté-Gaucher (Seine-et-Marne), Frankr.

Firmitas Aureniensis → Feritas Aureni

Firmitas Balduini → Feritas Alesii

Firmitas Bernhardi: La Ferté-Bernard (Sarthe), Frankr.

Firmitas Milonis → Feritas Milonis

Firmitas Naberti: La Ferté-Saint-Aubin (Loiret), Frankr.

Firmitas Qualquarii → Firmitas Auculphi

Firmum Picenum → Firma

Fisca → Vischa

Fiscaha → Vischa

Fiscanum → Fescanum

Fischinga → Piscina

Fisci campus → Fescanum

Fisco → Physcus

Fiscus Isiacensis, Fiscus Isiacus, Diziacum: Issy-les-Moulineaux (Seine), Frankr.

Fiscus Isiacus → Fiscus Isiacensis

Fismae → Fimae

Fiterium → Fiterum

Fiterum, Fiterium: Fitero (Navarra), Span.

Fivilga: Fivelgau, eh. Gau (Groningen), Niederl.

Fivizanum: Fivizzano (Massa), Ital.

Fixa, Fixa Andecavorum, Flexia: La Flèche (Sarthe), Frankr.

Fixa Andecavorum → Fixa

Flahinga: Flehingen (Baden), Deutschl.

Flamigenae → Flandria

Flamingi → Flandria

Flampedes → Flandria

Flanderi → Flandria

Flandia → Flandria

Flandra → Flandria

Flandreuse municipium→Brugae

Flandrenses → Flandria

Flandrensis comit., Flandricus comit., Frandrensis comit., Frandiensis comit.: Flandern, eh. Grafsch. (Seeländisch Flandern, O- u. W-Flandern, Nord), Niederlande, Belg. u. Frankr.

Flandrensis pag., Flandrinsis, Flandricus: Flandern, eh. Gau (Teile d. Pr. Seeland, O- u. W-Flandern), Niederl. u. Belg.

Flandrensis prov., Flandria: Flandres

[Flandre maritime u. Flandre wallonne], eh. Prov. (Nord), Frankr.

Flandria → Flandrensis prov.

Flandria, Flamigenae, Flamingi, Flampedes, Flanderi, Flandia, Flandra, Flandrenses, Flemingi, Frandia, Frandria, Fresia, Phalandria, Phlandria, Phlantria: Flandern [Flandre, Vlaanderen], Landsch. (Pr. Seeland, O- u. W-Flandern, Dép. Nord u. Pas-de-Calais), Belg., Frankr. u. Niederl.

Flandria Selandensis → Quattuor officia

Flandricus comit. → Flandrensis comit.

Flandricus pag. → Flandrensis pag.

Flandrinsis pag. → Flandrensis pag.

Flansburgum → Aldenburgense monast.

Flardellae → Froverdesflo

Flardinga, Flemum castell., Flenium, Phladirtinga: Vlaardingen (S-Holland), Niederl.

Flascis → Falisca

Flasconis vicus → Falisca

Flasconus mons → Faliscorum mons

Flatmarasbeki: Flandersbach bei Wülfrath (Rheinprov.), Deutschl.

Flavacuria: Flavacourt (Oise), Frankr.

Flavia, Flaviacum: Fly [Flaix, Flay], Teil v. Saint-Germer (Oise), Frankreich.

Flavia Constans, Julia colonia, Hispellum: Spello (Perugia), Ital.

Flavia Gallica: Fraga (Huesca), Span.

Flavia Lambris → Brigantia

Flavia Solva → Flavium

Flaviacum → Flavia

Flaviacum → Flaviniacum

Flaviae aquae, Cava Juliani: Chaves (Villa Real), Portug.

Flaviana castra → Vindobona

Flavianum: Fiano Romano (Rom), Ital.

Flaviniacum, Flaviacum: Flavigny-sur-Ozerain (Côte-d'Or), Frankr.

Flavionavia → Avilla

Flavionia s. Jacobi monast. → Compostella

Flavionum → Compostella

Flavium, Flavium Solvense, Flavia Solva: Zollfeld (Kärnten), Österr.

Flavium Arvense: Alcoléa (Almería), Span.

Flavium Aurgitanum → Aurgi

Flavium Brigantum, Brigantium Flavium, Caronium: La Coruña, Span.

Flavium Interamnium, Pons Ferratus, Interamnium: Ponferrada (León), Span.

Flavium Laminitanum: Alhambra, Schloß in Granada (Granada), Span.

Flavium Solvense → Flavium

Flavus Massagetes → Danubius

Fledena → Flidena

Flehi → Fleus lacus

Flehum → Fleus lacus

Flemarum vallis, Flemmum: Val di Fiemme [Fleimstal], Tal (Trient), Ital.

Flemingi → Flandria

Flemium, Flumines, Fluminis: Flims [Flem] (Graubünden), Schweiz.

Flemma, Flumnes, Flumina: Flums (St. Gallen), Schweiz.

Flemmum → Flemarum vallis

Flemum castell. → Flardinga

Fleni sinus: Flensburger Förde [Flensborg Fjord], Meerbusen d. Ostsee (Schleswig-Holstein), Deutschl.

Flenium → Flardinga

Flenopolis, Flensburgum: Flensburg (Schleswig-Holstein), Deutschl.

Flensburgum → Flenopolis

Fleodrodum: Vlierden (N-Brabant), Niederl.

Flerocium → Floriacum monast.

Flesinga, Flessinga, Ulyssinga: Vlissingen (Seeland), Niederl.

Flessinga → Flesinga

Fleus lacus, Almari lacus, Almera fluvius, Flehi, Flehum, Fli: Zuidersee [IJsselmeer], Meerbusen (Nordsee), Niederl.

Flevo ins.: Urk, eh. Ins. (Zuidersee), Niederl.

Flevolandia: Vlieland, Ins. (Westfries. Inseln), Niederl.

Flexia → Fixa

Flexum, Ad Flexum, Antiquum castr., Ovaria, Ovarinum: Magyaróvár [Ungarisch-Altenburg], Teil von Mosonmagyaróvár [Wieselburg-Ung.-Altenburg] (Györ-Sopron), Ung.

Fli → Fleus lacus

Flidena: Flieden (Hessen-Nassau), Deutschl.

Flidena, Fledena: Fliede, Nfl. d. Fulda (Hessen-Nassau), Deutschl.

Flina: Flein (Württemberg), Deutschl.

Fliunnia: Vluyn [Neukirchen-Vluyn] (Rheinprov.), Deutschl.

Flora: Fiora, Fl., Mü: Mittelmeer (Viterbo), Ital.

s. **Florae mons:** Sankt Florenberg, bei Fulda (Hessen-Nassau), Deutschl.

Floreffia: Floreffe (Namur), Belg.

Florentiacum: Florensac (Hérault), Frankr.

s. **Florentiae fanum** → s. Florentini oppid.

s. **Florentini castr.:** Saint-Florentin (Indre), Frankr.

s. **Florentini castr.** → Eburobriga

s. **Florentini oppid., s. Florentiae fanum, Eburobrica:** Saint-Florent [San Fiorenzo] (Korsika), Frankr.

Florentinum: Ferentino (Frosinone), Ital.

Florentinus in castris → Floriacum ad Oscarum

s. **Flori fan.** → Floriopolis

Floriacum: Floré (Allier), Frankr.

Floriacum ad Oscarum, Florentinus in castris: Fleury-la-Vallée (Yonne), Frankr.

Floriacum monast., Flerocium: Fleurus (Hennegau), Belg.

Floriana → Florinae

Floriana vallis → s. Aegidii villa

s. **Florianus:** Sankt Florian (Kärnten), Österr.

s. **Florianus:** Sankt Florian [Markt Sankt Florian] (O-Österr.), Österr.

s. **Florianus:** Sankt Florian (O-Tirol), Österr.

s. **Florianus in Marchia:** Groß Sankt Florian (Steiermark), Österr.

s. **Florianus super Anesum:** Sankt Florian a. Inn (O-Österr.), Österr.

Florichingae, Florikengae, Florikingae: Florange [Flörchingen] (Moselle), Frankr.

Florida vallis: Florival, Kl. (Brabant), Belg.

Floridus hortus: abgeg. bei Wierum (Friesland), Niederl.

Floridus hortus → Bintensis abbatia

Florikengae → Florichingae

Florikingae → Florichingae

Florimontium: Florimont [Blumenberg] (Territoire de Belfort), Frankr.

Florinae, Floriana: Florennes (Namur), Belg.

Florinkengas, Florinkingae: Floringhem (Pas-de-Calais), Frankr.
Florinkingae → Florinkengas
Floriopolis, s. Flori fanum: Saint-Flour (Cantal), Frankr.
Florum ins.: Flores, Ins. (Atlantik), Azoren.
Fluetum: Vleuten (Utrecht), Niederl.
Flumetum: Flumet (Savoie), Frankr.
Flumina → Flemma
Flumines → Flemium
Fluminis → Flemium
Flumnes → Flemma
Fluvianus → Cluvianus
Fociniacensis pag. → Faciniacum
Fociniacum → Faciniacum
Focunatium → Faciniacum
Foedus cathedrale Dei, Foedus domus Dei, Casae Dei foedus: Gotteshausbund, eh. der östl. Teil v. Graubünden, Schweiz.
Foedus decem jurisdictionum: Zehngerichtebund, eh. der nördl. Teil v. Graubünden, Schweiz.
Foedus domus Dei → Foedus cathedrale Dei
Folium: La Feuillée (Finistère), Frankr.
Folium: Le Foeil (Côtes-du-Nord), Frankr.
Follanebrajum: Folembray (Aisne), Frankr.
Fona: Fuhne, Nfl. d. Saale (Anhalt), Deutschl.
Fontana arx: Fonteno (Bergamo), Ital.
Fontanacum comitis → Fontenacum comitis
Fontanella: Fontenelle (Namur), Belg.
Fontanellense monast. → s. Vandregisili monast.
Fontanensis: Fontaines (Saône-et-Loire), Frankr.
Fontanensis ager: Fontaines-Saint-Martin (Rhône), Frankr.
Fontanensis ecclesia → Theodorodunum
Fontanetum, Fontaniascum, Fontanidunum, Fontenaeum, Fonteniacum: Fontenay-sous-Fouronnes (Yonne), Frankr.
Fontanetum, Fontes: Fontanetto (Vercelli), Ital.
Fontaniascum → Fontanetum
Fontanidunum → Fontanetum
Fontarabia, Rapidus fons: Fuenterrabia [Fuentarrabia] (Guipúzcoa), Span.
Fontarabiae castr.: Hendaye (Basses-Pyrénées), Frankr.
Fontenacum comitis, Fontenaeum comitis, Fontanacum comitis: Fontenay-le-Comte (Vendée), Frankr.
Fontenaeum → Fontanetum
Fontenaeum comitis → Fontenacum comitis
Fonteniacum: Fontenoy (Hennegau), Belg.
Fonteniacum → Fontanetum
Fontes → Fontanetum
Fontes Baderae → Paderbronna
Fontes frigidi → Caldebornensis villa
Fontiae insulae: Isole Ponziane [Isole Pontine, Ponza Inseln, Pontinische Inseln], Inselgruppe (Tyrrhen. Meer), Ital.
Fora: Föhr, Ins. (Nordfries. Inseln), Deutschl.
Forbacum: Forbach (Moselle), Frankr.
Forcalquerium: Forcalquier (Basses-Alpes), Frankr.
Forcalquerium, Calcarium forum, Neronis forum: Le Bourg-d'Oisans (Isère), Frankr.
Forchemium → Forchena

Forchena, Forchemium, Trutavia: Forchheim (O-Franken), Deutschland.

Fordi: Altenvoerde [Ennepetal-Altenvoerde] (Westfalen), Deutschl.

Fordunium: Fordoun (Kincardineshire), Schottl.

Forensis pag., Forezium, Segusianus ager: Forez, Landsch. (Loire), Frankr.

Forestum: Vorst (Antwerpen), Belg.

Forestum: Vurste (O-Flandern), Belg.

Forezium → Forensis pag.

Forgiae: Forges-les-Eaux (Seine-Maritime), Frankr.

Fori Julii ducatus → Forojuliensis marca

Forlivium, Livii forum: Forli (Forli), Ital.

Formasela → Formesela

Formesela, Formasela, Formosensis, Formisensis: Voormezele (W-Flandern), Belg.

Forminiacum: Formigny (Calvados), Frankr.

Formisensis → Formesela

Formosa vallis: Villahermosa (Ciudad Real), Span.

Formosensis → Formesela

Fornolis villa: Fernoël (Puy-de-Dôme), Frankr.

Forojuliensis civ., Sibidatum: Cividale del Friuli (Udine), Ital.

Forojuliensis marca, Fori Julii ducatus, Forojulium, Julium forum: Friaul [Friuli], Landsch. (Reg. Friuli-Venezia-Giulia), Ital.

Forojulium → Forojuliensis marca

Fortalitium, Fortis mons: Forza d'Agro (Messina), Ital.

Fortalitium Ludovici, Ludovicianum, Ludovici arx, Ludovici castr.: Fort-Louis (Bas-Rhin), Frankr.

Forte Bellum → Bellum forte

Fortis burgus: Borgoforte (Mantua), Ital.

Fortis mons: Monforte (Alto Alemtejo), Portug.

Fortis mons: Monforte (Alicante), Span.

Fortis mons: Montfort (Ille-et-Vilaine), Frankr.

Fortis mons: Montfort [Montigny-Montfort] (Côte-d'Or), Frankr.

Fortis mons: Montfort [Neu-Montfort], Ru. bei Rankweil (Vorarlberg), Österr.

Fortis mons: Montfort-sur-Risle (Eure), Frankr.

Fortis mons → Fortalitium

Fortis mons (castr.): Kalaat Karn [Montfort, Korain, Starchenberch], Burg (Galiläa), Israel.

Fortunae fan. → Tychopolis

Fortunae fanum, Julia Fanestris, Vennum: Fano (Pesaro e Urbino), Ital.

Fosculus mons: Montefoscoli (Pisa), Ital.

Fosculus mons, Fusculum, Fusculus mons, Obscurus mons: Montefusco (Avellino), Ital.

Fossa Clodia: Kanal v. Chioggia (Venedig), Ital.

Fossa Corbulonis: Het Vlie [Vliestroom], Seegatt (Friesland), Niederl.

Fossae: Fosse-lez-Stavelot (Lüttich), Belg.

Fossae Maririanae: Fos-sur-Mer (Bouches-du-Rhône), Frankr.

Fossae Papirianae, Viaregium: Viareggio (Lucca), Ital.

Fossanum → Sanus fons

Fossatense monast. → Bagaudarum castrum

Fossatensis s. Mauri abbatia → Bagaudarum castrum

Fossigniacus tractus → Faciniacum
Fossiniacum → Faciniacum
Fostelandia → Sacra insula
Fotlandia → Vocatorum terra
Fovea: Foggia (Foggia), Ital.
Fovea: Grub (Steiermark), Österr.
Fovilla: Foville (Moselle), Frankr.
Foxum, Fuxum: Foix (Ariège), Frankr.
Fozzaha: Fußach (Vorarlberg), Österr.
Fracta cella: Brochenzell (Württemberg), Deutschl.
Fractus mons: Monte Fratta, Berg (Brescia), Ital.
Fractus mons → Pileatus mons
Fractus pons, Lugeolum: Pontefract [Pomfret] (Yorkshire), Engl.
Fraesarum prov. → Frisia
Franca villa: Francheville (Eure), Frankr.
Franca villa: Villafranca del Panadés (Barcelona), Span.
Franca villa Confluentium: Villefranche-de-Conflent (Pyrénées-Orientales), Frankr.
Franca villa in pago Lauriacensi: Villefranche-de-Lauragais (Haute-Garonne), Frankr.
Franca villa in pago Rutenensi, Francopolis: Villefranche-de-Rouergue (Aveyron), Frankr.
Franchonia → Francia
Franchonofurtum → Francofurtum ad Moenum
Francia → Francia orientalis
Francia → Regnum Francorum
Francia → Teutonicorum terra
Francia, Francigenarum regnum, Francia minor: Westfränkisches Reich, Teil des Fränkischen Reiches im MA.
Francia, Frantia, Francia occidentalis, Gallia Francorum, Gallia, Francia minor: Frankreich [France].
Francia, Frantia, Franconia, Franchonia: Franken [das Frankenland], Landsch. u. eh. Hgt. an Rhein, Main, Nahe u. Neckar, Deutschl.
Francia circa Rhenum → Francia occidentalis
Francia inferior → Francia occidentalis
Francia maior→Francia Theutonica
Francia minor → Francia
Francia nova → Neustria
Francia occidentalis → Francia
Francia occidentalis, Francia circa Rhenum, Reni Francia, Francia inferior: Rheinfranken [Westfranken], Landsch. an Rhein, Main, Neckar u. Nahe (Hessen [Rheinhessen, Starkenburg, Hessen-Nassau], Rheinpfalz, U-Franken, Baden), Deutschl.
Francia orientalis, Francia, Franconia, Frantia, Austrifrancia, Osterfrancia, Ostrofrancia, Austria, Francia superior: Mainfranken [Ostfranken],
Landsch. am Mittel- u. Ober-Main (M-, O- u. U-Franken), Deutschl.
Francia superior → Francia orientalis
Francia Theutonica, Germania, Francia maior: Ostfränkisches Reich, Teil des Fränkischen Reiches im MA.
Franciacum, Frontiacum, Fronciacum: Fronsac (Gironde), Frankr.
Franciae ins., Insulae Franciae prov.: Île de France, Landsch. u. eh. Prov., Frankr.
Francicum mare → Cantabricum mare

Francie regnum → Regnum Francorum

Francigenarum regnum → Francia

s. Francisci fanum: Quito, Ecuador.

Franciscopolis, Gratiae portus: Le Havre (Seine-Maritime), Frankr.

Franciscus sinus → Cantabricum mare

Franckenfordia → Trajectum ad Oderam

Francodalia, Frankenthalium: Frankenthal (Bayern, RB. Pfalz), Deutschl.

Francofurtum ad Moenum, Franchonofurtum, Franconefurtum, Franconofurdum, Franconofurtum, Franconovada, Franconovurdum, Francorum vadus, Frankenfordia, Helenopolis: Frankfurt am Main (Hessen-Nassau), Deutschl.

Francofurtum ad Oderam → Trajectum ad Oderam

Francofurtum Viadrum → Trajectum ad Oderam

Francohusa: Frankenhausen (Thüringen), Deutschl.

Franconefurtum → Francofurtum ad Moenum

Franconia → Francia

Franconia → Francia orientalis

Franconiae circulus: Fränkischer Kreis, eh. Reichskreis (M- u. O-Franken), Deutschl.

Franconofurdum → Francofurtum ad Moenum

Franconofurtum → Francofurtum ad Moenum

Franconovada → Francofurtum ad Moenum

Franconovurdum → Francofurtum ad Moenum

Francopolis → Franca villa in pago Rutenensi

Francorum castr.: Castelfranco Veneto (Treviso), Ital.

Francorum regnum → Regnum Francorum

Francorum vadus → Francofurtum ad Moenum

Francostenium: Frankenstein [Ząbkowice Śląskie] (N-Schlesien), Deutschl.

Francus fons: Fontaine-Française (Côte-d'Or), Frankr.

Frandiensis comit. → Flandrensis comit.

Frandia → Flandria

Frandrensis comit. → Flandrensis comit.

Frandria → Flandria

Franechera, Franekera, Franequera, Franica: Franeker (Friesland), Niederl.

Franekera → Franechera

Franequera → Franechera

Franica → Franechera

Frankenfordia → Francofurtum ad Moenum

Frankenthalium → Francodalia

Frantia → Francia

Frantia → Francia orientalis

Frantia → Regnum Francorum

Frasa: Frohse (Pr. Sachsen), Deutschl.

Frascarolum: Frascarolo (Pavia), Ital.

Frasnidum: Fresnes-en-Woëvre (Meuse), Frankr.

Frastinas: Frastanz (Vorarlberg), Österr.

Fratrum vitae communis monast. → Magni magistri ordinis Teutonici aula

Frauenburgum → Drusiana urbs

Frauenfelda, Ginaepedium, Gymnopedium: Frauenfeld (Thurgau), Schweiz.

Frauenstenium: Frauenstein (Sachsen), Deutschl.
Fraustadium, Gynaecopolis: Fraustadt [Wschowa] (Posen-Westpreußen), Deutschl.
Fraxinetum: La Garde-Freinet (Var), Frankr.
Fraxinia → Frisinga
Fraxinium → Frisinga
Freda → Fardium
Fredelatum → Apamia
Fredenna → Wrethum
Freiberga, Freibergum in Mionia, Freyberga, Friberga, Fryberga: Freiberg (Sachsen), Deutschl.
Freibergum in Mionia → Freiberga
Freistadium → Eleutheropolis
Freistadium → Eleutheropolis Tessinensis
Fremicuria: Frémécourt (Seine-et-Oise), Frankr.
Fremicuria: Frémicourt (Pas-de-Calais), Frankr.
Frequentum, Fricentum, Frigentum, Friquentum: Frigento (Avellino), Ital.
Fresa → Frisia
Fresacensis urbs → Frisacum
Fresacium → Frisacum
Fresacum → Frisacum
Fresia → Frisia
Fresnacum: Fresnay-sur-Sarthe (Sarthe), Frankr.
Fretheni civ. → Wrethum
Frethinna → Wrethum
Frethunensis civ. → Wrethum
Fretislava → Wratislavia
Frewberga: Friedberg (O-Bayern), Deutschl.
Frexia → Frisia
Freyberga → Freiberga
Friberga → Freiberga
Friburgense pag.: Fribourg [Freiburg], Kt., Schweiz.
Friburgum, Fryburgum Nuithonum, Friburgum Aventicorum, Fryburgum Helvetiorum: Fribourg [Freiburg i. Üechtland] (Freiburg), Schweiz.
Friburgum ad Windam, Fryburgum ad Windam, Nova curia Numburgensis: Freyburg a. d. Unstrut (Pr. Sachsen), Deutschl.
Friburgum Aventicorum → Friburgum
Friburgum Brisgoiae, Friburgum Brisgolae, Friburgum Brisgoviae, Fryburgum Brisachgogiae, Fryburgum Brisgaudiae, Fryburgum Brisgoiae: Freiburg i. Breisgau (Baden), Deutschl.
Friburgum Brisgolae → Friburgum Brisgoiae
Friburgum Brisgoviae → Friburgum Brisgoiae
Fricca: Frick (Aargau), Schweiz.
Fricdislaria → Fritzlaria
Fricentum → Frequentum
Fridehardewilare, Fridehartesvilare: Friedach (Württemberg), Deutschl.
Fridehartesvilare → Fridehardewilare
Fridelacum → Apamia
Friderici collis: Friedrichshügel, Schloß bei Germersheim (Bayern, RB. Pfalz), Deutschl.
Friderici Oda: Fredericia (Jütland), Dänem.
Friderici portus: Hamina [Fredrikshamn] (Kymi), Finnl.
Fridericiana vallis: Frederiksdahl, Grönland.
Fridericoburgum: Frederiksborg (Seeland), Dänem.
Fridericopolis: Friedrichstadt (Schleswig-Holstein), Deutschl.
Fridericostadium: Fredrikstad (Østfold), Norw.

Fridisleri → Fritzlaria
Friedberga: Friedberg (Hessen), Deutschl.
Friedeslaria → Fritzlaria
Friedlandia: Frýdlant [Friedland] (Böhmen), Tschechoslow.
Frienwalda, Frivaldia: Freienwalde a. d. Oder (Brandenburg), Deutschl.
Frigentum → Frequentum
Frigia → Frisia
Frigida: Frias (Burgos), Span.
Frigida vallis: Valfroicourt (Vosges), Frankr.
Frigidus: Fredane, Nfl. d. Calore (Avellino), Ital.
Frigidus: Freddo, Fl., Mü: Golf v. Castellammare (Trapani), Ital.
Frimanniswilare: Frimmenweiler (Württemberg), Deutschl.
Friquentum → Frequentum
Frisaca → Frisacum
Frisacensis urbs → Frisacum
Frisacum, Fresacensis urbs, Fresacium, Fresacum, Frisaca, Frisacensis urbs: Friesach (Kärnten), Österr.
Frisea → Frisia
Frisia, Fraesarum prov., Fresa, Fresia, Frexia, Frigia, Frisea, Frizia, Phrisia, Phrysia: Friesland, Landschaft., Deutschl. u. Niederl.
Frisia occidentalis, Westfrisia: Westfriesland, Landsch. (N-Holland), Niederl.
Frisia orientalis → Embdanus comit.
Frisinga, Fraxinia, Fraxinium, Frisingiae, Frisingia, Frisingius mons, Frixinia, Frusinum, Fruxinia, Fruxinium: Freising (O-Bayern), Deutschl.
Frisingia → Frisinga
Frisingiae → Frisinga
Frisingius mons → Frisinga
Frislaria → Fritzlaria
Friteslaria → Fritzlaria
Fritizla → Fritzlaria
Fritschelaria → Fritzlaria
Fritzlaria, Fricdislaria, Fridisleri, Friedeslaria, Frislaria, Friteslaria, Fritizla, Fritschelaria: Fritzlar (Hessen-Nassau), Deutschl.
Frivaldia → Frienwalda
Frixinia → Frisinga
Frizia → Frisia
Frodowalda: Vredewold (Groningen), Niederl.
Fronciacum → Franciacum
Fronta: Sint Pancras (N-Holland), Niederl.
Fronta: Uzès-le-Duc (Mostaganem), Algerien.
Frontensis: Front (Turin), Ital.
Frontiacum → Franciacum
Frontinianum → Domitii forum
Froverdesflo, Flardellae, Froverdeslo: Vladsloo (W-Flandern), Belg.
Froverdeslo → Froverdesflo
Frumentaria: Fromentières (Mayenne), Frankr.
Frumentaria, Ophyusa: Formentera, Ins. (Balearen), Span.
Frusinum → Frisinga
Fruxinia → Frisinga
Fruxinium → Frisinga
Fryberga → Freiberga
Fryburgum ad Windam → Friburgum ad Windam
Fryburgum Brisachgogiae → Friburgum Brisgoiae
Fryburgum Brisgaudiae → Friburgum Brisgoiae
Fryburgum Brisgoiae → Friburgum Brisgoiae
Fryburgum Helvetiorum → Friburgum
Fryburgum Nuithonum → Friburgum

Fulcardi mons: Foucarmont (Seine-Maritime), Frankr.
Fuldaha → Multavia
Fuldaha, Vultaha, Wulda: Fulda, Nfl. d. Weser (Hessen-Nassau), Deutschl.
Fuldense coenob., s. Bonifacii monast., Fulta, Vulda, Wuldensis eccl. Fulda (Hessen-Nassau), Deutschl.
Fulgarida: Folgaria (Trient), Ital.
Fulgeriae → Filiceriae
Fuliensis abbat. → Fulium
Fulium, Fuliensis abbat.: Feuillant, Kl. (Haute-Garonne), Frankr.
Fulta → Fuldense coenob.
Fulvii forum → Valentinorum forum
Fumacum, Fumaeum: Fumay (Ardennes), Frankr.
Fumaeum → Fumacum
Fumellum: Fumel (Lot-et-Garonne), Frankr.
Fundus regius Saxonicus, Saxonum terra, Zibinum: „Land der Sachsen" um Sibiu [Hermannstadt] (Siebenbürgen), Rumän.
Fura ducis: Tervueren (Brabant), Belg.
Furari: Großfurra (Thüringen), Deutschl.
Furca → Bicornis
Furcona: Forconi (Chieti), Ital.
Furcula → Bicornis
Furculae Caudinae, Caudinae Fauces: Forche Caudine [Kaudinische Pässe], Engpaß zw. Capua u. Benevent (Kampanien), Ital.
Furda → Furtha
Furelmi: Vorhelm (Westfalen), Deutschl.
Furna, Furnae, Furnensis vicus, Furnis: Furnes [Veurne] (W-Flandern), Belg.
Furnacis: Hornachos (Badajoz) Span.
Furnae → Furna
Furnensis vicus → Furna
Furnis → Furna
Furnitowa: Faurndau (Württemberg), Deutschl.
Furonis: Fouron-le-Comte ['s-Gravenvoeren] (Lüttich), Belg.
Fursaei domus: Frohen-le-Grand (Somme), Frankr.
Fursicium, Fursitium: Vosselaar (Antwerpen), Belg.
Fursitium → Fursicium
Furstenberga, Furstenbergum: Fürstenberg (Braunschweig), Deutschl.
Furstenbergensis comit.: Fürstenberg, eh. Grafsch. (Baden), Deutschl.
Furstenbergum → Furstenberga
Furtha, Furda, Furtum: Fürth (M-Franken), Deutschl.
Furtum → Furtha
Fusa, Fusenna: Fuse, Nfl. d. Aller (Hannover), Deutschl.
s. Fusciani eccl. → Fusciniacum
Fusciniacum, s. Fusciani eccl., Fusnianum: Foigny, Kl. bei La Bouteille (Aisne), Frankr.
Fusculum → Fosculus mons
Fusculus mons → Fosculus mons
Fusenna → Fusa
Fusnianum → Fusciniacum
Fuxensis comit.: Comté de Foix, eh. Grafsch. u. Prov. (Ariège), Frankr.
Fuxum → Foxum
Fzewena → Kevena

G

Gabalaeum → Ulpianum
Gabarretum, Gavarretum: Gabarret (Landes), Frankr.
Gabarus Oleronensis: Gave d'Oloron, Nfl. d. Gave de Pau (Basses-Pyrénées, Landes), Frankr.
Gabarus Palensis: Gave de Pau, Nfl. d. Adour (Basses-Pyrénées), Frankr.
Gabatum → Leprosium
Gabellus: Secchia, Nfl. d. Po (Mantua), Ital.
Gabilitana civ.: Javols (Lozère), Frankr.
Gabilona → Caballio
Gabilonensis ager → Cabillonensis pag.
Gabinus lacus: Lago di Castiglione, See (Rom), Ital.
Gablona, Jabiona: Jablonné nad Orlicí [Gabel] (Böhmen), Tschechoslow.
Gabreta silva, Bohemiae silva, Boemorum silva, Hircanus saltus, Bohemicus saltus, Aquilonaris silva: Böhmerwald, Geb. auf der Grenze zw. Deutschl., Österr. u. d. Tschechoslow.
Gademensis villa → Gadmi
Gaditanum fretum → Herculeum fretum
Gadiva: Aberffraw (Co. Anglesey), Engl.
Gadmi, Gademensis villa: Gaden (O-Bayern), Deutschl.
Gaesmerae → Gesmaria
Gaji Marii ager → Camaria
Gaimundia → Saragemunda
Gaita: Jaidschi bei Svištov (Tirnowo), Bulgar.
Gaizwilare, Geizwilare: Geiswiller [Geisweiler] (Bas-Rhin), Frankr.
Galaber: Galaure, Nfl. d. Rhône, (Drôme), Frankr.
Galaecia, Gallecia, Galatia: Galicien [Galicia], Landsch. u. eh. Kgr., Span.
Galatia → Galaecia
Galeria: Gagliano Castelferrato (Enna), Ital.
Galeria: Galera (Granada), Span.
Galesus: Galeso, Fl., Mü: Golf v. Tarent (Lecce), Ital.
Galgennum: Galgenen (Schwyz), Schweiz.
Galgocinum → Eleutheropolis ad Vagum
Galindia: Galinden, Landsch. (O-Preußen), Deutschl.
Gallao, Gallio, Gallaonis castr., Gallionis castr.: Gaillon (Eure), Frankr.
Gallaonis castr. → Gallao
Gallecia → Galaecia
Gallesium: Gallese (Viterbo), Ital.
Galli castr.: Golina [Gollin] (Posen), Polen.
s. Galli fanum → Sangallense coenob.
s. Galli fons: Gaillefontaine (Seine-Maritime), Frankr.
s. Galli nova eccl., s. Gallus in silva nova: Sankt Gallen (Steiermark), Österr.
Gallia → Francia
Gallia Francorum → Francia
Galliacum: Gaillac (Tarn), Frankr.
Gallianum: Galliono (Mailand), Ital.
Gallicae paludes → Venetae paludes
Gallicia, Halicia: Galič [Halicz] (Ukrain. SSR), UdSSR.

Gallicum fretum → Caletanum fretum
Gallicus oceanus → Cantabricum mare
Gallio → Gallao
Gallionis castr. → Gallao
Gallipolis: Gallipoli (Lecce), Ital.
Gallipolitanum fretum → Hellespontus
Galliva → Duaca Gallica
Gallivensis comit.: Galway [Contae na Gaillimhe], Grafsch., Eire.
Gallovidia → Duaca Gallica
Gallovidia → Galveja
Galloya → Duaca Gallica
s. **Gallus in silva nova** → s. Galli nova eccl.
Gallus (lacus): Sabandja gölü [Sapanca gölü], See (Bithynien), Türkei.
Galmeri: Gelmer (Westfalen), Deutschl.
Galopia: Gulpen (Limburg), Niederl.
Galtera, Galterra: Galteren, Teil v. Freiburg (Freiburg), Schweiz.
Galterra → Galtera
Galthera → Dendera
Galveja, Gallovidia: Galloway, Landsch. (Kirkcudbrightshire u. Wigtownshire), Schottl.
Gamachium, Gamapium: Gamaches (Somme), Frankr.
Gamanodunum → Gamarodurum
Gamapia → Gemapia
Gamapium → Gamachium
Gamarodurum, Gamanodunum: Gröbming (Steiermark), Österr.
Gambracius sinus → Sambracitanus sinus
Gampis, Campis, Campessia, Campsum, Campso, Comesianorum conventus: Gams (St. Gallen), Schweiz.
Gamuellus → Bugella
Gamundia: Gmünd (N-Österr.), Österr.
Gamundia, Gamundium: Althornbach (Bayern, RB. Pfalz), Deutschl.
Gamundia, Gemundia, Gaudia mundi: Schwäbisch Gmünd (Württemberg), Deutschl.
Gamundium: Castello Novarese (Novara), Ital.
Gamundium → Gamundia
Gana: Jahna, Nfl. d. Elbe (Sachsen), Deutschl.
Gana: Jahna (Sachsen), Deutschl.
Ganda → Gantum
Ganda, Echterna: Gunde, Nfl. d. Leine (Hannover), Deutschl.
Gandavensis ager → Agger Gandavensis
Gandavum → Gantum
Gandersheimense monast. → Gandersum
Gandersum, Gandesium, Gandeshemium, Gandesiana eccl., Ganderheimense monast.: Gandersheim (Braunschweig), Deutschl.
Gandeshemium → Gandersum
Gandesiana eccl. → Gandersum
Gandesium → Gandersum
Gandulfi arx: Castel Gandolfo (Rom), Ital.
Gangae: Ganges (Hérault), Frankr.
Gangeticus sinus: Golf v. Bengalen [Bay of Bengal], Teil des Indischen Ozeans.
Gangia regis: Lakhnau [Lucknow] (Uttar Pradesch), Indien.
Gangra: Çankiri [Kiangeri] (Çankiri, Galatien), Türkei.
Ganipa, Asnapium, Cenebum, Cembum, Gennepum: Gennep (Limburg), Niederl.
Gannapum → Gannatum

Gannatum, Gannapum: Gannat (Allier), Frankr.
Gannita: Gent (Gelderland), Niederl.
Gannodurum, Gaunodurum: Burg, Teil v. Stein (Schaffhausen), Schweiz.
Gansaraveldi, Anseris campus: das Gänsefeld bei Wien (N-Österr.), Österr.
Gantum, Ganda, Gandavum, Canda, Odnea: Gand [Gent] (O-Flandern), Belg.
Garabusa → Cimarus
Garactum, Gueretum, Waretum, Varactus: Guéret (Creuse), Frankr.
Garametti: Germete (Westfalen), Deutschl.
Garda: Guarda (Beira Alta), Portug.
Gardari ins., Islandia, Snaelandia, Snelandia: Island, Ins.
Gardaromarca → Nekkergartha
Gardelegia: Gardelegen (Pr. Sachsen), Deutschl.
Gardena vallis: Val Gardena [Gröden, Grödental, Grödner Tal], Tal (Bozen), Ital.
Gardenebiki curtis: Gertenbach (Hessen-Nassau), Deutschl.
Gardinum → Gerdinum
Gardistallum → Guardistallum
Garenna → Varennae
Garestei: Gerenstein (Bern), Schweiz.
Garetium: Garessio (Cuneo), Ital.
Garfinianum castell., Caferonianum castell.: Castelnuovo di Garfagnana (Massa), Ital.
Gargogilum, Gurgolinum, Gaverdolium: Jargeau (Loiret), Frankr.
Garianonum → Yarmutum
Gariensis fluvius: Yare [Yar], Fl., Mü: Nordsee (Co. Norfolk), Engl.
s. Garmerii monast., s. Baldonerii monast.: Saint-Galmier, Kl. in Montanay (Ain), Frankr.
Garneseja, Garnia, Sarnia: Guernsey [Guernesey], Ins. d. Channel Islands, Engl.
Garnia → Garneseja
Garocelia, Carocelia, Maurianensis, Mauriana vallis, Maurienna vallis, Mauriannae comit., Medulli: Maurienne, Landsch. u. eh. Grafsch. (Savoie), Frankr.
Garreienus: Cley (Co. Norfolk), Engl.
Garsa, Gartia, Gartium, Gradicia: Garz auf Rügen (Pommern), Deutschl.
Garsaura: Ak-Serai [Aksarai, Kundus], Nfl. d. Amu-Darja, Afghanistan.
Garta → Nekkergartha
Gartaha → Nekkergartha
Gartha → Grodna
Gartia → Garsa
Gartium → Garsa
Gasgeri: Gescher (Westfalen), Deutschl.
Gaspentia, Gaspenza: Gersprenz, Nfl. d. Main (Hessen), Deutschl.
Gaspenza → Gaspentia
Gassicuria: Gassicourt, Teil v. Mantes-la-Jolie (Seine-et-Oise), Frankr.
Gasta → Gastegia
Gastegia, Gasteiga, Gasteia, Gasta: Gasteig (O-Bayern), Deutschl.
Gasteia → Gastegia
Gasteiga → Gastegia
Gastenium → Augusta Antonini
Gastinensis pag. → Gatinensis pag.
Gastinum → Augusta Antonini
Gatinensis pag., Gastinensis pag., Vastinensis pag., Vasinensis pag., Vastinium, Wastinensis comit., Wastiniensis comit.: Gâtinais [Gâti-

nois], Landsch. (Seine-et-Marne, Seine-et-Oise, Loiret), Frankr.

Gaudanum, Golda, Guda, Tergum: Gouda (S-Holland), Niederl.

Gaudentii oppid.: Saint-Gaudens (Haute-Garonne), Frankr.

Gaudia mundi → Gamundia

Gaudiacus: Jouy-le-Châtel (Seine-et-Marne), Frankr.

Gaudiacus: Jouy-sur-Morin (Seine-et-Marne), Frankr.

Gaudiosa, Jocundiacum: Joyeuse (Ardèche), Frankr.

Gaunodurum → Gannodurum

Gauzaca: Ghazni, sw. Kabul, Afghanistan.

Gavarretum → Gabarretum

Gaverdolium → Gargogilum

Gaviodorum: Obernheim (Bayern, RB. Pfalz), Deutschl.

Gaviratium: Gavirate (Como), Ital.

Gazara → Jader

Gebal → Byblus

Gebenna → Genava

Gebennae montes → Cebenna mons

Gebennensis ducat., Gebennensium comit., Genevensis comit.: Genevois, Landsch. u. eh. Grafsch. bzw. Hgt. (Kt. Genf, Dép. Haute-Savoie u. Savoie), Schweiz u. Frankr.

Gebennensium comit. → Gebennensis ducat.

Gebhardi villa: Gäbersdorf [Wojborz] (N-Schlesien), Deutschl.

Gebwilera, Gebwilerensis: Guebwiller [Gebweiler] (Haut-Rhin), Frankr.

Gebwilerensis → Gebwilera

Gedanum, Dantiscum: Danzig [Gdańsk], Freie Stadt Danzig.

Gedemini → Vilna

Geini, Gheynum: Gein (Utrecht), Niederl.

Geismaram → Geismari

Geismari, Geismaram, Gheismaria: Hofgeismar (Hessen-Nassau), Deutschl.

Geizlethi: Geisleden (Pr. Sachsen), Deutschl.

Geizwilare → Gaizwilare

Gelausum castr., Gelosum castr.: Casteljaloux (Lot-et-Garonne), Frankr.

Geldria, Gelra, Gelria, Ghelria, Guldria: Geldern (Rheinprovinz), Deutschl.

Geldria, Gelria: Geldern [Gelderland], Prov., Niederl.

Gelduba: Gellep, Teil v. Gellep-Stratum (Rheinprovinz), Deutschl.

Gellis: Jaux (Oise), Frankr.

Gelosum castr. → Gelausum castr.

Gelra → Geldria

Gelria → Geldria

Gelurnum, Glorium, Glurnium, Gloriae vallis: Glurns [Glorenza] (Bozen), Ital.

Gemapia, Gamapia, Gemapium, Gimapes, Jemappia: Jemappes (Hennegau), Belg.

Gemapium → Gemapia

Gemblacum, Geminiacum, Gemelaus: Gembloux (Namur), Belg.

Gembrica: Gemmerich (Hessen-Nassau), Deutschl.

Gemedium → Gemen

Gemelaus → Gemblacum

Gemella, Salinarum ins.: Salina [Isola Salina], Ins. der Liparischen Inseln, Ital.

Gemellae: Jumilla (Murcia), Span.

Gemellae, Culculi: Mlili (Batna), Algerien.

Gemen, Gementicum, Gemedium: Jumièges (Seine-Maritime), Frankr.

Gementicum → Gemen

Geminiacum → Gemblacum
Geminus pons → Bipontium
Gemmacum, Gemmatium: Jametz (Meuse), Frankr.
Gemmatium → Gemmacum
Gemnicense coenob. → Gemnicum
Gemnicum, Gemnicense coenob.: Gaming (N-Österr.), Österr.
Gemunda ad Nicrum: Neckargemünd (Baden), Deutschl.
Gemunda ad Traunum: Gmunden (O-Österr.), Österr.
Gemunda villacensis: Gmünd (Kärnten), Österr.
Gemundanus lacus: der Traunsee [Gmundner See] (O-Österr.), Österr.
Gemundi → Gimundi
Gemundia → Gamundia
Genapia, Agennapium: Genappe [Genepiën] (Brabant), Belg.
Genava, Genua, Geneva, Jenua, Genova, Gebenna, Januba, Janota, Jenuba, Janua, Cebanum, Genavensis, Genevensis, Genvensis, Janubensis urbs, Allobrogum colonia: Genf [Genève] (Genf), Schweiz.
Genavensis → Genava
Geneocastrum → Belcastrum
s. **Genesii ins.:** Giens [Presqu'île de Giens], Halbins. (Var), Frankr.
Geneva → Genava
Genevensis → Genava
Genevensis comit. → Gebennensis ducat.
Gengenbacum, Gongibacum: Gengenbach (Baden), Deutschl.
s. **Gengulfi oppid.** → Gengulfinum
Gengulfinum, s. Gengulfi oppid.: Saint-Gengoux-le-National [Saint-Gengoux-le-Royal] (Saône-et-Loire), Frankr.
Geni, Jhena: Großjena (Pr. Sachsen), Deutschl.
Genliacum: Genlis, Kl. bei Villequier-Aumont (Aisne), Frankr.
Gennepum → Ganipa
Genova → Genava
Gentiforum → Volmarchia
Gentiliacum: Gentilly (Seine), Frankr.
Genua → Genava
Genua Urbanorum → Ursao
Genusium: Ginosa (Lecce), Ital.
Genvensis → Genava
Geofanum, Jovis fanum: Giffoni Valle Piana (Salerno), Ital.
Geogorbinum → Nerae aquae
s. **Georgii aestuarium:** Saint George's Channel [Sankt-Georgs-Kanal], Teil d. Atlantik zw. Eire u. Wales.
s. **Georgii castra:** Jur pri Bratislave [Sankt Georgen bei Preßburg, Svätý Jur, Szentgyörgy] (Slowakei), Tschechoslow.
s. **Georgii castr.:** Georgenburg [Majewka] (O-Preußen), Deutschland.
s. **Georgii castr.:** Jurbarkas [Jurburg] (Litauische SSR), UdSSR.
s. **Georgii cella:** Sankt Georgen (Baden), Deutschl.
s. **Georgii cella:** Sankt Georgen (St. Gallen), Schweiz.
s. **Georgii civ.** → Strigonia
s. **Georgii fan.:** Sankt Georgen [Freiburg-St. Georgen] (Baden), Deutschl.
s. **Georgii monast., s. Georii monast.:** Sankt Georgen (O-Bayern), Deutschl.
s. **Georgii mons:** Georgenberg [Spišská Sobota, Szepesszombat] bei Kežmarok [Käsmark] (Slowakei), Tschechoslow.
s. **Georgii mons, Athos Georgianus, s. Georgius in monte, s. Georgius**

in valle Eni: Sankt Georgenberg (Tirol), Österr.
s. **Georgii vallis**: Georgental (Thüringen), Deutschl.
s. **Georgius in monte** → s. Georgii mons
s. **Georgius in valle Eni** → s. Georgii mons
s. **Georii civ.** → Bamberga
s. **Georii monast.**: Sankt Georgen (Kärnten), Österr.
s. **Georii monast.**: Sankt Georgen am Reith (N-Österr.), Österr.
s. **Georii monast.** → s. Georgii monast.
Georinum → Gereorenum
s. **Georius**: Sankt Georgen (O-Österr.), Österr.
s. **Georius**: Sankt Georgen bei Birkfeld (Steiermark), Österr.
Gera, Gerapolis: Gera (Thüringen), Deutschl.
Geraha: Gerau (Hessen), Deutschl.
Gerapolis → Gera
Gerardi mons, Gerardimontium, Grandberga, Grandis mons: Grammont [Geraardsbergen] (O-Flandern), Belg.
Gerardi vallis → Bostroniae vallis
Gerardimontium → Gerardi mons
Gerasa: Jarash [Djérach, Djerasch, Dscherasch, Dsherash, Yerash] (O-Jordan), Jordanien.
Gerates: Gerotten (N-Österr.), Österr.
Geratia → Hieracium
Geraus, Jarossensis vicus: Geras (N-Österr.), Österr.
Gerberacum, Gerboretum: Gerberoy (Oise), Frankr.
Gerbizstidi, Gerbstadensis vicus: Gerbstädt (Pr. Sachsen), Deutschl.
Gerboretum → Gerberacum
Gerbstadensis vicus → Gerbizstidi
Gerdinum, Gardinum, Chardinum: Gerden (Hannover), Deutschl.
Gerena: Gehren (Thüringen), Deutschl.
Gereorenum, Geurinum, Georinum, Jaurinum, Javarinum, Jeurinum, Rabae civ.: Györ [Raab] (Györ-Sopron), Ung.
Gerilehova: Gerlenhofen (Bayern, RB. Schwaben), Deutschl.
Gerineshemium: Gernsheim (Hessen), Deutschl.
Gerlaci villa: Gerstheim (Bas-Rhin), Frankr.
Gerlocuria: Gerolzhofen (U-Franken), Deutschl.
s. **Germani a pratis monast.**, s. **Germanus de pratis**, s. **Germanus Parisiensis, Pratense monast.**: Saint-Germain-des-Prés, eh. Kl. bei Paris, Frankr.
s. **Germani castr.** → Casinum
s. **Germani fan., Sangermanum**: Saint-Germain-en-Laye (Seine-et-Oise), Frankr.
s. **Germani Vercellensis monast.**: San Germano Vercellese (Vercelli), Ital.
s. **Germani vicus in Ambronio**: Saint-Germain-Lembron (Puy-de-Dôme), Frankr.
Germania → Francia Theutonica
Germania alba → Teutonicorum terra
Germanica Broda → Broda Germanica
Germanice → Germanicia
Germanici castell. → Drusi castell.
Germanicia, Caesarea, Germanice: Maraş [Marasch] (Kommagene), Türkei.
Germanicopolis → Sora
Germanicum mare, Britannicus oceanus, Magnum mare, Occiden-

tale mare: Nordsee [North Sea, Vesterhavet, Nordsjøen, Noordzee, Mer du Nord].
Germanopolis → Dispargum
s. Germanus de pratis → s. Germani a pratis monast.
s. Germanus Parisiensis → s. Germani a pratis monast.
Germersleva: Nordgermersleben (Pr. Sachsen), Deutschl.
Germerwalda: Garmerwolde (Groningen), Niederl.
Germiniacum: Germigny-des-Prés (Loiret), Frankr.
Germundes: Gmünd (O-Pfalz, Kr. Regensburg), Deutschl.
Gerningeroda, Gerrodia, Gheronis monast., Geronis saltus, Geronensis: Gernrode (Anhalt), Deutschl.
Geroldsecos: Geroldseck (Württemberg), Deutschl.
Geronensis → Gerningeroda
Geronis saltus → Gerningeroda
Geronium, Gerunium: Lupara wstl. Larino (Campobasso), Ital.
Gerpinis: Gerpinnes (Hennegau), Belg.
Gerrodia → Gerningeroda
Gersovia: Gersau (Schwyz), Schweiz.
Gerstengum: Gerstungen (Thüringen), Deutschl.
Gertrudeberga → Bergae Divae Gertrudis
s. Gertrudis mons → Bergae Divae Gertrudis
Gerulata: Rusovce [Oroszvár, Karlburg] (Slowakei), Tschechoslow.
Gerunium → Geronium
Gerunna → Girundia
s. Gervasii burgus: Saint-Gervais-les-Bains (Haute-Savoie), Frankr.
s. Gervasii fan.: Saint-Gervais-d'Auvergne (Puy-de-Dôme), Frankr.
s. Gervasii fan.: Saint-Gervais-sur-Mare (Hérault u. Puy-de-Dôme), Frankr.
Gerwa, Gerwia, Jervia: Järvamaa [Jerwen], Landsch. (Estland), UdSSR.
Gerwia → Gerwa
Gesadunum → Lincia
Gesecena: Geseke (Westfalen), Deutschl.
Gesia, Gesium: Gex (Ain), Frankr.
Gesihaha: Geisa, Nfl. d. Ulster (Thüringen), Deutschl.
Gesihaha: Geisa (Thüringen), Deutschl.
Gesium → Gesia
Gesmaria, Gesmeri, Gaesmerae: Geismar (Hessen-Nassau), Deutschl.
Gesmaria, Gesmeri, Geysmaria: Geismar (Hannover), Deutschl.
Gesmeri → Gesmaria
Gesoria → Bononia in Francia
Gessera: Geisseren (Rheinprovinz), Deutschl.
Gesta: Geist (Westfalen), Deutschl.
Gesthuvilla, Jesthuvilla: Geisthövel (Westfalen), Deutschl.
Gestricia: Gästrikland, Landsch. (Gävleborg), Schwed.
Geta: Gete, Nfl. d. Demer (O-Flandern), Belg.
Getarum desertum: Bessarabien [Bessarabija, Basarabia], Landsch. (Moldauische SSR), UdSSR.
Gettapolis → Perusia
Geurinum → Gereorenum
Gevalia: Gävle [Gefle] (Gävleborg), Schwed.
Gevendi: Gfenn (Zürich), Schweiz.
Gewiridi: Gedern (Hessen), Deutschl.
Geysmaria → Gesmaria
Gheismaria → Geismari
Ghelria → Geldria

Gheronis monast. → Gerningeroda
Gheynum → Geini
Ghiessa Cattorum → Giessa
Ghisnae, Ghisnes, Gisnensis urbs, Guisnae: Guînes [Guînes-en-Calaisis] (Pas-de-Calais), Frankr.
Ghisnes → Ghisnae
Giana, Glana: Glon, Nfl. d. Amper (O-Bayern), Deutschl.
Giana, Glana: Glonn, Nfl. d. Mangfall (O-Bayern), Deutschl.
Giana, Glana: Glonn (O-Bayern), Deutschl.
Gianum, Giennum: Gien (Loiret), Frankr.
Giastum, Amonium, Histonium, Vastonium: Vasto (Chieti), Ital.
Gibbonbeki: Gievenbeck (Westfalen), Deutschl.
Gienna → Aurgi
Giennum → Aurgi
Giessa, Gissa Hassorum, Ghiessa Cattorum: Gießen (Hessen), Deutschl.
Gigantei montes → Asciburgi montes
Gigia: Gijón (Oviedo), Span.
Giglavia → Iglovia
Gihenninnia → Aurgi
Gilavia: Jilow bei Semily [Semil] (Böhmen), Tschechoslow.
Gilavia Borussica: Preußisch Eylau [Bagrationowsk] (O-Preußen), Deutschl.
Gilavia Germanica: Deutsch Eylau [Iława] (W-Preußen), Deutschl.
s. **Gildasius Ruyensis** → Ruesium
Gildonacum, Judonia: Jodoigne [Geldenaken] (Brabant), Belg.
Gilfordia: Guildford (Co. Surrey), Engl.
Gilibecki: Gilbach, Nfl. d. Erft (Rheinprovinz), Deutschl.
Gilicha: Gleichen (Hessen-Nassau), Deutschl.
Gilmarsiruti → Gilmarsruti
Gilmarsruti, Gilmarsiruti, Gisilmarisruti: Geiselmacherreute (Württemberg), Deutschl.
Gilovia: Gilowice bei Żywiec [Saybusch] (Krakau), Polen.
Gilovia: Jílové u Prahy [Eule] (Böhmen), Tschechoslow.
Gimapes → Gemapia
Gimmenica: Ginnick (Rheinprovinz), Deutschl.
Gimo, Gimontium, Gimundum: Gimont (Gers), Frankr.
Gimontium → Gimo
Gimundi, Gemundi: Münden [Münden a. d. Werra, Hannoversch Münden] (Hannover), Deutschl.
Gimundum → Gimo
Ginaepedium → Frauenfelda
Ginga: Giengen (Württemberg), Deutschl.
Ginoldi fossa: Jeufosse (Seine-et-Oise), Frankr.
Ginsium, Gunsa civ.: Köszeg [Güns] (Vas), Ung.
Giotiana → Clidesdalia
Gippevicum: Ipswich (Co. Suffolk), Engl.
Giraecum → Hieracium
Girba: Djerba [Djezîret Djerba, Dscherba], Ins. am Golf v. Gabes, Tunesien.
Giriuta: Kreith (O-Pfalz), Deutschl.
s. **Gironis castr.:** Saint-Girons (Ariège), Frankr.
Girundia, Gerunna: Gironde, Meeresarm a. d. Mündung der Garonne in den Atlantik (Gironde, Charente-Maritime), Frankr.
Giselaha: Giesel (Hessen-Nassau), Deutschl.
Gisilahha, Gysilaha: Giesel, Nfl. d. Fulda (Hessen-Nassau), Deutschl.
Gisilmarisruti → Gilmarsruti

Gisinhusa: Geisenhausen (N-Bayern), Deutschl.
s. **Gisleni cella**: Ghislain (Hennegau), Belg.
Gisnensis urbs → Ghisnae
Giso → Gisortium
Gisonis castra: Geisenfeld (O-Bayern), Deutschl.
Gisortium, Giso, Caesarotium: Gisors (Eure), Frankr.
Gissa Hassorum → Giessa
Gissinga: Güssing [Németújvár] (Burgenland), Österr.
Gistella: Ghistelle (W-Flandern), Belg.
Gitmiacinum, Gitzinum: Jičín [Gitschin, Jitschin] (Böhmen), Tschechoslow.
Gitzinum → Gitmiacinum
Givetum: Givet (Ardennes), Frankr.
Glacensis urbs → Glacium
Glacium, Glacensis urbs, Glocium: Glatz [Kłodzko] (N-Schlesien), Deutschl.
Gladbacense monast.: Gladbach, Teil v. Mönchen-Gladbach (Rheinprov.), Deutschl.
Gladbeki: Gladbeck (Westfalen), Deutschl.
Gladrubensis villa → Claderanensis
Gladussa → Ladesia
Glamorgensis comit. → Clamorgania
Glana → Giana
Glana, Glanensis villa: Glane (Hannover), Deutschl.
Glanensis villa → Glana
Glapponis mons: Rollberg, Anhöhe in Königsberg [Kaliningrad] (O-Preußen), Deutschl.
Glarana → Glaris
Glaris, Glarana, Clarus, Glarona: Glarus (Glarus), Schweiz.
Glarona → Glaris
Glaronensis pag.: Glarus, Kanton, Schweiz.
Glasconia, Avalonia: Glastonbury (Co. Somerset), Engl.
Glascovia → Glasgua
Glascua → Glasgua
Glasgua, Glascovia, Glascua: Glasgow (Lanarkshire), Schottl.
Glatovia → Clattovia
Glatowia → Clattovia
Glatta: Glatt, Nfl. d. Rhein (Zürich), Schweiz.
Glaucha, Glauchavia: Glauchau (Sachsen), Deutschl.
Glauchavia → Glaucha
Gledabiki: Gladebeck (Hannover), Deutschl.
Glemona: Gemona (Udine), Ital.
Glena: Glehn (Rheinprov.), Deutschl.
Glencdorpa: Glentorf (Braunschweig), Deutschl.
Glennum → Gianum
Gleserecella: Gläserzell (Hessen-Nassau), Deutschl.
Glevum → Clanum
Glichberga: Gleiberg (Rheinprov.), Deutschl.
Glicho, Glico: Gleichen, eh. Grafschaft (Thüringen), Deutschl.
Glico → Glicho
Gloavia → Glogovia major
Glocestria → Clanum
Glocium → Glacium
Glogovia major, Gloavia, Glogua: Glogau [Głogów] (N-Schlesien), Deutschl.
Glogovia minor: Oberglogau (Głogówek] (O-Schlesien), Deutschl.
Glogua → Glogovia major
Glomaci, Ziomici, Glumici, Deleminci, Dalamancia, Dalmantia: Lommatzsch (Sachsen), Deutschl.

Gloriae vallis → Gelurnum
Glorium → Gelurnum
Glota → Cluda
Glotae aestuarium → Clota
Glotana vallis → Clidesdalia
Glottovia: Glottau [Głotowo] (O-Preußen), Deutschl.
Glotyri vallis: Oberglottertal (Baden), Deutschl.
Glückstadium → Tychopolis
Glumici → Glomaci
Gluniacum, Clunica, Glunicense coenob.: Gleink (O-Österr.), Österr.
Glunicense coenob. → Gluniacum
Glurnium → Gelurnum
Glyna: Glien [Glinna] (Pommern), Deutschl.
Gnesi urbs → Gnesna
Gnesna, Gnesi urbs, Gnezdna, Gnezna, Gnisna, Gnissena, Gnezdensis civ., Gneznensis civ.: Gniezno [Gnesen] (Posen), Polen.
Gneum, Pons: Most [Brüx] (Böhmen), Tschechoslow.
Gnezdensis civ. → Gnesna
Gnezdna → Gnesna
Gnezna → Gnesna
Gneznensis civ. → Gnesna
Gnisna → Gnesna
Gnissena → Gnesna
Gnoja → Coenoenum
Goaris: Tāpī [Taptī], Fl., Mü: Arabisches Meer (Gujarat), Indien.
s. **Goaris cella,** s. **Goarius:** Sankt Goar (Rheinprov.), Deutschl.
s. **Goarius** → s. Goaris cella
s. **Gobanni villa:** Saint-Gobain (Aisne), Frankr.
Gobannium → Abergonium
Gobya, Gubena: Guben [Gubin = Guben östl. d. Neiße] (Brandenburg), Deutschl.
Goddinga → Gotinga
Godera: Godern (Hessen), Deutschl.
Goderea: Goeree-Overflakkee, Ins. (S-Holland), Niederl.
Godewicum, Goduwicum, Cotwicum, Gotwicum, Chotewicense, Kothwigense monast., Gotewicus monast.: Göttweig, Kl. (N-Österr.), Österr.
Godingovilla → Gundovilla
Godonis villa: Gomelieu (Nord), Frankr.
Goduwicum → Godewicum
Goemoria: Gemer [Sajo Gömör] (Slowakei), Tschechoslow.
Goemoriensis comit.: Gömör, eh. ung. Komit. (Slowakei), Tschechoslow.
Goettinga → Gotinga
Gogzichensis villa → Gozeka
Golda → Gaudanum
Golda, Colda, Coldaha: Goldach (St. Gallen), Schweiz.
Goldbiki: Golmbach (Braunschweig), Deutschl.
Golnovia: Gollnow [Goleniów] (Pommern), Deutschl.
Goltbiki: Goldbeck (Hessen-Nassau), Deutschl.
Goluba: Golub [Gollub, Golub-Dobrzyń] (Bromberg), Polen.
Gomari villa: Gommerville (Seine-Maritime), Frankr.
Gombaldi fons: Fontgombault (Indre), Frankr.
Gomericus mons: Montgomery (Montgomeryshire), Engl.
Gomesianorum conventus: Goms [Conches], Bez. (Wallis), Schweiz.
Gondrecurtium, Gundulphi curia, Gundulfocurtis: Gondrecourt-le-Château (Meuse), Frankr.
Gonessia: Gonesse (Seine-et-Oise), Frankr.
Gongibacum → Gengenbacum
Gontis → Contegium

Goppinga: Göppingen (Württemberg), Deutschl.
Gorchesleba: Gorsleben (Pr. Sachsen), Deutschl.
Gorcia, Gorzia, Gorziensis villa: Gorze (Moselle), Frankr.
Gorcka: Gorkau [Górka Sobocka] (N-Schlesien), Deutschl.
Gordenia: Gradec (Makedonien), Jugoslaw.
Gordonium: Gourdon (Lot), Frankr.
Gordyene: Kordestan [Kurdistan], Landsch., Iran.
Gorichemium, Corcomium: Gorinchem [Gorkum] (S-Holland), Niederl.
Goritia, Gorizia: Gorizia [Görz] (Gorizia), Ital.
Gorizia → Goritia
Gorlicensis civ. → Gorlicium
Gorlicium, Gorlicensis civ.: Görlitz [Zgorzelec = Görlitz östl. d. Neiße] (N-Schlesien), Deutschl.
Gormetia → Vormatia
Gornacum: Gournay-en-Bray (Seine-Maritime), Frankr.
Gorzia → Gorcia
Gorziensis villa → Gorcia
Gosa: Gose, Nfl. d. Ocker (Hannover), Deutschl.
Gosilarca → Goslaria
Goslaria, Gosleri, Gosolara villa, Gosilarca, Imperialis civ. ad Gosam: Goslar (Hannover), Deutschl.
Gosleri → Goslaria
Gosoccensis → Gozeka
Gosolara villa → Goslaria
Gossowa: Gossau (St. Gallen), Schweiz.
Gota, Gotaha: Gotha (Thüringen), Deutschl.
Gotaha → Gota
Gotewicus monast. → Godewicum
Gothalannia → Catalaunia
s. **Gothardus in Ungaria** → s. Gotthardi fan.
Gothia: Gotland, Ins., Schwed.
Gothia, Gothiae marchia, Gothiga regio, Gutia, Gozia: hist. Landschaft u. eh. Kgr. in Span. (Oviedo, Teile d. Prov. Santander, Burgos, Vizcaya, Guipuzcoa).
Gothia, Guthia, Gothlandia: Götaland, Landsch., Schwed.
Gothia occidentalis → Westrogothia
Gothia orientalis: Östergötland, Prov., Schwed.
Gothiae marchia → Gothia
Gothiga regio → Gothia
Gothlandia → Gothia
Gothoburgum: Göteborg [Gotenburg, Gothenburg] (Göteborg och Bohus), Schwed.
Gotinga, Goettinga, Goddinga, Tuliphordium: Göttingen (Hannover), Deutschl.
Gottesaugia, Gozowa: Gottesau (Baden), Deutschl.
s. **Gotthardi fan., s. Gothardus in Ungaria:** Szentgotthárd [St. Gotthard] (Vas), Ung.
Gottorpia, Gottorpium: Gottorp [Gottorf], Schl. (Schleswig-Holstein), Deutschl.
Gottorpium → Gottorpia
Gotwicum → Godewicum
Gotzgaugia, Gozgougia, Cozgougia: Gützkow (Pommern), Deutschl.
Goupilleres: Goupillières (Eure), Frankr.
Goupilleres: Goupillières (Seine-Maritime), Frankr.
Goupilleres: Goupillières (Seine-et-Oise), Frankr.
Gouris → Mais
Gouttinga: Gauting (O-Bayern), Deutschl.

Gowates: Gaubitsch (N-Österr.), Österr.
Gowibrucca: Gachbruck (O-Bayern), Deutschl.
Gozecensis → Gozeka
Gozeka, Gozecensis, Gosoccensis, Gogzichensis villa, Gozzicanus burgus: Gosek (Pr. Sachsen), Deutschl.
Gozgougia → Gotzgaugia
Gozia → Gothia
Gozowa → Gottesaugia
Gozzenleba: Kutzleben (Pr. Sachsen), Deutschl.
Gozzicanus burgus → Gozeka
Graba → Grobensis eccl.
Grabidis, Quadrabitis, Quadravedes, Quadraves: Grabs (St. Gallen), Schweiz.
Grabovia, Astula: Grabow (Mecklenburg), Deutschl.
Graca, Grassa, Grinnicum, Crassa: Grasse (Alpes-Maritimes), Frankr.
Gracia villa: Villagarcía (Pontevedra), Span.
Gradatae aquae, Gradus: Grado (Gorizia), Ital.
Gradiacus → Gradicum
Gradicensis urbs → Grezium
Gradicia → Garsa
Gradicum, Gradiacus, Grajum, Graeum: Gray (Haute-Saône), Frankr.
Gradio → Hradisca
Gradis monachorum: Mnichovo Hradiště [Münchengrätz] (Böhmen), Tschechoslow.
Gradiscia, Gratiana: Gradisca d'Isonzo (Gorizia), Ital.
Gradissensis civ. → Hradisca
Gradium reginae → Grezium
Gradium regium → Grezium
Gradus → Gradatae aquae
Graea: Hohenkrähen, Berg (Baden), Deutschl.
Graecensis montis civ. → Zagrabia
Graecium Styriae, Graezium, Graetia, Graza, Savaria, Savarium: Graz (Steiermark), Österr.
Graecum mare → Ionium mare
Graetia → Graecium Styriae
Graeum → Gradicum
Graezium → Graecium Styriae
Graffelti pag.: Grabfeld, eh. Gau (O-Franken), Deutschl.
Graftharpa: Grachtrup (Westfalen), Deutschl.
Grajum → Gradicum
Grajus mons → Columnae Jovis mons
Gramatum: Giromagny (Territoire de Belfort), Frankr.
Grammontium: Gramond (Aveyron), Frankr.
Grampius mons: The Grampians [Grampian Mountains, Grampian Highlands], Geb., Schottl.
Grana, Granus: Hron [Gran, Garam], Nfl. d. Donau (Slowakei), Tschechoslow.
Granata: Granada (Granada), Span.
Granatense regnum: Granada, eh. Kgr., Span.
Grancejum castr.: Grancey-le-Château (Côte-d'Or), Frankr.
Grandberga → Gerardi mons
Grandevium: Grohnde (Hannover), Deutschl.
Grandipratum: Grandpré (Ardennes), Frankr.
Grandis: Grand (Seine-et-Marne), Frankr.
Grandis: Grandpuits (Seine-et-Marne), Frankr.
Grandis campus: Grandchamp (Sarthe), Frankr.
Grandis mons → Gerardi mons

Grandis vallis monast.: Münster [Müstair], Kl. (Graubünden), Schweiz.

Grandis villa: Grandville (Lüttich), Belg.

Grandis villa: Grandville (Aube), Frankr.

Grandis villa, Grannonium: Granville (Manche), Frankr.

Grandisonium, Gransia, Granzonium: Grandson [Grandsee] (Waadt), Schweiz.

Grandivallis: Granfelden [Grandval] (Bern), Schweiz.

Grani palatium → Aquisgranum

Granis aquae → Aquisgranum

Grannonium → Grandis villa

Grannopolis → Gratianopolis

Gransia → Grandisonium

Granum palatium → Aquisgranum

Granus → Grana

Granzonium → Grandisonium

Grasiodanum → Gratianopolitanus pag.

Grassa → Graca

Gratia dei: Gottesgnaden (Pr. Sachsen), Deutschl.

Gratia s. Mariae, Grissovia: Grüßau [Krzeszów] (N-Schlesien), Deutschl.

Gratiae cella: Gnadenzell, Kl. (Württemberg), Deutschl.

Gratiae mons: Gnadenberg (O-Pfalz), Deutschl.

Gratiae portus → Franciscopolis

Gratiae vallis: Naantali [Nådendal] (Turku-Pori), Finnland.

Gratiana → Gradiscia

Gratianae aquae, Sabaudicae aquae, Allobrogum aquae: Aix-les-Bains (Savoie), Frankr.

Gratianopolis, Accusiorum col., Grannopolis: Grenoble (Isère), Frankr.

Gratianopolitanus pag., Grasiodanum: Grésivaudan [Graisivaudan], Landsch. (Isère), Frankr.

Gratiarum vallis: Gnadenthal (Aargau), Schweiz.

Graudentium, Grudentum: Grudziądz [Graudenz] (Bromberg), Polen.

Gravelina, Novum oppid.: Gravelines [Gravelingen] (Nord), Frankr.

Gravescenda: Gravesend (Co. Kent), Engl.

Graviacae: Tamsweg (Salzburg), Österr.

Graza → Graecium Styriae

Grecium → Grezium

Gregoriana vallis → s. Gregorii vallis

s. Gregorii cella: Reichenbach (Württemberg), Deutschl.

s. Gregorii monast., Confluentis monast.: Gregorienmünster [St. Gregorien], Kl. in Munster [Münster im Münstertal] (Haut-Rhin), Frankr.

s. Gregorii vallis, Gregoriana vallis: Gregoriental [Münstertal, Vallée de Munster], Tal (Haut-Rhin), Frankr.

Grenbergis, Grinbergensis urbs: Grunberghen (Brabant), Belg.

Grenovicum, Gronaicum, Gronvicum: Greenwich, Teil v. London (Co. Kent), Engl.

Grezium, Grecium, Gradium regium, Gradium reginae, Gradicensis urbs: Hradec Králové [Königgrätz] (Böhmen), Tschechoslow.

Grieza: Griesmaier (O-Bayern), Deutschl.

Grigniacum, Grinniacum: Grignan (Drôme), Frankr.

Grimus: Grimmen (Pommern), Deutschl.

Grinario: Grüningen (Württemberg), Deutschl.
Grinario: Nürtingen (Württemberg), Deutschl.
Grinbergensis urbs → Grenbergis
Grindela: Großgründlach (M-Franken), Deutschl.
Grinniacum → Grigniacum
Grinnicum → Graca
Grintaha: Niedergründau (Hessen-Nassau), Deutschl.
Gripeswolda, Gripswolda, Gryphiswalda: Greifswald (Pommern), Deutschl.
Gripswolda → Gripeswolda
Grisonia, Grisonum pag., Grisonum ligae tres, Rhaetia superior, Rhaetia prima, Campi canini, Curiovallis ligae tres, Raetia curiensis: Graubünden [Grischun, Grigioni, Grisons, Bünden, Churrätien], Kt., Schweiz.
Grisonum ligae tres → Grisonia
Grisonum pag. → Grisonia
Grissovia → Gratia s. Mariae
Gritela: Griedel (Hessen), Deutschl.
Grobensis eccl., Graba: Grobe, Kl. auf d. Ins. Usedom (Pommern), Deutschl.
Grodiacum: Grodzisko (Posen), Polen.
Grodis mons: Gröditzberg, Berg bei Goldberg [Złotoryja] (N-Schlesien), Deutschl.
Grodna, Gartha: Grodno [Gardinas, Hrodna] (Weißruss. SSR), UdSSR.
Groisca: Groitzsch (Sachsen), Deutschl.
Grona, Grunaha, Gruona, Cruona, Emna, Empna: Grone [Göttingen-Grone] (Hannover), Deutschl.
Gronaicum → Grenovicum
Gronia: Grönland, Dänem.
Groniensis ager, Groningensis ager: Groningen, Prov., Niederl.
Groninga, Philaeum: Groningen (Groningen), Niederl.
Groningensis ager → Groniensis ager
Gronowa, Gruonowa: Gronau (Hessen-Nassau), Deutschl.
Gronvicum → Grenovicum
Grotgavia: Grottkau [Grodków] (O-Schlesien), Deutschl.
Groupa: Grub (N-Bayern), Deutschl.
Groveorum regio → Crovia
Gruarii portus: Gruaro (Venedig), Ital.
Gruba: Grub (M-Franken), Deutschl.
Grudentum → Graudentium
Grueria: Greyerz [Gruyères] (Freiburg), Schweiz.
Grueti → Ruetinensis vicus
Grummis → Crema
Grunaha → Grona
Grunti: Grund (N-Österr.), Österr.
Grunum: Grône [Grun] (Wallis), Schweiz.
Gruona → Grona
Gruonowa → Gronowa
Grupna → Crupna
Grymmis → Crema
Gryphaeum: Greifensee (Zürich), Schweiz.
Gryphiberga, Gryphimontium: Greiffenberg [Gryfów Śląski] (N-Schlesien), Deutschl.
Gryphimontium → Gryphiberga
Gryphiswalda → Gripeswolda
Guadicia, Acci: Guadix (Granada), Span.
Gualacra → Valacria
Gualnensis villa: Walle [Bremen-Walle] (Bremen), Deutschl.
Gualteriana villa: Walterswil (Bern), Schweiz.

Guapincensium civ. → Vapincum
Guardia Prima → Bremogartum
Guardistallum → Walestatensis ducat.
Guardistallum, Gardistallum, Vastalia, Wardastallum: Guastalla (Reggio Emilia), Ital.
Guarmatia → Vormatia
Guategisso → Wattavis
Guatinas → Watenes
Guatinensis → Watenes
Guatinum → Watenes
Gubena → Gobya
Gubernium castell., Gubernola, Ambuletum, Ambulejus ager: Governolo (Mantua), Ital.
Gubernola → Gubernium castell.
Gubla → Byblus
Guda → Gaudanum
Guduali locus: Locoal-Mendon (Morbihan), Frankr.
Guelferbytum, Wolfenbuttela, Wolferbytum, Wuelferbitum, Henricostadium, Henricopolis, Vadum lupi: Wolfenbüttel (Braunschweig), Deutschl.
Gueretum → Garactum
Guerica: La Guerche (Indre-et-Loire), Frankr.
Guesta: Wesen (St. Gallen), Schweiz.
Guestfalia → Westfalia
Guiardi villa nova: Villeneuve-la-Guyard (Yonne), Frankr.
Guichia → Guissinum
Guidonis fons: Fontaine-la-Guyon (Eure-et-Loir), Frankr.
Guidonis vallis, Widonis vallis: Laval (Mayenne), Frankr.
Guierlaicovilla: Givarlais (Allier), Frankr.
Guilielmostadium: Willemstad (N-Brabant), Niederl.
Guimina: Gümmenen (Bern), Schweiz.
Guinneringa → Winiheringa
Guintonium → Venta Belgarum
Guisia → Guisium castr.
Guisium castr., Gusgia, Guisia: Guise (Aisne), Frankr.
Guisnae → Ghisnae
Guissunum, Guichia: La Guiche (Saône-et-Loire), Frankr.
Guistrium, Aquistriae: Guitres (Gironde), Frankr.
Guitonium → Bicestria
Guivia: Guiers, Nfl. d. Rhône (Savoie), Frankr.
Guldria → Geldria
Gulia, Jugila, Gullus: Geul, Nfl. d. Maas (Limburg), Niederl.
Gulichi → Juliacus
Gulles: Gooi, Landsch. (Utrecht), Niederl.
Gullus → Gulia
Gulsa: Güls (Rheinprov.), Deutschl.
Gumcestria → Durolipons
Gummicastrum → Bicestria
Gumorodingtharpa: Guntrup (Westfalen), Deutschl.
Gundakares villa: Günstedt (Pr. Sachsen), Deutschl.
Gundelinchowa: Gündlkofen (N-Bayern), Deutschl.
Gunderichesleba: Günthersleben (Thüringen), Deutschl.
Gunderrames: Guntramsdorf (N-Österr.), Österr.
Gunderslevo → Tunderzlevo
Gunderslevo turris → Gunzenleba
Gundolfesleba → Gunzenleba
Gundovilla, Godingovilla, Gundulfovilla, Gundulfi villa: Gondreville (Meurthe-et-Moselle), Frankr.
Gundulfi villa → Gundovilla
Gundulfocurtis → Gondrecurtium
Gundulfovilla → Gundovilla
Gundulphi curia → Gondrecurtium
Gunsa civ. → Ginsium

Gunsinus: Zinsel, Nfl. d. Moder [Motter] (Bas-Rhin), Frankr.
Guntia, Guntium, Guntionis castell., Cuntium: Günzburg (Bayern, RB. Schwaben), Deutschl.
Guntionis castell. → Guntia
Guntium → Guntia
Gunzanae villa → Gussanvilla
Gunzenleba, Gundolfesleba: Gunsleben (Pr. Sachsen), Deutschl.
Gunzenleba, Gundolfesleba, Gunderslevo turris: Gundersleben (Thüringen), Deutschl.
Gunzines: Ginzlas (N-Österr.), Österr.
Guormatia → Vormatia
Gupha: Guph (Baden), Deutschl.
Gurca, Gurka, Gurcensis, Curcensis villa: Gurk (Kärnten), Österr.
Gurcensis → Gurca
Gurduna → Gurtina
Gurgolinum → Gargogilum
Gurimensis → Caurzimensis
Gurka → Gurca
Gurta → Gurtina
Gurtina, Gurta, Gurduna, Curtina, Curtuna: Gurten (O-Österr.), Österr.
Gusgia → Guisium castr.
Gussanvilla, Gunzanae villa: Goussainville (Seine-et-Oise), Frankr.
Gustrovium: Güstrow (Mecklenburg), Deutschl.
Gusua, Guszua: Geusa (Pr. Sachsen), Deutschl.
Guszua → Gusua
Guthia → Gothia
Gutia → Gothia
Guttinninga: Güttingen (Baden), Deutschl.
Guttna mons → Kutta
Gwestfalia → Westfalia
Gymnopedium → Frauenfelda
Gynaecopolis → Fraustadium
Gyselwerda: Gieselwerder (Hessen-Nassau), Deutschl.
Gysilaha → Gisilahha

H

Habala, Albola, Habola, Havila, Labola, Obula: Havel, Nfl. d. Elbe (Brandenburg), Deutschl.
Habentium vicus → Vicohabentia
Habitaculum Mariae: Maribo (Laaland), Dänem.
Haboki → Hohbuoki
Habola → Habala
Habsburgum → Osburgum
Habus → Recens lacus
Hadaloha → Hadelia
Hadana → Hatana
Hadebretswilare, Hadibrehteswilare: Habratsweiler bei Ettenkirch (Württemberg), Deutschl.
Hadelensis pag. → Hadelia
Hadeleria → Hadelia
Hadelia, Adaloha, Hadaloha, Hadelensis pag., Hadeleria, Hadeloha, Hadola, Hadoloha, Haduloha, Hathaloga, Hathelaria, Hatheleria, Hathuloga: Hadeln [Land Hadeln], Landsch. (Hannover), Deutschl.
Hadeloha → Hadelia
Hademarum: Hadamar (Hessen-Nassau), Deutschl.
Hadersleba: Haderslev [Hadersleben] (Jütland), Dänem.
Hadibrehteswilare → Hadebretswilare

Hadina, Hadintona: Haddington (East Lothian), Schottl.
Hadintona → Hadina
Hadola → Hadelia
Hadoloha → Hadelia
Hadopolis, Haedicollis, Haediopolis, Haedopolis: Kitzbühel (Tirol), Österr.
Haduloha → Hadelia
Haedicollis → Hadopolis
Haediopolis → Hadopolis
Haedopolis → Hadopolis
Haellinum → Salina
Haemi extrema: Kap Emine [Nos Emine, Nos Emona, Emine-Burun, Kap Ermine], Vorgeb. (Schwarzes Meer), Bulgar.
Haesbania → Hasbania
Haethum → Slesvicum
Haffligense coenob. → Afflegemium
Hafflinga → Afflegemium
Hafflingis → Afflegemium
Hafnia, Codania, Havnia: Kopenhagen [København, Kjøbenhavn], Hst. v. Dänem.
Haga: Haag (N-Bayern, Kr. Wegscheid), Deutschl.
Haga: Haag a. d. Amper (O-Bayern), Deutschl.
Haga: Haag bei Schwarzhofen (O-Pfalz), Deutschl.
Haga: Hain (U-Franken, Kr. Schweinfurt), Deutschl.
Haga Aureliana, Haga Turonica: La Haye-Descartes (Indre-et-Loire), Frankr.
Haga Comitis, Haga Comitum, Hagense castr.: Den Haag ['s-Gravenhage, La Haye, The Hague] (S-Holland), Niederl.
Haga Comitum → Haga Comitis
Haga promont.: Cap de la Hague [Kap Hague], Vorgeb. (Manche), Frankr.
Haga Schauenburgi, Indaginis civ.: Stadthagen (Lippe), Deutschl.
Haga Turonica → Haga Aureliana
Haganoa, Apud Indaginem Marchionis, Indago Marchionis, Hayna: Großenhain (Sachsen), Deutschl.
Hagena, Haghena: Dorfhagen (Hannover), Deutschl.
Hagenoa, Hagenoia, Hagenowia: Haguenau [Hagenau] (Bas-Rhin), Frankr.
Hagenoia → Hagenoa
Hagenowa: Haina (Thüringen), Deutschl.
Hagenowia → Hagenoa
Hagense castr. → Haga Comitis
Hageri vicus → Cuzalina
Haghena → Hagena
Haginoia → Hannonia
Hahenla: Hollach, Ruine bei Uffenheim (M-Franken), Deutschl.
Hahensili: Hansell bei Altenberge (Westfalen), Deutschl.
Haiderichiswilare: Hedertsweiler bei Owingen (Baden), Deutschl.
Hailprunna, Alisum, Heilbronna, Salutis fons: Heilbronn (Württemberg), Deutschl.
Haimburga: Hainburg a. d. Donau (N-Österr.), Österr.
Haimminwilare: Spiegler (Württemberg), Deutschl.
Hainaus → Hannonia
Hainnoum → Hannonia
Hainoavius pag. → Hannonia
Hainonensis pag. → Hannonia
Hainonia → Hannonia
Hainovia, Hanovia: Haynau [Hainau, Chojnów] (N-Schlesien), Deutschl.
Hairici villa, Harevilla: Harville (Meuse), Frankr.
Hala → Halla
Halae Saxonum → Halla

Halapa → Chalybon
Halapia → Halberstadium
Halaria → Hola
Halberensis → Halberstadium
Halberstadium, Alfurtestedensis civ., Antiqua civ., Halapia, Halberensis, Halvarastatensis, Hemipolis: Halberstadt (Pr. Sachsen), Deutschl.
Halestra → Alstra
Halica: Portocheli [Porto Chéllion] bei Kranidion (Peloponnes), Griechenl.
Halicanum, Raclitanum: Köszegszerdahely bei Köszeg [Güns](Vas), Ung.
Halicia → Gallicia
Halicyae: Salemi (Trapani), Ital.
Halifacia, Hortonium: Halifax (Yorkshire), Engl.
Halla: Hal [Halle] (Brabant), Belg.
Halla, Hala, Halla ad Oenum, Hallensis urbs: Hall a. Inn [Solbad Hall i. Tirol] (Tirol), Österr.
Halla, Halae Saxonum, Halla ad Salam, Halla Hermundurorum, Halla Magdeburgica, Halla Salica, Halla Venedorum, Hallensis urbs, Salinae Saxonicae: Halle a. d. Saale (Pr. Sachsen), Deutschl.
Halla, Halla praepositum, Hallensis urbs, Hallis: Reichenhall (O-Bayern), Deutschl.
Halla ad Oenum → Halla
Halla ad Salam → Halla
Halla Hermundurorum → Halla
Halla Magdeburgica → Halla
Halla praepositum → Halla
Halla Salica → Halla
Halla Suevica → Halla Suevorum
Halla Suevorum, Halla Suevica: Schwäbisch-Hall (Württemberg), Deutschl.
Halla Venedorum → Halla
Hallensis urbs → Halla
Halliola → Salina
Hallis → Halla
Hallithi: Hölter (Westfalen), Deutschl.
Hallula → Salina
Halmala: Halmaal (Limburg), Belg.
Halmostadium: Halmstad (Halland), Schwed.
Halosta → Alostum
Halsacia → Holsatia
Halsatium → Alisatia
Halstera → Alstra
Halvara: Halver (Westfalen), Deutschl.
Halvarastatensis → Halberstadium
Halverscetha: Halverscheid (Westfalen), Deutschl.
Hama, Hammonia: Hamm (Westfalen), Deutschl.
Hamaburgensis civ. → Hammonia
Hamala, Hamela, Hamelawi: Hameln (Hannover), Deutschl.
Hamaritda: Nederhemert (Gelderland), Niederl.
Hamarithi: Hemmerden (Rheinprov.), Deutschl.
Hamburgum → Hammonia
Hamela → Hamala
Hamelawi → Hamala
Hamerethi: Hemmerde (Westfalen), Deutschl.
Hamerslovensis urbs: Hamersleben (Pr. Sachsen), Deutschl.
Hametum, Hammus, Hamum, Hamus: Ham (Somme), Frankr.
Hamiltonium: Hamilton (Lanarkshire), Schottl.
Hammaria: Hamar (Hedmark), Norw.
Hammonia → Hama
Hammonia, Augusta Gambriviorum, Hamaburgensis civ., Hamburgum, Hamonis castr., Hochburi castell.: Hamburg (Hansestadt), Deutschl.

Hammus → Hametum
Hamonis castr. → Hammonia
Hamons: Hamont (Limburg), Belg.
Hamptoni curia, Antonae castell.: Hamptoncourt (Middlesex), Engl.
Hamricka: Wybelsumer Hammrich (Hannover), Deutschl.
Hamtoni comit. → Hanonia
Hamum → Hametum
Hamus → Hametum
Hana: Hahn (Oldenburg), Deutschl.
Hana: Höhn [Höhn-Urdorf] (Hessen-Nassau), Deutschl.
Hanagavensis comit. → Hannonia
Handoverpia → Antwerpium
Hangowia → Hannonia
Hannebotum: Hennebont (Morbihan), Frankr.
Hannonia, Haginoia, Hainaus, Hainnoum, Hainoavius pag., Hainonensis pag., Hainonia, Hanagavensis comit., Hangowia, Hannoniensis pag., Hannovia, Hanogovia, Hanonia, Haynoa, Haonia, Heinacum, Hennegowa: Hennegau [Hainaut, Henegouwen], eh. Gau u. Grafschaft, Landsch. (Belg. u. Frankr.) u. Prov. (Belg.).
Hannoniensis pag. → Hannonia
Hannonis ins. → Menuthias ins.
Hannovera, Hanovera, Hanovra: Hannover, Deutschl.
Hannovia → Hannonia
Hannovia, Hanovia: Hanau (Hessen-Nassau), Deutschl.
Hannutum, Hannuvium, Hanutum: Hannut (Lüttich), Belg.
Hannuvium → Hannutum
Hanogovia → Hannonia
Hanonia → Hannonia
Hanonia, Hamtoni comit.: Hampshire [Hants], Grafsch., Engl.
Hanovera → Hannovera
Hanovia → Hainovia
Hanovia → Hannovia
Hanovra → Hannovera
Hanseaticae urbes, Anseaticae urbes: die Hansestädte (Mitglieder d. Hanse).
Hantona → Antona meridionalis
Hanutum → Hannutum
Haonia → Hannonia
Hapselensis civ., Hapselia: Haapsalu [Hapsal] (Estland), UdSSR.
Hapselia → Hapselensis civ.
Hara → Ara
Harae curia → Harcurtium
Haraldi villa: Hérouville [Hérouville-Saint-Clair] (Calvados), Frankr.
Harburgum: Harburg (Bayern, RB. Schwaben), Deutschl.
Harburgum, Hartberga: Harburg [Hamburg-Harburg] (Hamburg), Deutschl.
Harches → Herka
Harcurtium, Harae curia, Harecortis: Harcourt (Eure), Frankr.
Harcurtium, Harae curia, Harecortis: Harcourt [Thury-Harcourt] (Calvados), Frankr.
Harda: Hart bei St. Georgen am Ybbsfelde (N-Österr.), Österr.
Hardega → Harudorum pag.
Harderovicum, Ardevicum, Hardervicum: Harderwijk (Gelderland), Niederl.
Hardervicum → Harderovicum
Hardres → Ardea
Harecortis → Harcurtium
Hareflorium → Harflevium
Harevilla → Hairici villa
Harflevium, Harflorium, Hareflorium, Arefluctus: Harfleur (Seine-Maritime), Frankr.
Harflorium → Harflevium
Harga: Harg (Stockholm), Schwed.
Hargia → Harria

Haringtharpa: Hentrup bei Liesborn (Westfalen), Deutschl.
Hariolfes villa: Herrlisheim-près-Colmar [Herlisheim] (Haut-Rhin), Frankr.
Haristalio → Heristallium
Haristalium → Herestallium
Haristalium novum → Heristallium
Haristallum → Herestallium
Haristellium → Herestallium
Haristello → Heristallium
Harlebakensis urbs → Herlebeka
Harlebeccensis → Herlebeca
Harlemum: Haarlem (N-Holland), Niederl.
Harlinga, Harlinga Frisorum, Harlingis: Harlingen (Friesland), Niederl.
Harlinga Frisorum → Harlinga
Harlingia, Harloga: Harlinger Land, Landsch. in O-Friesland (Hannover), Deutschl.
Harlingis → Harlinga
Harloga → Harlingia
Harmozia: Hormoz [Hormus, Hormuz, Ormuz], Ins. u. Ort (Straße v. Hormuz), Iran.
Harmundes: Harmerz (Hessen-Nassau), Deutschl.
Harna: Haren (Hannover), Deutschl.
Harna: Walhorn (Lüttich), Belg.
Haromszekiensis sedes: Háromszék [Trei Scaune], eh. ung. Komit. (Siebenbürgen), Rumän.
Harponium: Cerchiara di Calabria (Cosenza), Ital.
Harpstadium: Harpstedt (Hannover), Deutschl.
Harpunni: Harpen [Bochum-Harpen] (Westfalen), Deutschl.
Harria, Hargia: Harjumaa [Harrien, Harnland], Landsch. (Estland), UdSSR.
Harselia: Aarsele (W-Flandern), Belg.
Harsfeldum, Harzefeldensis vicus: Harsefeld (Hannover), Deutschl.
Hartberga → Harburgum
Hartegewi → Harudorum pag.
Hartfordium: Hartfort (Cheshire), Engl.
Harthici montes, Hartici montes, Melibocus mons: Harz, Geb., Deutschl.
Harthusa: Harthausen (O-Bayern), Deutschl.
Harthusa: Harthausen auf der Scher (Württemberg), Deutschl.
Hartiana silva → Nigra silva
Hartici montes → Harthici montes
Hartsburgum: Harzburg (Braunschweig), Deutschl.
Harudorum pag., Hartegewi, Hardega, Herthega: Harzgau, eh. Gau (Braunschweig, Pr. Sachsen), Deutschl.
Harvia, Herva: Herve (Lüttich), Belg.
Harviacum, Hervicum: Harwich (Essex), Engl.
Harzefeldensis vicus → Harsfeldum
Hasa, Asa, Assa: Hase, Nfl. d. Ems (Hannover), Deutschl.
Hasae pons → Osnabrugga
Hasalaha: Haßloch (Bayern, RB. Pfalz), Deutschl.
Hasalaha → Avellana
Hasalaha, Haselaha: Kirchhasel (Hessen-Nassau), Deutschl.
Hasbania, Asbania, Asbanicum, Haesbania, Hasbanicus pag., Hasbaniensis comit., Hasbanium, Hazbania, Hesbines, Hespania: Hesbaye [Haspengau, Haspengouw, Hespengau, Hasbengau], Landschaft u. eh. Grafsch. (Lüttich, Namur), Belg.

Hasbanicus pag. → Hasbania
Hasbaniensis comit. → Hasbania
Hasbanium → Hasbania
Hascia → Hassia
Hasela: Hasel (Baden), Deutschl.
Hasela: Haslach [Freiburg-Haslach] (Baden), Deutschl.
Hasela: Hasle (Luzern), Schweiz.
Hasela: Meiringen (Bern), Schweiz.
Hasela: Ober- u. Niederhaslach (Bas-Rhin), Frankr.
Hasela, Hasila: Ober- u. Niederhasli (Zürich), Schweiz.
Haselaha → Hasalaha
Haselaha, Hasia: Haslach an der Mühl (O-Österr.), Österr.
Haselaha, Hasilaha: Haslach an der Stiefing (Steiermark), Österr.
Haserensis → Nazaruda
Hasia → Haselaha
Hasia → Hassia
Hasila → Hasela
Hasilaha → Haselaha
Hasiorum pag. → Hassia
Hasla: Haslarn (N-Österr.), Österr.
Haslacum → Ascloha
Haslbechi: Heisebeck (Hessen-Nassau), Deutschl.
Hasleri: Heßler [Gelsenkirchen-Heßler] (Westfalen), Deutschl.
Haslum: Hieslum (Friesl)., Niederl.
Haspa: Haspe bei Ennepetal (Westfalen), Deutschl.
Hasseletum ad Demeram: Hasselt (Limburg), Belg.
Hasseletum Transisalaniae: Hasselt (Overijssel), Niederl.
Hassia, Asia, Assia, Hascia, Hasia, Hasiorum pag., Hassiaca terra, Hassica terra, Hassonia, Hassorum regio, Hazzia, Hessia: Hessen, Land u. Landsch. (Land Hessen u. Pr. Hessen-Nassau), Deutschl.
Hassia inferior, Bassa Assia: Niederhessen, Landsch. (Hessen-Nassau), Deutschl.
Hassia superior, Alta Assia: Oberhessen, Landsch. u. Prov. (Hessen), Deutschl.
Hassiaca terra → Hassia
Hassica terra → Hassia
Hasso-Casselanus principat.: Hessen-Kassel [Kurhessen], eh. Kurfstm. (Pr. Hessen-Nassau, RB. Kassel), Deutschl.
Hasso-Darmstadinus principat.: Hessen-Darmstadt [Hessen], eh. Großhgt. (Oberhessen, Rheinhessen, Starkenburg), Deutschl.
Hassonia → Hassia
Hassorum regio → Hassia
Hasteria: Hastière [Hastière-Lavaux] (Namur), Belg.
Hasunga, Hasungensis villa: Burghasungen (Hessen-Nassau), Deutschl.
Hasungensis villa → Hasunga
Hatana, Hadana: Hatten (Bas-Rhin), Frankr.
Hathaloga → Hadelia
Hathariensis pag. → Hatoariorum pag.
Hathelaria → Hadelia
Hatheleria → Hadelia
Hathersburgdi: Hersbruck a. d. Pegnitz (M-Franken), Deutschl.
Hathuloga → Hadelia
Hatoariorum comit. → Hatoariorum pag.
Hatoariorum pag., Attoariorum pag., Chatuaria, Hathariensis pag., Hatoariorum comit., Hatteri pag., Hattuaria: Chattuariergau [Attuariergau], eh. Gau a. d. Ruhr u. zw. Rhein u. Maas, Deutschl. u. Niederl.
Hattemium: Hattem (Gelderland), Niederl.

Hatteri pag. → Hatoariorum pag.
Hattonis castr. → Ettenhemium
Hattuaria → Hatoariorum pag.
Hatuanum: Hatvan (Heves), Ung.
Haugustaldium, Alexodunum, Axelodunum: Hexham (Co. Northumberland), Engl.
Haustria → Austria
Havelberga, Havelbergensis civ.: Havelberg (Brandenburg), Deutschl.
Havelbergensis civ. → Havelberga
Havila → Habala
Havinum: Hien (Gelderland), Niederl.
Havnia → Hafnia
Havrea: Havré (Hennegau), Belg.
Hayna → Haganoa
Haynoa → Hannonia
Hazbania → Hasbania
Hazzia → Hassia
Hebrides insulae → Aebudae insulae
Hecatompylos, Komisene: Damghan [Damgan] (Semnan-Damghan), Iran.
Hecatonnesi insulae: Maden adasi [Moskonisi Inseln], Inselgruppe im Golf v. Edremit (Ägäisches Meer), Türkei.
Hechi, Hethi: Neustadt a. Harz [Neustadt unterm Hohnstein] (Hannover, RB. Hildesheim), Deutschl.
Hechti → Ethi
Hecstediensiste → Aichstadium
Hedara: Heder, Nfl. d. Lippe (Westfalen), Deutschl.
Hedela: Heitel a. d. Heda (Hannover), Deutschl.
Hedela, Hedilla: Hedel (Gelderland), Niederl.
Hedemarkia: Hedmark [Hedmarken], Prov. in SO-Norwegen.
Hedena → Hesdinium
Hedilla → Hedela
Hedua → Augustodunum
Heerevilla: Heers (Limburg), Belg.
Hegenense monast. → Huninga
Hegetmatia: abgeg. bei Oppeln [Opole] (O-Schlesien), Polen.
Hegovia, Hegowa: Hegau, Landsch. (Baden), Deutschl.
Hegowa → Hegovia
Heiamensis vicus → Imeckna
Heichstetensis → Aichstadium
Heicinga: Hayange [Hayingen] (Moselle), Frankr.
Heida: Haid (O-Bayern), Deutschl.
Heidelberga, Edelberga, Heydelberga, Myrtilletum, Myrtillorum mons: Heidelberg (Baden), Deutschl.
Heidiba → Slesvicum
Heigera: Häger (Westfalen), Deutschl.
Heila: Helle (Brandenburg), Deutschl.
Heilba → Albis
Heilbronna → Hailprunna
Heiligenstadium → Sancta civ.
Heiligenstadium, Heliganstadi, Hyllegunstadensis urbs, Sanctorum urbs: Heiligenstadt i. Eichsfeld (Pr. Sachsen), Deutschl.
Heilsum: Jelsum (Friesland), Niederl.
Heimmortinga, Hemmortinga: Heimertingen (Bayern, RB. Schwaben), Deutschl.
Heimonis villa: Hainberg (N-Österr.), Österr.
Heinacum → Hannonia
Heinsilianus mons: Heinzenberg, Bez. (Graubünden), Schweiz.
Heisi, Heisingi, Hesi, Hesingi: Heisingen [Essen-Heisingen] (Rheinprov.), Deutschl.

Heisingi → Heisi
Heistra: Heister bei Dhünn (Rheinprov.), Deutschl.
Helbia → Albis
Helcechum → Auclacum
Helcipolis: Chomutov [Komotau] (Böhmen), Tschechoslow.
Helenae vicus, Lismea: Lens-sur-Dendre (Hennegau), Belg.
Helenensis civ. → Elna
Helenopolis → Francofurtum ad Moenum
Helerius → Elauris
Helhestra → Elstra
Helia → Elia
Helidberga: Heldburg (Thüringen), Deutschl.
Heliganstadi → Heiligenstadium
Helingeriswenga, Interior cella: Bayrischzell [Margaretenzell] (O-Bayern), Deutschl.
Helisatia → Alisatia
Heliso: Helsen (Hessen-Nassau, Kr. Waldeck), Deutschl.
Helium → Briela
Hellanes: Linares (Jaén), Span.
Hellesponticum mare → Hellespontus
Hellespontus, Ellesponticum brachium s. Georii, Ellespontum, Gallipolitanum fretum, Hellesponticum mare: Dardanellen [Çanakkale Boğazi, Straße bzw. Meerenge v. Gallipoli, Straße der Dardanellen], Meeresstraße zw. der Halbins. Gallipoli u. Kleinasien, Türkei.
Helmana, Elmena: Helme, Nfl. d. Unstrut (Pr. Sachsen), Deutschl.
Helmanstidi → Helmstadium
Helmonstadenis civ. → Helmstadium
Helmontium: Helmond (N-Brabant), Niederl.
Helmstadium, Academia Julia, Athenae ad Ehnum, Helmanstidi, Helmonstadensis civ.: Helmstedt (Braunschweig), Deutschl.
Helpithi: Helfta (Pr. Sachsen), Deutschl.
Helsinga → Elsingburgum
Helsingfordia → Helsingoforsa
Helsingia: Hälsingland [Helsingeland], eh. Prov., Schweden.
Helsingissa → Helsingoforsa
Helsingoburgum → Elsingburgum
Helsingoforsa, Helsingissa, Helsingfordia: Helsinki [Helsingfors], Finnland.
Helsingora → Elsenora
Helvae, Helvis, Alba, Elva: Elvas (Alto Alemtejo), Portug.
Helvatium: Helvaux (Haute-Vienne), Frankr.
Helvetia → Swicia
Helveticus lacus, Lucernensis lacus, Magnus lacus, Quattuor regionum lacus, Quattuor oppidorum lacus: Vierwaldstätter See [Luzerner See], Schweiz.
Helvetum → Elcebus
Helvia Riccina, Aelia Riccina: Recina Rovinata, abgeg. bei Recanati (Macerata), Ital.
Helvinus: Salinello, Fl., Mü: Adriat. Meer (Teramo), Ital.
Helvis → Helvae
Hemeroscopium, Artemisium Dianium: Denia (Alicante), Span.
Hemipolis → Halberstadium
Hemipyrgum: Halbturn [Halbthurm, Féltorony] (Burgenland), Österr.
Hemiscara → Amsara
Hemmamhus: Hembsen (Westfalen), Deutschl.
Hemmortinga → Heimmortinga
Henghilari: Henglarn (Westfalen), Deutschl.
Henicis → Nemchi

Hennegowa → Hannonia
Hennepolis → Hildesia
Henniacum Litardi, Henninum: Hénin-Liétard (Pas-de-Calais), Frankr.
Henninum → Henniacum Litardi
Henopolis → Hildesia
Henrici Hradecium, Nova domus, Neuhusium: Jindřichův Hradec [Neuhaus] (Böhmen), Tschechoslow.
Henrici pagus → Einrichi pagus
Henricomontium: Henrichemont (Cher), Frankr.
Henricopolis → Guelferbytum
Henricostadium → Guelferbytum
Heopurdum: Hapert (N-Brabant), Niederl.
Heptanomis: Mittel-Ägypten, Teil v. Ägypten.
Heraclea Pontica → Eribolum
Heracleopolis, Heracleopolis magna: Samallut am Nil (M-Ägypten), Ägypten.
Heracleopolis magna → Heracleopolis
Heraclius: Herace, Fl., Mü: Golf v. Korinth, Griechenl.
Heraei montes, Junonii montes: Monti Erei, Geb. (Enna), Ital.
Heraldi castell., Airaudi castr., Eraldium castr.: Châtellerault (Vienne), Frankr.
Herauga → Heresa
Herbanum → Orvietum
Herbipolis, Macropolis, Vurceburgum, Wirceburgum: Würzburg (U-Franken), Deutschl.
Herborna: Herborn (Hessen-Nassau), Deutschl.
Herbsfordia → Erfordia
Hercinii montes → Piniferus mons
Herculeum fretum, Columnarum fretum, Gaditanum fretum, Hispanum fretum, Mare strictum: Straße von Gibraltar [Estrecho de Gibraltar, Strait of Gibraltar], Meerenge zw. Span. u. Marokko.
Herculis castra → Buda
Herculis Cusani portus: Port' Ercole (Grosseto), Ital.
Herculis fanum: El Castillo de las Guardas (Sevilla), Span.
Herculis fanum: Massa [Massa di Carrara, Massa di Lunigiana, Apuania] (Massa), Ital.
Herculis fanum: Massaciuccoli (Lucca), Ital.
Herculis Labronis portus, Liburnicus portus, Liburnum, Lavur, Ad Herculem: Livorno (Livorno), Ital.
Herculis lucus → Wededonis mons
Herculis Monoeci portus, Herculis portus, Monachi castr., Monaecium, Monoecum: Monaco, Fstm. Monaco.
Herculis portus → Herculis Monoeci portus
Herculum: Erkelenz (Rheinprovinz), Deutschl.
Hercynia silva: Herzynischer Wald, d. deutschen Mittelgebirge, bes. die böhmischen Randgebirge.
Hercynia silva → Nigra silva
Herdalia, Herndalia: Härjedalen [Herjedalen], eh. Prov. (Jämtland), Schwed.
Herdstallum → Herestallium
Heremitae coenob. → Meginradicella
Herennus → Meginradicella
Heresa, Herauga, Heresi, Herisi, Herisiae novae: Heerse bei Schötmar (Westfalen), Deutschl.
Heresburgum → Eresburgum
Heresfelda, Herocampia, Herolfesfeldensis urbs, Herosfeldia, Heros-

veldensis: Hersfeld a. d. Fulda (Hessen-Nassau), Deutschl.
Heresi → Heresa
Herestallium, Aristallium, Haristallium, Haristallum, Haristellium, Herdstallum, Heristalium, Heristellium, Herstalium, Herstellum: Herstal (Lüttich), Belg.
Herevordia → Herfordia
Herewardus villa: Heerewaarden [Herwerden] (Gelderland), Niederl.
Herfordia: Hertford (Hertfordshire), Engl.
Herfordia, Herevordia, Herivordia, Hierafordia: Herford (Westfalen), Deutschl.
Herfordiensis comit.: Hertfordshire [Herts], Grafsch., Engl.
Herginisowa, Augia domini: Herisau (Appenzell-Außerrhoden), Schweiz.
Heria → Aria Atrobatum
Hericuria: Héricourt (Haute-Saône), Frankr.
Hericus ins.: Hoëdic [Île Hoëdic), Ins. (Morbihan), Frankr.
Herigisinga: Hörsching (O-Österr), Österr.
Herilacum → Erlacum
Heringi: Heringen (Hessen-Nassau, Kr. Hersfeld), Deutschl.
Herisburgo → Eresburgum
Herisi → Heresa
Herisiae novae → Heresa
Heristalium → Herestallium
Heristallensis villa → Heristallium
Heristallium, Haristalio, Haristalium novum, Haristello, Heristallensis villa, Heristelli, Hiristalli, Niwi Haristalli: Herstelle (Westfalen), Deutschl.
Heristelli → Heristallium
Heristellium → Herestallium
Heristi, Hersithi: Harste (Hannover), Deutschl.
Heristi, Hesiti, Hiristi: Herste (Westfalen), Deutschl.
Herius → Nigrum monast. (insula)
Herius → Vicenonia
Herivordia → Herfordia
Herka, Archa, Harches: Herek-la-Ville [Herk-de-Stad] (Limburg), Belg.
Herla → Erla
Herla → Erlae
Herlba → Albis
Herlebeca, Arlabeca, Harlebakensis urbs, Harlebeccensis: Harelbeke [Harlebeke] (W-Flandern), Belg.
Hermanni villa → Cibinium
Hermanopolis → Cibinium
Hermanostadium → Cibinium
Herminius mons: Serra da Estrêla, Geb., Portug.
Hermonthis: Erment (O-Ägypten), Ägypten.
Herndalia → Herdalia
Hernosandia: Hernösand [Härnösand] (Västernorrland), Schwed.
Herocampia → Heresfelda
Herolfesfeldensis urbs → Heresfelda
Heroltes: Herolz (Hessen-Nassau), Deutschl.
Heroopolites sinus: Golf v. Suez [Schilfmeer, Khalig es-Suweis] (Rotes Meer), Ägypten.
Herosfeldia → Heresfelda
Herosveldensis → Heresfelda
Herpina: Herpen bei Ravenstein (N-Brabant), Niederl.
Herrnhutum → Custodia Dei
Hersithi → Heristi
Herstalium → Herestallium
Herstellum → Herestallium
Hertha → Sacra insula
Herthega → Harudorum pag.

Hertzberga: Herzberg (Pr. Sachsen), Deutschl.
Herus → Nigrum monast. (insula)
Herva → Harvia
Hervicum → Harviacum
Herwigisriuti: Rahlen (Württemberg), Deutschl.
Herzogenbuhsa, Buhsa: Herzogenbuchsee (Bern), Schweiz.
Hesapa: Groß- u. Kleinhesepe (Hannover), Deutschl.
Hesapa, Hesepa: Hesper, Nfl. d. Ruhr (Westfalen), Deutschl.
Hesbines → Hasbania
Hesdinium, Hedena, Hesdinum, Hisdinum, Hosdenenses: Hesdin (Pas-de-Calais), Frankr.
Hesdinum → Hesdinium
Hesepa → Hesapa
Hesi → Heisi
Hesingi → Heisi
Hesiti → Heristi
Hesnum, Hessenum, Hesum: Hessen (Braunschweig), Deutschl.
Hespania → Hasbania
Hespargum → Dispargum
Hesperia → Italia
Hesperium regnum → Italia
Hessa: Hesse [Hessen] (Moselle), Frankr.
Hessenum → Hesnum
Hessia → Hassia
Hesum → Hesnum
Hesychia Carolina → Caroli hesychium
Hethi → Hechi
Hethlandia: Mainland, Ins. (Shetlandinseln), Schottl.
Hethlandicae insulae, Aemodae insulae: Shetland Islands [Shetlandinseln], Inselgruppe ndl. Schottl.
Hetruriae magnus ducat., Lunare regnum: Toskana, eh. Großhgt., Ital.
Hetruscum fretum → s. Bonifacii sinus
Hetterscheyda: Hetterscheidt bei Velbert (Rheinprov.), Deutschl.
Hettinga: Hettange-Grande [Großhettingen] (Moselle), Frankr.
Heudena: Heusden a. d. Maas (N-Brabant), Niederl.
Hevezia: Heves (Heves), Ung.
Hexapolis Lusatica: der Lausitzer Sechsstädtebund [Bautzen, Zittau, Görlitz, Kamenz, Löbau, Lauban] (Sachsen, N-Schlesien), Deutschl.
Heyda: Heide (Schleswig-Holstein), Deutschl.
Heydelberga → Heidelberga
Heydrius, Hysadrus: Satlaj [Sutlej, Satladsch, Satledsch, Sutley], Fl., Mü: Panjnad (Pandschab, Bahawalpur), Indien u. W-Pakistan.
Hiaspolis → Ratisbona
Hiberna regia: Königswinter (Rheinprov.), Deutschl.
Hibernia → Scotia major
Hibernica ins. → Scotia major
Hicelineswillare: Hittisweiler (Württemberg), Deutschl.
Hicesia: Isola Basiluzzo, Ins. (Liparische Inseln, Tyrrhen. Meer), Ital.
Hiera → Vulcania ins.
Hiera Maritima: Isola Marettimo, Ins. (Ägadische Inseln, Mittelmeer), Ital.
Hieracium, Giraecum, Geratia: Gerace (Reggio Calabria), Ital.
Hierafordia → Herfordia
Hierapolis → Ratisbona
Hierapolis, Monachopolis, Sitomagus: Thetford (Norfolk), Engl.
Hierasus, Poras, Pyretus: Prut [Pruth], Nfl. d. Donau (Moldau), Rumän.

Hierax → Zarax
Hiersperga: Hirchberg (N-Bayern, Kr. Deggendorf), Deutschl.
Higenae: Igels (Graubünden), Schweiz.
Hilara → Ilara
Hilaria, Hilariacense monast., Hylaria: Wilhering (O-Österr.), Österr.
Hilariacense monast. → Hilaria
Hilariacum → s. Naboris fanum
Hilarii eccl.: Antran (Vienne), Frankr.
Hilda: Eldena [Greifswald-Eldena] (Pommern), Deutschl.
Hildeshemium → Hildesia
Hildesia, Bennopolis, Bennopolitanus, Bunnopolis, Hennepolis, Henopolis, Hildeshemium, Hildinensis urbs, Hydensis urbs: Hildesheim (Hannover), Deutschl.
Hildewardensis eccl.: Hilwartshausen (Hannover), Deutschl.
Hildinensis urbs → Hildesia
Hilimari, Hilimeri: Helmern (Westfalen, Kr. Büren), Deutschl.
Hilimeri → Hilimari
Hilpertohusa, Hilperusia: Hildburghausen (Thüringen), Deutschl.
Hilperusia → Hilpertohusa
Hiltiniswilare: Hiltensweiler (Württemberg), Deutschl.
Hinda → s. Cornelii monast.
Hinus → Oenus
Hiovia: Hjo am Vätter See (Skaraborg), Schwed.
Hippocura: Haidarabad [Haiderabad, Hyderabad] (Andhra Pradesch), Indien.
s. Hippolyti eccl.: Saint-Hippolyte [Saint-Hippolyte-Haut-Rhin, Sankt Pilt] (Haut-Rhin), Frankr.
s. Hippolyti fan.: Saint-Hippolyte-du-Fort (Gard), Frankr.
s. Hippolyti fan. → Sampolitanum
s. Hippolytus → Sampolitanum
Hipponiates sinus, Lameticus sinus, Napetinus sinus: Golf v. Sant' Eufemia [Golfo di Sant' Eufemia], Meeresbucht (Tyrrhen. Meer), Ital.
Hircania → Nordgovia
Hircanus saltus → Gabreta silva
Hircanus saltus → Piniferus mons
Hiristalli → Heristallium
Hiristi → Heristi
Hirminius: Irminio, Fl., Mü: Mittelmeer (Sizilien), Ital.
Hirsaha → Hirsaugia
Hirsaugia, s. Aurelii monast., Hirsaha, Hirsavia, Hirsaviensis abbatia, Hirschavia, Hirsowecensis abbatia: Hirsau (Württemberg), Deutschl.
Hirsavia → Hirsaugia
Hirsaviensis abbatia → Hirsaugia
Hirschavia → Hirsaugia
Hirslanda: Hirschlanden (Württemberg), Deutschl.
Hirsowecensis abbatia → Hirsaugia
Hirutfelda: Hatzfeld bei Hombach (Rheinprov.), Deutschl.
Hirutscetha: Herscheid (Westfalen, Kr. Altena), Deutschl.
Hirzisegga: Hirschegg (Württemberg), Deutschl.
Hisdinum → Hesdinium
Hisentiacum → Sentiacum
Hisera → Isara
Hisi: Heerse (Lippe), Deutschl.
Hispaniae Burgis → Burgi
Hispaniola, s. Dominici ins.: Haiti [Hispaniola, Española], Ins. (Große Antillen).
Hispaniola nova: Mexiko. [Mexiko, Mexigue].
Hispanum fretum → Herculeum fretum
Hispellum → Flavia Constans

Hispiratis: Ispir (Erzurum), Türkei.
Hissa, Issa: Vis [Lissa], Ins. (Adriat. Meer), Jugoslaw.
Hister → Danubius
Histiaea, Oreus: Istiaia [Istiäa, Histiaia] bei Oreos (Euböa), Griechenl.
Histonium → Giastum
Histria, Hystria, Istria, Ystria: Istrien [Istra, Istria], Halbins. (Kroatien, Slowenien, Julisch-Venezien), Jugoslaw. u. Ital.
Histriensis marchionat. → Istria marca
Hitalicum regnum → Italia
Hitgera: Hitzacker (Hannover), Deutschl.
Hitona: Aytona (Lérida), Span.
Hlara: Laareind (N-Brabant), Niederl.
Hlara: Laren (N-Holland), Niederl.
Hlarfliata: Larrelt (Hannover, Kr. Emden), Deutschl.
Hlawa → Laha
Hleri → Leri
Hluboca: Hluboká nad Vltavou [Podhrad, Frauenberg] (Böhmen), Tschechoslow.
Hlutra → Lutra
Hlutraha → Lutra
Hnojnica: Noinitz bei Liebshausen (Böhmen), Tschechoslow.
Hnutangai → Witinga
Hobacar → Obacra
Hobroa, Hopontum: Hobro (Jütland), Dänem.
Hocfeldis: Hochfelden (Bas-Rhin), Frankr.
Hochbuoki → Hohbuoki
Hochburi castell. → Hammonia
Hocseburcum, Hoseoburgum, Oesioburgum: Seeburg (Pr. Sachsen), Deutschl.
Hodingae → Oetinga
Hodingae, Oetinga, Hoechsta: Höchstädt (Bayern, RB. Schwaben), Deutschl.
Hodoeporicum Mariae → Berga
Hoechsta → Trajani monumentum
Hoensteinium: Hohnstein, Ruine bei Ilfeld (Hannover), Deutschl.
Hoexari → Hoxaria
Hofa → Bavarica curia
Hoffowa → Ophowa
Hofium → Bavarica curia
Hogia → Hoya
Hogstedi → Trajani monumentum
Hogum → Hoium
Hohbuochi → Hohbuoki
Hohbuoki, Hohbuochi, Haboki, Hochbuoki, Abochi, De Alta Fago: abgeg. bei Hamburg, Deutschl.
Hohenaugensis ins. → Hohenaugia
Hohenaugia, Hohenaugensis ins., Hoinowa: Honau [Hohenau], eh. Kl. (Baden, Kr. Kehl), Deutschl.
Hohenloicus comit. → Holacheus comit.
Hohenwilari: Hohwiller [Hohweiler] (Bas-Rhin), Frankr.
Hohstedi → Trajani monumentum
Hohunga: Hungen (Hessen), Deutschl.
Hohzacia → Holsatia
Hoiensis urbs → Hoium
Hoingi: Höingen (Westfalen), Deutschl.
Hoinowa → Hohenaugia
Hoium, Hoiensis urbs, Hogum, Hotum, Hoyum, Huum: Huy [Hoei] (Lüttich), Belg.
Hoius, Hovoius: Hoyoux, Nfl. d. Maas (Lüttich), Belg.
Hola, Halaria: Hólar (Skagafjardarsysla), Island.
Holacheus comit., Hohenloicus comit.: Hohenlohe [Hohenloher Ebene], Landsch. u. eh. Grafsch.

bzw. Fstm. (Württemberg), Deutschl.

Holbeca: Holbæk (Seeland), Dänem.

Holdstebroa, Holzepontum: Holstebro (Jütland), Dänem.

Holdunesteti, Holdunsteti: Hollenstedt (Hannover, Kr. Einbeck), Deutschl.

Holdunsteti → Holdunesteti

Holinium: Hollain (Hennegau), Belg.

Hollandensis terra → Hollandia

Hollandia, Bataviensis, Hollandensis terra, Hollandria, Ollandia: Holland, eh. Grafsch. u. Provinzen (Noord- u. Zuidholland), Niederl.

Hollandria → Hollandia

Holmia: Kirchholm bei Riga (Lettland), UdSSR.

Holmia → Stockholmia

Holmus → Boringia

Hologasta, Hologosta, Julia Augusta: Wolgast (Pommern), Deutschl.

Hologosta → Hologasta

Holsatenses → Holsatia

Holsati → Holsatia

Holsatia, Halsacia, Hohzacia, Holsatenses, Holsati, Holsatum, Holstenlandia, Holti, Holtzacia: Holstein, Landsch. (Schleswig-Holstein), Deutschl.

Holsatum → Holsatia

Holstenlandia → Holsatia

Holta: Holt bei Straeben (Rheinprov.), Deutschl.

Holtena → Alcena

Holtesmeni → Holtisminni

Holti → Holsatia

Holtisminni, Holtesmeni: Holzminden (Braunschweig), Deutschl.

Holttharpa: Holtrup bei Senden (Westfalen), Deutschl.

Holtzacia → Holsatia

Holza: Holzen bei Lörrach (Baden), Deutschl.

Holza: Holzen (N-Bayern), Deutschl.

Holzepontum → Holdstebroa

Homburgum ad clivum: Homburg v. d. Höhe (Hessen-Nassau), Deutschl.

Homeras castr.: Ambras bei Innsbruck (Tirol), Österr.

Honarchusa → Onarhusa

Hondescotum: Hondschoote (Nord), Frankr.

Honesleva: Hohnsleben (Braunschweig), Deutschl.

Honflevius → Honflorium

Honflorium, Honflevius, Honneflum, Honneflendum: Honfleur (Calvados), Frankr.

Honneflendum → Honflorium

Honneflum → Honflorium

Honoris mons: Ehrenberg (O-Bayern), Deutschl.

Hontensis comit.: Hont [Honth], eh. ung. Komitat (Nógrád, Pest, Slowakei), Ung. u. Tschechoslow.

Honthemium: Hontheim (Rheinprovinz), Deutschl.

Hontummahusum: Hantumhuizen (Friesland), Niederl.

Hoornae → Horna

Hophouwa: Hopfau (Württemberg), Deutschl.

Hopontum → Hobroa

Hora → Ora

Horadna, Huradna: Horatice [Horatitz] bei Žatec [Saaz] (Böhmen), Tschechoslow.

Horata ins., Siata: Houat [Île Houat], Ins. (Morbihan), Frankr.

Horchenbici: Hornbeck (Schleswig-Holstein), Deutschl.

Hordeani castra, Hordeonis castra, Ordinga, Urdingi: Uerdingen

[Krefeld-Uerdingen] (Rheinprov.), Deutschl.
Hordeonis castra → Hordeani castra
Horgana: Hargen (N-Holland), Niederl.
Hormum → Marciana
Horna, Hornae Westfrisiorum, Hoornae: Hoorn (N-Holland), Niederl.
Hornae Westfrisiorum → Horna
Hornanum caput: Kap Horn [Kap Hoorn, Cabo de Hornos], Vorgeb., Chile.
Horrea → Horreum
Horrea, Ad Horrea: La Napoule (Alpes-Maritimes), Frankr.
Horrea Caelia: Hergla am Golf v. Hammamet, Tunesien.
Horrea Margi: Ćuprija (Serbien), Jugoslaw.
Horreensis villa → Horreum
Horreum, Horrea, Horreensis villa, Orgium, Uria, Urium: Euren [Oeren], Teil v. Trier (Rheinprov.), Deutschl.
Horrisonus mons: Hörselberg, Berg (Thüringen), Deutschl.
Horsnesia, Hothersnesium: Horsens (Jütland), Dänem.
Horstmaria: Horstmar (Westfalen), Deutschl.
Horterslewa: Groß Ottersleben (Pr. Sachsen), Deutschl.
Horthesium → Orthesium
Hortina: Horten (Bayern, RB. Pfalz), Deutschl.
Hortonium → Halifacia
Hortus cerasorum, Hortus b. Mariae iuxta Wormatiam: Kirschgarten [Mariengarten], Kl. in Worms (Hessen), Deutschl.
Hortus s. Mariae: Malgarten, Kl. (Hannover, Kr. Bersenbrück), Deutschl.
Hortus b. Mariae iuxta Wormatiam → Hortus cerasorum
Horwa: abgeg. bei Esslingen (Württemberg), Deutschl.
Horzowiensis vicus: Hořovice [Horowitz] (Böhmen), Tschechoslow.
Hosdenenses → Hesdinium
Hosemum: Husum (Schleswig-Holstein), Deutschl.
Hosenbreichensis → Osnabrugga
Hoseoburgum → Hocseburcum
Hosinga → Osinga
Hospitale in Pyrno → Ernolatia
Hospitellum → Sospitellum
Hosta → Osta
Hosteti → Trajani monumentum
Hostingabi pag.: Ostegau, eh. Gau zw. Elbe u. Oste (Hannover), Deutschl.
Hostirka: Osterwick [Ostrowitze], Freie Stadt Danzig.
Hostraga → Osterga
Hostunum: Ostuni (Brindisi), Ital.
Hothersnesium → Horsnesia
Hotseri: Huissen (Gelderland), Niederl.
Hotum → Hoium
Hoviles: Hohenfels (Rheinprov.), Deutschl.
Hovoius → Hoicus
Howerahusum: Oldehove (Groningen), Niederl.
Howeruti: Höhreute (Baden), Deutschl.
Hoxaria, Hoexari, Huscaria, Huxaria, Huxeli villa: Höxter (Westfalen), Deutschl.
Hoya, Hogia: Hoya (Hannover), Deutschl.
Hoyum → Hoium
Hraba → Raba
Hradczzanum: Hradčany [Hradschan] (Mähren), Tschechoslow.

Hradecium Henrici → Henrici Hradecium
Hradisca, Gradio, Gradissensis civ., Hradistia, Hradistiensis civ.: Uherské Hradiště [Ungarisch-Hradisch] (Mähren), Tschechoslow.
Hradistia → Hradisca
Hradistiensis civ. → Hradisca
Hramisitha: Remsede (Hannover), Deutschl.
Hrapa → Raba
Hratuga, Hretinga: Ratingen (Rheinprov.), Deutschl.
Hreidensis vicus → Reidensis vicus
Hreni: Rhenen (Utrecht), Niederl.
Hreni → Rhena
Hrenus → Rhenus
Hretha: Rothe (Westfalen), Deutschl.
Hretinga → Hratuga
Hriada: Rhede bei Aschendorf (Hannover), Deutschl.
Hricon: Rhene (Hannover), Deutschl.
Hriustri → Rustingia
Hrodberga → Rodberga
Huba: Hub (N-Österr.), Österr.
Hubertiburgum: Hubertusburg, Schloß bei Wermsdorf (Sachsen), Deutschl.
s. Hubertus, s. Huebertus: Saint-Hubert (Luxemburg), Belg.
s. Hucbertus → s. Hubertus
Hucculoi → Huculbi
Hucmerki → Humarcha
Huculbi, Huculvi, Huculum, Hucculoi: Petershagen (Westfalen), Deutschl.
Huculum → Huculbi
Huculvi → Huculbi
Huda: Hude (Oldenburg), Deutschl.
Hudwicsowaldum: Hudiksvall (Gävleborg), Schwed.
Huegium, Huerium: Ivry-la-Bataille (Eure), Frankr.
Huena: Ven [Hven], Ins. (Öresund), Schwed.
Huerium → Huegium
Hugardia → Hughardis
Hughardis, Hugardia: Hoegaarden [Hougaarden] (Brabant), Belg.
Hugmerchi → Humarcha
Hugonis curia: Hugshofen (Bas-Rhin), Frankr.
Hukretha: Huckarde [Dortmund-Huckarde] (Westfalen), Deutschl.
Huleri: Heerlen (Limburg), Niederl.
Hulisberga: Hulsberg (Limburg), Niederl.
Hulislaum → Hulsela
Hulsela, Husela, Hulislaum: Hulsel (N-Brabant), Niederl.
Hulsta: Hulst (Seeland), Niederl.
Hultonia → Ulidia
Humarcha, Hucmerki, Humerki, Hugmerchi: Hucmerki-Gau, eh. Gau im Gebiet d. Wester Kwartier (Groningen), Niederl.
Humerki → Humarcha
Hummi: Hümme (Hessen-Nassau), Deutschl.
Hunbrehtisruti: Hummertsried (Württemberg), Deutschl.
Hundrensis villa: Hinte (Hannover), Deutschl.
Hunesga → Hunusga
Hungaria → Ungaria
Huninga, Hegenense monast.: Huningue [Hüningen] (Haut-Rhin), Frankr.
Hunnicuria, Hunonis curia: Honnecourt-sur-Escaut (Nord), Frankr.
Hunnicus pag. → Tergum caninum
Hunnobroda: Uherský Brod [Ungarisch-Brod] (Mähren), Tschechoslow.
Hunnorum castell.: Kastellaun

(Rheinprov.), Deutschl.
Hunnorum tractus → Tergum caninum
Hunonis curia → Hunnicuria
Hunta: Hunte, Nfl. d. Weser (Oldenburg), Deutschl.
Huntedonia → Huntingdonia
Huntedonia, Huntedonum, Huntingdonia, Venantodunum: Huntingdon (Huntingdonshire), Engl.
Huntedonum → Huntedonia
Huntingdonia → Huntedonia
Huntingdonia, Huntedonia: Huntingdonshire [Hunts], Grafsch., Engl.
Hunusga, Hunesga: Hunzingo [Hunsingo], Landsch. u. eh. Gau (Groningen), Niederl.
Hunyadensis comit.: Hunyad [Hunedoara], eh. ung. Komitat (Siebenbürgen), Rumän.
Huodingas → Oetinga
Huosi pag.: Huosi-Gau, eh. Gau (O-Bayern), Deutschl.
Huperga: Heuburg (N-Österr.), Österr.
Hura: Hasker Horne, Landsch. (Friesland), Niederl.
Huradna → Horadna
Hurepoesium, Hurepoisius tractus: Hurepoix, Landsch. (Seine-et-Oise), Frankr.
Hurepoisius tractus → Hurepoesium
Huria → Urla
Hurnuffa: Horloff, Nfl. d. Nidda (O-Hessen), Deutschl.
Hurnuffa: Horloff [Trais-Horloff] (Hessen), Deutschl.
Hursti: Hörste (Westfalen, Kr. Büren), Deutschl.
Hursti: Hörste (Westfalen, Kr. Halle), Deutschl.
Husa: Hausen (O-Franken), Deutschl.
Husa: Hausen bei Mauerstetten (Bayern, RB. Schwaben), Deutschl.
Husa: Hausen im Tal (Baden), Deutschl.
Husa: Hausen vor Wald (Baden), Deutschl.
Huscaria → Hoxaria
Husdengum, Hustinga: Huizinge (Groningen), Niederl.
Husdengum, Hustinga: Huizum (Friesland), Niederl.
Husela → Hulsela
Hustenni: Hüsten [Neheim-Hüsten] (Westfalen), Deutschl.
Hustinga → Husdengum
Hustum: Chust [Huszt] a. d. Theiß (Ukrain. SSR), UdSSR.
Husuduna: Huizen (N-Holland), Niederl.
Husuduna: Opheusden bei Kesteren (Gelderland), Niederl.
Husum: Groothusen (Hannover), Deutschl.
Husum: Oberhausen i. Hunsrück (Rheinprov.), Deutschl.
Huttum, Uttensis villa: Uttum (Hannover), Deutschl.
Huum → Hoium
Huvinni, Hwenni: Venne bei Vorwalde (Hannover), Deutschl.
Huxaria → Hoxaria
Huxeli villa → Hoxaria
Hwenni → Huvinni
Hwervi: Werve [Heeren-Werve] (Westfalen), Deutschl.
Hyatospolis → Ratisbona
Hybernia → Scotia major
Hyccara: Carini (Palermo), Ital.
Hydensis urbs → Hildesia
Hydrea: Idra [Ydra, Hydra], Ins. (Kykladen), Griechenl.
Hydropolis, Hygropolis: Feuchtwangen (M-Franken), Deutschl.

Hygropolis → Hydropolis
Hylaria → Hilaria
Hylarus → Ilara
Hyllegunstadensis urbs → Heiligenstadium
Hypanis → Bohus
Hypera → Ipra
Hyperboreum mare → Pigrum mare
Hypergraecia: Oberkirch (Baden), Deutschl.
Hyprae → Ipra
Hypselis: Chutbe am Nil (O-Ägypten.), Ägypten.
Hyria → Platea
Hysadrus → Heydrius
Hysnacum → Ysenacum
Hystria → Histria

I - J

Jabadice ins., Jabadi ins.: Java [Djawa], Ins. d. Großen Sunda-Inseln, Indonesien.
Jabadi ins. → Jabadice ins.
Jabiona → Gablona
Jacea castra: Jauche (Brabant), Belg.
s. **Jacobus de Compostella** → Compostella
Jacopolis → Broagium
Jadar → Jadrensis regio
Jadbeca: Jabbeke (W-Flandern), Belg.
Jader, Jadera, Jadra, Gazara: Zadar [Zara] (Kroatien), Jugoslaw..
Jadra → Jader
Jadera → Jader
Jadrensis regio, Jadar, Jathris: Jœren, [Jœderen], Landsch. (Rogaland), Norweg.
Jaena → Aurgi
Jages: Jagst, Nfl. d. Neckar (Württemberg), Deutschl.
Jaitza, Jayeza: Jajce (Bosnien), Jugoslaw.
Jalomica → Naparis
Jama: Kingisepp [Jamagorod, Jamburg] (RSFSR, Leningrader Gebiet), UdSSR.
Jamna: Ioánnina [Janina, Yanya] (Epirus), Griechenl.
Jamna → Jamno
Jamno, Jamna: Ciudadela auf Mallorca (Balearen), Span.
Janota → Genava
Janua → Genava
Januba → Genava
Janubensis urbs → Genava
Janus mons: Mont Janus, Berg, Cottische Alpen (Hautes-Alpes), Frankr.
Janus mons → Alpis Cottia
Japix → Barium
Japodum vallis → Endena vallis
Japygium promont.: Capo Santa Maria di Leuca [Capo di Leuca], Vorgeb. (Apulien), Ital.
Jaria → Varlarensis vicus
Jarina: Göhren (Brandenburg), Deutschl.
Jarmuthum → Yarmutum
Jarniacum: Jarnac (Charente), Frankr.
Jaromiersa, Jaromirium: Jaroměř (Böhmen), Tschechoslow.
Jaromirium → Jaromiersa
Jaroslavia: Jarosław [Jaroslau] (Rzeszów), Polen.
Jaroslavia, Jereslavia: Jaroslawl [Jaroslaw] nö. Moskau (RSFSR), UdSSR.

Jarossensis vicus → Geraus
Jasgaha → Ascaha
Jasonium promont.: Kap Jason [Jason Burnu, Kiremit burun, Yason burnu], Vorgeb. am Schwarzen Meer, Türkei.
Jassaffa: Jossa (Hessen-Nassau), Deutschl.
Jassium, Jassorum municipium: Iaşi [Jassy] nö. Bacau (Moldau), Rumän.
Jassorum municipium → Jassium
Jassus: Asin (Muğla, Karien), Türkei.
Jathria → Jadrensis regio
Jatinum → Meldae
Jatrus: Jantra, Nfl. d. Donau (Tărnovo), Bulgarien.
Jauna → Eauna
Jauravia, Jauravium, Javoria, Javorium, Juravia: Jauer [Jawor] (N-Schlesien), Deutschl.
Jauravium → Jauravia
Jaurinum → Gereorenum
Javariensis comit. → Arabonensis comit.
Javarinum → Gereorenum
Javennum: Giaveno (Turin), Ital.
Javoria → Jauravia
Javorium → Jauravia
Jawariensis comit. → Arabonensis comit.
Jayeza → Jaitza
Iberi fons: Fontiveros (Ávila), Span.
Iberia terra → Aragonia
Ibernia → Scotia major
Ibissa → Ipsa
Ibligo: Ipplis (Udine), Ital.
Ibliodurum: Hanonville-sous-les-Côtes (Meuse), Frankr.
Ibrejum, Ybrejum: Ivry-sur-Seine (Seine), Frankr.
Ibsa → Ipsa
Ibsici: Ybbsitz [Ipsitz] (N-Österr.), Österr.
Iburninga → Ueberlinga
Icauna, Icaunus, Sichionna, Ytumna: Yonne, Nfl. d. Seine (Seine-et-Marne), Frankr.
Icarunus → Icauna
Icciodurum, Issiodurum: Issoire (Puy-de-Dôme), Frankr.
Iccius portus → Bononia in Francia
Ichesa → Itessa
Icidmagus → Ensigausium
Iciniacum: Itzing (Bayern, RB. Schwaben), Deutschl.
Icosium: Algier [Alger, El-Djezaïr], Hst. v. Algerien.
Ictimuli: Vectimolo (Novara), Ital.
Ictium castr.: L' Isle-Jourdain (Gers), Frankr.
Idanus → Addua
Idcina → Edcina
Idex: Idice, Nfl. d. Reno (Ferrara), Ital.
Idonia, Vinca: Huisne [Huîne], Nfl. d. Sarthe (Sarthe), Frankr.
Idranus lacus → Edrinus lacus
Idrinum, Idrus, Edrum: Idro (Brescia), Ital.
Idrontum, Otrantum, Ydruntum: Otranto (Lecce), Ital.
Idrus → Idrinum
Idstena, Idstenium: Idstein (Hessen-Nassau), Deutschl.
Idstenium → Idstena
Idubeda mons: die Gebirge zw. der Sierra del Moncayó [Altkastilien u. Aragonien] u. den Montes Universales (Aragonien), Span.
Idunspeugensis vicus: Jedenspeigen (N-Österr.), Österr.
Idunum → Judenburgum
Idunum → Virunum
Jebeo: Jeeben (Pr. Sachsen), Deutschl.
Jecmari: Jochmaring (Westfalen), Deutschl.

Jecora: Geer [Jaar, Jeker], Nfl. d. Maas (Limburg), Belg.
Jedburgum: Jedburgh (Roxburghshire), Schottl.
Jedemini → Vilna
Jelia, Jelleja: Stradella (Pavia), Ital.
Jelleja → Jelia
Jemappia → Gemapia
Jemelevum → Mimilevum
Jemtia: Jämtland, Prov., Schwed.
Jena → Visbada
Jenecopia, Junecopia: Jönköping (Jönköping), Schwed.
Jenisia: Jenisej [Jenissei], Fl., Mü: Nördl. Eismeer (W-Sibirien), UdSSR.
Jenua → Genava
Jenuba → Genava
Jenvilla: Janvilla (Eure-et-Loire), Frankr.
Jereslavia → Jaroslavia
Jerichsum: Jerxheim (Braunschweig), Deutschl.
Jervia → Gerwa
Jesna: Dezna (Banat, Bez. Arad), Rumän.
Jesnitium → Jesnitzium
Jesnitzium, Jesnitium: Jesenice [Jesenitz] (Böhmen), Tschechoslow.
Jesthuvilla → Gesthuvilla
Jeurinum → Gereorenum
Jevi: Jõhvi [Jeve] wstl. Narva (Estland), UdSSR.
Igaeditanorum civ., Egiditania: Idanha-a-Velha (Beira Alta), Portug.
Igeteveri: Igavere [Iggafer] (Estland), UdSSR.
Iglavia → Iglovia
Iglawia → Iglovia
Iglovia, Iglavia, Iglawia, Giglavia, Egia: Jihlava [Iglau] (Mähren), Tschechoslow.
Ignium ins.: Fogo [Ilha do Fogo, Ilha do Fuego, Feuerinsel], Ins. der Kapverdischen Inseln (Atlantik), Portug.
Ignium terra: Feuerland [Tierra del Fuego], Landsch. u. Ins. an d. S-Spitze v. S-Amerika, Argentinien u. Chile.
Iguvium → Augubium
Ihena → Geni
Ihena, Ihenae civ., Athenae ad Salam: Jena (Thüringen), Deutschl.
Ihenae civ. → Ihena
Ihilinga: Ichlingen (Württemberg), Deutschl.
Ilantium → Antium
Ilara, Ilaris, Hilara, Hylarus, Ylarus, Ilargus: Iller, Nfl. d. Donau (Bayern, RB. Schwaben), Deutschl.
Ilarcuris, Larcuris: Horche (Guadalajara), Span.
Ilargus → Ilara
Ilaris → Ilara
Ilchicha: Illzach (Haut-Rhin), Frankr.
Ilcii mons → Alcinoi mons
Ilcinus mons → Alcinoi mons
Ildum, Indibile: Salsadella (Valencia), Span.
Ilea: Wick, Fl., Mü: Nordsee (Caithness-shire), Schottl.
Ilea → Epidium
Ilenburgum → Eilenburgum
Ilergetum → Calicula
Ilfelda: Ilfeld (Hannover), Deutschl.
Ilicii mons → Alcinoi mons
Ilissus, Ilsus, Iltsa, Iltza: Ilz, Nfl. d. Donau (N-Bayern), Deutschl.
Illa → Ella
Illarco: Alarcón (Cuenca), Span.
Illergovia: Illergau, Gau (Bayern, RB. Schwaben), Deutschl.

Illigusium → Ensigausium
Illipula mons → Illiputanus mons
Illiputanus mons, Illipula mons: Sierra Bermeja u. Sierra de Mijas, Geb. (Andalusien), Span.
Illisa: Eilensen (Hannover), Deutschl.
Illisa: Niese, Nfl. d. Emmer (Lippe), Deutschl.
Ilma: Ilm, Nfl. d. Donau (O-Bayern), Deutschl.
Ilma → Ilmena
Ilma, Ilminia: Stadtilm (Thüringen), Deutschl.
Ilmena: Ilmenau (Thüringen), Deutschl.
Ilmena, Ilma: Ilm, Nfl. d. Saale (Thüringen), Deutschl.
Ilmi monast.: Ilmmünster (O-Bayern), Deutschl.
Ilminaha: Innach (O-Bayern), Deutschl.
Ilminia → Ilma
Ilostum, Ilsta: IJlst (Friesland), Niederl.
Ilsta → Ilostum
Ilsus → Ilissus
Iltsa → Ilissus
Iltza → Ilissus
Ilua: Eilau [Iława] (O-Schlesien), Deutschl.
Ilunum: Hellín (Albacete), Span.
Imbra → Femera
Imbriacum, Umbriacum: Embrach (Zürich), Schweiz.
Imbripolis → Ratisbona
Imbripolitanus → Ratisbona
Imeckna, Heiamensis vicus: [Ename] Eename (O-Flandern), Belg.
Imenlevo → Mimilevum
Imera, Ymera: Sedde, Fl., Mü: Burtnecker See (Estland), UdSSR.
Immenouwa, Imnowa: Immau (Hohenzollern), Deutschl.
Imnowa → Immenouwa
Impatis ministerium, Supra saxum, Impedinis: Oberhalbstein [Sursés], Tal (Graubünden), Schweiz.
Impedinis → Impatis ministerium
Imperialis civ. ad Gosam → Goslaria
Imperius: Impero, Fl., Mü: Ligurisches Meer (Imperia), Ital.
Imum castr., Castellamium, Castillamium impitinis: Tiefencastel [Casti] (Graubünden), Schweiz.
Imum Pyrenaeum → s. Joannis Pedeportuensis fan.
In Fine: End (O-Franken), Deutschl.
In Montibus → Oris Mons
Inaccessus mons: Aiguille-d'Arves, Berg (Isère), Frankr.
Inachus fluv. → Astraeus
Inchinaha → Ankinaha
Incingas: Inzing (N-Bayern), Deutschl.
Inculisma → Engolisma
Inculismensis pag. → Engolismensis pag.
Inda → s. Cornelii monast.
Indaginis civ. → Haga Schauenburgi
Indago Marchionis → Haganoa
Indapolis: Jechaburg (Thüringen), Deutschl.
India → Aguntum
India occidentalis: Westindien, die Inseln der Karibischen See, Amerika.
India orientalis: Ostindien (Indien, Pakistan, Nepal, Bhutan, Sikkim).
Indibile → Ildum
Indistra: Innerste, Nfl. d. Leine (Hannover), Deutschl.
Indus → Addua
Industria → Casale s. Evasii
Infantum villa: Villanueva de los Infantes (Orense), Span.
Inferior lacus, Venetus lacus: Untersee u. Zeller See, Teile d. Bodensees

(Baden, Thurgau), Deutschl. u. Schweiz.
Infra portum: Porta (Tessin), Schweiz.
Ingelhemium → Angulisamum
Ingena → Abrinca
Inger → Anger
Ingeris → Anger
Ingermanlandia, Ingermannis, Ingria: Ingermanland [Ingrien, Ischorskaja Semlja, Ingermmaa], Landsch. (Leningrader Bez.), UdSSR.
Ingermannis → Ingermanlandia
Ingolstadium, Angolstadium, Angelostadium, Aripolis, Auripolis: Ingolstadt (O-Bayern), Deutschl.
Ingoniwilare: Ingwiller [Ingweiler] (Bas-Rhin), Frankr.
Ingria → Ingermanlandia
Innerverniensis comit.: Inverness-shire, Grafsch., Schottl.
Innervernium, Invernium: Inverness (Inverness-shire), Schottl.
Innus → Oenus
Insuburcha → Oeni pons
Insula: Eve (Co. Suffolk), Engl.
Insula: Isel, Nfl. d. Drau (Tirol), Österr.
Insula: Werder (Hannover), Deutschl.
Insula, Insulae: Lille (Gard), Frankr.
Insula, Isla: L'Isle, Nfl. d. Dordogne (Gironde), Frankr.
Insula Dei → Nigrum monast.
Insulae → Insula
Insulae Franciae prov. → Franciae ins.
Inter montes → Intermontium
Inter valles → Intervallium
Interamnis: Entrains-sur-Nohain (Nièvre), Frankr.
Interamnium → Flavium Interamnium
Interamnium → Manhemium
Interamnium → Teramum
Interaquae: Entraigues (Puy-de-Dôme), Frankr.
Interaquae: Entraygues-sur-Truyère (Aveyron), Frankr.
Intercisa: Dunaújváros [Dunapentele, Sztálinváros] (Fejér), Ung.
Intercisa: Ráckeve auf d. Ins. Csepel (Pest), Ung.
Interior cella → Helingeriswenga
Interlacensis urbs → Interlacus
Interlacus, Interlacensis urbs: Unterseen (Bern), Schweiz.
Intermontium, Inter montes: Entremont (Haute-Savoie), Frankr.
Intermontium, s. Petrus de Intramontes: Saint-Pierre-d'Entremont (Orne), Frankr.
Internum mare, Mediterraneum mare, Mare nostrum: Mittelländisches Meer [Mittelmeer, Europäisches Mittelmeer, Mar Mediterráneo, Mediterranean Sea, Mer Méditerranée, Mare Mediterraneo, Sredozemsko morje, Sredozemno more, Deti Mesdhe, Mesógeios Thálassa, Mesojios Thalassa,Akdeniz, Bahr el-Mutawassit, Sredizemno more, Marea Mediterană, Seredzemne more, Sredisemnoje more].
Intervallium, Inter valles: Entrevaux (Basses-Alpes), Frankr.
Intica → Aguntum
Intichinga → Aguntum
Inus → Oenus
Inutrium: Mittenwald (O-Bayern), Deutschl.
Invernium → Innervernium
Joachimica vallis: Jáchymov [St. Joachimsthal] (Böhmen), Tschechoslow.

Joachimica vallis: Joachimsthal (Brandenburg), Deutschl.
s. Joannis ad Tavum fan.: Perth (Perthshire), Schottl.
s. Joannis castr.: Johannisburg [Pisz] (O-Preußen), Deutschl.
s. Joannis fan.: Sankt Johann [Saarbrücken - St. Johann] (Rheinprov.), Deutschl.
s. Joannis Georgii oppid.: Johanngeorgenstadt (Sachsen), Deutschl.
s. Joannis in valle Mauroana monast. → Aquilejense monast.
s. Joannis Laudonensis fan., Laudona: Saint-Jean-de-Losne (Côte-d'Or), Frankr.
s. Joannis Luisii fan., Luisium, Lusius vicus: Saint-Jean-de-Luz (Basses-Pyrénées), Frankr.
s. Joannis Pedeportuensis fan., Imum Pyrenaeum: Saint-Jean-Pied-de-Port (Basses-Pyrénées), Frankr.
s. Joannis pons: Szabadhidvég [Város-Hidvég] bei Mezökomárom (Fejér,) Ung.
s. Joannis portus divitis: San Juan (Puerto Rico), USA.
Joanvilla, Junci villa, Jovis villa, Jovinii villa, Joingnivilla, Joinvilla: Joinville (Haute-Marne), Frankr.
s. Jobi fan.: Siniob [Szent Jobb, Sankt Jakob] (Kreischgebiet), Rumän.
s. Jobii villa, Jopila, Jobvila, Oppila, Joppilensis palat., Juppila, Juppilia: Jupille-sur-Meuse (Lüttich), Belg.
Jobvila → s. Jobii villa
Jocosa vallis, Jucunda vallis: Vrewnicz [Freudenthal, Freudnitz] (Slowenien), Jugoslaw.
Jocundiacum: Joué-lès-Tours (Indre-et-Loire), Frankr.
Jocundiacum → Gaudiosa
Jocundiacum, Jogentiacum, Jogennacum: Jouac (Haute-Vienne), Frankr.
Jocus bellus → Baujovium
s. Jodoci cella: Saint-Josse (Pas-de-Calais), Frankr.
Jodrum, Jovara, Jovis ara: Jouarre (Seine-et-Marne), Frankr.
Jogalia → Yoghalia
Jogennacum → Jocundiacum
Jogentiacum → Jocundiacum
s. Johannes de Mauriana → Mauriana civ.
Joja: Gioia del Colle (Bari), Ital.
Joina: Juîne [Juisne], Nfl. d. Essonne (Seine-et-Oise), Frankr.
Joingnivilla → Joanvilla
Joinvilla → Joanvilla
Jolcus: Vólos [Bólos, Volo, Wolos] (Thessalien), Griechenl.
Jomanes: Yamunā [Dschamna, Jamna, Jumna], Nfl. d. Ganges (Uttar Pradesch), Indien.
Jona ins.: Iona [Hy], Ins. d. Inneren Hebriden (Argyllshire), Schottl.
Ionium mare, Graecum mare: Ionisches Meer [Mar Ionio, Ionion Pelagos, Deti Ionik], Teil des Mittelmeeres.
Jonnaria: Glavatičič (Bosnien-Herzegowina), Jugoslaw.
Jopia → Juvavum
Jopila → s. Jobii villa
Joppa, Zaphas: Yafō [Jafo, Jaffa], Teil v. Tel Aviv-Jaffa, Israel.
Joppilensis palat. → s. Jobii villa
Jornacum: Giornico [Irnis] (Tessin), Schweiz.
Josedium → Corbolium
Josselina civ., Josselinensis civ.: Josselin (Morbihan), Frankr.
Josselinensis civ. → Josselina civ.
Jovallium, Ivolium: Valpovo [Valpó] (Kroatien), Jugoslaw.

Jovara → Jodrum
Joviaco oppid.: Schlögen (O-Österr.), Österr.
Joviacum → Angelorum cella
Jovigniacum → Joviniacum
Joviniacum, Jovigniacum, Jovinium, Juiniacum: Joigny (Yonne), Frankr.
Jovinii villa → Joanvilla
Jovinium → Joviniacum
Jovis ara → Jodrum
Jovis fan. → Faniolum
Jovis fan. → Geofanum
Jovis mons, Summus Penninus: Großer Sankt Bernhard [Col du Grand Saint Bernard, Colle del Gran San Bernardo], Berg u. Paß in den Lepont. Alpen, Schweiz (Wallis) u. Ital. (Valle d'Aosta).
Jovis villa → Joanvilla
Jovium, Juca: Lajoux (Jura), Frankr.
Joyacum: Jouy-le-Moutier (Seine-et-Oise), Frankr.
Joyacum: Jouy-le-Potier (Loiret), Frankr.
Iphia arx, Taxiana arx, Taxium castr.: Château-d'If, Schloß, (Bouches-du-Rhône), Frankr.
Iporegia, Eporedia, Eporegia: Ivrea (Turin), Ital.
Ipra, Iprae, Ipretum, Ypra, Ypera, Ypretum, Hyprae, Hypera: Ypern [Jeper, Ypres] (W-Flandern), Belg.
Iprae → Ipra
Ipretum → Ipra
Ipsa, Ibsa, Ipsia: Ybbs, Nfl. d. Donau (N-Österr.), Österr.
Ipsa, Ipsium, Ibissa, Isipontium, Isis pons, Uspium, Ybsa: Ybbs (N-Österr.), Österr.
Ipsara: Pseíra [Psyra], Ins. im Kolpos Merambellu [Bucht v. Mirabella] (Kreta), Griechenl.
Ipsia → Ipsa
Ipsium → Ipsa
Iracense monast. → Iracia
Iracia, Iracense monast., Iraciensis villa: Hirach [Irache, Iranzu, Yrache] (Navarra), Span.
Iraciensis villa → Iracia
Ircius, Lertius, Leria: Lers, Nfl. d. Ariège (Haute-Garonne), Frankr.
Irenopolis: Irnebol (Içel, Kilikien), Türkei.
Irenopolis: Weria [Béroia, Berrhoia, Berroia, Karaferie, Werria] (Emathia), Griechenl.
Iria Flavia, Lambriaca: Padrón (La Coruña), Span.
Iriae vicus → Vigueria
Iris: Yeşilirmak, Fl., Mü: Schwarzes Meer, Türkei.
Irlandia → Scotia major
Irsingum: Irsingen (Bayern, RB. Schwaben), Deutschl.
Is, Alopolis: Hit am Euphrat, Irak.
Isaca: Exe, Fl., Mü: Ärmelkanal (Devonshire), Engl.
Isaca → Atagis
Isalandia → Sallandia
Isamnium promont.: Saint John's Point, Vorgeb. (Co. Down), N-Irland.
Isana: Isenach, Nfl. d. Rhein (Pfalz), Deutschl.
Isana, Isia, Isinisca: Isen, Nfl. d. Inn (O-Bayern), Deutschl.
Isana, Isona, Isarcorum caput: Isen (O-Bayern), Deutschl.
Isannavatia → Bennavenna
Isapis → Sabis
Isara: Isère, Nfl. d. Rhône (Drôme), Frankr.
Isara → Oesia
Isara, Esara, Hisera, Ysara: Yser [IJzer], Fl., Mü: Nordsee (W-Flandern), Frankr. u. Belg.

Isara, Isura, Isarus, Ysera: Isar, Nfl. d. Donau (Tirol, O-Bayern), Österr. u. Deutschl.
Isarae pons → Pontisara
Isarcorum caput → Isana
Isarcus fluv. → Atagis
Isarlohia: Iserlohn (Westfalen), Deutschl.
Isarus → Isara
Isca, Iscula: Ischl, Nfl. d. Traun (O-Österr.), Österr.
Isca Dumnoniorum → Exonia
Isca Legio → Isca Silurum
Isca Silurum, Isca Legio: Caerleon (Monmouthshire), Engl.
Iscalis, Ischalis: Ilchester (Co. Somerset), Engl.
Ischalis → Iscalis
Iscula → Isca
Iselstenium: IJselstein [IJsselstein] (Utrecht), Niederl.
Isenacum → Ysenacum
Isenberga → Eiseoberga
Isenburgensis comit.: Isenburg, Grafsch. (Hessen), Deutschl.
Isendicum: IJzendijke (Seeland), Niederl.
Isengentum: Iseghem (W-Flandern), Belg.
Isenina → Isinna
Iseus lacus → Sabinus lacus
Isia → Isana
Isidis vadum → Oxonia
Isinga: Groß- u. Kleineislingen (Württemberg), Deutschl.
Isinga: Issing (O-Bayern), Deutschl.
Isingtharpa: Isendorf (Westfalen), Deutschl.
Isini → Isinna
Isinisca → Isana
Isinna, Isenina, Isini, Isnensis villa, Isna: Isny (Württemberg), Deutschl.
Isipontium → Ipsa
Isis pons → Ipsa
Isla → Insula
Islandia → Gardari ins.
Islebia: Eisleben (Pr. Sachsen), Deutschl.
Isna → Isinna
Isnensis villa → Isinna
Isona → Isana
Isontius, Sontius: Isonzo, Fl., Mü: Adriat. Meer (Gorizia), Ital.
Ispinum → Yposa
Issa → Hissa
Issiodurum → Icciodurum
Issoldunum → Exelodunum
Istadium → Ustadium
Ister → Danubius
Istria → Histria
Istria marca, Marchia Oudalrici marchionis, Histriensis marchionat., Istriensis comit.: Mark Istrien, eh. Mgft. (Istrien), Jugoslaw. u. Ital.
Istrianorum portus: Odessa (Ukrain. SSR), UdSSR.
Istriensis comit. → Istria marca
Isuna: Ise, Nfl. d. Aller (Hannover), Deutschl.
Isura → Isara
Isurium: Aldborough (Co. Norfolk), Engl.
Itabyrius mons, Atabyrinus mons: Tabor [Jebel et-Tor, Dschebel et-Tur], Berg bei Nazareth (Galiläa), Israel.
Italia, Ausonia, Hesperia, Hesperium regnum, Hitalicum regnnm, Italia Magna, Italicum regnum, Oenotria, Ytalia: Italien [Italia, Italie, Italy].
Italia Magna → Italia
Italia Propria: Mittelitalien, Landschaft (Abruzzi e Molise, Campania, Lazio, Marche, Toscana, Umbria).

Italia Subalpina: Oberitalien [Norditalien], Landsch. (Emilia-Romagna, Friuli-Venezia Giulia, Liguria, Lombardia, Piemonte, Trentino-Alto Adige, Venezia).
Italicum regnum → Italia
Italicus lacus → Vallensis lacus
Iteri: Eythra (Sachsen), Deutschl.
Itessa, Ichesa: Itz, Nfl. d. Main (O-Franken), Deutschl.
Itiscoana → Escovium
Itius portus → Bononia in Francia
Itrium, Mamurra: Itri (Caserta), Ital.
Ituna: Eden, Fl., Mü: Solway Firth (Co. Cumberland), Engl.
Ituna aestuarium → Solvaeum aestuarium
Iturisa, Turissa: Ituren (Navarra), Span.
Ituvium: Étouvy (Calvados), Frankr.
Juborgo: Iburg (Hannover), Deutschl.
Juca → Jovium
Jucunda vallis → Jocosa vallis
Judaea villa → Judana villa
Judaeorum villa → Judana villa
Judana villa, Judaea villa, Judaeorum villa: Villejuif (Seine), Frankr.
Judeca: La Giudecca, Ins. (Venedig), Ital.
Judenburgum, Idunum: Judenburg a. d. Mur (Steiermark), Österr.
Judinawa: Judenau (N-Österr.), Österr.
Judonia → Gildonacum
Juenna: Jaunstein (Kärnten), Österr.
Juernis, Ivernis, Cassilia: Cashel [Caiseal] (Co. Tipperary), Eire.
Juernus → Senus
Jugila → Gulia
Jugum alba: die Alb [Schwäbische Alb], Geb. (Württemberg u. Baden), Deutschl.
Juiniacum → Joviniacum
Julensis urbs → Juliacus
Julia: Gyula (Békés), Ung.
Julia → Zea
Julia Augusta → Hologasta
Julia Augusta, Chrisopolis, Civitas aurea: Parma (Parma), Ital.
Julia Caesarea, Caesarea Mauretaniae: Cherchell (Algier), Algerien.
Julia castra, Julia turris, Julii castr.: Trujillo (Cáceres), Span.
Julia Chrysopolis → s. Donnini burgus
Julia colonia → Flavia Constans
Julia concordia: Concordia Sagittaría (Venedig), Ital.
Julia Contributa: Medina de las Torres (Badajoz), Span.
Julia Contributa → Methymna turrium
Julia Fanestris → Fortunae fan.
Julia Felix → Barcovicum
Julia Felix, Berytos: Beirut [Beyrouth, Beiroût], Hst. d. Libanon.
Julia Joza → Traducta
Julia Opta, Opta: Huete (Cuenca), Span.
Julia Pisana: Pisa (Pisa), Ital.
Julia Restituta, Segida: Zafra (Badajoz), Span.
Julia Traducta → Traducta
Julia turris → Julia castra
Julia Valencia: Valence (Drôme), Frankr.
Julia Zilis: Arzîla (Tanger), Marokko.
Juliacensis ducat.: Jülich, eh. Hgt. (Rheinprov.), Deutschl.
Juliacum → Juliacus
Juliacus, Juliacum, Julus, Julensis urbs, Gulichi: Jülich (Rheinprov.), Deutschl.
Juliae Alpes: Julische Alpen [Alpi

Giulie, Julijske Alpe], Jugoslaw. (Kroatien) u. Ital. (Udine).
s. Julianae fan. → Concana
Julii castr. → Julia castra
Julii vicus: Aire (Ardennes), Frankr.
Julina ins., Julinum, Lumineta, Jumneta, Fanesiorum ins.: Wollin [Wolin], Ins. (Pommern), Deutschl.
Julinum ins. → Julina ins.
Juliobona: Lillebonne (Seine-Maritime), Frankr.
Juliobona → Vindobona
Juliobrigensium civ. → Victoriae portus
Julioburgum: Juliusburg [Dobroszyce] (N-Schlesien), Deutschl.
Julioburgum: Juliusburg [Radziejów] (O-Schlesien), Deutschl.
Juliodunum, Losdunum, Lausdunum: Loudun (Vienne), Frankr.
Juliomagus: Wutach u. Gutach (= Oberlauf d. Wutach), Nfl. d. Rhein (Baden), Deutschl.
Juliomagus → Duellium
Juliomagus → Dutlinga
Juliomagus → Targetium
Juliomagus Andium → Andegabum
Julipa: Zalamea de la Serena (Badajoz), Span.
Julium Carnicum, Ubii forum: Zuglio (Udine), Ital.
Julium forum → Forojuliensis marca
Julius mons: Julier [Julierpaß, Pass dal Güglia], Paß (Graubünden), Schweiz.
Julius vicus: Germersheim (Bayern, RB. Pfalz), Deutschl.
Julliacum: Juilly (Seine-et-Marne), Frankr.
Julus → Juliacus
Jumneta ins. → Julina ins.
Juncaria: La Junquera (Gerona), Span.
Juncaria: Jouquières (Hérault), Frankr.
Junci villa → Joanvilla
Juncturae Galileenses → s. Deodati fan.
Junecopia → Jenecopia
Junianum → Luganum
Junonia colonia → Castellana civ.
Junonii montes → Heraei montes
Junonwladislavia: Inowrocław [Hohensalza, Jnowrazlaw] (Bromberg), Polen.
Junonwladislaviensis palatin.: Inowrocław [Inowrazlaw, Hohensalza], eh. poln. Woiw. (Bromberg), Polen.
Juphicum: Sassoferrato (Ancona), Ital.
Juppila → s. Jobii villa
Juppilia → s. Jobii villa
Jupuscoa → Vanduli prov.
Jurassus mons, Juratus mons: Fränkische u. Schwäbische Alb [Fränkischer Jura, Frankenalb, Schwäbischer Jura, Schwabenalb], Geb. (Baden, Bayern, Württemberg), Deutschl.
Jurassus mons, Juratus mons: Jura [Schweizer u. Französischer Jura), Geb., Schweiz u. Frankr.
Juratus mons → Jurassus mons
Juravia → Jauravia
Jurensis urbs: Saint-Rambert-en-Bugey (Ain), Frankr.
Jussiacum: Jussy (Moselle), Frankr.
Justiniana → Scopi
Justiniana secunda → Ulpianum
Justinopolis, Aegida: Koper [Capodistria, Kopar] (Slowenien), Jugoslaw.
Juterbockum, Jutrebocum: Jüterbog (Brandenburg), Deutschl.
Jutia → Cimbria
Jutlandia → Chersonesus Cimbrica

Jutlandia → Cimbria
Jutraha: Itter, Nfl. d. Neckar (Baden), Deutschl.
Jutrebocum → Juterbockum
Juvantius, Truentus: Tronto, Fl., Mü: Adriat. Meer (Ascoli Piceno), Ital.
Juvao → Juvavum
Juvarus → Salsa
Juvavensis civ. → Juvavum
Juvavia → Juvavum
Juvavum, Juvavia, Juvavensis civ., Juvao, Jopia, Salzeburga, Salzburga, Salisburgum, Salzuburgiensis urbs Petena: Salzburg (Salzburg), Österr.
Juvenacia, Juvenacium, Juvenacus, Natiolum: Giovinazzo (Bari), Ital.
Juvenacium → Juvenacia
Juvenacus → Juvenacia
Juveniacensis abbat. → Juveniacum
Juveniacum, Juveniacensis abbatia: Juvisy-sur-Orge (Seine-et-Oise), Frankr.
Juxta Albim colonia, Colinum, Colonia: Kolin (Böhmen), Tschechoslow.
Ivarus → Salsa
Ivernis → Juernis
Ivetotum: Yvetot (Seine-Maritime), Frankr.
Ivia: Jubia (La Coruña), Span.
Ivodium, Yvodium: Ivoy-le-Pré (Cher), Frankr.
Ivolium → Jovallium
Ivonis eccl.: Saint Ives (Cornwall), Engl.
Ivosium → Cariniacum
Ixarium: Hijar (Teruel), Span.

K

Kaffa → Capha
Kala → Cala
Kalbaha → Chalbaha
Kalewa → Calewa
Kalis → Calissia
Kalisia → Calissia
Kalmunda: Kallmünz (O-Pfalz), Deutschl.
Kaltebrunna: Kaltenbrunn (Thurgau), Schweiz.
Kamba → Cambia
Kamo → Chamo
Kampergense monast.: Comburg, Kl. (Württemberg), Deutschl.
Kannis: Kenn (Rheinprov.), Deutschl.
Kantza: Kanzach (Württemberg, Kr. Saulgau), Deutschl.
Kappenbergense castr.: Kappenberg, Schloß bei Bork (Westfalen), Deutschl.
Kararshusa: Garatshausen (O-Bayern), Deutschl.
Karenti → Carantania
Karintani → Carantania
Karisiacum → Cariciacum
Karleolum → Carleolum
Karniolensis ager → Carnia
Kartheus → Karthus
Karthus, Kartheus: Karkus sö. Pernau (Estland), UdSSR.
Kastellere marca: Kamp (Hessen-Nassau), Deutschl.
Katane → Catina
s. Katherinae villa: Kattern [Święta Katarzyna] (N-Schlesien), Deutschl.
Kaufbeura → Kaufbura

Kaufbura, Kaufbeura, Kaufbyra, Navoae: Kaufbeuren (Bayern, RB. Schwaben), Deutschl.
Kaufbyra → Kaufbura
Kazaha: Unterkatz (Thüringen), Deutschl.
Kazanum, Casanum, Cazanum: Kasan [Kazan] (Tatarische ASSR), UdSSR.
Kekkojensis: Kékkö [Modrý Kameň, Blauenstein] (Slowakei), Tschechoslow.
Keleminza → Caelius mons
Kella → Ulpia castra
Kellina arx: Enniskillen (Fermanagh), N-Irland.
Kelmae: Quelmes (Pas-de-Calais), Frankr.
Kemenatum: Kemnat (Bayern, RB. Schwaben), Deutschl.
Kemnitium → Chemnitium
Kempensis → Campinni
Kemptena → Campidona
Kendalia, Concangium: Kendal (Westmorland), Engl.
Keresdinum: Chişineu-Criş [Kreisch] (Kreischgebiet), Rumän.
Kereszturinum: Deutschkreutz [Deutsch Kreuz, Németkeresztúr] (Burgenland), Österr.
Kereszturinum: Murakeresztúr (Zala), Ung.
Kerpena → Carpena
Kesdiensis → Kisdemum
Keskemetensis → Egopolis
Kesmarkinum, Caseorum forum, Caesareopolis, Setiva, Setovia, Setuia, Sevia: Kežmarok [Käsmark, Késmárk] (Slowakei), Tschechoslow.
Keula: Kehl (Baden), Deutschl.
Kevena, Kivena, Zcewena, Fzewena: Zeven (Hannover), Deutschl.
Kexholmia: Prioz'orsk [Käkisalmi, Kexholm] (Leningrader Gebiet), UdSSR.
Kezzilari: Keßlar (Thüringen), Deutschl.
Kharkovia: Charkow (Ukrain. SSR), UdSSR.
Kielia → Chilonium
Kijodia → Chiovia
Kila, Kylia, Belgis: Kyll, Nfl. d. Mosel (Rheinprov.), Deutschl.
Kilia → Chilonium
Kilkena → s. Canici fan.
Kilkenia → s. Canici fan.
Killaloa, Allada, Laona: Killaloe [Cill Dalua] (Clare), Eire.
Killocia: Kilmallock [Cill Mocheallóg] (Limerick), Eire.
Kilonia → Chilonium
Kilonum → Chilonium
Kimperlacum → Quimperlacum
Kincella → Kindecella
Kincicha: Kinzig, Nfl. d. Main (Hessen-Nassau), Deutschl.
Kindecella, Kincella: Künzell (Hessen-Nassau), Deutschl.
Kiovia → Chiovia
Kioviensis palatin.: Kijev [Kiew], eh. Woiw. (Ukrain. SSR), UdSSR.
Kiphusa → Cuphese castr.
Kiphusanus mons → Cuphese castr.
Kirchaina → Clarenna
Kirchaina, Celeia, Kirchemium, Thronia: Kirchheim (Bas-Rhin), Frankr.
Kirchemium → Kirchaina
Kirikwilari → Chirichowilari
Kiritium: Kyritz (Brandenburg), Deutschl.
Kirsmomela → Christi Memela
Kirtha → Cirta
Kisdemum, Kesdiensis, Kisdium: Tîrgu-Secuesc [Tîrgu-Secuiesc, Tîrgu-Săcuiesc, Tărgul-Săcuesc, Chezdi-Oşorheiu, Kezdivásárhe-

ly, Neumarkt] (Siebenbürgen), Rumän.
Kisdium → Kisdemum
Kiselowa: Kißlau, Schloß bei Bruchsal (Baden), Deutschl.
Kismartonium → Ferreum castr.
Kissanbruggi, Kissenbruga: Kissenbrück (Braunschweig), Deutschl.
Kissenbruga → Kissanbruggi
Kissinga → Chissinga
Kistopoltanensis villa: Topol'čianky [Kistapolcsány] (Slowakei), Tschechoslow.
Kitercho: Kiedrich (Hessen-Nassau), Deutschl.
Kivena → Kevena
Kizinga → Chitzzinga
Klagenfurtum → Querimoniae vadus
Klaipedensis → Memela
Klea: Ober- u. Niederkleen (Rheinprov.), Deutschl.
Klitsovia: Klissów (Kielce), Polen.
Komisene → Hecatompylos
Konsbergum → Regiomontium
Kopinga → Copingi
Kortis: Corzes [Kortsch] (Bozen), Ital.
Kothwigense monast. → Godewicum
Kowariensis distr. → Covariensis distr.
Kozli → Coselia
Kralia: Kralice [Kralitz] (Mähren), Tschechoslow.
Krasznensis comit.: Krassó-Szörény, eh. ung. Komit. (Banat), Rumän.
Krisiensis comit.: Bjelovar-Körös, eh. ung. Komit. (Kroatien), Jugoslaw.
Krymela: Krimla (Thüringen), Deutschl.
Kudacum: Dnjepropetrowsk [Jekaterinoslaw] (Ukrain. SSR), UdSSR.
Kuessenaho → Chussenaho
Kukoliensis comit.: Kis-Küküllö [Klein Kokel], eh. ung. Komit. (Siebenbürgen), Rumän.
Kunigissunderus pag. → Cunigeshunderus
Kuningessundra → Cunigeshunderus
Kurnaha: Kürnach (U-Franken), Deutschl.
Kutinis → Kutta
Kutta, Chutta, Cuttina, Cutna, Chutna, Chuthna, Kutinis, Cutnis, Kuttna, Kuttnae montes, Guttna mons, Kuttemberga: Kutná Hora [Kuttenberg] (Böhmen), Tschechoslow.
Kuttemberga → Kutta
Kuttna → Kutta
Kuttnae montes → Kutta
Kyburgum, Chuigeburgum: Kyburg (Zürich), Schweiz.
Kylia → Kila
Kylo → Chilonium
Kymensis lacus → Auva
Kyriopolis: Herrnstadt [Wąsosz] (N-Schlesien), Deutschl.

L

Labachus → Corcoras
Labacum → Corcoras
Labaduna civ. → Labadunum
Labadunum, Loboduna, Labaduna civ., Lupodunum, Lobodunum, Latinoburgum, Ladenburgum: Ladenburg (Baden), Deutschl.
Labbana → Mausilium
Labeki → Lavica
Labellum: Lavello (Potenza), Ital.

Laberus: Kilskeer [Kilskyre] (Co. Meath), Eire.
Labiavia, Labio: Labiau [Polessk] (O-Preußen), Deutschl.
Labieni castr. → Laubacum
Labio → Labiavia
Labola → Habala
Laboriae terra, Laborini campi: Terra di Lavoro, eh. Prov. (Caserta, Frosinone, Latina, Neapel), Ital.
Laborini campi → Laboriae terra
Lacensis abbat., Ad Lacum monast., Lacus monast.: Maria Laach, Kl. (Rheinprov.), Deutschl.
Lacha: Lachen-Speyerdorf (Bayern, RB. Pfalz), Deutschl.
Lachni → Logingaha
Laciaca → Laciacum
Laciacum, Laciaca: Frankenmarkt (O-Österr.), Österr.
Laciburgium: Lassahn (Mecklenburg) Deutschl.
Lacidulemium: Grazalema (Cádiz), Span.
Lacni → Logingaha
Lacobriga: Lagos (Algarve), Portug.
Lactarius mons → Lactis mons
Lactis mons, Lactarius mons: Monti Lattari, Geb. (Neapel), Ital.
Lactodurum: Towcester (Northamptonshire), Engl.
Lactora: Lectoure (Gers), Frankr.
Lacus monast. → Lacensis abbatia
Ladenburgum → Labadunum
Ladernachum, Lethernacum, Ledernaum, Lethernaum: Lierneux (Lüttich), Belg.
Ladesia, Gladussa: Lastovo [Lagosta], Ins. (Adriatisches Meer), Jugoslaw.
Ladicus mons: Sierra de la Mua, Berg (León), Span.
Ladislavii oppid. → Quintoforum
Ladona: Laulne (Manche), Frankr.
Laedus, Loedus, Ledum: Lez [Lès], Fl. bei Montpellier (Hérault), Frankr.
Laetitiae, Virginis Laetitiensis fan.: Liessies (Nord), Frankr.
Lagana, Logana, Lona, Lanus, Lana, Lahana: Lahn, Nfl. d. Rhein (Hessen-Nassau), Deutschl.
Lagbeki → Lavica
Lagedia: Saint-Pierre-Langers (Manche), Frankr.
Lagenia: Leinster [Cúige Laighean], Landsch. u. eh. Prov., Eire.
Lagi: Loge (Hannover), Deutschl.
Lagina → Layna
Lagoholmia: Laholm (Hallandslän), Schwed.
Lagubalium → Carleolum
Laguedonia: Lacedonia (Avellino), Ital.
Laha, Lawa, Lava, Hlawa: Laa a. d. Thaya (N-Österr.), Österr.
Lahana → Lagana
Laia silva → Ledia silva
Laibnitzia: Leibnitz (Steiermark), Österr.
Laica → Lavica
Laica → Lecca
Laigniacum: Leigné-les-Bois (Vienne), Frankr.
Laigniacum: Leigné-sur-Usseau (Vienne), Frankr.
Lainga → Logingaha
Laingo → Logingaha
Lalandia: Laaland [Lolland], Ins., Dänem.
Lalinum: Lallaing (Nord), Frankr.
Lama: Lahm im Itzgrund (O-Franken), Deutschl.
Lamacenorum urbs → Lameca
Lamata, Lamotina: der nördliche Teil d. Memellandes (Litauen), UdSSR.

Lamatus → Lamecus
Lambacensis urbs → Lambacum
Lambacum, Lambacensis urbs: Lambach (O-Österr.), Österr.
Lambaesis: Lambèse (Batna), Algerien.
Lambalium: Lamballe (Côtes-du-Nord), Frankr.
Lambdia → Lamida
Lambesca: Lambesc (Bouches-du-Rhône), Frankr.
Lambrae, Ambrovicus: Lambres-lès-Douai (Nord), Frankr.
Lambriaca → Iria Flavia
Lambris Flavia → Brigantia
Lamburgum → Lancioburgum
Lameca, Lamacenorum urbs: Lamego Trás-os-Montes e Alto Douro Portug.
Lamecus, Lamatus, Amatius: Amato, Fl., Mü: Golfo di Sant'Eufemia (Catanzaro), Ital.
Lameticus sinus → Hipponiates sinus
Lametini: Sant'Eufemia d'Aspromonte (Reggio di Calabria), Ital.
Lamferswilare → Lampherswilare
Lamida, Lambdia: Médéa (Médéa), Algerien.
Lammari: Lamme (Braunschweig), Deutschl.
Lamotina → Lamata
Lampherswilare, Lamferswilare: Lampfriedsweiler (Württemberg), Deutschl.
Lamum: Lamu, Kenya.
Lana → Lagana
Lanae arx → Arsignanum
Lanaticovilla: Lanage (Allier), Frankr.
Lancastria, Langinia, Alione, Longovicum: Lancaster (Lancashire), Engl.
Lancastriensis comit.: Lancashire, Grafsch., Engl.
Lancheimensis villa → Lanckhemensis
Lancianum, Anxanum: Lanciano (Chieti), Ital.
Lancicia: Łęczyca (Łódź), Polen.
Lancioburgum, Lamburgum: Lanslebourg-Mont-Cenis (Savoie), Frankr.
Lanckhemensis, Lancheimensis villa: Langheim (O-Franken), Deutschl.
Lancwarta → Langwata
Landae: Landen (Brabant), Belg.
Landae Burgigalenses → Sabuleta Burdigalensia
Landarum tractus → Sabuleta Burdigalensia
Landaua: Lantow [Łętowo] (Pommern), Deutschl.
Landava, Ad Taffum fan.: Llandaff (Glamorganshire), Engl.
Landavia, Landavium: Landau in der Pfalz (Bayern, RB. Pfalz), Deutschl.
Landavium → Landavia
Landecca: Landeck [Lądek Zdrój] (N-Schlesien), Deutschl.
Landecca: Landeck (Tirol), Österr.
Landericianum → Landrecium
Landescrona: Lanškroun [Landskron] (Böhmen), Tschechoslow.
Landeshuetta, Landshutum, Lantshuta, Lantzhuta: Landshut (N-Bayern), Deutschl.
Landishuta, Landishutum: Landeshut [Kamienna Góra] (N-Schlesien), Deutschl.
Landishutum → Landishuta
Landonis castr. → Vellaunodunum
Landorum status: Stato di Landi, Landsch. (Emilia), Ital.
Landrecium, Landericianum: Landrecies (Nord), Frankr.
Landsberga: Landsberg a. d. Warthe

[Gorzów Wielkopolski] (Brandenburg), Deutschl.
Landshutum → Landeshuetta
Langae, Langarum tractus: Langhe, Landsch. (Turin), Ital.
Langaneka: Langeneicken (Westfalen), Deutschl.
Langaraca: Langerak (S-Holland), Niederl.
Langarum tractus → Langae
Langarus: Landquart, Nfl. d. Rhein (Graubünden), Schweiz.
Langela: Langel (Rheinprov.), Deutschl.
Langelandia, Longa ins.: Langeland, Ins., Dänem.
Langelaua: Langeleben (Braunschweig), Deutschl.
Langena, Langunga: Langen (Hessen), Deutschl.
Langenowa: Ober- u. Unterlegnau (Aargau), Schweiz.
Langesia, Langesium: Langeais (Indre-et-Loire), Frankr.
Langesium → Langesia
Langiacum: Langeac (Haute-Loire), Frankr.
Langinia → Lancastria
Langobardia, Longobardia, Lombardia, Bojus ager: Lombardei [Lombardia, Regione Lombardia], Landsch. u. Reg., Ital.
Langonezca: Langenesch (Westfalen), Deutschl.
Langonum urbs → Andematunum
Langorina vallis: das Tal der Landquart (Graubünden), Schweiz.
Languedocia, Volcarum terra, Tolosanus pag., Occitania prov.: Languedoc, Landsch. (Ardêche, Aude, Gard, Hérault usw.), Frankr.
Langunga → Langena
Langwata, Lancwarta: Langwaden (Hessen), Deutschl.
Lantchampha: Langkampfen (Tirol), Österr.
Lantenacum, Lanteniacum: Lantenac (Côtes-du-Nord), Frankr.
Lanteniacum → Lantenacum
Lantsberga: Landsberg (O-Bayern), Deutschl.
Lantshuta → Landeshuetta
Lantsindewilare, Lantswindawilare: Leinsweiler (Bayern, RB. Pfalz), Deutschl.
Lantswindawilare → Lantsindewilare
Lantzcrona: Landskron, Berg in der Eifel (Rheinprov.), Deutschl.
Lantzhuta → Landeshuetta
Lanus → Lagana
Lanzes → Lentzis
Lanzonis mons: Roccalanzone (Parma), Ital.
Laochonia sylva → Bungiacensis silva
Laodunum, Lodunum, Laudunum, Laudunensis urbs, Lugdunum clavatum: Laon (Aisne), Frankr.
Laona → Killaloa
Lapanheldi, Lopanheldi, Loponhelda: Laupendahl (Rheinprov.), Deutschl.
Lapidaria: Peiden (Graubünden), Schweiz.
Lapidaria vallis → Sexamnis
Lapidea arx → Ara lapidea
Lapideus rivulus: Steinbach (Hessen, Kr. Erbach), Deutschl.
Lapis Botonis: Pottenstein (O-Franken), Deutschl.
Lapis castr.: Kamień Krajeński [Kamin] (Bromberg), Polen.
Lapis castr.: Oberstein [Idar-Oberstein] (Oldenburg, Birkenfeld), Deutschl.
Lapis regius → Drusi castell.
Lappia, Lapponia: Lappland [Lapland, Laplandija, Lappi], Landsch.,

Norwegen, Schwed., Finnland u. UdSSR.
Lapplandia Norwegica → Finmarchia
Lapponia → Lappia
Lapscura, Cumbiscura: Lapscheure (W-Flandern), Belg.
Lapurdensis tractus: Labourd, Landsch. (Basses-Pyrénées), Frankr.
Lapurdum → Bajona
Lara: Lahr (Hessen-Nassau), Deutschl.
Lara: Lahr (Rheinprov.), Deutschl.
Lara → Laringi
Lara → Leri
Larae → Laringi
Larcuris → Jlarcuris
Laredum: Laredo (Santander), Span.
Laringi, Lara, Larae, Leri: Lerigau, eh. Gau a. d. Hunte (Oldenburg), Deutschl.
Laris → Rhincolura
Larum: Lahr (Baden), Deutschl.
Larunesiae insulae: Djezir Qoûriât [Îles Kuriate], Inselgruppe, Tunesien.
Larus: Arone, Fl., Mü: Tyrrhen. Meer, Ital.
Lasburdensis → Bajona
Lascara Bearnensium, Lescuria: Lescar (Basses-Pyrénées), Frankr.
Lassira: Sariñena (Huesca), Span.
Lastobrigicus pag. → Catobrigius pag.
Laszovia: Łaszczów (Lublin), Polen.
Latae aquae → Ergavica
Latera stagnum: Étang de Maguelone, See (Hérault), Frankr.
Latiniacum: Lagny (Seine-et-Marne), Frankr.
Latiniacus: Lagnieu (Ain), Frankr.
Latinoburgum → Labadunum
Latius fons: Lazfons, Fraz. v. Klausen [Chiusa], (Bozen), Ital.
Latofanum: Laffaux (Aisne), Frankr.
Latomagus: Caudebec-lès-Elbeuf (Seine-Maritime), Frankr.
Latona, Laudona: Losne (Côte-d'Or), Frankr.
Latronum insulae: Marianen [Ladronen], Inselgruppe im Pazifik.
Lauba Lusatorum, Laubanum: Lauban a. Queis [Lubań] (N-Schlesien), Deutschl.
Laubacensis → Laubacum
Laubachi → Lavica
Laubacum, Laubiae, Laubia, Laubacensis, Laubiensis villa, Lobiensis villa, Laubium, Labieni castr.: Lobbes (Hennegau), Belg.
Laubanum → Lauba Lusatorum
Laubia → Laubacum
Laubiae → Laubacum
Laubiensis villa → Laubacum
Laubium → Laubacum
Lauchstadium: Lauchstädt (Pr. Sachsen), Deutschl.
Laucostabulum, Leucostabulum: Liestal (Basel), Schweiz.
Laudania, Laudonia, Lothiana: Lothian, Landsch., Schottl.
Laudensis comit.: Lodesano, das Gebiet um Lodi (Mailand), Ital.
Laudiacus mons: Montlouis-sur-Loire (Indre-et-Loire), Frankr.
s. Laudinus → Briovera
Laudona → s. Joannis Laudonensis fan.
Laudona → Latona
Laudonia → Laudania
Laudonis castr. → Vellaunodunum
Laudunensis urbs → Laodunum
Laudunum → Laodunum
s. Laudus in Constantino → Briovera
Lauenburgicus comit.: Sachsen-Lauenburg, eh. Grafsch. bzw. Hgt. (Schleswig-Holstein), Deutschl.
Lauenburgum, Leoburgum: Lauen-

burg (Schleswig-Holstein), Deutschl.

Lauginga, Loubinga: Lauingen (Bayern, RB. Schwaben), Deutschl.

Laumellum, Lomelli, Lumellum: Lomello (Pavia), Ital.

Lauppa, Loepa: Lauffen (O-Österr.), Österr.

Laura → Corythus

Lauranum → Auranana

Laureacense monast., Laureshamense monast.: Lorch (Württemberg), Deutschl.

Laureacensis civ. → Laureacum

Laureacum, Lauriacum, Laureacensis civ., Laurisamum: Lorch (O-Österr.), Österr.

s. **Laurentii burgus:** Borgo San Lorenzo (Florenz), Ital.

s. **Laurentii eccl.:** San Lorenzo Nuovo (Viterbo), Ital.

s. **Laurentii ins.** → Menuthias ins.

s. **Laurentius:** Säusenstein (N-Österr.), Österr.

s. **Laurentius in Angulo:** Lovrenc na Pohorju [Sankt Lorenzen in der Wüste, Sankt Lorenzen ob Marburg, Sveti Lovrenc na Pohorju, Sveti Lovrenc na Mariborom] wstl. Marburg (Slowenien), Jugoslaw.

s. **Laurentius Vallispustrisse:** Sankt Lorenzen [San Lorenzo in Pusteria] im Pustertal [Val Pusteria] (Bozen), Ital.

Laureshamense monast. → Laureacense monast.

Lauretum, Mariae Lauretanae fan.: Loreto (Ancona), Ital.

Lauriacum → Laureacum

Lauriacum, Lorriacum: Lorris (Loiret), Frankr.

Lauriacus ager: Lauraguais, eh. Grafsch. (Haute-Garonne, Aude u. Tarn), Frankr.

Laurisamum → Laureacum

Laurissa → Lorsacum

Laurissanum → Lorsacum

Laurum, Lerdanum: Leerdam [Lederham, Ter Lede] (S-Holland), Niederl.

Lausanensis civ. → Losana

Lausanius lacus, Lausinius lacus, Lausonius lacus: Genfer See [Lac Léman, Lac de Genève], See, Schweiz.

Lausanna → Losana

Lausdunum → Juliodunum

Lausenna → Losana

Lausinius lacus → Lausanius lacus

Lausona → Losana

Lausonium → Losana

Lausonius lacus → Lausanius lacus

Lautenbacensis → Luthebachum

Lauterbergense monast., Montis sereni monast.: Lauterberg bei Halle (Pr. Sachsen), Deutschl.

s. **Lauti castr.** → Briovera

Lautricum: Lautrec (Tarn), Frankr.

Lava → Laha

Lavania: Lavagna (Genua), Ital.

Lavendensis urbs → Laventi ostium

Laventi ostium, Lavendensis urbs, Laventina urbs: Lavamünd (Kärnten), Österr.

Laventina urbs → Laventi ostium

Laventus: Lavant, Nfl. d. Drau (Kärnten), Österr.

Laviacum, Lupha: Lauffen a. Neckar (Württemberg), Deutschl.

Lavica, Layca, Laica, Laubachi, Labeki, Lagbeki: Lauwers, Fl., Mü: Nordsee (Friesland), Niederl.

Lavur → Herculis Labronis portus

Lavus: Lohe [Ślęza], Nfl. d. Oder (N-Schlesien), Deutschl.

Lawa → Laha

Lawingi: Lauingen (Braunschweig), Deutschl.

Laya silva → Ledia silva

Laybacum → Corcoras

Layca → Lavica

Layna, Leina, Lynus, Lagina: Leine, Nfl. d. Aller (Hannover), Deutschl.

s. **Lazari ins.:** San Lazzaro degli Armeni, Ins. (Venedig), Ital.

Lazcovichi: Laskowitz [Kiefernwalde, Laskowice] (O-Schlesien), Deutschl.

Lazica: Lesghistan, eh. Kirchenprov. im Kaukasus (wstl. Teil der Grusinischen SSR), UdSSR.

Lea: Lee [An Laoi], Fl., Mü: Cork Harbour (Cork), Eire.

Lealensis terra → Estonia

Lealis: Lihula [Leal] nw. Pernau (Estland), UdSSR.

Leberia vallis: Lebertal, Tal der Leber [Leberau, Liepvrette] (Haut-Rhin), Frankr.

Lebreti vicus → Albretum

Lebusium → Liubusna

Lecca, Laica: Lek, Mündungsarm d. Rhein, Niederl.

Lecha → Licus

Lechesmundi, Lechisimundi: Lechsgmünd (Bayern, RB. Schwaben), Deutschl.

Lechfeldicus campus, Lyciorum campus: Lechfeld, Ebene am Lech (Bayern), Deutschl.

Lechisimundi → Lechesmundi

Lechlinia: Leighlinbridge [Leithglinn an Droichid] (Carlow), Eire.

Lechus → Licus

Lectum promont.: Baba Burun, Vorgeb. (Çanakkale, Troas), Türkei.

Ledernaum → Ladernachum

Ledersela: Lederzeele (Nord), Frankr.

Ledesia: Leeds (Yorkshire), Engl.

Ledi → Lyra

Ledia silva, Laia silva, Laya silva: Laye, Wald bei Saint-Germain-en-Laye (Seine-et-Oise), Frankr.

Ledo Salinarius, Ledum Salinarium, Lugdunum Salinatorium, Lonsalinum: Lons-le-Saunier (Jura), Frankr.

Ledonis curtis: Liancourt (Oise), Frankr.

Ledum → Laedus

Ledum Salinarium → Ledo Salinarius

Lefna: Lievelde (Groningen), Niederl.

Legecestria → Leicestria

Legedia: Lingreville (Manche), Frankr.

Leggia → Leodium

Legia → Leodium

Legia, Lezia, Lisa, Lisia, Liza, Lieva: Lys [Leie, Leye], Nfl. d. Schelde (O-Flandern), Frankr. u. Belg.

Legio → s. Pauli Leonensis fan.

Legio septima gemina: León (León), Span.

Legionense regnum: León, Prov. u. eh. Kgr., Span.

Legionensis Extremadura → Betonia

Legioniacum, Legnicium: Lechenich (Rheinprov.), Deutschl.

Legionum civ. → Carleolum

Legionum urbs → Devana

Legnicensis urbs → Lignitium

Legnicium → Legioniacum

Legonaus → Leuconaus

Legradinum: Legrad (Kroatien), Jugoslaw.

Legrecestria → Leicestria

Legunicia, Legunitia, Leunicia, Leguntina vallis: Lugnez [Lumne-

zia, Lugnezertal], Landsch. (Graubünden), Schweiz.
Legunitia → Legunicia
Leguntina vallis → Legunicia
Leherici montes, Letherici montes: Montlhéry (Seine-et-Oise), Frankr.
Lehhae → Licus
Leiba → Semanus mons
Leicastro marca: Leihgestern (Hessen), Deutschl.
Leicestria, Legecestria, Legrecestria, Leogara, Ratae Coritanorum: Leicester (Leicestershire), Engl.
Leicestriensis comit.: Leicestershire, Grafsch., Engl.
Leichlinga: Leichlingen (Rheinprov.), Deutschl.
Leida → Lugdunum Batavorum
Leina → Layna
Leisnicium: Leisnig (Sachsen), Deutschl.
Leita → Lutaha
Leitae pons → Brucca
Leitura: Laduer (Graubünden), Schweiz.
Lellebiki: Lelbach (Hessen-Waldeck), Deutschl.
Lellum: Lelm (Braunschweig), Deutschl.
Lemanis portus: Lyme Regis (Co. Dorset), Engl.
Lemanis portus: Lympne [Lymne] (Co. Kent), Engl.
Lemannius → Licus
Lemannonius sinus: Loch Fyne, Meeresbucht (Argyllshire), Schottl.
Lemariaco → Limariacus
Lembeca: Lembeek-lez-Hal (Brabant), Belg.
Lemberga → Leopolis
Lemgovia, Limga: Lemgo (Lippe), Deutschl.
Lemovicensis prov.: Limousin, Landsch. (Haute-Vienne, Corrèze), Frankr.
Lena: Lenne, Nfl. d. Ruhr (Westfalen), Deutschl.
Lendinaria: Lendinara (Rovigo), Ital.
Lendum → Lentium
Lenense monast. → s. Leonis monast.
Lengidi, Lengithi: Groß- u. Kleinlengden (Hannover), Deutschl.
Lenginse lacus: Längsee, See (Kärnten), Österr.
Lengithi → Lengidi
Lenna: Lemsterland (Friesland), Niederl.
Lentia → Lincia
Lentiacum → Lentium
Lentium: Linz (Rheinprov.), Deutschl.
Lentium, Lentiacum, Lendum: Lens (Pas-de-Calais), Frankr.
Lentudum: Luttenberg [Ljutomer] (Slowenien), Jugoslaw.
Lentzis, Lanzes: Lenz (Graubünden), Schweiz.
Lenum → s. Leonis monast.
Leoberga → Leopolis
Leoburgum → Lauenburgum
Leobusium, Leobustum, Luba, Lubes, Lubusia, Lubensis, Lubusensis, Lubuzensis abbatia, Lubens: Leubus [Lubiąż] (N-Schlesien), Deutschl.
Leobustum → Leobusium
Leocata: Leucate (Aude), Frankr.
Leochensis pag. → Liuvensis pag.
s. Leodegarius: Saint-Léger (Seine-et-Marne), Frankr.
s. Leodegarius, s. Leogardus: Saint-Léger-lez-Pecq (Hennegau), Belg.
s. Leodegarius, Sarcinio: Saint-Léger (Pas-de-Calais), Frankr.

s. **Leodegarius in Bosco:** Saint-Léger-aux-Bois (Oise), Frankr.

s. **Leodegarius subtus Brenam, Requinicuria:** Saint-Léger-sous-Brienne [Requinicourt] (Aube), Frankr.

Leodicum → Leodium

Leodicus → Leodium

Leodium, Leodicum, Leodicus, Leudicum, Leuticus, Luticha, Legia, Leggia: Liège [Lüttich, Luik] (Lüttich), Belg.

Leodrincas: Ledringhem (Nord), Frankr.

Leogara → Leicestria

s. **Leogardus** → s. Leodegarius

Leogus ins. → Ebuda occidentalis

Leomania: Lomagne, Landsch. (Haute-Garonne, Tarn-et-Garonne), Frankr.

Leona → Leones

Leona → s. Pauli Leonensis fan.

Leona, Lugdunum, Augusta Lugdunensis: Lyon (Rhône), Frankr.

s. **Leonardi monast.:** Saint-Léonard-de-Noblat (Haute-Vienne), Frankr.

s. **Leonardus in Collibus:** Lenart v. Slovenskih goricah [Sveti Lenart v. Slovenskih goricah, Sankt Leonhard in Windischbüheln] östl. Marburg (Slowenien), Jugoslaw.

s. **Leonardus in Gaminare, s. Leonhardus:** Sankt Leonhard i. Lavanttal (Kärnten), Österr.

Leonense castr. → s. Pauli Leonensis fan.

Leonense monast. → s. Leonis monast.

Leonensis pag. → s. Pauli Leonensis fan.

Leones, Leona, Lionium: Lyons-la-Forêt (Eure), Frankr.

s. **Leonhardus:** Sankt Leonhard i. Passeier [San Leonardo in Passiria] (Bozen), Ital.

s. **Leonhardus:** Sankt Leonhard i. Pitztal (Tirol), Österr.

s. **Leonhardus** → s. Leonardus in Gaminare

Leoniacum, Lignacus portus: Legnago (Verona), Ital.

Leonica: Villarluengo (Teruel), Span.

Leonicae, Lonicus: Lorgues (Var), Frankr.

Leonicenum: Lonigo (Vicenza), Ital.

s. **Leonis castr.:** Castelleone (Cremona), Ital.

s. **Leonis castr.:** Castelleone di Suasa (Ancona), Ital.

s. **Leonis civ.** → Leopolis

s. **Leonis monast., Lenense monast., Leonense monast., Lenum:** Leno, Ort u. Kl. (Brescia), Ital.

s. **Leonis mons:** Vibo Valentia [Monteleone di Calabria] (Catanzaro), Ital.

s. **Leonis mons** → Castellio Pictaviae

Leontium → Lunzini

Leonum → s. Pauli Leonensis fan.

Leopoldinum, Leopoldopolis: Leopoldov [Leopoldstadt, Leopoldstadtl, Lipótvár] (Slowakei), Tschechoslow.

Leopoldopolis → Leopoldinum

Leopolis, Leoberga, Lemberga: Lwów [Lemberg, Lvov] (Ukrain. SSR), UdSSR.

Leopolis, Leoberga, Leorinum, Leoris, s. Leonis civ.: Löwenberg [Lwówek Śląski] (N-Schlesien), Deutschland.

Leorinum → Leopolis

Leoris → Leopolis

Leostenii comit.: Löwenstein, eh. Grafsch. (Württemberg), Deutschl.

Leostenium: Löwenstein (Württemberg), Deutschl.

Leovallis: Liebethal [Brzeście] (N-Schlesien), Deutschl.
Leovardia, Livardia: Leeuwarden (Friesland), Niederl.
Lepontina vallis: Livignotal [Val di Livigno], Tal (Sondrio), Ital.
Leporacensis vallis, Leporea vallis: Lièpvre [Leberau] (Haut-Rhin), Frankr.
Leporea vallis → Leporacensis vallis
Leprosium, Gabatum: Levroux (Indre), Frankr.
Lerdanum → Laurum
Leri → Laringi
Leri, Hleri, Lheri, Lara: Leer (Hannover), Deutschl.
Leria → Ircius
Leronensium urbs → Olerona
Lertius → Ircius
Lesa, Lesitanae aquae: Ales (Sardinien, Cagliari), Ital.
Lescuria → Lascara Bearnensium
Lesitanae aquae → Lesa
Lesmona: Lesum, Nfl. d. Weser (Hannover), Deutschl.
Lesmonia, Liastmona, Lismona, Liestmona: Lesum (Hannover), Deutschl.
Lesna Polonorum, Limiosaleum: Leszno [Lissa] (Posen), Polen.
Lestinae → Liphtinae
Lesua: Lewes (Co. Sussex), Engl.
Lesura → Lisura
Letavia, Armoricae Orae: Armorique, Küstenlandsch. (Bretagne, Calvados, Manche), Frankr.
Leterauwa: Lederau (O-Österr.), Österr.
Letha: Leith [Edinburgh-Leith] (Co. Midlothian), Schottl.
Letherici montes → Lehérici montes
Lethernacum → Ladernachum
Lethernaum → Ladernachum
Lethonia → Lettovia
Lethonia, Letwanorum principat., Litaunorum principat.: Litauen, eh. Groß fstm. in Osteuropa
Letia: Alzette, Nfl. d. Sauer, Luxemburg.
Letmetti: Letmathe (Westfalen), Deutschl.
Letschia vallis: das Lötschental (Wallis), Schweiz.
Letteranum, Lycterae: Lettere (Neapel), Ital.
Lettgallorum terra: Lettgallen [Latgale], Landsch. u. eh. Prov. (Lettland), UdSSR.
Letthorum terra → Lettia
Lettiata → Lettovia
Lettia, Letthorum terra: Lettland [Latvia, Latvija, Latvijskaja SSR], Land u. Teil der UdSSR.
Lettorum terra → Lettovia
Lettovia, Lettia, Lethonia, Lithuania, Lettorum terra, Liuticorum terra, Lettowiniorum terra, Littowia, Litwanorum regio: Litauen [Lietuva, Lithuania, Litovskaja SSR], UdSSR.
Lettowinorum terra → Lettovia
Letusa, Lotus, Lusa: Leuze (Hennegau), Belg.
Letwanorum principat. → Lethonia
Letzeka, Liezeka, Liesca, Linica: Leitzkau (Pr. Sachsen), Deutschl.
Leubis → Liubisa
Leucaristus: Konstadt [Wołczyn] (O-Schlesien), Deutschl.
Leucenses thermae, Leucerae thermae: Leukerbad [Loèche-les-Bains] (Wallis), Schweiz.
Leucerae thermae → Leucenses thermae
Leuchius pag. → Liuvensis pag.
Leucia: Leuk [Loèche-la-Ville] (Wallis), Schweiz.

Leuciana: Herrera del Duque (Badajóz), Span.

Leuconaus, s. Valerii fan., s. Valarici fan., Vimacensis abbat., Walaricum, Legonaus: Saint-Valéry-sur-Somme (Somme), Frankr.

Leuconium, Leutschovia: Levoča [Leutschau, Löcse] (Slowakei), Tschechoslow.

Leucopetra, Weissenfelta: Weißenfels (Pr. Sachsen), Deutschl.

Leucopolis → Alba

Leucorea → Albiorium

Leucostabulum → Laucostabulum

Leucum: Lecco (Como), Ital.

Leudicum → Leodium

Leudunensis pag. → Lugdunensis pag.

Leunicia → Legunicia

Leuphana Hliuni → Luneburgum

Leuteva, Lodava, Lodavia: Lodève (Hérault), Frankr.

Leuticus → Leodium

Leutkerka → Ectodurum

Leutkircha → Ectodurum

Leutschovia → Leuconium

Leuvensis pag. → Liuvensis pag.

Leva, Levia, Levensis: Lewice [Lewenz, Lewentz, Léva] (Slowakei), Tschechoslow.

Levae vallis: abgeg. bei Löwen (Brabant), Belg.

Levensis → Leva

Levia → Leva

Levia → Semanus mons

Leviatus pons → Pontilevium

Levidona: Alvidona (Cosenza), Ital.

Levinia, Eligovia: Lennox, Landsch. u. eh. Grafsch. (Dunbartonshire, Teile v. Stirlingshire, Perthshire, Renfrewshire), Schottl.

Levitania: Le Lavedan, Landsch. (Hautes-Pyrénées), Frankr.

Levius pons → Pontilevium

Levonia → Livonia

Lewa: Léau [Zoutleeuw] (Brabant), Belg.

Lewensis villa → Lewes

Lewes, Lewis, Lewensis villa: Leeuw-Saint-Pierre [Sint-Pieters-Leeuw] (Brabant), Belg.

Lewis → Lewes

Lexovinus pag. → Lixovinus pag.

Lexoviorum civ. → Lexovium

Lexovium, Lexoviorum civ.: Lisieux (Calvados), Frankr.

Lezia → Legia

Leziniacum → Lusignanum

Lheri → Leri

Lia: Luhe, Nfl. d. Ilmenau (Hannover), Deutschl.

Lia, Luya: Lühe, Nfl. d. Elbe (Hannover), Deutschl.

Liastmona → Lesmonia

Liba, Libawa: Liepaja [Libau] (Lettland), UdSSR.

Libawa: Liebau [Lubawka] (N-Schlesien), Deutschl.

Libawa → Liba

Libera civ.: Freistadt (O-Österr.), Österr.

Libera mansio: Szabadszállás (Bács-Kiskun), Ung.

Liberalitas Julia: Évora (Alto Alentejo), Portug.

Liberdunum: Liverdun (Meurthe-et-Moselle), Frankr.

Liberiacum, Livariae, Livariolae: Livry (Calvados), Frankr.

Liberiacum, Livariae, Livariolae: Livry (Nièvre), Frankr.

Liberiacum, Livariae, Livariolae: Livry [Livry-Gargan] (Seine-et-Oise), Frankr.

Liberum allodium: Franc Alleud, Landsch. (Creuse), Frankr.

Libetha: L'ubietová [Libethen, Libetbánya] (Slowakei), Tschechoslow.

Libia: Leiva (Logroño), Span.

Libia → Lippia

Libissonis turris: Porto Torres (Sardinien), Ital.

Libissonis turris: San Gavino Monreale (Cagliari), Ital.

Libnitza: Ljubljanica [Laibach], Nfl. d. Save (Slowenien), Jugoslaw.

Libora → Dippo

Libria: Libron, Fl., Mü: Mittelmeer (Hérault), Frankr.

Libricorum forum: Borgolavezzaro (Novara), Ital.

Libura → Dippo

Liburna → Tiburnia

Liburnia → Tiburnia

Liburnicus portus → Herculis Labronis portus

Liburnum → Herculis Labronis portus

Libyssa: Gebze [Gebize] (Kocaeli), Türkei.

Libzi → Lipsia

Licada vallis: Lechtal, Tal (Vorarlberg, Tirol), Österr.

Licerium Conseranum, s. Lucerii fan., s. Lizerii fan., Austria, Consorannorum aquae: Saint-Lizier (Ariège), Frankr.

Licha, Lycha: Lich (Hessen), Deutschl.

Lichfeldum, Lichfildia, Etocetum, Utocetum: Lichfield (Staffordshire), Engl.

Lichfildia → Lichfeldum

Lichta: Licht (Rheinprov.), Deutschl.

Lichus → Licus

Liciniacum → Lusignanum

Licnicium → Lignitium

Licoas → Licus

Licopia → Lidcopia

Licus, Lichus, Lecha, Licoas, Lycus, Lechus, Lemannius, Lehhae: Lech, Nfl. d. Donau (Bayern, RB. Schwaben), Österr. u. Deutschl.

Lida Norwegiae → Lyta in Norwegia

Lidalia, Liddesdalia: Liddesdale, Landsch. (Roxburghshire), Schottl.

Lidcopia, Lidecopia, Licopia: Lidköping am Vener See (Skaraborg), Schwed.

Liddesdalia → Lidalia

Lidecopia → Lidcopia

Lidericus, Litericus: Loir, Nfl. d. Loire (Maine-et-Loire), Frankr.

Liebinruti: Liebenreute (Württemberg), Deutschl.

Liecoswilare, Lietcoswilare: Luxemweiler (Württemberg), Deutschl.

Liela: Liel (Baden), Deutschl.

Liela: Lieli (Aargau), Schweiz.

Liela: Lieli (Luzern), Schweiz.

Lieri: Leer (Westfalen, Kr. Steinfurt), Deutschl.

Liesca → Letzeka

Liesci, Lihesi: Laisa (Hessen-Nassau), Deutschl.

Liestmona → Lesmonia

Lietcoswilare → Liecoswilare

Lieva → Legia

Lieza: Oberleis (N-Österr.), Österr.

Liezeka → Letzeka

Liftinae → Liphtinae

Ligara, Ligera: Loire, Fl., Mü: Atlantik, Frankr.

Ligarii vallis monast. → Oliveus mons

Ligera → Ligara

Ligerula: Loiret, Nfl. d. Loire (Loiret), Frankr.

Lignacus portus → Leoniacum

Ligniacum: Ligne (Hennegau), Belg.

Lignicensis urbs → Lignitium

Lignitium, Licnicium, Ligus, Lugidunum, Legnicensis urbs, Lignicen-

sis urbs: Liegnitz [Legnica] (N-Schlesien), Deutschl.
Lignium, Lincyum, Polichnium: Ligny-en-Barrois (Meuse), Frankr.
Lignum regis, Lygnum regis: King's Lynn [Lynn Regis] (Co. Norfolk), Engl.
Ligolium: Ligueil (Indre-et-Loire), Frankr.
Ligualia → Carleolum
Ligula: Evola, Nfl. d. Arno (Toskana), Ital.
Ligus → Lignitium
Lihesi → Liesci
Lilertium → Lillerium
Lilia: Linden (Westfalen), Deutschl.
Liliorum campus → Campililium
Liliorum vallis: Däniken (Solothurn), Schweiz.
Liliorum vallis: Liliental (Hannover), Deutschl.
Liliorum vallis: Tenniken (Basel-Land), Schweiz.
Lillerium, Lilertium: Lillers (Pas-de-Calais), Frankr.
Lilloa → Liloa
Liloa, Lilloa: Lilloo (Antwerpen), Belg.
Limaga, Limagus, Lindemagus, Lindimacus: Limmat, Nfl. d. Aare (Aargau), Schweiz.
Limagus → Limaga
Limania, Alimania, Alvernia inferior: Limagne, Landsch. (Puy-de-Dôme), Frankr.
Limariacus, Lemariaco: Limeray (Indre-et-Loire), Frankr.
Limburgum: Limburg [Limbourg] (Lüttich), Belg.
Limericensis comit.: Limerick [Contae Luimnigh], Grafsch., Eire.
Limericum, Limnivicum: Limerick [Luimneach] (Co. Limerick), Eire.
Limga → Lemgovia
Limicorum forum: Ginzo de Limia (Orense), Span.
Limicus sinus: Limfjord [Limfjorden], Wasserstraße (Jütland), Dänem.
Limiosaleum → Lesna Polonorum
Limnivicum → Limericum
Limnuchus → Lindum
Limolium: Limeuil (Dordogne), Frankr.
Limosum: Limoux (Aude), Frankr.
Limuda: Lehmden (Oldenburg), Deutschl.
Limuda: Lembeck (Westfalen), Deutschl.
Lina: Lain (Graubünden), Schweiz.
Lina: Ober- u. Unterleinach (U-Franken), Deutschl.
Lina: Linne (Hannover), Deutschl.
Linaha: Leina (Thüringen), Deutschl.
Linarium: Lignières (Cher), Frankr.
Linca → Lincia
Lincerium: Bourglinster, Luxemburg,
Lincia, Linca, Lincium, Linza, Lintza, Lentia, Gesadunum, Aredata, Aredatum: Linz (O-Österr.), Österr.
Lincium: Ligny-le-Châtel (Yonne), Frankr.
Lincium → Lincia
Lincolia → Lincolnium
Lincolinium → Lincolnium
Lincolniensis comit.: Lincolnshire, Grafsch., Engl.
Lincolnium, Lincolonia, Lindum colonia, Lincolia, Lincolinium: Lincoln (Lincolnshire), Engl.
Lincolonia → Lincolnium
Lincopia: Linköping (Östergötland), Schwed.
Lincyum → Lignium
Linda → Lindesberga
Lindagia → Lindaugia

Lindaudia → Lindaugia
Lindaugensis ins. → Lindaugia
Lindaugia, Lindagia, Lintowa, Lintaugia, Lindavia, Lindaudia, Lindoa, Lindaugensis ins., Philyraea: Lindau (Bayern, RB. Schwaben), Deutschl.
Lindavia → Lindaugia
Lindduri: Lindern (Hannover), Deutschl.
Lindemagus → Limaga
Lindesberga, Linda: Lindesberg (Örebro), Schwed.
Lindimacus → Limaga
Lindinis: Lieng (St. Gallen), Schweiz.
Lindoa → Lindaugia
Lindrensis lacus: Étang de Lindre [Linderweiher], See (Moselle), Frankr.
Lindthorpa: Lintorf (Rheinprov.), Deutschl.
Lindua, Olimacum: Limbach bei Pezinok [Bösing] (Slowakei), Tschechoslow.
Lindum: Linden (Braunschweig), Deutschl.
Lindum, Lindunum, Limnuchus: Linlithgow (Co. West Lothian), Schottl.
Lindum colonia → Lincolnium
Lindunum → Lindum
Linesi, Linisi, Linsa: Linse (Braunschweig), Deutschl.
Linga, Longo aqua: Linge, Nfl. d. Merwede (Gelderland), Niederl.
Lingonae → Andematunum
Lingones → Andematunum
Lingonum civ. → Andematunum
Linica → Letzeka
Linisi → Linesi
Linius → Avenlifius
Linsa → Linesi
Lintaha: Lindach (U-Franken), Deutschl.
Lintahi: Lindach (O-Bayern), Deutschl.
Lintaugia → Lindaugia
Lintowa → Lindaugia
Lintza → Lincia
Linza → Lincia
Linzgauvia, Linzgowia: Linzgau, Landsch. ndl. v. Bodensee (Baden, Württemberg), Deutschl.
Linzgowia → Linzgauvia
Lionium → Leones
Lipa Bohemicalis: Česká Lípa [Böhmisch-Leipa] (Böhmen), Tschechoslow.
Lipczensis civ. → Lipsia
Lipenium: Lipljan (Kosovo u. Metohija), Jugoslaw.
Liphtinae, Liftinae, Lestinae: Lessines (Hennegau), Belg.
Lippa → Lippia
Lippa → Lipstadium
Lippensis civ. → Lipstadium
Lippi, Ad Lippos: Calzada de Calatrava (Ciudad Real), Span.
Lippia: Lippe, eh. Grafsch., Deutschl.
Lippia → Lipstadium
Lippia, Lippa, Libia, Lupia, Luppia, Lyppia: Lippe, Nfl. d. Rhein (Westfalen), Deutschl.
Lippiae fontes, Lippnibrunna: Lippspringe [Bad Lippspringe] (Westfalen), Deutschl.
Lippnibrunna → Lippiae fontes
Lippoldisbergense monast.: Lippoldsberg (Hessen-Nassau), Deutschl.
Lipsia, Liptzi, Libzi, Lipzensis civ., Lipczensis civ., Philyreia: Leipzig (Sachsen), Deutschl.
Lipstadium, Lippa, Lippia, Lupias, Lippensis civ.: Lippstadt (Westfalen), Deutschl.
Liptavia, Liptovia, s. Nicolai fan.:

Liptovský Mikuláš [Liptau-Sankt-Nikolaus, Liptószentmiklós, Liptovský Svätý Mikuláš] (Slowakei), Tschechoslow.

Liptaviensis comit.: Liptau [Liptov, Liptó], eh. ung. Komit. (Slowakei), Tschechoslow.

Liptovia → Liptavia

Liptzi → Lipsia

Lipzensis civ. → Lipsia

Liquentia: Livenza, Fl., Mü: Adriat. Meer (Venedig), Ital.

Lirigae: Lingen (Hannover), Deutschl.

Lis: Akersloot (N-Holland), Niederl.

Lisa → Legia

Lisbona → Lissabona

Lisga: Lisgau, eh. Gau um Duderstadt (Hannover, Pr. Sachsen), Deutschl.

Lisia → Legia

Lismea → Helenae vicus

Lismona → Lesmonia

Lissa: Weistritz, [Bystrzyca] Nfl. d. Oder (N-Schlesien), Deutschl.

Lissa → Septa

Lissabona, Lisbona, Ulyssipolis, Ulyxbona, Ulyssia, Ulyssi pons, Olisipone, Olisiponna, Ulisipo: Lissabon [Lisboa], Hst. v. Portug.

Lisuinus pag. → Lixovinus pag.

Lisura, Lesura: Lieser (Rheinprov.), Deutschl.

Liswega: Lissewege (W-Flandern), Belg.

Lita → Lutaha

Litabrum: abgeg. bei Simancas (Valladolid), Spanien

Litaha → Lutaha

Litanobriga → Maxentiae pons

Litericus → Lidericus

Litha → Lutaha

Lithaunorum principat. → Lethonia

Lithingi: Liedingen (Braunschweig), Deutschl.

Lithopolis: Kamnik [Stein] (Slowenien), Jugoslaw.

Lithuania → Lettovia

Litomericium → Litomerium

Litomerium, Litomericium, Lutomericium: Litoměřice [Leitmeritz] (Böhmen), Tschechoslow.

Litomislium, Luthomislensis urbs: Litomyšl [Leitomischl] (Böhmen), Tschechoslow.

Littowia → Lettovia

Litus Saxonicum: „Saxon Coast", das Küstengebiet etwa zw. Brancaster (Norfolk) u. Shoreham (Sussex), Engl.

Litwanorum regio → Lettovia

Liubanici urbs: Löbnitz (Sachsen), Deutschl.

Liubes → Liubisa

Liubicici: Lübschütz (Sachsen), Deutschl.

Liubis → Liubisa

Liubisa, Liubes, Liubis, Leubis: Langenlois (N-Österr.), Österr.

Liubisaha, Lyubasa, Loysa: Loisach, Nfl. d. Isar (Tirol, O-Bayern), Österr. u. Deutschl.

Liubusna, Lubus, Lebusium, Lubuzna, Lubucensis abbat., Lubiensis abbat., Lubicensis abbat.: Lebus (Brandenburg), Deutschl.

Liuchinga: Loiching (N-Bayern), Deutschl.

Liudenghusum: Lüdinghausen (Westfalen), Deutschl.

Liudihi → Luda ad Ambram

Liudolvescetha: Lüdenscheid (Westfalen), Deutschl.

Liuhidi → Luda ad Ambram

Liupoldi: Leopoldsdorf (N-Österr.), Österr.

Liuprehsriuti, Liuprehtisruti, Luip-

prechzruiti: Lippertsreuthe (Baden), Deutschl.
Liuprehtisruti → Liuprehsriuti
Liuraha: Laurach (Württemberg), Deutschl.
Liutechilchi → Ectodurum
Liutherum → Luttera regalis
Liuthildi → Luda ad Ambram
Liuticorum terra → Lettovia
Liutmuntinga: Leonding (O-Österr.), Österr.
Liutolteshusa: Lixhausen (Bas-Rhin), Frankr.
Liutra → Ludera
Liutwanga → Lutwanga
Liuvensis pag., Leuvensis, Leuchius, Leochensis: Liège [Lüttich], eh. Gau (Lüttich), Belg.
Livardia → Leovardia
Livariae → Liberiacum
Livariolae → Liberiacum
Livi → Livonia
Livii forum → Forlivium
Livones → Livonia
Livoni → Livonia
Livonia, Levonia, Livi, Livones, Livoni, Livonienses: Livland [Livonija], Landsch. in Lettland u. Estland, UdSSR.
Livonicus sinus, Regensis sinus: Rigaer Bucht [Rīgas Jūras Līcis, Rižskij zaliv, Rizhskiy zaliv], Meerbusen der Ostsee.
Livonienses → Livonia
Lixa, Lixus: Larache [Laroche, El'Araich] (Tanger), Marokko.
Lixovinus pagus, Lexovinus pag., Lisuinus pag.: Lieuvin, Landsch. um Lisieux (Calvados), Frankr.
Lixus → **Lixa**
Lixus, Lucus, Olcus: Ouèd Loukos, Fl., Mü: Atlantik bei Larache, Marokko.
Liza → Legia
s. **Lizerii fan.** → Licerium Conseranum
Lobavia, Coloci: Löbau (Sachsen), Deutschl.
Lobetum, Urcesa: Requena (Valencas), Span.
Lobiensis villa → Laubacum
Lobis: Neulobitz [Nowy Łowicz] (Pommern), Deutschl.
Lobodanensis pag., Lobodensis, Lobodonensis, Lobodinensis, Lobodunensis pag., Lobodungowe: Ladenburger Gau [Ladengau] eh. Gau am unteren Neckar (Baden), Deutschl.
Lobodensis pag. → Lobodanensis pag.
Lobodinensis pag. → Lobodanensis pag.
Lobodonensis pag. → Lobodanensis pag.
Loboduna → Labadunum
Lobodunensis pag. → Lobodanensis pag.
Lobodungowe → Lobodanensis pag.
Lobodunum → Labadunum
Loccae → Lochia
Loccensis abbatia, Luccensis abbatia, Lucca, Lucka, Luca: Loccum (Hannover), Deutschl.
Locenahe → Logana
Locharia: Lochaber, Landsch. (Inverness-shire), Schottl.
Lochavia: Lochau (O-Franken), Deutschl.
Lochia, Loccae, Luccae, Lociae castell.: Loches (Indre-et-Loire), Frankr.
s. **Loci monast.** → Septem fontes
Lociae castell. → Lochia
Locopolis: Škofja Loka [Bischoflack] (Slowenien), Jugoslaw.
Locoritum: Lohr (U-Franken), Deutschl.

Locoveriae → Loverii oppid.
Locoverus → Loverii oppid.
Locra: Taravo [Talavo], Fl., Mü: Golfe de Valinco (Korsika), Frankr.
Loda → Olitis
Lodasco → Pludassis
Lodava → Leuteva
Lodavia → Leuteva
Lodeacum: Loudéac (Côtes-du-Nord), Frankr.
Lodena: Luynes (Indre-et-Loire), Frankr.
Lodunum → Laodunum
Loedus → Laedus
Loepa → Lauppa
Loeum, Dei locus: Lügumkloster [Løgumkloster] (Jütland, N-Schleswig), Dänem.
Loferdi, Loffurdi: Großlafferde (Hannover), Deutschl.
Loffurdi → Loferdi
Logana → Lagana
Logana, Locenahe, Loganaha, Loganichi pag., Loganicinsis pag., Logenehi, Logenachi, Lognai, Lohena marca: Lahngau, Landschaft a. d. Lahn (Hessen u. Pr. Hessen-Nassau), Deutschl.
Loganaha → Logana
Loganichi pag. → Logana
Loganicinsis pag. → Logana
Logenachi → Logana
Logenehi → Logana
Logia: Lagan, Fl., Mü: Belfast Lough (Down, Antrim), N-Irland.
Logingaha, Lachni, Lacni, Loingo, Laingo, Lainga: Leinegau, eh. Gau a. d. Leine (Hannover), Deutschl.
Lognai → Logana
Lohena marca → Logana
Loja: Loyes (Ain), Frankr.
Loingo → Logingaha
Lollinga: Nollingen (Baden), Deutschl.
Lomacia: Lomme (Nord), Frankr.
Lombardia → Langobardia
Lombarium, Lumbarium: Lombez (Gers), Frankr.
Lomberia, Lumbaria: Lombers (Tarn, Frankr.
Lomelli → Laumellum
Lomes, Lommais: Lommis (Thurgau), Schweiz.
Lommais → Lomes
Lona → Lagana
Londinium, Londoniarum civ., Lundunensis civ., Londonia, Lundonia: London, Hst. v. Großbritannien.
Londinium Gothorum, Londinium Scandinorum, Lunda: Lund (Malmöhus), Schwed.
Londinium Scandinorum → Londinium Gothorum
Londinoderia: Londonderry [Derry] (Londonderry), N-Irland.
Londonia → Londinium
Londoniarum civ. → Londinium
Longa ins. → Langelandia
Longa villa: Longeville-en-Barrois (Meuse), Frankr.
Longalara: Longlier (Luxemburg), Belg.
Longamarca: Langemarck [Langemark] (W-Flandern), Belg.
Longarium: Calatafimi (Sizilien, Trapani), Ital.
Longia → Longovicus
Longinqua pascua, Verroniwaida: Langwaid (Bayern, RB. Schwaben), Deutschl.
Longo aqua → Linga
Longobardia → Langobardia
Longobardum Ida: Lombardsijde (W-Flandern), Belg.
Longofordia: Longford [An Longphort] (Co. Longford), Eire.

Longofordiensis comit.: Longford [Contae an Longphoirt], Grafsch., Eire.

Longolatum: Lonlay-le-Tesson (Orne), Frankr.

Longoretum: Lonrai (Orne), Frankr.

Longoretus → Siroialum

Longosalissa → Salca

Longovicum → Lancastria

Longovicus, Longus vicus, Longia: Longwy (Meurthe-et-Moselle), Frankr.

Longum Gemellum: Longjumeau (Seine-et-Oise), Frankr.

Longus: Loch Linnhe, Meerbusen (Argyllshire), Schottl.

Longus campus: Bodrogköz [Hosszúret], Landsch. (Borsod-Abauj-Zemplén), Ung.

Longus campus: Longchamp (Côte-d'Or), Frankr.

Longus campus: Longchamp, Kl. (Seine), Frankr.

Longus pons: Pontelongo (Padua), Ital.

Longus portus: Porto Longone (Elba), Ital.

Longus vicus → Longovicus

Lonicus → Leonicae

Lonsalinum → Ledo Salinarius

Lonsici → Lusatia

Lonsicia → Lusatia

Lontici: Moguer (Huelva), Span.

Lopanheldi → Lapanheldi

Lopessum: Lopsen (S-Holland), Niederl.

Lopina: Laupebach, Nfl. d. Ruhr (Westfalen), Deutschl.

Lopino: Louin (Deux-Sèvres), Frankr.

Loponhelda → Lapanheldi

Loposagium: Luxiol (Doubs), Frankr.

Lorcha, Lorecha, Lorecho, Loricha: Lorch (Hessen-Nassau), Deutschl.

Lordellum: Lordelo (Braga), Portug.

Lorecha → Lorcha

Lorecho → Lorcha

Loressa → Lorsacum

Loricha → Lorcha

Loringi → Thuringia

Lorium: Lori (Rom), Ital.

Lorium → Color vallis

Lorretum → Lorriacum

Lorriacum → Lauriacum

Lorriacum, Lorretum: Lorrez-le-Bocage (Seine-et-Marne), Frankr.

Lorsa → Lorsacum

Lorsacensis urbs → Lorsacum

Lorsacum, Lorsa, Loressa, Laurissa, Lorshi, Laurissanum, Lorsacensis urbs, Rigemagum, Rigimagum: Lorsch (Hessen), Deutschl.

Lorshi → Lorsacum

Loryma: Lloret de Mar (Gerona), Span.

Losana, Losonia, Lausona, Lausanna, Lausenna, Lausonium, Lausanensis civ.: Lausanne (Waadt), Schweiz.

Loscana: Lösau (Pr. Sachsen), Deutschl.

Losdunum → Juliodunum

Losonia → Losana

Losontium, Losontziensis: Lučenec [Losonc, Losontz] (Slowakei), Tschechoslow.

Losontziensis → Losontium

Lostatawa: Lastau (Sachsen), Deutschl.

Lotharia → Lotharingia

Lothariensis ducat. → Lotharingia

Lotharingia, Lotharia, Lothariensis ducat., Lothrinia, Lotoringia, Lutheringia: Lothringen [Lorraine], Landsch. in NO-Frankr. u. eh. Hgt., Deutschl. u. Frankr.

Lotheria regis → Luttera regalis
Lothiana → Laudania
Lothrinia → Lotharingia
Loticia Parisiorum → Parisii
Lotoringia → Lotharingia
Lotum: Louvetot (Seine-Maritime), Frankr.
Lotus → Letusa
Louba → Semanus mons
Loubinga → Lauginga
Louvia → Semanus mons
Lovania, Lovinium, Lovonnium, Luvanium: Louvain [Löwen, Leuven] (Brabant), Belg.
Loveriarum oppid. → Loverii oppid.
Loverii oppid., Loveriarum oppid., Locoverus, Locoveriae, Luparia: Louviers (Eure), Frankr.
Lovinium → Lovania
Lovitium: Łowicz [Lowitsch] (Łódź), Polen.
Lovolautrium, Volotrense castr.: Vollore-Montagne (Puy-de-Dôme), Frankr.
Lovonnium → Lovania
Loxa: Lossie, Fl., Mü: Moray Firth (Morayshire), Schottl.
Loysa → Liubisaha
Luba → Leobusium
Lubacovia → Lubica vetus
Lubaviensis urbs → Lubovia
Lubeca: Lubicz [Leibitsch] (Bromberg), Polen.
Lubeca → Lubica vetus
Lubecum → Lubica vetus
Lubena: Lübben (Brandenburg), Deutschl.
Lubens → Leobusium
Lubensis → Leobusium
Lubes → Leobusium
Lubica vetus, Lubicana, Lubicensis urbs, Lubeca, Lubecum, Lubacovia, Lybichi: Lübeck (Schleswig-Holstein), Deutschl.
Lubicana → Lubica vetus
Lubicensis abbat. → Liubusna
Lubicensis urbs → Lubica vetus
Lubicholi: Leibchel (Brandenburg), Deutschl.
Lubiensis abbat. → Liubusna
Lubinense monast.: Lubin nw. Gostyn (Posen), Polen.
Lubinum: Lübzin [Lubczyna] (Pommern), Deutschl.
Lublavia: Stará L'ubovňa [Altlublau, ólóblu] nö. Käsmark (Slowakei), Tschechoslow.
Lublianum → Lublinum
Lublinum, Lublianum, Lubni: Lublin (Lublin), Polen.
Lubni → Lublinum
Lubovia, Lubaviensis urbs: Lubawa [Löbau] (Bromberg), Polen.
Lubucensis abbat. → Liubusna
Lubus → Liubusna
Lubusensis → Leobusium
Lubusia → Leobusium
Lubuzensis abbat. → Leobusium
Lubuzna → Liubusna
Luca: Lucca (Lucca), Ital.
Luca → Loccensis abbat.
Luca ad flumen Dia, Lucus Augusti Vesontiorum, Vocontiorum lucus Augusti: Luc-en-Diois (Drôme), Frankr.
Lucaniacum: Loigny-la-Bataille (Eure-et-Loir), Frankr.
Lucaniacus vicus: Saint-Chartier (Indre), Frankr.
Lucanum → Luganum
Lucanus lacus → Ceresius lacus
Lucarnum: Locarno (Tessin), Schweiz.
Lucca → Loccensis abbat.
Luccae → Lochia
Luccavia, Lucoa: Luckau (Brandenburg), Deutschl.
Luccensis abbat. → Loccensis abbat.

Luceburgiensis ducat. → Luxemburgensis ducat.
Luceburgium → Luciliburgum
Lucedium → Mariae Lucediae abbat.
Luceia → Lucila
Lucemburgum → Luciliburgum
Lucena, Lucennacum: Lützen (Pr. Sachsen), Deutschl.
Lucennacum → Lucena
Lucensis → Zatecensis
Luceoria: Luck [Łuck] (Ukrain. SSR), UdSSR.
Luceria, Lucerna, Lucernia, Lucoria: Luzern (Luzern), Schweiz.
Luceria Paganorum, Nuceria Saracenorum: Lucera (Foggia), Ital.
s. Lucerii fan. → Licerium Conseranum
Lucerna → Luceria
Lucernensis pag.: Luzern, Kanton, Schweiz.
Lucernensis lacus → Helveticus lacus
Lucernia → Luceria
Luchesa: Jüchsen (Thüringen), Deutschl.
Luchtringi, Luhtringi, Lutringia: Lüchtringen (Westfalen), Deutschl.
Lucida vallis: Lichtental (Baden), Deutschl.
s. Luciferi fan., Lux dubia: Sanlúcar de Barrameda (Cádiz), Span.
Lucii castr.: Chalus (Haute-Vienne), Frankr.
Lucila, Luceia, Lucilensis vicus: Lucelle [Lützel] (Haut-Rhin), Frankr.
Lucilensis vicus → Lucila
Luciliburgum, Luceburgium, Lucemburgum, Luxemburgum, Lutzemburgum, Lussuborgensis, Luslenburgensis, Lusciburgensis civ., Augusta Romanduorum: Luxemburg, Hst. v. Luxemburg.
Lucinus mons → Alcinoi mons
Lucio, Luconia: Luçon (Vendée), Frankr.
Lucis mons → Alcinoi mons
s. Lucius → Clivus s. Lucii
Lucka → Loccensis abbat.
Luckonum: Lucklum (Braunschweig), Deutschl.
Lucoa → Luccavia
Lucomonis mons: Lukmanier [Lukmanierpaß, Passo del Lucomagno, Cuolm Lucmagn], Paß (Graubünden u. Tessin), Schweiz.
Luconia → Lucio
Lucoria → Luceria
Lucretiles montes: Monti Lucretili, Teil d. Monti Sabini b. Palombara (Lazio), Ital.
Lucretilis mons: Monte Gennaro, Berg (Lazio), Ital.
Lucronium, Lugrunnium: Logroño (Logroño), Span.
Lucus → Lixus
Lucus Asturum → Ovetum
Lucus Augusti: Lugo (Lugo), Span.
Lucus Augusti Vesontiorum → Luca ad flumen Dia
Luda ad Ambram, Lugda, Lusdum, Luyda, Liudihi, Liuhidi, Liuthildi: Lügde (Westfalen), Deutschl.
Luddera → Lutera
Ludensis comit.: Louth [Contae Lú], Grafsch., Eire.
Ludera, Luodera, Liutra, Luttaha: Lüder, Nfl. d. Fulda (Hessen-Nassau), Deutschl.
Ludera, Lutera, Luttra: Kleinlüder (Hessen-Nassau), Deutschl.
Ludonberga: Ludenberg (Rheinprov.), Deutschl.
Ludosia antiqua: Gamla Lödöse (Älvsborg), Schwed.

Ludosia nova: Lödöse (Älvsborg), Schwed.
Ludovici arx → Fortalitium Ludovici
Ludovici arx ad Saram: Saarlouis [Saarlautern] (Rheinprov.), Deutschl.
Ludovici castr. → Fortalitium Ludovici
Ludovici mons: Mont-Louis (Pyrénées-Orientales), Frankr.
Ludovici portus → Blabia
Ludovicianum → Fortalitium Ludovici
Ludra → Lutra
Ludum, Lutha: Louth (Lincolnshire), Engl.
Lützelnburgensis → Luxemburgensis ducat.
Luetzelnfluo, Lutzelfluo: Lützelflüh (Bern), Schweiz.
Lugae vallum → Carleolum
Luganum, Lucanum, Junianum: Lugano (Tessin), Schweiz.
Lugda → Luda ad Ambram
Lugdunensis pag., Leudunensis pag.: Lyonnais, Landsch. u. eh. Prov., Frankr.
Lugdunum → Leona
Lugdunum Batavorum, Leida: Leiden (S-Holland), Niederl.
Lugdunum clavatum → Laodunum
Lugdunum Convenarum: Saint-Bertrand-de Comminges (Haute-Garonne), Frankr.
Lugdunum Salinatorium → Ledo Salinarius
Lugeolum → Fractus pons
Lugidunum → Lignitium
Lugosium: Lugoj [Lugos, Lugosch] (Banat), Rumän.
Lugovallum → Carleolum
Lugrunnium → Lucronium
Luguido: Oschiri (Sardinien, Sassari), Ital.
Luguvallium → Carleolum
Luguvallum Brigantum → Carleolum
Luhtringi → Luchtringi
Luipprechzruiti → Liuprehsriuti
Luisium → s. Joannis Luisii fan.
Luitbaldi marchionis marchia → Austria
Lula: Luleå (Norrbotten), Schwed.
Lumbaria → Lomberia
Lumbarium → Lombarium
Lumellum → Laumellum
Lumineta ins. → Julina ins.
Luna, Lunensis urbs: Luni, abgeg. bei Sarzana (La Spezia), Ital.
Lunae ins. → Menuthias ins.
Lunae lacus, Maninseo, Manarseo, Maense monast., Monensewensis eccl.: Mondsee, Dorf u. See (O-Österr.), Österr.
Lunae portus: La Spezia (La Spezia), Ital.
Lunae promont.: Cabo Carvoeiro, Vorgeb. (Estremadura), Portug.
Lunaeburgum → Luneburgum
Lunare regnum → Hetruriae magnus ducat.
Lunarensis eccl.: Lunéville (Meurthe-et-Moselle), Frankr.
Lunate, Lunelium, Lunellum: Lunel (Hérault), Frankr.
Lunda: Lühnde (Hannover), Deutschl.
Lunda → Londinium Gothorum
Lundonia → Londinium
Lundunensis civ. → Londinium
Luneburgum, Lunaeburgum, Selenopolis, Leuphana Hliuni, Luniburgensis civ.: Lüneburg (Hannover), Deutschl.
Lunelium → Lunate
Lunellum → Lunate
Lunensis urbs → Luna
Luneracus: Luneray (Seine-Maritime), Frankr.

Luniacum: Lugny (Saône-et-Loire), Frankr.
Luniburgensis civ. → Luneburgum
Lunkani → Lunzini
Lunkini → Lunzini
Lunni: Plantlünne (Hannover), Deutschl.
Lunzes: Lienz (Tirol), Österr.
Lunzini, Lunkini, Lunkani, Leontium: Lenzen (Brandenburg), Deutschl.
Luodera → Ludera
Luotrensis urbs → Luttera regalis
Lupa: Loue, Nfl. d. Doubs (Jura), Frankr.
Lupa, Luvia: Loing, Nfl. d. Seine (Seine-et-Marne), Frankr.
Lupara, Luvera: Louvres (Seine-et-Oise), Frankr.
Luparia → Loverii oppid.
Lupatiae → Lupetia
Lupelli mons: Montluel (Ain), Frankr.
Lupetia, Lupatiae: Altamura (Bari), Ital.
Lupha → Laviacum
Lupi amnis → Aquaelupae
Lupi clivium: Wolfhalden (Appenzell-Außerrhoden), Schweiz.
Lupia → Lippia
Lupiae Aquae → Aquaelupae
Lupias → Lipstadium
Lupinum, Magia, Majae villa, Maji campus, Supinis, Supino: Maienfeld (Graubünden), Schweiz.
Lupodunum → Labadunum
Luppia → Lippia
Lupus ater: Louatre (Aisne), Frankr.
Luriae castr., Euiracum palat.: Évry-Petit-Bourg (Seine-et-Oise), Frankr.
Lurna → Tiburnia
Lusa → Letusa
Lusaricas, Luzaria: Luzarches (Seine-et-Oise), Frankr.
Lusatia, Lusica, Lonsici, Lonsicia, Luzensis pag., Lusizi, Lusiki, Luzici, Lusinzani pag.: Lausitz, Landsch. in Brandenburg, Sachsen u. Schlesien, Deutschl.
Lusciburgensis civ. → Luciliburgum
Lusciliburgensis → Luxemburgensis ducat.
Lusdum → Luda ad Ambram
Lusica → Lusatia
Lusici pag. → Lusatia
Lusignanum, Lusinianum Pictonum, Liciniacum, Leziniacum: Lusignan (Vienne), Frankr.
Lusiki pag. → Lusatia
Lusinianum Pictonum → Lusignanum
Lusino: Luson [Lüsen] (Bozen), Ital.
Lusinzani pag. → Lusatia
Lusitaniae Brigantia → Bragantia
Lusitaniae Extremadura → Extrema Durii
Lusitaniae portus → Cale
Lusius vicus → s. Joannis Luisü fan.
Lusizi pag. → Lusatia
Luslenburgensis civ. → Luciliburgum
Lusnavico → Bella villa ad Sagonam
Lussonia ins.: Luzon, Ins. der Philippinen.
Lussovium → Luxoium
Lussuborgensis civ. → Luciliburgum
Lustati: Ober- u. Niederlustadt (Bayern, RB. Pfalz), Deutschl.
Lustena, Lustinouwa: Lustenau (Vorarlberg), Österr.
Lustinouwa → Lustena
Lutaha, Litaha, Litha, Lyta, Leita, Lita: Leitha [Lajta], Nfl. d. Donau (N-Österr.), Österr. u. Ung.
Lutenhaha: Laudenau (Hessen), Deutschl.

Lutera → Ludera
Lutera, Luddera: Lautern (Hessen), Deutschl.
Lutera, Luthra, Lutrensis: Lure (Haute-Saône), Frankr.
Luteraha: Wenigenlupnitz (Thüringen), Deutschl.
Luterata → Lutra
Lutetia → Parisii
Lutfurdum → Misna
Lutha → Ludum
Luthebachum, Lautenbacensis, Luthibacensis villa: Lautenbach (Haut-Rhin), Frankr.
Luthera → Luttera regalis
Lutheringia → Lotharingia
Luthibacensis villa → Luthebachum
Luthomislensis urbs → Litomislium
Luthra → Lutera
Luticha → Leodium
Lutitia: Loitz (Pommern), Deutschl.
Lutomericium → Litomerium
Lutra, Ludra, Luterata, Hlutraha, Hlutra: Lauter, Nfl. d. Rheins, Deutschl. (RB. Pfalz) u. Frankr. (Bas-Rhin).
Lutra, Lutrensis villa: Lautrach (Bayern, RB. Schwaben), Deutschl.
Lutra Caesarea → Caesarea lutra
Lutraburgum, Lutrae castr.: Lauterbourg [Lauterburg] (Bas-Rhin), Frankr.
Lutrae castr. → Lutraburgum
Lutrensis → Lutera
Lutrensis villa → Lutra
Lutria → Caesarea lutra
Lutringia → Luchtringi
Luttaha → Ludera
Luttera regalis, Luttera regia, Luthera, Lotheria regis, Liutherum, Luotrensis urbs: Königslutter (Braunschweig), Deutschl.
Luttera regia → Luttera regalis
Luttra → Ludera
Lutwanga, Liutwanga: Langenwang (Bayern, RB. Schwaben), Deutschl.
Lutzelfluo → Luetzelnfluo
Lutzemburgum → Luciliburgum
Luvanium → Lovania
Luvera → Lupara
Luvia → Lupa
Luvia → Semanus mons
Lux dubia → s. Luciferi fan.
Luxemburgensis ducat., Luceburgiensis, Lützelnburgensis, Lusciliburgensis: Luxemburg [Großhgt. Luxemburg, Grand Duché de Luxembourg].
Luxemburgum → Luciliburgum
Luxia: Odiel, Fl., Mü: Golf v. Cádiz (Huelva), Span.
Luxoium, Luxovium, Lussovium, Ovium locus: Luxeuil [Luxeuil-les-Bains] (Haute-Saône), Frankr.
Luxovium → Luxoium
Luya → Lia
Luyda → Luda ad Ambram
Luyera: Luyères (Aube), Frankr.
Luzaria → Lusaricas
Luzensis pag. → Lusatia
Luzici → Lusatia
Lybichi → Lubica vetus
Lycha → Licha
Lyciorum campus → Lechfeldicus campus
Lycterae → Letteranum
Lycus → Licus
Lygnum regis → Lignum regis
Lyndowensis villa, Lyndsensis villa: Lindow (Brandenburg), Deutschl.
Lyndsensis villa → Lyndowensis villa
Lynus → Layna
Lypa: Liepe (Brandenburg), Deutschl.
Lyppia → Lippia

Lyra, Ledi, Nevesdum: Lierre [Lier] (Antwerpen), Belg.
Lyris: Garigliano, Fl., Mü: Tyrrhen. Meer (Kampanien), Ital.
Lysa in Norwegia, Lida Norwegiae: Lyse, Kl. bei Os (Hordal), Norweg..
Lyta → Lutaha
Lytarmis promont.: Jamal, Halbins. [Samojeden-Halbins.] (W-Sibirien), UdSSR.
Lyubasa → Liubisaha

M

Maalis: Mailly-la-ville (Yonne), Frankr.
Macastellum: Mattarello (Trient), Ital.
Macchonevilare, Machenvilare, Macunevilare: Mackwiller [Mackweiler] (Bas-Rhin), Frankr.
Macedonopolis → Birtha
Maceriacum → Maceriae
Maceriae, Maceriacum: Maizières (Haute-Marne), Frankr.
Maceriae, Maceriacum, Meseria: Mézières (Ardennes), Frankr.
Machara comitis, Machera comitis: Grevenmacher, Luxemburg.
Machenvilare → Macchonevilare
Machera comitis → Machara comitis
Machera regis: Koenigsmacker [Königsmachern] (Moselle), Frankr.
Machicolium: Machecoul (Loire-Atlantique), Frankr.
Machlinia → Machlinium
Machlinium, Machlinia, Maghlinia, Malinae, Maslinas, Mallines, Mechelinia, Maglinia, Malisnensis civ., Mechlinensis civ.: Mecheln [Malines, Mechelen] (Antwerpen), Belg.
Machtersum: Lobmachtersen (Braunschweig), Deutschl.
Machtolvinga: Machtlfing (O-Bayern), Deutschl.
Maciacensis ager → Maciacum
Maciacum, Maciacensis ager: Massy (Saône-et-Loire), Frankr.
Mackecella: Mackenzell (Hessen-Nassau), Deutschl.
Maclinium, Maglinium, Maghlinia: Machelen-lez-Deinze (O-Flandern), Belg.
Maclopolis → Aletae
Maclovia → Altae
s. Maclovii fan. → Aletae
Macloviopolis → Aletae
Maclovium → Aletae
Macropolis → Herbipolis
s. Maculfi vicus → Corbeniacum
Macunevilare → Macchonevilare
Madagascaria ins. → Menuthias ins.
Madahalaha → Madala
Madala, Madela, Madahalaha, Magdela: Magdala (Thüringen), Deutschl.
Madalicae: Maillanne (Bouches-du-Rhône), Frankr.
Madallia villa → Madalliacum
Madalliacum, Madallia villa, Magdalia: La Madeleine (Nord), Frankr.
Madela → Madala
Madelhardi: Mallersdorf (N-Bayern), Deutschl.
Madia: Maggia, Fl., Mü: Lago Maggiore (Tessin), Schweiz.

Madiae vallis, Valmagia: Valle Maggia, Tal (Tessin), Schweiz.
Madicae → Madus
Madisiacum: Macé (Orne), Frankr.
Madiswilare: Madiswil (Bern), Schweiz.
Madricum: Madré (Mayenne), Frankr.
Madriolae → Marollae
Madritas → Madritum
Madritum, Matritum, Madritas, Majoritum, Mantua Carpetanorum: Madrid, Hst. v. Span.
Madus, Madicae: Maidstone (Kent), Engl.
Maense monast. → Lunae lacus
Maesolus: Godavari, Fl., Mü: Golf v. Bengalen (Andhra Pradesch), Indien.
Mafia → Meffia castr.
Magalona, Megala, Magdala, Magalonensium civ.: Maguélone [Magnélonne] (Hérault), Frankr.
Magalonensium civ. → Magalona
Magdala → Magalona
Magdalia → Madalliacum
Magdalona, Meta leonis: Maddaloni (Caserta), Ital.
Magdebrunno → Mariae fons
Magdeburgum → Parthenopolis
Magdela → Madala
Magdunum: Mehun-sur-Yèvre (Cher), Frankr.
Magebracella: Maberzell (Hessen-Nassau), Deutschl.
Magedeburgum → Parthenopolis
Magedoburgum → Parthenopolis
Magense castr., Mages: Obermais [Maia Alta] u. Untermais [Maia Bassa], aufgeg. in Meran (Bozen), Ital.
Magensiacum: Mainsat (Creuse), Frankr.
Magentiacum → Moguntiacum
Mages → Magense castr.
Maghlinia → Machlinium
Maghlinia → Maclinium
Magia → Lupinum
Magicampus → Maicampus
Maglinia → Machlinium
Maglinium → Maclinium
Magna: abgeg. bei Hereford (Herefordshire), Engl.
Magnensis campus → Maicampus
s. **Magni coenob.** → Fauces
Magni magistri ordinis Teutonici aula, Fratrum vitae communis monast., Mariae domus, Mariae virginis vallis: Mergentheim [Bad Mergentheim] (Württemberg), Deutschl.
Magniacum: Magny-en-Vexin (Seine-et-Oise), Frankr.
Magniacum, Maium medium: Mayen (Rheinprov.), Deutschl.
Magnimontium: Mesmont (Côte-d'Or), Frankr.
Magninovilla, Magnovillare: Grandvilliers (Oise), Frankr.
Magno-Varadinum → Varadinum
Magnopolis, Megalopolis: Mecklenburg (Mecklenburg), Deutschl.
Magnovillare → Magninovilla
Magnum mare → Germanicum mare
Magnum podium → Ampliputeum
Magnum promont.: Cabo da Roca, Kap nw. Lissabon (Estremadura), Portug.
Magnum promont. → Barbarum promont.
Magnus lacus → Helveticus lacus
Magnus portus: Arzew [Arzeu] (Oran), Algerien.
Magnus portus: Mahón auf Menorca (Balearen), Span.
Magnus portus, Portsmuthum: Portsmouth (Hampshire), Engl.

Magnus sinus: Südchinesisches Meer [Nan Hai].
Magontia → Moguntiacum
Maguntia → Moguntiacum
Maguntinus → Moguntiacum
Mahildis fan. → s. Menechildis fan.
Majae villa → Lupinum
Majas → Merona
Maicampus, Majicampus, Magicampus, Magnensis campus, Megenensis campus, Meginensis campus: Meinvelt [Maifeld, Mayenfeld], eh. Gau ndl. d. unteren Mosel (Rheinprov.), Deutschl.
s. Maidoci fan. → Fearnum
Majense castr. → Merona
Maierswilare: Marsweiler (Württemberg), Deutschl.
Majes → Merona
Maji campus → Lupinum
Majicampus → Maicampus
Mainingia, Miniminga: Meiningen (Thüringen), Deutschl.
Maior curia: Cortemaggiore (Piacenza), Ital.
Maior lacus, Verbanus lacus: Lago Maggiore [Langensee, Verbano], See in Oberitalien, Ital.
Major vetus mons: Montemor-o-Velho (Coimbra), Portug.
Maiorica ins., Balearis maior: Mallorca [Majorca], Ins. (Balearen), Span.
Maioris monast. → Aquilejense monast.
Majoritum → Madritum
Majorum: Maiori (Salerno), Ital.
Mais, Gouris: Sabarmati, Fl., Mü: Golf v. Cambay (Arabisches Meer), Indien.
Maium medium → Magniacum
Majus castell.: Castel Maggiore (Bologna), Ital.
Majus castell.: Castelmagno (Cuneo), Ital.
Maius monast. → Aquilejense monast.
Majus monast., Martini monast.: Marmoutier-lès-Tours, Kl. u. Teil v. Tours (Indre-et-Loire), Frankr.
Mala domus: La Malmaison bei Bernieulles (Pas-de-Calais), Frankr.
Malacense fretum: Straße v. Malakka, Meerenge zw. d. Malaiischen Halbinsel u. d. Ins. Sumatra.
Malaga: Malakka [Malaiische Halbins.], Halbins. (Hinterindien), Malaysia u. Thailand.
Malatae → Bononia
Malavilla → Taurunum
Malbodium, Malobodium, Melmodium, Malmodium, Melbodium, Molbodium, Malburium: Maubeuge (Nord), Frankr.
Malbrunnum → Sculturbura
Malburium → Malbodium
Malcha → Malchis
Malcha, Malchovia: Malchow (Mecklenburg), Deutschl.
Malchis, Malcha: Machy (Somme), Frankr.
Malchovia → Malcha
Maldra: Maudre, Nfl. d. Seine (Seine-et-Oise), Frankr.
Maldunense coenob., Malmesburia: Malmesbury (Wiltshire), Engl.
Male ora: Malabār [Malabarküste, Malayalam, Malewar], Küstenstreifen am Arab. Meer (Kērala), Indien.
Maledictus mons, Mediacus mons: Montmédy (Meuse), Frankr.
Malentina: Malta (Kärnten), Österr.
Maleus ins.: Mull, Ins. (Argyllshire), Schottl.

Maliana, Maniana: Khemis [Affreville] (El-Asnam), Algerien.
Malina: Malin bei Kutná Hora [Kuttenberg] (Böhmen), Tschechoslow.
Malinae → Machlinium
Malisnensis civ. → Machlinium
Malleacum: Maillezais (Vendée), Frankr.
Malleo, Malleosolium, Malusleo: Mauléon [Mauléon-Barousse] (Hautes-Pyrénées), Frankr.
Malleorium, Malum leporarium: Maulévrier (Maine-et-Loire), Frankr.
Malleosolium → Malleo
Malles, Mallesium: Malles Venosta [Mals] (Bozen), Ital.
Mallesium → Malles
Malliacum: Maillé (Vendée), Frankr.
Malliacum, Marliacum: Marly-la-Ville (Seine-et-Oise), Frankr.
Malliacus, Maniacovilla: Maillet (Allier), Frankr.
Mallines → Machlinium
Mallo Matiriaco → Matiriacus
Mallorum metropolis: Multan, [Mooltan], W-Pakistan.
Malmandarensis vicus → Malmundaria
Malmesburia → Maldunense coenob.
Malmodium → Malbodium
Malmogia, Ellebogium: Malmö am Öre Sund [Malmöhus], Schwed.
Malmundaria, Malmundarias, Malmundarium, Malmundario, Malmunderio, Malmandarensis vicus: Malmedy (Lüttich), Belg.
Malmundarias → Malmundaria
Malmundario → Malmundaria
Malmundarium → Malmundaria
Malmunderio → Malmundaria
Malobodium → Malbodium
Malogia, Molejus mons: Maloja [Malojapaß, Maloggia, Passo del Maloggia, Passo del Maloja], Paß (Graubünden), Schweiz.
Malopassus: Maupas (Gers), Frankr.
Maloprobatorium: Mauprévoir (Vienne), Frankr.
Malscha, Malsga: Malsch (Baden), Deutschl.
Malscus mons: Malchen [Melibocus, Melibokus], Berg im Odenwald (Hessen), Deutschl.
Malsga → Malscha
Malum leporarium → Malleorium
Malusleo → Malleo
Malvae, Mauvae: Mauves-sur-Huisne (Orne), Frankr.
Malvinae insulae: Falkland-Inseln [Falkland Islands, Islas Malvinas], Inselgruppe im S-Atlantik.
Mamacca → Mamaceae
Mamaceae, Mammacae, Mamacca: Montmacq (Oise), Frankr.
Mamanni → Suevia
Mamercae → Memersium
Mamerciae → Memersium
Mamertis civ. → Memersium
Mamertium, Martis, Mavortis civ.: abgeg. bei Oppido Mamertina (Reggio Calabria), Ital.
Mammacae → Mamaceae
Mamurra → Itrium
Manachfialta: Mangfall, Nfl. d. Inn (O-Bayern), Deutschl.
Manapia, Vexfordia, Wexfordia: Wexford [Loch Garman] (Wexford), Eire.
Manapiensis comit., Vexfordianus comit.: Wexford [Contae Loch Garman, Loch Garman], Grafschaft, Eire.
Manarmanis portus: Zoutkamp (Groningen), Niederl.

Manarseo → Lunae lacus
Mancunium: Manchester (Lancashire), Engl.
Mandichinga, Mantichinga, Mantahinga: Merching (O-Bayern), Deutschl.
s. Mandrachi ins. → Electria
Manduessedum: Mancetter [Mancester] (Warwickshire), Engl.
s. Manechildis fan. → s. Menechildis fan.
Manegoldescella → Manoldescella
Manesca, Manuesca: Manosque (Basses-Alpes), Frankr.
Manfredi civ.: Manfredonia (Foggia), Ital.
Manhemium, Mannehemium, Interamnium: Mannheim (Baden), Deutschl.
Maniacovilla → Malliacus
Maniana → Maliana
Maninseo → Lunae lacus
Manliana castr.: Magliano Sabina (Rieti), Ital.
Mannehemium → Manhemium
Manoldescella, Manegoldescella: Mangoldszell, abgeg. bei Erbach (Hessen), Deutschl.
Mansala, Sala: Salé [Slâ'] bei Rabat, Marokko.
Mansfelda: Mansfeld (Pr. Sachsen), Deutschl.
Mansio Odonis: Le Mesnil-Eudes (Calvados), Frankr.
Mansum Asilium → Mansum Azilis
Mansum Azilis, Mansum Asilium: Le Mas-d'Azil (Ariège), Frankr.
Mansum Garnerii: Mas-Grenier (Tarn-et-Garonne), Frankr.
Mantahinga → Mandichinga
Mantala, Mantelus villa: Grésy-sur-Isère (Savoie), Frankr.
Mantelanum: Manthelan (Indre-et-Loire), Frankr.
Mantelus villa → Mantala
Mantichinga → Mandichinga
Mantilcium: Mantilly (Orne), Frankr.
Mantinorum oppid. → Mantinum
Mantinum, Mantinorum oppid.: abgeg. bei Bastia (Korsika), Frankr.
Mantola: Maule (Seine-et-Oise), Frankr.
Mantua Carpetanorum → Madritum
Mantuana civ.: Mantova [Mantua] (Mantua), Ital.
Manuesca → Manesca
Manulli villa → Mater villa
Manus → Moenus
Marabodui castell.: Kynžvart [Königswart; Lázně Kynžvart, Bad Königswart] (Böhmen), Tschechoslow.
Maracanda, Samarcandia: Samarkand (Usbekische SSR), UdSSR.
Maraenses → Moravia
Maraha → Morava
Maraha → Moravia
Marahabitae → Moravia
Marahaha → Moravia
Marahenses → Moravia
Marahi → Moravia
Maralegia → Marilegium
Maramarusiensis comit.: Máramaros [Marmarosch, Maramureş], eh. ung. Komit. (Kreisch-Marosch-Gebiet, Karpatorußland), Rumän. u. UdSSR.
Marania → Merona
Marantium: Marans (Charente-Maritime), Frankr.
Maranum, Marianum: Marano bei Magliano dei Marsi (Udine), Ital.
Maranus mons → Eba
Marastharpa: Mästrup (Westfalen), Deutschl.
Marava → Moravia

Maravani → Moravia
Maravenses → Moravia
Maravia → Moravia
Marbachium → Collis Peregrinorum
Marburgum, Marpurgum, Amasia Cattorum, Metelloburgum Mattiacorum, Mattiacum: Marburg (Hessen-Nassau), Deutschl.
Marca, Marchia famina, Martia famina: Marche-en-Famenne (Luxemburg), Belg.
Marca Burensa: Beuren (Rheinprovinz), Deutschl.
s. Marcellini fan.: Saint-Marcellin (Isère), Frankr.
s. Marcellinus et Petrus → Selingostadium
Marcerum, Martia, Marcia: Merzig a. d. Saar (Rheinprov.), Deutschl.
Marcha → Morava
Marchegga, Marheka: Marchegg a. d. March (N-Österr.), Österr.
Marchena → Marcia
Marchesi insulae: Marchesas-Inseln [Îles Marquises], Inselgruppe im Pazifik.
Marchia: Marche, Landsch. u. eh. Prov. (Creuse, Vienne, Haute-Vienne), Frankr.
Marchia: Mark [Märkisches Land] eh. Grafsch. (Westfalen), Deutschland.
Marchia → Morava
Marchia → Stiria
Marchia, Marchia Brandenburgica: Brandenburg [Mark Brandenburg, Mark], Landsch. u. Prov., Deutschl.
Marchia Anconitana, Anconitanus ager: Marken [Marche, Mark Ancona], Landsch. u. Region, Ital.
Marchia Brandenburgica → Marchia
Marchia famina → Marca
Marchia orientalis → Austria
Marchia Oudalrici marchionis → Istria marca
Marchia Tarvisina: Mark Treviso, Landsch. (Venetien), Ital.
Marchianae → Marciana
Marchluppa → Marhliuppa
Marchtelensis villa → Martula
Marchtorfensis villa: Markdorf (Baden), Deutschl.
Marchus → Morava
Marci: Marck (Pas-de-Calais), Frankr.
s. Marci fan.: San Marco d'Alunzio (Messina), Ital.
Marcia → Marcerum
Marcia, Marchena: Marchena (Sevilla), Span.
Marciana, Hormum, Marchianae, Marcianas abbatia: Marchiennes (Nord), Frankr.
Marciana silva → Nigra silva
Marcianas abbatia → Marciana
Marcilliacum: Marcillac-Vallon (Aveyron), Frankr.
Marcina: Cava de Tirreni (Salerno), Ital.
Marciniacum: Marcigny (Saône-et-Loire), Frankr.
Marcipolis → Marsipolis
Marcluppa → Marhliuppa
Marcodurum → Dura
Marcomagus: Marmagen (Rheinprov.), Deutschl.
Marcopolis: San Marco in Lamis (Foggia), Ital.
Mardus: Qezel Ouzän [Kisil Usen, Kisil Usun], Fl., Mü: Kaspisches Meer, Iran.
Mare, Merania: Meerane (Sachsen), Deutschl.
Mare apud Novesiam: Meer bei Büderich (Rheinprov.), Deutschl.
Mare Balticum → Balticum mare

Mare Barbarum → Balticum mare
Mare nostrum → Internum mare
Mare Orientale → Orientale mare
Mare Scithicum → Scithicum mare
Mare strictum → Herculeum fretum
Mare Suebicum → Suebicum mare
Mare Suevicum → Suevicum mare
Marelagia → Marilegium
Mareleia → Marilegium
Marengium, Marologium: Marvejols (Lozère), Frankr.
Maretum castr., Moretum: Morit [Greifenstein], Burg bei Bozen (Bozen), Ital.
Margaretha munitio → s. Margarethae fan.
s. **Margarethae fan., Margaretha munitio:** Sankt Margarethen im Burgenland (Burgenland), Österr.
d. **Margarethae ins.:** Margareteninsel [Margitsziget], Donauinsel (Budapest), Ung.
Margus: Morava [Große Morava, Velika Morava, Glavna Morava], Nfl. d. Donau (Serbien), Jugolaw.
Marheka → Marchegga
Marhliuppa, Marcluppa, Marchluppa: Marlupp (O-Österr), Österr.
Marhtelanensis villa → Martula
Marhtelensis villa → Martula
s. **Maria Augensis (monast.)** → Augea
Maria cella: Mariazell (Steiermark), Österr.
Maria cella, Cella, Mariacella: Mariazell (Württemberg), Deutschl.
s. **Maria de Mare** → Delphicum templum
s. **Maria in fodinis, s. Mariae fan.:** Sainte-Marie-aux-Mines [Markirch] (Haut-Rhin), Frankr.
s. **Maria in valle** → Mariae vallis
Maria Theresianopolis: Subotica [Maria-Theresiopel, Szabadka] (Wojwodina), Jugoslaw.
Mariacella → Maria cella
Mariacum episcopale: Mairé-Lévescault (Deux-Sèvres), Frankr.
s. **Mariae ager, Marianus ager:** Mariager (Jütland), Dänem.
s. **Mariae aula:** Mariasaal, Kl. in Brno [Brünn] (Mähren), Tschechoslow.
s. **Mariae campus** → s. Mariae ins.
Mariae castr. → Mariaeburgum
s. **Mariae cella:** Kleinmariazell bei Kumrowitz [Komárov], Teil von Brünn (Mähren), Tschechoslow.
s. **Mariae cella:** Sankt Märgen (Baden), Deutschl.
Mariae de rosis abbatia: Rosen, Kl. bei Aalst [Alost] (O-Flandern), Belg.
Mariae domus → Magni magistri ordinis Teutonici aula
s. **Mariae fan.** → s. Maria in fodinis
s. **Mariae fan.** → Samaria
Mariae fons, Magdebrunno: Marienborn (Pr. Sachsen), Deutschl.
Mariae Hodoeporicum → Berga
Mariae hortus, Ortus b. Virginis: Mariengaarde, Kl. bei Hallum (Friesland), Niederl.
s. **Mariae in pago Tardanensi** → Sauriciacus mons
Mariae ins. → Mariae verda
s. **Mariae ins., s. Mariae campus:** Marienfeld (Westfalen), Deutschl.
Mariae ins., b. Virginis ins.: Marienweerd [Marienwaard], Kl. (Gelderland), Niederl.
Mariae lacus: Mariensee (Hannover), Deutschl.
Mariae Lauretanae fan. → Lauretum

Mariae locus: Locmaria (Morbihan), Frankr.

Mariae Lucediae abbatia, Lucedium: Lucedio, Kl. (Vercelli), Ital.

b. Mariae monast. → Monialium vallis

Mariae mons: Marienberg (Braunschweig), Deutschl.

Mariae montis monast.: Marienberg, Kl. auf dem Marienberg in Würzburg (U-Franken), Deutschl.

Mariae silva: Mariawald (Rheinprov.), Deutschl.

s. Mariae porta → Porta

Mariae silva: Marienwald, abgeg. bei Zülpich (Rheinprov.), Deutschl.

Mariae stadium: Mariestad (Skaraborg), Schwed.

Mariae vallis: Marienthal, Kl. (Luxemburg), Belg.

b. Mariae vallis → Monialium vallis

Mariae vallis, s. Maria in valle: Marienthal (Bayern, RB. Pfalz), Deutschl.

Mariae verda, Mariae ins., Mariana ins.: Marienwerder [Kwidzyn] (O-Preußen, RB. W-Preußen), Deutschl.

Mariae virginis vallis → Magni magistri ordinis Teutonici aula

Mariaeburgum, Mariae castr., Marianopolis: Marienburg [Malbork] (O-Preußen, RB. W-Preußen) Deutschl.

Mariaechelmum, Mariaeculmia: Chlum nad Ohří [Maria Kulm], Chlum Svaté Maří] (Böhmen), Tschechoslow.

Mariaeculmia → Mariaechelmum

Mariana castr.: Almagro (Ciudad Real), Span.

Mariana ins. → Mariae verda

Mariana vallis, b. Virginis Mariae coenob.: Marianka [Marienthal, Mariavölgy] (Slowakei), Tschechoslow.

Mariani montes: Sierra Morena, Geb., Span.

Marianopolis → Mariaeburgum

Marianum → s. Bonifacii civ.

Marianum → Maranum

Marianus ager → s. Mariae ager

Maricha → Morava

Marichluppa: Marlupp, Nfl. d. Inn (O-Österr.), Österr.

Maricolense monast. → Marilliacum

Maricus vicus: Marengo (Alessandria), Ital.

Maridunensis comit.: Caermarthenshire [Carmarthenshire], Grafsch., Engl.

Marii campus → Camaria

Marii villa: Marino am Albaner See (Rom), Ital.

Marii villa → Castrimonium

Marilegium, Marolegia villa, Merlegium, Maurolegia, Mareleia, Marlegia, Marelagia, Maralegia: Marlenheim (Bas-Rhin), Frankr.

Marilliacense coenob. → Marilliacum

Marilliacum, Maricolense monast., Marilliacense coenob., Martia villa, Marvilla: Marville (Meuse), Frankr.

s. Marini fan.: San Marino, Republik in Ital.

Mariolensis vicus: Mareuil-sur-Arnon (Cher), Frankr.

Mariorum mons: abgeg. bei Fregenal de la Sierra (Badajóz), Span.

Maris pontici ostium → Constantinopolitanum fretum

Maris stella, Maristellense coenob.: Wettingen (Aargau), Schweiz.

Mariscus → Marisus

Maristellense coenob. → Maris stella

Marisus, Mariscus, Meriscus, Marusius: Mureş [Maros, Marosch, Mieresch], Nfl. d. Theiß, Ung. u. Rumän.

Maritima col., Martigium: Martigues (Bouches-du-Rhône), Frankr.

Marka castra: Mark (Westfalen), Deutschl.

Markiligtharpa: Merkentrup (Westfalen), Deutschl.

Marlegia → Marilegium

Marliacum → Malliacum

Marmoraria: Marmels (Graubünden), Schweiz.

Marobudum → Budovicium

Marochium: Marrakech [Marokko], Marokko.

Marolegia villa → Marilegium

Marollae, Madriolae: Marolles-en-Brie (Seine-et-Marne), Frankr.

Marologium → Marengium

Maroshelyinum → Agropolis

Marosiensis comit.: Maros-Torda [Mureş-Turda, Marosch-Thorenburg], Distr. u. eh. ung. Komit. (Siebenbürgen), Rumän.

Marowa → Morava

Marpurgum → Marburgum

Mars villa regia: Mertesdorf (Rheinprov.), Deutschl.

Marsallo, Marsallum, Marsello, Budatium: Marsal (Moselle), Frankr.

Marsallum → Marsallo

Marsana: Meersen [Meerssen] (Limburg), Niederl.

Marsello → Marsallo

Marsiburgum → Marsipolis

Marsicum Vetus → Abellinum Marsicum

Marsinopolis → Marsipolis

Marsipolis, Marcipolis, Martiopolis, Marsinopolis, Martisburgum, Marsiburgum, Mersburgia, Martis urbs: Merseburg (Pr. Sachsen), Deutschl.

Martalum → Martula

Martellensis villa → Martula

Martelli castr.: Martel (Lot), Frankr.

Martellum → Martula

Martha: Sankt Martha bei Sankt Marein (Steiermark), Österr.

Martha: Marthe [Martew] (O-Preußen, RB. W-Preußen), Deutschland.

Martia → Marcerum

Martia Famina → Marca

Martia villa → Marilliacum

s. **Martialis** → Samarcolium

Martiana silva → Nigra silva

Martianum: Mont-de-Marsan (Landes), Frankr.

Martigium → Maritima col.

s. **Martini castr.:** Sain-Martin-d'Arc (Savoie), Frankr.

s. **Martini castr.:** abgeg. bei Bruck a. d. Leitha (N-Österr.), Österr.

s. **Martini cella:** Martinszell (Bayern, RB. Schwaben), Deutschl.

s. **Martini cella** → Dietrammi cella

s. **Martini de Larona monast.** → Domnus Martinus

s. **Martini fan.:** Saint-Martin-de-Ré (Charente-Maritime), Frankr.

s. **Martini fan.** → Thurotziensis villa

s. **Martini fan., s. Martini mons:** Bruiu [Martinsberg, Martonhegy] östl. Hermannstadt [Sibiu] (Siebenbürgen), Rumän.

s. **Martini fan., s. Martini mons:** Györszentmartón [Martinsberg, Pannonhalma] (Györ-Sopron), Ung.

s. **Martini monast.:** Sint-Maartensdijk (Seeland), Niederl.

Martini monast. → Majus monast.

s. **Martini mons:** Martinsberg (N-Österr.), Österr.

s. **Martini mons** → s. Martini fan.

Martiniacum: Martigny (Manche), Frankr.

Martiniacum: Martigny [Martinach] (Wallis), Schweiz.

Martinica: Martinique, Ins. d. Kleinen Antillen, Frankr.

Martinopolis → Thurotziensis villa

s. **Martinus de Turoczo (monast.)** → Thurotziensis villa

Martiopolis → Marsipolis

Martis civitas → Mamertium

Martis fan.: Corseul (Côtes-du-Nord), Frankr.

Martis fan.: Famars (Nord), Frankr.

Martis fan.: Montmartin (Manche), Frankr.

Martis mons: Niedermarsberg (Westfalen), Deutschl.

Martis mons → Martyrum mons

Martis statio → Ad Malum

Martis urbs → Marsipolis

Martis villa → Tropaea Augusti

Martisburgum → Marsipolis

Martoranum, Ramertum: Martorano (Salerno), Ital.

Martula, Martalum, Martellum, Marhtelanensis, Marchtelensis, Marhtelensis, Martellensis villa: Obermarchtal (Württemberg), Deutschl.

Martyrum mons, Martis mons, Mercurii mons, Mercori mons: Montmartre, Teil v. Paris, Frankr.

Marubio → Eneberges

Marus → Morava

Marusius → Marisus

Marutta: Mareta [Mareit] (Bozen), Ital.

Marvilla → Marilliacum

Marvilla → Martia villa

Masa → Mosa

Masaris, Mazara: Mazara del Vallo (Trapani), Ital.

Masciacum: Maçay-sur-Cher (Cher), Frankr.

Masciacum: Massais (Deux-Sèvres), Frankr.

Maseca → Echa

Maseum → Echa

Masingi: Massenhausen (Hessen-Waldeck), Deutschl.

Masius mons: Mazi Dağ, Berg bei Mardin (SO-Anatolien), Türkei.

Maslarium → Echa

Maslinas → Machlinium

Masolacum, Masolacus: Malay-le-Grand [Malay-le-Vicomte] (Yonne), Frankr.

Masolacus → Masolacum

Masonis monast., Masonis vallis: Masevaux [Masmünster] (Haut-Rhin), Frankr.

Masonis vallis → Masonis monast.

Masovia: Wysokie Mazowieckie [Mazowetzk, Mazowieck] (Białystok), Polen.

Masovia, Mazovia, Mazavia, Mazovii, Masovitae, Mazoviensis palat.: Masowien [Mazowsze], Landsch. u. eh. Fürstentum (Łódź, Warschau), Polen.

Masovitae → Masovia

Massa Lubiensis → Massa Lubrensis

Massa Lubrensis, Massa Lubiensis: Massalubrense (Neapel), Ital.

Massa Pedrulia → s. Donatus

Massayum → Massiacum

Massiacum, Massayum: Massay (Cher), Frankr.

Masteno → Mastramelus

Mastramela lacus → Bibra lacus

Mastramelus, Mesteno, Masteno: Maintenon (Eure-et-Loir), Frankr.

Masuarinsis pag. → Mosaus pag.
Mata: Matt (Aargau), Schweiz.
Mata: Matt (Glarus), Schweiz.
Matagawi: Mattiggau, Landsch. a. d. Mattig (Salzburg, O-Österr.), Österr.
Matavonium: Montfort-sur-Argens (Var), Frankr.
Matellio → Matilo
Mater aquarum: Ema jögi [Embach], Fl., Mü: Peipussee (Estland), UdSSR.
Mater villa, Manulli villa: Marville-Moutiers-Brulé (Eure-et-Loir), Frankr.
Materna: Marne, Nfl. d. Seine, Frankr.
Mathesowa: Matheis (Bayern, RB. Schwaben), Deutschl.
Matholfingum: Matzen (Rheinprov.), Deutschl.
Maticha, Matucha: Mattich (Salzburg), Österr.
Maticha, Matucha: Mattig, Nfl. d. Inn (Salzburg, O-Österr.), Österreich.
Matichofa, Matinga: Mattighofen (O-Österr.), Österr.
Matignonium: Matignon (Côtes-du-Nord), Frankr.
Matilo, Matellio: abgeg. bei Leiden (Hoogmade bei Woubrugge?, Koudekerk?, Rijnsburg?) (S-Holland), Niederl.
Matinga → Matichofa
Matingas: Mating (O-Pfalz), Deutschl.
Matiriacus, Mallo Matiriaco: Méré (Seine-et-Oise), Frankr.
Matisco Aeduorum: Mâcon (Saône-et-Loire), Frankr.
Matra: Märkt (Baden), Deutschl.
Matra: Moder [Motter], Nfl. d. Rhein (Bas-Rhin), Frankr.
Matreium: Matrei am Brenner [Deutschmatrei] (Tirol), Österr.
Matreium, Medaria: Matrei [Windischmatrei] (O-Tirol), Österr.
Matriniacum: Marnay (Vienne), Frankr.
Matriniacum: Mayrinhac-Lentour (Lot), Frankr.
Matrinum: Atri (Teramo), Ital.
Matritum → Madritum
Matrius, Meruacum: Méru (Oise), Frankr.
Matthaei villa: Matejovce [Matzdorf, Matějovice, Mateócz] (Slowakei), Tschechoslow.
s. Matthias: Māhī [Mahé] (Kērala), Indien.
Mattiacum → Marburgum
Mattiwilri: Mattwil (Thurgau), Schweiz.
Matucha → Maticha
Matusia → s. Remogii fan.
Maudacum, Mutaha: Maudach (Bayern, RB. Pfalz), Deutschl.
Maurbacensis → Omnium Sanctorum vallis
Maurelli mons: Montemuolo (Florenz), Ital.
Maurenciacus mons, Morentiacus mons, Montmorencianum: Montmorency (Seine-et-Oise), Frankr.
s. Mauri Fossatensis abbatia → Bagaudarum castrum
Mauri monast. → Aquilejense monast.
Mauri rivus → Mosellus
Mauri villa: Villemaur-sur-Vanne (Aube), Frankr.
Mauriacensis Campania → Mauriacus
Mauriacum → Mauriacus
Mauriacus, Mauriacum, Mauriacensis Campania, Meriacum: Méry-sur-Seine (Aube), Frankr.

Mauriana civ., s. Johannes de Mauriana: Saint-Jean-de-Maurienne (Savoie), Frankr.
Mauriana vallis → Garocelia
Maurianensis → Garocelia
Mauriannae comit. → Garocelia
Maurianum monast. → Aquilejense monast.
Maurienna vallis → Garocelia
Mauriliacum, Milliacum, Milgiachum: Milly-la-Forêt (Seine-et-Oise), Frankr.
Maurilionis mons: Montmorillon (Vienne), Frankr.
s. Mauritii eccl.: Sankt Mauritz bei Münster (Westfalen), Deutschl.
s. Mauritius → Bergintium
s. Mauritius in Vosago → Theologia
Mauro Castro → Maurocastrum
Maurocanum regnum, Maurocitanum regnum: Marokko [Morhreb, Maghrib el-Aksa, Maroc, Morocco], Land, Afrika.
Maurocastrum, Akiermana, Mauro Castro, Tyras: Belgorod-Dnjestrowskij [Akkerman, Cetatea Albă] (Ukrain. SSR), UdSSR.
Maurocitanum regnum → Maurocanum regnum
Maurolegia → Marilegium
Mauromonasterium → Aquilejense monast.
Mauronti villa: Merville (Nord), Frankr.
Mausiacum: Maussac (Corrèze), Frankr.
Mausiacum: Mauzac (Haute-Garonne), Frankr.
Mausilium, Labbana: Mosul [Al-Mosul, Mossul], Irak.
Mauvae → Malvae
Mavortis civ. → Mamertium
Maxentiae pons, Mexentiae pons, Litanobriga: Pont-Sainte-Maxence (Oise), Frankr.
s. Maxentii fan.: Saint-Maixant (Creuse), Frankr.
s. Maxentii fan.: Saint-Maixent-de-Beugné (Deux-Sèvres), Frankr.
s. Maximini fan.: Saint-Maximin-la-Sainte-Baume (Var), Frankr.
s. Maximini monast.: Sankt Maximin, Kl. in Trier (Rheinprov.), Deutschl.
s. Maximini monast. → Miciacum
s. Maximus: Saint-Mayme-de-Pereyrol (Dordogne), Frankr.
s. Maximus prope Montem Cucum: Saint-Mayme bei Pomport (Dordogne), Frankr.
Maya: Maiach (M-Franken), Deutschl.
Mayensis comit.: Mayo [Contae Mhaig Eo], Grafsch., Eire.
Mazara → Masaris
Mazavia → Masovia
Mazovia → Masovia
Mazoviensis palat. → Masovia
Mazovii → Masovia
Mea dilecta munitio → Mellicum
Meadia: Mehadia (Banat), Rumän.
Mecchinga: Möggingen (Baden), Deutschl.
Mechelinia → Machlinium
Mechlinensis civ. → Machlinium
Meckelburgensis ducat. → Megalopolitanus ducat.
Mecklenburgensis ducat. → Megalopolitanus ducat.
Mecledonense castr. → Melodunum
Mecledonense castr. → Modunum
Meclidonensis pag. → Meledunensis pag.
Medana, Mediana, Meduana: Mayenne, Nfl. d. Loire (Maine-et-Loire), Frankr.
Medaria → Matreium

Medelacense monast. → Mediolacum
Medelekka → Mellicum
Medelicca → Mellicum
Medelpadia: Medelpad, Landsch. (Västernorrland), Schwed.
Medemelacum: Medemblik (N-Holland), Niederl.
Medena, Novus burgus de Medina: Newport (Isle of Wight), Engl.
Medenicka: Medininkai [Medninkai, Mjedniki] bei Vilnius [Wilna] (Litauische SSR), UdSSR.
Medenta → Medunta
Mederiacum: Brüggen (Rheinprov.), Deutschl.
Medgyesinum, Mediesus, Medyeschinum, Media, Mediensis civ.: Mediaş [Mediasch, Medgyes] (Siebenbürgen), Rumän.
Media → Medgyesinum
Media, Midia: Meath [An Mhí, Contae na Mí], Grafsch., Eire.
Media marchia: Mittelmark, der mittlere Teil d. Pr. Brandenburg, Deutschl.
Mediacus mons → Maledictus mons
Mediana: Mödingen (Bayern, RB. Schwaben), Deutschl.
Mediana → Medana
Mediana villa: Moyenneville (Somme), Frankr.
Medianum monast.: Moyenmoutier (Vosges), Frankr.
Medicinum: Mézin (Lot-et-Garonne), Frankr.
Mediconnus: Mosnes (Indre-et-Loire), Frankr.
Medicorum villa: Medevibrunn am Vättersee (Östergötland), Schwed.
Mediensis civ. → Medgyesinum
Mediesus → Medgyesinum
Medilhecka → Mellicum
Mediliccha → Mellicum
Medilicensis urbs → Mellicum
Medioburgum, Mitthilburgensis civ., Middelburgus, Middelburgum Zelandorum: Middelburg (Seeland), Niederl.
Mediolacum, Medelacense monast.: Mettlach (Rheinprov.). Deutschl.
Mediolanense castr. → Melliandi castr.
Mediolanum: Mailand (Lombardei), Ital.
Mediolanum, Meginlanum, Mejulanum, Milanum, Meilis, Meilo: Meilen (Zürich), Schweiz.
Mediolanum Cuborum → Melliandi castr.
Mediolanum Eburovicum → Eborica
Mediolanum Santonum → Santonae
Mediolanus mons: Montmélian (Savoie), Frankr.
Mediolarium → Ad Tres Lares
Mediomatrica → Dividunum
Mediomatricensis tractus → Metensis pag.
Mediomatricum → Dividunum
Mediomatricus → Dividunum
Mediterraneum mare → Internum mare
Medium coronae: Mezzocorona [Kronmetz] (Trient), Ital.
Medium s. Petri: Mezzolombardo [Wälschmetz, Altmetz, Urmetz] (Trient), Ital.
Medius vicus: Moyenvic (Moselle), Frankr.
Medlicensis civ. → Medlicum
Medlicha → Mellicum
Medlicum, Medlicensis civ.: Mödling, Teil v. Wien, Österr.
Medlindum, Mellentum, Mellonta, Meldanticum, Mullancum: Meulan (Seine-et-Oise), Frankr.
Medoacus maior → Brentesia

Medofuldi, Medofulli, Midofulli: Uffeln (Westfalen), Deutschl.
Medofulli → Medofuldi
Medoslanium: Wolkersdorf (N-Österr.), Österr.
Meduana → Medana
Meduanum: Mayenne (Mayenne), Frankr.
Medulanus tractus → Meduli
Meduli, Medulanus tractus, Meduliacum: Médoc, Landsch. u. Halbins. (Gironde), Frankr.
Medulicum → Meduli
Medulli → Garocelia
Medunta, Medenta: Mantes-la-Jolie (Seine-et-Oise), Frankr.
Meduntensis ager: Mantois, Landschaft (Seine-et-Oise), Frankr.
Medyeschinum → Medgyesinum
Meffia castr., Mafia: Meeffe (Lüttich), Belg.
Megala → Magalona
Megalopolis → Magnopolis
Megalopolitanus ducatus, Meckelburgensis, Mecklenburgensis ducatus: Mecklenburg, eh. Hgt., Deutschl.
Megenensis campus → Maicampus
Meginensis campus → Maicampus
Meginlanum → Mediolanum
Meginradicella, Herennus, Heremitae coenob., Eremus Deiparae matris monast., d. Virginis Eremitarum coenob., Einsidla, Einsilda, Solitarii: Einsiedeln (Schwyz), Schweiz.
Megludinensis pag. → Meledunensis pag.
Mehtyris: Mechters (N-Österr.), Österr.
Meilis → Mediolanum
Meilo → Mediolanum
Meinbrahtingtharpa: Meintrup (Westfalen), Deutschl.
Meisa: Maisach (O-Bayern), Deutschl.
Mejulanum → Mediolanum
Melances: Malans (Graubünden), Schweiz.
Melanes sinus, Melas sinus: Saros körfezi [Golf v. Saros, Golf v. Xeros] (Edirne), Türkei.
Melantiana → Melantias
Melantias, Melantiana, Melontiana: Trakatia östl. Büyük Çekmece (Istanbul), Türkei.
Melaria: Fuente Obejuna [Fuenteovejuna] (Córdoba), Span.
Melaria: Melara (Rovigo), Ital.
Melas sinus → Melanes sinus
Melasti castr. → Oliveus mons
Melasti mons → Oliveus mons
Melbodium → Malbodium
Melciacinsis pag. → Meldicum territor.
Melcianum → Meldicum territor.
Melcianus pag. → Meldicum territor.
Melcis: Medelsheim (Bayern, RB. Pfalz), Deutschl.
Meldae, Meldis, Meldorum civ., Jatinum: Meaux (Seine-et-Marne), Frankr.
Meldanticum → Medlindum
Meldaria → Meldreges
Meldense territor. → Meldicum territor.
Meldensis comit. → Meldicum territor.
Meldequus → Meldicum territor.
Meldesdorpa: Melstrup (Hannover), Deutschl.
Meldicum territor., Meldense territor., Meldensis comit., Meldequus, Meltianus, Melcianum, Melcianus pag., Meldicus pag., Melciacinsis pag., Mulcianum: Multien [Mulcien, Meldois], Landsch. u.

eh. Gau bzw. Grafsch. (Seine-et-Marne, Oise), Frankr.

Meldicus pag. → Meldicum territor.

Meldis → Meldae

Meldorpium: Meldorf (Schleswig-Holstein), Deutschl.

Meldorum civ. → Meldae

Meldreges: Meldert-lez-Diest (Limburg), Belg.

Meldreges, Meldaria: Meldert-lez-Tirlemont (Brabant), Belg.

Meldunum, Minidunum, Minnodunum, Musdonium: Moudon [Milden] (Waadt), Schweiz.

Meledunensis pag., Meclidonensis pag., Megludinensis pag., Mildunensis pag., Milidunensis comit.: Melunais, Landsch. u. eh. Gau bzw. Grafsch. (Seine-et-Marne, Seine-et-Oise), Frankr.

Melfia → Amalphia

Melfita: Molfetta (Bari), Ital.

Melibocus mons → Harthici montes

Melicium → Mellicum

Mella → Mellusum

Mellani castr. → Melliandi castr.

Mellentum → Medlindum

Melliandi castr., Mellani castr., Mediolanense castr., Mediolanum Cuborum: Châteaumeillant (Cher), Frankr.

Melliani castr. → Melliandi castr.

Mellicensis urbs → Mellicum

Mellicum, Medelicca, Medelekka, Mellicensis, Medilicensis urbs, Medlicha, Medilicha, Medilhecka, Melicium, Mea dilecta munitio, Metelli castr.: Melk (N-Österr.), Österr.

Mellonta → Medlindum

Melloscenium, Mellosedum: Mizoën (Isère), Frankr.

Mellosedum → Melloscenium

Mellusum, Mella, Millinium: Melle (O-Flandern), Belg.

Mellusum, Millinium: Melle (Deux-Sèvres), Frankr.

Melmodium → Malbodium

Melnicensis civ.: Mělnik (Böhmen), Tschechoslow.

Melocabus → Meschethi

Melocavus → Meschethi

Melodunum, Miglidunum, Mecledonense castr., Miclitanum castr., Milidunum: Melun (Seine-et-Marne), Frankr.

Melontiana → Melantias

Melphia → Amalphia

Melpinum, Merpinum: Merpins (Charente), Frankr.

Meltianus → Meldicum territor.

Memela, Klaipedensis: Klaipeda [Memel] (Litauen), UdSSR.

Memela, Memula, Nemenus, Nimenus: Memel [Njemen, Nemunas, Neman], Fl., Mü: Kurisches Haff (Litauen), UdSSR.

Memersium, Mamercae, Mamerciae, Mamertis civ.: Mamers (Sarthe), Frankr.

Meminate → Memmate

Memlebia → Mimilevum

Memmate, Meminate, Mimate, Mimas, Mimatensis urbs: Mende (Lozère), Frankr.

Memminga: Memmingen (Bayern, RB. Schwaben), Deutschl.

Memula → Memela

Menajum fretum: Menai Strait, Meerenge zw. der Ins. Anglesey u. Wales, Engl.

Menapia → Davidis fan.

Menapiorum castell.: Kessel (Limburg), Niederl.

Menariacum → Stegra

Menasterium: Montier-en-Der (Haute-Marne), Frankr.

Menavia → Monapia
Mencinga: Menzingen (Baden), Deutschl.
Mendacii campus, Mentitus campus: das „Lügenfeld" [Rotfeld?] bei Colmar [bei Houssen?, Rothlaiblé?, Rouffach?, Sigolsheim?] (Haut-Rhin), Frankr.
Mendici: Bettlern bei Kadaň [Kaaden] (Böhmen), Tschechoslow.
Mendrisium, Mendrium: Mendrisio (Tessin), Schweiz.
Mendrium → Mendrisium
Mendthinna → Menedinna
s. Menechildis fan., Sanmanhildis fan., Mahildis fan., s. Manechildis fan., s. Menoldis urbs: Sainte-Menehould (Marne), Frankr.
Menedinna, Mendthinna: Menden (Rheinprov.), Deutschl.
Menena, Menina: Menin [Menen, Meenen] (W-Flandern), Belg.
Menesthei portus: El Puerto de Santa Maria (Cadíz), Span.
Menevia → Davidis fan.
Mengerinhousa: Mengeringhausen (Hessen-Nassau), Deutschl.
Menina → Menena
Menni: Menne (Westfalen), Deutschl.
Menoba: Guadiamar, Nfl. d. Guadalquivir (Sevilla), Span.
Menoba → Exitanorum oppid.
s. Menoldis urbs → s. Menechildis fan.
Menosca: Zumaya (Guipuzgoa), Span.
Menosca → Sebastianopolis
Mentera silva: abgeg. im Dollart (Meerbusen d. Nordsee), Deutschl.
Mentitus campus → Mendacii campus
Mentuniacum: Mantenay-Montlin (Ain), Frankr.
Mentusca: Mantoche (Haute-Saône), Frankr.
Menuthias ins., Hannonis ins., s. Laurentii ins., Lunae ins., Madagascaria ins.: Madagascar [Malagasy], Ins. u. Land im Ind. Ozean.
Meppea, Meppia: Meppen (Hannover), Deutschl.
Meppia → Meppea
Merania → Mare
Merania → Merona
Merbeccensis → Mesrebecchi
Mercha: Merk-Saint-Liévin (Pas-de-Calais), Frankr.
Mercia (regnum), Merciae regnum, Anglia media: Mercia, eh. Kgr. in Engl.
Merciae regnum → Mercia (regnum)
Mercori mons → Martyrum mons
Mercorium: Mercoeur (Corrèze), Frankr.
Mercorius: Mauguio (Hérault), Frankr.
s. Mercorius: Saint-Marcory (Dordogne), Frankr.
Mercuriale: Mercogliano (Avellino), Ital.
Mercurii curtis, Mirecurtium, Mirecuriae, Miracuria: Mirecourt (Vosges), Frankr.
Mercurii ins.: Tavolara [Isola Tavolara], Ins. der Bucinarischen Inseln (Sardinien), Ital.
Mercurii mons → Martyrum mons
Mercurium: Le Mercon (Gard), Frankr.
Mercurium: Mercurea [Reußmarkt, Szerdahely] (Hunedoara), Rumän.
Merendra: Merendree (O-Flandern), Belg.
Merentium: Mérens-les-Vals (Ariège), Frankr.

Meresleba: Marsleben, abgeg. bei Quedlinburg (Sachsen), Deutschl.
Meresleba: Morsleben (Pr. Sachsen), Deutschl.
Merezina → Mersina
Mergueles, Merugueles: Melveren bei Saint-Trond (Limburg), Belg.
Meri: Mehr (Rheinprov.), Deutschl.
Meriacum → Mauriacus
Merilaha: Kintschbach, Nfl. d. Ammer (O-Bayern), Deutschl.
Meriniacum, Ad Nonum: Marigniano (Mailand), Ital.
Merinium → Vesta
Meriolacense castr., Castrum Marlhaci: Chastel-Marlhac (Cantal), Frankr.
Meriscus → Marisus
Merivido: Merwede, Flußarm im Rheindelta, Niederl.
Merlegium → Marilegium
Merlinius campus → Cossobus
Merna: Marne (Schleswig-Holstein), Deutschl.
Merona, Majas, Majes, Majense castr., Meyes, Merania, Meronia, Marania, Moravia, Moravium: Merano [Meran] (Bozen), Ital.
Meronia → Merona
Meropia: Siphnos [Sifnos], Ins. (Kykladen), Griechenl.
Merpinum → Melpinum
Merremum: Mermuth (Rheinprov.), Deutschl.
Mersburgia → Marsipolis
Mersina, Merezina: Mersin [Mierzym] (Pommern), Deutschl.
Mertala → Amardela
Mertelacum: Mertloch (Rheinprov.), Deutschl.
Meruacum → Matrius
Merugueles → Mergueles
Merulae campus → Cossobus
Merum: Marrum (Friesland), Niederl.
Mervinia: Merionethshire, Grafsch., Engl.
Mesa → Mosa
Mesambria: Nesebăr [Nessebŭr, Nessebar, Mesemvrija, Missivri, Misuri] (Burgas), Bulgarien.
Mesaucina vallis: Mesocco [Misox, Val Mesolcina], Landsch. a. d. Moesa (Graubünden), Schweiz.
Mesaucum: Mesocco [Misox] (Graubünden), Schweiz.
Meschethi, Melocabus, Melocavus: Meschede (Westfalen), Deutschl.
Meseria → Maceriae
Mesia → Motenum
Mesica Porta → Motenum
Mesrebecchi, Mesrebeccki, Merbeccensis: Meerbeke (O-Flandern), Belg.
Mesrebeccki → Mesrebecchi
Messanense promont.: Punta del Faro, Vorgeb. (Messina), Ital.
Messeniacus sinus: Messiniakos Kolpos [Messenischer Golf, Golf v. Messenien, Golf v. Messini, Golf v. Kalamä], Ionisches Meer (Peloponnes), Griechenl.
Messichilchi: Meßkirch (Baden), Deutschl.
Messina, Misseniacum: Messines [Meesen] (W-Flandern), Belg.
Messinga: Mössingen (Württemberg), Deutschl.
Mesteno → Mastramelus
Mestriana, Mestrio: Mindszent (Csongrád), Ung.
Mestrio → Mestriana
Meta leonis → Magdalona
Metae → Dividunum
Metalicus mons: Arzberg (O-Franken), Deutschl.

Metelensis vicus: Metelen (Westfalen), Deutschl.

Metelli castr. → Mellicum

Metelloburgum Mattiacorum → Marburgum

Metensilva, Middewalda: Midwolda (Groningen), Niederl.

Metensis pag., Mediomatricensis tractus: Pays Messin [Metingow] (Moselle), Frankr.

Methema: Metten (N-Bayern), Deutschl.

Methullum, Metulum: Metlika [Möttling] (Slowenien), Jugoslaw.

Methymna campestris: Medina del Campo (Valladolid), Span.

Methymna celia, Methymna coeli: Medinaceli (Soria), Span.

Methymna coeli → Methymna celia

Methymna sicca, Egurrorum forum, Tela: Medina de Rioseco (Valladolid), Span.

Methymna Sidonia → Assidonia

Methymna turrium, Julia Contributa: Medina de los Torres (Badajóz), Span.

Metis → Dividunum

Metium → Dividunum

Metropolis ad castr., Tyria: Tire [Tireh] sö. Izmir [Smyrna] (Aydin), Türkei.

Metropolis civ. → Vienna Allobrogum

Metropolis civ. Turenorum → Turoni civ.

Metropolis civ. Turonensium → Turoni civ.

Metropolis civ. Turonorum → Turoni civ.

Metropolis civ. Turonum → Turoni civ.

Metropolis civ. Viennensium → Vienna Allobrogum

Metropolis civitatis Rotomagensium → Rothomagus

Mettae → Dividunum

Mettensis civ. → Dividunum

Mettis → Dividunum

Metulum → Methullum

Meursia → Moersa

Meusa: Mera [Maira], Nfl. d. Adda (Graubünden, Lombardei), Schweiz u. Ital.

Mexentiae pons → Maxentiae pons

Meyes → Merona

Meynum: Meine (Hannover), Deutschl.

Mezerici: Meseritz [Międzyrzecz], (Grenzmark Posen-W-Preußen) Deutschl.

s. **Michael de Clusa** → s. Michaelis monast. Clusini

s. **Michaeli Archangeli fan.** → Archangelopolis

s. **Michaelis castr.:** Michaelerberg (Steiermark), Österr.

s. **Michaelis castr.:** San Miguel, El Salvador.

s. **Michaelis castr.:** Sînmihaiu Român [Rumänisch-Sankt-Michael, Bégaszentmihály, Románszentmihály, Oláh-Szentmihály, Szent-Mihály] (Banat), Rumän.

s. **Michaelis fan.:** Mikkeli [Sankt Michel] (Mikkeli), Finnland.

s. **Michaelis fan.** → Samiltum

s. **Michaelis ins.:** Saint Michael's Island, Ins. bei der Isle of Man, Großbritannien.

s. **Michaelis ins.:** Wengen bei Kempten (Bayern, RB. Schwaben), Deutschl.

s. **Michaelis lapis:** Michaelstein (Braunschweig), Deutschl.

s. **Michaelis monast.:** Sankt Michael, Kl. in Hildesheim (Hannover), Deutschl.

s. Michaelis monast. Clusini, s. Michael de Clusa, Clusinum monast.: San Michele della Chiusa, Kl. bei Chiusa (Cuneo), Ital.
s. Michaelis mons: Mont-Saint-Michel (Manche), Frankr.
Michaelopolis → Archangelopolis
s. Michahelis monast. → Berona
Michilinstadium: Michelstadt (Hessen), Deutschl.
Miciacum, s. Maximini monast.: Saint-Mesmin (Aube), Frankr.
Miciacum, s. Maximini monast.: Saint-Mesmin (Dordogne), Frankreich.
Miclitanum castr. → Melodunum
Mida, Mila, Milaha: Mihla (Thüringen), Deutschl.
Midae: Midhurst (Sussex), Engl.
Middelburgum Zelandorum → Medioburgum
Middelburgus → Medioburgum
Middelfurtum: Middelfart (Fünen), Dänem.
Middewalda → Metensilva
Midia → Media
Midlestum: Middelstum (Groningen), Niederl.
Midlingi: Midlum (Hannover), Deutschl.
Midofulli → Medofuldi
Miena: Möhn (Rheinprov.), Deutschl.
Miestecium Hermanni: Heřmanův Městec [Heřmanměstetz] (Böhmen), Tschechoslow.
Miglidunum → Melodunum
Mila → Mida
Milaha → Mida
Milanum → Mediolanum
Milda, Milla, Mulda, Mylda, Mlidava: Mulde, Nfl. d. Elbe (Anhalt), Deutschl.
Mildunensis pag. → Meledunensis pag.
Milecia castr.: Miletin nw. Hradec Králové [Königgrätz] (Böhmen), Tschechoslow.
Milencensis vicus: Milevsko [Mühlhausen] (Böhmen), Tschechoslow.
Milgiachum → Mauriliacum
Milicium: Militsch [Milicz] (N-Schlesien), Deutschl.
Milidunensis comit. → Meledunensis pag.
Milidunum → Melodunum
Milizi: Milz (Thüringen), Deutschl.
Milla → Milda
Millae: Millas (Pyrénées-Orientales), Frankr.
Mille Sancti: Miossens, Teil v. Miossens-Lanusse (Basses-Pyrénées), Frankr.
Milliacum → Mauriliacum
Milliadum → Aemilianum Ruthenorum
Millinga, Millingi: Millingen (Geldern), Niederl.
Millingi: Millingen (Rheinprov.), Deutschl.
Millingi → Millinga
Millinium → Mellusum
Milmandra: Marmande, Nfl. d. Cher (Cher), Frankr.
Milstatensis urbs: Millstatt (Kärnten), Österr.
Milvius pons, Mulvius pons, Olvii pons iuxta Romam: Ponte Milvio [Ponte Molle, Milvische Brücke], Tiberbrücke ndl. Rom (Rom), Ital.
Mimas → Memmate
Mimate → Memmate
Mimatensis urbs → Memmate
Mimida, Mimidanum, Mimidensis urbs, Minda, Mindum, Mindanum, Mindonensis urbs, Mindensis urbs,

Mynda, Munda, Minthum, Minethum: Minden (Westfalen), Deutschl.
Mimidanum → Mimida
Mimidensis urbs → Mimida
Mimigardefordum, Mimigardum, Minimigardum, Miningroda, Mimmogerneferda, Mimigartovurti, Mymmegardevordensis eccl., Mimigarfordensis eccl., Monasterium, Monasteriensis eccl.: Münster (Westfalen), Deutschl.
Mimigardum → Mimigardefordum
Mimigarfordensis eccl. → Mimigardefordum
Mimigartovurti → Mimigardefordum
Mimileba → Mimilevum
Mimilebo → Mimilevum
Mimileiba → Mimilevum
Mimilevum, Mimileba, Mimilebo, Mimileiba, Jemelevum, Imenlevo, Memlebia: Memleben (Pr. Sachsen), Deutschl.
Mimilingus, Minimingaha: Mümling, Nfl. d. Main (U-Franken), Deutschl.
Mimmogerneferda → Mimigardefordum
Minae: Mineo (Catania), Ital.
Minariacum → Stegra
Minarii montes: Mendip Hills, Geb. (Co. Somerset), Engl.
Minda → Mimida
Mindanum → Mimida
Mindelhemium: Mindelheim (Bayern, RB. Schwaben), Deutschl.
Mindensis urbs → Mimida
Mindonensis urbs → Mimida
Mindonia: Mondoñedo (Lugo), Span.
Mindum → Mimida
Minervae castr. → Veneris portus
Minervina → Minervium
Minervino → Minervium
Minervium, Minervina, Minervino: Minervino Murge (Bari), Ital.
Minethum → Mimida
s. Miniati ad Tedescum fan., Miniatum Teutonis, s. Yminiati castr.: San Miniato [San Miniato al Tedesco] (Pisa), Ital.
Miniatum Teutonis → s. Miniati ad Tedescum fan.
Minidunum → Meldunum
Minimigardum → Mimigardefordum
Miniminga → Mainingia
Minimingaha → Mimilingus
Miningroda → Mimigardefordum
Minnodunum → Meldunum
Minora: Minori (Salerno), Ital.
Minorica: Menorca [Minorca], Ins. (Balearen), Span.
Minorissa: Manresa (Barcelona), Span.
Minscensis palatin.: Minsk, eh. poln. Woiw. (Weißruss. SSR), UdSSR.
Mintechae: Mentque-Nortbécourt (Pas-de-Calais), Frankr.
Mintela: Mindel, Nfl. d. Donau (Bayern, RB. Schwaben), Deutschl.
Minthum → Mimida
Mirabellum: Mirabeau (Basses-Alpes), Frankr.
Mirabilis mons, Mirelli mons: Montmirail (Marne), Frankr.
Miracuria → Mercurii curtis
Miranda: Mirande (Gers), Frankr.
Miranda Durii, Continum, Concinum: Miranda do Douro (Trás-os-Montes e Alto Douro), Portug.
Miranda Iberica → Deobriga
Mirapensis pag.: Mirepoix, Landsch. (Ariège), Frankr.
Mirapicae, Mirapicum, Mirapincum, Mirapicium: Mirepoix (Ariège), Frankr.

Mirapicium → Mirapicae
Mirapicum → Mirapicae
Mirapincum → Mirapicae
Mirecuriae → Mercurii curtis
Mirecurtium → Mercurii curtis
Mirelli mons → Mirabilis mons
Mirica: Lüneburger Heide (Hannover), Deutschl.
Miriquidni, Regio metallifera, Sudeta, Virgunna, Fergunna: Erzgebirge [Sächs. Erzgebirge, Krušné hory, Krušnohoří], Geb., Deutschl. (Sachsen) u. Tschechoslow. (Böhmen).
Miris → Myrsi
Miroaaltum: Murat-le-Quaire (Puy-de-Dôme), Frankr.
Miroaaltum: Murat-sur-Vèbre (Tarn), Frankr.
Mirobriga: abgeg. östl. Sines (Baixo Alentejo), Portug.
Mirobriga: Puebla de Alcocer (Badajóz), Span.
Misa, Miza, Striebra: Stříbro [Mies] (Böhmen), Tschechoslow.
Miscowici: Moschwitz [Muszkowice] (N-Schlesien), Deutschl.
Misena → Misna
Misina → Misna
Misius: Musone, Fl., Mü: Adriat. Meer (Macerate), Ital.
Misna, Misni, Misena, Misina, Missena, Missina, Mysni, Lutfurdum: Meißen (Sachsen), Deutschl.
Misnensis marchia → Misnia
Misni → Misna
Misnia, Misnensis marchia: Mark Meißen, eh. Mgft. (Sachsen, Pr. Sachsen, N-Schlesien), Deutschl.
Missena → Misna
Misseniacum → Messina
Missina → Misna
Mistelouwa: Mistlau (Württemberg), Deutschl.
Mitavia, Mitovia: Jelgava [Mitau] (Lettland), UdSSR.
Mitovia → Mitavia
Mittaha, Muta: Mütte (Hessen-Nassau), Deutschl.
Mittentia, Mittenza: Muttenz (Basel), Schweiz.
Mittenwalda: Mittenwalde (Brandenburg), Deutschl.
Mittenza → Mittentia
Mitthilburgensis civ. → Medioburgum
Mittibrunna, Mittilibrunnus: Mittelbrunn (Bayern, RB. Pfalz), Deutschl.
Mittilibrunnus → Mittibrunna
Miza → Misa
Miziriacus: Mézériat (Ain), Frankr.
Mlidava → Milda
Mnichowici: Mnichovice [Mnichowitz] sö. Prag (Böhmen), Tschechoslow.
Mocenia: Mötzing (O-Pfalz), Deutschl.
Mochbor major: Groß Mochbern [Lohbrück, Muchobór Wielki] (N-Schlesien), Deutschl.
Modinum: Moulins-lès-Metz (Moselle), Frankr.
Modisia → Modoetia
Modla → Motlawa
Modoetia, Modisia, Mogontia, Monaetia: Monza (Mailand), Ital.
Modunum, Moldunum, Mecledonense castr.: Meudon (Seine-et-Oise), Frankr.
Moenus, Mogonus, Manus, Mojus, Mogus, Moino: Main, Nfl. d. Rhein (Hessen), Deutschl.
Moersa, Mursa, Meursia, Morsensis urbs: Moers (Rheinprov.), Deutschl.
Moetonium: Rogatin [Rohatyn] (Ukrain. SSR), UdSSR.

Mogancia → Moguntiacum
Mogantia → Moguntiacum
Mogelina urbs, Mogelini: Mügeln (Sachsen), Deutschl.
Mogelini → Mogelina urbs
Mogentianae: Keszthely am Plattensee (Veszprim), Ung.
Mogontia → Modoetia
Mogontia → Moguntiacum
Mogontiacensis civ. → Moguntiacum
Mogonus → Moenus
Moguntia → Moguntiacum
Moguntiacum, Mogancia, Mogantia, Mogontia, Moguntia, Mogontiacensis civ., Maguntia, Maguntinus, Magontia, Magentiacum: Mainz (Hessen), Deutschl.
Mogus → Moenus
Mogus rufus: Roter Main, Quellfl. d. Main (O-Franken), Deutschl.
Moikigga: Mözen (Schleswig-Holstein), Deutschl.
Moilla pag., Molenses pag.: Mulehkewe, eh. Gau zw. Mönchengladbach, Moers u. Neuß (Rheinprov.), Deutschl.
Moino → Moenus
Moitinga: Mietingen (Württemberg), Deutschl.
Mojus → Moenus
Mola: Mehe, Nfl. d. Elbe (Hannover), Deutschl.
Mola: Meole Brook, Nfl. d. Severn (Shropshire), Engl.
Molbodium → Malbodium
Molburga → Moliberga
Moldavia → Multavia
Moldunum → Modunum
Molejus mons → Malogia
Molenses pag. → Moilla pag.
Moleshemium: Molsheim (Bas-Rhin), Frankr.
Molfinga: Mulfingen (Württemberg), Deutschl.
Moliberga, Molburga: Mühlberg (Pr. Sachsen), Deutschl.
Molignum: Moulineaux (Seine-Maritime), Frankr.
Molinae: Moulins (Allier), Frankr.
Molinae: Moulins-le-Carbonnel (Sarthe), Frankr.
Molismus: Molesmes (Côte-d'Or), Frankr.
Molti: Mold (N-Österr.), Österr.
Momonia: Munster [Cúige Mumhan], Landsch. u. eh. Prov., Eire.
Mompsistea → Mopsuestia
Mona → Anglesaga
Mona, Virginia Danica: Møn [Möen], Ins. sö. Seeland, Dänem.
Monabia → Monapia
Monachi castr. → Herculis Monoeci portus
Monachium → Monacum
Monachodamum: Monnikendam (N-Holland), Niederl.
Monachopolis → Hierapolis
Monachorum mons: Michelsberg bei Bamberg (O-Franken), Deutschl.
Monachorum mons: Mönchsberg (M-Franken), Deutschl.
Monacum, Monachium: München (O-Bayern), Deutschl.
Monaecium → Herculis Monoeci portus
Monaetia → Modoetia
Monalus: Pollina, Fl., Mü: Tyrrhen. Meer (Palermo), Ital.
Monaoeda → Monapia
Monapia, Menavia, Monabia, Moneitha, Monaoeda: Isle of Man, Ins. (Irische See), Engl.
Monasteriensis eccl. → Mimigardefordum

Monasterii vicus, Vimonasterium: Vimoutiers (Orne), Frankr.
Monasteriolum, Montrolium: Montreuil (Seine), Frankr.
Monasteriolum, Montrolium: Montreuil-aux-Lions (Aisne), Frankr.
Monasteriolum ad Jeaunam → Monasteriolum Senonum
Monasteriolum in pago Pontivo, Monsterolum ad mare: Montreuil-sur-Mer (Pas-de-Calais), Frankr.
Monasteriolum Senonum, Monasteriolum ad Jeaunam, Condate: Montereau-faut-Yonne (Seine-et-Marne), Frankr.
Monasterium: Moustier-sur-Sambre [Moustier-en-Faigne] (Namur), Belg.
Monasterium → Eiffaliae monast.
Monasterium → Mimigardefordum
Monasterium de Blisia → Belislae monast.
Monasterium Eiffliae → Eiffaliae monast.
Monasterium in Tarantasia → Centronum civ.
Monasterium in valle s. Gregorii → Confluens
Monbarrum, Barrus mons: Montbard (Côte-d'Or), Frankr.
Moncella: Monchiet (Pas-de-Calais), Frankr.
Moncella: Monzelfeld (Rheinprov.), Deutschl.
Moncellae, Monticellum: Montceaux, Teil v. La Brosse-Montceaux (Seine-et-Marne), Frankr.
Monchicum: Monchique (Algarve), Portug.
Monconturium, Contorius mons: Moncontour (Côtes-du-Nord), Frankr.
Monconturium, Contorius mons: Moncontour (Vienne), Frankr.
Mondreis castr.: Planina [Montpreis] (Slowenien), Jugoslaw.
Moneitha → Monapia
Monensewensis eccl. → Lunae lacus
Monesi: Monein (Basses-Pyrénées), Frankr.
Moniacum → Pareium moniale
Monialium vallis, Dominarum vallis, b. Mariae monast., b. Mariae vallis: Sornzig (Sachsen), Deutschl.
Monoecum → Herculis Monoeci portus
Monomachorum locus: Locminé (Morbihan), Frankr.
Monopolis: Monopoli (Bari), Ital.
Monpenserium → Pacerii mons
Mons → Berga
Mons, Montanus ducatus, Montensis ducat.: Berg, eh. Hgt. (Rheinprov.), Deutschl.
Mons Beliardi → Beliardi mons
Mons Belligardus → Beliardi mons
Mons bellus → Bellemons
Mons bellus Rogerii → Bellus mons Rogerii
Mons Beraldi → Beraldi mons
Mons Berulfi → Berulfi mons
Mons Brictii → Brisonis mons
Mons Brictionis → Brisonis mons
Mons Brisiacus → Brisacum
Mons Brisonis → Brisonis mons
Mons Brissoni → Brisonis mons
Mons Bructerus → Bructerus mons
Mons Brunonis → Brunonis mons
Mons Brunonis → Brunsberga
Mons Burnonis → Brunonis mons
Mons castell. → Montes
Mons Castriluccius → Montes
Mons Dei → Sina mons
Mons Dei Sina → Sina mons
Mons s. Disibodi → s. Disibodi monast.
Mons novus → Neuburga
Mons s. Odilae (monast) → Berga

Mons Proculus → Bructerus mons
Mons Ruptus → Bructerus mons
Monspelgardum → Beliardi mons
Monsterberga: Münsterberg [Ziębice] (N-Schlesien), Deutschl.
Monsterolum ad mare → Monasteriolum in pago Pontivo
Montaborina, Thabor mons, Montavor: Montabaur (Hessen-Nassau), Deutschl.
Montallia, Montulia: Montilla (Córdoba), Span.
Montanus ducatus → Mons
Montanus tractus: Montagne, Landschaft (Côte-d'Or u. Haute-Marne), Frankr.
Montargium, Argensis, Arginus, Argus mons, Argi mons: Montargis (Loiret), Frankr.
Montavor → Montaborina
Monteferratum → Casale s. Evasii
Montensis ducat. → Mons
Monteolum: Monthey (Wallis), Schweiz.
Montes, Castri locus, Castri locus Nerviorum, Mons castell., Mons Castriluccius, Montes in Hannonia, Montes Hannoniae: Mons [Bergen] (Hennegau), Belg.
Montes Hannoniae → Montes
Montes in Hannonia → Montes
Monticellum → Moncellae
Monticulus: Montlingen (St. Gallen), Schweiz.
Monticulus: Muntigl (Salzburg), Österr.
Montilaris: Montella (Avellino), Ital.
Montilium: Monteux (Vaucluse), Frankr.
Montilium → Ademari mons
Montiniacum regium: Montigny-le-Roi (Haute-Marne), Frankr.
Montis gaudium: Froberg, eh. Grafschaft (Basel), Schweiz.
Montis Olivi monast. → Oliveus mons
Montis sereni monast. → Lauterbergense monast.
Montis villa → Tiberiacum
Montisferrati marchion. → Ferratus mons
Montisjovium: Monschau [Montjoie] (Rheinprov.), Deutschl.
Montisjovium: Montjoux (Drôme), Frankr.
Montium terra → Acuti montes
Montmorencianum → Maurenciacus mons
Montorium: Montoire-sur-le-Loir (Loir-et-Cher), Frankr.
Montorium, Aureus mons: Montoir-de-Bretagne (Loire-Atlantique), Frankr.
Montrolium → Monasteriolum
Montulia → Montallia
Monumethia: Monmouth (Monmouthshire), Engl.
Monyorokerekinum: Eberau [Monyorokerek] (Burgenland), Österr.
Mopsuestia, Mompsistea: Misis östl. Adana (Seyhan), Türkei.
Moradunum → Werdena
Moranga curtis: Moringen (Hannover), Deutschl.
Moraswilari: Morschwiller [Morschweiler] (Bas-Rhin), Frankr.
Moratum → Muratum
Morava, Marcha, Marchus, Marchia, Marowa, Maraha, Maricha, Marus: March [Morava], Nfl. d. Donau (N-Österr.), Österr.
Moravi → Moravia
Moravia → Merona
Moravia, Moravi, Maravani, Maravia, Maravenses, Marava, Maraenses, Marahenses, Maraha, Marahabitae, Marahaha, Marahi:

Mähren [Morava], Land u. Teil d. Tschechoslow.

Moravia Scotiae: Morayshire [Moray, früher Elginshire], Grafsch., Schottl.

Moravica curia: Dvorce[Hof] (Mähren), Tschechoslow.

Moravium → Merona

Morazeni → Morezini

Morbacensis Vivarius → Muorbacum

Morbium: Moresby (Co. Cumberland), Engl.

Mordinavia → Mortingia

Morea → Achaiae principat.

Morella: Mörlen (Hessen-Nassau), Deutschl.

Morellium: Moreuil (Somme), Frankr.

Morentiacus mons → Maurenciacus mons

Moretonium → Moritonia

Moretum, Muritum: Moret-sur-Loing (Seine-et-Marne), Frankr.

Morezini, Morazeni: eh. Gau bei Magdeburg, östl. der Elbe (Pr. Sachsen), Deutschl.

Morgia, Morgiacum, Morgiana regio: Morges (Waadt), Schweiz.

Morgiacum → Morgia

Morgiana regio → Morgia

Morgus: Orco, Nfl. d. Po (Turin), Ital.

Moricambe aestuarium: Morecambe Bay, Meeresbucht (Lancashire), Engl.

Morimundum: Morimond, Kl. (Haute-Marne), Frankr.

Morimundum (castr.): Morimont [Mörsberg, Mörsperg], Burg bei Oberlarg (Haut-Rhin), Frankr.

Morinna: Morienne (Seine-Maritime), Frankr.

Morinorum castell. → Casletum

Morinorum fretum → Caletanum fretum

Morinorum portus → Bononia in Francia

Morisana eccl.: Cenad [Szerb Csanád] (Banat), Rumän.

Moritania: Mortagne-au-Perche (Orne), Frankr.

Moritonia, Moretonium: Mortain (Manche), Frankr.

Moritum → Maretum castr.

Morium, Murium: Mori (Trient), Ital.

Morium castell. → Mororum castell.

Morla: Mörlen (Zürich), Schweiz.

Morlacum: Morlaas (Basses-Pyrénées), Frankr.

Morlaeum → Relaxus mons

Mornacium, Mornatium: Mornas (Vaucluse), Frankr.

Mornatium → Mornacium

Mororum castell., Morium castell.: Kafar Toût (Diyarbakir; SO-Anatolien), Türkei.

Morosgi → Sebastianopolis

Morsacienses → Morseti

Morsensis urbs → Moersa

Morseti, Morsacienses: Morseti-Gau, eh. Gau in O-Friesland (Oldenburg, Hannover), Deutschl.

Morta, Murta, Murtinsis fluv.: Meurthe, Nfl. d. Mosel (Meurthe-et-Moselle), Frankr.

Mortario: Lamorteau (Luxemburg), Belg.

Mortario: Morter (Bozen), Ital.

Mortemarum → Mortui maris monast.

Mortenovua → Mortingia

Mortingia, Mortenovua, Mortunaugensis pag., Mortunowa, Mortnowa, Mordinavia: Ortenau, Landschaft u. eh. Gau (Baden), Deutschl.

Mortnowa → Mortingia

Mortuae aquae: Aigues-Mortes (Gard), Frankr.

Mortui maris monast., Mortemarum: Morthemer (Vienne), Frankr.

Mortunaugensis pag. → Mortingia

Mortunowa → Mortingia

Morvilla: Morville (Côte-d'Or), Frankr.

Morvilla: Morville-sur-Nied (Moselle), Frankr.

Morvinus pag.: Morvan, Landsch. (Nièvre, Saône-et-Loire, Côte-d'Or), Frankr.

Mosa, Mesa, Masa: Maas [Meuse], Fl., Mü: a) Waal, b) Nordsee, Frankr., Belg., Niederl.

Mosa, Mosacus: Moosach, Nfl. d. Inn (O-Bayern), Deutschl.

Mosa, Mosaha: Moosach (O-Bayern), Deutschl.

Mosacus → Mosa

Mosaha: Moosach, Nfl. d. Glonn (O-Bayern), Deutschl.

Mosaha → Mosa

Mosalinsis pag. → Mosellanus pag.

Mosareina castr.: Moosrain (O-Bayern), Deutschl.

Mosarii pag. → Mosaus pag.

Mosaus pag., Mosarii pag., Masuarinsis pag.: der Maasgau [Maasland], eh. Gau etwa zw. dem Lek/Neder-Rijn bei Wijk bij Duurstede/Arnheim u. Maastricht/Aachen einschl. der Betuwe (Geldern, N-Brabant, Limburg), Niederl. u. Belg.

Mosburga → Moseburga

Moscha: Maskat [Muscat] (Arabien), Oman.

Moscha: Moxhe (Lüttich), Belg.

Moschovia: Mözs (Tolna), Ung.

Moscovia, Mosqua, Moscua: Moskva [Moskau], Hst. d. UdSSR.

Moscua → Moscovia

Moseburga, Mosburga: Moosburg a. d. Isar (O-Bayern), Deutschl.

Mosella, Musella, Mosula, Musla: Mosel [Moselle], Nfl. d. Rhein (Rheinprov.), Frankr., Luxemb. u. Deutschl.

Mosellanum castell. → Tabernae Mosellanicae

Mosellanus pag., Mosalinsis, Muselensis, Musalinsis, Moslensis, Muslensis pag.: Moselgau, eh. Gau (Rheinprov.), Deutschl.

Mosellus, Mauri rivus: Mossel, Nfl. d. Breusch (Bas-Rhin), Frankr.

Moslensis pag. → Mosellanus pag.

Mosminsis vicus → Mosomagum

Mosomagensis vicus → Mosomagum

Mosomagum, Mosomagensis vicus, Mosminsis vicus, Mosomium: Mouzon (Ardennes), Frankr.

Mosomium → Mosomagum

Mosqua → Moscovia

Mosterium in Tarantasia → Centronum civ.

Mostorpitum → Motenum

Mosula → Mosella

Mosum: Mose (Pr. Sachsen), Deutschl.

Mosum: Muizen (Brabant), Belg.

Motenum, Mesia, Mesica Porta, Mostorpitum, Mutenum: Moson [Wieselburg], Teil v. Mosonmagyaróvár [Wieselburg-Ungarisch-Altenburg] (Györ-Sopron), Ung.

Motenum, Mutenum, Mostorpitum, Costorpitum: Morpeth (Co. Northumberland), Engl.

Motlaua → Motlawa

Motlawa, Motlaua, Modla: Mottlau [Motlawa], Nfl. d. Weichsel (Danzig), Polen u. Freie Stadt Danzig.

Motyum: Naro (Agrigento), Ital.
Mouda, Muda: Muiden (N-Holland), Niederl.
Moulinhousa: Mühlhausen (O-Bayern), Deutschl.
Mucherini: Mockrehna (Pr. Sachsen), Deutschl.
Muciallia, Mugella vallis: Mugello, Landsch. (Florenz), Ital.
Muda → Mouda
Mudilinga: Mündling (Bayern, RB. Schwaben), Deutschl.
Muelhusa → Mulhusium Thuringorum
Muera → Mura
Mugella vallis → Muciallia
Muhela, Muhla: Mühl [Große Mühl, Große Michl], Nfl. d. Donau (O-Österr.), Österr.
Muhla → Muhela
Muhlhemium: Mülheim, Teil v. Köln (Rheinprov.), Deutschl.
Mula → Novantum Chersonesus
Mulcedunum, Mussidunum: Mussidan (Dordogne), Frankr.
Mulcianum → Meldicum territor.
Mulda → Milda
Mulhusium superioris Alsatiae: Mulhouse [Mülhausen] (Haut-Rhin), Frankr.
Mulhusium Thuringorum, Muelhusa: Mühlhausen (Pr. Sachsen), Deutschl.
Mulifontanum coenob. → Sculturbura
Mullancum → Medlindum
Multavia, Multawa, Wltava, Wltawia, Wlitava, Waldaha, Fuldaha, Vulta, Wultawa, Moldavia: Vltava [Moldau], Nfl. d. Elbe (Böhmen), Tschechoslow.
Multawa → Multavia
Mulvius pons → Milvius pons
Munatiana colonia → Basilea Rauracorum
Munda → Mimida
Munda Rurae → Ruremonda
Munda Tenerae → Teneremunda
Munda Vistulae → Weisselmunda
Munihhusa: Munchhouse [Münchhausen] (Haut-Rhin), Frankr.
Munimeri: Münder a. Deister (Hannover), Deutschl.
Muninga: Mining (O-Österr.), Österr.
Muorbacum, Vivarium peregrinorum, Morbacensis Vivarius: Murbach, Kl. (Haut-Rhin), Frankr.
Mura → Murra
Mura, Muera: Mur [Mura], Nfl. d. Drau, Österr. (Steiermark) u. Jugoslaw. (Kroatien).
Mura, Muri: Mauern (O-Bayern), Deutschl.
Mura, Muri, Muraha: Mauer bei Amstetten (N-Österr.), Österr.
Murae pons: Bruck a. d. Mur (Steiermark), Österr.
Muraha → Mura
Muranum: Morano Calabro (Cosenza), Ital.
Muranum: Murano (Venedig), Ital.
Muratum, Murretum, Moratum, Murtena: Murten [Morat] (Freiburg), Schweiz.
Muratum Alverniae: Murat (Cantal), Frankr.
Murense coenob.: Muri (Aargau), Schweiz.
Murga: Murg, Nfl. d. Rhein (Baden), Deutschl.
Muri → Mura
Muri pons → Ad Pontem
Muri veteres: Murviedro (Valencia), Span.
Muri villa: Villemur-sur-Tarn (Haute-Garonne), Frankr.
Muritum → Moretum

Murium → Morium
Murostoga, Cartenna: Mostaganem (Mostaganem), Algerien.
Murra, Mura, Mutra: Murr (Württemberg), Deutschl.
Murra, Mura, Mutra: Murr, Nfl. d. Neckar (Württemberg), Deutschl.
Murretum → Muratum
Mursa: Osijek [Esseg, Eszék, Osiek, Osjek] (Kroatien), Jugoslaw.
Mursa → Moersa
Mursenaha: Altmorschen (Hessen-Nassau), Deutschl.
Murta → Morta
Murtena → Muratum
Murtensis lacus → Aventicensis lacus
Murtinsis fluv. → Morta
Murus Graeciae: Muro Lucano (Potenza), Ital.
Murus Picticus: der Piktenwall, eh. Befestig., Engl.
Musa → Ulvena
Musalinsis pag. → Mosellanus pag.
Muscella: Moisselles (Seine-et-Oise), Frankr.
Musciacum, Mussiacum: Moissac (Tarn-et-Garonne), Frankr.
Musdonium → Meldunum
Musejum episcopale, Mussiacum: Mussy-sur-Seine [Mussy-l'Évêque] (Aube), Frankr.
Muselensis pag. → Mosellanus pag.
Musella → Mosella
Musella → Russella
Muska: Muskau (N-Schlesien), Deutschl.
Musla → Mosella
Muslensis pag. → Mosellanus pag.
Musna → Mussa
Musopale: Ratnāgirī südl. Bombay, Indien.
Mussa, Musna: Mussum (Westfalen), Deutschl.
Mussiacum → Musciacum
Mussiacum → Musejum episcopale
Mussidunum → Mulcedunum
Mussipons, Mussipontum, Ad Motionem pons, Ad Monticulum pons, Pontimussum: Pont-à-Mousson (Meurthe-et-Moselle), Frankr.
Mussipontum → Mussipons
Muta → Mittaha
Mutaha → Maudacum
Mutarensis civ., Favianae, Favianis oppid.: Mautern (N-Österr.), Österr.
Mutenum → Motenum
Mutina: Modena (Modena), Ital.
Mutina: Mutzschen (Sachsen), Deutschl.
Mutra → Murra
Mylda → Milda
Mymmegardevordensis eccl. → Mimigardefordum
Mynda → Mimida
Myrmidonia: Aigina, Ins. i. Meerbusen v. Ägina, Griechenl.
Myrsi, Miris: Maires (N-Österr.), Österr.
Myrtilletum → Heidelberga
Myrtillorum mons → Heidelberga
Mysni → Misna
Mystratum: Mistretta (Messina), Ital.

N

Naba: Naab, Nfl. d. Donau (O-Pfalz), Deutschl.
s. Naboris fanum, Nova cella, Hilariacum: Saint-Avold [Sankt Avold] (Moselle), Frankr.
Naburga claustralis → Neuburga
Nacla: Nako [Nakel] (Bromberg), Polen.
Nacla, Notesza: Netze [Noteć], Nfl. d. Warthe (Bromberg), Deutschl. u. Polen.
Naderae, Nageras, Naxara: Nájera (Logroño), Span.
Nadrovia, Nadrowia, Nadrowitae: Nadrau [Nadrowo] (O-Preußen), Deutschl.
Nadrowia → Nadrovia
Nadrowitae → Nadrovia
Naeomagus → Augustodurum
Nafinsis pag. → Nagawi
Nagalda, Nagalta: Nagold, Nfl. d. Enz (Baden), Deutschl.
Nagalda, Nagalta, Nagaltha, Naglatensis: Nagold (Württemberg), Deutschl.
Nagalta → Nagalda
Nagaltha → Nagalda
Nagara: Najd [Nedschd, Nedjed], Landsch., Arabien.
Nagawi, Nafinsis pag., Nahagowe, Nainsis pag., Navinsis pag.: Nahegau, eh. Gau a. d. Nahe (Rheinprov., Rheinhessen), Deutschl.
Nageras → Naderae
Naglatensis → Nagalda
Nagy-Enyedinum → Enyedinum
Naha: Nahe, Nfl. d. Rhein (Rheinprov. u. Hessen), Deutschl.
Nahagowe → Nagawi
Nainsis pag. → Nagawi
Naissus, Nissa, Nissena, Nissus: Niš [Nisch] (Serbien), Jugoslaw.
Nallis: Nalles [Nals] (Bozen), Ital.
Namnetica civ. → Namnetum civ.
Namnetum civ., Condivincum, Namnetica civ.: Nantes (Loire-Atlantique), Frankr.
Namptodurum, Nannetodurum, Nemetodurum, Nemptodurum: Nanterre (Seine), Frankr.
Namsla, Namslavensis, Namslavia: Namslau [Namysłów] (N-Schlesien), Deutschl.
Namslavensis → Namsla
Namslavia → Namsla
Namucoviva → Namurcum
Namucum → Namurcum
Namugo → Namurcum
Namurcum, Namucoviva, Namucum, Namugo: Namur [Namen] (Namur), Belg.
Nancejum, Nanceyum, Nancium: Nancy [Nanzig] (Meurthe-et-Moselle), Frankr.
Nanceyum → Nancejum
Nancium → Nancejum
Nandralba → Belgrada
Nanensis vicus, Vinantae: Vinantes (Seine-et-Marne), Frankr.
Nannetodurum → Namptodurum
Nantogilum Hilduini, Nantoilum: Nanteuil-le-Haudouin (Oise), Frankr.
Nantoilum → Nantogilum Hilduini
Nantolium in valle: Nanteuil-en-Vallée (Charente), Frankr.
Nantuacum: Nantua (Ain), Frankr.
Nanzinga: Nenzina (Vorarlberg), Österr.
Naonis portus: Pordenone (Udine), Ital.

Naparis, Jalomica: Jalomiţa, Nfl. d. Donau (Große Walachei), Rumän.
Napetinus sinus → Hipponiates sinus
Napsiniacum → Napsiniacus
Napsiniacus, Napsiniacum: Nassigny (Allier), Frankr.
Napurga: Nabburg (O-Pfalz), Deutschl.
Nara: Vilija [Wilija, Wilja, Neris], Nfl. d. Memel [Njemen, Neman, Nemunas] (Weißrussische SSR, Litauische SSR), UdSSR.
Narbo → Decumanorum colonia
Narbona → Decumanorum colonia
Narhttarpa: Natorp (Westfalen, Kr. Unna), Deutschl.
Narthbergi: Nordberg (Westfalen), Deutschl.
Narwa → Turantus
Nasania, Nassonia: Nassogne (Luxemburg), Belg.
Nasium: Naix-aux-Forges (Meuse), Frankr.
Nassaha: Nassach (Württemberg), Deutschl.
Nassia → Nassova
Nassoa → Nassova
Nassonia → Nasania
Nassova, Nassia, Nassoa, Nassovia, Nassowa, Nazzavia: Nassau a. d. Lahn (Hessen-Nassau), Deutschl.
Nassovia → Nassova
Nassowa → Nassova
Natiolum → Juvenacia
Nattangia: Natangen, Landsch. (O-Preußen), Deutschl.
Naucravia → Bacaracum
Naulum: Noli (Savona), Ital.
Naumburgum, Neapolitanus, Niwenburgensis, Numburgum: Naumburg a. d. Saale (Pr. Sachsen), Deutschl.
Naupactinus sinus: Golf v. Korinth [Korinthiakos Kolpos, Korinthischer Golf, Golf v. Lepanto], Griechenl.
Naupotamus: Schiffbek (Schleswig-Holstein), Deutschl.
Navalia: Näfels (Glarus), Schweiz.
Navalis b. Mariae Virginis: Marienrode, eh. Kl. (Hannover, Kr. Marienburg), Deutschl.
Navarra alta, Navarriae regn.: Navarra, Landsch. u. eh. Kgr., Span.
Navarretum: Navarrete (Logroño), Span.
Navarriae regn. → Navarra alta
Navigisa: Neviges (Rheinprov.), Deutschl.
Navinsis pag. → Nagawi
Navoae → Kaufbura
Naxara → Naderae
Naxuana: Nachičevan [Nachitschewan] (Nachitschewan ASSR), UdSSR.
Nazareticus vicus: Nazareth (O-Flandern), Belg.
Nazaruda, Haserensis: Herrieden (M-Franken), Deutschl.
Nazzavia → Nassova
Nealfa castell., Nimphaeolum: Neauphle-le-Château (Seine-et-Oise), Frankr.
Nealfa vetus, Nidalfa, Niefla, Nefla: Neauphle-le-Vieux (Seine-et-Oise), Frankr.
Neapolis, Neostadium: Lwówek [Neustadt bei Pinne] (Posen), Polen.
Neapolis ad Vartam: Nowe Miasto nad Wartą [Neustadt a. d. Warthe] (Posen), Polen.
Neapolis Casimiriana → Neapolis Nemetum
Neapolis Danica, Nicopia, Nycopia:

Nykøbing [Nykøbing Sjælland, Nykjøbing] (Seeland), Dänem.
Neapolis in Palatinatu → Neapolis Nemetum
Neapolis Nemetum, Neostadium, Noorstadium, Neapolis Casimiriana, Neapolis Palatinorum, Neapolis in Palatinatu, Nova civ.: Neustadt a. d. Weinstraße [Neustadt a. d. Haardt] (Bayern, RB. Pfalz), Deutschl.
Neapolis Palatinorum → Neapolis Nemetum
Neapolis Severiae, Novogardia: Nowgorod-Sjewersk [Novgorod-Severskij] (Ukrain. SSR), UdSSR.
Neapolis Viennensis, Neostadium Austriacum, Nova civ.: Wiener Neustadt (N-Österr.), Österr.
Neapolitanus → Naumburgum
Neapolitanus sinus: Golf v. Hammamet [Golfe de Hammamet, Khalidj el Hammamet] (Mittelmeer), Tunesien.
Neaustria → Neustria
Neberi: Nebra (Pr. Sachsen), Deutschl.
Neccarus, Nechara, Necorus, Nectara: Neckar, Nfl. d. Rhein (Baden), Deutschl.
Nechara → Neccarus
Nechilstedi: Nägelstedt (Pr. Sachsen), Deutschl.
Necorus → Neccarus
Nectara → Neccarus
Nedelischa: Nedelišće (Slowenien), Jugoslaw.
Nefla → Nealfa vetus
Negella abscondita, Negella reposita, Nerii cella, Nigella: Nesle (Somme), Frankr.
Negella reposita → Negella abscondita
Neidinga, Nidinga: Neidingen (Baden), Deutschl.
Neivallum: Nieul (Haute-Vienne), Frankr.
Nekkergartha, Gardaromarca, Garta, Gartaha: Neckargartach (Württemberg), Deutschl.
Nella: Naila (O-Franken), Deutschl.
Nemchi, Henicis, Nemci, Nemecia, Nemetia, Nemetzi, Nimitium, Nomisterium: Nimptsch [Niemcza] (N-Schlesien), Deutschl.
Nemci → Nemchi
Nemecia → Nemchi
Nemeezensis civ. → Nemicensis civ.
Nemenus → Memela
Nemetacum → Origiacum
Nemetensis civ. → Nemetis
Nemetia → Nemchi
Nemetis, Augusta Nemetum, Nemetensis civ., Nemetum civ., Nemidona, Nemodona, Sphira, Spira, Spiratia, Spyrea: Speyer (Bayern, RB. Pfalz), Deutschl.
Nemetodurum → Namptodurum
Nemetum civ. → Nemetis
Nemetzi → Nemchi
Nemicensis civ., Nemeezensis, Numicensis, Nymicensis civ.: Niemegk (Brandenburg), Deutschl.
Nemidona → Nemetis
Nemodona → Nemetis
Nemorosium, Nemosum, Nemus: Nemours (Seine-et-Marne), Frankr.
Nemosum → Nemorosium
Nemptodurum → Namptodurum
Nemus → Nemorosium
Nemus Spinarum: Ober- u. Niederdorla (Pr. Sachsen), Deutschl.
Neoaelia: Niel (Rheinprov.), Deutschl.
Neoboleslavia → Boleslaium novum

Neoburgum → Burgum novum ad Ligerim
Neoburgum → Spinae
Neoburgum, Neocomum, Nova castella, Noviburgum, Novicastrum: Neuchâtel [Neuenburg] (Neuenburg), Schweiz.
Neoburgum Cattorum, Neoburgum Danubii, Neunburga: Neuburg a. d. Donau (Bayern, RB. Schwaben), Deutschl.
Neoburgum claustrale → Neuburga
Neoburgum Danubii → Neoburgum Cattorum
Neoburgum Fioniae, Nyburgum: Nyborg (Fünen), Dänem.
Neocaesarea: Niksar (Tokat), Türkei.
Neocarolina → Carolina nova
Neocastrensis lacus → Ebrodunensis lacus
Neocastrum: Nicastro (Catanzaro), Ital.
Neocastrum, Novocastrum, Novum castr.: Pylos [Pilos, Pulos, Navarino, Nawarinon, Nauarinon, Neokastron] (Peloponnes), Griechenl.
Neocomensis lacus → Ebrodunensis lacus
Neocomum → Neoburgum
Neocorcinum: Nowy Korczyn (Kielce), Polen.
Neodunum → Dola Britonum
Neodunum, Equestris colonia, Equestrium civ., Neomagus, Nevidunum, Nividunum, Noiodunum, Novidunum, Niviodunum: Nyon (Waadt), Schweiz.
Neoeboracum → Eboracensis nova civ.
Neofanum: Markneukirchen (Sachsen), Deutschl.
Neofares, Niufara, Niuvora: Niffer (Haut-Rhin), Frankr.
Neogradiensis comit.: Neograd [Nógrád], eh. Komit. (Slowakei, Nógrád), Tschechoslow. u. Ung.
Neomagensis comit., Bukehamiensis comit.: Buckinghamshire [Bucks] Grafsch., Engl.
Neomagium → Noviomagus Rhenanus
Neomagus → Neodunum
Neomagus, Buckinghamia, Bukehamia: Buckingham (Buckinghamshire), Engl.
Neoplanta ad Petrovaradinum: Novi Sad [Neusatz, Újvidek] (Batschka), Jugoslaw.
Neoportus, Novus portus: Nieuport [Nieuwpoort] (W-Flandern), Belg.
Neoselium, Nova arx, Ujavarinum: Nové Zámky [Neuhäusel, Érsekújvár] (Slowakei), Tschechoslow.
Neosidlia: Neusiedl am See (Burgenland), Österr.
Neosolium: Banská Bystrica [Neusohl, Beszterczebánya] (Slowakei), Tschechoslow.
Neostadium: Nové Město nad Metují [Neustadt a. d. Mettau] (Böhmen), Tschechoslow.
Neostadium: Wejherowo [Neustadt in Westpr., Neustadt a. d. Rheda] (Pommerellen), Polen.
Neostadium → Neapolis
Neostadium → Neapolis Nemetum
Neostadium → Vihelinum
Neostadium, Nystadium: Uusikaupunki [Nystad] (Turku-Pori), Finnl.
Neostadium ad Orlam: Neustadt a. d. Orla (Thüringen), Deutschl.
Neostadium ad Salam: Neustadt a. d. Saale (U-Franken), Deutschl.

Neostadium Austriacum → Neapolis Viennensis
Neovilla: Neuville-sur-Saône (Rhône), Frankr.
Neovilla → Novum villare
Nepe, Nepeta, Nepensis colonia: Nepi (Viterbo), Ital.
Nepensis colonia → Nepe
Nepeta → Nepe
Neptunium, Antium: Nettuno (Rom), Ital.
Neracum: Nérac (Lot-et-Garonne), Frankr.
Nerae aquae, Nereenses aquae, Geogorbinum: Néris-les-Bains (Allier), Frankr.
Nereenses aquae → Nerae aquae
Nericia: Närke [Nerike], Landsch. (Örebro), Schwed.
Nericia: Nerikes Bo (Örebro), Schwed.
Nerii cella → Negella abscondita
Nerisca → Sodeia
Nerissania: Neresheim (Württemberg), Deutschl.
Neritum: Nardò (Lecce), Ital.
Nero: Nehren (Württemberg), Deutschl.
Nero: Néron (Eure-et-Loir), Frankr.
Nerolinga → Norlingiacum
Neronia → Artaxata
Neronis forum → Forcalquerium
Nerracho: Neerach (Zürich), Schweiz.
Nersa: Niers [Neers], Nfl. d. Maas (Rheinprov., Limburg), Deutschl. u. Niederl.
Nervicanus tractus: Manche, Landschaft (Manche), Frankr.
Nesinianum: Nezignan-l'Évêque (Hérault), Frankr.
Nestueda, Nestveda: Næstved (Seeland), Dänem.
Nestus, Erigon: Néstos [Mesta, Kara Su], Fl., Mü: Ägäisches Meer (Makedonien), Griechenl.
Nestveda → Nestueda
Netolici, Notholici, Notolicum: Netolice [Netolitz] (Böhmen), Tschechoslow.
Neuburga, Asturis, Claustroburgum, Claustroneoburgum, Claustrum, Mons novus, Naburga claustralis, Neoburgum claustrale, Newburga claustralis: Klosterneuburg (N-Österr.), Österr.
Neuburga forensis, Chornewburga, Cornewnburga: Korneuburg (N-Österr.), Österr.
Neuhusa, Nuhusa: Neuhausen (Hessen, Pr. Rheinhessen), Deutschl.
Neuhusium → Henrici Hradecium
Neumaga → Noviomagus Rhenanus
Neumaia → Noviomagus Rhenanus
Neunburga → Neoburgum Cattorum
Neuscia → Novensium
Neusia → Novensium
Neustrasia → Neustria
Neustria, Neustrasia, Neaustria, Niustria, Nustria, Francia nova, Northmannia: Neustrien, der wstl. Teil d. Frankenreiches.
Nevesdum → Lyra
Neviae pons → Timalinum
Nevidunum → Neodunum
Nevirnum → Nivernum
Newburga claustralis → Neuburga
Nezenna, Nezetina: Gnissau (Oldenburg), Deutschl.
Nezetina → Nezenna
Nezzaha: Netze (Hannover), Deutschl.
Nezzeltala: Koprivnik [Nesselthal] (Slowenien), Jugoslaw.
Niccici pag., Nizizi prov.: eh. Gau zw. Mulde u. Schwarzer Elster (Pr. Sachsen), Deutschl.
Nicensis urbs → Nicia

Nicia, Nicensis urbs, Nicias: Nice [Nizza] (Alpes-Maritimes), Frankr.
Nicias → Nicia
s. Nicolai fanum: Saint-Nicolas-de-Port (Meurthe-et-Moselle), Frankr.
s. Nicolai fanum: Nikla östl. Marcali [Somogy], Ung.
s. Nicolai fanum → Liptavia
Nicopia: Nyköping (Södermanland), Schwed.
Nicopia → Neapolis Danica
Nicopolis: Paleopreveza [Paleoprébeza], abgeg. bei Prébeza (Epeiros), Griechenl.
Nicopolis: Stari Nicub, abgeg. nw. Tărnovo [Tarnowo, Tirnowa], Bulgar.
Nidalfa → Nealfa vetus
Nidermueli: Niedermühle (Baden), Deutschl.
Nidikeltes auwa: Gelting (O-Bayern), Deutschl.
Nidinga → Neidinga
Nidrosia → Tronthemium
Niefla → Nealfa vetus
Niella, Nivella, Nigella, Nivigella, Niviellenses: Nivelles [Nijvel] (Brabant), Belg.
Nieswiesium: Nesvič (Weißruss. SSR), UdSSR.
Nigasii vadum → Vadiniacum
Nigella → Negella abscondita
Nigella → Niella
Nigeonium monasterium → Passiacum ad Sequanam
Niger fluvius: Schwarzenbach (Württemberg), Deutschl.
Niger fluvius: Schwarzenbach a. Wald (O-Franken), Deutschl.
Niger mons: Černá hora [Schwarzenberg], Berg im Riesengebirge (Böhmen), Tschechoslow.
Niger mons: Schwarzenberg (Rheinprov.), Deutschl.
Niger mons: Schwarzenberg (Vorarlberg), Österr.
Niger mons: Schwarzenberg i. Erzgeb. (Sachsen), Deutschl.
Niger mons → Nigro mons villa
Nighunburni: Negenborn (Hannover), Deutschl.
Nigra silva, Tenebrosa silva, Marciana silva, Martiana silva, Hartiana silva, Hercynia silva: Schwarzwald, Geb., Deutschl.
Nigromons villa, Niger mons: Saint-Georges-Nigremont (Creuse), Frankr.
Nigronium: Négron (Indre-et-Loire), Frankr.
Nigrum castr.: Schwarzenburg (Bern), Schweiz.
Nigrum mare, Cimmericum mare, Ponticum mare, Pontus Axenus, Pontus Euxinus, Russicum mare: Schwarzes Meer [Č'ornoje more, Tschornoje more, Černoe more, Čorne more, Kara Deniz, Tscherno more, Černo more, Marea Neagră].
Nigrum monast., Insula Dei: Noirmoutier-en-l'Île, Ort u. Kl. auf Noirmoutier (Vendée), Frankr.
Nigrum monast. (insula), Herius, Herus: Île de Noirmoutier [Île Her], Ins. (Vendée), Frankr.
Nigrum palat.: Négrepelisse (Tarn-et-Garonne), Frankr.
Nimenus → Memela
Nimitium → Nemchi
Nimphaeolum → Nealfa castell.
Niniva, Ninive, Ninowia, Ninivensis: Ninove (O-Flandern), Belg.
Ninive → Niniva
Ninivensis → Niniva
Ninowia → Niniva

Niomaga → Noviomagus Rhenanus
Niortum, Novirogus, Nyrax: Niort (Deux-Sèvres), Frankr.
Nipris: Niepars (Pommern), Deutschl.
Niriechna: Nerchau (Sachsen), Deutschl.
Nisa: Ness, Fl., Mü: Moray Firth, Schottl.
Nisa: Niese, Nfl. d. Emmer (Hannover), Deutschl.
Nisa: Niese (Lippe), Deutschl.
Nisani pag., Niseni pag.: eh. Gau a. d. Elbe zw. Meißen u. Erzgeb. (Sachsen), Deutschl.
Niseni pag. → Nisani pag.
Nisensis → Nissa
Nisineji Aquae → Burbo Anselmi
Nissa → Naissus
Nissa, Niza: Neiße [Glatzer Neiße, Schlesische Neiße, Nysa Kłodzka], Nfl. d. Oder (O-Schlesien), Deutschl.
Nissa, Nysa, Nyza, Nycza, Nisensis, Nysensis: Neiße [Nysa] (O-Schlesien), Deutschl.
Nissa, Nyza: Neiße [Lausitzer Neiße, Görlitzer Neiße, Lužická Nisa, Nysa Łużycka], Nfl. d. Oder (N-Schlesien, Brandenburg, Böhmen), Deutschl. u. Tschechoslow.
Nissena → Naissus
Nissus → Naissus
Nitasa, Nitha, Nutta: Nete [Nethe], Nfl. d. Rupel (Antwerpen), Belg.
Nitha → Nitasa
Nithingas: Nutting (Rheinprov.), Deutschl.
Nitra → Nitrava
Nitrava, Nitria, Nitra: Nitra [Neutra, Nyitra] (Slowakei), Tschechoslow.
Nitria → Nitrava
Niudex: Nideggen (Rheinprov.), Deutschl.
Niufara → Neofares
Niumaga → Noviomagus Rhenanus
Niumagum → Noviomagus Rhenanus
Niumonasterium → Eiffaliae monast.
Niunbrunno: Neubrunn (Thüringen), Deutschl.
Niusa → Novensium
Niustidi: Nienstedt (Pr. Sachsen), Deutschl.
Niustria → Neustria
Niuvora → Neofares
Niuwinhova: Waidhofen (O-Bayern), Deutschl.
Niuzilingas, Nuzlingas: Neusling (N-Bayern), Deutschl.
Nivachiricha: Neukirchen (N-Bayern), Deutschl.
Nivaria: Teneriffa [Tenerife], Ins. (Atlantik), Kanarische Inseln.
Nivella → Niella
Nivemons, Nivemontium: Schneeberg, Berg sw. Wien (N-Österr.), Österr.
Nivemontium → Nivemons
Niverio → Niveris
Niveris, Niverio: Nièvre, Nfl. d. Loire (Nièvre), Frankr.
Nivernensium civ. → Nivernum
Nivernes → Nivernum
Nivernum, Nivernes, Nivernensium civ., Nevirnum, Aedunum: Nevers (Nièvre), Frankr.
Nividunum → Neodunum
Niviellenses → Niella
Nivigella → Niella
Niviodunum → Neodunum
Niwenburgensis → Naumburgum
Niwi Haristalli → Heristallium
Niwimagum → Noviomagus Rhenanus

Niza → Nissa
Nizizi prov. → Niccici pag.
Noaillium, Nulliacum, Noviliacum: Noailles (Corrèze), Frankr.
Nobiliacum: Nouaillé [Nouaillé-Maupertuis] (Vienne), Frankr.
Nocetum, Nosiacum Siccum: Noisy-le-Sec (Seine), Frankr.
Noda: Grebbe (Utrecht), Niederl.
Noeodunum → Diablintum civ.
Noeomagus Viducassiorum, Theoderici castr.: Château-Thierry (Aisne), Frankr.
Nogadi, Nogatus: Nogat, Fl., Mü: Frisches Haff (W-Preußen), Deutschl.
Nogatus → Nogadi
Nogentum ad Sequanam → Novientum ad Sequanam
Noiastrum: Nouâtre (Indre-et-Loire), Frankr.
Noiodunum → Neodunum
Nomisterium → Nemchi
Nonanticuria, Nonencuria: Nonancourt (Eure), Frankr.
Nonantula: Nonantola (Modena), Ital.
Nonencuria → Nonanticuria
Noniantus, Vodium: Void (Meuse), Frankr.
Noorstadium → Neapolis Nemetum
Nopavia → Troppavia
Norba Caesarea, Onobalas, Trajani pons: Alcántara (Cáceres), Span.
Norcopia: Norrköping (Östergötland), Schwed.
Nordalbingi → Nordalbingia
Nordalbingia, Nordalbingi, Nordelbinga, Nordlendi, Nordlindi, Nordawingi, Northalbingia, Saxonia Transalbiana, Transalbinus pag.: Nordalbingien, eh. Landschaft (Schleswig-Holstein), Deutschl.
Nordawingi → Nordalbingia
Nordedi pag. → Nordi pag.
Nordelbinga → Nordalbingia
Nordendi pag. → Nordi pag.
Nordgewi → Nordgovia
Nordgovia, Nordgowi, Nordgewi, Hircania: Nordgau, eh. Gau zw. Regensburg u. Fürth (O-Pfalz, M-Franken), Deutschl.
Nordgowi → Nordgovia
Nordhusa, Northusa, Northusensis: Nordhausen (Pr. Sachsen), Deutschl.
Nordi pag., Nordedi pag., Nordendi, Nordwidi pag.: Norden, eh. Gau in O-Friesland (Hannover), Deutschl.
Nordilinga → Norlingiacum
Nordlendi → Nordalbingia
Nordlindi → Nordalbingia
Nordlinga → Norlingiacum
Nordovicum, Nortvicus: Norwich (Norfolk), Engl.
Nordwidi pag. → Nordi pag.
Noreja → Bavaria
Noremberga, Norimberga, Noricorum mons, Noricum castr.: Nürnberg (M-Franken), Deutschl.
Norfolcia: Norfolk, Grafsch., Engl.
Norica → Bavaria
Norici Curia: Hof bei Salzburg (Salzburg), Österr.
Noricorum mons → Noremberga
Noricum castr. → Noremberga
Noricus ducat. → Bavaria
Norimberga → Noremberga
Norlinga → Norlingiacum
Norlingiacum, Nordlinga, Norlinga, Nerolinga, Nordilinga: Nördlingen (Bayern, RB. Schwaben), Deutschl.
Normandia → Normannia
Normannia, Normandia, North-

mandia: Normandie, Landsch. u. eh. Prov., Frankr.
Nortga: Noordwijk (S-Holland), Niederl.
North-Tuianti → Twenta
Northkerka: Nortkerque (Pas-de-Calais), Frankr.
Northmandia → Normannia
Northmannia → Neustria
Northumbria, Umbria Septentrionalis: Northumberland, Grafsch., Engl.
Northusa → Nordhusa
Northusensis → Nordhusa
Nortmanniae fretum → Codanus sinus
Nortmarchia, Aquilonaris marchia: Nordmark, eh. Mark (Pr. Sachsen, Brandenburg), Deutschl.
Nortvegia, Nortwegia, Nortveia: Norwegen [Norge].
Nortveia → Nortvegia
Nortvicus → Nordovicum
Nortwegia → Nortvegia
Nosa: Năsăud [Naszód] (Siebenbürgen), Rumän.
Nosiacum Siccum → Nocetum
Nostrae Dominae de Lassova monast. → Silvae Lucdunensis monast.
Notesza → Nacla
Notholici → Netolici
Noti cornu: Kap Sierra Leone (Atlantik), Sierra Leone.
Notolicum → Netolici
Notovilla: Chambérat [Nocq-Chambérat] (Allier), Frankr.
Nova Alesia, Novalicia: Novalesa (Turin), Ital.
Nova arx: Savonlinna [Nyslott] (Mikkeli), Finnl.
Nova arx → Neoselium
Nova aula: Kaiserebersdorf, aufgeg. i. Wien-Liesing (N-Österr.), Österr.
Nova Babylon → Bagdetia
Nova castella: Neufchâteau (Vosges), Frankr.
Nova Castella → Neoburgum
Nova castella → Novum castellum
Nova Castra → Novensium
Nova cella: Neustift (O-Bayern), Deutschl.
Nova cella: Neuzelle (Brandenburg), Deutschl.
Nova cella → s. Naboris fanum
Nova cella, Novecellensis vicus: Neuzell (O-Pfalz), Deutschl.
Nova civ.: Cittanova (Reggio Calabria), Ital.
Nova civ.: Neuenburg a. Rhein (Baden), Deutschl.
Nova civ.: Neustadt i. Schwarzwald (Baden), Deutschl.
Nova civ.: Novigrad [Novegradi] östl. Zadar (Kroatien), Jugoslaw.
Nova civ. → Neapolis Nemetum
Nova civ. → Neapolis Viennensis
Nova civ. Aruccitana: Moura (Baixo Alentejo), Portug.
Nova curia: Naunhof (Sachsen), Deutschl.
Nova curia: Neuhof (M-Franken, Kr. Neustadt), Deutschl.
Nova curia: Neuhof [Radociny] (N-Schlesien, Kr. Hirschberg), Deutschl.
Nova curia Numbergensis → Friburgum ad Windam
Nova domus: Neuhaus (Westfalen, Kr. Paderborn), Deutschl.
Nova domus → Henrici Hradecium
Nova domus → Novum castr.
Nova eccl.: Neuenkirchen [Dołuje] (Pommern), Deutschl.
Nova eccl.: Neukirch (Baden), Deutschl.
Nova eccl.: Neukirch [Nowy Kościół] (O-Preußen), Deutschl.

Nova fodina → Regiomontium

Nova molendina: Neumühl (Baden), Deutschl.

Nova Scotia → Valentia

Nova terra: Neuland, Landsch. (Friesland), Niederl.

Nova terra: Newland (Berkshire), Engl.

Nova teutonica: Nova Ponente [Deutschnofen] (Bozen), Ital.

Nova urbs: Nienburg a. d. Saale (Anhalt), Deutschl.

Nova urbs: Nymburk [Nimburg] (Böhmen), Tschechoslow.

Nova villa: Nauendorf (Thüringen), Deutschl.

Nova villa: Neudorf (M-Franken, Kr. Neustadt), Deutschl.

Nova villa: Neudorf bei Döbeln (Sachsen), Deutschl.

Nova villa: Neufvilles (Hennegau), Belg.

Nova villa: Newton (Pembrokeshire), Engl.

Nova villa: Newton Abbot (Devonshire), Engl.

Nova villa: Niendorf (Schleswig-Holstein, Kr. Pinneberg), Deutschl.

Nova villa ad Ornam: Neuville-sur-Ornain (Meuse), Frankr.

Nova villa Archiepiscopi: Villeneuve-l'Archevêque (Yonne), Frankr.

Nova villa prope Vasseium: Laneuville-à-Remy (Haute-Marne), Frankr.

Nova villa Regis: Villeneuve-le-Roi (Seine-et-Oise), Frankr.

Novalicia → Nova Alesia

Novantum Chersonesus, Mula: The Rhinns of Galloway [The Rhins, The Rinns of Galloway], Halbins., Schottl.

Novavilla: Neudorf [Nowa Wieś Legnicka] (N-Schlesien), Deutschl.

Novavilla in Virdunesto: Neuville-en-Verdunois (Meuse), Frankr.

Novavilla iuxta Castelletum: Villeneuve-au-Châtelot (Aube), Frankr.

Novavilla Monialium: Neuvilles-les-Dames (Ain), Frankr.

Novecellensis vicus → Nova cella

Novena: Nufenen (Graubünden), Schweiz.

Novensium, Novesium, Noviensium, Neuscia, Nuthia, Niusa, Neusia, Nussa, Nussia, Nusia, Nuxia, Nuysia, Nova Castra, Nuciensis civ.: Neuß (Rheinprov.), Deutschl.

Novesium → Novensium

Noviburgum → Neoburgum

Novicastrum → Neoburgum

Novidunum → Neodunum

Noviensium → Novensium

Novientium → Aprimonasterium

Novientum, Novigentum, Clodoaldi fanum: Saint-Cloud (Seine-et-Oise), Frankr.

Novientum ad Matronam: Nogent-sur-Marne (Seine), Frankr.

Novientum ad Oesiam: Nogent-sur-Oise (Oise), Frankr.

Novientum ad Sequanam, Novigentum ad Sequanam, Nogentum ad Sequanam: Nogent-sur-Seine (Aube), Frankr.

Novientum Artaldi: Nogent-l'Artaud (Aisne), Frankr.

Novientum Ertraudi → Novientum Retroci

Novientum Regis: Nogent-le-Roi (Eure-et-Loir), Frankr.

Novientum Retroci, Novientum Retrudum, Novientum Ertraudi: Nogent-le-Rotrou (Eure-et-Loir), Frankr.

Novientum Retrudum → Novientum Retroci
Noviforensis → Novum forum
Noviforum → Novum forum
Novigentum → Novientum
Noviliacum: Neuilly-en-Thelle (Oise), Frankr.
Noviliacum → Noaillium
Noviliacum de Ponte Petroso: Neuillé-Pont-Pierre (Indre-et-Loire), Frankr.
Novimaium → Noviomagus Rhenanus
Novimaium Batavodurum → Noviomagus Rhenanus
Noviomagus Batavorum → Noviomagus Rhenanus
Noviomagus Rhenanus, Noviomagus Batavorum, Novimaium, Neomagium, Niumaga, Niomaga, Neumaga, Niumagum, Niwimagum, Neumaia, Novomagium, Novimaium Batavodurum: Nijmegen [Nimwegen, Nijmwegen] (Gelderland), Niederl.
Noviomense palatium → Noviomium
Noviomium, Noviomense palatium, Novionum: Noyon (Oise), Frankr.
Novionum → Noviomium
Novionum, Novionum in Pictavense agro: Saint-Georges-de-Noisne (Deux-Sèvres), Frankr.
Novionum in Pictavense agro → Novionum
Novioregum, Regianum: Royan (Charente-Maritime), Frankr.
Novirogus → Niortum
Novivillarensis → Novum villare
Novivillaris cella: Neuville-le-Chaudron (Namur), Belg.
Novobardum, Novus mercatus: Novi Pazar [Yenipazar] (Serbien), Jugoslaw.
Novocastrum → Neocastrum
Novocomum, Novum Comum, Cuma: Como (Como), Ital.
Novodunum → Diablintum
Novogardia → Neapolis Severiae
Novogardia, Novogradum: Gorkij [Nischnij Nowgorod] (Gebiet v. Gorkij), UdSSR.
Novogardia magna, Novogradum: Novgorod [Welikij Nowgorod] (Leningrader Gebiet), UdSSR.
Novogradum → Novogardia
Novogradum → Novogardia magna
Novogrodia Magna: Nowogrudok [Novogrudok, Nowogrodek] (Weißruss. SSR), UdSSR.
Novomagium → Noviomagus Rhenanus
Novomarchia → Agropolis
Novum Brisacum → Brisacum novum
Novum castellum, Nova castella, Driencurtum: Neufchâtel-en-Bray (Seine-Maritime), Frankr.
Novum castr.: Burg a. d. Wupper (Rheinprov.), Deutschl.
Novum castr.: Castelnuovo Belbo (Alessandria), Ital.
Novum castr.: Châteauneuf-Val-de-Bargis (Nièvre), Frankr.
Novum castr.: Neuburg a. Neckar (Baden), Deutschl.
Novum castr.: Neuenburg [Schmulkehlen] (O-Preußen), Deutschl.
Novum castr. → Cornetum
Novum castr. → Neocastrum
Novum castr., Nova domus: Neuhaus (O-Pfalz), Deutschl.
Novum castr. super Tynam, Pons Aelius: Newcastle upon Tyne (Co. Northumberland), Engl.
Novum claustrum → Rosarum campus
Novum Comum → Novocomum

Novum Doberanum → Pelplinum (monast.)
Novum Eboracum → Eboracensis nova civ.
Novum forum: Fornovo di San Giovanni (Bergamo), Ital.
Novum forum: Fornovo di Taro (Parma), Ital.
Novum forum: Neumarkt in Steiermark (Steiermark), Österr.
Novum forum: Nowy Targ [Neumarkt] (Krakau), Polen.
Novum forum, Noviforum, Noviforensis: Neumarkt i. d. Opf. (O-Pfalz), Deutschl.
Novum monast.: Neumünster (Bayern, RB. Schwaben), Deutschl.
Novum monast., Faldera, Valdera: Neumünster (Schleswig-Holstein), Deutschl.
Novum oppidum: Nay (Basses-Pyrénées), Frankr.
Novum oppidum → Gravelina
Novum opus: Neuwerk, Ins. (Elbemündung), Deutschl.
Novum villare, Neovilla, Novivillarensis: Neuwiller-lès-Saverne [Neuweiler] (Bas-Rhin), Frankr.
Novus burgus: Borgonovo Val Tidone (Piacenza), Ital.
Novus burgus de Medina → Medena
Novus campus: Neuenkamp [Franzburg-Neuenkamp] (Pommern), Deutschl.
Novus campus: Neuenkamp [Kępinka] (Pommern), Deutschl.
Novus mercatus → Novobardum
Novus mercatus ad Ittam: Neufmarché (Seine-Maritime), Frankr.
Novus mons: Neuberg bei Graz (Steiermark), Österr.
Novus mons: Neuenberg (Hessen-Nassau), Deutschl.
Novus pons: Neubrück (Braunschweig), Deutschl.
Novus pons: Nienbrügge (Lippe), Deutschl.
Novus portus → Neoportus
Novus vicus, Ad Novas: Osteria Nova (Rom), Ital.
Noxia villa: Villenauxe-la-Grande (Aube), Frankr.
Nozanum: Nozzano (Lucca), Ital.
Nozerenum → Nucillum
Nucaria Palliarensis: Noguera Pallaresa, Nfl. d. Segre (Lérida), Span.
Nucaria Ripacurtia: Noguera Ribagorzana, Nfl. d. Segre (Lérida), Span.
Nuceria Alfaterna → Nuceria Paganorum
Nuceria Paganorum, Nuceria Alfaterna, Nucria: Nocera Inferiore [Nocera de' Pagani] (Salerno), Ital.
Nuceria Saracenorum → Luceria Paganorum
Nuceriae: Noyers (Yonne), Frankr.
Nuceriae → Nucillum
Nuciensis civ. → Novensium
Nucillum, Nozerenum, Nuceriae: Nozeroy (Jura), Frankr.
Nucium → Nutium
Nucria → Nuceria Paganorum
Nugarolium: Nogaro (Gers), Frankr.
Nuhusa → Neuhusa
Nuivanhova: Neuhofen a. d. Ybbs (N-Österr.), Österr.
Nulliacum → Noaillium
Numaga, Numagium, Nuwemaga: Neumagen (Rheinprov.), Deutschl.
Numagium → Numaga
Numburgum → Naumburgum

Numicensis civ. → Nemicensis civ.
Nusazi, Nusezi: Niesig (Hessen-Nassau), Deutschl.
Nusca: Nusco (Avellino), Ital.
Nusezi → Nusazi
Nusia → Novensium
Nussa → Novensium
Nussia → Novensium
Nustria → Neustria
Nuthia → Novensium
Nutium, Nucium: Nuits-Saint-Georges (Côte-d'Or), Frankr.
Nutta → Nitasa
Nuwemaga → Numaga
Nuxia → Novensium
Nuysia → Novensium
Nuzlingas → Niuzilingas
Nyburgum → Neoburgum Fioniae
Nycopia → Neapolis Danica
Nycza → Nissa
Nygeonium → Passiacum ad Sequanam
Nymicensis civ. → Nemicensis civ.
Nyphus castr.: Nienhaus (Hannover), Deutschl.
Nyrax → Niortum
Nysa → Nissa
Nysensis → Nissa
Nystadium → Neostadium
Nyza → Nissa

O

Oaracta: Kischm [Tawilak], Ins., Persischer Meerbusen.
Oarebroa → Orebrogia
Oasis Ammonis: Oase Siwa [Wâhât es-Sîwa], Oase (Libysche Wüste), Ägypten.
Oasis inferior: Oase Dakhel [Wâhât ed-Dakhla], Oase (Libysche Wüste), Ägypten.
Oasis magna: Oase Charga [Wâhât el-Khârga], Oase u. eh. Bstm. (Libysche Wüste), Ägypten.
Oasis parva: Oase Baharije [Wâhât el-Bahariya], Oase (Libysche Wüste), Ägypten.
Obacer → Obacra
Obacra, Hobacar, Obacer, Oracra, Obacro, Onacrus, Oncra: Oker, Nfl. d. Aller (Hannover), Deutschl.
Obacro → Obacra
Oberenwilare, Obirnwilare: Oberweiler (Württemberg), Deutschl.
Oberescha, Asschinha: Obereschbach (Baden), Deutschl.
Obernacum: Obernai [Oberehnheim] (Bas-Rhin), Frankr.
Oberndorfium: Oberndorf (N-Bayern), Deutschl.
Obia → Areae
Obila → Albicella
Obirnwilare → Oberenwilare
Obitzi: Oetz (Tirol), Österr.
Oblimum, Oblincum: Le Blanc (Indre), Frankr.
Oblincum → Oblimum
Obrinca, Abricca, Obrincus, Obringa: Oberrhein, der Oberlauf des Rhein zw. Basel (Schweiz) u. Karlsruhe (Deutschl.).
Obrincus → Obrinca
Obringa → Obrinca
Obscurus mons → Fosculus mons
Obula → Habala
Occidentale mare → Germanicum mare
Occidentalis oceanus → Externum mare
Occidentalis pagus → Wistriamchi

Occitania prov. → Languedocia
Oceanus → Externum mare
Oceanus Britannicus, Anglicum mare: der Kanal [Ärmelkanal, English Channel, La Manche] zw. Engl. u. Frankr.
Oceanus sarmaticus: der nö. Teil d. Ostsee zw. Schwed., Deutschl. u. dem Baltikum.
Oceanus septentrionalis, Deucaledonius oceanus, Septentrionale mare: Europäisches Nordmeer [Nordhavet, Norwegian Sea, Nordur-Ishaf, Norskehavet], Meer zw. Norw., Island, Grönland, Schottl. u. dem Nordpolarmeer.
Ocellana vallis: Val d'Oulx [Valle d'Ulzio], Tal (Turin), Ital.
Ocellodurum, Sentica: Zamora (Zamora), Span.
Ocellus civitas → Torgavia
Ocelum Durii: Fermoselle (Zamora), Span.
Ochmunda, Ochtumunda: Ochte [Ochtum], Nfl. d. Weser (Hannover), Deutschl.
Ochsenfurtum ad Moenum → Bosphorus
Ochtumunda → Ochmunda
Ocinarus, Sabatus fluvius: Savuto, Fl., Mü: Tyrrhen. Meer (Cosenza), Ital.
Ocrinium promont. → Damnonium promont.
Octapilarum promont.: Saint David's Head, Vorgeb. in Pembrokeshire, Engl.
Octasiacum: Thoisy-la-Berchère (Côte-d'Or), Frankr.
Octolophum: Bitola [Monastir] (Makedonien), Jugoslaw.
Oczmiana → Osmiana
Odagra → Viadrus
Odara → Viadrus
Odehus curia: Motzenhaus (Württemberg), Deutschl.
Odenhus: Osloß (Hannover), Deutschl.
Odenum: Ahlum (Braunschweig), Deutschl.
Odera → Viadrus
Odernensis pag., Odornensis pag.: Ornois, Landsch. (Meuse, Haute-Marne), Frankr.
Odessus → Barne
s. Odiliae monast. → Altitona monast.
s. Odiliae mons, s. Ottiliae mons: Odilienberg [Ottilienberg, Mont-Sainte-Odile], Berg sw. Straßburg (Bas-Rhin), Frankr.
s. Odiliae montis monast. → Altitona monast.
Odinga → Oetinga
Odini villa → Othania
Odnea → Gantum
Odora → Viadrus
Odornensis pag. → Odernensis pag.
Odra → Viadrus
Odreia villa → Audriaca villa
Odriacum: Oyré (Vienne), Frankr.
Odrita → Viadrus
Oeanthia → Euanthia
Oeaso, Oeasso, Oeasuna, Easo: Oyarzun (Guipúzcoa), Span.
Oeasro promont.: Kap Higuer [Cabo Higuer], Kap (Guipúzcoa), Span.
Oeasso → Oeaso
Oeasuna → Oeaso
Oedenburgum → Sempronium
Oegra → Agara
Oehtlandia: Üchtland [Üechtland], Landsch. (Freiburg), Schweiz.
Oelsna, Alsnensis, Olsna, Olsnia, Oelsnitium: Oels [Oleśnica] (N-Schlesien), Deutschl.
Oelsnitium → Oelsna
Oeni pons, Insuburcha, Oenipontum: Innsbruck (Tirol), Österr.

Oenipontum → Oeni pons
Oenotria → Italia
Oenus, Aenus, Enus, Hinus, Innus, Inus: Inn, Nfl. d. Donau (N-Bayern), Deutschl.
Oepi: Eupen (Luxemburg), Belg.
Oeringa: Öhringen (Württemberg), Deutschl.
Oescus → Escus
Oesia, Esia, Isara, Oisia: Oise, Nfl. d. Seine (Seine-et-Oise), Frankr.
Oesiae pons → Pontisara
Oesioburgum → Hocseburcum
Oesus → Escus
Oetinga → Hodingae
Oetinga, Autinga, Hodingae, Huodingas, Odinga, Ottinga: Altötting (O-Bayern), Deutschl.
Offenbachium: Offenbach a. Main (Hessen), Deutschl.
Offenbaci: Offenbach a. Glan (Bayern, RB. Rheinpfalz), Deutschl.
Offenburgum, Offonis burgum: Offenburg (Baden), Deutschl.
Offenleva: Offleben (Braunschweig), Deutschl.
Offinwilare → Offonis cella
Offonis burgum → Offenburgum
Offonis cella, Offinwilare, Offonis villa, Schuterna, Scutera, Scuturensis villa: Schuttern (Baden), Deutschl.
Offonis villa → Offonis cella
Oggarteruti, Okarteriuti: Okatreute (Württemberg), Deutschl.
Ogia → Oya
Oglasa → Christi mons
Ogra → Agara
Ogurris: Ubrique (Cádiz), Span.
Oilliacum: Ouilly-le-Basset, aufgeg. in Pont-d'Ouilly (Calvados), Frankr.
Oisia → Oesia
Oita Frisica: Friesoythe (Oldenburg), Deutschl.
Oitinum, Ortinum, Otina, Utina, Utinensis, Utinum: Eutin (Schleswig-Holstein), Deutschl.
Okarteriuti → Oggarteruti
Ola → Ala
Olandia: Öland, Ins. (Ostsee), Schwed.
Olaszium: Spišské Vlachy [Wallendorf, Szepesolaszi] (Slowakei), Tschechoslow.
Olavia: Ohle [Oława], Nfl. d. Oder (N-Schlesien), Deutschl.
Olavia, Alava: Ohlau [Oława] (N-Schlesien), Deutschl.
Olbrami eccl.: Olbramkostel [Wolframitzkirchen] (Mähren), Tschechoslow.
Olcania, Althaea: Ocaña (Toledo), Span.
Olcus → Lixus
Olda → Olitis
Oldenardum → Aldenardum
Oldenburgum, Branesia: Oldenburg (Oldenburg), Deutschl.
Olea: Oglio, Nfl. des Po (Mantua), Ital.
Olenacum, Virosidum: Old Carlisle (Cumberland), Engl.
Olenhus: Olenhusen (Hannover), Deutschl.
Olerona, Elarono, Eloro, Leronensium urbs: Oloron-Sainte-Marie (Basses-Pyrénées), Frankr.
Oleroniana insula: Île d'Oléron, Ins. (Charente-Maritime), Frankr.
Olesnicza, Coszeborii: Kleinöls [Oleśnica Mała] (N-Schlesien), Deutschl.
Olesno → Rosarum mons
Oleti vallis → Pintia
Olevia → Oliva
Olevia, Oliva, Olivia, Olivifa: Olewig (Rheinprov.), Deutschl.
Olimacum → Lindua

Olina: Orne, Fl., Mü: Ärmelkanal (Calvados), Frankr.
Olinga: Holzelling (O-Bayern), Deutschl.
Olintis → Olita
Olisiponna → Lissabona
Olita, Olintis: Olite (Navarra), Span.
Olita, Olta, Ultinum: Olten (Solothurn), Schweiz.
Olitis, Loda, Olda, Oltis: Lot, Nfl. d. Garonne (Lot-et-Garonne), Frankr.
Oliva → Olevia
Oliva, Olivense monast., Olevia: Tejar la Oliva, Kl. (Navarra), Span.
Oliva, Olivense monast., Olyva: Oliva [Oliwa], Kl. (Danzig), Polen.
Olivense monast. → Oliva
Oliveus mons, Ligarii vallis monast., Melasti castrum, Montis Olivi monast: Montolieu (Aude), Frankr.
Olivia → Olevia
Olivifa → Olevia
Olivula portus, De Olivo monte castr.: Villefranche (Alpes-Maritimes), Frankr.
Ollandia → Hollandia
Olleimo: Ollheim (Rheinprov.), Deutschl.
Olmedum: Olmedo (Valladolid), Span.
Olmuncia, Eburum, Olmutium, Olomucensis, Olomucium, Vologradum: Olomouc [Olmütz] (Mähren), Tschechoslow.
Olmutium → Olmuncia
Olomucensis → Olmuncia
Olomucium → Olmuncia
Olonna curtis: Corteolona (Pavia), Ital.
Olruna, Alruna fluvius: Doller [Dollern], Nfl. d. Ill (Haut-Rhin), Frankr.
Olscuizi: Oelzschau (Sachsen), Deutschl.
Olsna → Oelsna
Olsnia → Oelsna
Olsnitium → Oelsna
Olta → Olita
Olta, Aluata, Alutas: Olt [Alt, Aluta], Nfl. d. Donau (Walachei), Rumän.
Olthaschino: Herzogshufen [Ołtaszyn] (N-Schlesien), Deutschl.
Oltis → Olitis
Oltudenges: Oltingen (Basel-Land), Schweiz.
Olva, Osulfstidi: Olvenstedt bei Magdeburg (Pr. Sachsen), Deutschl.
Olvii pons iuxta Romam → Milvius pons
Olyva → Oliva
Olzara: Olša [Olsa, Olza], Nfl. d. Oder (Schlesien), Tschechoslow. u. Polen.
Omenogaria → Dachinabades
Omesa: Ohmes (Hessen), Deutschl.
Omnium Sanctorum monast.: Allerheiligen, Kl. in Schaffhausen (Schaffhausen), Schweiz.
Omnium Sanctorum portus: Bahia (Bahia), Brasilien.
Omnium Sanctorum vallis, Maurbacensis: Mauerbach (N-Österr.), Österr.
Onacrus → Obacra
Onacum: Aunay-Bazois (Nièvre), Frankr.
Onaraehusa → Onarhusa
Onarhusa, Onaraehusa, Honarchusa: Orsenhausen (Württemberg), Deutschl.
Oncra → Obacra
Onfridinga: Friedingen (Baden), Deutschl.
Onobalas → Norba Caesarea
Onoldia → Onoldinum

Onoldinum, Ansbachum, Onoldia, Onoldum, Onoltzbachium: Ansbach (M-Franken), Deutschl.
Onoldum → Onoldinum
Onoltzbachium → Onoldinum
Openruti: Oppenreute (Württemberg), Deutschl.
Ophowa, Hoffowa: Oppau [Ludwigshafen-Oppau] (Bayern, RB. Pfalz), Deutschl.
Ophyusa → Frumentaria
Opiae → Pophinga
Opila, Opolia, Oppolia, Oppulia: Oppeln [Opole] (O-Schlesien), Deutschl.
Opinum, Oppidum: Oppido Lucano (Potenza), Ital.
Opolia → Opila
Oppavia: Oppau [Opawa] (N-Schlesien), Deutschl.
Oppavia → Troppavia
Oppenhemium → Bancona
Oppenra, Apenroa: Åbenrå [Apenrade, Aabenraa] (Jütland), Dänem.
Oppidum → Opinum
Oppila → s. Jobii villa
Oppolia → Opila
Oppulia → Opila
Opta → Julia Opta
Ora, Ara, Hora, Oraha: Ohre, Nfl. d. Elbe (Pr. Sachsen), Deutschl.
Ora occidentalis: Riviera di Ponente, Küstenlandsch. (Imperia, Savona, Genua), Ital.
Ora orientalis: Riviera di Levante, Küstenlandsch. (Genua, La Spezia, Massa), Ital.
Oracra → Obacra
Oragnia, Orangia, Arausiacum, Arausio: Orange (Vaucluse), Frankr.
Oraha → Ora
Oralunum → Arlunum
Orangia → Oragnia
Oranum → Deorum portus
Oranza: Mertzen (Haut-Rhin), Frankr.
Oratorium: Le Dorat (Haute-Vienne), Frankr.
Oratorium: Ourouër (Nièvre), Frankr.
Orba, Orbacum, Urba: Orbe (Waadt), Schweiz.
Orbacensis vicus: Orb [Bad Orb] (Hessen-Nassau), Deutschl.
Orbacum → Orba
Orbana villa: Villorbaine (Saône-et-Loire), Frankr.
Orbatum: Orbais [Orbais-l'Abbaye] (Marne), Frankr.
Orbeccum, Urba: Orbec (Calvados), Frankr.
Orbitellium: Orbetello (Grosseto), Ital.
Orcades australes: South Orkneys [Südorkney- bzw. Neuorkney-Inseln], S-Atlantik.
Orcejacus → Ursiacum
Orcelis, Oriola: Orihuela (Alicante), Span.
Orchesium, Origiacum: Orchies (Nord), Frankr.
Orchoë: abgeg. bei El-Chider [Al-Khedir] ndl. d. Euphrat, Irak.
Orcia: Orgañá (Lérida), Span.
Ordinga → Hordeani castra
Ordroffium → Ordrusium
Ordrusium, Ardruvium, Ordroffium: Ohrdruf (Thüringen), Deutschl.
Orebrogia, Oarebroa: Örebro am Hjälmarsee (Örebro), Schwed.
Orenses aquae → Amphiochia
Oresundae fretum → Danicum fretum
Oreus → Histiaea
Orgellis civ. → Orgellum
Orgellum, Orgellis civ., Urgelitana

sedes, **Urgellum:** Seo de Urgel (Lérida), Span.
Orgium → Horreum
Oriens: Lorient (Morbihan), Frankr.
Oriens → Austria
Oriens → Ayrolum
Oriens mons: Osterberg (Westfalen), Deutschl.
Orientale mare: Ostchinesisches Meer [Dong Hai].
Orientale mare → Balticum mare
Orientale regnum → Austria
Orientalis pagus → Austria
Orientalis pagus → Osterga
Orientalis plaga, Austrasia, Plisnensis, Plisni: Osterland, Landsch. (Thüringen u. Sachsen), Deutschl.
Orientalium Saxonum ducatus → Saxonia
Origantium → Brigantium
Origiacum → Orchesium
Origiacum, Atrebates, Nemetacum: Arras (Pas-de-Calais), Frankr.
Origianum → Aurelianum
Originis aquae → Amphiochia
Orine (insulae): Dahlak Inseln [Dahalak od. Daalac Inseln] (Rotes Meer), Äthiopien.
Oriola → Orcelis
Oris mons, In Montibus: Mund (Wallis), Schweiz.
Oristana → Arborea
Orla, Orlaa, Orlamunda: Orlamünde (Thüringen), Deutschl.
Orlaa → Orla
Orlamunda → Orla
Ornari, Arnari: Groß u. Klein Örner (Pr. Sachsen), Deutschl.
Ornava: Orenhofen (Rheinprov.), Deutschl.
Orniacum → Ebodia
Ornitum → Orvietum
Orodiensis comit. → Aradiensis comit.
Orolaunum → Arlunum
Oronda: Onda (Castellón de la Plana), Span.
Oronna: Aronde, Nfl. d. Oise (Seine-et-Oise), Frankr.
Orontes, Arosis: Asi [Assi nehri, Nahr iel Asi], Fl., Mü: Mittelmeer (Hatay), Türkei.
Oropitum → Orvietum
Orospeda: Sierra de Alcaraz u. Sierra de Ronda, Geb. (Murcia u. Andalusien), Span.
Orrea: Forfar (Co. Angus), Schottl.
Orta: Orth a. d. Donau (N-Österr.), Österr.
Ortae, Orti: Orte (Rom), Ital.
Ortavia → Tongrum
Orthesium, Horthesium: Orthez (Basses-Pyrénées), Frankr.
Orthunga: Vordingborg (Seeland), Dänem.
Orti → Ortae
Ortinum → Oitinum
Ortona maris, Ortonium: Ortona (Chieti), Ital.
Ortonium → Ortona maris
Ortus b. Virginis → Mariae hortus
Orvietum, Herbanum, Ornitum, Oropitum, Urbevetum, Urbs vetus: Orvieto (Perugia), Ital.
Orvium promont.: Cabo Silleiro, Kap (Galicien), Span.
Osanga → Osinga
Osburgum, Habsburgum: die Habsburg (Aargau), Schweiz.
Osca: Usk, Fl., Mü: Bristol Channel (Monmouthshire), Engl.
Oscae castr.: Usk (Monmouthshire), Engl.
Oscara, Oscha: Ouche, Nfl. d. Saône (Côte-d'Or), Frankr.
Oscella → Domoduscella
Oscellum → Oxellum
Oscha → Oscara

Oschilchi: Hoßkirch (Württemberg), Deutschl.

Osciacense monast.: Osek [Ossegg, Ossek] (Böhmen), Tschechoslow.

Oseca, Osseca: Velký Osek [Groß-wossek] (Böhmen), Tschechoslow.

Osericta → Osilia

Osidi: Öse (Hannover), Deutschl.

Osilia, Osericta, Osiliensis, Ozilia: Saaremaa [Ösel], Ins., Rigaer Bucht (Estland), UdSSR.

Osiliensis → Osilia

Osinga, Hosinga, Osanga: Usingen (Hessen-Nassau), Deutschl.

Osmiana, Oczmiana: Ošm'any [Ašmena, Oschmjany] (Weißrußland SSR), UdSSR.

Osnabrugga, Osnobrogga, Osnaburgum, Osnebruggensis, Asnoburgensis, Asenbruggensis, Hosenbreichensis, Hasae pons: Osnabrück (Hannover), Deutschl.

Osnaburgum → Osnabrugga

Osnebruggensis → Osnabrugga

Osneggi montes, Ardenna: Osning, Geb. (Teutoburger Wald), Deutschl.

Osnobrogga → Osnabrugga

Osopus: Osoppo (Udine), Ital.

Ossa villa: Beinwil am See (Aargau), Schweiz.

Osseca → Oseca

Ossinga: Essingen (Bayern, RB. Rheinpfalz), Deutschl.

Ossitium: Oschatz (Sachsen), Deutschl.

Ossoldunum → Exelodunum

Osta, Hosta: Oste, Nfl. d. Elbe (Hannover), Deutschl.

Ostachia → Osterga

Ostada: Hochstaden, eh. Grafsch. (Rheinprov.), Deutschl.

Ostbergium → Ostburgum

Ostbilimerbi: Ostbillmerich, abgeg. bei Billmerich (Westfalen), Deutschl.

Ostburgum, Ostbergium: Oostburg (Seeland), Niederl.

Osterburga, Asterburgi: Osterburg, eh. Gau bei Rinteln a. d. Weser (Lippe, Westfalen), Deutschl.

Osterfelde → Ostervelda

Osterfrancia → Francia orientalis

Osterga, Ostriki, Hostraga, Ostachia, Ostrachia, Ostringia, Ostraga, Asterga, Astringi, Orientalis pagus: Ostergau, eh. Gau in Friesland, Niederl.

Osterha → Austravia

Osterhovensis eccl. → Austravia

Ostericha → Austria

Osternaha, Ostorna: Osternach (O-Österr.), Österr.

Osteroda, Osterrodensis: Osterode am Harz (Hannover), Deutschl.

Osterrodensis → Osteroda

Ostervelda, Osterfelde: abgeg. bei Kleve (Rheinprov.), Deutschl.

Ostia Lici: Lechsend (Bayern, RB. Schwaben), Deutschl.

Ostiolum: Huisseau-sur-Mauves (Loiret), Frankr.

Ostirtunna → Tunna

Ostium aurea Maguntiae → Ostium Moeni

Ostium Moeni, Ostium aurea Maguntiae: Hochheim (Hessen-Nassau), Deutschl.

Ostkerka: Oostkerke-lez-Bruges (W-Flandern), Belg.

Ostorna → Osternaha

Ostrachia → Osterga

Ostraga → Osterga

Ostraha: Ostrach (Hohenzollern), Deutschl.

Ostrawa: Ostrava [Ostrau, Moravská Ostrava, Mährisch-Ostrau] (Mähren), Tschechoslow.

Ostrea: Istres (Bouches-du-Rhône), Frankr.
Ostrenhova, Ostrohova, Selinganstedi: Osterwieck (Pr. Sachsen), Deutschl.
Ostriki → Osterga
Ostringia → Osterga
Ostrobia → Ostrovia
Ostrofrancia → Francia orientalis
Ostrogia → Ostrovia
Ostrogothia → Austria
Ostrohova → Ostrenhova
Ostrovia, Ostrobia, Ostrogia: Ostrów Mazowiecka [Ostrów] (Warschau), Polen.
Ostunum → Hostunum
Ostvelda: Im Ostfelde bei Letmathe (Westfalen), Deutschl.
Osulfstidi → Olva
Othania, Othenae, Othima, Ottinium, Ottonia, Odini villa: Odense (Fünen), Dänem.
Othelima: Fifeshire, Grafsch., Schottl.
Othenae → Othania
Othima → Othania
Othona: Otterton (Devonshire), Engl.
Othoniana: Volterra (Pisa), Ital.
Otilinga: Aidlingen (Württemberg), Deutschl.
Otilinga: Ittling (N-Bayern), Deutschl.
Otina → Oitinum
Otinburra → Ottenburanum
Otinga → Oumitinga
Otinhowa: Ottenhofen (O-Bayern), Deutschl.
Otrantum → Idrontum
Otriculum: Otricoli (Terni), Ital.
Otrio → Utrio
Ottenburanum, Outinburra, Otinburra, Uttenbura, Uttimpurrha, Ottinpurra: Ottobeuren (Bayern, RB. Schwaben), Deutschl.
Ottenica silva, Ottonia, Ottonica silva, Ottonis silva: Odenwald, Geb., Deutschl.
s. Ottiliae mons → s. Odiliae mons
Ottinga → Oetinga
Ottinium → Othania
Ottinpura → Ottenburanum
Ottonia → Othania
Ottonia → Ottenica silva
Ottonica silva → Ottenica silva
Ottonis silva → Ottenica silva
Oudalhartessteti: Hauderstett (O-Bayern), Deutschl.
Ougia → Augia
Ougia → Auwa
Oumitinga, Otinga: Oettingen (Bayern, RB. Schwaben), Deutschl.
Outinburra → Ottenburanum
Ouwa → Augia
Ouwa → Awa
Ouwa → Awia
Ovaria → Flexum
Ovarinum → Flexum
Ovena → Buda
Ovetensis → Ovetum
Ovetum, Lucus Asturum, Ovetensis: Oviedo (Oviedo), Span.
Ovilaba, Ovilia, Welas, Weles, Walsa, Belsa: Wels (O-Österr.), Österr.
Ovilia → Ovilaba
Oviti, Uveta, Uvita, Uviti, Ubhiti: Oefte (Rheinprov.), Deutschl.
Ovium locus → Luxoium
Owa: Eyb (Württemberg), Deutschl.
Owela, Owilaha: Aula, Nfl. d. Fulda (Hessen-Nassau), Deutschl.
Owelaha, Owilaha: Aula (Hessen-Nassau), Deutschl.
Oweltinga: Unteruhldingen (Baden), Deutschl.
Owilaha → Owela
Owilaha → Owelaha
Owista: Ober- u. Unterast (O-Bayern), Deutschl.

Oxellum, Oscellum: Oissel (Seine-Maritime), Frankr.
Oxianus lacus → Chorasmias lacus
Oxima, Oximus, Oxma, Uxima: Exmes (Orne), Frankr.
Oximensis comit.: Hièmes, eh. Grafschaft (Normandie), Frankr.
Oximus → Oxima
Oxinvillare: Osweiler, Luxemburg.
Oxivarum, Oxivia: Oxhöft [Oksywie, Gdingen-Oxhöft, Gdynia-Oksywie] (Pommerellen), Polen.
Oxivia → Oxivarum
Oxma → Oxima
Oxoma, Uxamensis burgus, Uxambarca, Uxona: El Burgo de Osma (Soria), Span.
Oxonia, Oxonium, Isidis vadum, Athenae Anglorum, Calena: Oxford (Oxfordshire), Engl.
Oxonium → Oxonia
Oxyrhynchus → Oxyrrynchus
Oxyrrynchus, Oxyrhynchus: Behneseh [Behnesa, El Bahnasa, El Banasa], (M-Ägypten) Ägypten.
Oya, Dei insula, Ogia: Île d'Yeu, Ins. (Vendée), Frankr.
Oytha: Oyten (Hannover), Deutschl.
Oza: Oos [Baden-Oos] (Baden), Deutschl.
Ozecarus: Zêzere, Nfl. d. Tejo (Ribateja), Portug.
Ozilia → Osilia
Ozobloga: Hotzenplotz [Osobłoga], Nfl. d. Oder (O-Schlesien), Deutschland.

P

Paala: Savena, Nfl. d. Idice (Bologna), Ital.
Pablia: Paglia, Nfl. d. Tiber (Toscana), Ital.
Paceium palatium → Paciacum
Pacensis colonia → Begia
Pacerii mons, Monpenserium: Montpensier (Puy-de-Dôme), Frankr.
Paciacum, Paceium palat.: Pacy-sur-Eure (Eure), Frankr.
Pacinga: Penzing (O-Bayern), Deutschl.
Padae → Aquae Helveticae
Padalborna → Paderbronna
Paddis → Pades
Padelbronnensis civ. → Paderbronna
Paderborna → Paderbronna
Paderbronna, Padalborna, Paderborna, Paderbrunna, Padrabrunnum, Paderesprunna, Padreburna, Padelbronnensis civitas, Paderburnum, Patrisbrunna, Patresbrunna, Patresburnum, Patherbrunna, Paverbrona, Podelbrunnum, Podarburnensis civ., Badaebrunna, Fontes Baderae: Paderborn (Westfalen), Deutschl.
Paderbrunna → Paderbronna
Paderburnum → Paderbronna
Paderesprunna → Paderbronna
Pades, Padis, Paddis: Kloostri [Padis Kloster] (Estland), UdSSR.
Padinum: Bondeno (Ferrara), Ital.
Padis → Pades
Padrabrunnum → Paderbronna
Padreburna → Paderbronna
Padua → Batavia
Paduensis → Patavium
Padus → Bodincus
Pagae, Pegae, Alupochori: abgeg. nw. Megara (Attika), Griechenl.

Pagantia, Pegnesus: Pegnitz, Nfl. d. Rednitz (M-Franken), Deutschl.
Pagus: Pag [Pago], Ins. (Dalmatien), Jugoslaw.
Palacia, Palicia: Lapalisse (Allier), Frankr.
Palaeocome → Altdorfium
Palaeopyrgum → Altenburgum
Palantia: Palencia (Palencia), Span.
Palas → Palatiolum prope Trevirim
Palathi → Palidi
Palatii aula → Palatiolum prope Trevirim
s. Palatii fanum, Palatium: Le Palais (Morbihan), Frankr.
s. Palatii fanum, s. Pelagii fanum: Saint-Palais (Basses-Pyrénées), Frankr.
Palatinatus ad Rhenum: Rheinpfalz, Landsch. (Bayern, RB. Pfalz), Deutschl.
Palatinatus Bavariae, Palatinatus superior: Oberpfalz, Landsch. (Bayern, RB. O-Pfalz), Deutschl.
Palatinatus superior → Palatinatus Bavariae
Palatiolum: Palaiseau (Seine-et-Oise), Frankr.
Palatiolum: Palazzolo sull'Oglio (Brescia), Ital.
Palatiolum prope Trevirim, Palas, Palatii aula: Pfalzel (Rheinprov.), Deutschl.
Palatium: Pallanti, abgeg. bei Torricella (Perugia), Ital.
Palatium → Ad Palatium
Palatium → s. Palatii fan.
Palatium Adriani: Palazzo Adriano (Palermo), Ital.
Palatium aquae → Aquisgranum
Palatium Dominarum (monast.): Pallatini, Kl. in Spoleto (Perugia), Ital.
Paldinga → Baldinga
Palea → Alexandria Statiellorum
Palenza → Epauna
Palestra Nygeoniana → Passiacum ad Sequanam
Palgocium → Eleutheropolis ad Vagum
Palichi → Palidi
Palicia → Palacia
Palidi, Palithi, Palthi, Palathi, Palichi, Palti, Poledi, Polithi, Polita, Polida: Pöhlde (Hannover), Deutschl.
Palithi → Palidi
Palladis castrum → Parthenopolis
Pallentia, Palma Maiorica, Palma Majoricorum, Palma Balearia: Palma [Palma de Mallorca] (Balearen), Span.
Palma → Balma Puellarum
Palma → Bapalma
Palma Balearia → Pallentia
Palma Maiorica → Pallentia
Palma Majoricorum → Pallentia
Palmarum civ.: Jericho [Eriha, Er-Riha] (Palästina), Jordanien.
Palmis: Pahlen (Schleswig-Holstein), Deutschl.
Palta: Palt (N-Österr.), Österr.
Palthi → Palidi
Palti → Palidi
Paludellium: Palluau-sur-Indre (Indre), Frankr.
Paludes Pomptinae, Pomptinus campus: Pontinische Sümpfe [Agro Pontino, Paludi Pontine], Küstenlandsch. (Latium), Ital.
Palum → Epauna
Pampalona, Pampelona, Pampilona, Pampelo, Pompejopolis, Andelus: Pamplona (Navarra), Span.
Pampelo → Pampalona
Pampelona → Pampalona
Pampilona → Pampalona
Pana → Penus

Pancinga: Penzing bei Wien (N-Österr.), Österr.
Panga: Pang (O-Bayern), Deutschl.
Pangor → Bangertium
Pangrates: Pankraz, bei Gabel [Jablonné nad Orlicí] (Böhmen), Tschechoslow.
Panis → Penus
Panis, Panis campus: Mezö-Panit (Siebenbürgen), Rumän.
Panis campus → Panis
Panium: Barbaros [Panizo] (Tekirdağ), Türkei.
Pannonia → Ungaria
Pannoniae inferioris curia: Hof am Leithaberge (N-Österr.), Österr.
Pannonicae aquae, Thermae Austriacae: Baden (N-Österr.), Österr.
Panopolis, Chemmis: Achmim [Achmin, Akhmîn] (O-Ägypten), Ägypten.
Papalma → Bapalma
Papavium → Patavium
Papeberga → Bamberga
Papenhemium: Pappenheim (M-Franken), Deutschl.
Paperga → Bamberga
Papia: Pavia (Lombardei), Ital.
Papsteti: Pfaffstädt (O-Österr.), Österr.
s. Papuli fanum, s. Papulus: Saint-Papoul (Aude), Frankr.
Papulum: Papolcz (Kronstadt), Rumän.
s. Papulus → s. Papuli fanum
Paradisi vallis: Espagnac (Corrèze), Frankr.
Paradisi vallis: Valparaiso (León), Span.
Paradisus: Paradies [Gościkowo] (Grenzmark Posen-W-Preußen), Deutschl.
Paradisus: Paradis, eh. Kl. (Thurgau), Schweiz.
Paraetonium: Matrûh [Matruk, Mersa Matruh], Ägypten.
Pararitus: Parroy (Meurthe-et-Moselle), Frankr.
Parca: Štúrovo [Parkan, Párkány] (Slowakei), Tschechoslow.
Parchum, Parcum: Park [Parc], Kl. (Brabant), Belg.
Parciacum: Parçay-les-Pins (Maine-et-Loire), Frankr.
Parcum → Parchum
Pardibus: Pardubice [Pardubitz] (Böhmen), Tschechoslow.
Pareceyum: Parcey (Jura), Frankr.
Pareium monachorum → Pareium moniale
Pareium moniale, Pareium monachorum, Moniacum: Paray-le-Monial (Saône-et-Loire), Frankr.
Parentium: Poreč [Parenzo] (Kroatien, Istrien), Jugoslaw.
Parentus → Brentesia
Parietina: Vélez de la Gomera am Mittelmeer, Marokko.
Parisiense monast., Parisium, Baris: Pairis (Haut-Rhin), Frankr.
Parisii, Lutetia, Loticia Parisiorum, Parisius, Parisis: Paris, Hst. v. Frankr.
Parisiorum arx: Bastille, Schl. in Paris, Frankr.
Parisis → Parisii
Parisium → Parisiense monast.
Parisius → Parisii
Parma → Balma Puellarum
Parnawa, Perona: Pärnu [Pernau, Pernow, Pyarnu] (Estland), UdSSR.
Paronina → Peronna
Parra: Farah [Ferrah], Afghanistan.
Parradunum → Patrodunum
Parrona → Peronna
Parthanum → Patrodunum
Parthenopolis, Partinopolis, Virgi-

num civitas, Palladis castr., Magdeburgum, Magedeburgum, Magedoburgum: Magdeburg (Pr. Sachsen), Deutschl.

Parthiscus, Pathyssus, Tiza, Tizaha, Tizara, Tyza, Tibiscus, Tysia, Tisianus: Theiß [Tisa, Tissa, Tysa, Tisza], Nfl. d. Donau, UdSSR, Rumän., Tschechoslow., Ung. u. Jugoslaw.

Parthmum → Patrodunum

Particus saltus, Perticum, Perticensis comit.: Perche, Landsch. (Orne, Eure-et-Loir), Frankr.

Partiniacum: Parthenay (Deux-Sèvres), Frankr.

Partinopolis → Parthenopolis

Parva petra: La Petite-Pierre [Lützelstein] (Bas-Rhin), Frankr.

Pasletum → Vandogara

Passagium: Pasajes (Guipúzcoa), Span.

Passagium: Passais (Orne), Frankr.

Passagium → Antiquum Passagium

Passanum, Bassanum: Bassano del Grappa (Vicenza), Ital.

Passavium → Batavia

Passiacum ad Sequanam, Nigeonium monast., Nygeonium, Palestra Nygeoniana: Passy, Teil v. Paris, Frankr.

Passini, Passinum: Großpösna (Pr. Sachsen), Deutschl.

Passinum → Passini

Pataium: Patay (Loiret), Frankr.

Patavia → Batavia

Patavium → Batavia

Patavium, Paduensis, Papavium: Padova [Padua] (Padua), Ital.

Patavum ins. → Betuwa

Paternae → Pernae

Paterniacensis → Paterniacum

Paterniacum, Paterniacensis, Peterlinga: Payerne [Peterlingen] (Waadt), Schweiz.

Paternum: Cariati (Cosenza), Ital.

Paternum: Paterno Calabro (Cosenza), Ital.

Patherbrunna → Paderbronna

Patherga, Pedargoa: Padergau, eh. Gau bei Paderborn (Westfalen), Deutschl.

Pathyssus → Parthiscus

Patresbrunna → Paderbronna

Patresburnum → Paderbronna

Patriacus, Patriagus villa: Peyrat-la-Nonière (Creuse), Frankr.

Patriagus villa → Patriacus

Patrisbrunna → Paderbronna

Patrodunum, Parradunum, Parthmum, Parthanum: Partenkirchen [Garmisch-Partenkirchen] (O-Bayern), Deutschl.

Patschkovia: Patschkau [Paczków] (O-Schlesien), Deutschl.

Pattavia → Batavia

s. **Pauli civ.:** Saint-Paul (Haute-Garonne), Frankr.

s. **Pauli civ.:** Saint-Paul (Orne), Frankr.

s. **Pauli civ.:** Saint-Paul (Savoie), Frankr.

s. **Pauli fan.** → Tricastini civ.

s. **Pauli Leonensis fanum, Leonense castrum, Leonensis pag., Leona, Leonum, Legio:** Saint-Pol-de-Léon (Finistère), Frankr.

Pauliacum, Polliacum: Pauillac (Gironde), Frankr.

s. **Paulinae cella:** Paulinzella (Thüringen), Deutschl.

Pauliniacensis abbatia: Poulangy (Haute-Marne), Frankr.

Pauliniago: Bollingen (Bern), Schweiz.

Paumgarta: Baumgarten (O-Bayern), Deutschl.

Pausanum → Bauzanum
Pausilippus, Pausilypus: Posillipo, Berg bei Neapel, Ital.
Pausilypum: Sanssouci, Schloß bei Potsdam (Brandenburg), Deutschl.
Pausilypus → Pausilippus
Pauzana → Bauzanum
Paverbrona → Paderbronna
Pavonis mons → Bamberga
Pax Augusta → Begia
Pax Bajoxus, Xera equitum: Badajóz (Badajóz), Span.
Pax Mariae: Mariefred (Södermanland), Schwed.
Pazowa → Batavia
Peanis → Penus
Pecca → Bracla
Pecetum: Pecetto (Turin), Ital.
Pedargoa → Patherga
Pedemontium: Piemont [Piemonte], Landsch., Ital.
Pedepontium → Bavarica curia
Peditonis villa: Villepinte (Aude), Frankr.
Peffinga: Peffingen (Rheinprov.), Deutschl.
Pegae → Pagae
Pegavia, Pigavia, Bigowia, Bigaugia, Begawiensis, Pegaviensis, Bigaugiensis: Pegau (Sachsen), Deutschl.
Pegaviensis → Pegavia
Pegnesus → Pagantia
Peingtharpa: Pentrup (Westfalen), Deutschl.
Peinna → Boynum
Peiso lacus, Pelso lacus, Volceae paludes: Balaton [Plattensee], See, Ung.
s. **Pelagii fanum** → s. Palatii fanum
Pelasgicus sinus: Golf v. Wolos [Pagasetikos Kolpos, Pagasäischer Golf, Golf v. Bolos, Golf v. Volo], Meerbusen (Thessalien), Griechenl.
Peleus mons →Beleus mons
Pelgranum → Alba Bulgarica
Pelicardis mons → Beliardi mons
Pelplinum (monast.), Novum Doberanum, Samboria: Pelplin [Neu-Doberan, Samburg] östl. Starogard Gdański [Preußisch Stargard] (Pommerellen), Polen.
Pelso lacus → Peiso lacus
Peltiscum, Polotia: Polock [Polozk] (Weißruss. SSR), UdSSR.
Pelusius mons: Montepeloso (Potenza), Ital.
Pena → Penus
Pendinae, Pendinas: Pendennis Castle (Cornwall), Engl.
Pendinas → Pendinae
Penes → Penus
Penghum: Piaam (Friesland), Niederl.
Penica: Penig (Sachsen), Deutschl.
Penni locus, Penni lucus: Villeneuve (Waadt), Schweiz.
Penni lucus → Penni locus
Pennina vallis, Poenina vallis, Vallensis pagus, Valesia, Vallissi, Vaudum: Wallis [Valais], Kt., Schweiz.
Pentapolis → Brunsvicum
Penus, Pena, Penes, Pana, Panis, Peanis: Peene, Fl., Mü: Ostsee (Pommern), Deutschl.
Peonia → Bohemia
Pepelinghae → Pepilinga
Pepilinga, Pepelinghae: Peuplingues (Pas-de-Calais), Frankr.
Pequicurtium: Pecquencourt (Nord), Frankr.
Pequiniacum, Pinciniacum: Picquigny (Somme), Frankr.
Pera: Peer (Limburg), Belg.
Perastum: Perast [Perasto] (Montenegro), Jugoslaw.
Perega → Berga
Perga → Bargensis civ.

Perga → Berga
Pergamum → Bergamum
Pergamus → Bergamum
Pergantium, Briganconia: Cap de Brégançon, Kap (Var), Frankr.
Pergentia → Brigantium
Pergiae: Pergern (O-Österr.), Österr.
Periolum: Preuilly (Cher), Frankr.
Peristhlaba: Brăila (Wallachei), Rumän.
Permia: Perm nö. Kazan (RSFSR), UdSSR.
Perna → Boynum
Pernae, Paternae: Pernes-les-Fontaines (Vaucluse), Frankr.
Perona → Parnawa
Peronis monast. → Berona
Peronna, Cygnopolis, Paronina, Parrona: Péronne (Somme), Frankr.
Peroxa → Perusia
Perpenianum, Perpiniacum, Roscianum: Perpignan (Pyrénées-Orientales), Frankr.
Perpiniacum → Perpenianum
Perranhus: Parensen (Hannover), Deutschl.
Perricbecki: Pierbecke (Westfalen), Deutschl.
Perrous pons: Pontpierre (Doubs), Frankr.
Persepolis: abgeg. nö. Shiraz (Fars), Iran.
Persinis: Berschis (St. Gallen), Schweiz.
Persinpinga castr.: Persenbeug (N-Österr.), Österr.
Persnicha: Perschling, Nfl. d. Donau (N-Österr.), Österr.
Pertensis pagus: Pertois, Landsch. (Marne, Haute-Marne), Frankr.
Perticensis comitatus → Particus saltus
Perticum → Particus saltus
Pertusium: Pertuis (Vaucluse), Frankr.
Perusia: Perosa Argentina (Turin), Ital.
Perusia, Gettapolis, Peroxa: Perugia (Perugia), Ital.
Pervia: Werfen (Salzburg), Österr.
Pes nucis: Sankt Peterzell (St. Gallen), Schweiz.
Pesauria: Pesaro (Pesaro-Urbino), Ital.
Pesclavium, Postclavium: Poschiavo [Puschlav](Graubünden), Schweiz.
Pesenacum, Pesenatium: Pézenas (Hérault), Frankr.
Pesenatium → Pesenacum
Pessulanus mons, Pessulus mons, Puellarum mons: Montpellier (Hérault), Frankr.
Pessulus mons → Pessulanus mons
Pestinum, Contra Acincum: Pest, Teil v. Budapest, Ung.
Petenas, Bettobia, Bettovia, Bethovia, Bittovia, Petoviensis: Ptuj [Pettau] (Slowenien), Jugoslaw.
Petenisca → Biella
Peterlinga → Paterniacum
Petershusium, Petri domus, Petrishusa, Petrishusium, Petrishusensis: Petershausen [Konstanz-Petershausen] (Baden), Deutschl.
Petina → Bichina
Petina, Petinum: Pičan [Pedena, Piben] (Kroatien), Jugoslaw.
Petinesca → Biella
Petinum → Petina
Petoviensis → Petenas
Petra Bufferia: Pierre-Buffière (Haute-Vienne), Frankr.
Petra Comitis: Castel Oudeburg ('s-Gravensteen), Schloß in Gent (W-Flandern), Belg.
Petra ficta: Pierrefitte (Corrèze), Frankr.

Petra ficta: Pierrefitte (Creuse), Frankr.
Petra ficta: Pierrefitte-sur-Seine (Seine), Frankr.
Petra forata: Peyrehorade (Landes), Frankr.
Petra Honorii, Truentinorum forum: Bertinoro (Forlì), Ital.
Petrae fons: Pierrefonds (Oise), Frankr.
Petrae pons, Petrius pons: Pierrepont (Meurthe-et-Moselle), Frankr.
Petragoricum → Petricorium
Petralata: Perelada (Gerona), Span.
Petralata: Pierrelatte (Drôme), Frankr.
Petrense oppidum → Austravia
s. **Petri capella:** Saint-Pierre-Capelle-lez-Enghien [Sint-Pieters-Kapelle-bij-Edingen] (Hennegau), Belg.
s. **Petri castellum:** Castel San Pietro Romano (Rom), Ital.
Petri cella: Peterzell (Württemberg), Deutschl.
s. **Petri cella, s. Petri cella in Silva nigra:** Sankt Peter (Baden), Deutschl.
s. **Petri cella in Silva nigra** → s. Petri cella
s. **Petri de Calamis eccl.** → Calami eccl.
Petri domus → Petershusium
ss. **Petri et Pauli Blandiniense monast.** → Blandinium
s. **Petri fanum** → Petropolis
s. **Petri in monte Blandinio abbatia** → Blandinium
s. **Petri ins.:** San Pietro [Isola di San Pietro], Ins. im Golf von Tarent (Tarent), Ital.
s. **Petri monast.:** Saint-Pierre-le-Moutier (Nièvre), Frankr.
s. **Petri monast. super Divam:** Saint-Pierre-sur-Dives (Calvados), Frankr.
s. **Petri mons:** Petersberg in Erfurt (Pr. Sachsen), Deutschl.
s. **Petri vallis:** Heisterbach (Rheinprov.), Deutschl.
s. **Petri villa:** Petersdorf [Piechowice] (N-Schlesien, Kr. Hirschberg), Deutschl.
s. **Petri villa:** Petersdorf [Piotrówek] (N-Schlesien, Kr. Liegnitz), Deutschl.
Petri villa in Arduenna: Saint-Pierre-en-Ardenne (Luxemburg), Belg.
Petricordium → Petricorium
Petricorium, Petricordium, Petragoricum, Petrocorae, Petrogorica urbs, Vesonna, Vesunna: Périgueux (Dordogne), Frankr.
Petricorius pag.: Périgord, Landsch. (Dordogne), Frankr.
Petricovia: Piotrków Trybunalski [Petrikau, Petroków] (Lodz), Polen.
Petris civitas → Pirissa
Petriscum: Peyresq (Basses-Alpes), Frankr.
Petrishusa → Petershusium
Petrishusensis → Petershusium
Petrishusium → Petershusium
Petrius pons → Petrae pons
Petroburgum: Peterborough (Northamptonshire), Engl.
Petrocorae → Petricorium
Petrocoriorum aquae, Aquae sparsae: Aigueperse (Puy-de-Dôme), Frankr.
Petrogorica urbs → Petricorium
Petronella → Celeia
Petropolis, s. Petri fanum: Leningrad [St. Petersburg, Petrograd], UdSSR.
Petrosium: Peyrus (Drôme), Frankr.
Petrovaradinum, Cusis, Varadinope-

trum, Waradina Petri: Petrovaradin [Peterwardein, Pétervárad] (Vojvodina), Jugoslaw.

Petrucia: Peyrusse-le-Roc (Aveyron), Frankr.

Petrulla: Prezë [Prezija] (Durrës, Durazzo), Albanien.

s. Petrus → Tiburnia

s. Petrus apud Frezna → Tiburnia

s. Petrus de Intramontes → Intermontium

Petuera castr., Pitveris castr., Aviarium, Pithiverium, Pluverium: Pithiviers (Loiret), Frankr.

Peucelaotis: Peschawar [Peshawar, Pashāwar, Pischawar] (Pandschab), W-Pakistan.

Peyna → Boynum

Pferinga, Faringa, Feringa, Epona: Pförring (O-Bayern), Deutschl.

Pferretae → Ferrata

Pfirretum → Ferrata

Pforta: Pförten [Brody] (Brandenburg), Deutschl.

Pfyreta → Ferrata

Pfyretanus comit. → Suentensis pag.

Phabiranum → Brema

Phalandria → Flandria

Phalaya → Valeia

Phaleia → Valeia

Phalseburgum: Phalsbourg [Pfalzburg] (Moselle), Frankr.

Phanaria → Fanarum

Phaphena: Pfaffnau (Luzern), Schweiz.

Phardum → Fardium

Phetrewila, Phetruwila, Phetterwila: Petterweil (Hessen), Deutschl.

Phetruwila → Phetrewila

Phetterwila → Phetrewila

Pheugarum: abgeg. bei Paderborn (Westfalen), Deutschl.

Phigalia: Kato Fygalia (Peloponnes), Griechenl.

Philaeum → Groninga

Philippoburgum, Udenhemium: Philippsburg (Baden), Deutschl.

Philippopolis: Philippeville (Namur), Belg.

Philshofa: Vilshofen (N-Bayern), Deutschl.

Philyraea → Lindaugia

Philyreia → Lipsia

Phiretum → Ferrata

Phisconus mons → Faliscorum mons

Phladirtinga → Flardinga

Phlandria → Flandria

Phlantria → Flandria

Phorbantia → Buccina

Phorca, Phorcenum, Porta Hercyniae: Pforzheim (Baden), Deutschl.

Phorcenum → Phorca

Phorta → Porta

Phrisia → Frisia

Phrysia → Frisia

Physcon mons → Faliscorum mons

Physcus, Fisco: Marmaris (Muğla), Türkei.

Piacus: Piazza Armerina [Chiazza] (Caltanissetta), Ital.

Piano castra: Appiano [Eppan] (Bozen), Ital.

Picardia, Pychardia: Picardie [Pikardie], Landsch. u. eh. Prov. (Somme, Aisne, Oise, Pas-de-Calais), Frankr.

Picta curia → Beata curia

Pictaves → Pictavium

Pictavia → Britannia barbara

Pictavia → Pictavium

Pictaviensis insula → Cracina insula

Pictavium, Pictavia, Pictaves: Poitiers (Vienne), Frankr.

Pictonium promont.: Pointe de l'Aiguille, Vorgeb. (Vendée), Frankr.

Pictonum → Argento

Pienzenouwa: Pienzenau (O-Bayern), Deutschl.

Pieska, Piseka, Pyeska, Pisca: Písek (Böhmen), Tschechoslow.

Pietra curia → Beata curia

Pigavia → Pegavia

Pigneium: Piney (Aube), Frankr.

Pignizi: Prignitz, Landsch. (Brandenburg), Deutschl.

Pigrum mare, Cronium mare, Hyperboreum mare, Arctica terra: Nordpolarmeer [Nördl. Eismeer, Arctic ocean, North Polar Sea, Arktiske Hav, Nordishavet, Severny ledovity okean].

Pila: Bielach, Nfl. d. Donau (O-Österr.), Österr.

Pilavia, Pillavia, Pillaviensis portus: Pillau [Baltijsk] (O-Preußen), Deutschl.

Pileatus mons, Fractus mons: Pilatus, Berg am Vierwaldstätter See, Schweiz.

Pileno castrum: Billehnen [Billenau] (O-Preußen), Deutschl.

Piligardae mons → Beliardi mons

Pillavia → Pilavia

Pillaviensis portus → Pilavia

Pilna: Püllna (Böhmen), Tschechoslow.

Pilona, Pilonum, Pilsna: Plzeň [Pilsen] (Böhmen), Tschechoslow.

Pilonensis circulus: Pilsen [Plzeň], eh. Kr. (Böhmen), Tschechoslow.

Pilonum → Pilona

Pilsna → Pilona

Pinarolium: Pinerolo (Turin), Ital.

Pincerne cella: Schenkenzell (Baden), Deutschl.

Pincianum, Pissiacum, Pisciacense palatium: Poissy (Seine-et-Oise), Frankr.

Pinciniacum → Pequiniacum

Pinetum → Thannae

Pinga → Citrum

Pingia → Bingia

Piniferus mons, Hercinii montes, Hircanus saltus: Fichtelgebirge, Geb. (O-Franken), Deutschl.

Pinna Vestina: Penne (Pescara), Ital.

Pinsatus mons: Montpezat-de-Quercy (Tarn-et-Garonne), Frankr.

Pintia, Valdoletum, Oleti vallis, Vallistoletum: Valladolid (Valladolid), Span.

Pipini castrum, Pippium: Niederbipp (Bern), Schweiz.

Pippium → Pipini castr.

Pircha, Pirchaha: Pirka (N-Bayern), Deutschl.

Pirchaha → Pircha

Piribium: Bierbaum (N-Österr.), Österr.

Piricha: Pircha (Steiermark), Österr.

Piringa: Pürgen (O-Bayern), Deutschl.

Piriseum → Pirissa

Pirissa, Piriseum, Piritscum, Petris civ.: Pyritz [Pyrzyce] (Pommern), Deutschl.

Piritscum → Pirissa

Pirminisensna: Pirmasens (Bayern, RB. Pfalz), Deutschl.

Pirne, Pyrna, Pirnensis: Pirna (Sachsen), Deutschl.

Pirnensis → Pirne

Pirosa, Pirosorum villa: Villepreux (Seine-et-Oise), Frankr.

Pirosorum villa → Pirosa

Pirpoum: Ober- u. Unterbirnbaum bei Laibach (Slowenien), Jugoslaw.

Pirus mons, Abrahae mons: Heiligenberg, Berg bei Heidelberg (Baden), Deutschl.

Pisae: Poix (Somme), Frankr.

Pisca → Pieska

Piscaria: Peschiera del Garda (Verona), Ital.
Piscia: Pescia (Lucca), Ital.
Pisciacense palat. → Pincianum
Pisciacum: Pissy (Somme), Frankr.
Piscina, Fischinga, Vishina cella: Fischingen (Thurgau), Schweiz.
Piscini, Pisti: Peißen (Pr. Sachsen), Deutschl.
Piseka → Pieska
Pisinum: Pazin [Pisino, Mitterburg] (Kroatien, Istrien), Jugoslaw.
Pisonum → Posonium
Pisoraca: Pisuerga, Nfl. d. Duero (Valladolid), Span.
Pisrensis civ.: Pyzdry [Peisern] (Posen), Polen.
Pissiacum → Pincianum
Pissinga → Bisinga
Pistae: Pitres (Eure), Frankr.
Pisti → Piscini
Pithiverium → Petuera castr.
Pitovia: Piteå (Norrbotten), Schwed.
Pitveris castrum → Petuera castrum
Piugum: Poigen (N-Österr.), Österr.
Pladella villa: Bladel (N-Brabant), Niederl.
Plagense coenob., Slagense coenob.: Schlägl (O-Österr.), Österr.
Plaicha: Bleichheim (Baden), Deutschl.
Plana: La Plaine (Maine-et-Loire), Frankr.
Planities aurea → Aurea Tempe
Plannia: La Plaine-de-Walsch (Moselle), Frankr.
Plantedium: Piantedo (Sondrio), Ital.
Planura: Ebikon (Luzern), Schweiz.
Platea, Cabarnis, Demetrias, Hyria, Porci insula: Paros, Ins. (Kykladen), Griechenl.
Platena: Piadena (Cremona), Ital.
Platena: Platten (Rheinprov.), Deutschl.
Plavia, Plawensis, Plawia: Plaue (Brandenburg), Deutschl.
Plavia, Plawensis, Plawia: Plauen (Sachsen), Deutschl.
Plavis: Piave, Fl., Mü: Adriat. Meer (Venezien), Ital.
Plawensis → Plavia
Plawia → Plavia
Plebis castrum → Cadubrium
Plebis civ.: Città della Pieve (Perugia), Ital.
Plebisacum, Plevisacium, Plebisavia: Piove di Sacco (Padua), Ital.
Plebisavia → Plebisacum
Plebs Armagili: Ploërmel (Morbihan), Frankr.
Plebs Desiderii: Ploudiry (Finistère), Frankr.
Plebs Erdegati: Plouégat-Guérand (Finistère), Frankr.
Plesna: Pleß [Pszczyna] (Kattowitz), Polen.
Plesseium, Plexitium: Le Plessis-Dorin (Loir-et-Cher), Frankr.
Plevisacium → Plebisacum
Plexitium → Plesseium
Plisna → Altenburgum
Plisnensis → Orientalis plaga
Plisni → Orientalis plaga
Plissa: Pleiße, Nfl. der Weißen Elster (Sachsen), Deutschl.
Pliutmuntingas, Puttinga: Pleinting (N-Bayern), Deutschl.
Ploccensis palatin., Plocensis palatin.: Płock [Plozk], eh. Woiw. (Warschau), Polen.
Plocensis palatin. → Ploccensis palatin.
Plocensis urbs, Plocum: Płock [Plozk] (Warschau), Polen.
Plocum → Plocensis urbs

Ploena, Plunensis civ.: Plön (Schleswig-Holstein), Deutschl.
Plotinopolis → Didymotichus
Plozeka: Plötzkau (Anhalt), Deutschl.
Pludassis, Lodasco: Bludesch (Vorarlberg), Österr.
Plumarius lacus: Federsee, See (Württemberg), Deutschl.
Plumbata eccl., Valleta, s. Dionysius de Valleta: Vaux (Vienne), Frankr.
Plumbinum: Piombino (Livorno), Ital.
Plunensis civ. → Ploena
Plutium → Politianus mons
Pluverium → Petuera castr.
Plymuthium → Tamarae ostium
Poantium → Potentum
Pobinga, Bobinga: Bobingen (Bayern, RB. Schwaben), Deutschl.
Pocanum → Bauzanum
Pochinga: Pocking (N-Bayern), Deutschl.
Podamicus lacus → Potamicus lacus
Podarburnensis civ. → Paderbronna
Podelassia → Podlachia
Podelbrunnum → Paderbronna
Podemniacum: Polignac (Haute-Loire), Frankr.
Podentiniacum, Pontigniacum: Pontigny (Yonne), Frankr.
Podgoriensis distr., Submontanus distr.: Podgorica [Titograd], eh. Bez. (Montenegro), Jugoslaw.
Podgoriensis urbs: Titograd [Podgorica] (Montenegro), Jugoslaw.
Podiolum: Le Poujol-sur-Orb (Hérault), Frankr.
Podium Albarii: Puyloubier (Bouches-du-Rhône), Frankr.
Podium Andegavense: Le Puy-Notre-Dame [Le Puy-en-Anjou] (Maine-et-Loire), Frankr.
Podium Aniciense → Anicium Velavorum
Podium Celsum: Puycelci (Tarn), Frankr.
Podium Episcopi: Puy-l'Évêque (Lot), Frankr.
Podium Laurentii: Puilaurens (Aude), Frankr.
Podlachia, Bielcensis palatin., Podelassia, Podlassia, Podlesia, Polachia: Podlachien [Podlesien, Podlasie], Landsch. u. eh. Woiw. (Białistok, Warschau), Polen.
Podlassia → Podlachia
Podlesia → Podlachia
Podolia, Podoliae palatin.: Podolien, Landsch. u. eh. Woiw. (Ukrain. SSR), UdSSR.
Podoliae palatin. → Podolia
Podomus lacus → Potamicus lacus
Podona → Bodma
Poema → Bohemia
Poemia → Bohemia
Poenina vallis → Pennina vallis
Pogesania, Pogozania: Pogesanien, Landsch. am Frischen Haff (O-Preußen), Deutschl.
Pogozania → Pogesania
Pokarwis: Pokarben (O-Preußen), Deutschl.
Polachia → Podlachia
Polanus sinus → Carnivorus sinus
Poledi → Palidi
Polemniacum: Pouligny-Saint-Pierre (Indre), Frankr.
Polenia → Polonia
Polenorum regnum → Polonia
Poliago → Polliacum
Poliagum → Polliacum
Polichnium → Lignium
Polida → Palidi
Polimartium, Polymartium: Bomarzo [Polimarzio] (Viterbo), Ital.
Polimia → Polonia

Poliniacum: Poligny (Jura), Frankr.
Polinianum, Polymniacum, Turres Aurelianae, Turres Caesaris: Polignano a Mare (Bari), Ital.
Polita → Palidi
Polithi → Palidi
Politianus mons, Pulcianus mons, Plutium: Montepulciano (Siena), Ital.
Polliacum → Pauliacum
Polliacum, Poliago, Poliagum: Pouilley-les-Vignes (Doubs), Frankr.
Polliacum, Poliago, Poliagum: Pouilly-sur-Loire (Nièvre), Frankr.
Pollianum rus: Pogliano (Mailand), Ital.
Pollinga: Polling (O-Bayern), Deutschl.
Polmarcum: Pommard (Côte-d'Or), Frankr.
Polonia, Bolonia, Polimia, Polumia, Polenia, Polonica terra, Poloniae ducat., Polenorum regnum: Polen.
Polonia maior: Großpolen [Wielkopolska], d. nw. Teil v. Polen.
Polonia minor: Kleinpolen, d. sdl. Teil v. Polen.
Poloniae ducat. → Polonia
Polonica terra → Polonia
Polotia → Peltiscum
Polumia → Polonia
Polygium, Biliganum: Bouriège (Aude), Frankr.
Polymartium → Polimartium
Polymniacum → Poliniacum
Polytimetus: Zeravšan [Serafschan, Serawschan], Fl. in Usbekien (Usbekische SSR), UdSSR.
Pomagrium → Ebeltoftia
Pomaria → Pomerania
Pomarii montes: Baumgartenberg (O-Österr.), Österr.
Pomarium, Pomerium: Le Verger [Baumgarten] (Bas-Rhin), Frankr.
Pomerana terra → Pomerania
Pomerania → Pomesania
Pomerania, Bomerania, Pomoria, Pomeria, Pomaria, Pomerana terra, Pomeraniae ducat., Sclavia Poemitanea: Pommern, Landsch. u. Prov., Deutschl.
Pomerania citerior: Vorpommern, der wstl. Teil d. Pr. Pommern, Deutschl.
Pomerania ulterior, Cassubia: Hinterpommern [O-Pommern], der östl. Teil d. Pr. Pommern, Deutschl.
Pomeraniae ducat. → Pomerania
Pomeria → Pomerania
Pomerium → Pomarium
Pomesanensis episc. → Pomesania
Pomesania, Pomerania, Pomesanensis episc., Pomezania: Pomesanien [Pojezierze], Landsch. u. eh. Bistum östl. d. Weichsel (W-Preußen u. Woiw. Bromberg), Deutschl. u. Polen.
Pomezania → Pomesania
Pomonia: Mainland [Pomona], Ins. (Orkney Inseln), Schottl.
Pomoria → Pomerania
Pompejopolis → Pampalona
Pompilii forum, Poppium: Forlimpopoli (Forlì), Ital.
Pomptinus campus → Paludes Pomptinae
Pons → Gneum
Pons ad Velam → Velae pons
Pons Aelius → Novum castr. super Tynam
Pons de Arcis → Arcuatus pons
Pons Ferratus → Flavium Interamnium
Pons Gibaldi → Ubimum
Pons Ragnetrudis → Brundusia

Pons super Leytam → Brucca
Pons vetus → Pontus vetus
Pontana → Drogeda
Pontanus lacus: Lago di Lesina, See (Foggia), Ital.
Pontarlium, Arliae pons, Elaveris pons, Aelii Dubis pons, Ariarica pons: Pontarlier (Doubs), Frankr.
Ponteguni palatium, Pontigo: Ponthion (Marne), Frankr.
Pontesia → Pontisara
Ponticum mare → Nigrum mare
Ponticus comit. → Pontivus pag.
Pontigniacum → Podentiniacum
Pontigo → Ponteguni palat.
s. **Pontii Tomeriarum fanum, Tomeriae, Pontiopolis:** Saint-Pons-de-Thomières (Hérault), Frankr.
Pontilevium, Levius pons, Leviatus pons: Pontlevoy (Loir-et-Cher), Frankr.
Pontiliacum palatium, Pontiliacus ad Sagoram: Pontailler-sur-Saône (Côte-d'Or), Frankr.
Pontiliacus ad Sagoram → Pontiliacum palat.
Pontimussum → Mussipons
Pontiopolis → s. Pontii Tomeriarum fanum
Pontisara, Isarae pons, Briva Isarae, Brioisara, Pontoesia, Pontesia, Oesiae pons: Pontoise (Seine-et-Oise), Frankr.
Pontium → Pontivus pagus
Pontivensis comit. → Pontivus pag.
Pontivia → Pontivus pag.
Pontivus pag., Pontium, Pontivensis comit., Ponticus comit., Pontivia: Ponthieu, Landsch. u. eh. Grafschaft (Somme), Frankr.
Pontoesia → Pontisara
Pontum, Bruxia: Brüx [Most] (Böhmen), Tschechoslow.
Pontus: Bregenzer Ach, Fl., Mü: Bodensee (Vorarlberg), Österr.
Pontus Axenus → Nigrum mare
Pontus Euxinus → Nigrum mare
Pontus vetus, Pons vetus: Pontevedra (Pontevedra), Span.
Poperingae, Pupurnengabamum: Poperinge (W-Flandern), Belg.
Pophinga, Opiae, Popinga: Bopfingen (Württemberg), Deutschl.
Popinga → Pophinga
Poppium → Pompilii forum
Poras → Hierasus
Porcariola: Île de Porquerolles, Ins. der Îles d'Hyères (Var), Frankr.
Porcetensis → Porcetum
Porcetum, Porcetensis, Porchetum, Porschetum: Burscheid (Rheinprov.), Deutschl.
Porchetum → Porcetum
Porci insula → Platea
Porcianum castr.: Château-Porcien (Ardennes), Frankr.
Porena → Posna
Porocensis civitas: Preetz (Schleswig-Holstein), Deutschl.
Porschetum → Porcetum
Porta, Apostolorum porta: Postoloprty [Postelberg] (Böhmen), Tschechoslow.
Porta, s. Mariae porta, Portensis: Pforta [Schulpforta] (Pr. Sachsen), Deutschl.
Porta, Phorta: Pfordt (Hessen), Deutschl.
Porta Hercyniae → Phorca
Portensis → Porta
Portesium: Portese (Brescia), Ital.
s. **Portiani castra:** Saint-Pourçain-sur-Sioule (Allier), Frankr.
Portsmuthum → Magnus portus
Portugallensis civitas → Calensis
Portugallia interamnensis, Extrema Minii: Entre Minho e Douro, eh.

Prov. (Douro Litoral, Minho), Portug.
Portunata ins. → Curictum
Posa → Bosowa
Posania → Posonium
Posanium → Posonium
Posena → Posna
Posna, Porena, Posena, Poznani, Poznania, Pozonania, Posnani, Postnana, Postnania, Pozenanensis: Poznań [Posen] (Posen), Polen.
Posnani → Posna
Posonium, Pisonum, Posonum, Pozanum, Bosania, Bozanum, Posania, Posanium, Bosonium, Busonium, Bozonium, Bisonium, Brecislaburgum, Presburgum: Bratislava [Preßburg, Pozsony, Prešporok] (Slowakei), Tschechoslow.
Posonum → Posonium
Possavanus processus → Posseganus comit.
Possega → Basiana
Posseganus comit., Possegiensis comit., Possavanus processus: Požega [Slavonska Požega, Poschega, Pozsega], eh. ung. Komit. (Kroatien, Slawonieo), Jugoslaw.
Possegiensis comit. → Posseganus comit.
Postampium → Bostanium
Postclavium → Pesclavium
Postemum → Bostanium
Postnana → Posna
Postnania → Posna
Potamicum palat. → Bodma
Potamicus lacus, Podamicus lacus, Bodamicus lacus, Podomus lacus, Botamicus lacus, Acronius lacus, Brigantinus lacus, Venetus lacus, Angiensis Constantiensis lacus: Bodensee [Schwäbisches Meer], See, Deutschl., Schweiz u. Österr.
Potamum → Bodma
Potenreina: Bodenrain (O-Bayern), Deutschl.
Potentum, Poantium: Pouan-les-Vallées (Aube), Frankr.
Potestampium → Bostanium
Potinbrunno: Pottenbrunn (N-Österr.), Österr.
Potona → Bodma
Poucha: Buch (O-Bayern), Deutschl.
Poucha: Buch (O-Österr.), Österr.
Poundum → Bintensis abbatia
Powundia, Abenda: Powunden [Khrabovo] (O-Preußen), Deutschland.
Poynum → Boynum
Pozanum → Bauzanum
Pozanum → Posonium
Pozenanensis → Posna
Poznani → Posna
Poznania → Posna
Pozonania → Posna
Pozonium → Bauzanum
Prachensis villa: Prachatice [Prachatitz] (Böhmen), Tschechoslow.
Praecopia, Taphros: Perekop (Krim), UdSSR.
Praegantinum → Brigantium
Praejulia vallis → Bergallia vallis
Praellum: Presles (Seine-et-Oise), Frankr.
Praemonstratum → Pratum monstratum
Praga, Braga, Praha, Pragensis, Bojobinum: Praha [Prag], Hst. d. Tschechoslow.
Pragensis → Praga
Praha → Praga
Prama: Pram (O-Österr.), Österr.
Prasia Elysiorum, Thalloris, Viridis mons: Grünberg [Zielona Góra] (N-Schlesien), Deutschl.
Prasum promont.: Kap Delgado

[Cabo Delgado], Kap (Indischer Ozean), Moçambique.
Pratense monast. → s. Germani a pratis monast.
Pratentia castra → Austravia
Pratum: Prato (Florenz), Ital.
Pratum: Wies (O-Bayern), Deutschl.
Pratum Benedictum: Le Prébenoît, Kl. (Creuse), Frankr.
Pratum Donziaci → Domitiacum
Pratum molle: Prémol, Kl. (Isère), Frankr.
Pratum monstratum, Praemonstratum: Prémontré (Aisne), Frankr.
Prebis → Prebus
Prebus, Prebussensis, Prebis: Priebus [Przewóz] (N-Schlesien), Deutschl.
Prebussensis → Prebus
Preciacum: Précy-sous-Thil (Côte-d'Or), Frankr.
Preciacum: Prissey (Côte-d'Or), Frankr.
Pregella, Pregora, Pregolla, Prigora: Pregel [Pregolya], Fl., Mü: Ostsee (O-Preußen), Deutschl.
Pregentium → Brigantium
Pregmensis civ. → Brema
Pregolla → Pregella
Pregora → Pregella
Premensis → Brema
Premeriacum: Prémery (Nièvre), Frankr.
Premestescella → Promcella
Premislavia, Primislavia, Primslaum, Prinslaviensis: Prenzlau (Brandenburg), Deutschl.
Premislia: Przemyśl (Rzeszów), Polen.
Presburgum → Posonium
Presbyteri mons: Montpreveyres (Waadt), Schweiz.
Presbyteronesus: Præstø (Seeland), Dänem.
Pressena → Brixia
Pretimi: Prettin (Pr. Sachsen), Deutschl.
Prettenselida: Breitenbach (O-Österr.), Österr.
Prigora → Pregella
Prima Guardia → Bremogartum
Primda → Prymida
Primislavia: Primkenau [Przemków] (N-Schlesien), Deutschl.
Primislavia → Premislavia
Primma: Prim, Nfl. d. Neckar (Württemberg), Deutschl.
Primslaum → Premislavia
Principis cella, Principum campus: Fürstenfeld (Steiermark), Österr.
Principum campus → Principis cella
Prinda → Prymida
Prinslaviensis → Premislavia
Pripetius: Pripet [Pripjat, Prypec], Nfl. des Dnjepr (Weißruss. SSR), UdSSR.
Prisaca → Brisacum
Prisacha → Brisacum
Prisatina → Byssa
Prisciniacum: Brignais (Rhône), Frankr.
Prisgauvensis pag. → Brisgovia
Prisigavia → Brisgovia
Prisna → Brixia
Prissaugia → Brisaca
Prissia → Brixia
Pritzes castr.: Pritzen (Brandenburg), Deutschl.
Priunciae monasterium → Pruma
Privatum: Privas (Ardèche), Frankr.
Prividia: Prievidza [Priwitz, Priewitz, Privigye] (Slowakei), Tschechoslow.
Prixia → Brixia
Prixinona → Brixia
Prizia → Brixia
Probatopolis, Scaphusum, Scaphusa, Schaffhusium, Schaffhusa, Sebas-

thusia, Scafusa, Scafhusensis, Scapeshusensis, Zafusensis**: Schaffhausen, Schweiz.

Procia: La Brosse-Montceaux (Seine-et-Oise), Frankr.

Procolitia → Colcestria

Procrinium: Périgny-sur-Loire (Allier), Frankr.

Proculus mons → Bructerus mons

Proczanum: Protzan [Zwrócona] (N-Schlesien), Deutschl.

Prodonia: Sphagia [Sphakteria], Ins. (Ionisches Meer), Griechenl.

Promcella, Premestescella: Bronzell (Hessen-Nassau), Deutschl.

Promia → Pruma

Promontorium: Promentoux (Waadt), Schweiz.

Pronectus: Karamürsel (Kocaeli), Türkei.

Prostanna: Prostějov [Proßnitz] (Mähren), Tschechoslow.

Provincia, Salaviorum terra, Salyor terra: Provence, Landsch. u. eh. Prov. (Bouches-du-Rhône, Var, Alpes-Maritimes, Basses-Alpes, Vaucluse), Frankr.

Provincia Transtagana: Alemtejo [Alentejo] Prov., Portug.

Provinum, Provisina, Pruvinum: Provins (Seine-et-Marne), Frankr.

Provisina → Provinum

Prucca: Bruck a. Chiemsee (O-Bayern), Deutschl.

Prucca → Brucca

Prucha → Brucca

Prucia → Prussia

Prueffiingensis → Pruena

Pruena, Pruvnigensis, Pruvingensis, Prueffiingensis: Kleinprüfening (O-Pfalz), Deutschl.

Pruka: Bruck (O-Bayern, BA. Pfaffenhofen), Deutschl.

Prukensis → Brucca

Prulliacum: Preuilly-sur-Claise (Indre-et-Loire), Frankr.

Pruma, Prumea, Prunna, Prunnia, Promia, Prumiensis abbatia, Priunciae monasterium: Prüm (Rheinprov.), Deutschl.

Prumea → Pruma

Prumia: Prüm, Nfl. der Sauer (Rheinprov.), Deutschl.

Prumiensis abbatia → Pruma

Prunna → Pruma

Prunni: Brunnkirchen (N-Österr.), Österr.

Prunnia → Pruma

Prunoi → Braunodunum

Prunowa: Braunau (O-Bayern), Deutschl.

Prusca → Brusca

Pruscena prov. → Prussia orientalis

Pruscia → Prussia

Pruscieterra → Prussia orientalis

Prusia → Prussia

Prussia, Pruscia, Prucia, Pruzzia, Borussia, Brussia, Prusia, Bruscia: Preußen, Land, Deutschl.

Prussia occidentalis: Westpreußen, eh. Prov., Deutschl. u. Polen.

Prussia orientalis, Bruscia, Pruscena prov., Pruscieterra, Prussia regia, Prussia superior: Ostpreußen, Prov., Deutschl.

Prussia regia → Prussia orientalis

Prussia superior → Prussia orientalis

Pruvingensis → Pruena

Pruvinum → Provinum

Pruvnigensis → Pruena

Pruzzia → Prussia

Pryelensis → Bruolensis

Prymida, Primda, Prinda, Przimda, Przinda: Přimda [Pfraumberg] (Böhmen), Tschechoslow.

Przimda → Prymida

Przinda → Prymida

Pscovia: Pskov [Pleskau] (Leningrader Gebiet), UdSSR.
Pseudunum: Semond (Côte-d'Or), Frankr.
Ptolemais → Acco
Pucensis civ.: Putzig [Puck] (Pommerellen), Polen.
Pucha: Puch (N-Österr.), Österr.
Puchovium: Púchov [Puhó] (Slowakei), Tschechoslow.
Pucinum → Duinum
Pudentiacum: Pouancé (Maine-et-Loire), Frankr.
Puellarum Balma → Balma Puellarum
Puellarum castra → Alata castra
Puellarum mons → Pessulanus mons
Puera minor: Niederbüren (St. Gallen), Schweiz.
Puerinum: Le Pouget (Hérault), Frankr.
Pugum → Buchsa
Puhila: Buehl a. Alpsee (Bayern, RB. Schwaben), Deutschl.
Puhila: Pichl (O-Bayern), Deutschl.
Puira: Buers (Vorarlberg), Österr.
Pulchra insula → Bellinsula
Pulcianus mons → Politianus mons
Pulinga: Pfullingen (Württemberg), Deutschl.
Pulka, Pultka: Pulkau (N-Österr.), Österr.
Pultka → Pulka
Puppinga: Pupping (O-Österr.), Österr.
Pupulum: Pula (Cagliari), Ital.
Pupurnengabamum → Poperingae
Pura → Buria
Purckraina: Burgrain (O-Bayern), Deutschl.
Purcstalla: Burgstall (O-Bayern), Deutschl.
Purgilinum → Burgalis
Puronensis → Buria
Pusilia castra: Posilge [Żuławka] (O-Preußen), Deutschl.
Pustriosa vallis, Pyrastarum vallis: Pustertal [Val Pusteria] (O-Tirol, Bozen), Öster. u. Ital.
Puteolus: Puiseaux (Loiret), Frankr.
Putina: Pitten (N-Österr.), Österr.
Putridi campi: Pourrières (Var), Frankr.
Putridum mare: Faules Meer [Ozero Sivaš, Gniloje more, Siwasch-Bucht], Teil des Asowschen Meeres, UdSSR.
Puttinga → Pliumuntingas
Pychardia → Picardia
Pyeska → Pieska
Pylae Albanicae, Ferrea porta: Derbent (Dagestan. SSR), UdSSR.
Pyrastarum vallis → Pustriosa vallis
Pyrenaeus mons, Brennus, Pyrius, Pyricaeus mons, Pyrendum: Brenner [Brennero], Paß (Tirol), Österr.
Pyrendum → Pyrenaeus mons
Pyreneschia: Büren (Bern), Schweiz.
Pyretus → Hierasus
Pyricaeus mons → Pyrenaeus mons
Pyrius → Pyrenaeus mons
Pyrna → Pirne

Q

Quadrabitis → Grabidis
Quadrata → Carolostadium
Quadrata → Ratisbona
Quadravedes → Grabidis
Quadraves → Grabidis
Quadrellensis pag. → Quadrigellensis pag.
Quadrigellae → Caroliae
Quadrigellensis pag., Quadrellensis pag., Carolesium: Charolais [Charollais], Landsch. (Saône-et-Loire), Frankr.
Quaetus: Mirna [Quieto], Fl., Mü: Adriat. Meer (Kroatien, Istrien), Jugoslaw.
Quantula: Kundl (Tirol), Österr.
Quarta super Sambram: Quartes (Hennegau), Belg.
Quartinaha: Schwarzenbach (N-Österr.), Österr.
Quarto: Quarten (St. Gallen), Schweiz.
Quasa → Wasensis pag.
Quattuor officia, Flandria Selandensis, Zelandia Flandrensis: Quatre métiers [Land der vier Ambachten, Zeeuwsch Vlaanderen, Seeländisch-Flandern], Landsch. (Seeland), Niederl.
Quattuor oppidorum lacus → Helveticus lacus
Quattuor regionum lacus → Helveticus lacus
Quattuor rotae, Ad quattuor rotas: Vierraden (Brandenburg), Deutschl.
Quedlinburgum, Ad altam arborem, Cotelini aula, Quidelingeburgum, Quittiligenburgensis civ.: Quedlinburg (Pr. Sachsen), Deutschl.
Quekkaha: Queck (Hessen), Deutschl.
Quentia, Cantius, Cancitis: Canche, Fl., Mü: Ärmelkanal (Pas-de-Calais), Frankr.
Quentovicus → Vicus portus
Quercetum: Quesnoy-sur-Deûle (Nord), Frankr.
Quercus: Eich (Sachsen, KH. Zwickau), Deutschl.
Quercus populosa: Le Chesne (Ardennes), Frankr.
Quercuum peninsula: Ekenäs [Tammisaari], Ort u. Halbins. (Uusimaa), Finnland.
Querimoniae vadus, Klagenfurtum: Klagenfurt (Kärnten), Österr.
Quernofurtum: Querfurt (Pr. Sachsen), Deutschl.
Quevilliacum: Le Grand-Quévilly (Seine-Maritime), Frankr.
Quidelingeburgum → Quedlinburgum
Quidinum: Quetzin [Kukinia] (Pommern), Deutschl.
Quidmihiquaeris: Commequiers (Vendée), Frankr.
Quilebodum → Quilebovium
Quilebovium, Quilebodum: Quillebeuf-sur-Seine (Eure), Frankr.
Quimperlacum, Quimperlegium, Kimperlacum: Quimperlé (Finistère), Frankr.
Quimperlegium → Quimperlacum
Quinque basilicae, Quinque ecclesiae Serbium: Pécs [Fünfkirchen] (Baranya), Ung.
Quinque ecclesiae Serbium → Quinque basilicae
Quinque Martes: Cinq-Mars-la-Pile (Indre-et-Loire), Frankr.

Quinque montes: Fiefbergen (Schleswig-Holstein), Deutschl.
Quintanis → Austravia
Quintiana castra: Künzing (N-Bayern), Deutschl.
s. Quintini fan. → Quintinianum
Quintinianum, s. Quintini fan., Quintinopolis, Sanquintinum, Augusta Verumanduorum: Saint-Quentin (Aisne), Frankr.
Quintinopolis → Quintinianum
Quintoforum, Ladislavii oppid.: Spišský Štvrtok [Donnersmarkt, Csütörtökhely, Csörtötökhely] (Slowakei), Tschechoslow.
Quiriaca aula, Quiriaci aula: Guérande (Loire-Atlantique), Frankr.
Quiriaci aula → Quiriaca aula
Quistirna: Twiste, Nfl. der Diemel (Hessen-Nassau, Westfalen), Deutschl.
Quisus: Queis [Kwisa], Nfl. des Bober [Bóbr] (N-Schlesien), Deutschl.
Quittiligenburgensis civ. → Quedlinburgum

R

Raba, Rabus, Arrabo, Arrobo, Rafa, Rapa, Hrapa, Hraba, Rabaniza, Rhaba: Raab [Rába], Nfl. der Donau (Györ-Sopron), Ung.
Rabae civ. → Gereorenum
Rabanitza: Rabnitz [Répce, Rábca], Nfl. der Raab (Burgenland, Györ-Sopron), Österr. u. Ung.
Rabaniza → Raba
Rabariae: Ravières (Yonne), Frankr.
Raboldi rupes → Rappolti petra
Rabus → Raba
Raceburgensis eccl. → Ratzeburgum
Rachova: Groß Raake [Raków Wielky] (N-Schlesien), Deutschl.
Rachova: Klein Raake [Raków Mały] (N-Schlesien), Deutschl.
Raciacensis pag. → Ratiatensis pag.
Raclitanum → Halicanum
Raconisium: Racconigi (Cuneo), Ital.
Racospurgum: Radkersburg (Steiermark), Österr.
Racovia: Raków (Kielce), Polen.
Racownicensis civ.: Rakovnik [Rakonitz] (Böhmen), Tschechoslow.
Racza: Raabs a. d. Thaya (N-Österreich), Österr.
Radaha, Rodaha: Rodach, Nfl. d. Main (O-Franken), Deutschl.
Radantia, Ratanza, Ratenza, Radianta, Radinzca: Rednitz u. Regnitz, Nfl. des Main (M-Franken), Deutschl.
Radaspona → Ratisbona
Radenbeki: Radenbeck (Hannover), Deutschl.
Raderai: Raderach (Baden), Deutschl.
Radespona → Ratisbona
Radeverum: Reviers (Calvados), Frankr.
Radi: Rhade (Westfalen), Deutschl.
Radianta → Radantia
Radili: Radl (N-Österr.), Österr.
Radinga, Ridinga: Reading (Berkshire), Engl.
Radinzca → Radantia
Radis ins. → Cracina ins.
Radisbona → Ratisbona
Radispona → Ratisbona

Radistharpa: Rästrup (Westfalen), Deutschl.

Rado: Raon-l'Étape (Vosges), Frankr.

Radolfeshamomarca, Radulfovilla: Rottelsheim (Bas-Rhin), Frankr.

Radolphi cella, Rudolphi cella: Radolfzell (Baden), Deutschl.

Radomia: Radomierz [Radomitz] (Posen), Polen.

Radomia: Radomyśl Wielki (Rzeszów), Polen.

Radonia ad Sanum: Radomyśl nad Sanem (Rzeszów), Polen.

Radstadium: Radstadt (Salzburg), Österr.

Radulfi castr., Rufum castr.: Châteauroux (Indre), Frankr.

Radulfovilla → Radolfeshamomarca

Raegina → Ratisbona

Raeitenhasta: Raitenhaslach (O-Bayern), Deutschl.

Raetia curiensis → Grisonia

Raetiaria → Ratiaria

Rafa → Raba

Raganita → Ragnita

Ragates curtis: Ragaz (St. Gallen), Schweiz.

Ragnetum → Ragnita

Ragnita, Raganita, Ragnetum, Rangnetha: Ragnit [Neman] (O-Preußen), Deutschl.

Ragusinus → Rhaugia

Raina, Clarenna ad Lici confluentem: Rain (O-Bayern), Deutschl.

Rainaldi castellum → Caramentum

Rainardi castell. → Vulpense castr.

Raitenbouchensis villa: Raitenbuch (M-Franken), Deutschl.

Ramae: Rame, abgeg. bei Guillestre (Hautes-Alpes), Frankr.

Ramberti villare: Rambervillers (Vosges), Frankr.

Ramboletum, Rambolitum: Rambouillet (Seine-et-Oise), Frankr.

Rambolitum → Ramboletum

Rameniae → Rumegnies

Ramerici mons → s. Romarici mons

Ramertum → Martoranum

Ramerus: Ramerupt (Aube), Frankr.

Ramesia, Ramesium, Rimnus: Ramsey (Isle of Man), Engl.

Ramesium → Ramesia

Rameslonensis → Ramsola

Ramla: Ramelau (O-Österr.), Österr.

Rammashuvilla → Asthuvilla

Rampha: Ramblach (N-Österr.), Österr.

Ramsola, Rameslonensis: Ramelsloh (Hannover), Deutschl.

Ramuscia → Remusium

Rancinga: Rinchnach (N-Bayern), Deutschl.

Randanum: Randan (Puy-de-Dôme), Frankr.

Randrusia, Randrusium: Randers (Jütland), Dänem.

Randrusium → Randrusia

Randyno: Ransern [Rędzin] (N-Schlesien), Deutschl.

Rangnetha → Ragnita

Rangvila: Rankweil (Vorarlberg), Österr.

Rani → Rugia

Ranislum: Ranica (Bergamo), Ital.

Rannes: Rans (St. Gallen), Schweiz.

Ranorum cella: Hoppetenzell (Baden), Deutschl.

Ranshova: Ranshofen (O-Österr.), Österr.

Raodhaha → Rota

Raodora → Rodaha

Rapa → Raba

Rapida castra: El-Goléa, Oase am Großen Wstl. Erg (Dép. Oasis), Algerien.

Rapidus fons → Fontarabia

Rapistagnum: Rabastens (Tarn), Frankr.

Rappolti petra, Raboldi rupes: Rappoltstein, eh. Grafsch. (Haut-Rhin), Frankr.

Rappolti villa: Ribeauvillé [Rappoltsweiler] (Haut-Rhin), Frankr.

Raprehteswillare: Alt Rapperswil, Ru. (Bern), Schweiz.

Raptum promont.: Formoso, Kap, Nigeria.

Rara: Groß u. Klein Rohrheim (Hessen), Deutschl.

Rarapia: Ferreira do Alentejo (Baixo Alentejo), Portug.

Rasbaci: Rebecq-Rognon [Roosbeek] (Brabant), Belg.

Rasbacis, Resbacum, Rebacium: Rebais (Seine-et-Marne), Frankr.

Rasina: Rânes (Orne), Frankr.

Rasinanum → Ad Fines

Rastedensis vicus: Rastede (Oldenburg), Deutschl.

Ratae Coritanorum → Leicestria

Ratanza → Radantia

Ratena: Rathen (O-Österr.), Österr.

Ratenza → Radantia

Ratheborgensis → Ratiboria

Ratiaria: Arčar [Artschar, Akčar, Aktschar] (Mihajlowgrad), Bulgarien.

Ratiaria, Raetiaria: Palanka [Smederevska Palanka] (Serbien), Jugoslaw.

Ratiastum → Engolisma

Ratiatensis: Rezé (Loire-Atlantique), Frankr.

Ratiatensis pag., Raciacensis pag.: Retz [Pays de Rais], Landsch. u. eh. Hgt. (Loire-Atlantique), Frankr.

Ratiborgensis → Ratiboria

Ratiboria, Ratmaria, Ratiborgensis, Ratheborgensis: Ratibor [Racibórz] (O-Schlesien), Deutschl.

Ratisbona, Ratispona, Radaspona, Radespona, Radisbona, Radispona, Reginopolis, Regina castra, Regnia, Reginoburgum, Regino urbs, Raegina, Imbripolis, Imbripolitanus, Tiberina, Tiberia, Tiburina, Tiburnia, Hyatospolis, Hierapolis, Hiaspolis, Quadrata, Ratispolis, Regisburgium: Regensburg (O-Pfalz), Deutschl.

Ratispolis → Ratisbona

Ratispona → Ratisbona

Ratmaria → Ratiboria

Ratostathybius: Wye [Gwy], Nfl. des Severn (Monmouthshire), Engl.

Ratumagus → Rothomagus

Ratzeburgum, Raceburgensis eccl.: Ratzeburg (Schleswig-Holstein), Deutschl.

Rauciacum, Rausiacum, Rauziacum palat., Rouceium, Rouciacum, Rucci castr.: Roucy (Aisne), Frankreich.

Raudii campi → Raudius campus

Raudius campus, Raudii campi: die Raudischen Felder, Ebene bei Vercelli (Novara), Ital.

Rauga, Rhodium, Rodium, Rodrina: Roye (Somme), Frankr.

Rauracense castrum: Kaiseraugst bei Augst (Aargau), Schweiz.

Rauranum: Rom (Deux-Sèvres), Frankr.

Rausiacum → Rauciacum

Rautena, Ruda, Rudna: Raudten [Rudna Miasto] (N-Schlesien), Deutschl.

Rautinas → Retina

Rauziacum palat. → Rauciacum

Ravellum: Revello (Salerno), Ital.

Ravena: Rawis (St. Gallen), Schweiz.

Ravensburgum: Ravensburg (Württemberg), Deutschl.
Ravenstenium: Ravenstein (N-Brabant), Niederl.
Ravicium: Rawicz [Rawitsch] (Posen), Polen.
Raxa: Recknitz, Fl., Mü: Ostsee (Mecklenburg), Deutschl.
Raygradense monast., Regera: Rajhrad [Großraigern] (Mähren), Tschechoslow.
Rea ins. → Cracina ins.
Reacus → Cracina ins.
Reamnis, Riamio, Riamnas: Reams [Riom] (Graubünden), Schweiz.
Rebacium → Rasbacis
Rebdorfium: Rebdorf (M-Franken), Deutschl.
Rebellum: Revel (Haute-Garonne), Frankr.
Recens lacus, Recens mare, Venedicus lacus, Habus: Frisches Haff [Zalew Wiślany, Kaliningradskiy Zaliv] (Ost- u. W-Preußen), Deutschl.
Recens mare → Recens lacus
Rechersbergensis, Richerspergensis vicus: Reichersberg (O-Österr.), Österr.
Recia → Retia
Recifensis → Fermanbocum
Recinetum: Recanati (Macerata), Ital.
Recza: Retz (N-Österr.), Österr.
Reddensis comitatus, Redensis pagus: Redez, eh. Grafsch. (Aude), Frankr.
Redensis pag. → Reddensis comit.
Redinum: Radzyń Chełmńiski [Rehden] (Bromberg), Polen.
Redinum: Redden bei Domnau [Domnovo](O-Preußen), Deutschland.
Redlinga → Rietelinis villa
Redones, Redonis, Condate: Rennes (Ille-et-Vilaine), Frankr.
Redonis → Redones
Reessium → Resa
Refta: Recht (Rheinprov.), Deutschl.
Regale castr.: Castroreale (Messina), Ital.
Regalis: Riegel (Baden), Deutschl.
Regalis → Regiomontium
Regalis locus: Royaulieu, Kl. (Oise), Frankr.
Regalis mons: Monreale (Palermo), Ital.
Regalis mons: Monterrey (Orense), Span.
Regalis mons: Montréal (Aude), Frankr.
Regalis mons: Montréjeau (Haute-Garonne), Frankr.
Regalis mons: Réaumont (Isère), Frankr.
Regalis mons: Royaumont (Seine-et-Oise), Frankr.
Regalis mons → Regiomontium
Regalis mons, Vici mons: Mondovì (Cuneo), Ital.
Regalis villa: Réalville (Tarn-et-Garonne), Frankr.
Reganum, Rezna: Regen, Nfl. der Donau (O-Pfalz), Deutschl.
Regensis sinus → Livonicus sinus
Regera → Raygradense monast.
Regia: Omagh (Co. Tyrone), N-Irland.
Regia aula: Zbraslav [Königsaal] (Böhmen), Tschechoslow.
Regia aula → Aulica
Regia civ.: Ciudad Real (Ciudad Real), Span.
Regia curia → Regis curia
Regia insula → Cracina insula
Regia villa → Regis curia

Regiae aulae monasterium → Regis curia
Regiana, Regina: Puebla de la Reina (Badajoz), Span.
Regianum → Novioregum
Regimagium, Regiomagium, Remagum, Rigemacensis, Rigemago: Remagen (Rheinprov.), Deutschl.
Regina → Regiana
Regina → Regium Calabriae
Regina, Regius mons: Rigi, Berg (Schwyz), Schweiz.
Regina castra → Ratisbona
Reginaldi castrum → Caramentum
Regino urbs → Ratisbona
Reginoburgum → Ratisbona
Reginopolis → Ratisbona
Regio Aemilia, Regio Flaminia, Romandiola: Romagna, Landsch. (Bologna, Ravenna, Ferrara, Forlì), Teil der Emilia-Romagna, Ital.
Regio Flaminia → Regio Aemilia
Regio metallifera → Miriquidni
Regiodunum, Duni castr., Dunum regis: Dun-sur-Auron [Dun-le-Roi] (Cher), Frankr.
Regiomagium → Regimagium
Regiomontium, Regalis, Regius mons, Regis mons, Konsbergum: Königsberg [Kaliningrad] (O-Preußen), Deutschl.
Regiomontium, Regalis mons, Regius mons, Regis mons, Nova fodina: Nová Baňa [Königsberg, Újbánya] (Slowakei), Tschechoslow.
Regiopolis: Kingston upon Thames (Co. Surrey), Engl.
Regis campus → Regius campus
Regis comit.: King's County [Offaly, Contae Uíbh Fhailí], Grafsch., Eire.
Regis curia, Regia villa, Regia curia, Regiae aulae monast.: Königshofen i. Grabfeld (U-Franken), Deutschl.
Regis curia ad Albim: Králův Dvůr [Königshof] (Böhmen), Tschechoslow.
Regis curia Badensis: Königshofen a. d. Tauber (Baden), Deutschl.
Regis mons → Regiomontium
Regis saxum: Königstein, Fstg. (Sachsen), Deutschl.
Regisburgium → Ratisbona
Regiteste, Regitestium, Rethelium, Retellum, Retextum, Rotila: Rethel (Ardennes), Frankr.
Regitestensis ager, Retetensis ager: Rethelois, eh. Landsch. um Rethel (Ardennes), Frankr.
Regitestium → Regiteste
Regium, Rhegium, Reji: Riez (Basses-Alpes), Frankr.
Regium Aemiliae → Regium Ligusticum
Regium Calabriae, Regium Julii, Regina: Reggio Calabria [Reggio di Calabria] (Kalabrien), Ital.
Regium Galliae togatae → Regium Ligusticum
Regium Julii → Regium Calabriae
Regium Ligusticum, Regium Lingobardiae, Regium Longobardiae, Regium Aemiliae, Regium Galliae togatae: Reggio Emilia [Reggio nell'Emilia] (Emilia-Romagna), Ital.
Regium Lingobardiae → Regium Ligusticum
Regium Longobardiae → Regium Ligusticum
Regius campus, Regis campus: Königsfelden (Aargau), Schweiz.
Regius locus: Lury-sur-Arnon (Cher), Frankr.
Regius mons → Regina
Regius mons → Regiomontium

Regius portus: Port-Royal-de-Champs, eh. Kl. bei Versailles (Seine-et-Oise), Frankr.
Regius portus: Puerto Real (Cádiz), Span.
Regna, Regnus, Ruconium: Reghin [Sächsisch-Reen, Sächsisch-Regen, Reghinul Săsesc, Szászrégen] (Siebenbürgen), Rumän.
Regnia → Ratisbona
Regnitiana curia → Bavarica curia
Regnitiorum curia → Bavarica curia
Regnum: Ringwood (Hampshire), Engl.
Regnum Francorum, Francie regnum, Francia, Frantia: Fränkisches Reich [das Frankenreich im MA.].
Regnus → Regna
Regula, Reola: La Réole (Gironde), Frankr.
Reguli fanum → Andreopolis
Rehei: Rheda (Westfalen), Deutschl.
Reichenavia → Augia insula
Reichenstenium → Richenstenium
Reichstadium: Zákupy [Reichstadt] (Böhmen), Tschechoslow.
Reidensis vicus, Hreidensis vicus: Oster- u. Westerreide, untergegangen im Dollart (Hannover), Deutschl.
Reji → Regium
Reimiswilare: Remetswil (Aargau), Schweiz.
Reithasela: Raithaslach (Baden), Deutschl.
Reitnova: Reitnau (Aargau), Schweiz.
Relatus mons → Relaxus
Relaxus, Relatus mons, Morlaeum: Morlaix (Finistère), Frankr.
Remagum → Regimagium
Remedii → Remusium
Remensis pag. → Remorum pag.
Remi, Remus, Remis, Remorum civ., Durocortorum Remorum: Reims (Marne), Frankr.
Remicha: Remich (Grevenmacher), Luxemburg.
s. Remigii fanum: Saint-Rémy-de-Provence (Bouches-du-Rhône), Frankr.
Remis → Remi
Remis, Rimi: Rehme (Westfalen), Deutschl.
Remnidi: Remda (Thüringen), Deutschl.
s. Remogii fan., s. Remuli civ., Matusia: San Remo (Imperia), Ital.
Remorum civitas → Remi
Remorum pag., Remensis pag.: Rémois, Landsch. u. eh. Gau um Reims (Marne), Frankr.
s. Remuli civ. → s. Remogii fan.
Remus → Remi
Remusium, Remedii, Ramuscia: Ramosch [Remüs] (Graubünden), Schweiz.
Rendesburgum: Rendsburg (Schleswig-Holstein), Deutschl.
Reneka: Rieneck (U-Franken), Deutschl.
Renensis → Rhenensis pag.
Renfroana: Renfrew (Renfrewshire), Schottl.
Reni Francia → Francia occidentalis
Reningellae → Riningae
Rensa: Rhense [Rhens] (Rheinprov.), Deutschl.
Rentica: Renty (Pas-de-Calais), Frankr.
Renus → Rhenus
Reola → Regula
Reontium, Sirio: Rions (Gironde), Frankr.
Repagowi: Ober- u. Unterregau (O-Österr.), Österr.

Reparia Bella → Bella Reparia
Requini curia → s. Leodegarius subtus Brenam
Resa, Reza, Ressa, Resia, Reessium: Rees (Rheinprov.), Deutschl.
Resaina, Theodosiopolis: Râs el'Aïn (Deir ez Zor), Syrien.
Resbacum → Rasbacis
Resela: Rößel [Reszel] (O-Preußen), Deutschl.
Resetum, Rosetum, Roseium: Rozay-en-Brie (Seine-et-Marne), Frankr.
Resia → Resa
Resinum: Resina (Neapel), Ital.
Resonus fons, Tumultuarius fons: der Bullerborn, Quelle bei Altenbeken (Westfalen), Deutschl.
Ressa → Resa
Resta: Reest, Nfl. d. Vecht (Overijssel), Niederl.
Restello → Belemum
Retellum → Regiteste
Retetensis ager → Regitestensis ager
Retextum → Regiteste
Rethehorna: Rethorn (Oldenburg), Deutschl.
Rethelium → Regiteste
Rethia: Le Roeulx (Hennegau), Belg.
Rethymna, Rethymnia: Réthymnon [Rethimnon, Réthumnon, Resmo] (Kreta), Griechenl.
Rethymnia → Rethymna
Retia, Recia, Rhiusiava, Retiensis pag.: Ries, Ebene d. Wörnitz (Bayern, RB. Schwaben), Deutschl.
Retiensis pag. → Retia
Retina, Rautinas: Röthis (Vorarlberg), Österr.
Retmaerslevo → Retmerslevo curtis
Retmerslevo curtis, Retmaerslevo: Rottmersleben (Pr. Sachsen), Deutschl.
Reussia, Rusa, Rusia, Ursa, Ruisa, Ruesa: Reuß, Nfl. d. Aare (Aargau), Schweiz.
Revalia, Revela, Revelia, Revelis, Rivalia, Revelensis: Tallinn [Reval] (Estland), UdSSR.
Revela → Revalia
Revelensis → Revalia
Revelia → Revalia
Revelis → Revalia
Revelli mons: Montrevault (Maine-et-Loire), Frankr.
Revessio: Saint-Paulien (Haute-Loire), Frankr.
Revignum → Rivonium
Revilliacum, Ruilliacus vicus: Reuilly (Indre), Frankr.
Revinum: Revin (Ardennes), Frankr.
Reykranes: Reykjavik, Hst. v. Island.
Reza → Resa
Rezna → Reganum
Rezowiensis civ.: Riesa (Sachsen), Deutschl.
Rhaba → Raba
Rhaedestus: Tekirdağ [Rodosto] (Thrakien), Türkei.
Rhaetia prima → Grisonia
Rhaetia superior → Grisonia
Rhaetica castra: Gaster, Landsch. (St. Gallen), Schweiz.
Rhaetica vallis, Rhaetigoia, Rhetico: Prätigau [Prättigau], Tal (Graubünden), Schweiz.
Rhaetigoia → Rhaetica vallis
Rhaetium, Rhetium castr.: Rhäzüns (Graubünden), Schweiz.
Rhaetorum curia → Curia urbs
Rhaugia, Epidaurus, Ragusinus, Rhausium: Dubrovnik [Ragusa] (Kroatien), Jugoslaw.
Rhauraris → Arauraris
Rhausium → Rhaugia
Rhea ins. → Cracina ins.

Rheginorum saltus, Sylva: La Sila [Silagebirge], Geb. (Cosenza), Ital.
Rhegium → Regium
Rhena, Hreni: Rhenen (Utrecht), Niederl.
Rhenaea, Rhenia: Megali Dilos, Ins. (Ägäisches Meer), Griechenl.
Rhenanus circulus electoralis: Kurrheinischer Kreis, eh. Reichskreis (Kurköln, Kurtrier, Kurmainz, Kurpfalz), Deutschl.
Rhenanus circulus inferior: Niederrheinisch-Westfälischer Kreis, eh. Reichskreis (Ostfriesland, Oldenburg, Kleve, Mark, Berg, Jülich, Lüttich, Nassau-Diez), Deutschl., Belg. u. Niederl.
Rhenanus circulus superior: Oberrheinischer Kreis, eh. Reichskreis (Hessen, Waldeck, Simmern, Pfalz-Zweibrücken, Elsaß, Lothringen, Savoyen), Deutschl. u. Frankr.
Rhenaugia, Rinaugiensis, Rinowa, Rinaugia, Augia maior, Augia Rheni: Rheinau (Zürich), Schweiz.
Rhenensis pag., Renensis, Rinensis pag., Rinkauwia, Ringawia: Rheingau, Landsch. am Rhein (Hessen-Nassau), Deutschl.
Rhenia → Rhenaea
Rheniaugia → Rinowa
Rheniburgus: Rheinberg (Rheinprov.), Deutschl.
Rheniburgus: Rheinsberg (Brandenburg), Deutschl.
Rhenus, Renus, Hrenus: Rhein [Rhin, Rijn, Rein], Fl., Mü: Nordsee (Rhein-Maas-Delta), Schweiz, Deutschl., Frankr. u. Niederl.
Rheon: Rioni, Fl., Mü: Schwarzes Meer (Grusinische SSR), UdSSR.
Rhetico: Siebengebirge, Westerwald u. Rothaargebirge (Rheinprov. u. Westfalen), Deutschl.
Rhetico → Rhaetica vallis
Rhetium castr. → Rhaetium
Rhezania: Rázan [Rjazan] (RSFSR), UdSSR.
Rhicinium: Risan [Risano] (Montenegro), Jugoslaw.
Rhigodunum: Rigton (Yorkshire), Engl.
Rhigodunum, Richmondia Eboracensium: Richmond (Yorkshire), Engl.
Rhincolura, Laris, Rhinokolura, Rhinokorura: [El-'Arîsch] sw. Gaza, Ägypten.
Rhinokolura → Rhincolura
Rhinokorura → Rhincolura
Rhiusiava → Retia
Rhizaeum: Rize (Lasistan), Türkei.
Rhobodunum: Hradischt bei Pardubice [Pardubitz] (Böhmen), Tschechoslow.
Rhoda → Balneum regis
Rhodia ducis, Rode castr.: Herzogenrath (Rheinprov.), Deutschl.
Rhodium → Rauga
Rhodopolis: Rosas (Gerona), Span.
Rhodopolis, Rostochium, Rosarum civ., Rostoccensis civ.: Rostock (Mecklenburg), Deutschl.
Rhubon → Winda
Rhugium: Rügenwalde [Darłowo] (Pommern), Deutschl.
Rhybdus: Riesi (Caltanissetta), Ital.
Riamio → Reamnis
Riamnas → Reamnis
Ribiniacum: Rübenach (Rheinprov.), Deutschl.
Ribnitium: Ribnitz (Mecklenburg-Schwerin), Deutschl.
Ribodi mons, Riburgis mons, Ercuriacum: Ribemont (Aisne), Frankr.
Riburgis mons → Ribodi mons

Riccina Aelia → Helvia Riccina
s. **Richarii monasterium** → Centulum
Richelium → Ricolocus
Richenavia → Augia insula
Richenstenium, Reichenstenium: Reichenstein [Złoty Stok] (N-Schlesien), Deutschl.
s. **Richerii monasterium** → Centulum
Richerspergensis vicus → Rechersbergensis
Richilinsriuti: Richlichsreute (Württemberg), Deutschl.
Richinchircha: Reichenkirchen (O-Bayern), Deutschl.
Richmondia Eboracensium → Rhigodunum
Richovilla, Ricomum: Riquewihr [Reichenweier] (Haut-Rhin), Frankr.
Ricina → Ebodia
Ricolocus, Richelium: Richelieu (Indre-et-Loire), Frankr.
Ricomago → Ricomagus
Ricomagus, Ricomago, Riomum, Riomagum: Riom (Puy-de-Dôme), Frankr.
Ricomons: Richemont (Charente), Frankr.
Ricomons: Richemont (Seine-Maritime), Frankr.
Ricomum → Richovilla
Rida, Rieda: Rieden (St. Gallen), Schweiz.
Ridevorda: Ruddervoorde (W-Flandern), Belg.
Ridinga → Radinga
Riduna → Ebodia
Rieda → Rida
Riedmarcha: Riedmark, Landsch. (O-Österr.), Österr.
Rietelinis villa, Redlinga, Titilinis villa: Riedlingen (Württemberg), Deutschl.
Rigemacensis → Regimagium
Rigemago → Regimagium
Rigemagum → Lorsacum
Rigensis civ., Rugensis civ.: Riga (Lettland), UdSSR.
Rigimagum → Lorsacum
Rikeri vicus: Rickling (Schleswig-Holstein), Deutschl.
Rilhana: Reillanne (Basses-Alpes), Frankr.
Rimbechi, Rinbeki: Rimbeck (Westfalen), Deutschl.
Rimbrahtes: Remmerten (Utrecht), Niederl.
Rimi → Remis
Rimilinga: Rémilly (Moselle), Frankr.
Rimnus → Ramesia
Rinacha: Reinach (Aargau), Schweiz.
Rinaugia → Rhenaugia
Rinaugiensis → Rhenaugia
Rinaugiensis → Rinowa
Rinbeki → Rimbechi
Rincga: Rinkenberg (Württemberg), Deutschl.
Rincopia, Ringcopia: Ringkøbing [Ringkjøbing] (Jütland), Dänem.
Rinensis pag. → Rhenensis pag.
Rinera, Rinhari: Rindern (Rheinprov.), Deutschl.
Ringawia → Rhenensis pag.
Ringcopia → Rincopia
Ringelmi: Ringelheim (Hannover), Deutschl.
Ringinwilare: Ringgenweiler (Württemberg), Deutschl.
Ringstadium: Ringsted (Seeland), Dänem.
Rinhari → Rinera
Riningae, Reningellae, Rinningae: Reningelst (W-Flandern), Belg.
Rinkauwia → Rhenensis pag.
Rinningae → Riningae
Rinougia → Rinowa

Rinowa → Rhenaugia
Rinowa, Rheniaugia, Rinaugiensis, Rinougia: Rhinau [Rheinau] (Bas-Rhin), Frankr.
Rintelia, Rintelium: Rinteln (Hessen-Nassau), Deutschl.
Rintelium → Rintelia
Rioilum → Roiolum
Riomagum → Ricomagus
Riomum → Ricomagus
Rionava, Rionna: Renève (Côte-d'Or), Frankr.
Rionna → Rionava
Riovium → Roiolum
Ripa: Reiffelbach (Bayern, RB. Pfalz), Deutschl.
Ripa: Riva di Chieri (Turin), Ital.
Ripa curtia: Ribagorza, Landsch. u. eh. Grafsch. (Huesca), Span.
Ripa Transonis: Ripatransone (Ascoli Piceno), Ital.
Ripa Tridenti: Riva [Riva di Trento, Reif] (Trient), Ital.
Ripae altae: Hauterive (Lot-et-Garonne), Frankr.
Ripae altae: Rivesaltes (Pyrénées-Orientales), Frankr.
Ripae Cimbricae, Ripae Phandusiorum: Ribe [Ripen] (Jütland), Dänem.
Ripae Phandusiorum → Ripae Cimbricae
Ripanus lacus → Rivarius lacus
Riparia bella → Bella Riparia
Riparius bellus → Bellus Riparius
Ripatorium: L'Arivour [Larrivour], Kl. bei Lusigny-sur-Barse (Aube), Frankr.
Ripensis lacus → Rivarius lacus
Ripulae → Ad Octavum
Rischga: Reisach (Württemberg), Deutschl.
Rischinowa: Reichenau (Bayern, RB. Schwaben), Deutschl.
Ritanensis urbs: Ritten [Renon], Landsch. (Bozen), Ital.
Ritenowa: Ober- u. Unterreitnau (Bayern, RB. Schwaben), Deutschl.
Ritterstidi: Ritterstede (Oldenburg), Deutschl.
Ritumagum: Radepont (Eure), Frankr.
Ritupae portus, Ritupinus portus: Richborough (Kent), Engl.
Ritupinus portus → Ritupae portus
Riungi: Rüningen (Braunschweig), Deutschl.
Riusteri → Rustingia
Riuta: Reith (N-Österr.), Österr.
Riuti: Ober- u. Unterreute (Baden), Deutschl.
Riuti: Reith (N-Bayern), Deutschl.
Riuti: Reith im Winkl (O-Bayern), Deutschl.
Riuti → Ruetinensis vicus
Riuti, Ruethi: Reute (Württemberg), Deutschl.
Riuti, Ruti: Reuthe (Baden), Deutschland.
Riuti, Ruti: Rüti (Bern), Schweiz.
Riuti, Ruti: Rüti (Luzern), Schweiz.
Riva villa → Statio Rhaetorum
Rivalia → Revalia
Rivanus portus → Statio Rhaetorum
Rivarius lacus, Ripanus lacus, Ripensis lacus, Wallenstadiensis lacus, Vesenius lacus: Walensee [Wallensee], See (Glarus, St. Gallen), Schweiz.
Rivenae: Rieux-Minervois (Aude), Frankr.
Rivi: Rieux (Haute-Garonne), Frankr.
Rivonium, Revignum: Rovinj [Rovigno d'Istria] (Kroatien), Jugoslaw.
Rivulus dominorum: Baia Mare

[Nagybanya] (Marmarosch), Rumän.
Rivus ferrarius: Saint-Martin-en-Vallespir, Kl. bei Vernet-les-Bains (Pyrénées-Orientales), Frankr.
Rivus Morentini, Rivus Morentinus, Romorantinum: Romorantin (Loir-et-Cher), Frankr.
Rivus Morentinus → Rivus Morentini
Rivus silvaticus → Walbeka
Roanium: Rohan (Morbihan), Frankr.
Roboretum: Rovereto [Roveredo, Rofreit, Rovreit] (Trient), Ital.
Roboretum: Torre de Moncorvo (Bragança), Portug.
Robus → Argentaria
Robya → Erythropolis
Rocameltis → Rupemaurus
Rocca Cavardi → Rupes Cavardi
Rocca fortis: Roccaforte Ligure (Alessandria), Ital.
Rocchesheimero: Roxheim (Bayern, RB. Pfalz), Deutschl.
Rochelenzi → Rotlizi
Rochelinti → Rotlizi
Rochelinzi → Rotlizi
Rochia Allobrogum, Rupes Allobrogum: La Roche-sur-Foron (Haute-Savoie), Frankr.
Rocholenci → Rotlizi
Rocholenzi → Rotlizi
Roda: Rödgen (Hessen), Deutschl.
Rodaha → Radaha
Rodaha, Rothaha, Raodora: Ober u. Nieder Roden (Hessen), Deutschl.
Rodais → Rotena urbs
Rodanus: Rhône, Fl., Mü: Mittelmeer (Bouches-du-Rhône), Schweiz u. Frankr.
Rodberga, Hrodberga: Rodberg (Rheinprov.), Deutschl.
Rode castrum → Rhodia ducis
Rodegastes: Rodges (Hessen-Nassau), Deutschl.
Rodelhemium: Rödelheim [Frankfurt-Rödelheim] (Hessen-Nassau), Deutschl.
Rodemachra, Ruodemachra: Rodemack [Rodemachern] (Moselle), Frankr.
Rodembergum → Ardenburgum
Rodenicus pag. → Ruthenicus pag.
Rodensis → Rotha
Roderici civitas → Rodericopolis
Rodericopolis, Roderici civ.: Ciudad Rodrigo (León), Span.
Rodigium, Roveritum: Rovigo (Rovigo), Ital.
Rodira: Roudoule, Nfl. d. Var (Alpes-Maritimes), Frankr.
Rodium → Rauga
Rodna, Rodnensis: Rodna [Óradna, Rodna-Veche, Alt-Rodna, Roden, Radna] (Klausenburg), Rumän.
Rodnensis → Rodna
Rodolii castrum → Ruoli vallis
Rodolium → Roiolum
Rodomum → Rothomagus
Rodrina → Rauga
Rodumna: Roanne (Loire), Frankr.
Roe fontes, Roeskildia: Roskilde (Seeland), Dänem.
Roemhilda: Römhild (Thüringen), Deutschl.
Roermonda → Ruremonda
Roeskildia → Roe fontes
Roffa → Durobrivis
Roffiniacum: Rouffignac (Dordogne), Frankr.
Rofiacum → Rubeacum
Rogalici: Röglitz (Pr. Sachsen), Deutschl.
Rogerii Bellomontium → Bellomontium Rogerii

Rogerii bellus mons → Bellus mons Rogerii
Rogoialensis → Roiolum
Roholvesriuti: Roßruti (St. Gallen), Schweiz.
Rohrbacum: Rohrbach (O-Bayern), Deutschl.
Rohrbacum: Rohrbach-lès-Bitche [Rohrbach] (Moselle), Frankr.
Roiolum, Riovium, Rodolium, Rioilum, Rotoialum, Rogoialensis, Rotoialensis: Rueil-Malmaison (Seine-et-Oise), Frankr.
Rokitnika: Rokytna, Nfl. d. Iglawa (Mähren), Tschechoslow.
Rokkenburgensis villa: Roggenburg (Bayern, RB. Schwaben), Deutschl.
Rokyczana, Rokytzanum: Rokycany [Rokycan, Rokitzan] bei Plzen [Pilsen] (Böhmen), Tschechoslow.
Rokytzanum → Rokyczana
Rolandi Belna → Belna Rolandi
Roldensis civ.: Rolde (Drenthe), Niederl.
Rollarium, Rosfariensis villa, Rosilaria, Roslara: Roeselare [Roulers, Rousselaere] (W-Flandern), Belg.
Rolliacum: Rouillé (Vienne), Frankr.
Rollitzi → Rotlizi
Romana ditio → Valdensis pag.
Romana vallis, Veromaei vallis: Valromey, Landsch. (Ain), Frankr.
Romandiola → Regio Aemilia
Romania (terra): Rumelien [Rûmeli, Rumili], hist. Landsch. (Makedonien, Thrakien, S-Bulgarien), Griechenl., Jugoslaw., Türkei u. Bulgarien.
Romanis monast.: Romainmôtier (Waadt), Schweiz.
Romanovilla: Romanswiller [Romansweiler] (Bas-Rhin), Frankr.
Romanum: Romans-sur-Isère (Drôme), Frankr.
Romanum: Saint-Romans (Isère), Frankr.
s. Romarici mons, Romerici mons, Ramerici mons, Rometicus mons, Avendi castr.: Remiremont (Vosges), Frankr.
Romerici mons → s. Romarici mons
Rometicus mons → s. Romarici mons
Romiliacum, Rumiliacum: Romillé (Ille-et-Vilaine), Frankr.
Romiliacum, Rumiliacum: Rumilly (Haute-Savoie), Frankr.
Romna: Rumia [Rahmel] (Pommerellen), Polen.
Romorantinum → Rivus Morentini
Romulae colonia → Sevilia
Romulensis → Sevilia
Ronaha: Rhön, Geb. (Hessen), Deutschl.
Ronascum → Rosnacum
Ronchum: Ronco (Verona), Ital.
Roncilio: Ronciglione (Viterbo), Ital.
Rondiswilare: Rüdiswil (Luzern), Schweiz.
Roniga: Rank (O-Bayern), Deutschl.
Ronneburgum: Ronneburg (Thüringen), Deutschl.
Roquemoretum → Rupes maura
Ros: Rosenthal (Sachsen), Deutschl.
Ros ins. → s. Andreae ins.
Rosacis: Sankt Jakob, eh. Kl. bei Rijeka [Fiume] (Kroatien), Jugoslaw.
Rosacum: Rorschach (St. Gallen), Schweiz.
Rosaha: Rosa (Thüringen), Deutschl.
s. Rosaliae coenob.: Santa Rosalia, Kl. bei Alba (Cuneo), Ital.
Rosariae salinarum: Rosières-aux-Salines (Meurthe-et-Moselle), Frankr.

Rosarias: Rosiers-d'Égletons (Corrèze), Frankr.
Rosarum campus, Novum claustrum: Roozenkamp (Friesland), Niederl.
Rosarum civitas → Rhodopolis
Rosarum hortus: Rosengarten, Landschaft bei Güstrow (Mecklenburg), Deutschl.
Rosarum mons, Celuria: Montrose (Co. Angus), Schottl.
Rosarum mons, Olesno: Rosenberg [Olesno] (O-Schlesien), Deutschl.
Rosarum vallis: Rosental (Hannover), Deutschl.
Rosarum vallis: Rožmital [Rožmitál pod Třemšínem, Rosental] (Böhmen), Tschechoslow.
Rosbacium: Rolleboise (Seine-et-Oise), Frankr.
Rosbacum: Roßbach (Pr. Sachsen), Deutschl.
Rosburgensis comit. → Deviotia
Rosburgum: Roxburgh (Roxburghshire), Schottl.
Roscianum: Rossano (Cosenza), Ital.
Roscianum → Perpenianum
Roscovia: Roscoff (Finistère), Frankr.
Roseium → Resetum
Rosetum: Grosseto (Grosseto), Ital.
Rosetum → Resetum
Rosfariensis villa → Rollarium
Rosilaria → Rollarium
Roslara → Rollarium
Rosmalla, Rosmella: Rosmalen (N-Brabant), Niederl.
Rosmella → Rosmalla
Rosnacum, Ronascum, Rotnacum: Rosnay (Indre), Frankr.
Rosnya: Rožňava [Rosenau, Rozsnyó] (Slowakei), Tschechoslow.
Rossa → Durobrivis
Rossenwanga: Roßwangen (Württemberg), Deutschl.
Rostoccensis civitas → Rhodopolis
Rostochium → Rhodopolis
Rostrenum: Rostrenen (Côtes-du-Nord), Frankr.
Rostrum Nemaviae: Rammingen (Württemberg), Deutschl.
Rota: Rott, Nfl. d. Inn (N-Bayern), Deutschl.
Rota, Raodhaha: Roth (Württemberg), Deutschl.
Rota, Rotensis: Roth ab d. Roth (Württemberg), Deutschl.
Rota, Urusa: Rott (O-Bayern), Deutschl.
Rotena urbs, Rutensis, Rodais, Rutensis civ., Segodinum: Rodez (Aveyron), Frankr.
Rotenburgum: Rothenburg o. d. Tauber (M-Franken), Deutschl.
Rotenburgum, Rubeus mons: Rostarzewo [Rothenburg a. d. Obra] (Posen), Polen.
Rotenicus pag. → Ruthenicus pag.
Rotensala: Rotthalmünster (N-Bayern), Deutschl.
Rotensis → Rota
Roterodamum: Rotterdam (S-Holland), Niederl.
Rotgeri curtis: Ruddershove [Velzeke Ruddershove] (O-Flandern), Belg.
Rotha: Roth (Luzern), Schweiz.
Rotha, Rodensis: Klosterrath (Rheinprov.), Deutschl.
Rothaha: Tiefenroth (O-Franken), Deutschl.
Rothaha → Rodaha
Rothmundingtharpa: Rottenhof (Westfalen), Deutschl.
Rothomagus, Rodomum, Rothonum, Ratumagus, Metropolis civitatis Rotomagensium: Rouen (Seine-Maritime), Frankr.
Rothonum → Rothomagus
Rotila → Regiteste

Rotlizi, Rocholenzi, Rocholenci, Rollitzi, Rochelinti, Rochelinzi, Rochelenzi, Truazis, Trutzis: Rochlitz (Sachsen), Deutschl.
Rotnacum → Rosnacum
Roto: Redon (Ille-et-Vilaine), Frankr.
Roto: Root (Luzern), Schweiz.
Rotoialensis → Roiolum
Rotoialum → Roiolum
Rotovilla, Rottunvillare, Rotwila, Rotwilra, Rotunda villa, Rotwillensis civ.: Rottweil (Württemberg), Deutschl.
Rottunvillare → Rotovilla
Rotubium: Westroozebeke (W-Flandern), Belg.
Rotunda villa → Rotovilla
Rotundus campus: Camprodon (Gerona), Span.
Rotundus mons: Monte Rotondo, Berg (Forlì), Ital.
Rotundus mons: Monterotondo (Rom), Ital.
Rotundus mons: Romont (Freiburg), Schweiz.
Rotwila → Rotovilla
Rotwillensis civ. → Rotovilla
Rotwilra → Rotovilla
Rouceium → Rauciacum
Rouciacum → Rauciacum
Rouro, Rouvra castr.: Rouvres-sous-Meilly (Côte-d'Or), Frankr.
Rouvra castrum → Rouro
Roveritum → Rodigium
Roveritum forestis in pago Parisiaco: Boulogne-sur-Seine [Boulogne-Billancourt] (Seine), Frankr.
Roza, Rozecum: Rodenkirchen [Köln-Rodenkirchen] (Rheinprov.), Deutschl.
Rozecum → Roza
Ruana: Ruis [Rueun] (Graubünden), Schweiz.
Ruani → Rugia
Rubea vallis: Rouge-Cloître [Roode Clooster], Kl. (Brabant), Belg.
Rubeacensis → Rubeacum
Rubeacum, Rubiacum, Rubiacus, Rubiaca, Ruobacum, Rubeae aquae, Rubeacensis, Rubeaquensis, Rofiacum, Rufiacum, Ruflace villa: Rouffach [Rufach] (Haut-Rhin), Frankr.
Rubeae aquae → Rubeacum
Rubeaquensis → Rubeacum
Rubeus mons: Rothenburg (Luzern), Schweiz.
Rubeus mons: Rougemont (Doubs), Frankr.
Rubeus mons: Rougemont [Rötschmund] (Waadt), Schweiz.
Rubeus mons → Rotenburgum
Rubeus mons → Rubrum monast.
Rubiaca → Rubeacum
Rubiacum → Rubeacum
Rubiacus → Rubeacum
Rubicolensis → Aichstadium
Rubiconensis → Aichstadium
Rublanum: Rogliano (Cosenza), Ital.
Rubo → Taruntus
Rubora → Erubris
Rubra arx: Rotenturm a. d. Pinka [Rothenturm, Vörösvár] (Burgenland), Österr.
Rubrae, Ad Rubras: Cabezas Rubias (Huelva), Span.
Rubrensis lacus, Rubresus lacus: Étang de Sigean, See (Aude), Frankr.
Rubresus lacus → Rubrensis lacus
Rubridus: Rouvray-Saint-Denis (Eure-et-Loir), Frankr.
Rubrum monast., Rubeus mons: Rottenmünster (Württemberg), Deutschl.
Rubum, Rubus: Ruvo di Puglia (Bari), Ital.

Rubus: Marienbusch [Wielka Bieda] (Brandenburg), Deutschl.
Rubus → Rubum
Rucci castrum → Rauciacum
Rucinswilare: Ruschweiler (Baden), Deutschl.
Ruconium → Regna
Ruda → Rautena
Rudelikon, Ruedelikon: Riedlingen (Baden), Deutschl.
Rudino: Rüthen (Westfalen), Deutschl.
Rudna → Rautena
Rudolphi cella → Radolphi cella
Rudolphopolis, Rudolstadium: Rudolstadt (Thüringen), Deutschl.
Rudolstadium → Rudolphopolis
Rudowia, Ruidoviensis: Rudau [Rudziska] (O-Preußen), Deutschl.
Ruedelikon → Rudelikon
Rueium → Ruesium
Ruentia → Druentia
Ruesa → Reussia
Ruesium, Rueium, Ruyense monast., s. Gildasius Ruyensis: Saint-Gildas-de-Rhuis (Morbihan), Frankr.
Ruethi → Riuti
Rueti: Reutin (Bayern, RB. Schwaben), Deutschl.
Ruetinensis vicus, Grueti, Riuti, Ruti: Rüti (Zürich), Schweiz.
Ruffa eccl., Studnicza: Rothkirch [Czerwony Kościół] (N-Schlesien), Deutschl.
Ruffacum, Ruffiniacum: Ruffec (Charente), Frankr.
Ruffiacus villa: Ruffiac (Lot-et-Garonne), Frankr.
Ruffiniacum → Ruffacum
Rufiacum → Rubeacum
Rufiana → Bancona
Rufitotum: Routot (Eure), Frankr.
Ruflacevilla → Rubeacum
Rufum castr. → Radulfi castr.
Ruga: Rhue, Nfl. der Dordogne (Cantal), Frankr.
Ruga: Rue (Somme), Frankr.
Rugalensis → Rugia
Rugensis civ. → Rigensis civ.
Rugga castrum: Rück (U-Franken), Deutschl.
Rugia, Ruia, Ruya, Rugiani, Ruani, Ruiani, Runi, Rani, Rugalensis, Rugiacensis: Rügen, Ins. (Pommern), Deutschl.
Rugiacensis → Rugia
Rugiani → Rugia
Rugulae: Rugles (Eure), Frankr.
Ruia → Rugia
Ruiani → Rugia
Ruidoviensis → Rudowia
Ruilliacus vicus → Revilliacum
Ruisa → Reussia
Rulla: Rulle (Hannover), Deutschl.
Rumegnies, Rameniae: Ramegnies-lez-Quevaucamps (Hennegau), Belg.
Rumelacha: Rumelange [Rümelingen], Luxemburg.
Rumenscetha: Rumscheid (Westfalen), Deutschl.
Rumerestleba: Rumersleben (Pr. Sachsen), Deutschl.
Rumiliacum → Romiliacum
Rummiens castr.: Rummen (Brabant), Belg.
Rumulohon, Rumulon: Rumeln (Rheinprov.), Deutschl.
Rumulon → Rumulohon
Runa, Runense coenob., Ruonense coenob.: Rein (Steiermark), Österr.
Runense coenobium → Runa
Runi → Rugia
Ruobacum → Rubeacum
Ruoda: Kirchen- u. Schloßrund (Aargau), Schweiz.
Ruodemachra → Rodemachra

Ruoli vallis, Rodolii castr., s. Cyricus: Saint-Cyr-de-Vaudreuil (Eure), Frankr.
Ruonense coenobium → Runa
Ruotlinga, Rutlinga: Reutlingen (Württemberg), Deutschl.
Rupecula → Rupella
Rupella, Rupecula, Santonum portus: La Rochelle (Charente-Maritime), Frankr.
Rupellum, Vibi forum: Revello (Cuneo), Ital.
Rupelmunda, Ruplemunda, Ruppelmunda: Rupelmonde (O-Flandern), Belg.
Rupemaurus, Rocameltis: Rochemaure (Ardèche), Frankr.
Rupensis → Rupes Fucaldi
Rupensis comit.: La Rochefoucauld, eh. Grafsch. (Charente), Frankr.
s. **Ruperti augia:** La Robertsau [Ruprechtsau], Teil von Straßburg (Bas-Rhin), Frankr.
s. **Ruperti villa:** Rapperswil (St. Gallen), Schweiz.
s. **Ruperti villa:** Ruppersdorf [Wyszonowice] (N-Schlesien), Deutschl.
s. **Rupertus:** Sankt Trudpert, Kl. (Baden), Deutschl.
s. **Rupertus:** Sveti Rupert [Sankt Ruprecht] östl. Vransko [Franz] (Slowenien), Jugoslaw.
Rupes: Rupea [Kohalmu, Köhalom, Reps] (Groß-Kokel), Rumänien.
Rupes ad Guidonem: La Roche-sur-Yon (Vendée), Frankr.
Rupes alba: Aps (Ardèche), Frankr.
Rupes Allobrogum → Rochia Allobrogum
Rupes Bernardi: La Roche-Bernard (Morbihan), Frankr.
Rupes Cavardi, Rocca Cavardi: Rochechouart (Haute-Vienne), Frankr.
Rupes Deriani: La Roche-Derrien (Côtes-du-Nord), Frankr.
Rupes Fergusii, Fergussii scopulus: Carrickfergus (Antrim), N-Irland.
Rupes fortis → Rupifortium
Rupes Fucaldi, Rupensis: La Rochefoucauld (Charente), Frankr.
Rupes Guidonis: La Roche-Guyon (Seine-et-Oise), Frankr.
Rupes maura, Roquemoretum: Roquemaure (Gard), Frankr.
Rupes picarum: die Externsteine, Felsengruppe im Teutoburger Wald bei Horn (Lippe), Deutschl.
Rupes regia: Rocroi (Ardennes), Frankr.
Rupes varia: Roquevaire (Bouches-du-Rhône), Frankr.
Rupifortium, Rupes fortis: Rochefort (Charente-Maritime), Frankr.
Ruplemunda → Rupelmunda
Ruppelmunda → Rupelmunda
Ruppinum novum: Neuruppin (Brandenburg), Deutschl.
Ruptum castrum: Castelrotto [Kastelruth] (Bozen), Ital.
Ruptus mons → Bructerus mons
Rura: Roer [Rur, Ruhr], Nfl. der Maas (Limburg), Niederl.
Rura, Rurinna: Ruhr, Nfl. des Rhein (Rheinprov.), Deutschl.
Ruracgawa, Ruricgoa: Ruhrgau, eh. Gau (Westfalen, Rheinprov.), Deutschl.
Ruremonda, Ruremunda, Rurmundensis civ., Roermonda, Munda Rurae: Roermond (Limburg), Niederl.
Ruremunda → Ruremonda
Ruricgoa → Ruracgawa
Rurinna → Rura
Rurmundensis civitas → Ruremonda

Rus regia: Rye (Co. Essex), Engl.
Rusa → Reussia
Rusadirum: Melilla [Melîlia] am Mittelmeer (Marokko), Span.
Ruscellonum, Santones: Roussillon, Landsch. u. eh. Prov. (Pyrénées-Orientales), Frankr.
Ruschiburgum: Rauschenberg (Hessen-Nassau), Deutschl.
Ruscurrum, Rusucurru, Rusucurrum: Dellys am Mittelmeer, Algerien.
Rusia → Reussia
Russella, Musella: Rossel [Rosselle], Nfl. der Saar (Moselle, Saarland), Frankr. u. Deutschl.
Russia, Ruthenia: Rußland, europ. Teil d. UdSSR.
Russicum mare → Nigrum mare
Rusticiana: abgeg. sw. Plasencia (Cáceres), Span.
Rustingia, Rustri, Riusteri, Hriustri, Ubhiustri, Utriustri, Upriustri: Rustringen [Rüstringen], eh. Landsch. am Jadebusen (Oldenburg), Deutschl.
Rustri → Rustingia
Rusucurru → Ruscurrum
Rusucurrum → Ruscurrum
Rusupis: Safi, Marokko.
Rutcopia: Rudkøbing [Rudkjøbing] (Langeland), Dänem.
Rutenensis provincia → Ruthenicus pagus
Rutensis → Rotena urbs
Rutensis civ. → Rotena urbs
Ruthenia → Russia
Ruthenicus pag., Rodenicus pag., Rotenicus pag., Rutenensis provincia: La Rouergue, Landsch. (Aveyron), Frankr.
Ruti → Riuti
Ruti → Ruetinensis vicus
Rutlinga → Ruotlinga
Rutuba: Roia, Fl., Mü: Ligurisches Meer (Imperia), Frankr. u. Ital.
Ruya → Rugia
Ruyense monasterium → Ruesium

S

Sabana, Sabiona, Sabona: Sabiona [Säben, Seben], Kl. (Bozen), Ital.
Sabaria, Sarabia: Szombathely [Steinamanger] (Vas), Ung.
Sabatinca castra: Kraubath (Steiermark), Österr.
Sabatinus lacus: Lago di Bracciano, See (Rom), Ital.
Sabatus fluv. → Ocinarus
Sabaudia, Sabodia, Saboia: Savoyen [Savoie], Landsch. u. eh. Prov. (Savoie u. Haute-Savoie), Frankr.
Sabaudicae aquae → Gratianae aquae
Sabaudiorum → Salancia
Sabbatorum vada: Savona (Savona), Ital.
Sabea regia: Zebid [Zabīd, Sebid], Jemen.
Sabesus → Zabesus
Sabii pons: Les-Ponts-de-Cé (Maine-et-Loire), Frankr.
Sabinus lacus, Sivinnus lacus, Iseus lacus: Lago d'Iseo [Iseosee, Sebino], See (Brescia), Ital.
Sabiolum, Saboletum: Sablé-sur-Sarthe (Sarthe), Frankr.
Sabiona → Sabana
Sabis, Isapis, Sapis, Savis: Savio, Fl.,

Mü: Adriat. Meer (Ravenna), Ital.
Sabis, Sapis, Savis: Savio (Ravenna), Ital.
Sabloncella: Sablonceaux (Charente-Maritime), Frankr.
Sablones → Venloa
Sabogia → Sabaudia
Saboia → Sabaudia
Saboletum → Sabiolum
Sabona → Sabana
Sabothus → Silentius mons
Sabriana aestuarium: Mouth of the Severn, Teil des Bristol Channel, Engl.
Sabrina: Severn, Fl., Mü: Bristol Channel, Engl.
Sabuleta Burdigalensia, Syrticus ager, Landarum tractus, Landae Burgigalenses, Tesca, Tesqua Aquitanica: Les Landes, Landsch. (Landes), Frankr.
Sabulonetta: Sabbioneta (Mantua), Ital.
Sacensis → Sazawa
Sacer: Orbo, Fl., Mü: Tyrrhen. Meer (Korsika), Frankr.
Sacer mons, Sanctus mons: Heiligenberg (Baden), Deutschl.
Sacer pagus → Elgovia
Sacer portus → Barbellum
Sachsenhusa: Sachsenhausen (Hessen-Nassau, Waldeck), Deutschl.
Saciacum: Sacy-le-Grand (Oise), Frankr.
Sacilinum: Seclin (Nord), Frankr.
Sacillum: Sacile (Udine), Ital.
Saclitae → Sarclidae villa
Saconium, Secanis, Secchinga, Secconia, Seconis castrum, Sechingensis, Secanensis, Sanctum Seccovium: Säckingen (Baden), Deutschl.
Sacra insula, Sancta terra, Fostelandia, Ferria ins., Hertha: Helgoland, Ins. in d. Nordsee (Schleswig-Holstein), Deutschl.
Sacrocaesarinum, Sacrum Caesarinum, Sancerra, Sanctum Cereris: Sancerre (Cher), Frankr.
Sacrum Caesarinum → Sacrocaesarinum
Sacrum promont.: Cabo de São Vicente, Kap (Algarve), Portug.
Sacrum promont.: Carnsore Point, die SO-Spitze von Irland, Eire.
Sacrum promontorium, Caput Corsum: Cap Corse [Capo Corso], Vorgeb. (Korsika), Frankr.
Sacrum Romanum Imperium Nationis Germanicae: „Heiliges Römisches Reich Deutscher Nation“, das Deutsche Reich (bis 1806).
Sacska, Saczca, Saczka, Saczska, Satischa: Sadska (Böhmen), Tschechoslow.
Saczca → Sacska
Saczka → Sacska
Saczska → Sacska
Sadirlinswilare → Sadirliswilare
Sadirliswilare, Sadirlinswilare: Sederlitz (Württemberg), Deutschl.
Saeboium: Sæby (Jütland), Dänem.
Saetabicula: Alcira (Valencia), Span.
Saettae caput: Kap Trionto [Capo Trionto], Kap am Golf v. Tarent (Kalabrien), Ital.
Saganum: Sagan [Żagań] (N-Schlesien), Deutschl.
Sageda: Singapur [Singapore], Hinterindien.
Sagiorum civitas → Sagium
Sagitta: Saïdâ [Seida, Sidon], Libanon.
Sagium, Sagiorum civ., Sajus civ.,

Sagonensis civ., Saji: Sées (Orne), Frankr.
Sagonensis civ. → Sagium
Sagonna, Sagouna, Saogonna: Saône, Nfl. der Rhône (Rhône), Frankr.
Sagouna → Sagonna
Sagra, Sagras: Allaro, Fl., Mü: Ionisches Meer (Reggio di Calabria), Ital.
Sagras → Sagra
Saji → Sagium
Sailentes: Saillans (Drôme), Frankr.
Saineka: abgeg. bei Bingen (Hessen), Deutschl.
Sainna: Senne [Zenne], Nfl. der Dijle (Hennegau, Brabant, Antwerpen), Belg.
Saisses: Sassel (Waadt), Schweiz.
Sajus civ. → Sagium
Sala: Fränkische Saale, Nfl. d. Mains (U-Franken) Deutschl.
Sala: Saale (Thüringische Saale, Sächsische Saale), Nfl. d. Elbe (Thüringen, Pr. Sachsen), Deutschl.
Sala → Mansala
Sala, Salaha: Saal (U-Franken), Deutschl.
Salacia imperatoria → Alcasarium Salinarum
Salada → Zaladium
Saladiensis comitatus → Zaladiensis comitatus
Salae → Salina
Salaha: Sehlen (Hessen-Nassau), Deutschl.
Salaha → Sala
Salamantica, Salmantica, Elmantica: Salamanca (Salamanca), Span.
Salancema → Acimincum
Salancia, Sabaudiorum: Sallanches (Haute-Savoie), Frankr.
Salauri promont.: Cabo de Salou, Kap (Tarragona), Span.
Salaviorum terra → Provincia
Salbozi: Salbke, Teil v. Magdeburg (Pr. Sachsen), Deutschl.
Salca, Salcza, Salzo, Saltza, Salzaha, Longosalissa, Tribrachium: Langensalza (Pr. Sachsen), Deutschl.
Salcza → Salca
Saldae: Bejaia [Bougie] am Mittelmeer, Algerien.
Saldania → Eldana
Salebia: Selby (Yorkshire), Engl.
Saleborna → Salebro
Salebro, Salebrum, Saleborna: abgeg. bei Follonica (Grosseto), Ital.
Salebrugis → Sarae pons
Salebrum → Salebro
Salecio → Elizatium
Salecum → Saltus
Salembrucca → Sarae pons
Salemitanum monast. → Salomonium
Salemium → Salomonium
Salera, Sedera: Sauldre, Nfl. der Cher (Cher), Frankr.
Salertium: Salers (Cantal), Frankr.
Salesia → Elizatium
Salestra: Salaca [Salis, Salace], Fl., Mü: Rigaer Bucht (Lettland), UdSSR.
Salfelda, Salvedia: Saalfeld a. d. Saale (Thüringen), Deutschl.
Salhusium: Saalhausen (Westfalen), Deutschl.
Salia vetus: Oldenzaal (Overijssel), Niederl.
Salica: Selke, Nfl. der Bode (Pr. Sachsen), Deutschl.
Salice in pago Parisiaco: Saulx-les-Chartreux (Seine-et-Oise), Frankr.
Salicetanum: Saulzais-le-Potier (Cher), Frankr.
Salicetum: Saulzet (Allier), Frankr.

Saligia → Salugri
Salina: Söll (Tirol), Österr.
Salina, Salae: Felvincz sdl. Turda [Torda, Thorenburg] (Siebenbürgen), Rumän.
Salina, Salae, Haellinum, Halliola, Hallula: Hallein (Salzburg), Österr.
Salina, Salae, Salinarum civ., Salinensis civitas, Castellona: Castellane (Basses-Alpes), Frankr.
Salinae → Ad Salinas
Salinae → Salinis
Salinae → Salmana
Salinae Saxonicae → Halla
Salinagus, Salinensis, Salininsis, Saloninsis pag., Salonisis pag.: Seillegau, eh. Gau in Lothringen (Meurthe-et-Moselle, Moselle), Frankr.
Salinarum castr., Salis castr.:Château-Salins [Salzburg] (Moselle), Frankr.
Salinarum civitas → Salina
Salinarum insula → Gemella
Salinense oppid. → Salinis
Salinensis → Salinagus
Salingiacum: Solingen (Rheinprov)., Deutschl.
Salininsis → Salinagus
Salinis, Salinense oppid., Salinae: Salins-les-Bains (Jura), Frankr.
Salionis mons: Montsaugeon (Haute-Marne), Frankr.
Salis aqua, Salsae aquae: Selzach (Solothurn), Schweiz.
Salis castr.: Salzderhelden (Hannover), Deutschl.
Salis castr. → Salinarum castr.
Salis vallis: Salzdahlum (Braunschweig), Deutschl.
Salisburgum → Juvavum
Salisso: Salzig a. Rhein (Rheinprov.), Deutschl.
Salix: Weiden (Rheinprov.), Deutschl.
Salix: Wieden (St. Gallen), Schweiz.
Salix → Vaida
Sallandia, Isalandia: Salland, Landsch. (Overijssel), Niederl.
Sallingicum: Salling, Halbins. (Jütland), Dänem.
Salmana, Salmensis, Salinae, De Salinis: Salm (Rheinprov.), Deutschl.
Salmantica → Salamantica
Salmensis → Salmana
Salmesa: Salmsach (Thurgau), Schweiz.
Salmis castrum: Salmbach (Bas-Rhin), Frankr.
Salmuntiacum: Samoussy (Aisne), Frankr.
Salmuriacus pag.: Saumurois, Landsch. (Maine-et-Loire), Frankr.
Salmurium → Salmurus
Salmurus, Salmurium, Segona: Saumur (Maine-et-Loire), Frankr.
Salo, Salum: Salon-de-Provence (Bouches-du-Rhône), Frankr.
Salodurum → Solodurum
Salomonis villa → Salomonium
Salomonium, Salomonis villa, Salemium, Salemitanum monast.: Salem (Baden), Deutschl.
Salona: Seille, Nfl. der Mosel, (Moselle), Frankr.
Salona nova → Spalatrum
Saloninsis pag. → Salinagus
Salonisis pag. → Salinagus
Salopia, Sciropesberia: Shrewsbury (Shropshire), Engl.
Salopiensis comit.: Shropshire [Salop], Grafsch., Engl.
Salsa, Salzaha, Ivarus, Iuvarus: Salzach, Nfl. des Inn (Salzburg), Österr.

Salsa Rhenana → Elizatium
Salsae aquae → Salis aqua
Salsum flumen: Guadajoz, Nfl. des Guadalquivir (Jaén u. Córdoba), Span.
Salsum mare, Salta: Salziger See, eh. See wstl. Halle a. d. Saale (Pr. Sachsen), Deutschl.
Salsus fluv.: Salado de Morón, Nfl. d. Guadalquivir (Sevilla), Span.
Salta → Salsum mare
Saltus: Sault (Vaucluse), Frankr.
Saltus, Salecum: Saulx, Nfl. d. Marne (Marne), Frankr.
Saltus Bagatensis: El-Aria östl. Constantine [Ksantina], Algerien.
Saltus Donziaci: Salt-en-Donzy (Loire), Frankr.
Saltza → Salca
Salucia, Bajenna, Salutiarum civ., Salutiae, Salutium: Saluzzo [Saluces] (Cuneo), Ital.
Saluensis pag., Soliae: Saalegau, eh. Gau a. d. Fränkischen Saale (U-Franken), Deutschl.
Salugia → Salugri
Salugri, Saligia, Salugia: Saluggia (Vercelli), Ital.
Salum → Salo
Salumbrona, Tuscania, Tyrrhenia: Tuscania [Toscanella] (Rom), Ital.
Salurnis: Salorno [Salurn] (Bozen), Ital.
Salusia → Elizatium
Salussia, Saluxia: Selz, Nfl. des Rhein (Rheinhessen), Deutschl.
Salutiae → Salucia
Salutiarum civitas → Salucia
Salutis fons: Heilsbronn (M-Franken), Deutschl.
Salutis fons → Hailprunna
Salutium → Salucia
Saluxia → Salussia
Salva: Nyergesújfalu [Sattelneudorf] (Komorn), Ung.
Salva, Salvia: Sauve (Gard), Frankr.
Salva terra: Sauveterre (Aveyron), Frankr.
s. Salvator Vicecomes: Saint-Sauveur-le-Vicomte (Manche), Frankreich.
s. Salvatoris fan.: Saint-Sauveur-sur-Tinée (Alpes-Maritimes), Frankr.
Salvedia → Salfelda
Salverna → Tabernae Alsatiae
Salverna, Salvernia: Sarrewerden [Saarwerden] (Bas-Rhin), Frankr.
Salvernia → Salverna
Salvia → Salva
Salviaco → Salviacum
Salviacum, Salviaco: Sauviat-sur-Vige (Haute-Vienne), Frankr.
Salvitas: La Sauvetat (Puy-de-Dôme), Frankr.
Salyor terra → Provincia
Salzaha: Salz, Teil v. Bad Soden (U-Franken), Deutschl.
Salzaha: Salza (Pr. Sachsen), Deutschl.
Salzaha → Salca
Salzaha → Salsa
Salzburga → Juvavum
Salzeburga → Juvavum
Salzo → Salca
Salzuburgiensis urbs Petena → Juvavum
Salzwita, Solis urbs, Soltaquella: Salzwedel (Pr. Sachsen), Deutschl.
Samara → Somena
Samarcandia → Maracanda
Samarcolium, s. Martialis: Sammarçolles (Vienne), Frankr.
Samaria, s. Mariae fan.: Šamorín [Sommerein, Somorja] (Slowakei), Tschechoslow.

Sambia, Samlandia, Sambita, Zambia: Samland [Sambia], Landsch. (O-Preußen), Deutschl.
Sambita → Sambia
Samboria → Pelplinum (monast.)
Sambra: Sambre [Samber], Nfl. der Maas, Frankr. u. Belg.
Sambracia: Grimaud (Var), Frankr.
Sambracitanus sinus, Gambracius sinus: Golf von Saint-Tropez [Golfe de Saint-Tropez] (Var), Frankr.
Sambrensis pagus: Sambregau, eh. Gau a. d. unteren Sambre (Hennegau), Belg.
Sambroca → Thiceris
Sambutinum jugum: Säntis, Berg (Appenzell), Schweiz.
Samerium: Samer [Saumer] (Pas-de-Calais), Frankr.
Samesium: Samois-sur-Seine (Seine-et-Marne), Frankr.
Samiltum, s. Michaelis fan.: Saint-Mihiel (Meuse), Frankr.
Samlandia → Sambia
Samogitiae ducat.: Samogitien [Schamaiten, Žemaiten], Landsch. u. eh. Hgt. (Litauen), UdSSR.
Samoscium → Zamoscium
Samosius, Samusius: Szamos [Someş, Samosch, Somesch], Nfl. der Theiß, Rumän. u. Ung.
Sampiniacum: Sampigny (Meuse), Frankr.
Sampolitanum, s. Hippolyti fan., Ypoliti fan., s. Hippolytus: Sankt Pölten (N-Österr.), Österr.
Samsoa, Samus Danica: Samsø, Ins. zw. Jütland u. Seeland, Dänem.
Samulocenae: Sülchen bei Rottenburg (Württemberg), Deutschl.
Samus Danica → Samsoa
Samusius → Samosius
Sana: Saanen [Gessenay] (Bern), Schweiz.
Sana casa, Sanagaunum, Sarunegaunum, Sarunetum, Senegaunis: Sargans (St. Gallen), Schweiz.
Sanagaunum → Sana casa
Sanaterra → Sanguitersa
Sanbonetum: Saint-Bonnet (Hautes-Alpes), Frankr.
Sancerra → Sacrocaesarinum
Sanclaudianum → s. Augendi fan.
Sanconium → Xancontium
Sancta civ., Heiligenstadium: Heiligenbeil [Mamonowo] (O-Preußen), Deutschl.
Sancta Crux: Heiligenkreuz im Lafnitztal (Burgenland), Österr.
Sancta Crux: Vipavski križ [Heiligenkreuz, Santa Croce di Aidussina, Križ na Vipavskem, Sveti Križ] a. d. Wippach (Slowenien), Jugoslaw.
Sancta Crux: Žiar nad Hronom [Heiligenkreuz, Garamszentkereszt, Svätý Kríž nad Hronom] wstl. Altsohl (Slowakei), Tschechoslow.
Sancta Crux → s. Crucis fan.
Sancta ins.: Holy Island [Lindisfarne], Ins. (Co. Northumberland), Engl.
Sancta insula → Sisilli
Sancta terra → Sacra insula
Sanctae → Xantae
Sanctensis civ. → Xantae
Sancti → Xantae
Sanctogallum → Sangallense coenobium
Sanctorum campus, Sontium campus: Saint-Inglevert (Pas-de-Calais), Frankr.
Sanctorum urbs → Heiligenstadium
Sanctuariorum villa: Schwentnig

[Światniki] (N-Schlesien), Deutschl.

Sanctum → Xantae

Sanctum Cereris → Sacrocaesarinum

Sanctum promont. → Asneum

Sanctum Seccovium → Saconium

Sanctus arbor: Heiligenbaum (O-Österr.), Österr.

Sanctus mons: Heiligenberg, Berg sdl. Winterthur (Zürich), Schweiz.

Sanctus mons: Heiligenberg bei Waizenkirchen (O-Österr.), Österr.

Sanctus mons → Sacer mons

Sandesiderianum → s. Desiderii oppidum

Sandomiria, Sendomiria: Sandomierz [Sandomir] a. d. Weichsel (Kielce), Polen.

Sandovicus: Sandvig auf Bornholm, Dänem.

Sandovicus: Sandwich (Co. Kent), Engl.

Sanesio → Sanitium

Sangallense coenobium, s. Galli fan., Sangallum, Sanctogallum: Sankt Gallen (St. Gallen), Schweiz.

Sangallum → Sangallense coenobium

Sangerhusa: Sangerhausen (Pr. Sachsen), Deutschl.

Sangermanum → s. Germani fanum

Sangona, Saravus, Sarra, Saora, Saroa: Saar [Sarre], Nfl. der Mosel, Frankr. u. Deutschl.

Sangossa: Sangüesa (Navarra), Span.

Sangrus: Castel di Sangro (L'Aquila), Ital.

Sangrus: Sangro, Fl., Mü: Adriatisches Meer (Chieti), Ital.

Sanguis tersus → Sanguitersa

Sanguitersa, Sanguis tersus, Sanaterra, Santeriensis ager, Sincerra: Santerre, Landsch. (Somme, Aisne, Oise), Frankr.

Saniciensium civ. → Sanitium

Sanitium, Sanesio, Senassio, Senencae, Saniciensium civ.: Senez (Basses-Alpes), Frankr.

Sanlaudum → Briovera

Sanmaclovium → Aletae

Sanmanhildis fanum → s. Menechildis fanum

Sannanabiki: Sandebeck (Westfalen), Deutschl.

Sannum: Salino, Fl., Mü: Adriat. Meer (Neapel), Ital.

Sanona: Saane [Sarine], Nfl. der Aare (Bern), Schweiz.

Sanquintinum → Quintinianum

Sansaphorinum, s. Saphorinus: Saint-Saphorin am Genfer See (Waadt), Schweiz.

Santae → Xantae

Santamandum: Saint-Amand Manche Frank.

Santamandum → Amandopolis

Santangellium, s. Angeli civ., Angelopolis: Sant'Angelo dei Lombardi (Avellino), Ital.

Santara → Scalabis

Santena → Xantae

Santeriensis ager → Sanguitersa

Santernus → Vatrenus

Santforda, Scandforda: Sandfort (Westfalen), Deutschl.

Santia → s. Agatha

Santinsis pagus, Suentisium: Saintois, Landsch. (Meurthe-et-Moselle, Meuse, Vosges), Frankr.

Santirium castrum: abgeg. Fstg. zw. Nogat u. Weichsel (Freie Stadt Danzig), Deutschl.

Santonae, Mediolanum Santonum: Saintes (Charente-Maritime), Frankr.

Santones → Ruscellonum

Santonia: Saintonge, Landsch. u. eh. Prov. (Charente-Maritime), Frankr.

Santonum pontes: Pons (Charente-Maritime), Frankr.
Santonum portus → Rupella
Santouwa → Santowa
Santowa, Santouwa: Sandau (O-Bayern), Deutschl.
Sanus fons, Fossanum: Fossano (Cuneo), Ital.
Sanvalerium: Saint-Vallier (Drôme), Frankr.
Saogonna → Sagonna
Saora → Sangona
s. Saphorinus → Sansaphorinum
Sapinicha: Sarblingstein (O-Österr.), Österr.
Sapis → Sabis
Saponaria: Savonnières (Indre-et-Loire), Frankr.
Saporosa amnis: Savoureuse, Nfl. d. Allaine (Doubs), Frankr.
Sara: La Sère, Nfl. d. Garonne (Tarn-et-Garonne), Frankr.
Sarabia → Sabaria
Sarabris → Taurinum
Saraburgum, Sarae castr.: Sarrebourg [Saarburg] (Moselle), Frankr.
Saraburgum, Sarae castr., Caranusca: Saarburg (Rheinprov.), Deutschl.
Sarachowa → Saroinsis pag.
Sarae castrum → Saraburgum
Sarae pons, Sarebrugka, Salembrucca, Sarebrucha, Salebrugis, Saraepontum, Saravi pons, Saropons: Saarbrücken (Saarland), Deutschl.
Saraepontum → Sarae pons
Saragemunda, Gaimundiae: Sarreguemines [Saargemünd] (Moselle), Frankr.
Sarahgewi → Saroinsis pag.
Saravi pons → Sarae pons
Saravus → Sangona
Sarawinsis → Saroinsis pag.
Sarcellae, Cersilla: Sarcelles (Seine-et-Oise), Frankr.
Sarcinio → s. Leodegarius
Sarclidae villa, Sarclitae villa, Saclitae: Saclas (Seine-et-Oise), Frankr.
Sarclitae villa → Sarclidae villa
Sardica, Ulpia Sardica: Sofija [Sofia], Hst. v. Bulgarien.
Sarebrucha → Sarae pons
Sarebrugka → Sarae pons
Sarentina vallis: Valle Sarentina [Sarntal] (Bozen), Ital.
Sarentinum: Sarentino [Sarnt hein] (Bozen), Ital.
Sargeium, Cerviacus, Cerviae, Cergiacus, Cergeium: Sargé-lès-Le Mans (Sarthe), Frankr.
Sargia: Sark [Sercq], Ins. d. Channel Islands, Engl.
Saringia → Zeringia
Sarinsis → Saroinsis pag.
Sarisberia: Salisbury [New Sarum] (Wiltshire), Engl.
Sarischa: Sarsisk [Zarzyska] (O-Schlesien), Deutschl.
Sarlatum: Sarlat (Dordogne), Frankr.
Sarmatici montes → Carpates
Sarmenza: Sermersheim (Bas-Rhin), Frankr.
Sarmesiae: Sermaise (Seine-et-Oise), Frankr.
Sarnia → Garneseja
Sarnon: Saarn [Mülheim-Saarn] (Rheinprov.), Deutschl.
Saroa → Sangona
Sarohensis pag. → Saroinsis pag.
Saroinsis pag., Saruinsis, Sarinsis, Sarawinsis, Sarohensis pagus, Sarahgewi, Sarachowa: Saargau, eh. Gau (Saarland, Dép. Moselle u. Bas-Rhin), Deutschl. u. Frankreich.

Saropons → Sarae pons
Sarosiensis → Sarosium
Sarosiensis comit.: Sarosch [Sáros], eh. ung. Komit. (Slowakei), Tschechoslow.
Sarosium, Sarosiensis: Şoarş [Sáros, Nagysáros, Scharosch, Scharesch] (Siebenbürgen), Rumän.
Sarospatakinum: Sárospatak (Borsod-Abaúj-Zemplén), Ung.
Sarra → Sangona
Sartha: Sarthe, Nfl. der Maine (Maine-et-Loire), Frankr.
Saruinsis → Saroinsis pag.
Sarunegaunum → Sana casa
Sarunetum → Sana casa
Sarvarium: Sarvaš [Szarvas] a. d. Drau (Kroatien), Jugoslaw.
Sassegniacas, Saxoniacas: Sassegnies (Nord), Frankr.
Sassina → Bobium Umbriae
Sassowia: Sassupönen [Sassenau] (O-Preußen), Deutschl.
Sastivale → Aestivalium in Carnia
Satala: Sadag bei Kelkit [Çiftlik] (Gümüşane), Türkei.
Satalara, Satalaron: Sattlern (N-Bayern), Deutschl.
Satalaron → Satalara
Satanacum, Stanacum, Stenacum, Satenai: Stenay (Meuse), Frankr.
Satenai → Satanacum
Sathalcurtis → Sodalcurtum
Sathmariensis → Zathmarium
Sathsa: Sachsa (Pr. Sachsen), Deutschl.
Satischa → Sacska
Satiza → Sazawa
Saturni promont., Sumbravium promont.: Cabo de Palos, Kap (Murcia), Span.
Saula: Saulorn (N-Bayern), Deutschl.
Saurgium: Saorge [Saorgio] (Alpes-Maritimes), Frankr.
Sauriciacus mons, s. Mariae mons in pago Tardanensi: Mont-Notre-Dame (Aisne), Frankr.
Savaria → Graecium
Savarium → Graecium
Saverdunum: Saverdun (Ariège), Frankr.
Savia Pannonica, Sclavinia, Sclavonia, Sclavonica provincia, Slavonia, Suavia: Slawonien [Slavonija, Szlavonia], Landsch. u. Teil von Kroatien, Jugoslaw.
Savilianum: Savigliano (Turin), Ital.
Saviniacum: Savignac-les-Églises (Dordogne), Frankr.
Savis → Sabis
Savonia: Blüchertal [Zawonia, Schawoine] (N-Schlesien), Deutschl.
Savus, Sawa, Sowa: Save [Sawe, Sava, Száva, Sau], Nfl. der Donau, Jugoslaw.
Sawa → Savus
Saxcopia, Saxicopia: Sakskøbing [Sakskjøbing] (Laaland), Dänem.
Saxicopia → Saxcopia
Saxilis: Seyssel (Haute-Savoie), Frankr.
Saxina → Bobium Umbriae
Saxium: Saas [Saas-Fee] (Wallis), Schweiz.
Saxoferratum: Sassoferrato (Ancona), Ital.
Saxonia, Saxonia antiqua, Saxonia propria, Saxonia septentrionalis, Saxonum terra, Altsaxonum prov., Orientalium Saxonum ducatus: Sachsen, das sächsische Stammesgebiet bzw. Hgt. in Deutschl.
Saxonia antiqua → Saxonia
Saxonia inferior (circulus): Niedersachsen [Niedersächsischer Kreis],

eh. Reichskreis (Holstein, Mecklenburg, Welfische Lande zw. Weser u. Elbe [Hannover, Braunschweig, Teile d. Pr. Sachsen u. Brandenburg]), Deutschl.

Saxonia inferior (regio): Niedersachsen, Landsch. zw. Ems, Nordsee, Elbe, Harz u. Wesergebirge (Hannover, Oldenburg, Lippe, Braunschweig, Bremen), Deutschl.

Saxonia occidentalis → Westfalia

Saxonia propria → Saxonia

Saxonia septentrionalis → Saxonia

Saxonia superior (circulus): Obersachsen [Obersächsischer Kreis], eh. Reichskreis (Pommern, Kur-Brandenburg, Kur-Sachsen, Anhalt), Deutschl.

Saxonia Transalbiana → Nordalbingia

Saxoniacas → Sassegniacas

Saxonicae aquae, Acona: Aken (Pr. Sachsen), Deutschl.

Saxonum Fabirana → Brema

Saxonum insulae: Nordfriesische Inseln [Nordfrisiske Øer] (Schleswig-Holstein, Nordschleswig), Deutschl. u. Dänem.

Saxonum terra → Fundus regius Saxionicus

Saxonum terra → Saxonia

Saxopolis, Ambrosiopolis, Brossa frateria: Orăştie [Broos, Szászváros] (Hunedoara), Rumän.

Sazawa, Zazoa, Satiza, Sacensis, Zazavensis, Zazaviensis: Sázava [Sazau] (Böhmen), Tschechoslow.

Scafhusensis → Probatopolis

Scafusa → Probatopolis

Scahanigi → Scahaningi

Scahaningi, Schahaningi, Skahaningi, Skachaningi, Scahiningi, Scahanigi, Schahanigi, Scainingi, Scahuningi, Scaningi: Schöningen (Braunschweig), Deutschl.

Scahiningi → Scahaningi

Scahuningi → Scahaningi

Scaidava: Ruse [Russe, Rusçuk, Rūsčuk, Rustschuk] (Ruse), Bulgarien.

Scala: Schallaburg (N-Österr.), Österr.

Scainingi → Scahaningi

Scala: Schalladorf (N-Österr.), Österr.

Scalabis, Santara: Santarém (Ribatejo), Portug.

Scalae Dei Carthusia: Escaledieu [Chartreuse de l'Escale-Dieu], Kl. (Hautes-Pyrénées), Frankr.

Scalae lucis monasterium: Scala de Luz, Kl. (Granada), Span.

Scalarum burgus, Scalorum oppid.: Les Échelles (Savoie), Frankr.

Scalchenhememarca: abgeg. bei Schalkendorf (Bas-Rhin), Frankr.

Scaldia → Scaldis

Scaldia, Scouda: Schouwen [Schouwen-Duiveland], Ins. (Seeland), Niederl.

Scaldis, Scaldia, Scalta, Scaldus, Scella: Schelde [Escaut], Fl., Mü: Nordsee, Frankr., Belg., Niederl.

Scaldis pons: Escautpont (Nord), Frankr.

Scaldistadium → Selestadium

Scaldistatum → Selestadium

Scaldus → Scaldis

Scalis: Česká Skalice [Böhmisch-Skalitz] (Böhmen), Tschechoslow.

Scalizci: Stein [Kamień] (N-Schlesien, Kr. Oels), Deutschl.

Scalorum oppidum → Scalarum burgus

Scalowia, Scalowita, Schalbini: Schalauen, Landsch. a. d. unteren Memel (O-Preußen, Memelgebiet), Deutschl. u. (Litauen) UdSSR.

Scalowita → Scalowia

Scalowitarum castrum: Schalowis, abgeg. (eh. Fstg.) in Schalauen (O-Preußen), Deutschl.

Scalta → Scaldis

Scammacha: Schambach (M-Franken, Kr. Eichstätt), Deutschl.

Scammacha: Schambach (N-Bayern, Kr. Straubing), Deutschl.

Scammacha: Schambach (O-Bayern, Kr. Wasserburg), Deutschl.

Scammares: Langenschemmern (Württemberg), Deutschl.

Scamnis: Chammes (Mayenne), Frankr.

Scamnum: Latiano (Apulien), Ital.

Scanaves: Schanfigg, Tal (Graubünden), Schweiz.

Scancia: Écaussinnes-d'Enghien (Hennegau), Belg.

Scancia: Scance, Teil v. Verdun (Meuse), Frankr.

Scandforda → Santforda

Scandianum: Scandiano (Reggio nell' Emilia), Ital.

Scania, Schonia: Schonen [Skåne], Landsch. u. eh. Prov. (Kristianstad, Malmöhus), Schwed.

Scaningi → Scahaningi

Scannova → Schemis

Scapeshusensis → Probatopolis

Scaphusa → Probatopolis

Scaphusum → Probatopolis

Scaplanza: Oberschefflenz (Baden), Deutschl.

Scara: Cher, Nfl. der Loire (Indre-et-Loire), Frankr.

Scara: Skara (Skaraborg), Schwed.

Scara → Caris

Scara, Scarra: Scharrhof (Baden), Deutschl.

Scarabantia → Sempronium

Scaralowa: Scharlau (O-Pfalz), Deutschl.

Scardus mons: Šar planina [Mali i Sharit, Şar daği], Geb. (Makedonien, Kosovo-Metohija), Jugoslaw.

Scarleiae → Escarliae (monast.)

Scarpanensis comit., Scarponinsis comit.: Charpaigne, Landsch. (Meurthe-et-Moselle), Frankr.

Scarponinsis comit. → Scarpanensis comit.

Scarponna: Scarpone [Scarponne] a. d. Mosel bei Dieulouard (Meurthe-et-Moselle), Frankr.

Scarpovia: Scharpau [Szkarpawa] (Danzig), Polen.

Scarpus: Scarpe, Nfl. der Schelde, [Escaut] (Pas-de-Calais, Nord), Frankr.

Scarra → Scara

Scebbasa: Schipse, eh. Nfl. der Aller (Hannover), Deutschl.

Sceddanvurthi: Schettens (Friesland), Niederl.

Scella → Scaldis

Scelwalda, Skelwalda, Skeldensis: Schiedwolde (Groningen), Niederlande.

Scepus → Cepusium

Scepusiensis arx → Cepusium

Scepusiensis comitatus, Cepusiensis comitatus: Szepes [Zips, Spiš], eh. ung. Komit. (Slowakei), Tschechoslow.

Scepusium → Cepusium

Scera: Sare, Nfl. der Bode (Pr. Sachsen), Deutschl.

Scerolvinga: Schörfling (O-Österr.), Österr.

Schadwienna, Fauces Noricorum: Schottwien (N-Österr.), Österr.

Schaffhusa → Probatopolis

Schaffhusium → Probatopolis
Schaffnaburgum, Aschaffenburgum: Aschaffenburg (U-Franken), Deutschl.
Schahanigi → Scahaningi
Schahaningi → Scahaningi
Schalbini → Scalowia
Schalleon: Schalunen (Bern), Schweiz.
Schalotum: Skálholt (Árnessýsla), Island.
Schalowini: Schalben bei Groß Kuhren (O-Preußen), Deutschl.
Schasburgum, Sciburgum: Sighişoara [Schäßburg, Segesvár] (Siebenbürgen), Rumän.
Schatzlavia → Czasslawia
Schedvia: Skövde [Sköfde] (Skaraborg), Schwed.
Schefowa: Scheffau (Salzburg), Österr.
Scheftela: Schöftland (Aargau), Schweiz.
Scheftlariensis vicus: Schäftlarn (O-Bayern), Deutschl.
Schemis, Skemines, Skennines, Skandinensis, Scannova: Schänis (St. Gallen), Schweiz.
Schemnicium, Selmiczlania: Banská Štiavnica [Schemnitz, Selmecbánya] (Slowakei), Tschechoslow.
Schenckendorfium: Schenkendorf (Brandenburg, Kr. Luckau), Deutschl.
Scherdinga: Schärding (O-Österr.), Österr.
Schetensis vicus: Scheda bei Wickede (Westfalen), Deutschl.
Schevia, Schiva: Skive (Jütland), Dänem.
Scheyrum → Schiria
Schidinga, Schidingi, Dispargum, Burgscheidinga, Scidingi: Burgscheidungen (Pr. Sachsen), Deutschl.
Schidingi → Schidinga
Schiedamum, Sciedamnae: Schiedam (S-Holland), Niederl.
Schilla → Cillensis villa
Schiphon: Schüpfheim (Luzern), Schweiz.
Schira → Schiria
Schirensis → Schiria
Schiria, Schira, Scira, Schyra, Scheyrum, Schirensis, Schyrensis, Skirensis: Scheyern (O-Bayern), Deutschl.
Schiva → Schevia
Schledorfensis vicus: Schlehdorf (O-Bayern), Deutschl.
Schleswicum → Slesvicum
Schleusinga → Silusia
Schmalkaldia → Smalcaldia
Schonaugia → Sconenauwa
Schonaugia, Sconaugia: Schönau (Rheinprov.), Deutschl.
Schonauvia, Sconaugia: Schönau (Baden), Deutschl.
Schonavia → Sconga
Schonense castrum: Kowalewo Pomorskie [Schönsee] nö. Thorn (Bromberg), Polen.
Schonga → Sconga
Schonia → Scania
Schoonhovia: Schoonhoven (S-Holland), Niederl.
Schuntra → Scuntra
Schuterna → Offonis cella
Schwabacum → Swabacum
Schwartzala → Suarzaha
Schwarzaha → Swarza
Schwidnicium → Svidnitium
Schyderensis villa → Scyderensis villa
Schyra → Schiria
Schyrensis → Schiria
Sciburgum → Schasburgum

Scidingi → Schidinga
Scidrus: Sciderno (Reggio di Calabria), Ital.
Sciedamnae → Schiedamum
Sciltaha: Schiltern (N-Österr.), Österr.
Scingomagus → Segusio
Scinum: Cinuos-chel [Cinuskel] (Graubünden), Schweiz.
Scinum → Cinum
Scipionis mons, Caepionis mons, Sempronius mons: Simplon [Simplonpaß, Sempione], Paß (Wallis), Schweiz.
Scira → Schiria
Scirnbeki: Scharmbeck [Osterholz-Scharmbeck] (Hannover), Deutschl.
Sciropesberia → Salopia
Scithicum mare → Balticum mare
Scitrai → Scyderensis villa
Sclaborum terra → Sclavania
Sclancisvordi: Schlenzer (Brandenburg), Deutschl.
Sclavania, Sclaborum terra, Sclavenia, Sclavia, Sclavinia, Sclavonum terra, Sclavorum terra, Slavorum terra, Wenedonia: Slawenland [Land der Slawen, Wendenland], eh. das Gebiet östl. der Elbe u. Saale.
Sclavenia → Sclavania
Sclavia → Sclavania
Sclavia Poemitanea → Pomerania
Sclavinia: der wstl. Teil der Balkanhalbinsel [Balkan, Balkan yarimadasi, Balkanski poluostrov, Balkanski poluotok, Peninsula Balcanică, Walkaniki Chersonisos] einschl. d. Peloponnes [Morea, Peloponnisos Morias].
Sclavinia → Savia Pannonica
Sclavinia → Sclavania
Sclavonia → Savia Pannonica
Sclavonica provincia → Savia Pannonica
Sclavonum terra → Sclavania
Sclavorum terra → Sclavania
Scludis, Sluis: Clusio [Schleis], (Bozen), Ital.
Sclusa castrum, Clausulae, Clusa, Slusa, Slus, Zlus: Sluis (Seeland), Niederl.
Scoa → Escovium
Scocia → Scotia
Scodinga, Scudingius pag., Scudingum: eh. Landsch. (Jura, Doubs), Frankr.
Scodonis villa → Theodonis villa
Scoinawa, Sconinova: Schönau (O-Bayern), Deutschl.
Scolinare palatium: Schönecken (Rheinprov.), Deutschl.
Scolium, Scuola, Strada, Straeda: Scuol [Schuls] (Graubünden), Schweiz.
Sconaugia → Schonaugia
Sconaugia → Schonauvia
Sconenauwa, Schonaugia: Schönau (Zürich), Schweiz.
Sconga, Schonga, Schonavia: Schongau (O-Bayern), Deutschl.
Sconheringa: Schönering (O-Österr.), Österr.
Sconinowa → Scoinawa
Sconinreina: Schönrain (O-Bayern), Deutschl.
Scontra → Scuntra
Scopi, Justiniana: Skopje [Skoplje, Üsküb, Üsküp] (Makedonien), Jugoslaw.
Scoralia: Escorailles (Cantal), Frankr.
Scoriacum → Escuriacum monast.
Scoriale monast. → Escuriacum monast.
Scorialense monast. → Escuriacum monast.

Scoriolae: Escurolles (Allier), Frankr.
Scorla: Schoorl (N-Holland), Niederl.
Scothia → Scotia
Scotia, Albania, Scocia, Scothia, Scotlandum: Schottland [Scotland], Land u. Teil von Großbritannien.
Scotia Britannica → Britannia barbara
Scotia major, Hibernia, Hibernica ins., Hybernia, Ibernia, Irlandia, Vernia, Ybernia: Irland [Ireland, Éire], Ins. d. Britischen Inseln.
Scotia minor → Valentia
Scotlandum → Scotia
Scouda → Scaldia
Scrapelo, Scraphilo, Scroppolno, Zraphela: Schraplau (Pr. Sachsen), Deutschl.
Scraphilo → Scrapelo
Scroppolno → Scrapelo
Scropuli villa: Écrouves (Meurthe-et-Moselle), Frankr.
Scruli: Schreufa (Hessen-Nassau), Deutschl.
Scudici: Schkeuditz (Pr. Sachsen), Deutschl.
Scudingius pag. → Scodinga
Scudingum → Scodinga
Scullebi: Schülp in Dithmarschen (Schleswig-Holstein), Deutschl.
Sculturbura, Malbrunnum, Mulifontanum coenob.: Maulbronn (Württemberg), Deutschl.
Scuntera → Scuntra
Scuntra: Schondra, Nfl. d. Fränkischen Saale (U-Franken), Deutschl.
Scuntra, Schuntra, Scontra: Schunter, Nfl. d. Oker (Braunschweig, Hannover), Deutschl.
Scuntra, Scuntera: Schondra (U-Franken), Deutschl.
Scuola → Scolium
Scurgum → Coslinum
Scutarium: Shkodër [Scutari, Shkodra, Skutari, İskodra], Albanien.
Scutera → Offonis cella
Scuturensis villa → Offonis cella
Scuzina: Schussen, Fl., Mü: Bodensee (Württemberg), Deutschl.
Scyderensis villa, Schyderensis villa, Scitrai: Schieder (Lippe), Deutschland.
Scylla: Scilla (Reggio di Calabria), Ital.
Sebasthusia → Probatopolis
s. Sebastiani fan.: San Sebastián de la Gomera auf Gomera, Ins. der Kanarischen Ins., Span.
Sebastianopolis, s. Sebastii fan., Donastienum, Menosca, Morosgi: San Sebastián (Guipúzcoa), Span.
s. **Sebastii fan.** → Sebastianopolis
Sebastopolis, Soteriopolis: Sewastopol [Sevastopol', Sebastopol] (Krim), UdSSR.
Sebatum, Sevacium: Schwaz (Tirol), Österr.
Sebum, Yseum: Iseo (Brescia), Ital.
Sebusianorum burgus, Bressiae burgus: Bourg-en-Bresse (Ain), Frankr.
Sebusianus ager, Bressia, Brexia: Bresse, Landsch. (Ain, Saône-et-Loire), Frankr.
Sebusium → Alba
Secalaunia, Segalaunia, Secolaunia: Sologne, Landsch. (Loir-et-Cher, Cher, Loiret), Frankr.
Secana → Segona
Secanensis → Saconium
Secanis → Saconium
Secchinga → Saconium
Secclavia → Seconium

Secconia → Saconium
Sechingensis → Saconium
Secolaunia → Secalaunia
Seconis castrum → Saconium
Seconium, Secovia, Sedavia, Secclavia, Secoviensis, Sekowensis: Seckau (Steiermark), Österr.
Secovia → Seconium
Secoviensis → Seconium
Seculia → Segusio
Secura: Segura de León (Badajoz), Span.
Secussis terra → Segusio
Sedanum: Sedan (Ardennes), Frankr.
Sedavia → Seconium
Sedelaucum, Sedelocus, Sidilocum, Sidoleucum: Saulieu (Côte-d'Or), Frankr.
Sedelocus → Sedelaucum
Sedena, Sezena: La Seyne-sur-Mer (Var), Frankr.
Sedera → Salera
Sedinum, Stetina, Stetinensis civ.: Stettin [Szczecin] (Pommern), Deutschl.
Sedunum, Sytinensis, Sidunensis civ., Sidunis, Siduninsium civ., Sedyninsium civ.: Sion [Sitten] (Wallis), Schweiz.
Sedyninsium civitas → Sedunum
Seelandia → Codanonia
Sega, Segaha, Siga: Sieg, Nfl. des Rhein (Rheinprov.), Deutschl.
Segaha → Sega
Segalaunia → Secalaunia
Segavis: Gäwis (O-Bayern), Deutschl.
Segedunum → Finis vallis
Segedunum, Segestero, Szegedinum: Szeged [Szegedin] (Csongrád), Ung.
Segessera: Suzannecourt (Haute-Marne), Frankr.
Segestae aquae → Ferrariae
Segesterica, Segestero, Segustero: Sisteron (Basses-Alpes), Frankr.
Segestero → Segedunum
Segestero → Segesterica
Segestica: La Hiniesta (Zamora), Span.
Segida → Julia Restituta
Segiontensis pag. → Suentensis pag.
Segna → Segona
Segnia: Senj [Segna, Zengg] (Kroatien), Jugoslaw.
Segnia, Signia: Segni (Rom), Ital.
Segobodium: Séveux (Haute-Saône), Frankr.
Segodinum → Rotena urbs
Segona → Salmurus
Segona, Secana, Segna, Sigona: Seine, Fl., Mü: Ärmelkanal, Frankr.
Segontia → Seguntia
Segorvia → Etobema
Segubia: Segovia (Segovia), Span.
Seguntia, Segontia: Sigüenza (Guadalajara), Span.
Seguntium → Arvonia
Segusianorum forum: Feurs (Loire), Frankr.
Segusianus ager → Forensis pag.
Segusina → Segusio
Segusio, Seculia, Segusina, Sicusis, Secussis terra, Scingomagus: Susa (Turin), Ital.
Segustero → Segesterica
Sehhiringa: Ober- u. Untersöchering (O-Bayern), Deutschl.
Sehuson, Seon: Seehausen i. d. Altmark (Pr. Sachsen), Deutschl.
Seilliniacum, Siliniacum: Seignelay (Yonne), Frankr.
Seka: Saig (Baden), Deutschl.
Sekbiki: Sebexen (Hannover), Deutschl.
Sekowensis → Secovia

Selandia → Codanonia
Selandia, Zeelandia: Zeeland [Seeland], Landsch. u. Prov., Niederl.
Selaniaco → Selaniacum
Selaniacum, Selaniaco: Salagnac (Dordogne), Frankr.
Selaricum: Selkirk (Co. Selkirk), Schottl.
Seldon: Sölden [Rettenbach] (Tirol), Österr.
Selenopolis → Luneburgum
Selestadium, Scaldistatum, Scaldistadium: Sélestat [Schlettstadt] (Bas-Rhin), Frankr.
Seletio → Elizatium
Seleuci mons: Saléon (Hautes-Alpes), Frankr.
Selja Berga → Bergae
Seliganstedi → Ostrenhova
Selinensis processus: Semlin [Zemun, Zimony, Beograd-Zemun], Distr. im eh. ung. Komit. Syrmien (Kroatien), Jugoslaw.
Selingostadium, s. Marcellinus et Petrus: Seligenstadt (Hessen), Deutschl.
Selmiczlania → Schemnicium
Selonensis civitas, Zelonia: Sēlpils [Selburg, Alt-Selburg, Seelburg] nw. Jēcabpils [Jakobstadt] (Lettland), UdSSR.
Selsa → Elizatium
Semana → Semanus mons
Semanus mons, Semanus silva, Semana, Luvia, Louvia, Louba, Leiba, Levia: Thüringer Wald, Geb., Deutschl.
Semanus silva → Semanus mons
Semendrova: Roman (Moldau), Rumän.
Semerinkus mons → Semininius mons
Semigalli, Semigallia: Semgallen [Zemgale], Landsch. u. eh. Prov. (Lettland), UdSSR.
Semigallia → Semigalli
Semininius mons, Semerinkus mons: Semmering, Berg (N-Österr. u. Steiermark), Österr.
Semitaha → Sempta
Semlinium → Taurunum
Semnaha → Sempta
Sempacum: Sempach (Luzern), Schweiz.
Sempronii forum: Fossombrone (Pesaro), Ital.
Sempronium, Sopronium, Sopronicum, Oedenburgum, Scarabantia, Deserta civ.: Sopron [Ödenburg] (Györ-Sopron), Ung.
Sempronius mons → Scipionis mons
Sempta, Semitaha, Semnaha: Sempt, Nfl. der Isar (O-Bayern), Deutschl.
Semptavia: Šintava [Sempte, Schintau] (Slowakei), Tschechoslow.
Semurium → Sinemurum Briennense castr.
Sena: Île de Sein, Ins. (Finistère), Frankr.
Sena Julia → Senae
Senae, Sena Julia, Sexna: Siena (Siena), Ital.
Senapariae: Cénevières (Lot), Frankr.
Senassio → Sanitium
Senceca → Sentiaca
Senderovia, Sonderovia, s. Andreae fan.: Smederevo [Semendria] (Serbien), Jugoslaw.
Sendomiria → Sandomiria
Senedewalda, Sunedeswolda: Simonswolde (Hannover, Kr. Aurich), Deutschl.
Senegaunis → Sana casa
Senegia → Senonagus pag.

Senego: Sinningen (Westfalen), Deutschl.
Senencae → Saitnium
Senensis comit.: Sayn, eh. Grafsch. (Westfalen), Deutschl.
Senieda: Scheemda (Groningen), Niederl.
Senlenses → Silvanectum
Sennenses → Senona in Vosago
Sennonegia → Senonagus pag.
Senogallica: Senigallia (Ancona), Ital.
Senona in Vosago, Senoniense monast., Senoniae, Sennenses: Senones (Vosges), Frankr.
Senonagus pagus, Senegia, Sennonegia: Landsch. um Soignies [Zinnik] (Hennegau), Belg.
Senones, Senonicus pagus, Senoniensis ager: Senonais, Landsch. (Yonne), Frankr.
Senones celsi: Senonges (Vosges), Frankr.
Senoniae → Senona in Vosago
Senonica urbs: Sens (Yonne), Frankr.
Senonicus pagus → Senones
Senoniense monasterium → Senona in Vosago
Senoniensis ager → Senones
Senovium, Senuvio: Schnifis (Vorarlberg), Österr.
Sentiaca, Sentiacum, Sinciacum, Siniacus, Sincicha, Sincicum, Senceca: Sinzig (Rheinprov.), Deutschl.
Sentiacum → Sentiaca
Sentiacum, Hisentiacum: Sentzich (Moselle), Frankr.
Sentica → Ocellodurum
Senus, Juernus: Shannon [An tSionna], Fl., Mü: Atlantik (Limerick, Clare, Kerry), Eire.
Senuvio → Senovium
Seon → Sehuson
Seonense monast.: Seeon (O-Bayern), Deutschl.
Separa Namnetensis: Sèvre Nantaise, Nfl. der Loire (Loire-Atlantique), Frankr.
Separa Niortensis: Sèvre Niortaise, Fl., Mü: Atlantischer Ozean (Charente-Maritime), Frankr.
Sepiana vallis: Simmental, Landsch. (Bern), Schweiz.
Sepinusa: Sepino (Campobasso), Ital.
Sepsiensis sedes: Sfîntu Gheorghe [Sepsiszentgyörgy, Sfântu Gheorghe, Şepşi Sîngeorz] (Kronstadt), Rumän.
Septa, Lissa, Exilissa, Septem fratres: Ceuta [Sebta] an der Straße v. Gibraltar, Marokko.
Septem arae → Aranum
Septem castra, Septemcastrensis pag., De Septem castris, Septem urbium regio, Transsilvania: Siebenbürgen [Transilvania, Ardeal, Erdély], Landsch., Rumän.
Septem fontes: Seffent bei Aachen (Rheinprov.), Deutschl.
Septem Fontes: Sept-Fontaines [Sevenborn, Zeven-Borren, Siebenbrunn], Kl. sdl. Brüssel (Brabant), Belg.
Septem fontes: Septfontaines bei Blancheville (Haute-Marne), Frankr.
Septem fontes, s. Loci monast.: Sept-Fonds [Saint-Lieu], Kl. bei Diou (Allier), Frankr.
Septem fratres → Septa
Septem sales: Semsales (Freiburg), Schweiz.
Septem saltus, Septem silvae, Baduhenna silva, Baduhennae lucus: Zevenwouden [De Zevenwolden], Landsch. (Friesland), Niederl.

Septem silvae → Septem saltus
Septem urbium regio → Septem castra
Septemburius: Zepperen (Limburg), Belg.
Septemcastrensis pagus → Septem castra
Septemiaci: Maihingen (Bayern, RB. Schwaben), Deutschl.
Septemolae: Sept-Meules (Seine-Maritime), Frankr.
Septentrionale mare → Oceanus septentrionalis
Septentrionalis Bevelandia → Bevelandia septentrionalis
Septentrionalis oceanus → Oceanus Septentrionalis
Septimanca: Simancas (Valladolid), Span.
Septimus: Septème (Isère), Frankr.
Septimus mons: Septimer [Septimerpaß, Pass da Sett], Paß (Graubünden), Schweiz.
s. Sepulcri burgus → Tarivallis burgus
Sequania → Burgundiae comit.
Sequas → Silentius mons
Seragium → Stivagiense monast.
Serbium → Quinque basilicae
Serculus → Anser
Serenus mons, Aethereus mons, Ethereus mons: Petersberg, Berg bei Halle (Pr. Sachsen), Deutschl.
Serezana, Sergianum: Sarzana (La Spezia), Ital.
Sergentium: Gerbini (Catania), Ital.
Sergianum → Serezana
Sericum, Sirkis, Sigeberti castrum: Sierck-les-Bains (Moselle), Frankr.
Sermanicomagus: Charmé (Charente), Frankr.
Sermionense palatium: Sermonne (Ardennes), Frankr.
Sernache Alliorum: Sernache [Sernache dos Alhos, Sarnache] (Coimbra), Portug.
Serninus vicus: Vigano (Modena), Ital.
Serota: Virovitica [Veröcze, Veröce, Virovititz, Werowitz] (Kroatien), Jugoslaw.
Serpensis civ., Fabia Prisca: Serpa (Baixo Aletenjo), Portugal.
Serrae: Scherra (Hohenzollern), Deutschl.
Serratus mons: Montserrat [Monserrat], Berg (Barcelona), Span.
Serravallis: Serravalle [Serravalle Veneto, Serravalle Trevisano], Fraz. v. Vittorio Veneto (Treviso), Ital.
Serravallis: Serravalle Scrivio (Alessandria), Ital.
Serris castr.: Le Grand-Serre (Drôme), Frankr.
s. Servani oppid., Aletum: Saint-Servan-sur-Mer (Ille-et-Vilaine), Frankr.
Servesta, Zerbis, Zirwisti: Zerbst (Anhalt), Deutschl.
Servia: Serwia [Sérbia, Servia, Serfidže] (Makedonien), Griechenl.
Serviodurum → Straubinga
Serwis: Serwest (Brandenburg), Deutschl.
Sesa: Seesen (Braunschweig), Deutschl.
Sesemovicus: Souesmes (Loir-et-Cher), Frankr.
Sesomiris: Semois [Semoy], Nfl. der Maas (Luxemburg, Ardennes), Belg. u. Frankr.
Sesselium, Setellum: Seyssel (Ain), Frankr.
Sessites: Sesia, Nfl. des Po (Piemont), Ital.

Sesterio: Stirone, Nfl. d. Taro (Parma), Ital.
Sestiae, Ad Sextias: Rocca di Fluvione (Ascoli Piceno), Ital.
Sestum: Saracena (Cosenza), Ital.
Setellum → Sesselium
Seterrae aquae, Apollinares aquae: Alcoy (Alicante), Span.
Sethmariensis → Zathmarium
Setiena, Cetius portus, Setium, Sigium: Sète [Cette] (Hérault), Frankr.
Setium → Setiena
Setium promont., Setius mons: Cap d'Agde, Vorgeb. (Hérault), Frankr.
Setius mons → Setium promont.
Setiva → Kesmarkinum
Setovia → Kesmarkinum
Setucae → Setuci
Setuci, Setucae: Cayeux-sur-Mer (Somme), Frankr.
Setuia → Kesmarkinum
Seum: Bayersoien (O-Bayern), Deutschl.
Sevacium → Sebatum
Severiacum: Civray (Vienne), Frankr.
Severiana: Montescaglioso (Potenza), Ital.
s. Severini fanum, Severopolis: Saint-Sever (Landes), Frankr.
Severinum: Sewerien, Landsch. in der Ukrainischen SSR, UdSSR.
Severinum → Bregaetium
Severopolis → s. Severini fanum
Sevia → Kesmarkinum
Sevilia, Sibilia, Romulae colonia, Romulensis: Sevilla (Sevilla), Span.
Sewa: Seewen (Schwyz), Schweiz.
Sexamniensis vallis → Sexamnis
Sexamnis, Sexamniensis vallis, Lapidaria vallis: Schams [Schons], Tal u. Landsch. (Graubünden), Schweiz.
Sexionas → Suessonae
Sexna → Senae
Sexonas → Suessonae
Sexoniae → Suessonae
Sextantio, Sextatio: Substantion, abgeg. bei Castelnau-le-Lez (Hérault), Frankr.
Sextatio → Sextantio
Seyna, Zeina: Sayn, aufgeg. in Bendorf (Rheinprov.), Deutschl.
Sezalacha, Sezzelaha: Seßlach (O-Franken), Deutschl.
Sezania, Sezanna: Sézanne (Marne), Frankr.
Sezanna → Sezania
Sezena → Sedena
Sezzelaha → Sezalacha
Sfinga → Singum
Sherborna, Clarus fons: Sherborne (Co. Dorset), Engl.
Siata → Horata ins.
Sibaris: Santa Severina (Catanzaro), Ital.
Sibaris: Sibari, Fraz v. Cassano allo Ionio [Cassano al I'ónio] (Cosenza), Ital.
Sibenus mons: Siebengebirge (Rheinprov.), Deutschl.
Siberena, Syberona: Santa Severina (Catanzaro), Ital.
Sibidatum → Forojuliensis civ.
Sibigeldes, Sibigeltes: Suckels (Hessen-Nassau), Deutschl.
Sibigeltes → Sibigeldes
Sibilia → Sevilia
Sibotonis villa: Seitendorf [Sieroszów] (N-Schlesien), Deutschl.
Sicambria → Buda
Sicca: Sušice [Schüttenhofen] (Böhmen), Tschechoslow.
Sicca venerea, Venerea, Aphrodisium:

El Kef, sdl. Souk el Arba, Tunesien.

Siccae aquae: Seyches (Lot-et-Garonne), Frankr.

Sichemium: Zichem (Brabant), Belg.

Sichionna → Icauna

Sicilia, Siculia, Siculorum terra, Siculum terra: Szeklerland [„Gebiet der Szekler", Székelyföld], Landschaft (Siebenbürgen), Rumän.

Sicinchilcha: Sitzenkirch (Baden), Deutschl.

Siculia → Sicilia

Siculithi: Ober- u. Niedersickte (Braunschweig), Deutschl.

Siculorum terra → Sicilia

Siculum terra → Sicilia

Siculus pons: Săcueni [Săcuieni, Székelyhid] nö. Großwardein (Kreischgebiet), Rumän.

Sicusis → Segusio

Sidilisdorfa: Sindeldorf (Württemberg), Deutschl.

Sidilocum → Sedelaucum

Sidoleucum → Sedelaucum

Sidunensis civitas → Sedunum

Siduninsium civitas → Sedunum

Sidunis → Sedunum

Siezzon: Sießen (Württemberg), Deutschl.

Siga: Tafna, Fl., Mü: Mittelmeer, Algerien.

Siga → Sega

Siga, Celama: Tekembrit bei Beni-Saf (Tlemcen), Algerien.

Siga, Sigedunum Nassoviae, Sigena Nassoviae: Siegen (Westfalen), Deutschl.

Sigeberti castrum → Sericum

Sigeburgum, Sigisburgum, Sineburgo, Sigenbergensis civ.: Siegburg (Rheinprov.), Deutschl.

Sigedunum Nassoviae → Siga

Sigena Nassoviae → Siga

Sigenbergensis civ. → Sigeburgum

Sigerici castrum → Caesaris burgus

Sigibrehtisruti: Sieberatsreute (Württemberg), Deutschl.

Sigisburgum → Sigeburgum

Sigium → Setiena

Signia → Segnia

Sigona → Segona

Sigrancio, Sigranium: Serans (Orne), Frankr.

Sigranium → Sigrancio

Sila: Sill, Nfl. d. Inn (Tirol), Österr.

Silbiki, Silobiki: eh. Landsch. sw. Paderborn (Westfalen), Deutschl.

Silennon: Silenen (Uri), Schweiz.

Silensi pag., Cilensi pag.: Nimptschgau, eh. Gau um Nimptsch [Niemcza] (N-Schlesien), Deutschland.

Silensis mons → Silentius mons

Silentius mons, Silensis mons, Sabothus, Sequas, Zabothus, Zobtensis mons, Zatensis mons, Asciburgius mons, Zlesi mons: Zobten [Ślęza], Berg (N-Schlesien), Deutschl.

Silesia, Slesia, Zelzia, Zlesia, Sleczia, Sleziensis, Zleznensis: Schlesien [Śląsk, Slezsko], Landsch. u. Prov., Deutschl.

Silgius → Silvacus

Siliacum: Silly-le-Long (Oise), Frankr.

Siliciacum: Sennecey-le-Grand (Saône-et-Loire), Frankr.

Silicis mons: Monfelice (Padua), Ital.

Siliniacum → Seilliniacum

Silis: Sile, Fl., Mü: Palude del Rosa (Venedig), Ital.

Silles: Sils im Engadin [Segl] (Graubünden), Schweiz.

Sillinae insulae, Silvestres insulae, Silvarum insulae: Scilly Islands

[Scilly Isles], Inselgruppe (Co. Cornwall), Engl.

Silobiki → Silbiki

Siluense monast., Syloense monast., Syloa: Selau, Kl. bei Pardubitz (Böhmen), Tschechoslow.

Silurnum, Slierense monast.: Schliers, Kl. (O-Bayern), Deutschl.

Silusia, Schleusinga: Schleusingen (Pr. Sachsen), Deutschl.

Silva Bungiacensis → Bungiacensis silva

Silva s. Leodegarii, Subtus s. Leodegarium: Sus-Saint-Léger (Pas-de-Calais), Frankr.

Silva maior: La Sauve [La Sauve-Majeure] (Gironde), Frankr.

Silva plana: Salve-Plane bei Aujac (Gard), Frankr.

Silva Portuensis: Silva Porto östl. Nova Lisboa, Angola.

Silva regis: Sylvéréal bei Vauvert (Gard), Frankr.

Silvacus, Silgius, Sylviarius: Saint-Servais (Aisne), Frankr.

Silvae, Silvani: Durswolden (Friesland), Niederl.

Silvae Benedictae monast.: La Silve-Bénite, Kl. bei Le Pin (Isère), Frankr.

Silvae Lucdunensis monast., Nostrae Dominae de Lassova monast.: La Séauve, Kl. in Saint-Didier-en-Velay (Haute-Loire), Frankr.

Silvanectensis urbs → Silvanectum

Silvanecti palat. → Silvanectum

Silvanectum, Silvanecti palatium, Silvanectensis urbs, Senlenses, Vedeocaeum civ.: Senlis (Oise), Frankr.

Silvani → Silvae

Silvarum insulae → Sillinae insulae

Silvaticae urbes: die „Waldstädte" a. Rhein [Rheinfelden, Säckingen, Laufenburg, Waldshut] (Baden, Aargau), Deutschl. u. Schweiz.

Silvestres insulae → Sillinae insulae

Silviniacum: Sauvigny-le-Beuréal (Yonne), Frankr.

Simacum → Chimacum

Simaethus: Simeto, Fl., Mü: Ionisches Meer (Catania), Ital.

Simeghiensis comitatus: Somogy [Sümeg], Komitat, Ung.

Simigium: Sámogy bei Michalovce [Nagymihaly, Großmichel] (Slowakei), Tschechoslow.

Simmera: Simmern i. Hunsrück (Rheinprov.), Deutschl.

Simpliciacus: Sargé-sur-Braye (Loir-et-Cher), Frankr.

Sina mons, Sinai mons, Mons Dei, Mons Dei Sina: Dschebel Musa [Djebel Mousa, „Berg Sinai", Berg „Horeb"], Berg auf der Halbins. Sinai, Ägypten.

Sinai mons → Sina mons

Sinarum mare: Ost- u. Südchinesisches Meer [Dong Hai, Nan Hai].

Sincerra → Sanguitersa

Sinciacum → Sentiaca

Sincicha → Sentiaca

Sincicum → Sentiaca

Sindilisdorfa: Sindelsdorf (O-Bayern), Deutschl.

Sindinon: Senden (Westfalen), Deutschl.

Sindunum: Semide (Ardennes), Frankr.

Sineburgo → Sigeburgum

Sinemurum Briennense castr., Semurium: Semur-en-Auxois (Côte-d'Or), Frankr.

Sinethi, Sinithi: Senne, Landsch. (Westfalen), Deutschl.

Sinethlauzowa → Augia insula

Singidawa → Decidava

Singidawa → Schasburgum

Singidunum → Alba Bulgarica
Singiticus sinus: Golf v. Hagion Oros [Golf v. Ajion Oros, Kólpos Hagíu Órus, Singitikòs Kólpos, Singitischer Golf] (Chalkidike), Griechenl.
Singone → Trenchinium
Singum, Sfinga, Sinotium: Sinj [Signo] (Kroatien), Jugoslaw.
Siniacus → Sentiaca
Sinithi → Sinethi
Sinlazesouwa → Augia insula
Sinna: Sinn, Nfl. d. Fränkischen Saale (U-Franken), Deutschl.
Sinna → Cinna
Sinotfeldum, Sinotfeldus: Sindfeld, Landsch. sdl. Paderborn (Westfalen), Deutschl.
Sinotfeldus → Sinotfeldum
Sinotium → Singum
Sinthlesaugia → Augia insula
Sintica: Sérrai [Seres, Serrä, Serrhai, Serres, Serez, Sjar] (Nom. Serron), Griechenl.
Sintleones Awa → Augia insula
Sintlezzesowa → Augia insula
Sintlozisaugia → Augia insula
Sintria: Sitter, Nfl. d. Thur (Thurgau), Schweiz.
Sipron: Sapri (Salerno), Ital.
Siradensis comit.: Sieradz, eh. Woiw. Polen.
Siradia: Sieradz (Lodz), Polen.
Sirallo → Siroialum
Sirbia → Sorabi (terra)
Sirio: Cérons (Gironde), Frankr.
Sirio → Reontium
Sirixensis villa, Zirichaea, Ziriczaea: Zierikzee (Seeland), Niederl.
Sirkis → Sericum
Sirma, Sirmiensis: Sremska Mitrovica [Mitrovicza, Mitrovica, Mitrowitz] (Wojwodina), Jugoslaw.
Sirmiensis → Sirma
Sirmio: Sirmione [Sermione] (Brescia), Ital.
Sirnicha, Syrnichka: Sierning, Nfl. d. Traun (O-Österr.), Österr.
Sirnicha, Syrnichka: Sierning (O-Österr.), Österr.
Siroialense oratorium → Siroialum
Siroialum, Siroialense oratorium, Sirallo, Longoretus: Ciran [Ciran-la-Latte] (Indre-et-Loire), Frankr.
Sisacum → Siscia
Siscia, Sisacum: Sisak [Sissek, Sziszek] (Kroatien), Jugoslaw.
Sisilli, Sancta insula: Siselen (Bern), Schweiz.
Sitansense coenob. s. Mariae → Sitanstense coenob.
Sitanstense coenob., Sitanstetense coenob., Sitansense coenob. s. Mariae: Seitenstetten (N-Österreich), Österr.
Sitanstetense coenob. → Sitanstense coenob.
Sitavia, Sittavia, Zittavia: Zittau (Sachsen), Deutschl.
Sithima → Sitnia
Sitifis: Sétif (Sétif), Algerien.
Sitkovichi: Schickerwitz [Siekierowice] (N-Schlesien), Deutschl.
Sitnia, Situnni, Sithima: Sitter [Ahausen-Sitter] (Westfalen), Deutschl.
Sitomagus → Hierapolis
Sittavia → Sitavia
Sitticium: Zatičina [Stična, Sittich] (Slowenien), Jugoslaw.
Situnni → Sitnia
Siurbi → Sorabi (terra)
Sivinnus lacus → Sabinus lacus
Sivor: Siewierz (Kattowitz), Polen.
Siza, Ziza, Ciza, Cica, Citiza, Ciscia, Citica, Citium, Cicis, Cyca, Cizi, Citzi, Citici, Cicensis, Ci-

ticensis: Zeitz (Pr. Sachsen), Deutschl.
Sizmannes: Sitzmannes (O-Österr.), Österr.
Skachaningi → Scahaningi
Skahaningi → Scahaningi
Skalicium Hungariae: Skalica [Skalitz, Szakolca, Uhorská Skalica] (Slowakei), Tschechoslow.
Skandinensis → Schemis
Skeldensis → Scelwalda
Skelwalda → Scelwalda
Skemines → Schemis
Skennines → Schemis
Skeramera, Skiramera: Scharmer (Groningen), Niederl.
Skia → Ebuda orientalis
Skiramera → Skeramera
Skirenses → Schiria
Skiva, Skiwa: Monclair, Ru. bei Merzig (Rheinprov.), Deutschl.
Skiwa → Skiva
Sladum: Schladen (Hannover), Deutschl.
Slagense coenob. → Plagense coenob.
Slagosia: Slagelse (Seeland), Dänem.
Slana: Slaný [Schlan] (Böhmen), Tschechoslow.
Slaukovia: Slavkov u Brna [Austerlitz] (Mähren), Tschechoslow.
Slavanicus sinus → Balticum mare
Slavograecium, Vendograecium, Vindograecium: Slovenj Gradec [Windischgraz, Slovenji Gradec] (Slowenien), Jugoslaw.
Slavonia → Savia Pannonica
Slavorum terra → Sclavania
Sleczia → Silesia
Slegensis comit.: Sligo [Sligeach, Contae Shligigh], Grafsch., Eire.
Slegum: Sligo [Sligeach] (Co. Sligo), Eire.
Sleida, Sleydia: Schleiden (Rheinprov.), Deutschl.
Sleitaha: Schleid (Thüringen), Deutschl.
Slesia → Silesia
Slesvicensis ducatus: Schleswig [Slesvig], Landsch. u. eh. Hgt. (Schleswig-Holstein, N-Schleswig), Deutschl. u. Dänem.
Slesvicum, Schleswicum, Heidiba, Haethum: Schleswig (Schleswig-Holstein), Deutschl.
Sleydia → Sleida
Sleziensis → Silesia
Slia, Slya: Schlei, Meeresarm (Schleswig-Holstein), Deutschl.
Slierense monast. → Silurnum
Slierensis lacus: Schliersee, See u. Ort (O-Bayern), Deutschl.
Slierra: Schlieren (Zürich), Schweiz.
Slothra: Schlochtern (Hannover), Deutschl.
Slotoria castra: Zlotoryja, eh. Fstg. a. Narew (Białystok), Polen.
Sluca, Sluccum: Sluck [Sluzk] (Weißruss. SSR), UdSSR.
Sluccum → Sluca
Slucensis ducatus: Sluzk [Sluck], eh. poln. Hgt. (Weißruss. SSR), UdSSR.
Sluis → Scludis
Slus → Sclusa castr.
Slusa → Sclusa castr.
Slya → Slia
Smalcaldia, Schmalkaldia: Schmalkalden (Hessen-Nassau), Deutschl.
Smalena: Smallingerland, (Friesland), Niederl.
Smalenaha: Schmalnau (Hessen-Nassau), Deutschl.
Smolska: Smolensk (RSFSR), UdSSR.
Smuttura: Schmutter, Nfl. d. Donau (Bayern, RB. Schwaben), Deutschl.

Snaelandia → Gardari ins.
Snelandia → Gardari ins.
Snelgera, Snelgerani, Snelgrani, Snelgrones: ein Teil des Fivelgau, eh. Gau (Groningen), Niederl.
Snelgerani → Snelgera
Snelgrani → Snelgera
Snelgrones → Snelgera
Snewnia, Znoyma, Znoima: Znojmo [Znaim] (Mähren), Tschechoslow.
Sobisaeum, Sulbisia: Soubise (Charente-Maritime), Frankr.
Sodalcurtum, Sathalcurtis: Saucourt-sur-Rognon (Haute-Marne), Frankr.
Sodeia, Sodoia: Soye [Soye-lès-Namur] (Namur), Belg.
Sodeia, Sodoia, Nerisca: Neerijsche [Neeryssche, Neerijse] (Brabant), Belg.
Sodila: Södel (Hessen), Deutschl.
Sodoia → Sodeia
Soeza: Seuzach (Zürich), Schweiz.
Sogniacum: Soignies [Zinnik] (Hennegau), Belg.
Soguntiensis pag. → Suentensis pag.
Sola cella, Solonis cella: Solnhofen (M-Franken), Deutschl.
Solatium: Solaise (Isère), Frankr.
Solcovia: Nesterov [Zółkiew] (Ukrain. SSR), UdSSR.
Solemio villa, Solemnium: Solesmes (Nord), Frankr.
Solemniacum: Solignac-sur-Loire (Haute-Loire), Frankr.
Solemnium → Solemio villa
Solerno → Verno
Soliae → Saluensis pag.
Solicinium: Schwetzingen (Baden), Deutschl.
Soliensis campus: Zollfeld, Landsch. (Kärnten), Österr.
Solis mons, Badonicus mons, Aquae calidae, Bathonia, Bathia, Aquae solis: Bath (Co. Somerset), Engl.
Solis urbs → Salzwita
Solis vallis: Sonnenthal (St. Gallen), Schweiz.
Solis vallis: Sulzberg (Vorarlberg), Österr.
Solisbacum, Sultzbacum, Zulsbacum, Zultzbacum: Sulzbach [Sulzbach-Rosenberg] (O-Pfalz), Deutschl.
Solisum: Sülsen (Westfalen), Deutschl.
Solitarii → Meginradicella
Solliacum, Sulliacum: Sully (Saône-et-Loire), Frankr.
Solliacum, Sulliacum, Sordiliacum, Soregium, Soricinium monasterium, Beata Maria de Solliaco: Sorèze (Tarn), Frankr.
Sollingus mons: Solling, Geb. a. d. Weser (Hannover), Deutschl.
Solma: Solms, eh. Grafsch. (Rheinprov.), Deutschl.
Solna: Žilina [Sillein, Zsolna] (Slowakei), Tschechoslow.
Solocensis pagus: Soulossois, Landsch. (Vosges), Frankr.
Solodrensis → Solodurum
Solodurum, Salodurum, Solodrensis: Solothurn (Solothurn), Schweiz.
Solonis cella → Sola cella
Soltaquella → Salzwita
Soltensis processus → Zoliensis comit.
Solvaeum aestuarium, Ituna aestuarium: Solway Firth, Meeresbucht (Irische See), Engl. u. Schottl.
Somana → Somena
Somena, Sumina, Sumena, Somana, Somna, Somona, Somora, Samara: Somme, Fl., Mü: Ärmelkanal (Somme), Frankr.
Somna → Somena

Somnium: Sonnino (Latina), Ital.
Somona → Somena
Somora → Somena
Sondensis civ.: 't Zandt (Groningen), Niederl.
Sonderovia → Senderovia
Sonterslevo, Sunterslevo: Santersleben (Pr. Sachsen), Deutschl.
Sontium campus → Sanctorum campus
Sontius → Isontius
Sopronicum → Sempronium
Sopronium → Sempronium
Sora: Sora (Frosinone), Ital.
Sora: Soria (Soria), Span.
Sora: Sorø (Seeland), Dänem.
Sora, Castra Comneni, Germanicopolis: Kastamonu [Kastamuni] (Kastamonu), Türkei.
Sora, Zara, Soravia, Soraviensis: Sorau [Żary] (Brandenburg), Deutschl.
Sorabi terra, Siurbi, Suurbi, Surabi, Sribia, Sirbia, Zirbia: Sorbenland [Land der Sorben], eh. Gebiet an der Saale u. mittleren Elbe (Sachsen, Thüringen), Deutschl.
Sorabis, Staberus, Terebris: Segura, Fl., Mü: Mittelländ. Meer (Alicante), Span.
Soravia → Sora
Soraviensis → Sora
Sorbiga, Curbici, Zorbia, Zurbici: Zörbig (Pr. Sachsen), Deutschl.
Sorbiodunum: Old Sarum [Old Castle] (Wiltshire), Engl.
Sorbo: Sorbon (Ardennes), Frankr.
Sordice lacus: Étang de Leucate [Étang de Salces], See (Aude), Frankr.
Sordiliacum → Solliacum
Soregium → Solliacum
Sorelli castr.: Montsoreau (Maine-et-Loire), Frankr.
Sorense coenobium → Sorethum
Sorethana abbatia → Sorethum
Sorethum, Sorense coenob., Sortense coenob., Sorethana abbatia: Schussenried (Württemberg), Deutschl.
Sorgia → Vindalicus fluv.
Sorgiae pons, Sulgae pons, Sulgas: Sorgues (Vaucluse), Frankr.
Sorianum: Soriano nel Cimino (Viterbo), Ital.
Soricinium monast. → Solliacum
Sorna: Zorn, Nfl. der Moder [Motter] (Bas-Rhin), Frankr.
Sornagaugiensis pag.: Zorngau, Landsch. (Bas-Rhin), Frankr.
Sorrentum: Sorrento (Neapel), Ital.
Sortense coenob. → Sorethum
Sosatia → Sosatium
Sosatium, Sosatia, Sosatum, Susatium, Zozatum, Suzatium, Zazatum: Soest (Westfalen), Deutschl.
Sosatum → Sosatium
Sospitellum, Hospitellum: Sospel (Alpes-Maritimes), Frankr.
Sostomagus, Castellavium, Castelavium Auravium, Arianorum castell.: Castelnaudary (Aude), Frankr.
Soteriopolis → Sebastopolis
Soteropolis: San Salvador, Hst. v. El Salvador.
Sotterum: Sottrum (Hannover, Kr. Rotenburg), Deutschl.
Southantonia → Antona meridionalis
Sowa → Savus
Sozusa: Marsa Susa (Cirenaica), Libyen.
Spacorum vicus: Vigo (Pontevedra), Span.
Spalatrum, Salona nova, Diocletiani palatium, Aspalatos: Split [Spalato] (Kroatien), Jugoslaw.

Spaldinga: Spalding (Lincolnshire), Engl.
Spalticus vicus: Spalt (M-Franken), Deutschl.
Spana: Spahn (Hannover), Deutschl.
Spandanae aquae, Tungrorum fons: Spa (Lüttich), Belg.
Spandavia: Spandau [Berlin-Spandau] (Brandenburg), Deutschl.
Spanelo: Spahl (Thüringen), Deutschl.
Spanesheum: Sponsheim (Hessen), Deutschl.
Sparnacum, Asperencia, Asprenaca, Espernacum, Spernacum: Épernay (Marne), Frankr.
Sparno, Sparnonum: Épernon (Eure-et-Loir), Frankr.
Sparnonum → Sparno
Sparsae aquae → Petrocoriorum aquae
Spartaria, Carthago Spartaria: Cartagena (Murcia), Span.
Spatana: Tirikunāmalaya [Trincomalee], Ceylon.
Species: Spesburg [Château de Spesbourg], eh. Schl. wstl. Barr (Bas-Rhin), Frankr.
Specula Halcyonia, Speculationis castr., Theorosburgum: Schaumburg (Hessen-Nassau), Deutschl.
Speculationis castrum → Specula Halcyonia
Spedonum: Épône (Seine-et-Oise), Frankr.
Speia: Osterspai (Hessen-Nassau), Deutschl.
Spelthorpa: Speldorf [Mülheim-Speldorf] (Rheinprov.), Deutschl.
Speluca, Desertina, Discentium, Disentina, Dissertinum: Disentis [Mustèr] (Graubünden), Schweiz.
Speluca, Speluga, Culmen ursi, Ursulus: Splügen [Splügenpaß, Passo dello Spluga], Paß (Graubünden, Sondrio), Schweiz u. Ital.
Speluga → Speluca
Spera: Espera (Cádiz), Span.
Sperga: Spergau (Pr. Sachsen), Deutschl.
Sperleca: Éperlecques (Pas-de-Calais), Frankr.
Spernacum → Sparnacum
Sperohgouwi → Spirensis pag.
Sphira → Nemetis
Spiliberga: Spielberg (O-Bayern), Deutschl.
Spinaciolum: Spinazzola (Bari), Ital.
Spinae: Speen (Berkshire), Engl.
Spinae, Neoburgum: Newbury (Berkshire), Engl.
Spinae, Spinalense monast., Spinalium: Épinal (Vosges), Frankr.
Spinalense monasterium → Spinae
Spinalium → Spinae
Spineticum ostium: Po di Primaro, Mündungsarm des Po (Ferrara, Ravenna), Ital.
Spinetum, Spinogelum, Spinoilum, Espinoium: Épinay-sur-Duclair (Seine-Maritime), Frankr.
Spinogelum → Spinetum
Spinoilum → Spinetum
Spinsia, Spissia: Époisses (Côte-d'Or), Frankr.
Spira: Espierres [Spiere] (W-Flandern), Belg.
Spira → Nemetis
Spiragowe → Spirensis pag.
Spiraha: Ober- u. Niederspier (Thüringen), Deutschl.
Spiratia → Nemetis
Spiremberga → Spirembergium
Spirembergium, Spiremberga: Spilimbergo (Udine), Ital.
Spirensis pag., Spirinsis pag., Sperohgouwi, Spiragowe: Speyer-

gau, eh. Gau um Speyer (Bayern, RB. Pfalz), Deutschl.

Spirinsis pag. → Spirensis pag.

s. Spiritus fan. Kesdiense: Kézdiszentlélek ndl. Tîrgu Secuesc (Auton. ung. Reg.), Rumän.

s. Spiritus pons: Pont-Saint-Esprit (Gard), Frankr.

Spiritus Sancti oppid.: Saint-Esprit, Teil v. Bayonne (Basses-Pyrénées), Frankr.

Spissia → Spinsia

Spiutni urbs: Rothenburg (Pr. Sachsen), Deutschl.

Sponhemium: Sponheim (Rheinprov.), Deutschl.

Spreha, Spreva, Sprewa: Spree, Nfl. d. Havel (Brandenburg), Deutschl.

Sprenzala, Sprenzlaha: Sprenzel, Nfl. d. Vöckla (O-Österr.), Österr.

Sprenzlaha → Sprenzala

Spreva → Spreha

Sprewa → Spreha

Sprotaviensis → Sprottavia

Sprottavia, Sprotaviensis: Sprottau [Szprotawa] (N-Schlesien), Deutschl.

Spuirsina, Suerinum, Zuarina, Zuarinensis: Schwerin (Mecklenburg-Schwerin), Deutschl.

Spurco: Spork (Lippe), Deutschl.

Spurghusila: Sprockhövel (Westfalen), Deutschl.

Spurko: Spork (Westfalen, Kr. Borken), Deutschl.

Spyrea → Nemetis

Sribia → Sorabi (terra)

Stabelaco, Stabulaus, Staboclaus, Stabolon, Stabulum, Stabuletum, Stabulacum: Stavelot [Stablo] (Lüttich), Belg.

Staberus → Sorabis

Stabiense castell. → Castellum maris

Staboclaus → Stabelaco

Stabolon → Stabelaco

Stabulacum → Stabelaco

Stabulaus → Stabelaco

Stabuletum → Stabelaco

Stabulum → Bivium

Stabulum → Stabelaco

Stadae, Stadium: Stade (Hannover), Deutschl.

Stadici, Stadium, Ztadici, Ztadisci: Staditz bei Aussig [Ústí nad Labem] (Böhmen), Tschechoslow.

Stadicum → Stadici

Stadingi → Stedingi

Stadingia orientalis: Osterstade, Landsch. a. d. unt. Weser (Oldenburg), Deutschl.

Stadium → Stadae

Stadtlandia: Stadland, Landsch. zw. Weser u. Jade (Oldenburg), Deutschl.

Stagellum: Estagel (Pyrénées-Orientales), Frankr.

Stagnebachus: Steinbach, Bach bei Stablo [Stavelot] (Lüttich), Belg.

Stagnum: Estaing (Aveyron), Frankr.

Stagnum → Tittuntum

Stagnum Avaticorum → Bibra

Staina: Steinen (Schwyz), Schweiz.

Stalo → Stehla

Stampae, Stampis, Stampense palatium: Étampes (Seine-et-Oise), Frankr.

Stampense palat. → Stampae

Stampensis pag.: Étampois, Landschaft u. eh. Grafsch. (Seine-et-Oise), Frankr.

Stampha: Stupava [Stampfen, Stomfa] (Slowakei), Tschechoslow.

Stampis → Stampae

Stanacum: Stein (O-Österr., GB. Neuhofen a. d. Krems), Österr.

Stanacum → Satanacum
Stanislavia: Ivano-Frankovsk [Stanislawów, Stanislau] (Ukrain. SSR), UdSSR.
Stannis: Stans (Nidwalden), Schweiz.
Staphala stagna: Staffelsee, See (O-Bayern), Deutschl.
Staphense monast.: Staffelsee, Kl. (O-Bayern), Deutschl.
Stapulae: Étaples (Pas-de-Calais), Frankr.
Stargardia: Stargard i. Pom. [Stargard Szczeciński] (Pommern), Deutschl.
Stargardia antiqua → Antiquipolis
Starkinrotha → Sterkonrotha
Starzila: Storzel (Baden), Deutschl.
Statefurtum: Stafford (Staffordshire), Engl.
Statio Rhaetorum, Rivanus portus, Riva villa, Walahestada: Walenstadt [Wallenstadt] (St. Gallen), Schweiz.
Statio Tsiernensis, Zernensium colonia, Zernae, Zernes: Orşova [Orschowa, Orsova, Alt-Orschowa, Alt-Orsova, Ó-Orsova] (Banat), Rumän.
Stauditza: Staatz (N-Österr.), Österr.
Stauria: Staveren [Stavoren] (Friesland), Niederl.
Stauropolis: Gevre [Geira, Gere] od. Karacasu [Karadjasun] (Phrygien), Türkei.
Staviacum, Esteva, Eistavensis: Estavayer-le-Lac [Stäffis am See] (Freiburg), Schweiz.
Stavoron: Groß u. Klein Stavern (Hannover), Deutschl.
Stebecna, Stebeczna: Smečno (Böhmen), Tschechoslow.
Stebeczna → Stebecna
Stechilboron, Steckboron: Steckborn (Thurgau), Schweiz.
Steckboron → Stechilboron
Steenverda, Steenvordia, Stenfordium: Steenvoorde (Nord), Frankr.
Steenvordia → Steenverda
Steenwyea → Stenovicum
Stegingi, Stegingia, Stetingi, Stadingi: Stedingen [Stedinger Land], Landsch. zw. Hunte u. Weser (Oldenburg), Deutschl.
Stegingia → Stegingi
Stegra, Menariacum, Minariacum: Estaires (Nord), Frankr.
Stehla, Stalo: Stahle (Westfalen), Deutschl.
Steina: Untersteinach (O-Franken, Kr. Stadtsteinach), Deutschl.
Steina, Steinium: Stein a. d. Donau bei Krems (N-Österr.), Österr.
Steinaha: Niedersteinach (Württemberg), Deutschl.
Steinaha: Steinach, Nfl. d. Roten Main (O-Franken), Deutschl.
Steinaha: Steinach, Nfl. d. Rodach (Thüringen, O-Franken), Deutschl.
Steinaha: Steinach a. d. Ens (M-Franken), Deutschl.
Steinaha: Steinau a. d. Kinzig (Hessen-Nassau), Deutschl.
Steinaha, Steinaha petrosa: Steinach, Fl., Mü: Bodensee (St. Gallen), Schweiz.
Steinaha petrosa → Steinaha
Steinavia, Stinavia, Stenavia, Steinensis: Steinau a. d. Oder [Ścinawa] (N-Schlesien), Deutschl.
Steinbruga: Steinbrück (Hannover), Deutschl.
Steinensis → Steinavia
Steinfordia: Drensteinfurt (Westfalen), Deutschl.
Steinfurtum, Steinvordia, Stenefortium: Burgsteinfurt (Westfalen), Deutschl.

Steingabnensis eccl., Steingademensis eccl.: Steingaden (O-Bayern), Deutschl.
Steingademensis eccl. → Steingabnensis eccl.
Steinhaha: Steinach, Nfl. d. Neckar (Baden), Deutschl.
Steini: Steinen (Westfalen), Deutschl.
Steinium → Steina
Steinkirka, Stenquerca: Steenkerque-lez-Enghien (Hennegau), Belg.
Steinvordia → Steinfurtum
Steinvortova: Steinfurt (Hessen), Deutschl.
Stela: Steele [Essen-Steele] (Rheinprov.), Deutschl.
Stella Carnovium, Stella Navarrorum: Estella (Navarra), Span.
Stella Novarrorum → Stella Carnovium
Stellae Campus → Compostella
Stellatae aquae: Acqui (Alessandria), Ital.
Stenacum: Steinach (Tirol), Österr.
Stenacum → Satanacum
Stenavia → Steinavia
Stenbiki: Nordsteimke (Braunschweig), Deutschl.
Stendalia: Stendal (Pr. Sachsen), Deutschl.
Stenefortium → Steinfurtum
Stenfordium → Steenverda
Stenovicum, Steenwyea: Steenwijk (Overijssel), Niederl.
Stenquerca → Steinkirka
Stenum Brachii s. Georgii → Constantinopolitanum fretum
s. **Stephani fan.:** Saint-Étienne (Loire), Frankr.
s. **Stephani fan.:** Launceston (Co. Cornwall), Engl.
s. **Stephani insula:** Saint-Étienne, Ins. bei Marseille (Bouches-du-Rhône), Frankr.
Stephanodunum → Evonium
Stephanopolis → Brassovia
s. **Stephanus in Grisio:** Saint-Étienne-du-Grès (Bouches-du-Rhône), Frankr.
Sterkonrotha, Starkinrotha: Sterkrade [Oberhausen-Sterkrade] (Rheinprov.), Deutschl.
Sterpiniacum → Stirpiniacum
Stetelon: Stettlen (Bern), Schweiz.
Steti: Oberstedten (Hessen-Nassau), Deutschl.
Stetiaha: Stetten (Thüringen), Deutschl.
Stetina → Sedinum
Stetinensis civ. → Sedinum
Stetingi → Stegingi
Stetingia orientalis: Osterstedt (Schleswig-Holstein), Deutschl.
Steveia: Stäfa (Zürich), Schweiz.
Sthurmidi → Sturmethi
Stideum: Stiddien (Braunschweig), Deutschl.
Stiga: Staig (Württemberg), Deutschl.
Stihira → Stora
Stilida, Stilus, Consulinum: Stilo (Reggio di Calabria), Ital.
Stilus → Stilida
Stinavia → Steinavia
Stiplaga: Stiepel [Bochum-Stiepel] (Westfalen), Deutschl.
Stira, Stirense castr., Styra: Steyr (O-Österr.), Österr.
Stirense castrum → Stira
Stiria, Styra, Styria, Marchia: Steiermark [Štajersko], Landsch., Österr. (Steiermark) u. Jugoslaw. (Slowenien).
Stiriacum, Stiriaticorum castra, Stirpiacum, Vepitenum, Vipitenum: Sterzing [Vipiteno] (Bozen), Ital.
Stirias, Stiriatis: Liezen (Steiermark), Österr.

Stiriaticorum castra → Stiriacum
Stiriatis → Stirias
Stirlinga, Dolorosus mons: Stirling (Stirlingshire), Schottl.
Stirpiacum → Stiriacum
Stirpiniacum, Sterpiniacum: Étrépagny (Eure), Frankr.
Stivagiense monast., Stivagium, Seragium: Étival-Clairefontaine (Vosges), Frankr.
Stivagium → Stivagiense monast.
Stivale → Aestivalium in Carnia
Stivaliculis villa: Estivareilles (Allier), Frankr.
Stoccha: Stockach (Württemberg), Deutschl.
Stocka: Stockach (Baden), Deutschl.
Stockemium → Stoquemium
Stockholmia, Holmia: Stockholm, Hst. v. Schwed.
Stoderania: Havelland [Land der Heveller], das Gebiet östl. d. unteren Havel zw. Rathenow u. Berlin (Brandenburg), Deutschl.
Stolpa: Stolpen (Sachsen), Deutschl.
Stolpensis civ.: Stolp [Słupsk] (Pommern), Deutschl.
Stoquemium, Stockemium: Stokken [Stockheim] (Limburg), Belg.
Stora, Stura, Sturia, Stihira: Stör, Nfl. d. Elbe (Schleswig-Holstein), Deutschl.
Stormaria, Stormeri, Sturmaria, Sturmarii: Stormarn, Landsch. (Schleswig-Holstein), Deutschl.
Stormeri → Stormaria
Stotlo: Stotel (Hannover), Deutschl.
Stoupha: Staufen (Baden), Deutschl.
Stoyno: Steinau [Ścinawa Mała] (O-Schlesien), Deutschl.
Stozzeswilari: Stosswihr [Stoßweier] (Haut-Rhin), Frankr.
Strabetum: abgeg. wstl. Murcia, Span.
Straceburgensis → Argentoratum
Strada → Scolium
Strada montana → Bergstrassia
Stradburgo → Argentoratum
Straeda → Scolium
Stragnesium → Stregnesia
Stralesunda → Stralsunda
Stralsunda, Stralsundum, Stralesunda, Sumonia, Sunnonia, Sundis, Sundensis: Stralsund (Pommern), Deutschl.
Stralsundum → Stralsunda
Stramiacum → Cremiacum
Stramiatis → Cremiacum
Strasburgum in Culmensi tractu, Brodnicensis, Stratioburgum: Brodnica [Strasburg] (Bromberg), Polen.
Strata: Estrées-Saint-Denis (Oise), Frankr.
Stratioburgum → Strasburgum in Culmensi tractu
Stratoburgis → Argentoratum
Straubinga, Strubinga, Serviodurum, Acilia Augusta: Straubing (N-Bayern), Deutschl.
Straza: Straß wstl. Mureck (Steiermark), Österr.
Straza: Straß im Straßertale (N-Österr.), Österr.
Straza: Strassen, Luxemburg.
Strazburgensis → Argentoratum
Strazwalaha: Straßwalchen (Salzburg), Österr.
Strazza: Straß (Salzburg), Österr.
Strega Silesiorum, Stregonum, Stregonia, Strigovia, Trimontium, Striagium, Stregoviensis: Striegau [Strzegom] (N-Schlesien), Deutschl.
Stregnesia, Stragnesium: Strängnäs [Strengnäs] (Södermanland), Schwed.
Stregonia → Strega Silesiorum

Stregonum → Strega Silesiorum
Stregoviensis → Strega Silesiorum
Strela, Striela: Strehlen [Strzelin] (N-Schlesien), Deutschl.
Strelicia major: Groß Strehlitz [Strzelce Opolskie] (N-Schlesien), Deutschl.
Strelicia nova: Neustrelitz (Mecklenburg), Deutschl.
Strelovo: Strehlitz [Strzelce] (N-Schlesien), Deutschl.
Stremontium → Extrema
Strewa, Strowi, Struowa: Streu, Nfl. d. Fränkischen Saale (U-Franken), Deutschl.
Striagium → Strega Silesiorum
Striebra → Misa
Striela → Strela
Strigonia, Strigonium, s. Georgii civ.: Esztergom [Gran] (Komárom), Ung.
Strigonium → Strigonia
Strigovia → Strega Silesiorum
Strongyle: Isola Stromboli, Ins. d. Liparischen Inseln, Ital.
Strowi → Strewa
Strubinga → Straubinga
Strum, Strumum: Étrun (Nord), Frankr.
Strumum → Strum
Struowa → Strewa
Strymonicus sinus: Strimonikos Kolpos [Strymonikòs Kólpos, Strumonikòs Kólpos, Strymonischer Golf, Kólpos Orfanou, Kolpos Orfanu, Golf v. Orfani, Golf v. Orphani, Golf v. Réndina], Meerbusen (Thrakisches Meer), Griechenl.
Studa, Studahi: Staudach (O-Bayern), Deutschl.
Studa, Studahi: Staudach (O-Österr.), Österr.
Studahi → Studa
Studnicza → Ruffa eccl.
Stuhesfurti: Straußfurt (Pr. Sachsen), Deutschl.
Stuplo: Estoublon (Basses-Alpes), Frankr.
Stura → Stora
Sturia → Stora
Sturmaria → Stormaria
Sturmarii → Stormaria
Sturmethi, Sturmithi, Sthurmidi: Störmede (Westfalen), Deutschl.
Sturmi, Sturmium: Sturmi-Gau, Gau an der unteren Aller (Hannover), Deutschl.
Sturmithi → Sturmethi
Sturmium → Sturmi
Stutgardia: Stuttgart (Württemberg), Deutschl.
Stuvi, Stuwi: Stöben (Thüringen), Deutschl.
Stuwi → Stuvi
Styra → Stira
Styra → Stiria
Styria → Stiria
Suabi → Suevia
Suabwilare: Schwabwiller [Schwabweiler] (Bas-Rhin), Frankr.
Suaedas villa: Saix (Vienne), Frankr.
Sualafelda, Swalafelda: Schwalefeldgau, eh. Gau ndl. Donauwörth zw. Wörnitz u. Altmühl (Bayern, RB. Schwaben), Deutschl.
Suammara: Schwaming (O-Österr.), Österr.
Suaraka → Suawakes
Suarizaha, Swarza, Suarza, Suarzaa, Suarzanensis, Swarczensis: Münsterschwarzach u. Stadtschwarzach (U-Franken), Deutschl.
Suarza → Suarizaha
Suarza → Suarzaha
Suarza → Swarza
Suarzaa → Suarizaha

Suarzaha, Schwartzala, Suarza: Schwarzach (Baden), Deutschl.
Suarzanensis → Suarizaha
Suaukae → Suawakes
Suavedria: Sèvres (Seine-et-Oise), Frankr.
Suavi → Suevia
Suavia → Savia Pannonica
Suavia → Suevia
Suawakes, Suaukae, Suaraka: Zouafques (Pas-de-Calais), Frankr.
Subiacum, Sublacium, Sublacense coenob.: Subiaco (Rom), Ital.
Sublacense coenobium → Subiacum
Sublacium → Subiacum
Subluniacum: Souligné-sous-Ballon (Sarthe), Frankr.
Submontanus distr. → Podgoriensis distr.
Subola vallis: Soule, Landsch. (Basses-Pyrénées), Frankr.
Subonensis villa: Suben (O-Österr.), Österr.
Subsilvania, Untervaldia: Unterwalden, Kt., Schweiz.
Subtus s. Leodegarium → Silva s. Leodegarii
Suburbium Herculanense: Portici (Neapel), Ital.
Suburbium Reginoburgi → Bavarica curia
Succi angustiae, Succorum angustiae: Vratnik [Wratnik, Železni vrata, Železna vrata, Demirkapi, Demir Kapu, Eisernes Tor], Paß ndl. Sliven (Balkangeb.), Bulgarien.
Succorum angustiae → Succi angustiae
Sucovia: Suckow auf Usedom (Pommern), Deutschl.
Sudercopia: Söderköping (Östergötland), Schwed.
Sudergo → Sutrachi
Sudermannia: Södermanland [Sörmland], eh. Prov. (Södermanland, Stockholm), Schwed.
Sudeta → Miriquidni
Sudowita, Sudowiti: Sudauen, Landsch. (O-Preußen), Deutschl.
Sudowiti → Sudowita
Suebicum mare → Balticum mare
Suebissena, Suebodinum, Suibissa, Suibusium, Swebus: Schwiebus [Świebodzin] (Brandenburg), Deutschl.
Suebodinum → Suebissena
Suecia, Sueonia, Suetonense regnum, Suevonia: Schweden [Sverige, Sweden, Suède].
Suecza → Swetense castrum
Suencua, Zuencua, Zuenkowa, Zowengonia: Zwenkau (Sachsen), Deutschl.
Suentensis pag., Segiontensis pag., Soguntiensis pag., Sungowia, Sundgavia, Ferranus comit., Pfyretanus comit.: Sundgau, Landsch. (Haut-Rhin), Frankr.
Suentisium → Santinsis pagus
Sueonia → Suecia
Suerinum → Spuirsina
Suessionae → Suessonae
Suessionas → Suessonae
Suessonae, Suessionae, Suessionas, Sexonas, Sexoniae, Sexionas: Soissons (Aisne), Frankr.
Suestra: Süster, Nfl. der Maas (Limburg), Niederl.
Suestra, Suestrense oratorium, Sustula: Süsteren (Limburg), Niederl.
Suestrense oratorium → Suestra
Suetana, Cygnea: Schwaan (Mecklenburg-Schwerin), Deutschl.
Suetonense regnum → Suecia
Suevi → Suevia
Suevia, Suevi, Suavia, Suavi, Suabi, Mamanni, Alamannia, Alemannia,

Alemanni: Schwaben, Landsch. (Württemberg, Baden, Bayern), Deutschl.
Suevia Austriaca: Vorderösterreich, die eh. habsburgischen Besitzungen in SW-Deutschl. (Baden) u. Frankreich (Elsaß).
Suevica Halla → Halla Suevorum
Suevicum mare → Balticum mare
Suevicum mare → Codanus sinus
Suevofortum, Suinfurti, Suinvordi, Swinnvirti, Swinvurtensis, Trajectum Suevorum, Devona: Schweinfurt (U-Franken), Deutschl.
Suevonia → Suecia
Suevus fluv. → Viadrus
Suibissa → Suebissena
Suibusium → Suebissena
Suilbergi, Swilbergi: Suilbergegau, eh. Gau zw. Weser u. Leine wstl. Gandersheim (Hannover), Deutschl.
Suileiscare: Schwedt (Brandenburg), Deutschl.
Suinaha → Suinda
Suinda, Suinaha: Schwindegg (O-Bayern), Deutschl.
Suindinum → Cenomani
Suineburgum: Svendborg (Fünen), Dänem.
Suinfurti → Suevofortum
Suinvordi → Suevofortum
s. Suitberti insula → Caesaris insula
Sula, Sulaha: Marksuhl (Thüringen), Deutschl.
Sula, Sulaha: Suhl (Sachsen), Deutschl.
Sulaha → Sula
Sulba: Sulb (Steiermark), Österr.
Sulbisia → Sobisaeum
Sulcitanus sinus: Golfo di Palmas, Meerbusen (Sardinien), Ital.
Sulgae pons → Sorgiae pons
Sulgas → Sorgiae pons
Sulgas → Vindalicus fluv.
Sulliacum → Solliacum
Sulligi: Sohlingen (Hannover), Deutschl.
Sulmo: Sermoneta (Rom), Ital.
Sulmo: Sulmona (L'Aquila), Ital.
Sulphureus mons, Vulcani forum: Solfatara, Krater bei Pozzuoli (Neapel), Ital.
Sulphurinum: Solferino (Mantua), Ital.
Sulsa: Sülze bei Kürten (Rheinprov.), Deutschl.
Sulta: Sülte (Mecklenburg-Schwerin), Deutschl.
Sulta: Sülze (Hannover), Deutschl.
Sulta → Sulza
Sultensis vicus → Sulza
Sultes: Sulz (Vorarlberg), Österr.
Sultza: Sulza [Bad Sulza] (Thüringen), Deutschl.
Sultzbacum → Solibacum
Sultzi, Sulzi: Sausedlitz (Pr. Sachsen), Deutschl.
Sulza: Obersülzen (Bayern, RB. Pfalz), Deutschl.
Sulza: Sulz (Württemberg), Deutschl.
Sulza, Sulta, Sultensis vicus: Sulz, abgeg. bei Hildesheim (Hannover), Deutschl.
Sulza, Sulzia: Soultz-Haut-Rhin [Soultz, Sulz] (Haut-Rhin), Frankr.
Sulzi → Sultzi
Sulzia → Sulza
Sulzo: Sulz (Zürich), Schweiz.
Sulzouwa, Sulzowa: Sulzau (Württemberg), Deutschl.
Sulzowa → Sulzouwa
Sumbravium promontorium → Saturni promontorium
Sumbri: Sommeri (Thurgau), Schweiz.

Sumelocenna: Rottenburg (Württemberg), Deutschl.
Sumena → Somena
Sumeriae → Sumerium
Sumerium, Sumeriae: Sommières (Gard), Frankr.
Sumina → Somena
Summa Deuvia: Sommedieue (Meuse), Frankr.
Summa riva silvae: Sommariva del Bosco (Cuneo), Ital.
Summa Vera: Sommevoire (Haute-Marne), Frankr.
Summontorium → Alta specula
Summus Penninus → Jovis mons
Sumonia → Stralsunda
Sundensis → Stralsunda
Sunderunha, Sundirinha: Sondernach (Württemberg), Deutschl.
Sundgavia → Suentensis pag.
Sundicum fretum → Danicum fretum
Sundicum fretum minus → Balticum fretum minus
Sundirinha → Sunderunha
Sundis → Stralsunda
Sunedeswolda → Senedewalda
Sungowia → Suentensis pag.
Sunnemotinga: Sulmingen (Württemberg), Deutschl.
Sunnonia → Stralsunda
Sunterslevo → Sonterslevo
Sunthus: Sundhouse [Sundhausen] (Bas-Rhin), Frankr.
Sunthusa: Sunthausen (Baden), Deutschl.
Suntiligna, Suntilingero marca: Sindlingen (Hessen-Nassau), Deutschl.
Suntilingero marca → Suntiligna
Suornum: Soeren (Gelderland), Niederl.
Super castellum: abgeg. im Lugnezertal (Graubünden), Schweiz.
Super saxa: Übersaxen (Vorarlberg), Österr.
Superaequana colonia, Superequum: Castelvecchio Subequo (L'Aquila), Ital.
Superequum → Superaequana
Superhaida: Operhaide (O-Franken), Deutschl.
Supinis → Lupinum
Supino → Lupinum
Suppyhora castrum → Episcopalis mons
Supra saxum → Impatis ministerium
Supraslium, Suprassium: Supraśl (Białystok), Polen.
Suprassium → Supraslium
Sura: Sauer [Sauerbach], Nfl. d. Rhein (Bas-Rhin), Frankr.
Sura: Sauer [Sûre], Nfl. d. Mosel, Belg., Luxemburg, Deutschl.
Sura: Sur, Nfl. d. Salzach (O-Bayern), Deutschl.
Sura: Surheim (O-Bayern), Deutschl.
Sura: Suriya, abgeg. am Euphrat, Syrien.
Surabi → Sorabi (terra)
Sura: Surr (O-Bayern), Deutschl.
Surgeriae: Surgères (Charente-Maritime), Frankr.
Surgurbi: Tapiau [Gwardeisk] (O-Preußen), Deutschl.
Suria, Surlacus, Sursum: Sursee (Luzern), Schweiz.
Surlacus → Suria
Surlandia: Sauerland, Landsch. (Westfalen), Deutschl.
Surregia, Suthriona comit.: Surrey, Grafsch., Engl.
Surrugium: Seurre (Côte-d'Or), Frankr.
Sursum → Suria
Susatium → Sosatium
Sustula → Suestra
Susudata: Sayda (Sachsen), Deutschl.
Susudata: Suschow (Brandenburg), Deutschl.

Sutfania, Zutfania, Zutphania: Zutphen (Gelderland), Niederl.
Sutherhusum: Surhuizum (Friesland), Niederl.
Suthriona comit. → Surregia
Sutkercae, Sutkerka: Zudkerque (Pas-de-Calais), Frankr.
Sutkerka → Sutkercae
Sutrachi, Sudergo: Sudergau, eh. Gau zw. Lippe u. oberer Ems (Westfalen, Hannover), Deutschl.
Suuites → Swicia
Suurbi → Sorabi (terra)
Suvidnia → Svidnitium
Suzatium → Sosatium
Svechanta: Schwechat (N-Österr.), Österr.
Svidnitium, Schwidnicium, Suvidnia, Zvinum, Zwini, Zvini: Schweidnitz [Świdnica] (N-Schlesien), Deutschl.
Svitava: Zwittawa [Zwitta, Svitava], Nfl. d. Schwarzawa (Böhmen), Tschechoslow.
Swabacum, Schwabacum: Schwabach (M-Franken), Deutschl.
Swabegga: Schwabegg (Bayern, RB. Schwaben), Deutschl.
Swalafelda → Sualafelda
Swarczensis → Suarizaha
Swartza: Schwarzach (N-Bayern), Deutschl.
Swartza: Schwarzach (Vorarlberg), Österr.
Swarza: Schwarzau (N-Österr.), Österr.
Swarza → Suarizaha
Swarza, Suarza, Schwarzaha: Schwarzawa [Schwarza, Svratka], Nfl. d. Thaya (Mähren), Tschechoslow.
Swebus → Suebissena
Swecza → Swetense castrum
Swendi: Abtenschwend (Baden), Deutschl.
Swendi: Schwendi (Württemberg), Deutschl.
Swendi: Schwendi (Bern), Schweiz.
Swenta: Gschwendt (N-Österr.), Österr.
Sweta: Swieten (S-Holland), Niederl.
Swetense castr., Suecza, Swecza: Świecie [Schwetz a. d. Weichsel] (Bromberg), Polen.
Swicia, Confoederatio Helvetica, Helvetia, Swites, Suuites: Schweiz [Schweizerische Eidgenossenschaft, Suisse, Confédération Suisse, Svizzera, Confederazione Svizzera, Switzerland].
Swicia, Swites, Suuites: Schwyz, Kt., Schweiz.
Swietla → Zwetla
Swilbergi → Suilbergi
Swinnvirti → Suevofortum
Swinvurtensis → Suevofortum
Swites → Swicia
Swollis, Zwolla, Zwollae: Zwolle (Overijssel), Niederl.
Swusa: Schwusen [Wyszanów] (N-Schlesien), Deutschl.
s. **Swyberti castra** → Caesaris insula
Sybaris: abgeg. am Golf v. Tarent (Cosenza), Ital.
Syberona → Siberena
Syles: Siele (Steiermark), Österr.
Syloa → Siluense monast.
Syloense monast. → Siluense monast.
Sylva → Rheginorum saltus
Sylva ducis → Buscoduca
Sylva Greca: Selva Greca bei Lodi (Mailand), Ital.
Sylva Laochonia → Bungiacensis silva
Sylviarius → Silvacus

Symbolum → Baluclavia
Symno → Cinna
Synderburgum: Sønderborg [Sonderburg] auf d. Ins. Alsen, Dänem.
Syrnichka → Sirnicha
Syrticus ager → Sabuleta Burdigalensia
Sytinensis → Sedunum
Szaboltensis comit.: Szabolcs, eh. ung. Komit. (Szabolcs-Szatmár), Ung.
Szamotulium: Sameor (Uhrain. SSR) UdSSR.
Szamotulium: Szamotuły [Samter] (Posen), Polen.
Szathmariensis comit. → Zathmariensis comit.
Szegedinum → Segedunum
Szekoltzensis processus: Skalica [Skalitz, Szakolca, Uhorská Skalica], eh. ung. Bez. (Slowakei), Tschechoslow.
Szigethum: Sighetul Marmației [Sighet, Mármarossziget, Sziget] (Marmarosch), Rumän.
Szklabinyensis processus: Szklabinya, eh. ung. Bez. bei Martin [Turčiansky Svätý Martin] (Slowakei), Tschechoslow.
Szolnociensis comitatus → Dobocensis comit.

T

Taasingis → Taaslandia
Taaslandia, Taasingis: Tåsinge [Taasinge], Ins., Dänem.
Tabanorum lacus: Mývatn, See, Island.
Taberna: Taverna (Catanzaro), Ital.
Tabernae Alsatiae, Tabernae Tribocorum, Salverna, Zabarna, Zabrena, Zabernia: Saverne [Zabern] (Bas-Rhin), Frankr.
Tabernae montanae, Zaberna: Bergzabern (Bayern, RB. Pfalz), Deutschl.
Tabernae Mosellanicae, Tabernae Riguae, Mosellanum castell., Tabernarum castell.: Bernkastel (Rheinprov.), Deutschl.
Tabernae Rhenanae: Rheinzabern (Bayern, RB. Pfalz), Deutschl.
Tabernae Riguae → Tabernae Mosellanicae
Tabernae Tribocorum → Tabernae Alsatiae
Tabernarum castellum → Tabernae Mosellanicae
Tablae Batavorum → Delfi
Tabulejum ad Saravum → Theologia
Tacape, Tacapinae aquae: Gabès [Qâbes], Tunesien.
Tacapinae aquae → Tacape
Tachovia: Tachov [Tachau, Drzewnow] (Böhmen), Tschechoslow.
Tachovia, Tachowa, Dachanum: Dachau (O-Bayern), Deutschl.
Tachowa → Tachovia
Tactschena, Dasena: Děčín [Tetschen] (Böhmen), Tschechoslow.
Tagaaranseense → Tigurina sedes
Tagahartinga: Tacherting (O-Bayern), Deutschl.
Tagamari: Themar (Thüringen), Deutschl.
Tagara: Daulatabad [Daolatabad, Deogiri, Dewagin], Fstg. bei Auraṅgabad [Aorangabad] (Maharashtra), Indien.

Tagebrehtiswilaere: Tafertsweiler (Hohenzollern), Deutschl.
Tagebrehtiswillare: Dabetsweiler (Württemberg), Deutschl.
Tagiensis saltus: Sierra de Alcaraz, Geb. (Murcia), Span.
Taginae: abgeg. bei Gualdo Tadino (Perugia), Ital.
Tala: Thal (O-Bayern), Deutschl.
Tala: Thal (Thüringen), Deutschl.
Tala: Thal (Tirol), Österr.
Talamarus: Talmay (Côte-d'Or), Frankr.
Talaverna: Talvera [Talfer Bach], Nfl. d. Isarco [Eisack] (Bozen), Ital.
Talcinum: Talcino (Korsika), Frankr.
Talentum: Talant (Côte-d'Or), Frankr.
Talleburgum: Taillebourg (Charente-Maritime), Frankr.
Talmis: Kalabscheh am Nil (O-Ägypten), Ägypten.
Tamara: Tamerton (Devonshire), Engl.
Tamarae ostium, Plymuthium: Plymouth (Devonshire), Engl.
Tamarus fluv.: Tamar, Fl., Mü: Ärmelkanal (Devonshire), Engl.
Tamarus fluv., Damarus, Thamarus: Tammaro, Nfl. d. Calore (Benevento), Ital.
Tambracum: Tambach [Tambach-Dietharz] (Thüringen), Deutschl.
Tambrax, Thambrax: Gorgan [Gurgan, Astrabad] (Gorgan), Iran.
Tamiathis → Damiata
Taminium: Tamins (Graubünden), Schweiz.
Tanfanae lacus → Corbeja nova
Tanis: Sân el Hagar (U-Ägypten), Ägypten.
Tanna: Hohenthann (O-Bayern), Deutschl.
Tanubius → Danubius
Taphros → Praecopia
Taprobane → Ceylanum
Tarantasia → Centronum civ.
Tarasco: Tarascon-sur-Rhône (Bouches-du-Rhône), Frankr.
Taraspo, Tra spes castrum: Tarasp (Graubünden), Schweiz.
Tarba → Bigorrense castr.
Tarbae → Bigorrense castr.
Tarbatensis eccl. → Dorostolus Livanorum
Tarbatum → Dorostolus Livanorum
Tarbellum mare → Cantabricum mare
Tarentum → Tridentina civitas
Targetium, Juliomagus: Stühlingen (Baden), Deutschl.
Targovitza, Tergovitza: Tîrgovişte [Târgovişte] (Große Walachei), Rumän.
Tarinae aquae → Aquula
Taringia → Thuringia
Tarivallis burgus, s. Sepulcri burgus: Sansepolcro [Borgo San Sepolcro, San Sepolcro] (Arezzo), Ital.
Tarnaca, Tarnadae: Saint-Maurice-de-Rotherens (Savoie), Frankr.
Tarnadae → Tarnaca
Tarnawa: Tarnau [Tarnawa] (N-Schlesien, Kr. Schweidnitz), Deutschl.
Tarnovia: Tarnów (Krakau), Polen.
Tarodunum: Zarten (Baden), Deutschl.
Taruntus, Turuntus: Daugava, Duina, Duna, Rubo [Düna, Westliche Dwina, Sapadnaja Dwina, Zapadnaja Dvina], Fl., Mü: Ostsee (Lettland), UdSSR.

Tarvenna, Thyrvanda: Thérouanne (Pas-de-Calais), Frankr.
Tarvesium, Tarvisium, Trevisium: Treviso (Treviso), Ital.
Tarvisium → Tarvesium
Tasciaca: Thézée (Loir-et-Cher), Frankr.
Tasta Datiorum, Augustae aqua: Dax (Landes), Frankr.
Tauchira, Tochira: Tokra [Tocra, Teuchira] (Barka), Libyen.
Taurasia: Taurasi (Avellino), Ital.
Tauriacum → Ad Turres
Tauriacus: Thoré-la-Rochette (Loir-et-Cher), Frankr.
Tauriacus: Thorigné-sur-Dué (Sarthe), Frankr.
Taurinum, Taurum, Sarabris: Toro (Zamora), Span.
Taurinum, Turi: Turin (Turin), Ital.
Tauris: Täbrīz [Täbris], Iran.
Tauriscorum colonia → Corcoras
Taurodunum → Taurunum
Taurodunum → Tornomagensis vicus
Tauromenius: Alcantara, Fl., Mü: Mittelmeer (Messina), Ital.
Taurum → Taurinum
Taurunum, Malavilla, Semlinum, Taurodunum, Thearnum: Zemun [Semlin, Zimony, Beograd-Zemun], Teil von Belgrad [Beograd] (Serbien), Jugoslaw.
Taurus mons → Durus mons
Tava aestuarium: Firth of Tay, Meerbusen (Nordsee), Schottl.
Tavena: Tawern (Rheinprov.), Deutschl.
Taventeri → Daventria
Taverna: Tafern (Baden), Deutschl.
Taverniacus: Taverny (Seine-et-Oise), Frankr.
Tavium: Büyüknefesköi (Yozgat, Kappadokien), Türkei.
Tavus: Tay, Fl., Mü: Firth of Tay (Perthshire), Schottl.
Taxandria: Turnhout (Antwerpen), Belg.
Taxandrus → Teisterbandia
Taxiana arx → Iphia arx
Taxium castr. → Iphia arx
Taxovia: Tisovec [Theißholz, Tiszolc] (Slowakei), Tschechoslow.
Taya → Tya
Teatina provincia: Chieti, Prov. (Abruzzen u. Molise), Ital.
Teba: Teba (Malaga), Span.
Techtlingi: Teglingen (Hannover), Deutschl.
Tectensis pag., Falconis mons, Falkebor: Valkenburg [Fauquemont], Burg u. Herrsch. (Limburg), Niederl.
Tectosagum → Telo Martius
Tecus: Tech, Fl., Mü: Mittelmeer (Pyrénées-Orientales), Frankr.
Tegarense → Tigurina sedes
Tegerinowa: Tegernau (St. Gallen), Schweiz.
Tegernsewense → Tigurina sedes
Tegirinsense → Tigurina sedes
Tegirwillare: Tägerwilen (Thurgau), Schweiz.
Teglanum: Palma Campania (Neapel), Ital.
Tegriinsense → Tigurina sedes
Tegrinsense → Tigurina sedes
Tegurinum → Tigurina sedes
Teisterbandia, Texandria, Taxandrus: Teisterbant [Testerbant], eh. Gau (S-Holland, N-Brabant), Niederl.
Tela: Thielle [Thièle, Zihl] (Bern), Schweiz.
Tela: Zihlkanal, Kanal zw. Bieler See u. Neuenburger See (Bern, Neuenburg), Schweiz.
Tela → Methymna sicca

Telamontium → Delemontium
Telemate, Telemete: Tallende, Teil v. Saint-Amant-Tallende (Puy-de-Dôme), Frankr.
Telemete → Telemate
Telga australis: Södertälje [Södertelje] (Stockholm), Schwed.
Telga borealis: Norrtälje (Stockholm), Schwed.
Telis: Têt, Fl., Mü: Mittelmeer (Pyrénées-Orientales), Frankr.
Tellao → Tellaus vicus
Tellas fluvius: Béthune, Fl., Mü: Ärmelkanal (Seine-Maritime), Frankr.
Tellaus pagus, Telogiensis pagus: Talou, eh. Gau (Seine-Maritime), Frankr.
Tellaus vicus, Tellao: Tilly-sur-Seulles (Calvados), Frankr.
Tellina vallis, Veltelina: Valtelina [Veltlin], Landsch. (Sondrio), Ital.
Telmeri: Tellmer (Hannover), Deutschl.
Telo Martius, Telonis portus, Tectosagum, Tullonum: Toulon (Var), Frankr.
Telodium: Thélus (Pas-de-Calais), Frankr.
Telogiensis pag. → Tellaus pag.
Telonis portus → Telo Martius
Telonnum, Telumnum, Tolonum, Tullonum, Tullus: Toulon-sur-Arroux (Saône-et-Loire), Frankr.
Telum → Dolum
Telumnum → Telonnum
Temena, Temesvarinum: Timişoara [Temesvár, Temeswar, Temeschwar, Temeschburg] (Banat), Rumän.
Temessus: Tamiš [Timiş, Temes, Temesch], Nfl. d. Donau (Banat), Rumän. u. Jugoslaw.
Temesvarinum → Temena
Templovium: Templeuve (Hennegau), Belg.
Templum: Tempel [Templewo] (Brandenburg), Deutschl.
Templum Petri: Dompierre (Waadt), Schweiz.
Tenae → Thenae mons
Tenebrium promont.: Cabo de la Náo, Kap (Valencia), Span.
Tenebrosa silva → Nigra silva
Tenensis → Thenae mons
Tenera → Dendera
Teneremonda → Teneremunda
Teneremunda, Teneremonda, Munda Tenerae: Dendermonde [Termonde] (O-Flandern), Belg.
Tenetiacum: Tinténiac (Ille-et-Vilaine), Frankr.
Tennstada: Tennstedt (Pr. Sachsen), Deutschl.
Tentra → Dendera
Tenus: Tinos [Tenos], Ins. der Kykladen (Ägäisch. Meer), Griechenl.
Tenus: Tinos [Tenos, San Nicolo] auf Tinos (Ins. der Kykladen), Griechenl.
Teodericia, Teodericiaco, Tidiricia, Teodiricia: Thiré (Vendée), Frankr.
Theodericiaco → Teodericia
Teoracia → Terrascea silva
Teplicia, Calidae aquae: Teplice [Teplitz], Teil von Teplice-Šanov [Teplitz-Schönau] (Böhmen), Tschechoslow.
Teracatriarum curia: Schloßhof (N-Österr.), Österr.
Teramum, Interamnium: Teramo (Teramo), Ital.
Terapne: Corse [Korsika], Ins. (Mittelmeer), Frankr.
Terdona → Dertona
Terebris → Sorabis

Teredon: abgeg. bei Basra im Gebiet des Schatt el Arab, Irak.
Tergolape → Veclae pontum
Tergovitza → Targovitza
Tergum → Gaudanum
Tergum caninum, Caninus tergus, Hunnorum tractus, Hunnicus pag.: Hunsrück, Geb. (Rheinprov.), Deutschl.
Terminus Helvetiorum: March, Landsch. (Schwyz), Schweiz.
Termus: Coghinas, Fl., Mü: Mittelmeer (Sardinien), Ital.
Termus: Temo, Fl., Mü: Mittelmeer (Sardinien), Ital.
Terna: Ober- u. Unterthern (N-Österr.), Österr.
Ternezca: Ternsche (Westfalen), Deutschl.
Ternobum, Ternovia, Tyrnavia: Tărnovo [Tŭrnovo, Tarnowo, Tirnowo] (Tărnovo), Bulgarien.
Ternodero → Ternodorum
Ternodorum, Tornodorum, Tornodum, Ternodero: Tonnerre (Yonne), Frankr.
Ternovia → Ternobum
Terracinum → Terrassonum
Terrascea silva, Theorascia, Teoracia, Veromandui ortivi: Thiérache, Landsch. (Aisne), Frankr.
Terrassonum, Terracinum: Terrasson (Dordogne), Frankr.
Teruentum → Castilio
Terva → Eroanum
Tesana: Castello Tesino (Trient), Ital.
Tesca → Sabuleta Burdigalensia
Teschena, Tessinum: Cieszyn u. Český Těšín [die beiden Teile der eh. österr. Stadt Teschen] (Kattowitz, Mähren), Polen u. Tschechoslow.
Tesqua Aquitanica → Sabuleta Burdigalensia
Tessemi pontes: Schöngeising (O-Bayern), Deutschl.
Tessenium → Disia
Tessinum → Teschena
Tetileiba: Teutleben (Thüringen), Deutschl.
Tetina: Thein bei Sokolov [Falkenau] (Böhmen), Tschechoslow.
Tettingtharpa: Tentrup (Westfalen), Deutschl.
Tetus: Trieux, Fl., Mü: Ärmelkanal (Côtes-du-Nord), Frankr.
Teuchera → Tuchurini
Teuderium: Dörpen (Westfalen), Deutschl.
Teuginga: Thaining (O-Bayern), Deutschl.
Teukesburia: Tewkesbury (Gloucestershire), Engl.
Teurnia → Tiburnia
Teutobroda → Broda Germanica
Teutoburginum → Thiotmelli
Teutoburgium, Tulisurgium: Ringwall [„Hünenwall"] am Grotenburg, Berg (Lippe), Deutschl.
Teutoburgum → Dispargum
Teutonica Broda → Broda Germanica
Teutonicorum terra, Alamannorum terra, Alemannorum terra, Theothonicorum terra, Theotiscia, Totonicorum regnum, Alamannia, Alemannia, Germania alba, Francia: Deutschland.
Teviotia → Deviotia
Texalia, Thesla, Texla: Texel, Ins. (N-Holland), Niederl.
Texandria → Teisterbandia
Texla → Texalia
Textrice → Textricium
Textricium, Textricum, Textrice: Tertry (Somme), Frankr.
Textricum → Textricium
Teya → Tya

Teynecium Rochi: Hrochův Týnec [Hrochowteinitz] (Böhmen), Tschechoslow.
Thaberna → Dabornaha
Thabor mons → Montaborina
Thalloris → Prasia Elysiorum
Thamarus → Tamarus fluv.
Thambrax → Tambrax
Thannae, Pinetum: Thann (Haut-Rhin), Frankr.
Thano → Thuna
Thanum → Thuna
Tharbatense castrum → Dorostolus Livanorum
Thariensis → Theris
Tharisia → Theris
Tharisiensis → Theris
Thearnum → Taurunum
Theavilla → Theodonis villa
Thebae Saxonicae → Duba
Thebais regio: O-Ägypten, Landsch., Ägypten.
Thelesini: Telese (Benevent), Ital.
Thenae mons, Tillae mons, Tenae, Thenis, Tenensis, Tirlemons, Tirlemontium: Tirlemont [Tienen] (Brabant), Belg.
Thenga: Tengen (Baden), Deutschl.
Thenis → Thenae mons
Theodalciaga: Thézey-Saint-Martin (Meurthe-et-Moselle), Frankr.
Theodata → s. Deodati fan.
Theodata → Theodota
Theodaxium: Thiais (Seine), Frankr.
Theodebercia, Theodeberciaco: Thivernay, Teil v. Fontenay-le-Comte (Vendée), Frankr.
Theodeberciaco → Theodebercia
Theoderici castr. → Noeomagus Viducassiorum
Theodiricia → Teodericia
Theodoadum → Doadum
Theodomirensis pag.: Thimerais, Landsch. (Eure-et-Loir), Frankr.
Theodone → Theodonis villa
Theodonevilla → Theodonis villa
Theodonis villa, Theodone, Theodonevilla, Theavilla, Scodonis villa, Totonis villa, Theodunvilla, Thiuvilla: Thionville [Diedenhofen] (Moselle), Frankr.
Theodophorum: Dietfurt (O-Pfalz), Deutschl.
Theodorici villa: Dietersdorf (N-Österr.), Österr.
Theodorodunum, Belgae fontes, Wellae, Fontanensis ecclesia: Wells (Co. Somerset), Engl.
Theodoropolis → Euchaites
Theodosia → Capha
Theodosiopolis: Inecik [Ainadjik] (Tekirdağ, Thrakien), Türkei.
Theodosiopolis → Resaina
Theodosium: Boží Dar [Gottesgab] bei Jáchymow [Joachimsthal] (Böhmen), Tschechoslow.
Theodota, Deodatum, Dotis, Theodata: Tata [Totis] (Komorn), Ung.
Theoduadum → Doadum
Theodunvilla → Theodonis villa
Theodwadum →Doadum
Theolegium → Theologia
Theologia, Theolegium, Theologicum, Theologium, Toleiensis vicus, Doleia, s. Mauritius in Vosago, Tabulejum ad Saravum: Tholey (Rheinprov.), Deutschl.
Theologicum → Theologia
Theologium → Theologia
Theorascia → Terrascea silva
Theorosburgum → Specula Halcyonia
Theothonicorum terra → Teutonicorum terra
Theotiscia → Teutonicorum terra
Theotmala → Thiotmelli
Theotuadus → Doadum
Theranda: Drjenovec [Drenowetz] (Razgrad), Bulgarien.

Theris, Therissa, Tharisia, Thariensis, Tharisiensis: Ober- u. Untertheres (U-Franken), Deutschl.
Therissa → Theris
Thermae Austriacae → Pannonicae aquae
Thermae Bormianae → Barolum
Thermae Carolinae → Carolinae aquae
Thermae ferinae: Wildbad (Württemberg), Deutschl.
Thermae Helveticae → Aquae Helveticae
Thermae Inferiores → Badena
Thermae Selununtiae, Ad Labodas aquas: Sciacca (Agrigento), Ital.
Thermida: Sacedón (Guadalajara), Span.
Thermopolis → Aquae Helveticae
Thervetensis urbs → Dorostolus Livanorum
Thesauri mons: Montrésor (Indre-et-Loire), Frankr.
Thesla → Texalia
Thessela: Destelbergen (O-Flandern), Belg.
Thethmarchi, Thetmarsi, Ditmarcia, Ditmarsia: Dithmarschen, Landschaft (Schleswig-Holstein), Deutschl.
Thetmarsi → Thethmarchi
Thiceris, Sambroca, Thicis: Ter, Fl., Mü: Mittelmeer (Gerona), Span.
Thicis → Thiceris
Thidela: Deilbach, Nfl. d. Ruhr (Westfalen), Deutschl.
Thidi: Thiede (Braunschweig), Deutschl.
Thiedinningtharpa: Tittingdorf (Hannover), Deutschl.
Thiela → Tiela
Thiernum, Thierrium, Tigernum, Tripernum castr.: Thiers (Puy-de-Dôme), Frankr.
Thierrium → Thiernum
Thilia, Dyla: Dyle, Nfl. d. Schelde (Brabant), Belg.
Thilithorum pag., Tilithiorum pag., Tilgethorum pag.: eh. Gau a. d. mittl. Weser (Westfalen, Lippe, Hannover), Deutschl.
Thinchia: Groß Tinz [Tyniec Legnicki] (N-Schlesien), Deutschl.
Thinchia: Klein Tinz [Tyńczyk] (N-Schlesien), Deutschl.
Thiotmelli, Teutoburginum, Theotmala, Detmolda, Dethmolda, Detmoldia, Dietmellum, Diethmelium: Detmold (Lippe), Deutschl.
Thirigum → Turicum Helvetiorum
Thiuvilla → Theodonis villa
Thoarcium → Thoarcum
Thoarcum, Thoarcium, Toarcium, Toarecas, Thuarcium, Duracium: Thouars (Deux-Sèvres), Frankr.
Tholensis civ. → Dola
Thordensis comit.: Torda-Aranyos, eh. ung. Komit. (Siebenbürgen), Rumän.
Thoredensis pagus, Thoreida, Thoreyda: Turaida [Treyden], Ort u. Landsch. (Lettland), UdSSR.
Thoreida → Thoredensis pag.
Thoreyda → Thoredensis pag.
Thori portus: Tórshavn [Thorshavn], Hst. d. Färöer-Inseln, Dänem.
Thoringia → Thuringia
Thormanni villa → Tremonia
Thornua → Tornacum Nerviorum
Thoroltum, Toralum: Torhout [Thourout, Thorhout, Tourout, Turholt] (W-Flandern), Belg.
Thoronus → Turoni civ.
Thortmanni villa → Tremonia
Thorunium, Thorunum Borussorum: Thorn [Toruń] (Bromberg), Polen.
Thorunum Borussorum → Thorunium
Thosa: Does (N-Holland), Niederl.

Thospia, Arzaniorum oppid.: Van [Wan] (Van, O-Anatolien), Türkei.
Thospitis lacus: Van gölü [Van See, Wan See], See (SO-Anatolien), Türkei.
Thransfellensis eccl.: Dransfeld (Hannover), Deutschl.
Threnta → Trenta
Threntasilvani → Trenta
Threntawalda → Trenta
Threveresga: Drewergau, eh. Gau wstl. Paderborn (Westfalen), Deutschl.
Thrianta → Trenta
Thriburi → Tribur
Throdmannia → Tremonia
Thronia → Kirchaina
Thronus regalis: der Königsstuhl, alter Steinbau bei Rhense (Rheinprov.), Deutschl.
Throtmanni villa → Tremonia
Throtmunni villa → Tremonia
Thrubizi: Traubitz (Pr. Sachsen), Deutschl.
Thrubizi → Trobiki
Thuarcium → Thoarcum
Thuchusi → Tuchurini
Thudiniacum → Thudinum
Thudinium → Thudinum
Thudinum, Thudinium, Thudiniacum: Thuin (Hennegau), Belg.
Thuehenti → Twenta
Thuetmonia: Clare [Clair, An Clár, Contae an Chláir], Grafsch., Eire.
Thuintia → Twenta
Thumium → Timium
Thumum, Zumi: Thum (Sachsen), Deutschl.
Thuna, Thano, Thanum: Thun (Bern), Schweiz.
Thuna, Tuma: Doens (Jütland), Dänem.
Thuregum → Turicum Helvetiorum
Thurgaugia → Turgovia
Thurgovia → Turgovia
Thurgowa → Turgovia
Thurgoya → Turgovia
Thuricensis mons: Zürichberg, Berg bei Zürich, Schweiz.
Thuricina civitas → Turicum Helvetiorum
Thuricum → Turicum Helvetiorum
Thuringea → Thuringia
Thuringei → Thuringia
Thuringi → Thuringia
Thuringia, Thuringi, Thuringea, Thoringia, Thyringia, Thuringei, Toringa, Toringia, Turingia, Taringia, Toringaba, Toringuba, Loringi, Duringi, Duringa: Thüringen, Landsch., Deutschl.
Thurnavia: Thurnau (O-Franken), Deutschl.
Thurninga → Durninga
Thurotziensis comit.: Turócz [Turóe, Turiec]· eh. ung. Komit. (Slowakei), Tchechoslow.
Thuron → Thurunum
Thurotziensis villa, Martinopolis, s. Martini fan., s. Martinus de Turoczo (monast.): Martin [Sankt Martin, Turčiansky Svätý Martin, Turócszentmárton, Turócz-Szent Márton] (Slowakei), Tschechoslow.
Thurunum, Thuron, Turum: Thurau (Anhalt), Deutschl.
Thurus mons → Durus mons
Thyanus → Bucaresta
Thyringia → Thuringia
Thyrvanda → Tarvenna
Tiasum: Focşani [Fokschani] (Galatz), Rumän.
Tiberia → Ratisbona
Tiberiacum, Montis villa: Bergheim (Rheinprov.), Deutschl.
Tiberii forum → Caesaris praetorium

Tiberina → Ratisbona
Tiberinum → Castellana civ.
Tibiscum: abgeg. bei Şagu [Segenthau, Dreispitz, Ság Néinetság] (Banat), Rumän.
Tibiscum, Canencebae: Caransebeş [Karánsebes] (Banat), Rumän.
Tibiscus → Parthiscus
Tibium → Eroanum
Tibula: Santa Teresa Gallura (Sardinien), Ital.
Tiburina → Ratisbona
Tiburnia → Ratisbona
Tiburnia, Liburna, Liburnia, Lurna, s. Petrus, s. Petrus apud Frezna, Teurnia: Sankt Peter in Holz (Kärnten), Österr.
Tidiricia → Teodericia
Tiela, Thiela, Tyla, Tyela, Tillium, Tielensis: Tiel (Gelderland), Niederl.
Tielensis → Tiela
Tietenwillare: Dietenweiler bei Bodnegg (Württemberg), Deutschl.
Tigernum → Thiernum
Tigurina sedes, Tegurinum, Tegrinsense, Tegirinsense, Tagaaranseense, Tegarense, Tegriinsense, Tegernsewense, Dagarense monast.: Tegernsee (O-Bayern), Deutschl.
Tigurum → Turicum Helvetiorum
Tilavemptus, Tilaventum: Tagliamento, Fl., Mü: Adriat. Meer (Venedig), Ital.
Tilaventum → Tilavemptus
Tilecastrum → Tilena
Tilena, Tilecastrum: Til-Châtel (Côte-d'Or), Frankr.
Tilesium: Ajello (Cosenza), Ital.
Tiletum: Thielt [Tielt] (W-Flandern), Belg.
Tilgethorum pag. → Thilithorum pag.
Tilighemium: Dilighem, Kl. Brabant), Belg.
Tilithorum pag. → Thilithorum pag.
Tilium, Tullum: Teglio (Sondrio), Ital.
Tillae mons → Thenae mons
Tilliacum: Tilly-sur-Meuse (Meuse), Frankr.
Tilliburgis: Tilburg (N-Brabant), Niederl.
Tillium → Tiela
Tillum: Theil-sur-Vanne (Yonne), Frankr.
Tilonis villa → Boleslavia
Tilsa → Chronopolis
Timalinum, Neviae pons: Navia de Suarna [Puebla de Navia de Suarna] (Lugo), Span.
Timbonia: Thiembronne (Pas-de-Calais), Frankr.
Timella, Dimola: Diemel, Nfl. d. Weser (Hessen-Nassau), Deutschl.
Timina → Demmium
Timium, Thumium: Thun-l'Évêque (Nord), Frankr.
Tinae ostium, Tunnocelum: Tynemouth (Co. Northumberland), Engl.
Tinconcium → Xancontium
Tinga: Ober- u. Unterthingau (Bayern, RB. Schwaben), Deutschl.
Tingentera → Traducta
Tingenteratum → Traducta
Tingis, Tongera: Tanger [Tanja, Tandja], Marokko.
Tininga: Deiningen (O-Pfalz), Deutschl.
Tininium → Arbuda
Tinitiacum: Thénezay (Deux-Sèvres), Frankr.
Tinurtium, Turnuorum castr., Tornusium, Tornucium, Turnus: Tournus (Saône-et-Loire), Frankr.

Tiranum: Sondrio (Sondrio), Ital.
Tirlemons → Thenae mons
Tirlemontium → Thenae mons
Tirna: Tyrnau (Steiermark), Österr.
Tirna, Tyrna, Tyrnavia: Trnava [Tyrnau, Nagyszombat] (Slowakei), Tschechoslow.
Tirolensis cella: Zell am Ziller (Tirol), Österr.
Tirolis, Tyrolis, Tirula, Tyrolensis: Tirol [Tirolo], Landsch. u. eh. Grafsch. (Tirol, O-Tirol; Tiroler Etschland), Österr. u. Ital.
Tirula → Tirolis
Tisianus → Parthiscus
s. Tisibodi monast. → s. Disibodi monast.
Tisteti: Teichstädt (O-Österr.), Österr.
Titilinis villa → Rietelinis villa
Tittuntum, Stagnum: Ston [Stagno] (Kroatien), Jugoslaw.
Tiufstada: Teufstetten (O-Bayern), Deutschl.
Tiuhili, Tuilon: Thüle (Westfalen), Deutschl.
Tiza → Parthiscus
Tizaha → Parthiscus
Tizara → Parthiscus
Toadunum → Allectum
Toarcium → Thoarcum
Toarecas → Thoarcum
Tobinium: Zofingen (Aargau), Schweiz.
Tobius: Towy, Fl., Mü: Bristol Channel (Carmarthenshire), Engl.
Tobolium, Tobolska: Tobolsk (RSFSR), UdSSR.
Tobolska → Tobolium
Tochira → Tauchira
Tociacum, Touciacum: Toucy (Yonne), Frankr.
Toesa: Töß (Zürich), Schweiz.
Toesa: Töß, Nfl. d. Rhein (Zürich), Schweiz.
Toggenburgum, Toggium: Toggenburg, Landsch. u. eh. Grafsch. (St. Gallen), Schweiz.
Toggium → Toggenburgum
Togissium, Tossiacus: Thoissey (Ain), Frankr.
Tolanium: Soulom (Hautes-Pyrénées), Frankr.
Tolbiacum, Tulbiae, Tulpetum, Tulpiacum, Tolpiacus, Tulpiacensis civ., Zulpiacum: Zülpich (Rheinprov.), Deutschl.
Tolca: Toucques, Fl., Mü: Ärmelkanal (Manche), Frankr.
Toleiensis vicus → Theologia
Tolentinum, Tolentinus pag.: Tolentino (Macerata), Ital.
Tolentinus pag. → Tolentinum
Tolnensis comit.: Tolna, Komit., Ung.
Tolonum → Telonnum
Tolosanus pagus → Languedocia
Tolosatium civ., Tulusa: Toulouse (Haute-Garonne), Frankr.
Tolpiacus → Tolbiacum
Tomeriae → s. Pontii Tomeriarum fanum
Tomis → Constantiana
Tongera → Tingis
Tongeremuthi: Tangermünde (Pr. Sachsen), Deutschl.
Tongri → Tongrum
Tongrum, Tongri, Tungri, Tungris, Tungria, Tungrensis, Ortavia: Tongern [Tongeren, Tongres] (Limburg), Belg.
Tons civitas → Tunesium
Tonubius → Danubius
Topaviensis → Troppavia
Toplensis civ.: Město Teplá [Tepl, Teplá, Tepl Kloster, Klášter Teplá] (Böhmen), Tschechoslow.

Toralum → Thoroltum
Torciacum: Torcé-en-Charnie (Mayenne), Frankr.
Torciacum: Torcé-en-Vallée (Sarthe), Frankr.
Torenna → Turena
Torga → Torgavia
Torgavia, Torga, Ocellus civ.: Torgau (Pr. Sachsen), Deutschl.
Toriallum: Tourlaville (Manche), Frankr.
Toringa → Thuringia
Toringaba → Thuringia
Toringia → Thuringia
Toringuba → Thuringia
Tornacum Nerviorum, Tornacus, Turnacum, Turnacensium civ., Thornua, Turnaco, Dornacum, Bajanum: Tournai [Doornik] (Hennegau), Belg.
Tornacus → Tornacum Nerviorum
Tornehecenses: Tournehem (Pas-de-Calais), Frankr.
Tornensis comit.: Abauj-Torna, eh. ung. Komit. (Borsod-Abaúj-Zemplén, Slowakei), Ung. u. Tschechoslow.
Tornensis vicus: Thorn (Limburg), Niederl.
Tornodorum → Ternodorum
Tornodum → Ternodorum
Tornomagensis vicus, Taurodunum, Turunaco, Turnonum, Turnonium, Turno: Tournon (Ardèche), Frankr.
Tornucium → Tirnutium
Tornusium → Tirnutium
Toronaicus sinus: Golf v. Kassandra [Kólpos Kassándras, Toronäos Kolpos, Toronaischer Golf], Meerbusen (Chalkidike), Griechenl.
Torpatum → Dorostolus Livanorum
Torsilia: Torshälla (Södermanland), Schwed.
Torta vallis: Valtorta (Bergamo), Ital.
Torta vallis: Vautorte (Mayenne), Frank.
Tortosa → Antaradus
Tortuus: Dordou, Nfl. d. Tarn (Aveyron), Frankr.
Tosibia: Torredonjimeno (Jaén), Span.
Tossia → Docea
Tossiacus → Togissium
Totonicorum regnum → Teutonicorum terra
Totonis villa → Theodonis villa
Touciacum → Tociacum
Tovana → Bellovicinum
Tra → Dravus
Tra spes castr. → Taraspo
Traba → Dravus
Trabena, Travea, Travenna, Chalusus: Trave, Fl., Mü: Ostsee (Schleswig-Holstein), Deutschl.
Trabus → Dravus
Trachina pag. → Dreini pag.
Tractus occidentalis: Wester Kwartier, Landsch. (Groningen), Niederl.
Traducta, Julia Traducta, Julia Joza, Tingentera, Tingenteratum: Tarifa (Cádiz), Span.
Tragsma → Traisma
Traha → Dravus
Trahus → Dravus
Trajana colonia → Xantae
Trajani forum: Fordongianus (Sardinien), Ital.
Trajani monumentum, Hoechsta, Hohstedi, Hogstedi, Hosteti: Höchst [Frankfurt-Höchst] (Hessen-Nassau), Deutschl.
Trajani pons → Norba Caesarea
Traianopolis → Ulpia Trajana
Trajectensis urbs → Trajectum ad Mosam

Trajectum: Trajetto (Neapel), Ital.
Trajectum ad Mosam, Trajectum Tungrorum, Trajectum superius, Urbs Trajectensis: Maastricht (Limburg), Niederl.
Trajectum ad Oderam, Francofurtum ad Oderam, Francofurtum Viadrum, Franckenfordia: Frankfurt a. d. Oder [Słubice = Dammvorstadt] (Brandenburg), Deutschl.
Trajectum ad Rhenum, Trajectum inferius, Anthonina civ., Ultrajectum, Trectis, Wiltensis, Ultratrajectensis, Vultrajectensis, Utrensis, Winteburgensis, Albiobola: Utrecht (Utrecht), Niederl.
Trajectum inferius → Trajectum ad Rhenum
Trajectum Suevorum → Suevofortum
Trajectum superius → Trajectum ad Mosam
Trajectum Tungrorum → Trajectum ad Mosam
Traisma, Tragsma: Traisen (N-Österr.), Österr.
Traisna → Treisma
Tramontum: Tramonti (Salerno), Ital.
Trans moles: Tramolé (Isère), Frankr.
Transalbinus pagus → Nordalbingia
Transcolapianus processus: Transkulpanischer Bezirk, eh. ung. Bez. re. d. Kulpa [Kolpa, Kupa], (Kroatien, Jugoslaw.)
Transisalana prov.: Overijssel, Prov., Niederl.
Transmontana prov.: Trás-os-Montes e Alto Douro, Prov., Portug.
Transmosana prov.: Limburg, Prov., Niederl.
Transsilvania → Septem castra
Tranum, Turenum: Trani (Bari), Ital.
Traunus, Truna, Druna: Traun, Nfl. d. Donau (O-Österr.), Österr.
Travea → Trabena
Travemunda → Dragamuntina
Travena silva: Travenort (Schleswig-Holstein), Deutschl.
Travenna → Trabena
Trebenezi → Trebnitium
Trebeniczensis civ. → Trebnitium
Trebeniczya → Trebnitium
Trebeses → Tribuses
Trebicensis vicus: Třebíč [Trebitsch] (Mähren), Tschechoslow.
Trebnitium, Trebenezi, Trebeniczya, Trebeniczensis civ.: Trebnitz [Trzebnica] (N-Schlesien), Deutschl.
Trebunium, Tribulia, Tribnia: Trebinje (Bosnien u. Herzegowina), Jugoslaw.
Trecae, Tricasses, Trecas civ., Tricas civ.: Troyes (Aube), Frankr.
Trecas civ. → Trecae
Trecni: Drechen (Westfalen), Deutschl.
Trecora, Trecorium: Tréguier (Côtes-du-Nord), Frankr.
Trecorium → Trecora
Trectis → Trajectum ad Rhenum
Treguena: Tregony (Cornwall), Engl.
Treifama → Treisma
Treisa: Trais, Teil v. Trais-Münzenberg (Hessen), Deutschl.
Treisama: Dreisam, Nfl. d. Elz (Baden), Deutschl.
Treisema → Treisma
Treisma, Treisema, Traisna, Triesma, Treifama: Traisen, Nfl. d. Donau (N-Österr.), Österr.
Trellenburgum: Trälleborg [Trelleborg] (Malmöhus), Schwed.
Tremolia → Tremulium
Tremona → Tremonia
Tremonia, Tremona, Truminia, Thor-

manni, Thortmanni, Throtmanni, Drotmanni, Droomanni, Trutmanna, Trutmonnia, Trutmannia, Throtmunni, Throdmannia, Dormunda, Truttmanni villa, Tremoniensis civ.: Dortmund (Westfalen), Deutschl.

Tremoniensis civ. → Tremonia

Tremulium, Tremolia: La Trimouille (Vienne), Frankr.

Tremulivicus: Saint-Viatre (Loir-et-Cher), Frankr.

Tremulus pons, Apua: Pontremoli (Massa), Ital.

Tremunda → Dermuta

Trenchinium, Trenczinium, Trentschinium, Singone: Trenčín [Trentschin, Trencśen] (Slowakei), Tschechoslow.

Trencinopolis: Trenčín bei Mnichovo Hradiště [Münchengrätz] (Böhmen), Tschechoslow.

Trenczinium → Trenchinium

Trenta, Drenthia, Drentia, Threnta, Threntasilvani, Threntawalda, Thrianta: Drenthe [Drente], Prov., Niederl.

Trentschiniensis comit.: Trencśen [Trentschin, Trenčín], eh. ung. Komit. (Slowakei), Tschechoslow.

Trentschinium → Trenchinium

Treva: abgeg. bei Travemünde (Schleswig-Holstein), Deutschl.

Trevecka: Talgarth (Montgomeryshire), Engl.

Trevisium → Tarvesium

Trevoltum → Trivium

Treya: Treene, Nfl. d. Eider (Schleswig-Holstein), Deutschl.

Tribeni: Treben (Pr. Sachsen), Deutschl.

Tribisa: Triebsche, Nfl. d. Elbe (Sachsen), Deutschl.

Tribovia Bohemicalis: Česká Třebová [Böhmisch-Trübau] bei Lanškroun [Landskron] (Böhmen), Tschechoslow.

Tribovia Moravicalis: Moravská Třebová [Mährisch-Trübau] (Mähren), Tschechoslow.

Tribrachium → Salca

Tribulia → Trebunium

Tribunia → Trebunium

Tribur, Thriburi, Triburi, Driburi: Trebra (Thüringen), Deutschl.

Triburas → Triburia

Triburi → Tribur

Triburi → Triburia

Triburia, Triburium, Triburis, Triburas, Triburi, Triguriae: Trebur [Tribur] (Hessen), Deutschl.

Triburis → Triburia

Triburium → Triburia

Tribus: Trebbus (Brandenburg), Deutschl.

Tribuses, Tribuzes, Trebeses, Tributum Caesaris: Tribsees (Pommern), Deutschl.

Tributum Caesaris → Tribuses

Tribuzes → Tribuses

Tricalum, Triocala: abgeg. bei Calatafimi (Trapani), Ital.

Tricardi mons: Montrichard (Loir-et-Cher), Frankr.

Tricas civ. → Trecae

Tricasses → Trecae

Tricastini civ., Tricastinorum civ., s. Pauli fan.: Saint-Paul-Trois-Châteaux (Drôme), Frankr.

Tricastinorum civ. → Tricastini civ.

Tricollis → Zeapolis

Tridens → Tridentina civ.

Tridentina civ., Tridens, Trigentina, Tridentinum castell., Tarentum: Trento [Trient] (Trient), Ital.

Tridentinum castell. → Tridentina civ.

Tridinum, Trinum: Trino (Novara), Ital.

Triellum: Triel-sur-Seine (Seine-et-Oise), Frankr.
Triesma → Treisma
Trigentina → Tridentina civ.
Trigisamum: Traismauer (N-Österr.), Österr.
Triguerae: Trigueros (Huelva), Span.
Triguriae → Triburia
Trimontium: Thrybergh (Yorkshire), Engl.
Trimontium: Trimmis (Graubünden), Schweiz.
Trimontium → Strega Silesiorum
Trines → Trunnis
s. **Trinitatis fan., Bonus aër**: Buenos Aires, Hst. v. Argentinien.
Trinobantium regio → Ejecta
Trinum → Tridinum
Triocala → Tricalum
Tripernum castr. → Thiernum
Tris castra: Treis (Rheinprov.), Deutschl.
Trisantonis portus → Antona meridionalis
Tristicium: abgeg. bei Oliva (Freie Stadt Danzig), Deutschl.
Tritidi: Drütte (Braunschweig), Deutschl.
Trivastum: Drivasto (Shkodër), Albanien.
Triventum: Trivento (Campobasso), Ital.
Trivium, Trivordium, Trivultium, Trivurtium, Trevoltum: Trévoux (Ain), Frankr.
Trivordium → Trivium
Trivultium → Trivium
Trivurtium → Trivium
Trobiki, Thrubizi, Drubicensis villa: Drübeck (Pr. Sachsen), Deutschl.
Trocensis palatinatus: Trakai [Troki], eh. poln. Woiw. (Litauen), UdSSR.
Troja minor → Xantae
Troja secunda → Xantae
Tromsonda: Tromsø (Troms), Norweg.
Tronciacum → Trunchinium
Trondemnae → Tronthemium
Tronthemium, Dronthemium, Trondemnae, Nidrosia: Trondheim [Drontheim, Trondhjem, Nidaros] (Sør Trøndelag), Norweg.
Tropaea: Tropea (Catanzaro), Ital.
Tropaea Alpium → Tropaea Augusti
Tropaea Augusti, Tropaea Alpium, Turbia, Martis villa: La Turbie (Alpes-Maritimes), Frankr.
s. **Tropetis fanum** → s. Eutropii fan.
Troppavia, Oppavia, Nopavia, Topaviensis: Opava [Troppau] (Mähren-Schlesien), Tschechoslow.
Trosleium palatium: Trosly-Breuil (Oise), Frankr.
Trosnesteti → Trossessteti
Trossessteti, Trosnesteti: Trostadt (Thüringen), Deutschl.
Trovius: Erne [An Éirne], Fl., Mü: Donegal Bay (Co. Donegal), Eire.
Troyga: Trogen (Appenzell Außerrhoden), Schweiz.
Truazis → Rotlizi
Truba, Truoba: Trub (Bern), Schweiz.
Truccia, Truccium, Trucciae, Trucciacum, Trupchiacum, Truecum: Troissy (Marne), Frankr.
Trucciacum → Truccia
Trucciae → Truccia
Truccium → Truccia
s. **Trudonis coenob., Trudonopolis**: Saint-Trond [Sint-Truiden, Sint-Truyden] (Limburg), Belg.
Trudonopolis → s. Trudonis coenob.
Truecum → Truccia
Truennes → Trunnis
Truentinorum forum → Petra Honorìi

Truentinum castell. → Castilio
Truentus → Juvantius
Truhtilibrunno: Tröchtelborn (Pr. Sachsen), Deutschl.
Truma: Trim [Áth Truim, Baile Átha Troim] (Co. Meath), Eire.
Truminia → Tremonia
Truna: Traun (O-Österr.), Österr.
Truna → Traunus
Trunchinium, Truncinis, Tronciacum: Tronchiennes [Drongen] (O-Flandern), Belg.
Truncinis → Trunchinium
Trunnes → Trunnis
Trunnis, Trunnes, Truennes, Trunus, Trines: Truns [Trun] (Graubünden), Schweiz.
Trunus → Trunnis
Truoba → Truba
Trupa: Trupe (Hannover), Deutschl.
Trupchiacum → Truccia
Trupinga: Traubing (O-Bayern), Deutschl.
Trusiana vallis → Drusiana vallis
Trutavia → Forchena
Trutina: Trutnov [Trautenau] (Böhmen), Tschechoslow.
Trutmanna → Tremonia
Trutmannia → Tremonia
Trutmonnia → Tremonia
Truttmanni villa → Tremonia
Trutzis → Rotlizi
Truxina: Mitteltrixen (Kärnten), Österr.
Tubalia: Tafalla (Navarra), Span.
Tubantia → Twenta
Tubara → Tuberus
Tubaris → Tuberus
Tuberus, Tubaris, Tubara: Tauber, Nfl. d. Main (Baden), Deutschl.
Tubinga, Tuwinga, Tuingia, Doenga, Tubnas: Tübingen (Württemberg), Deutschl.
Tubnas → Tubinga
Tuccinia, Tucconia: Tuggen (Schwyz), Schweiz.
Tucconia → Tuccinia
Tuchgum, Tuchtum: Tochheim (Pr. Sachsen), Deutschl.
Tuchtum → Tuchgum
Tuchurini, Teuchera, Thuchusi: Teuchern (Pr. Sachsen), Deutschl.
Tucinum → Tussiacum villa super Mosam
Tudae ad fines: Túy (Pontevedra), Span.
Tudertum: Todi (Perugia), Ital.
Tueda: Tweed, Fl., Mü: Nordsee (Co. Northumberland), Schottl. u. Engl.
Tuela → Duellium
Tuentia → Twenta
Tuera, Tueria, Twera: Kalinin [Twer] (RSFSR), UdSSR.
Tueria → Tuera
Tuesis → Barcovicum
Tugensis pag.: Zug, Kanton, Schweiz.
Tugium: Zug (Zug), Schweiz.
Tuila alta → Duellium
Tuilon → Tiuhili
Tuingia → Tubinga
Tuischinum: Züschen (Hessen-Nassau), Deutschl.
Tuiscoburgum → Dispargum
Tuiscoburgum → Doesburgum
Tuistai: Thüste (Hannover), Deutschl.
Tuistina: Twiste (Waldeck), Deutschl.
Tuistina: Twiste, Nfl. d. Diemel (Waldeck), Deutschl.
Tuitium → Diutia
Tulba: Thulba (U-Franken), Deutschl.
Tulbiae → Tolbiacum
Tulingum → Dutlinga
Tuliphordium → Gotinga

Tuliphurdum → Fardium
Tulisurgium → Teutoburgium
Tulla → Tullum Luscorum
Tulla Leuchi → Tullum Luscorum
Tulla Leuci → Tullum Luscorum
Tullensis → Tullum Luscorum
Tullichon: Tüllingen (Baden), Deutschl.
Tullina, Tulna, Catulina castra, Commagena: Tulln (N-Österr.), Österr.
Tullonium: Alegria (Guipúzcoa), Span.
Tullonum → Telo Martius
Tullonum → Telonnum
Tullum → Tilium
Tullum Luscorum, Tullensis, Tullus, Tulla, Tulla Leuci, Tulla Leuchi: Toul (Meurthe-et-Moselle), Frankr.
Tullus → Telonnum
Tullus → Tullum Luscorum
Tulna → Tullina
Tulpetum → Tolbiacum
Tulpiacensis civ. → Tolbiacum
Tulpiacum → Tolbiacum
Tulusa → Tolosatium civitas
Tuma → Thuna
Tumbella, Tumbellana: Rocher de Tombelaine, Ins. in der Bucht von Mont-Saint-Michel (Ille-et-Vilaine), Frankr.
Tumbellana →Tumbella
Tumplinga: Tümpling (Thüringen), Deutschl.
Tumultuarius fons → Resonus fons
Tunderzlevo, Gunderslevo: Tundersleben (Pr. Sachsen), Deutschl.
Tunes → Tunesium
Tunesium, Tunes, Tunetum, Tunitium, Tons civ.: Tunis [Toûnis, Tunus], Hst. v. Tunesien.
Tunetum → Tunesium
Tungidi: Thüngen (U-Franken), Deutschl.
Tungrensis → Tongrum
Tungri → Tongrum
Tungria → Tongrum
Tungris → Tongrum
Tungrorum fons → Spandanae aquae
Tunitium → Tunesium
Tunna, Tunnaha, Ostirtunna: Burg- u. Gräfentonna (Thüringen), Deutschl.
Tunnaha → Tunna
Tunnocelum → Tinae ostium
Tunonium: Thonon-les-Bains (Haute-Savoie), Frankr.
Tuotewilare: Groß Dietweil (Luzern), Schweiz.
Tura → Dura
Turai: Tures (N-Österr.), Österr.
Turantus, Narwa: Narva [Narowa, Narwa], Fl., Mü: Finnischer Meerbusen (Estland), UdSSR.
Turbatuon: Turbenthal (Zürich), Schweiz.
Turbia → Tropaea Augusti
Turbula: Tobarra (Albacete), Span.
Turchilawila: Dorteweil (Hessen), Deutschl.
Turcia: Türkei [Türkiye, Turkey, Turquie], Land.
Turconium: Tourcoing (Nord), Frankr.
Turduna → Dertona
Turecionnum: Ornacieux (Isère), Frankr.
Turecionnum: Saint-Jean-de-Bournay (Isère), Frankr.
Turegum → Turicum Helvetiorum
Turena, Turenna, Torenna: Turenne (Corrèze), Frankr.
Turenna → Turena
Turenum → Tranum
Turestatensis vicus: abgeg. bei Bamberg (O-Franken), Deutschl.

Turestodelus, Turistualda, Dorestotelus, Turestolda: Dürenwald (O-Franken), Deutschl.
Turestolda → Turestodelus
Turewilare, Durwilare: Dürrweiler (Württemberg), Deutschl.
Turgaugia → Turgovia
Turgea → Turgovia
Turgovia, Thurgovia, Thurgaugia, Thurgoya, Thurgowa, Turgowa, Turgoya, Turgaugia, Turgea, Duria, Turgoviensis pag., Durgaugensis pag.: Thurgau, Kanton u. Landsch., Schweiz.
Turgoviensis pag. → Turgovia
Turgowa → Turgovia
Turgoya → Turgovia
Turi → Taurinum
Turiasso: Tarazona de Aragón (Zaragoza), Span.
Turicinus lacus: Zürichsee, See (Zürich), Schweiz.
Turicum Helvetiorum, Turigum, Thuregum, Tigurum, Duregum, Thuricum, Duorum regium, Turegum, Thuricina civ., Durae aquae, Thirigum, Zuercensis: Zürich (Zürich), Schweiz.
Turigum → Turicum Helvetiorum
Turiliacus vilare: Tourly (Oise), Frankr.
Turinga, Turingos, Duringas: Thüringen im Walgau (Vorarlberg), Österr.
Turingia → Thuringia
Turingos → Turinga
Turingum: Dürkheim (Bayern, RB. Pfalz), Deutschl.
Turis → Durias
Turissa → Iturisa
Turistualda → Turestodelus
Turium → Durias
Turna minor: Turnau (Steiermark), Österr.
Turnacensium civitas → Tornacum Nerviorum
Turnaco → Tornacum Nerviorum
Turnacum → Tornacum Nerviorum
Turno → Tornomagensis vicus
Turnonium → Tornomagensis vicus
Turnonum → Tornomagensis vicus
Turnovia, Turnoviensis: Turnov [Turnau] (Böhmen), Tschechoslow.
Turnoviensis → Turnovia
Turnuorum castrum → Tinurtium
Turnus → Tinurtium
Turnuwa: Tornau (Pr. Sachsen), Deutschl.
Turoni civ., Metropolis civ. Turonum, Metropolis civ. Turonorum, Metropolis civ. Turonensium, Metropolis civ. Turenorum, Augusta Turonum, Thoronus, Turonica civ., Caesarodunum: Tours (Indre-et-Loire), Frankr.
Turonica civitas → Turoni civ.
Turonum Augusta → Turoni civ.
Turrelacum → Durlacum
Turres Aurelianae → Polinianum
Turres Caesaris → Polinianum
Turres veteres: Torres Vedras (Estremadura), Portug.
Turricium: Terlizzi (Bari), Ital.
Turris ad lacum → Durlacum
Turris cremata, Augusta nova: Torquemada (Palencia), Span.
Turris Juliana: Mola di Bari (Bari), Ital.
Turris Peliana: La Tour-de-Peilz (Waadt), Schweiz.
Turris pinus: La-Tour-du-Pin (Isère), Frankr.
Turris sillae: Tordesillas (Valladolid), Span.
Tursium: Tursi (Potenza), Ital.
Turum →Thurunum
Turunaco → Tornomagensis vicus

Turuntus → Taruntus
Tuscania → Salumbrona
Tuscia: Thusis [Tusaun, Tosana] (Graubünden), Schweiz.
Tusciacum: Thulin (Hennegau), Belg.
Tusculanum lacus Benaci: Toscolano Maderno (Brescia), Ital.
Tusia → Docea
Tusis: Dossena (Bergamo), Ital.
Tussa: Illertissen (Bayern, RB. Schwaben), Deutschl.
Tussiacum villa super Mosam, Tucinum: Thusey [Tusey] (Meuse), Frankr.
Tusta: Domažlice [Taus] (Böhmen), Tschechoslow.
Tuta civ., Civitatula: Cittadella (Padua), Ital.
Tutela Lemovicum: Tulle (Corrèze), Frankr.
Tutela Navarrorum: Tudela (Navarra), Span.
Tutelceba, Tuteleibo: Tottleben (Pr. Sachsen), Deutschl.
Tuteleibo → Tutelceba
Tutesvelda: Tutschfelden (Baden), Deutschl.
Tuwinga → Tubinga
Tuyncense castrum → Diutia
Tviflinga → Twiffinga
Twelus → Duellium
Twenta, North-Tuianti, Thuehenti, Tubantia, Tuentia, Twintia, Thuintia: Twente [Twenthe], Landsch. (Overijssel), Niederl.
Twera → Tuera
Twiela → Duellium
Twifflinga, Tviflinga: Twieflingen (Braunschweig), Deutschl.
Twintia → Twenta
Twischena: Zwischenahn (Oldenburg), Deutschl.
Twislum: Twijzel (Friesland), Niederl.
Tya, Taya, Teya: Thaya (N-Österr.), Österr.
Tya, Teya: Thaya [Dyje], Nfl. d. March (Mähren u. N-Österr.), Tschechoslow. u. Österr.
Tyberia: Tivoli (Rom), Ital.
Tychopolis, Fortunae fan., Glückstadium: Glückstadt (Schleswig-Holstein), Deutschl.
Tyela → Tiela
Tyla → Tiela
Tympaneae: abgeg. bei Krestena (Peloponnes), Griechenl.
Tyndarium promont.: Kap Tindari [Capo Tindari], Vorgeb. (Messina), Ital.
Tyras → Danastris
Tyras → Maurocastrum
Tyria → Metropolis ad castr.
Tyrna → Tirna
Tyrnavia → Ternobum
Tyrnavia → Tirna
Tyrolensis → Tirolis
Tyrolis → Tirolis
Tyrrhenia → Salumbrona
Tysia → Parthiscus
Tyza → Parthiscus
Tzepreginum: Csepreg [Tschapring] (Vas) Ung.
Tzernogavia → Czernichovia

U

Ubelca: Huveaune, Fl., Mü: Mittelmeer (Bouches-du-Rhône), Frankr.
Ubhiti → Oviti
Ubhiustri → Rustingia
Ubii forum → Julium Carnicum
Ubimum, Pons Gibaldi, Ubirnum: Pontgibaud (Puy-de-Dôme), Frankr.
Ubiopolis → Agrippina colonia
Ubiorum arx → Bonna
Ubirnum → Ubimum
Ubsala → Upsalia
Ucecense castr., Ucecensis, Ucecia, Ucetia, Ucetica, Uceticum, Ucensis urbs, Uciense castrum: Uzès (Gard), Frankr.
Ucecensis urbs → Ucecense castr.
Ucecia → Ucecense castr.
Ucensis urbs → Ucecense castr.
Ucetia → Ucecense castr.
Ucetica → Ucecense castr.
Uceticum → Ucecense castr.
Uchri marchia → Ucri marchia
Ucia: Marmolejo (Jaén), Span.
Uciense castr. → Andusara
Uciense castr. → Ucecense castr.
Uckerana marchia → Ucri marchia
Uclesia, Uclesium: Uclés (Cuenca), Span.
Uclesium → Uclesia
Ucra marchia → Ucri marchia
Ucri marchia, Uchri marchia, Uckerana marchia, Ucra marchia, Ukerensis marchia: Uckermark, Landsch. (Brandenburg), Deutschland.
Udenae → Vaida
Udenhemium → Philippoburgum
Udvarhelyensis comit.: Udvarhely, eh. ung. Komit. (Siebenbürgen), Rumän.
Udvarhelyium, Areopolis: Odorhei [Oderhellen, Hofmarkt, Szekelyudvarhely, Vámosudvarhely] (Siebenbürgen), Rumän.
Ueberlinga, Iburninga: Überlingen (Baden), Deutschl.
Uerikon, Uritichon, Urttichon: Uerkheim (Aargau), Schweiz.
Ufeleida: Oberofleiden (Hessen), Deutschl.
Uffenowa → Ufnowa
Ufinga: Uffing (O-Bayern), Deutschl.
Ufnowa, Augia insula, Augia lacus Tigurini, Uffenowa: Ufenau, Ins. (Züricher See), Schweiz.
Ufturunga: Uftrungen (Pr. Sachsen), Deutschl.
Ugernum → Bellicadrum
Uggenois → Ungannia
Ugotgensis comit.: Ugocsa, eh. ung. Komit. (Transkarpatien [Karpato-Ukraine], Marmarosch, Szabolcs-Szatmár, Rumän. u. Ung. UdSSR.
Uguernium → Bellicadrum
Uhsino: Öchsen (Thüringen), Deutschl.
Ujavarinum → Neoselium
Ukerensis marchia → Ucri marchia
Ulcaciacum: Uchizy (Saône-et-Loire), Frankr.
Ulcinium, Dolchinium: Ulcinj [Dulcigno] (Montenegro), Jugoslaw.
Ulcisca castra: Szentendre [Sankt Andrä] (Pest), Ung.
Uldersum: Oldersum (Hannover), Deutschl.
Ulfilinginum: Wülflingen [Winterthur-Wülflingen](Zürich), Schweiz.
Ulfrasiagas: Auffargis (Seine-et-Oise), Frankr.

Ulidia, Hultonia, Ultonia: Ulster [Cúige Uladh], eh. Prov. (Irland), N-Irland u. Eire.
Ulisipo → Lissabona
Ulma Suevorum, Alcimoënnis: Ulm (Württemberg), Deutschl.
Ulmenum: Ober- u. Nieder Olm (Hessen), Deutschl.
Ulmeta, Ulmetum: Ormea (Cuneo), Ital.
Ulmetum → Ulmeta
Ulmirus: Ommoy (Orne), Frankr.
Ulpia castra, Kella: Kellen bei Kleve (Rheinprov.), Deutschl.
Ulpia Sardica → Sardica
Ulpia Trajana, Augusta Dacica, Traianopolis, Zarmigethusa: Sarmizegetusa [Sarmizegetuza, Várhely, Grădişte] (Siebenbürgen), Rumän.
Ulpiana → Ulpianum
Ulpianum, Gabalaeum, Justiniana secunda, Ulpiana: Kjustendil [Köstendil] (Kjustendil), Bulg.
Ulrici fanum: Sankt Ulrich am Pillersee (Tirol), Österr.
Ulricum, Arandis, Auricum: Ourique (Beja), Portug.
Ulterior portus: Le Tréport (Seine-Maritime), Frankr.
Ultiacum ad Matronam: Ussy-sur-Marne (Seine-et-Marne), Frankr.
Ultimi: Ultimo [Ulten] (Bozen), Ital.
Ultinum → Olita
Ultonia → Ulidia
Ultrajectensis → Trajectum ad Rhenum
Ultrajectum → Trajectum ad Rhenum
Ulvena, Musa: Finkenbach, Nfl. d. Ulfenbach (Hessen), Deutschl.
Ulyssaea: Uelsen (Hannover), Deutschl.
Ulyssi pons → Lissabona
Ulyssia → Lissabona
Ulyssinga → Flesinga
Ulyssipolis → Lissabona
Ulyssis portus: Lognina (Syrakus), Ital.
Ulyxbona → Lissabona
Umana: Umanj [Gumanj] (Ukrain. SSR), UdSSR.
Umber → Abus
Umbilicum: Malix (Graubünden), Schweiz.
Umbista: Imst (Tirol), Österr.
Umbredi: Gumperda (Thüringen), Deutschl.
Umbria septentrionalis → Northumbria
Umbriacum → Imbriacum
Umbriae Bobium → Bobium Umbriae
Umbriaticum, Brystacia: Umbriatico (Catanzaro), Ital.
Umbronis mons → Alcinoi mons
Umbrosa vallis: Vallombrosa, eh. Abtei (Florenz), Ital.
Unca: Unken (Salzburg), Österr.
Unchesstagni: Ungstein (Bayern, RB. Pfalz), Deutschl.
Unda: Onya, Nfl. d. Ter (Gerona), Span.
Uneringa: Unering (O-Bayern, Kr. Starnberg), Deutschl.
Uneswido: Onstwedde (Groningen), Niederl.
Uneswilare: Ettlingenweier (Baden), Deutschl.
Ungannia, Uggenois: Ugaunien [Ungannien], Landsch. um Tartu [Dorpat] u. Otepää [Odenpäh] zw. d. Wirzsee u. Peipus-See (Estland), UdSSR.
Ungaria, Hungaria, Pannonia, Ungaricum regnum, Ungria, Ungriae regnum: Ungarn [Magyarország, Hungary, Hongrie].
Ungaricum regnum → Ungaria

Unghensis comit., Ungwaria: Ung [Ungvár], eh. ung. Komit. (Karpaten-Rußland, Slowakei), UdSSR u. Tschechoslow.
Ungria → Ungaria
Ungriae regnum → Ungaria
Ungwaria → Unghensis comit.
Unsingis: Hunse, Fl., Mü: Winschoterdiep (Groningen), Niederl.
Unstrada → Unstroda
Unstraha → Unstroda
Unstravia → Unstroda
Unstroda, Unstrada, Unstraha, Unstravia, Unstrota: Unstrut, Nfl. d. Saale (Pr. Sachsen), Deutschl.
Unstrota → Unstroda
Untervaldia → Subsilvania
Unxnoimia → Usedum
Uoerda: Uehrde (Braunschweig), Deutschl.
Uolseldinga: Useldange [Useldingen] (Diekirch), Luxemburg.
Uotingo: Üttingen (U-Franken), Deutschl.
Upa: Oppa [Opava], Nfl. d. Oder (Schlesien), Tschechoslow. u. Deutschl.
Upellae: Noreia [Sankt Margarethen bei Silberberg] (Steiermark), Österr.
Uphuson, Upum: Uphusen (Hannover), Deutschl.
Upriustri → Rustingia
Upsalia, Arosia Orientalis, Ubsala: Uppsala [Upsala] (Uppsala), Schwed.
Upstedi: Upstedt (Hannover), Deutschl.
Upum → Uphuson
Ura → Uraha
Ura, Auracum, Uracum: Urach (Württemberg), Deutschl.
Ura, Auriacum Ducis: Herzogenaurach (O-Franken), Deutschl.
Ura, Uraugia: Aura a. d. Saale (U-Franken), Deutschl.
Uracum → Ura
Uraha, Eura: Urach (Baden), Deutschl.
Uraha, Ura: Aurach ,Nfl. d. Regnitz (M-Franken), Deutschl.
Urana → Aurana
Urania, Urania vallis, Uronia: Uri, Kt., Schweiz.
Urania vallis → Urania
Uraniburgum: Uraniborg [Uranienburg] auf Hven [Ven] (Öresund), Schwed.
Uranopolis: Poliero (Thessalonike), Griechenl.
Uraugia → Ura
Urba → Orba
Urba → Orbeccum
Urba villa, Urbigenum: Orbach [Orbe] (Waadt), Schweiz.
Urbana villa: Villeurbanne (Rhône), Frankr.
s. Urbani monast.: Sankt Urban (Luzern), Schweiz.
Urbevetum → Orvietum
Urbigenum → Urba villa
Urbigenus pag. → Argogia
Urbio → Urgia
Urbis flumen → Urbs
Urbium mater → Alesia
Urbius → Uria
Urbs, Urbis flumen: Orba, Nfl. d. Bormida (Piemont), Ital.
Urbs Trajectensis → Trajectum ad Mosam
Urbs vetus → Orvietum
Urcesa → Lobetum
Urcinium → Adiacium
Urcinium → Ursinum
Urcitanus sinus: Golf v. Almería [Golfo de Almería] (Andalusien), Span.
Urdella, Urtella: Sensbach, Nfl. d. Neckar (Hessen), Deutschl.

Urdingi → Hordeani castra
Urgao → Argaionense castr.
Urgavonense municipium → Argaionense castr.
Urgelitana sedes → Orgellum
Urgellum → Orgellum
Urgia, Urbio: Orge, Nfl. d. Seine (Seine-et-Oise), Frankr.
Uria: See v. Mesolongion (Akarnanien), Griechenl.
Uria → Horreum
Uria, Urbius, Uritana urbs: Oria (Lecce), Ital.
Uriacum: Huriel (Allier), Frankr.
Uriaticum: Uriage [Saint-Martin-d'Uriage] (Isère), Frankr.
Uringhova: Uerikon (Zürich), Schweiz.
Urisium: Kirklareli [Kirk Kilissa] (Kirklareli), Türkei.
Uritana urbs → Uria
Uritichon → Uerikon
Urium: Rodi Garganico (Foggia), Ital.
Urium → Horreum
Urixonium, Viroconium: Wroxeter (Shropshire), Engl.
Urla, Huria, Urula: Url, Nfl. d. Ybbs (N-Österr.), Österr.
Urlon: Urlau (Württemberg), Deutschl.
Urnacum, Uronatum: Urnäsch (Appenzell Außerrhoden), Schweiz.
Urnaska, Urnassa: Urnäsch, Nfl. d. Sitter (St. Gallen), Schweiz.
Urnassa → Urnaska
Uronatum → Urnacum
Uronia → Urania
Ursa → Reussia
Ursae caput: Otepää [Odenpäh] (Estland), UdSSR.
Ursao, Genua Urbanorum: Osuna (Sevilla), Span.
Ursella, Ursillae, Ursurum: Oberursel (Hessen-Nassau), Deutschl.
Ursiacum, Orcejacus: Orsay (Seine-et-Oise), Frankr.
Ursiacus: Ürzig (Rheinprov.), Deutschl.
s. Ursicenus: Sankt Ursitz [Saint-Ursanne] (Bern), Schweiz.
Ursilinga: Irslingen (Württemberg), Deutschl.
Ursillae → Ursella
Ursimontanum → Aurimontanum
Ursimontium: Orchimont (Namur), Belg.
Ursinense monast. → Ursinum
Ursinum → Adiacium
Ursinum, Ursinense monast.: Irsee (Bayern, RB. Schwaben), Deutschland.
s. Ursinus → s. Ursius
s. Ursius, s. Ursinus: Santorso [Sant'Orso] (Vicenza), Ital.
Ursna: Ahse, Nfl. d. Lippe (Westfalen), Deutschl.
Ursonis pons: Pontorson (Manche), Frankr.
Ursopolis → Arctopolis
Ursorum castr., Arctopolis: Pori [Björneborg] (Tūrkū-Pori), Finnland.
Urspringi: Ursprung (O-Bayern), Deutschl.
Ursulus → Speluca
Ursurum → Ursella
Urta: Ourthe [Ourt], Nfl. d. Maas, Belg.
Urtella → Urdella
Urttichon → Uerikon
Urula → Urla
Urunca → Ensishemium
Urus: Ouse, Fl., Mü: Humber (Nordsee), Engl.
Urusa → Rota
Usedum, Unxnoimia, Uxnoimia, Uz-

na, Uznoimia: Usedom, Ins. (Pommern), Deutschl.
Usellis: Usellus (Sardinien), Ital.
Userca, Userchia, Usreca, Uzarchia, Versacas: Uzerche (Corrèze), Frankr.
Userchia → Userca
Usinga: Ising (O-Bayern), Deutschl.
Uslaria: Uslar (Hannover), Deutschl.
Uspium → Ipsa
Usreca → Userca
Ussadium promont.: Kap Sim [Berzekh Sîm], Vorgeb. (Atlantik), Marokko.
Ustadium, Istadium: Ystad (Malmöhus), Schwed.
Ustera, Ustro: Uster (Zürich), Schweiz.
Ustia → Austa
Ustro → Ustera
Utelauwa: Uttlau (N-Bayern), Deutschl.
Uterina vallis: Eußerthal (Bayern, RB. Pfalz), Deutschl.
Uterna: Otter, Nfl. d. Bever (Hannover), Deutschl.
Uthusensis vicus: Uithuizen (Groningen), Niederl.
Utica in pago Oximensi → Uticum
Uticensis pag.: Ouche, Landsch. (Eure), Frankr.
Uticum, s. Ebrulfi monast., Utica in pago Oximensi: Saint-Évroult-Notre-Dame-du-Bois (Orne), Frankr.
Utina → Oitinum
Utinbrucca: Jettenburg (Württemberg), Deutschl.
Utinensis → Oitinum
Utinum → Oitinum
Utinum → Vedinum
Utinwilare: Uttwil (Thurgau), Schweiz.
Utkerka: Uitkerke (W-Flandern), Belg.
Utocetum → Lichfeldum
Utraria, Vericulum: Utrera (Sevilla), Span.
Utrensis → Trajectum ad Rhenum
Utricium, Bitricium, Vitricium: Verrès [Castel Verrèz] (Aostatal), Ital.
Utrio, Otrio: Arnon, Nfl. d. Cher (Cher), Frankr.
Utriustri → Rustingia
Uttenbura → Ottenburanum
Uttensis villa → Huttum
Uttimpurrha → Ottenburanum
Uttinhus: Utzing (O-Franken), Deutschl.
Utzena → Uzena
Uveta → Oviti
Uvita → Oviti
Uviti → Oviti
Uxambarca → Oxoma
Uxamensis burgus → Oxoma
Uxantis, Axanta, Uxisama: Île d'Ouessant, Ins. (Finistère), Frankr.
Uxbriga: Uxbridge (Middlesex), Engl.
Uxima → Oxima
Uxisama → Uxantis
Uxnoimia → Usedum
Uxona → Oxoma
Uxus: Usson (Puy-de-Dôme), Frankr.
Uzarchia → Userca
Uzda castr.: Ujście [Usch] (Posen), Polen.
Uzena, Utzena, Uzinhaha: Uznach (St. Gallen), Schweiz.
Uzinhaha → Uzena
Uzna → Usedum
Uznoimia → Usedum

V

Vabrae, Vabrincum, Vabrense castr., Wabrae: La Vaivre (Haute-Saône), Frankr.
Vabrense castrum → Vabrae
Vabrensis pag., Wabrensis, Wavrensis, Wawrensis, Warensis, Vabricensis, Waworacensis, Vaurensis, Vavrensis pag.: Woëvre, Landsch. u. eh. Gau (Meurthe-et-Moselle, Meuse), Frankr.
Vabricensis pag. → Vabrensis pag.
Vabrincum → Vabrae
Vacia, Vacium, Vacovia, Vazia, Vazovia: Vác [Waitzen] (Pest), Ung.
Vacium → Vacia
Vaconium, Carnicum Julium, Villas, Villacum, Viccacum, Villacensis: Villach (Kärnten), Österr.
Vaconna, Vechta, Vedrus, Vidrus: Vechte [Vecht, Overijsselsche Vecht], Fl., Mü: Zwarte Water (Hannover, Overijssel), Deutschl. u. Niederl.
Vacontium: Le Luc (Var), Frankr.
Vacontium: abgeg. bei Nagyvázsony (Veszprém), Ung.
Vacovia → Vacia
Vadanus mons, Valdemontium, Valles montium: Vaudémont (Meurthe-et-Moselle), Frankr.
Vadicassii pag., Valesia, Valesiensis ager, Vadisus pag.: Valois, Landschaft (Oise, Aisne), Frankr.
Vadicassium, Vassiacum, Vaseium: Wassy (Haute-Marne), Frankr.
Vadiniacum, Nigasii vadum: Gasny (Eure), Frankr.
Vadisus pagus → Vadicassii pagus
Vadstenium, Vastenum, Wadstena, Wadstenense monast.: Vadstena [Wadstena] (Östergötland), Schwed.
Vadum altum, Altovadum: Vyšší Brod [Hohenfurth] (Böhmen), Tschechoslow.
Vadum bellum → Bilbaum
Vadum lupi → Guelferbytum
Vadum Nigasii → Vadiniacum
Vaga: Wye (Kent), Engl.
Vaga → Vagus
Vagarna → Weraha
Vagenum: Wageningen (Gelderland), Niederl.
Vagus, Vaga, Waha, Cusus, Duria: Waag [Váh, Vág], Nfl. d. Donau (Slowakei), Tschechoslow.
Vahalis, Wahalis, Wala, Wales: Waal, Mündungsarm d. Rhein, Niederl.
Vaida, Videngae, Udenae, Salix: Weiden (O-Pfalz), Deutschl.
Vajkensis: Vajka (Slowakei), Tschechoslow.
Vaingia: Enzweihingen (Württemberg), Deutschl.
Valachia, Walachia: Walachei [Tara Românească, Valahia], Landsch., Rumän.
Valacria, Walacria, Gualacra, Walachria, Walicrum, Walkaria, Walchra, Walachia: Walcheren, eh. Ins. (Seeland), Niederl.
s. Valarici fanum → Leuconaus
Valcassinus pag., Volcassinus, Vulcassinus, Vilcassinus, Veliocassinus pag.: Vexin, Landsch. (Seine-et-Oise, Eure), Frankr.
Valcellae: Vauchelles-lès-Authies (Somme), Frankr.
Valcircum → Feldkircha

Valcum: Komárom [Komorn] (Komárom), Ung.
Valdemontium → Vadanus mons
Valdensis pag., Waldensis pag., Romana ditio: Waadt [Vaud, Waadtland], Kt., Schweiz.
Valdentia: Veldenz, eh. Fstm. (Rheinprov.), Deutschl.
Valdera → Novum monasterium
Valdoletum → Pintia
Valdosassonia, Waldsazi: Waldsassen (O-Pfalz), Deutschl.
Valeia, Valeium, Phalaya, Phaleia, Velaya: Valley (O-Bayern), Deutschl.
Valeium → Valeia
Valemuthum → Falmuthum
Valencenae → Valentiana
Valensis pons: Pont-de-Vaux (Ain), Frankr.
Valentia, Nova Scotia, Scotia minor: Schottland [Scotland] sdl. d. Linie zw. Firth of Clyde u. Firth of Forth.
Valentiana, Valencenae, Valentiniana, Valentiniani castell.: Valenciennes (Nord), Frankr.
Valentina: Valentine (Haute-Garonne), Frankr.
Valentiniana → Valentiana
Valentiniani castell. → Valentiana
Valentinorum forum, Fulvii forum: Valenza (Alessandria), Ital.
Valeria → Constantia
Valeria, Valeriana: Valera de Arriba (Cuenca), Span.
Valeria, Valeriana: Vicovaro (Rom), Ital.
Valeriana → Valeria
s. Valerii fanum → Leuconaus
Valesia → Pennina vallis
Valesia → Vadicassii pag.
Valesia → Vallesia
Valesiensis ager → Vadicassii pag.
Valeta: Lavalette [Villebois-Lavalette] (Charente), Frankr.
Valgensea → Vallensis lacus
Valkena in Livonia: Valga [Walk] (Estland), UdSSR.
Vallariviacus: Vallières (Creuse), Frankr.
Vallaudunum → Vellaunodunum
Vallendis, Waleis: Valangin [Valendis] (Neuenburg), Schweiz.
Vallensis lacus, Italicus lacus, Valgensea, Walarius lacus, Walhense: Walchensee [Wallersee], See (O-Bayern), Deutschl.
Vallensis pagus → Pennina vallis
Vallensium civ. → Agaunum
Valles, Vallum: Vals-les-Bains (Ardèche), Frankr.
Valles montium → Vadanus mons
Valles Pedemontanae: die Waldenser Täler, Alpentäler wstl. Pinerolo (Turin), Ital.
Vallesia, Valesia, Wallonia, Vallia, Wallia, Britannia secunda, Cambria, Cambrobritannia: Wales, Landsch., Engl.
Valleta → Plumbata ecclesia
Vallia → Vallesia
Valliacum, Villiacum: Vailly-sur-Aisne (Aisne), Frankr.
Vallimons: Valmont (Seine-Maritime), Frankr.
Vallis → Vallovilla
Vallissi → Pennina vallis
Vallistoletum → Pintia
Vallocuria: Walcourt (Namur), Belg.
Vallovilla, Vallis: Vaux-sur-Crosne (Côte-d'Or), Frankr.
Vallum → Valles
Valmagia → Madiae vallis
Valmotum → Falmuthum
Valongia → Valonia
Valonia, Valoniae, Valongia: Valognes (Manche), Frankr.

Valoniae → Valonia
Valriacum: Valréas (Vaucluse), Frankr.
Valva, Falaba, Faleba: Valff [Walf] (Bas-Rhin), Frankr.
Vanda: Vandes (Orne), Frankr.
Vandali prov. → Vanduli prov.
Vandalia, Vendeca, Venilia, Vinilia, Vensilia: Vendsyssel, Landsch. (Jütland), Dänem.
Vandalici montes → Asciburgi montes
Vandalitia: Andalusien [Andalucía], Landsch., Span.
Vandili prov. → Vanduli prov.
Vandogara, Pasletum: Paisley (Renfrewshire), Schottl.
Vandopera: Vendeuvre-du-Poitou (Vienne), Frankr.
s. **Vandregisili monast., Fontanellense monast.:** Saint-Wandrille [Saint-Wandrille-Rançon] (Seine-Maritime), Frankr.
Vanduli prov., Vandali prov., Jupuscoa, Vandili prov. Guipúzcoa, Prov. (Baskische Provinzen), Span.
Vangio → Vormatia
Vangiona → Vormatia
Vangiones → Vormatia
Vangionum Augusta → Vormatia
Vangium → Vormatia
Vannia: Venzone (Udine), Ital.
Vapincensis tractus: Gapençais, Landsch. (Hautes-Alpes), Frankr.
Vapincesium → Vapincum
Vapincum, Vapincesium, Vappincum, Bapinco, Vapingo, Vappincensium civ., Guapincensium civ.: Gap (Hautes-Alpes), Frankr.
Vapingo → Vapincum
Vaplinga, Waplinga, Walpinga: Wapel, Nfl. d. Weser (Hannover), Deutschl.
Vappincensium civitas → Vapincum
Vappincum → Vapincum
Vara → Dumbarum
Varactus → Garactum
Varadinopetrum → Petrovaradinum
Varadinum, Waradinum, Baradinum, Magno-Varadinum: Oradea [Oradea Mare, Großwardein, Nagyvárad] (Kreischgebiet), Rumän.
Varae aestuarium: Moray Firth, Meerbusen (Nordsee), Schottl.
Varallium: Kirchdorf am Inn (O-Österr.), Österr.
Varallium → Cepusium
Varallum: Varallo (Novara), Ital.
Varasdinensis processus: Varaždin, [Warasdin], eh. ung. Komit. (Kroatien), Jugoslaw.
Varasdinum: Varaždin [Warasdin, Varasd] (Kroatien), Jugoslaw.
Varburgum: Varberg [Warberg] (Halland), Schwed.
Vardanes, Bardanias: Kuban, Fl., Mü: Schwarzes Meer (Straße von Kertsch), UdSSR.
Vardarius, Axius, Bardarius: Vardar [Axiós, Bardárēs, Wardaris], Fl., Mü: Ägäisches Meer (Makedonien), Griechenl.
Vardo: Gard [Gardon], Nfl. d. Rhône (Gard), Frankr.
Vardunum → Fardium
Varennae, Garenna: Varennes-en-Argonnes (Meuse), Frankr.
Varennae, Vorogium: Varennes-sur-Allier (Allier), Frankr.
Varenum, Virunum: Waren (Mecklenburg-Schwerin), Deutschl.
Varesium, Baretium: Varese (Varese), Ital.
Varetharpa: Vadrup (Westfalen), Deutschl.
Vargelaha → Vargila
Vargila, Vargelaha, Varilla, Varila, Fargalaha, Fargaha, Fargila, Fa-

rila: Groß- u. Kleinvargula (Pr. Sachsen), Deutschl.
Varia →Verela
Varia Capella → Davium Sacellum
Varia castra, Variana castra: Oravița [Orawitza, Oravicabánya, umfaßt: Deutsch- u. Rumänisch-(Walachisch-) Orawitza (Oravița Montană, Német-Oravicza; Oravița Română, Oravicafalu, Román-Oravicza, Oláh-Oravicza) u. Răchitova (Rakitó, Rakitova)] (Banat), Rumän.
Variana castra → Varia castra
Varianum, Varianus vicus: San Pietro in Valle bei Castelmassa (Rovigo), Ital.
Varianus vicus → Varianum
Varila → Vargila
Varilla → Vargila
Varillium: Varilhes (Ariège), Frankr.
Varinia: Varde (Jütland), Dänem.
Variscia → Vocatorum terra
Variscorum curia → Bavarica curia
Variti, Fariti: Verth (Westfalen), Deutschl.
Varlarensis vicus, Jaria: Varl (Westfalen), Deutschl.
Varmacia → Vormatia
Varmia, Warmia, Warmelandia, Warmiensis pag.: Ermland [Ermeland], Landsch. (O-Preußen), Deutschl.
Varsavia → Varsovia
Varsovia, Varsavia: Warszawa [Warschau], Hst. v. Polen.
Varta, Vurta, Wurta, Wortha: Warthe [Warta], Nfl. d. Oder, Polen u. Deutschl.
Vartempa: Gartempe, Nfl. d. Creuse (Vienne), Frankr.
Varum → Barium
Varunum → Virunum
Varusa: Versa, Nfl. d. Tanaro (Piemont), Ital.
Vasa: Vaasa [Vasa, Wasa, Nikolainkaupunki, Nikolaistad] (Vaasa), Finnland.
Vasago → Vosegus
Vasarhelyinum → Agropolis
Vasatica, Vesatica, Vasatum, Basatum civ., Vasatis: Bazas (Gironde), Frankr.
Vasatis → Vasatica
Vasatum → Vasatica
Vascapum → Ferrea porta
Vaseium → Vadicassium
Vasiensium civ. → Vasio nova Vocontiorum
Vasinensis pag. → Gatinensis pag.
Vasio nova Vocontiorum, Vasiensium civ.: Vaison-la-Romaine (Vaucluse), Frankr.
Vassiacum → Vadicassium
Vassobrunensis abbatia, Weizenbrunno, Wessofontanum coenob.: Wessobrunn (O-Bayern), Deutschland.
Vastalia → Guardistallum
Vastenum → Vadstenium
Vasti → Basti
Vastinensis pag. → Gatinensis pag.
Vastinium → Gatinensis pag.
Vastonium → Giastum
Vatanium: Vatan (Indre), Frankr.
Vatia → Batia
Vatilonnum: Vallon-sur-Gée (Sarthe), Frankr.
Vatrenus, Badrinus, Santernus: Santerno, Nfl. d. Reno (Ravenna), Ital.
Vauculeriae → Color vallis
Vaudiligetum: Voudenay (Côte-d'Or), Frankr.
Vaudum → Pennina vallis
Vaurensis pag. → Vabrensis pag.
Vaurium, Vavrum, Veria: Lavaur (Tarn), Frankr.

Vavrensis pag. → Vabrensis pag.
Vavrum → Vaurium
Vazes, Wazzes: Ober- u. Untervaz (Graubünden), Schweiz.
Vazia → Vacia
Vazovia → Vacia
Vechta → Vaconna
Veclae pontum, Tergolape: Vöcklabruck (O-Österr.), Österr.
s. Vedasti Atrebatensis monast. → s. Vedastus
s. Vedastus, s. Vedasti Atrebatensis monast.: Saint-Waast [Saint-Vaast], Kl. in Arras (Pas-de-Calais), Frankr.
Vedasus → Bidossa
Vedelia, Vejella, Velleja: Vejle (Jütland), Dänem.
Vedeocaeum civitas → Silvanectum
Vedinum, Utinum: Udine (Udine), Ital.
Vedra: Wear, Fl., Mü: Nordsee (Durham), Engl.
Vedrus → Vaconna
Veghus, Wechus: abgeg. bei Freckenhorst (Westfalen), Deutschl.
Vegia → Curictum
Vejella → Vedelia
Veinetum → Davianum
Vela: Ville, Höhenzug (Rheinprov)., Deutschl.
Velacus: abgeg. bei Beneuvre (Côte-d'Or), Frankr.
Velae pons, Pons ad Velam: Pont-de-Veyle (Ain), Frankr.
Velavia: Wehlau [Snamensk, Znamensk] (O-Preußen), Deutschl.
Velaya → Valeia
Velcuria → Feldkircha
Veldidena, Wiltina: Wilten bei Innsbruck (Tirol), Österr.
Veldkirchium → Feldkircha
Velecassino → Calmontium Bassiniae
Velinus lacus: Lago di Piediluco, See (Terni), Ital.
Veliocassinus pagus → Valcassinus pag.
Veliphoratusium: Wolfratshausen (O-Bayern), Deutschl.
Velisena: Velsen (N-Holland), Niederl.
Vellaicus pag. → Vellavum
Vellaudunum → Belna Rolandi
Vellaudunum → Vellaunodunum
Vellaunodunum, Vellaudunum, Landonis castr., Vallaudunum: Château-Landon (Seine-et-Marne), Frankr.
Vellava urbs → Anicium Velavorum
Vellavorum civitas → Anicium Velavorum
Vellavum, Vellaicus pag.: Velay, Landsch. (Haute-Loire), Frankr.
Velleja → Vedelia
Vellepo, Felepa: Velp (N-Brabant), Niederl.
Vellerellum → Villa Relia
Vellinum, Felinum: Viljandi [Fellin] (Estland), UdSSR.
Velsatum → Visetum
Velsbillicum: Welschbillig (Rheinprov.), Deutschl.
Veltelina → Tellina vallis
Veltenburgicum monasterium → Attobriga
Velthus: Veltheim (Westfalen), Deutschl.
Veltkeis: Felgitsch (Steiermark), Österr.
Veltkircha: Feldkirchen (O-Bayern, Kr. München), Deutschl.
Velturnum, Velturus: Velturno [Feldthurns] bei Chiusa [Klausen] (Bozen), Ital.
Velturus → Velturnum
Velua, Velum, Felua, Felum, Felaowa: Veluwe [Veluve, De Velu-

we], eh. Gau u. Landsch. (Gelderland), Niederl.
Velum → Velua
Velumensis villa: Wieluń (Woiw. Lódz), Polen.
Vemania, Vimania, Wanga: Wangen im Allgäu (Württemberg), Deutschl.
s. Venantii fanum, Venantiopolis: Saint-Venant (Pas-de-Calais), Frankr.
Venantiopolis → s. Venantii fan.
Venantodunum → Huntedonia
Venasca: Benasque [Venasque] (Huesca), Span.
Venasca → Vindansia
Venascinus comit., Venassinus comit., Avenionensis comit., Vindascinus comit.: Comtat Venaissin, Landschaft u. eh. Prov. (Vaucluse), Frankr.
Venassinus comit. → Venascinus comit.
Venatio regia: Altezzan, eh. Schloß bei Turin (Turin), Ital.
Venatorius saltus: Harzgerode (Anhalt), Deutschl.
Vencensia → Ventia
Vencentia → Ventia
Vendeca → Vandalia
Vendelini augia: La Wantzenau [Wanzenau] (Bas-Rhin), Frankr.
Vendemis → Viminiacum
Venderae, Venderia: Vandières (Meurthe-et-Moselle), Frankr.
Venderia → Venderae
Vendobona → Vindobona
Vendocinum, Vindocinum, Vendonessa, Vindonessa: Vendôme (Loir-et-Cher), Frankr.
Vendograecium → Slavograecium
Vendonessa → Vendocinum
Vendonissa → Vindonissa
Vendopera, Vendovera, Vindovera: Vendeuvre-sur-Barse (Aube), Frankr.
Vendovera → Vendopera
Vendrariae: Verrières-le-Buisson (Seine-et-Oise), Frankr.
Venedia → Dariorigum
Venedia → Femingia
Venedicus lacus → Recens lacus
Venedorum civ., Wenda: Cesis [Wenden] (Lettland), UdSSR.
Venenas → Dariorigum
Venenum → Bellunum
Venerea → Sicca venerea
Veneris portus: Port-Vendres (Pyrénées-Orientales), Frankr.
Veneris portus: Porto venere (La Spezia), Ital.
Veneris portus, Minervae castrum: Castro Porto Mucurune (Lecce), Ital.
Venetae paludes, Gallicae paludes: Lagunen v. Venedig [Laguna Veneta], Ital.
Venetiae, Venetus portus: Venedig [Venezia] (Venedig), Ital.
Venetiae in Bretonia → Dariorigum
Venetiae insulae: L'Isle-sur-la-Sorgue (Vaucluse), Frankr.
Veneticae insulae, Venetorum insulae: die Bretonischen Inseln (Bretagne), Frankr.
Venetidunus mons, Windbergensis, Winthbergensis civ.: Windberg (N-Bayern), Deutschl.
Venetorum civitas → Dariorigum
Venetorum insulae → Veneticae insulae
Venetum → Dariorigum
Venetus lacus → Inferior lacus
Venetus lacus → Potamicus lacus
Venetus portus → Venetiae
Venilia → Vandalia
Venitta: Venette (Oise), Frankr.

Venloa, Venlona, Sablones: Venlo (Limburg), Niederl.
Venlona → Venloa
Vennicnium promont.: Malin Head [Málainn], N-Spitze v. Irland (Donegal), Eire.
Vennum → Fortunae fan.
Vensilia → Vandalia
Venta Belgarum, Vintonia, Vindonia, Guintonium, Vincestria, Vinda: Winchester (Hampshire), Engl.
Venta Icenorum, Venta Simenorum: Caistor (Norfolk), Engl.
Venta Silurum, Ventidunum: Caerwent (Monmouthshire), Engl.
Venta Simenorum → Venta Icenorum
Ventadorum: Ventadour, Schloß u. eh. Grafsch. (Corrèze), Frankr.
Ventia, Vincium, Vencentia, Vencensia: Vence (Alpes-Maritimes), Frankr.
Ventia, Vincium, Vintia: Vinay (Isère), Frankr.
Ventidunum → Venta Silurum
Venusta vallis: Val Müstair [Münstertal], Tal (Graubünden), Schweiz.
Venusta vallis, Venustis vallis: Val Venosta [Vintschgau, Vinschgau], Tal (Bozen), Ital.
Venustis vallis → Venusta vallis
Veosatum → Visetum
Vepitenum → Stiriacum
Vera → Campoveria
Veragrorum civitas → Agaunum
Verala → Verela
Verbanus lacus → Maior lacus
Verberiacum, Verimbrea villa, Vermeria: Verberie (Oise), Frankr.
Verbigenus pag. → Argogia
Verbigenus tractus: Orbe, Bez. Schweiz.
Verbinum, Vironum: Vervins (Aisne), (Waadt), Frankr.
Verbovia: Vrbas [Verbász, Werbaß] (Wojwodina), Jugoslaw.
Verciolum: Verzuolo (Cuneo), Ital.
Verda → Fardium
Verdea: Werd (Aargau), Schweiz.
Verdensis → Fardium
Verdia → Fardium
Verdonia → Dila
Verdunensis → Verodunum
Verebelyensis: Vráble [Verebély] (Slowakei), Tschechoslow.
Veredunum → Verodunum
Verela, Verala, Varia: Murillo del Rio de Leza (Logroño), Span.
Verena → Verona
Verendum, Verentanum: Valentano (Viterbo), Ital.
Verentanum → Verendum
Veretum → Alexani civ.
Veretus: Véretz (Indre-et-Loire), Frankr.
Vergamum → Bergamum
Vergentum: Gelves (Sevilla), Span.
Vergi, Beroea, Verja, Virgi: Vera (Almería), Span.
Vergilia, Arcilacis: Murcia (Murcia), Span.
Vergoanum: Saint-Honorat, Ins. der Îles de Lérins (Alpes-Maritimes), Frankr.
Veria → Vaurium
Verja → Vergi
Veriacovilla → Villariacum
Vericulum → Utraria
Veridunum → Verodunum
Veriko: Virchow [Wierzchowo] (Brandenburg), Deutschl.
Verimbrea villa → Verberiacum
Veringa: Ober- u. Unterföhring (O-Bayern), Deutschl.
Vermandensis ager → Veromanduensis ager
Vermanduensis ager → Veromanduensis ager

Vermandum, Veromandus, Viromandis: Vermand (Aisne), Frankr.
Vermeria → Verberiacum
Vermilacum → Beronicum
Vermis lacus, Wirminseo, Winidowa: Starnberger See [Würmsee], See (O-Bayern), Deutschl.
Vernethi: Verne (Westfalen), Deutschl.
Vernetulum: Vernouillet (Seine-et-Oise), Frankr.
Vernia → Scotia major
Vernidovilla: Verneix (Allier), Frankr.
Verno → Vernonum palat.
Vernoilum → Vernogilum
Vernogilum, Vernolium, Vernoilum, Vernum: Verneuil-sur-Avre (Eure), Frankr.
Vernolium → Vernogilum
Vernonum palatium, Verno: Vernon (Eure), Frankr.
Verno, Solerno: Sainte-Croix-Volvestre (Ariège), Frankr.
Vernova castr. → Bormonis aquae
Vernum → Vernogilum
Veroa → Wezna
Veroczensis comit., Verovitiensis comit.: Veröcze [Vivovitica, Virovititz], eh. ung. Komit. (Kroatien), Jugoslaw.
Verodunum, Veredunum, Veridunum, Virodunum, Virdunum, Viridunum, Wirdunum, Viridonium, Viritonium, Viridinnum, Clarorum urbs, Verdunensis, Bardunensis: Verdun (Meuse), Frankr.
Verolamium, Verulamium, Virolanium: Old Verulam bei St. Albans (Hertfordshire), Engl.
Veromaei vallis → Romana vallis
Veromanduensis ager, Vermandensis ager, Vermanduensis ager, Viromandia: Vermandois, Landsch. u. eh. Grafsch. (Aisne, Somme), Frankr.
Veromandui ortivi → Terrascea silva
Veromandus → Vermandum
Verometum: Willoughby (Nottinghamshire), Engl.
Verona: Beraun [Beroun] (Böhmen), Tschechoslow.
Verona → Bonna
Verona, Bernum, Berma, Berna, Berona, Beruna, Verena, Arctopolis: Bern, Hst. d. Schweiz.
Veronensis circulus: Beraun [Beroun], eh. Kr. (Böhmen), Tschechoslow.
Veronensis clausa → Clausa
Veronius → Avario
Verovitiensis comit. → Veroczensis comit.
Verroniwaida → Longinqua pascua
Verruca Casalentium: Verrua Savoia (Turin), Ital.
Versacas → Userca
Versaliae, Versalium palat.: Versailles (Seine-et-Oise), Frankr.
Versalium palat. → Versaliae
Verseliacum → Vezeliacum
Verska: Vršac [Versecz, Werschetz] (Wojwodina), Jugoslaw.
Vertemium, Verthemium: Wertheim (Baden), Deutschl.
Verterae: Brough (Westmorland), Engl.
Verthemium → Vertemium
Vertia → Donaverda
Vertilium: Vertault (Côte-d'Or), Frankr.
Vertinus in Hainoavio: Vertain (Nord), Frankr.
Verubium promont.: Noss Head, Landspitze (Caithness), Schottl.
Verulae, Verulum, Verulanium: Veroli (Frosinone), Ital.
Verulamium → Verolamium

Verulanium → Verulae
Veruliacum → Barologus
Verulum → Verulae
Verurium: Viseu [Vizeu] (Beira Alta), Portug.
Ververiae → Vervia
Vervia, Ververiae: Verviers (Lüttich), Belg.
Vesalia, Vesalia superior, Wesalia, Wesela, Wessila, Wyesela, Vosalia, Vosava, Bosagnia, Ficella, Wasaliacensis: Oberwesel (Rheinprov.), Deutschl.
Vesalia, Wesalia, Besalia, Vesalia inferior, Wesaliensis: Wesel (Rheinprov.), Deutschl.
Vesalia inferior → Vesalia
Vesalia superior → Vesalia
Vesbius → Vesevus
Vescera, Wescera, Wezzera, Vessera: Klosterveßra (Pr. Sachsen), Deutschl.
Vescovatum, Episcopatus: Vescovato (Korsika), Frankr.
Veselium → Vezeliacum
Vesenius lacus → Rivarius lacus
Veserontia, Virontia: Vézeronce (Isère), Frankr.
Vesevus, Vesbius: Vesuv [Vesuvio], Berg (Neapel), Ital.
Vesidia: Versiglia, Fl., Mü: Golf v. Genua (La Spezia), Ital.
Vesogus → Vosegus
Vesolum, Vesullum, Vesulum: Vesoul (Haute-Saône), Frankr.
Vesonna → Petricorium
Vesonticorum civitas → Vesontio
Vesontiensium civitas → Vesontio
Vesontio, Vesuntio, Visontio, Bizantia, Bisontium, Bisunzium, Bisuntio, Besantio, Vesonticorum civ., Vesontiensium civ., Crisopolinorum civ.: Besançon (Doubs), Frankr.
Vesperies: Berméo (Vizcaya), Span.
Vespia: Visp [Viège] (Wallis), Schweiz.
Vesprimia, Vesprium, Vesprimum, Bespremiensis: Veszprém [Veszprim] (Veszprém), Ung.
Vesprimiensis comit.: Veszprém [Veszprim], Komit., Ung.
Vesprimum → Vesprimia
Vesprium → Vesprimia
Vessera → Vescera
Vesta, Apenestae, Merinium, Vestia: Vieste (Foggia), Ital.
Vestia → Vesta
Vestrovicum: Västervik [Westevrik] (Kalmar), Schwed.
Vesullum →Vesolum
Vesulum → Vesolum
Vesunna → Petricorium
Vesuntio → Vesontio
Veteraquinum, Veteres aquae: Oudewater (S-Holland), Niederl.
Veteres aquae → Veteraquinum
Veterum castrum → Caulonia
Vetonia: Nassenfels (M-Franken), Deutschl.
Vetoniana: Pettenbach (O-Österr.), Österr.
Vetriacum → Bedriacum
Vetrium castrum → Caulonia
Vettonia → Betonia
Vetuna, Bettonia: Bettona (Perugia), Ital.
Vetus Buda → Buda
Vetus civ.: Civitavecchia (Rom), Ital.
Vetus curia: Altenhof (O-Österr.), Österr.
Vetus curia, Altenhovia: Altenhof (O-Franken), Deutschl.
Vetus domus: Vieux-Manoir (Seine-Maritime), Frankr.
Vetus mons, Colonia Bergensis: Al-

tenberg, eh. Abtei (Rheinprov.), Deutschl.

Vetus solium, Altisolium: Zvolen [Altsohl, Zólyom] (Slowakei), Tschechoslow.

Vetus terra, Antiqua terra, Wolsatorum pag.: Altes Land, Landsch. a. d. unteren Elbe (Hannover), Deutschl.

Vetus Walevia: Vieux-Waleffe (Lüttich), Belg.

Vetusta villa, Altorphium: Altdorf (Württemberg), Deutschl.

Vexalla aestuarium → Vexulla aestuarium

Vexfordia → Manapia

Vexfordianus comit. → Manapiensis comit.

Vexsia → Wexionia

Vexulla aestuarium, Vexalla aestuarium: Bridgwater Bay, Meerbusen (Bristol Channel), Engl.

Veytra, Witra: Weitra (N-Österr.), Österr.

Vezeliacum, Verseliacum, Viseliacum, Vizeliacum, Virzeliacum, Videliacus, Veselium, Vezelium: Vézelay (Yonne), Frankr.

Vezelium → Vezeliacum

Via: Avia (Barcelona), Span.

Viadrus, Viadus, Odora, Odera, Odagra, Odara, Odra, Odrita, Adora, Suevus fluv.: Oder [Odra], Fl., Mü: Stettiner Haff, Tschechoslow., Polen u. Deutschl.

Viadus → Viadrus

Vialoscensis vicus, Vialovicus, Violvaca, Volovicum: Volvic (Puy-de-Dôme), Frankr.

Vialovicus → Vialoscensis vicus

Viana: Weinstetten (Württemberg), Deutschl.

Viana, Vienna, Vigenna, Wiennensis: Vianden, Luxemburg.

Viaregium → Fossae Papirianae

Viatcia: Kirov [Wjatka] ndl. Kazan (RSFSR), UdSSR.

Vibericus vicus → Bregalia

Vibi forum → Rupellum

Vibinum, Bovincum: Bovino (Foggia), Ital.

Vibiscum: Vivy (Maine-et-Loire), Frankr.

Vibiscum, Viviscus, Bibiscum, Viviacum: Vevey [Vivis] (Waadt), Schweiz.

Viburgus: Viborg (Jütland), Dänem.

Viburgus: Vyborg [Viipuri, Viborg] am Finnischen Meerbusen [Karelien), UdSSR.

Vicavedona, Vividona: Vivonne (Vienne), Frankr.

Viccacum → Vaconium

Vicecomitis Bellomontium → Bellomontium Vicecomitis

Vicecomitum castr.: Castelvisconti (Cremona), Ital.

Vicenarum nemus, Vicennae, Vincennae, Ad Vicenas: Vincennes (Seine), Frankr.

Vicennae → Vicenarum nemus

Vicenomia, Herius, Vidana, Vicinonia, Wisnona, Vigelania: Vilaine, Fl., Mü: Atlantik (Morbihan), Frankr.

Viceprevanum, Vicosopranum: Vicosoprano (Graubünden), Schweiz.

Vicestria → Bicestria

Vichium, Calidae aquae: Vichy (Allier), Frankr.

Vici mons → Regalis mons

Vici salinarum, Vigum, Vicus Bodasius: Vic-sur-Seille (Moselle), Frankr.

Vicianum: Priština [Prishtinë, Prişține] (Serbien, Kosovo-Metohija), Jugoslaw.

Vicinonia → Vicenomia

Vicohabentia, Habentium vicus, Egonum vicus: Voghenza bei Portomaggiore (Ferrara), Ital.
Vicoiria → Vigueria
Vicojulium → Aria Atrobatum
Vicoplenovilla: Viplaix (Allier), Frankr.
Vicosopranum → Viceprevanum
Victoria: Mascara sö. Oran, Algerien.
Victoria, Victoriacum: Viktring (Kärnten), Österr.
Victoriacum → Victoria
Victoriacum, Victriacum: Vitry-aux-Loges (Loiret), Frankr.
Victoriacum Francisci, Victoriacum Franciscum, Vittriacum: Vitry-le-François (Marne), Frankr.
Victoriacum Franciscum → Victoriacum Francisci
Victoriae mons: Siegenburg (N-Bayern), Deutschl.
Victoriae portus, Juliobrigensium civ.: Santoña (Santander), Span.
Victriacum → Victoriacum
Vicus: Vic (Ariège), Frankr.
Vicus: Vic [Vic-le-Fesq] (Gard), Frankr.
Vicus Bodasius → Vici salinarum
Vicus portus, Quentovicus, Witsandum: Wissant (Pas-de-Calais), Frankr.
Vicus Thermarum → Aquae Helveticae
Vidana → Dovarnena
Vidana → Vicenomia
Vidana → Vindana portus
Vidassus → Bidossa
Vidava → Widawia
Videliacus → Vezeliacum
Videngae → Vaida
Vidensis comit.: Wied, eh. Grafsch. (Rheinprov.), Deutschl.
Videocae → Viducasses
Vidiacus: Vigy (Moselle), Frankr.
Vidiliacus → Vitiliacus
Vidriacum: Viry-Noureuil (Aisne), Frankr.
Vidrus → Fetna
Vidrus → Vaconna
Vidua: Culmore, Fl., Mü: Lough Foyle (Londonderry), N-Irland.
Vidubio → Arnacum Ducum
Viducasses, Videocae, Argenus: Vieux (Calvados), Frankr.
Vidula: Vesle, Nfl. d. Aisne (Aisne), Frankr.
Viduliacum: Velye (Marne), Frankr.
Vienna → Viana
Vienna → Vindobona
Vienna, Viennensis: Vianen (S-Holland), Niederl.
Vienna Allobrogum, Vienna Gallorum, Metropolis civ. Viennensium: Vienne (Isère), Frankr.
Vienna Austriae → Vindobona
Vienna Fluviorum → Vindobona
Vienna Gallorum → Vienna Allobrogum
Viennavicus: Vienne-en-Val (Loiret), Frankr.
Viennavicus: Vienne-le-Château (Marne), Frankr.
Viennensis → Vienna
Viennensis bellus fons → Bellus fons Viennensis
Viennensis prov.: Viennois, Landsch. (Isère, Loire, Ardèche), Frankr.
Vienni → Vindobona
Vierium: Vihiers (Maine-et-Loire), Frankr.
Vierra → Weraha
Vigebanum, Viglebanum: Vigevano (Pavia), Ital.
Vigelania → Vicenomia
Vigenna: Vienne, Nfl. d. Loire (Vienne), Frankr.
Vigenna → Viana

Vigera: Vègre, Nfl. d. Sarthe (Maine-et-Loire), Frankr.
Vigiliae → Buxiliae
Viglebanum → Vigebanum
Vigornia, Wigornia, Vigornium, Brangonia, Brannovium, Branogenium, Vorcestria, Worcestria: Worcester (Worcestershire), Engl.
Vigornium → Vigornia
Vigueria, Viguerium, Vicoiria, Iriae vicus: Voghera (Pavia), Ital.
Viguerium → Vigueria
Vigum → Vici salinarum
Vihelinum, Vihelyiensis, Neostadium: Nové Město nad Váhom [Waagneustadtl, Vágújhely] (Slowakei), Tschechoslow.
Vihelyiensis → Vihelinum
Vilagosvaria: Şiria [Világos, Schiria] (Banat), Rumän.
Vilarium: Weiler (Rheinprov.), Deutschl.
Vilcassinus pag. → Valcassinus pag.
Vilecensis → Vilice
Vilerium, Wilare: Villé [Weiler] (Bas-Rhin), Frankr.
Vilice, Vilika, Vilicensis, Vilecensis: Vilich (Rheinprov.), Deutschl.
Vilicensis → Vilice
Vilika → Vilice
Vilisa: Fils, Nfl. d. Neckar (Württemberg), Deutschl.
Vilisa, Aulisa: Frauenvils [Vils] (O-Bayern), Deutschl.
Vilisa, Vilsa, Vilusa: Vils, Nfl. d. Donau (N-Bayern), Deutschl.
Vilisi: Vilsen (Bayern, RB. Schwaben), Deutschl.
Villa Relia, Vellerellum: Vellereille-le-Sec (Hennegau), Belg.
Villacensis → Vaconium
Villacum → Vaconium
Villanum castr., De Castello Villico: Châteauvillain (Haute-Marne), Frankr.
Villare: Villiers (Indre), Frankr.
Villare: Villiers (Vienne), Frankr.
Villare ad collum Regiae → Villare cauda Resti
Villare ad collum Retiae → Villare cauda Resti
Villare cauda Resti, Villare iuxta collum Resti, Villare ad collum Retiae, Villare ad collum Regiae: Villers-Cotterêts (Aisne), Frankr.
Villare iuxta collum Resti → Villare cauda Resti
Villare monasterium: Montivilliers (Seine-Maritime), Frankr.
Villariacum, Veriacovilla: Virey-sous-Bar (Aube), Frankr.
Villarium: Velaine-sur-Sambre (Namur), Belg.
Villarium: Villeret (Aisne), Frankr.
Villas → Vaconium
Villecum: Fil'akovo [Fülek] (Slowakei), Tschechoslow.
Villerbici, Willerbici: Willerbach, Fl., Mü: Süßer See (Pr. Sachsen), Deutschl.
Villeta, Villetum, Villula: Villette (Ain), Frankr.
Villeta, Villula: Villette (Waadt), Schweiz.
Villetum → Villeta
Villiacum → Valliacum
Villiana → Aviliana
Villula → Villeta
Vilmaris cella: Sankt Ulrich (Baden), Deutschl.
Vilna, Gedemini, Jedemini: Vilnius [Wilna] (Litauen), UdSSR.
Vilomaringtharpa: Wentrup (Westfalen, Kr. Münster), Deutschl.
Vilsa → Vilisa
Viltonia: Wilton (Wiltshire), Engl.

Viltonia: Wiltshire [Wilts], Grafsch., Engl.
Vilusa → Vilisa
Vilwila, Filwila, Filwula: Vilbel (Hessen), Deutschl.
Vimacensis abbat. → Leuconaus
Vimania → Vemania
Vimania, Vinea, Viniana, Weingarta, Vinerarum monast.: Weingarten (Württemberg), Deutschl.
Vimarinum, Wimaranum, Wimarana: Guimarães (Minho), Portug.
Viminacium → Viminiacum
Viminiacum, Viminacium, Vendemis: Kostolac (Serbien), Jugoslaw.
Vimodia → Wigmodia
Vimonasterium → Monasterii vicus
Vimutium, Virimudum: Weymouth (Dorset), Engl.
Vinantae → Nanensis vicus
Vinaria → Wimaria
Vinca → Idonia
s. Vincencius → s. Vincentii villa
Vincennae → Vicenarum nemus
Vincentia: Vicenza (Venetien), Ital.
s. Vincentii villa: Saint-Vincent (Tarn-et-Garonne), Frankr.
s. Vincentii villa, s. Vincencius: Saint-Vincent (Cantal), Frankr.
Vincestria → Bicestria
Vincestria → Venta Belgarum
Vinciacus: Vincey (Vosges), Frankr.
Vinciacus locus in pago Cameracensi: Vinchy (Nord), Frankr.
Vincium → Ventia
Vincum: abgeg. bei Würrich (Rheinprov.), Deutschl.
Vincum → Bingia
Vinda → Venta Belgarum
Vinda → Wertaha
Vindalicus fluv., Sorgia, Sulgas: Sorgue, Nfl. d. Rhône (Vaucluse), Frankr.
Vindana portus → Dovarnena
Vindansia: Venasca (Cuneo), Ital.
Vindansia, Venasca, Vindascinum: Vénasque (Vaucluse), Frankr.
Vindascinum → Vindansia
Vindascinus comitatus → Venascinus comitatus
Vindelis → Bellinsula
Vindellovicus: Vendel (Ille-et-Vilaine), Frankr.
Vindenissa → Vindonissa
Vindesorium, Windelsora, Windesora, Windlehora, Windresoria, Wyndele-sora: New u. Old Windsor (Berkshire), Engl.
Vindex → Wertaha
Vindinum → Cenomani civ.
Vindobona, Vendobona, Vindomana, Vindomina, Juliobona, Flaviana castra, Vienna, Vienna Austriae, Vienna Fluviorum, Vienni, Wienni, Wiena, Wienna, Winna, Byenna, Winensis: Wien, Hst. v. Österr.
Vindocinum → Vendocinum
Vindogladia, Bindogladia: Blandford Forum (Dorset), Engl.
Vindograecium → Slavograecium
Vindolana, Vindolanda: Little Chester (Derby), Engl.
Vindolanda → Vindolana
Vindomagus: Le Vigan (Gard), Frankr.
Vindomana → Vindobona
Vindomina → Vindobona
Vindomis: Farnham (Surrey), Engl.
Vindomora, Ebchestrensis: Ebchester (Durham), Engl.
Vindonensis civitas → Vindonissa
Vindonessa → Vendocinum
Vindonia → Venta Belgarum
Vindonissa, Vendonissa, Vindonissense castr., Windoniense castrum, Vindonensis civ., Vindenissa, Windinissa, Windischi: Windisch (Aargau), Schweiz.

Vindonissense castrum → Vindonissa
Vindovera → Vendopera
Vindovia → Winda
Vinea → Vimania
Vinea montana: Vigne (Bozen), Ital.
Vineae: Weinzierl am Walde (N-Österr.), Österr.
Vinemaus pag., Vinmaus pag.: Vimeu, eh. Gau (Somme), Frankr.
Vinerarum monasterium → Vimania
Vingenna, Vinzenna: Vingeanne, Nfl. d. Saône (Haute-Marne, Côte-d'Or), Frankr.
Viniana → Vimania
Vinilia → Vandalia
Vinmaus pag. → Vinemaus pag.
Vinociberga → Bergae s. Vinoci
Vinocimontium → Bergae s. Vinoci
Vinovia Brigantum → Bimonium
Vinstinga, Finistangis, Finestinga: Fénétrange [Finstingen] (Moselle), Frankr.
Vinterberga, Vinterperga, Winderperga, Winderpergum: Vimperk [Winterberg] (Böhmen), Tschechoslow.
Vinterperga → Vinterberga
Vintia → Ventia
Vintonia → Venta Belgarum
Vinzenna → Vingenna
Violvaca → Vialoscensis vicus
Vipacum, Vipava: Vipava [Wippach, Vipacco] (Slowenien), Jugoslaw.
Vipava → Vipacum
Vipitena vallis: Wipptal [Val Vipitena], Tal (Tirol), Österr. u. Ital.
Vipitenum → Stiriacum
Vir: Allones, Fl., Mü: Atlantik (La Coruña), Span.
Virdo → Wertaha
Virdunum → Verodunum
Virea, Virevum: Voiron (Isère), Frankr.
Virejum: Virieu (Isère), Frankr.
Virevum → Virea
Virgantia castell. → Brigantium
Virgao → Argaionense castrum
Virgejum: Vergy [Curtil-Vergy] (Côte-d'Or), Frankr.
Virgi → Vergi
Virginia: Virgen (Tirol), Österr.
Virginia Danica → Mona
d. Virginis Eremitanorum coenob. → Meginradicella
b. Virginis fons: Fraubrunnen (Bern), Schweiz.
b. Virginis insula → Mariae ins.
Virginis Laetitiensis fanum → Laetitiae
b. Virginis Mariae coenob. → Mariana vallis
b. Virginis vallis: Dale, abgeg. bei Dokkum (Friesland), Niederl.
Virginis vicus → Voragina
Virginum civitas → Parthenopolis
Virginum mons: Monte Vergine, Berg (Kampanien), Ital.
Virgulae → Bergulae
Virgunna → Miriquidni
Viria, Viriense castr.: Vire (Calvados), Frankr.
Viriballum promont.: Kap Rosso [Capo Rosso], Vorgeb. (Korsika), Frankr.
Viribeni → Wirbina
Viride mare, Babylonium mare: Persischer Golf [Khalīj-e Fars, Bahr el-Fars].
Viridiacum: Verdey (Marne), Frankr.
Viridinnum → Verodunum
Viridis mons: Grünberg bei Kraslice [Graslitz] (Böhmen), Tschechoslow.
Viridis mons → Prasia Elysiorum
Viridis vallis: Groenendael [Le Val-Vert] (Brabant), Belg.

Viridis villa: Vila Verde de Ficalho (Beja), Portug.
Viridonium → Verodunum
Viridunum → Verodunum
Viriense castrum → Viria
Virimudum → Vimutium
Virisondvico → Virsio
Virisonevicus → Virsio
Viritium: Wriezen (Brandenburg), Deutschl.
Viritonium → Verodunum
Viroconium → Urixonium
Virodunum → Verodunum
Virolanium → Verolamium
Viromagus, Bromagus: Promasing [Promasens] (Freiburg), Schweiz.
Viromandia → Veromanduensis ager
Viromandis → Vermandum
Vironia → Wironia
Vironinum → Viroviacum
Virontia → Veserontia
Vironum → Verbinum
Virosidum: abgeg. bei Bainbridge (Yorkshire), Engl.
Virosidum → Olenacum
Viroviacensis → Viroviacum
Viroviacum, Vironinum: Warwick (Warwickshire), Engl.
Viroviacum, Viroviacensis, Vironinum, Werni: Wervik [Warwick, Werwick, Wervicq] (W-Flandern), Belg.
Virriacovicus: Viry (Saône-et-Loire), Frankr.
Virsio, Virisonevicus, Virisondvico: Vierzon (Cher), Frankr.
Virtusium castell., Virtutes: Vertus (Marne), Frankr.
Virtusius ager: Vertus, eh. Grafsch. (Marne), Frankr.
Virtutes → Virtusium castell.
Viruedrum promont.: Dunnet Head, Vorgeb. (Caithness-shire), Schottl.
Virunum → Varenum
Virunum, Varunum, Idunum: abgeg. im Zollfeld ndl. Klagenfurt (Kärnten), Österr.
Virzeliacum → Vezeliacum
Virzinniacum, Wirciniacum: Macquigny (Aisne), Frankr.
Visara → Visurgis
Visbada, Aquae Mattiacae, Wisibada, Wisba, Jena: Wiesbaden (Hessen-Nassau), Deutschl.
Visbecci, Visebachi: Fischbeck a. d. Weser (Hessen-Nassau), Deutschl.
Visbia, Wisbia: Visby [Wisby] (Ins. Gotland), Schwed.
Viscellae: Sankt Georgen ob Murau (Steiermark), Österr.
Vischa: Fischbach (Steiermark), Österr.
Vischa, Fisca: Fischau (N-Österr.), Österr.
Vischa, Vischaha, Fisca, Fiscaha: Fischa, Nfl. d. Donau (N-Österr.), Österr.
Vischaha → Vischa
Vischi, Viscon: Fischen (O-Bayern), Deutschl.
Vischovia: Fischau [Fszewo] (O-Preußen, RB. W-Preußen), Deutschl.
Vischpachawa: Fischbachau (O-Bayern), Deutschl.
Viscia: Wisłok, Nfl. d. San (Rzeszów), Polen.
Viscla → Vistula
Viscon → Vischi
Visebachi → Visbecci
Viseliacum → Vezeliacum
Visera → Visurgis
Visetum, Velsatum, Veosatum, Wisatum: Visé [Wezet] (Lüttich), Belg.
Vishina cella → Piscina
Visolbanus → Visolinum

Visolinum, Visolyinum, Visolbanus: Vizsoly (Borsod-Abauj-Zemplén), Ung.
Visolyinum → Visolinum
Visontio → Vesontio
Visontium: Vinuesca (Soria), Span.
Vissegradum → Alta arx
Vistla → Vistula
Vistula, Vistla, Visula, Viscla, Wisla, Wysla, Wissula, Wizla, Wizzla, Wysala: Weichsel [Wisła], Fl., Mü: Ostsee, Polen u. Deutschl.
Vistus: North od. South Uist, Inseln (Äußere Hebriden), Schottl.
Visula → Vistula
Visurgis, Wesera, Wisara, Wisuraha, Wisora, Wisura, Visera, Visara, Wissula, Wirraha: Weser, Fl., Mü: Nordsee, Deutschl.
Vitelliacum, Wittliacum, Witelcha: Wittlich (Rheinprov.), Deutschl.
Viterbium, Bithervium, Voltumnae fan.: Viterbo (Viterbo), Ital.
s. Viti civ., s. Viti fanum, s. Viti mons: Sankt Veit a. d. Glan (Kärnten), Österr.
s. Viti fanum → s. Viti civitas
s. Viti flumen, s. Viti Flumoniensis fanum, Vitopolis: Rijeka [Reka, Rieka, Fiume, St. Veit am Pflaum] (Kroatien), Jugoslaw.
s. Viti Flumoniensis fanum → s. Viti flumen
s. Viti mons: Sankt Veit (O-Bayern), Deutschl.
s. Viti mons → s. Viti civ.
Vitianum: Vezzano (Trient), Ital.
Vitiliacus, Vidiliacus: Ville-le-Sec (Meurthe-et-Moselle), Frankr.
Vitiosa villa: Vila Viçosa (Évora), Portug.
Vitirbenso castr., Witirbinense castr., Wirbina, Wiribennum: Burgwerben (Pr.Sachsen), Deutschl.
Vitlena: Villaines-les-Rochers (Indre-et-Loire), Frankr.
Vitodurium, Winterthurum, Wintertura, Wintirtura: Winterthur (Zürich), Schweiz.
Vitopolis → s. Viti flumen
Vitracum: Vitrac [Vitrac-Saint-Vincent] (Charente), Frankr.
Vitrejum: Vitré (Ille-et-Vilaine), Frankr.
Vitricium → Utricium
Vittriacum → Victoriacum Francisci
Vivae aquae: Aigues-Vives (Gard), Frankr.
Vivariense monast.→Andeolii burgus
Vivariensis prov.: Vivarais, Landsch. u. eh. Grafsch. (Ardèche, Haute-Loire), Frankr.
Vivarium, Albensium civ.: Viviers (Ardèche), Frankr.
Vivarium peregrinorum → Muorbacum
Viviacum → Vibiscum
Vividona → Vicavedona
Viviscorum civ. → Burdigala
Viviscus → Vibiscum
Vivonium: Vivoin (Sarthe), Frankr.
Vizeliacum → Vezeliacum
Vocarium, Wacreina: Wagrain (Salzburg), Österr.
Vocatorum terra, Advocatorum terra, Variscia, Voitlandia, Fotlandia: Vogtland, Landsch. (Sachsen, Bayern), Deutschl.
Vocetius mons: Bötzberg, Berg bei Brugg (Aargau), Schweiz.
Voconiae aquae → Ausa
Vocontiorum lucus Augusti → Luca ad flumen Dia
Voda: Veude, Nfl. d. Vienne (Vienne), Frankr.
Vodgoriacum, Vogodoriacum, Waldriacum: Waudrez (Hennegau), Belg.

Vodium → Noniantus
Vogasus → Vosegus
Vogesus → Vosegus
Vogia → Vosegus
Vogitisawa: Voitsau (N-Österr.), Österr.
Vogodoriacum → Vodgoriacum
Voitlandia → Vocatorum terra
Volcarum terra → Languedocia
Volcassinus pag. → Valcassinus pag.
Volceae paludes → Peiso lacus
Volcei civ, Vulceja, Vulcejana civ.: Buccino (Salerno), Ital.
Volenes: Volano (Trient), Ital.
Voliba → Falmuthum
Voliniae palatin.: Wolhynien, Landschaft u. eh. Woiw. (Ukrain. SSR), UdSSR.
Volmarchia, Gentiforum: Völkermarkt (Kärnten), Österr.
Volodimiria → Volomidericium
Vologatis: Les Lèches (Dordogne), Frankr.
Vologesia, Bogalagus: An-Najaf [Nedjef, Meschhed Ali], Irak.
Vologradum → Olmuncia
Volomidericium, Volodimiria: Władimir-Wolynskij [Vladimir Volynskij] (Ukrain. SSR), UdSSR.
Volotrense castrum → Lovolautrium
Volovicum → Vialoscensis vicus
Volsas sinus: Calva Bay, Meerbusen (Sutherlandshire), Schottl.
Voltumnae fanum → Viterbium
Volubae portus → Falmuthum
Voluce: Calatañazor (Soria), Span.
Vomanus: Vomano, Fl., Mü: Adriat. Meer (Teramo), Ital.
Vongensis pag., Vonzensis pag.: Vongeois, Landsch. u. eh. Gau (Ardennes), Frankr.
Vongisus, Vungovicus: Voncq (Ardennes), Frankr.
Vonzensis pagus → Vongensis pagus
Voragina, Vorago, Virginis vicus: Varazze (Savona), Ital.
Voragina Alpium: Voreppe (Isère), Frankr.
Vorago → Voragina
Vorcestria → Vigornia
Vorda, Vordis, Vorda Bremensis: Bremervörde (Hannover), Deutschl.
Vorda Bremensis → Vorda
Vordis → Vorda
Vorea, Vurzes: Waltensburg [Vuorz] (Graubünden), Schweiz.
Voreda: Old Penrieth (Co. Cumberland), Engl.
Vorganium, Vorginum: Carhaix-Plouguer (Finistère), Frankr.
Vorgantia → Brigantium
Vorginum → Vorganium
Vormatia, Wormatia, Guormatia, Varmacia, Warmacia, Vurmacia, Wormacium, Wormatiensis, Vangio, Vangiona, Vangiones, Guarmatia, Vangionum Augusta, Gormetia, Wangia, Wangionis civ., Vangium, Vormatius, Borbetomagus, Borbitomagus: Worms (Hessen), Deutschl.
Vormatius → Vormatia
Vorogium → Varennae
Voronianus comit. → Baranyensis comit.
Vorotunum: Borodino wstl. Moskau, UdSSR.
Vorowensis vicus: Vorau (Steiermark), Österr.
Vorsthuvila: Forsthövel (Westfalen, Kr. Lüdinghausen), Deutschl.
Vosagus: La Besace (Ardennes), Frankr.
Vosagus → Vosegus
Vosalia → Vesalia
Vosatica → Vasatica
Vosava → Vesalia

Vosegus, Vosagus, Vogasus, Vogesus, Vogia, Vesogus, Wosagus, Wosega, Vasago, Wasegus, Wasego, Wasacus: Vogesen [Vosges, Wasgau, Wasgenwald], Geb. (Elsaß), Frankr.

Vosinga: Jesingen (Württemberg), Deutschl.

Votrontinus → Botruntina urbs

Vraclaviensis episcopatus → Wratislavia

Vratislavia → Wratislavia

Vrechna: Frechen (Rheinprov.), Deutschl.

Vrescelavia → Wratislavia

Vrillingtharpa: Frintrop [Essen-Frintrop] (Rheinprov.), Deutschl.

Vrtimbergensis → Wurtemberga (regnum)

Vuassoniacus, Wassiniacum: Wassigny (Aisne), Frankr.

Vulcani forum → Sulphureus mons

Vulcani ins. → Vulcania ins.

Vulcania ins., Vulcani ins., Hiera: Vulcano [Isola Vulcano], Ins. (Liparische Inseln), Ital.

Vulcassinus pagus → Valcassinus pagus

Vulceja civ. → Volcei civ.

Vulcejana civ. → Volcei civ.

Vulda → Fuldense coenob.

Vulfeburgum: Wolfsburg (Hannover, Kr. Gifhorn), Deutschl.

Vulgaria → Bulgaria

Vulkla: Fuglau (N-Österr.), Österr.

Vulniacus, Vuolnacensis: Vonnas (Ain), Frankr.

Vulpense castr., Vulpinum castr., Rainardi castell.: Châteaurenard (Loiret), Frankr.

Vulpinum castr. → Vulpense castr.

Vulsiniensis lacus, Vulsinus lacus, s. Christinae lacus: Lago di Bolsena [Bolsenasee], See (Viterbo), Ital.

Vulsinii, Vulsinium: Bolsena (Viterbo), Ital.

Vulsinium → Vulsinii

Vulsinus lacus → Vulsiniensis lacus

Vulta → Multavia

Vultabium: Voltaggio (Alessandria), Ital.

Vultaha → Fuldaha

Vultonna, Vultumnus: Boutonne, Nfl. d. Charente (Charente-Maritime), Frankr.

Vultrajectensis → Trajectum ad Rhenum

Vultumnus → Vultonna

Vulturius mons: Geiersberg [Sępów] (N-Schlesien), Deutschl.

Vulturnense monast.: Castel San Vincenzo [San Vincenzo al Vulturno] (Campobasso), Ital.

Vungovicus → Vongisus

Vuolnacensis → Vulniacus

Vurceburgum → Herbipolis

Vurlimosa: Füramoos (Württemberg), Deutschl.

Vurmacia → Vormatia

Vurmicus, Vurmnis: Wurm [Worms], Nfl. d. Roer [Rur] (Rheinprov., Limburg), Deutschl. u. Niederl.

Vurmnis → Vurmicus

Vurnia → Campoveria

Vurta: Furth a. d. Triesting (N-Österr.), Österr.

Vurta → Varta

Vurzes → Vorea

Vylocum → Bononia

Vynnum → Finnum

Vyronia → Wironia

W

Wabaria → Bavaria
Wabbanium: Waben (Pas-de-Calais), Frankr.
Wabrae → Vabrae
Wabrensis pag. → Vabrensis pag.
Wacheracum → Bacaracum
Wacilinisruti → Wazelinsruthi
Wackinium, Wakinna: Wakken (W-Flandern), Belg.
Wacreina → Vocarium
Wadala → Walada
Waderlo: Waalre (N-Brabant), Niederl.
Wadstena → Vadstenium
Wadstenense monast. → Vadstenium
Waechaeum: Wachau, Landsch. (N-Österr.), Österr.
Waeinga: Wehingen (Württemberg), Deutschl.
Waetgi → Wattavis
Wagasatia: Wadgassen (Rheinprov.), Deutschl.
Wagenhaldum: Wagenhalden (Württemberg), Deutschl.
Wagia, Waya: Wagien, Landsch. (Estland), UdSSR.
Wagirensis pag. → Wagiri pag.
Wagiri pag., Wagri, Wagria, Wagiria, Waigri, Wagirensis, Wagrensis pag.: Wagrien, Landsch. (Schleswig-Holstein), Deutschl.
Wagiria → Wagiri pag.
Wagrensis pag. → Wagiri pag.
Wagri pag. → Wagiri pag.
Wagria → Wagiri pag.
Waha → Vagus
Wahalis → Vahalis
Waiblinga → Weibilinga
Waigri pag. → Wagiri pag.
Wainbrechtis: Wohmbrechts (Bayern, RB. Schwaben), Deutschl.
Waizzagawi pag. → Wettiga pag.
Wakereslevo: Wackersleben (Pr. Sachsen), Deutschl.
Wakinna → Wackinium
Wala → Vahalis
Walachia → Valachia
Walachia → Valacria
Walachria → Valacria
Walacria → Valacria
Walada, Wadala: Waldau (Pr. Sachsen), Deutschl.
Walahestada → Statio Rhaetorum
Walahon → Walaum
Walahuson: Wallhausen (Rheinprov.), Deutschl.
Walaricum → Leuconaus
Walarium: Seehausen (O-Bayern), Deutschl.
Walarius lacus → Vallensis lacus
Walaum, Walahon: Wahlenheim (Bas-Rhin), Frankr.
Walbeka, Walbizi, Walbiki, Wallibizi, Walbicensis, Rivus silvaticus: Walbeck (Pr. Sachsen), Deutschl.
Walbicensis → Walbeka
Walbiki → Walbeka
Walbizi → Walbeka
Walchersriuti, Waltchersruiti, Walchersruti: Walchersreute (Württemberg), Deutschl.
Walchersruti → Walchersriuti
Walchra → Valacria
Walda: Königseggwald (Württemberg), Deutschl.
Walda: Peterswahl (O-Bayern), Deutschl.
Walda: Wald (Rheinprov., Oberbergischer Kr.), Deutschl.

Waldaffa: Ober- u. Niederwalluf (Hessen-Nassau), Deutschl.
Waldaha → Multavia
Waldensis pagus → Valdensis pagus
Waldgereslevo: Warsleben (Pr. Sachsen), Deutschl.
Waldolvinga: Walding (O-Österr.), Österr.
Waldriacum → Vodgoriacum
Waldsacia pag., Waldsati, Waltsati pag.: eh. Gau um Oste u. Wümme (Hannover), Deutschl.
Waldsati pag. → Waldsacia pag.
Waldsazi → Valdosassonia
Waleis → Vallendis
Walemia → Walevia
Waleron: Wahlern (Bern), Schweiz.
Wales → Vahalis
Walestatensis ducat., Guardistallum: Guastalla, eh. Hgt. (Reggio Emilia), Ital.
Walevia, Walemia: Les Waleffes [Les Valaffes] (Lüttich), Belg.
Walevia vetus → Vetus Walevia
Walewilare: Waltersweier (Baden), Deutschl.
Walewis, Wallawis: Wahlwies (Baden), Deutschl.
Walewona: Gallwoschen [Galwoszen] (O-Preußen), Deutschl.
Walhense → Vallensis lacus
Walicrum → Valacria
Walidi, Wallithi, Wellithi, Wilidium, Wilda: Welden (O-Flandern), Belg.
Walkaria → Valacria
Wallawis → Walewis
Wallenstadiensis lacus → Rivarius lacus
Wallia → Vallesia
Wallibizi → Walbeka
Wallichwilare: Walliswil bei Niederbipp (Luzern), Schweiz.
Wallislevi: Walsleben (Pr. Sachsen), Deutschl.
Wallithi → Walidi
Wallonia → Vallesia
Walodo → Wolada
Walpinga → Vaplinga
s. Walpurgis: Walbourg [Walburg] (Bas-Rhin), Frankr.
Walsa → Ovilaba
Waltchersruiti → Walchersriuti
Waltchincha, Waltkilcha: Waldkirch (St. Gallen), Schweiz.
Waltchirecha: Waldkirch (Baden), Deutschl.
Waltkilcha → Waltchincha
Waltkisingas: Walchsing (N-Bayern), Deutschl.
Waltsati pag. → Waldsacia pag.
Wandesburgum, Wansbecum: Wandsbek [Hamburg-Wandsbek], Deutschl.
Wanga: Wange (Lüttich), Belg.
Wanga → Vemania
Wanga → Wangia
Wanghi: Oberwang (O-Österr.), Österr.
Wangia: Wangenheim (Thüringen), Deutschl.
Wangia → Vormatia
Wangia, Wanga: Wangerland, Landsch. (Oldenburg), Deutschl.
Wangionis civitas → Vormatia
Wangionum pag. → Wormazfelda
Wangrapia: Angerapp [Angrapa, Wegorapa], Nfl. d. Pregel (O-Preußen), Deutschl.
Wanhartiswilare: Walpertsweiler (Baden), Deutschl.
Wanhus: Wannenhäusern (Württemberg), Deutschl.
Wanilihousa: Wandlhausen (O-Bayern), Deutschl.
Wansbecum → Wandesburgum
Wantesleibo → Wanzeleva

Wanzeleva, Wantesleibo, Wanzleva, Wonclava: Wanzleben (Pr. Sachsen), Deutschl.
Wanzleva → Wanzeleva
Waplinga → Vaplinga
Waradina Petri → Petrovaradinum
Waradinum → Varadinum
Warburgum: Warburg a. d. Diemel (Westfalen), Deutschl.
Wardastallum → Guardistallum
Wardhusia: Vadsø (Finnmark), Norw.
Wardhusia: Vardø (Finnmark), Norw.
Waremia, Waremna, Warenna, Warennia, Warum: Waremme [Borgworm] (Lüttich), Belg.
Waremna → Waremia
Warenna → Waremia
Warennia → Waremia
Warensis pag. → Vabrensis pag.
Waretum → Garactum
Wariniacum: Wargnies-le-Petit (Nord), Frankr.
Warinza → Werenza
Warmacia → Vormatia
Warmelandia → Varmia
Warmia → Varmia
Warmiensis pag. → Varmia
Warnestonia, Warnestonum, Warnestum, Warnestunensis, Warnestunum: Warneton [Waasten] (W-Flandern), Belg.
Warnestonum → Warnestonia
Warnestum → Warnestonia
Warnestunensis → Warnestonia
Warnestunum → Warnestonia
Wartensis → Barda
Wartera: Werther (Westfalen), Deutschl.
Warum → Waremia
Wasa → Wasensis pag.
Wasacus → Vosegus
Wasaliacensis → Vesalia
Wasegga, Wasegium, Wasidio: Wasseiges (Lüttich), Belg.
Wasegium → Wasegga
Wasego → Vosegus
Wasegus → Vosegus
Wasensis pag., Quasa, Wasa, Wasia: Van Waes [Waasland, Land van Waas, Pays de Waes], Landsch. (O-Flandern), Belg.
Wasfalia → Westfalia
Wasia → Wasensis pag.
Wasidio → Wasegga
Waslogium → Beloacum
Wasnacha, Fenacum: Vissenaken [Vissenaeken] (Brabant), Belg.
Wassiniacum → Vuassoniacus
Wastfalia → Westfalia
Wastinensis comit. → Gatinensis pag.
Wastiniensis comit. → Gatinensis pag.
Watenes, Watiniensis, Guatinas, Guatinensis, Guatinum: Watten (Nord), Frankr.
Watigisso → Wattavis
Watiniensis → Watenes
Wattavis, Guategisso, Waetgi, Watigisso, Weggis, Wettegis: Weggis (Luzern), Schweiz.
Waverensis civ.: Wavre [Waver] (Brabant), Belg.
Waveviacum: Wavrin (Nord), Frankr.
Wavrensis pag. → Vabrensis pag.
Wawaria → Bavaria
Waweri, Wawurci: Wewer (Westfalen), Deutschl.
Waworacensis pag. → Vabrensis pag.
Wawrensis pag. → Vabrensis pag.
Wawurci → Waweri
Waya → Wagia
Wazcerlosa: Wasserlosen (U-Franken), Deutschl.
Wazelinsruthi, Becilinisruti, Bezze-

linsruthi, Wacilinisruti: Wetzisreute (Württemberg), Deutschl.
Wazzes → Vazes
Wazzinchilcha: Waizenkirchen (O-Österr.), Österr.
Wechus → Veghus
Weda, Wetha: Wied (Hessen-Nassau), Deutschl.
Wededonis mons, Wedegonis mons, Herculis lucus: Süntel, Geb. a. d. Weser (Schaumburg-Lippe u. Hannover), Deutschl.
Wedegonis mons → Wededonis mons
Wedekindi mons, Witikindi mons: Wittekindsberg, Berg wstl. der Porta Westfalica (Westfalen), Deutschl.
Wedereiba, Wedrebia, Weteraiba, Wetereiba, Weteruba: Wetterau, Landsch. (Hessen-Nassau u. O-Hessen), Deutschl.
Wedisseara: Weischer (Westfalen), Deutschl.
Wedra: Wederau [Wiadrów] (N-Schlesien), Deutschl.
Wedrebia → Wedereiba
Wegballidi: Wöbbel (Lippe), Deutschl.
Weggis → Wattavis
Wegisceda: Wegscheid (N-Österr.), Österr.
Wehibilingua → Weibilinga
Weibilinga, Waiblinga, Weibilingua, Wehibilingua, Ebilingua, Eipilinga: Waiblingen (Württemberg), Deutschl.
Weibilingua → Weibilinga
Weida, Weitaha, Wida, Wyda, Woyda: Weida (Thüringen), Deutschl.
Weides: Voitsberg (Steiermark), Österr.
Weingarta → Vimania
Weisselmunda, Munda Vistulae: Weichselmünde [Wisłoujście] (Danzig), Deutschl.
Weissenburgum Noricorum, Witzenburgum: Weißenburg in Bayern (M-Franken), Deutschl.
Weissenfelta → Leucopetra
Weitaha → Weida
Weizenbrunno → Vassobrunensis abbatia
Welanao: Münsterdorf (Schleswig-Holstein), Deutschl.
Welas → Ovilaba
Weldi: Wehl (Rheinprov)., Deutschl.
Weles → Ovilaba
Wellae → Theodorodunum
Wellithi → Walidi
Welopa → Welpia
Welpia, Welopa, Willipia: Wölpe (Hannover), Deutschl.
Welponis silva: Welfesholz bei Gerbstedt (Pr. Sachsen), Deutschl.
Weltinopolis → Attobriga
Wemma, Wimma: Wümme, Fl., Mü: Lesum bei Vegesack (Bremen), Deutschl.
Wemmaria: Vimmerby (Kalmar), Schwed.
Wenaswalda: eh. Wald bei Werden [Essen-Werden] (Rheinprov.), Deutschl.
Wenda → Venedorum civ.
Wendecula: Wenkul (Lettland), UdSSR.
Wendilae mare → Codanus sinus
Wenedonia → Sclavania
Wenengeron: Oberwengern (Westfalen), Deutschl.
Weneriburgum: Vänersborg [Venersborg, Wenersborg] (Älfsborg), Schwed.
Wenga: Weng (N-Bayern, Kr. Griesbach), Deutschl.
Wenga: Weng (N-Bayern, Kr. Landshut), Deutschl.

Wenga: Weng bei Altheim (O-Österr.), Österr.
Wengrovia: Węgrów (Warschau), Polen.
Wentreshovium: Wintershoven (Limburg), Belg.
Weraha, Werra, Wirra, Wirraha, Vagarna, Vierra: Werra, Nfl. d. Weser (Hannover), Deutschl.
Werda → Caesaris ins.
Werda → Donaverda
Werdaha → Wertaha
Werdea → Donaverda
Werdena, Moradunum, Werdina, Werdinensis, Werina, Werithina, Werthina, Wirdinna, Wirdunum, Wyrdina: Werden [Essen-Werden] (Rheinprov.), Deutschl.
Werdina → Caesaris ins.
Werdina → Werdena
Werdinensis → Werdena
Werdunum → Fardium
Werenza, Warinza, Werna: Wörnitz, Nfl. d. Donau (Bayern, RB. Schwaben), Deutschl.
Wergesi → Wirgisi
Werida: Wörth a. d. Donau (O-Pfalz), Deutschl.
Werida → Caesaris ins.
Werina → Werdena
Werina, Wernon: Werne a. d. Lippe (Westfalen), Deutschl.
Weringa: Wehringen (Bayern, RB. Schwaben), Deutschl.
Werithina → Werdena
Werla → Werlaon
Werla, Werlon: Werl (Westfalen), Deutschl.
Werlaon, Werla, Werle: Werla a. d. Oker (Hannover), Deutschl.
Werle → Werlaon
Werlo: Werle (Mecklenburg-Schwerin), Deutschl.
Werlon → Werla
Wermelandia: Värmland [Wermland], Landsch. u. Prov., Schwed.
Werna → Werenza
Werni → Viroviacum
Werningroda: Wernigerode (Pr. Sachsen), Deutschl.
Wernon → Werina
Wernsriuti, Wernsruti: Wernsreute (Württemberg), Deutschl.
Wernsruti → Wernsriuti
Werra: Wehr (Baden), Deutschl.
Werra → Weraha
Wersaci terra → Wursatia
Werslo: Weerselo (Overijssel), Niederl.
Wertaha, Vinda, Vindex, Virdo, Werdaha: Wertach, Nfl. d. Lech (Bayern, RB. Schwaben), Deutschl.
Werthina → Werdena
Werum: Wierum (Friesland), Niederl.
Wesalia → Vesalia
Wesaliensis → Vesalia
Wescera → Vescera
Wesela → Vesalia
Wesera → Visurgis
Wesiga pag. → Wettiga pag.
Wessaga pag. → Wettiga pag.
Wessila → Vesalia
Wessofontanum coenob. → Vassobrunensis abbat.
Westergina → Wistriamchi
Westergowe → Wistriamchi
Westfala pag.: Westfalengau, eh. Gau um Ruhr u. Lippe (Westfalen, RB. Münster u. Arnsberg), Deutschl.
Westfaldingia → Westfalia
Westfalia, Wasfalia, Wastfalia, Westfaldingia, Westphalia, Westvalia, Guestfalia, Gwestfalia, Bestvalia, Saxonia occidentalis: Westfalen, Landsch. u. Prov., Deutschl.

Westfrisia → Frisia occidentalis
Westmannia: Västmanland [Wästmanland, Westmanland], Landschaft u. Prov., Schwed.
Westmonasterium: Westminster, Teil von London, Engl.
Westonvelda: Westerfeld (Westfalen), Deutschl.
Westphalia → Westfalia
Westrachi → Wistriamchi
Westrobotnia, Bothnia occidentalis: Västerbotten [Westerbotten], Landsch. u. Prov., Schwed.
Westrogothia, Gothia occidentalis: Västergötland [Westergotland, Westgotland], Landsch. u. eh. Prov., Schwed.
Westvalia → Westfalia
Weteraiba → Wedereiba
Wetereiba → Wedereiba
Weteruba → Wedereiba
Wetflaria → Wetzlaria
Wetha → Weda
Wetia: Velvary [Welwarn] (Böhmen), Deutschl.
Wetselaria → Wetzlaria
Wettegis → Wattavis
Wettiga pag., Wettigo, Wessaga, Wesiga, Waizzagawi pag.: eh. Gau zw. Diemel u. Eder in Waldeck (Hessen-Nassau), Deutschl.
Wettigo pag. → Wettiga pag.
Wettiswilare: Wettswil (Zürich), Schweiz.
Wetzlaria, Wetselaria, Wetflaria: Wetzlar (Rheinprov.), Deutschl.
Wexfordia → Manapia
Wexionia, Vexsia, Wexsia: Växjö [Vexiö, Wexjö] (Kronoberg), Schwed.
Wexsia → Wexionia
Wezna, Veroa: Wiese [Wieża] (N-Schlesien), Deutschl.
Wezzera → Vescera
Wichia: Wick (Caithness-shire), Schottl.
Wida: Ober- u. Niederweiden (N-Österr.), Österr.
Wida: Widen (Aargau), Schweiz.
Wida → Weida
Widawa → Widawia
Widawia, Vidava: Weide [Widawa], Nfl. d. Oder (N-Schlesien), Deutschl.
Widawia, Widawa: Weide [Widawa] (N-Schlesien), Deutschl.
Widdinum → Bidinum
Widenia, Wydenia: Wiedelah (Hannover), Deutschl.
Widergis: Würgau (O-Franken), Deutschl.
Widmundi, Withmundi: Wittmund (Hannover), Deutschl.
Widon: Widen (Bern), Schweiz.
Widonis vallis → Guidonis vallis
Widugiseshova: Widdeshoven bei Neuß (Rheinprov.), Deutschl.
Wiellemanus: Willeman (Pas-de-Calais), Frankr.
Wiena → Vindobona
Wienna → Vindobona
Wiennensis → Viana
Wienni → Vindobona
Wigelovo, Wigelovum: Wegeleben (Pr. Sachsen), Deutschl.
Wigelovum → Wigelovo
Wiggron: Wiggern (Luzern), Schweiz.
Wigileba → Wigileiba
Wigileiba, Wigileba: Wiegleben (Thüringen), Deutschl.
Wigmodia, Vimodia, Wijhmodia, Wihmuodi pag., Withmuodi pag., Wigmoti pag., Wimodia, Wihmoti pag., Wiomuodinga, Wihmuodinga, Withmotinga, Wimadi pag., Wihmoa: Wigmodigau, eh. Gau an d. unteren Weser (Bremen, Hannover), Deutschl.

Wigmoti pag. → Wigmodia
Wigornia → Vigornia
Wihia: Wiehe (Pr. Sachsen), Deutschl.
Wihiza → Bihacium
Wihmoa → Wigmodia
Wihmoti pag. → Wigmodia
Wihmuodi pag. → Wigmodia
Wihmuodinga pag. → Wigmodia
Wijhmodia → Wigmodia
Wikinka: Weiching (O-Bayern), Deutschl.
Wikki: Wickede (Westf.), Deutschl.
Wila: Weil der Stadt (Württemberg), Deutschl.
Wilaha, Wilo, Wilon: Wil (St. Gallen), Schweiz.
Wilare → Vilerium
Wilare, Willare: Pfalzgrafenweiler (Württemberg), Deutschl.
Wilare, Willarei, Willarium: Dickweiler, Luxemburg.
Wilda → Walidi
Wildonia: Wildon (Steiermark), Österr.
Wilevilla: Großweil (O-Bayern), Deutschl.
Wilhelmersdorfium: Wilhelmsdorf (Württemberg), Deutschl.
Wilidium → Walidi
Wilkii villa: Wilkau [Wilków] (N-Schlesien), Deutschl.
Wilkomeria: Ukmerge [Wilkomir] (Litauen), UdSSR.
Willare → Wilare
Willarei → Wilare
Willarium → Wilare
Willeholteswilare: Wildpoltsweiler (Württemberg), Deutschl.
Willerbici → Villerbici
Willingon: Willing (O-Bayern), Deutschl.
Willion: Wielen (Hannover, Kr. Grafsch. Bentheim), Deutschl.
Willipia → Welpia
Willisowo: Willisau (Luzern), Schweiz.
Wilo → Wilaha
Wiloa, Cambodunum: Weilheim an der Teck (Württemberg), Deutschl.
Wilon → Wilaha
Wiltensis → Trajectum ad Rhenum
Wiltina → Veldidena
Wimadi pag. → Wigmodia
Wimarana → Vimarinum
Wimaranum → Vimarinum
Wimarcha: abgeg. bei Stade (Hannover), Deutschl.
Wimari → Wimaria
Wimari eccl.: Weimerskirchen, Luxemburg
Wimaria, Vinaria, Wimari, Wimeri: Weimar (Thüringen), Deutschl.
Wimeri → Wimaria
Wimiacum: Wimy (Aisne), Frankr.
Wimma → Wemma
Wimodia → Wigmodia
Wimpina, Cornelia, Wimpnia, Winpina, Winpinensis: Wimpfen (Württemberg), Deutschl.
Wimpnia → Wimpina
Winchilsazzon: Winklsaß (N-Bayern), Deutschl.
Winchina, Wingehina, Wingihina: Wijnegem (Antwerpen), Belg.
Winchium: Winsum (Groningen), Niederl.
Wincingas, Winzingas: Winzingen (Württemberg), Deutschl.
Wincium: Winzig [Wińsko] (N-Schlesien), Deutschl.
Winda, Vindovia: Ventspils [Windau] (Lettland), UdSSR.
Winda, Wyndus, Rhubon: Venta [Windau], Fl., Mü: Ostsee (Lettland), UdSSR.

Windbergensis civ. → Venetidunus mons
Windelsora → Vindesorium
Winderperga → Vinterberga
Winderpergum → Vinterberga
Windesora → Vindesorium
Windinissa → Vindonissa
Windischi → Vindonissa
Windlehora → Vindesorium
Windomia: Wimmis (Bern), Schweiz.
Windoniense castrum → Vindonissa
Windresoria → Vindesorium
Winendala: Wijnendale [Wijnendaal, Wynendaele, Winendale], Schl. bei Tohout (W-Flandern), Belg.
Winensis → Vindobona
Winesbiki: Vinsebeck (Westfalen), Deutschl.
Wingardi, Wingarti: Weingarten (O-Franken, Kr. Staffelstein), Deutschl.
Wingarteiba: eh. Gau zw. Main u. Jagst (N-Baden, U-Franken, N-Württemberg), Deutschl.
Wingarti → Wingardi
Wingehina → Winchina
Wingihina → Winchina
Winicenwilare: Winzenweiler (Württemberg), Deutschl.
Winidowa → Vermis lacus
Winiheringa, Guinneringa: Winhöring (O-Bayern), Deutschl.
Winikingtharpa: Vintrup (Westfalen), Deutschl.
Wininchon: Winikon (Luzern), Schweiz.
Winkela: Winkel (Hessen-Nassau), Deutschl.
Winkila: Winkel (Westfalen), Deutschl.
Winna → Vindobona
Winnithi: Weende (Hannover), Deutschl.
Winoda: Winnenden (Württemberg), Deutschl.
Winpina → Wimpina
Winpinensis → Wimpina
Winsewida: Winschoten (Groningen), Niederl.
Winteburgensis → Trajectum ad Rhenum
Wintersburrion: Winterspüren (Baden), Deutschl.
Winterthurum → Vitodurium
Wintertura → Vitodurium
Winthbergensis civ. → Venetidunus mons
Wintirtura → Vitodurium
Winzingas → Wincingas
Wiomuodinga → Wigmodia
Wippera: Wipper, Nfl. d. Saale (**Pr.** Sachsen u. Anhalt), Deutschl.
Wippera: Wippra (Pr. Sachsen), Deutschl.
Wippera: Wupper, Nfl. d. Rhein (Rheinprov.), Deutschl.
Wippericium: Guipry (Ille-et-Vilaine), Frankr.
Wiprehteswilare: Niederwil (Aargau), Schweiz.
Wira: Wyhra, Nfl. d. Pleiße (Sachsen), Deutschl.
Wirasci: Varais, eh. Gau (Doubs), Frankr.
Wirbeni → Wirbina
Wirbina → Vitirbense castr.
Wirbina, Viribeni, Wirbeni, Wyrbina: Werben a. d. Elbe (Pr. Sachsen), Deutschl.
Wirceburgum → Herbipolis
Wirciniacum → Virzinniacum
Wirdinna → Werdena
Wirdunum → Verodunum
Wirdunum → Werdena
Wirelunstidi: Wiefelstede (Oldenburg), Deutschl.

Wirensis pag.: Wierumgau, eh. Gau um Wierum (Friesland), Niederl.
Wirgisi, Wergesi, Wiriesi: Würgassen (Westfalen), Deutschl.
Wiri: Wierischau [Wieruszów] (N-Schlesien), Deutschl.
Wiribennum → Vitirbense castr.
Wiriesi → Wirgisi
Wirmilaha: Würmla (N-Österr.), Österr.
Wirminseo → Vermis lacus
Wirona → Wironia
Wirona, Wironi ins.: Wieringen, eh. Ins. (IJsselmeer), Niederl.
Wironi ins. → Wirona
Wironia, Vironia, Vyronia, Wirona, Withlandia: Wierland, Landsch. (Estland), UdSSR.
Wirra → Weraha
Wirraha → Visurgis
Wirraha → Weraha
Wirtembergensis ducat. → Wurtemberga (regnum)
Wirzba: Gerlanden [Jerasselwitz, Jarosławice] (N-Schles.), Deutschl.
Wirzila: Winzeln (Württemberg), Deutschl.
Wisa: Niederwiesen (Hessen), Deutschl.
Wisa: Steinwiesen (O-Franken), Deutschl.
Wisara → Visurgis
Wisatum → Visetum
Wisba → Visbada
Wisbia → Visbia
Wisbircon, Wispircon: Groß- u. Klein Wesenberg (Schleswig-Holstein), Deutschl.
Wisegrada, Wisegradum: Wyschehrad [Vyšehrad], Teil v. Prag (Böhmen), Tschechoslow.
Wisegradum → Wisegrada
Wisericheswilare: Wiesertsweiler (Württemberg), Deutschl.
Wiserodi, Wisserodi: Wieserode (Pr. Sachsen), Deutschl.
Wisibada → Visbada
Wisingia: Visingsö, Ins. im Vättersee (Jönköping), Schwed.
Wisingsburgum: Visingsborg [Wisingsborg], Schloß auf Visingsö (Ins. im Vättersee), Schwed.
Wisla → Vistula
Wislichon → Wisselikon
Wislicia: Wieliczka (Krakau), Polen.
Wislo, Wisslo, Wyslo: Wesloe, abgeg. bei Lübeck (Schleswig-Holstein), Deutschl.
Wismaria, Wismeria: Wismar (Mecklenburg), Deutschl.
Wismeria → Wismaria
Wisnona → Vicenomia
Wisora → Visurgis
Wispircon → Wisbircon
Wissaha, Wissha: Weißach (Württemberg), Deutschl.
Wissegradum: Visegrád [Plintenburg] a. d. Donau (Pest), Ung.
Wisselikon, Wislichon: Wislikofen (Aargau), Schweiz.
Wisserodi → Wiserodi
Wissha → Wissaha
Wissitha: Wechte (Westfalen), Deutschl.
Wisslo → Wislo
Wissula → Vistula
Wissula → Visurgis
Wistriamchi, Westergina, Westergowe, Westrachi, Occidentalis pag.: Westergo, Landsch. [Seemarsch] u. eh. Gau in Friesland (z. T. untergeg. i. d. Zuidersee), Niederl.
Wisumera: Wißmar (Hessen-Nassau), Deutschl.
Wisura → Visurgis
Wisuraha → Visurgis
Wiswila: Weisweil (Baden), Deutschl.

Witegislinga: Witzling (N-Bayern, Kr. Vilshofen), Deutschl.
Witelcha → Vitelliacum
Witelichon: Wittlingen (Baden), Deutschl.
Witelineswilare: Wittlensweiler (Württemberg), Deutschl.
Witenburna: Wittenborn (Schleswig-Holstein), Deutschl.
Witenowa: Wittnau (Aargau), Schweiz.
Witenwilare: Wittenweiler (Württemberg), Deutschl.
Withera: Ober- u. Niederwichtrach (Bern), Schweiz.
Withlandia → Wironia
Withmotinga → Wigmodia
Withmundi → Widmundi
Withmuodi pag. → Wigmodia
Withostovici: Ober Johnsdorf [Jankówka] (N-Schlesien), Deutschl.
Witikindi mons → Wedekindi mons
Witinga, Witingai, Hnutangai: Wittingen (Hannover), Deutschl.
Witingai → Witinga
Witirbinense castr. → Vitirbense castr.
Witisunga, Witisungeno marca: Wettesingen (Hessen-Nassau), Deutschl.
Witisungeno marca → Witisunga
Witkowa: Witkow [Vitkow] (Böhmen), Tschechoslow.
Witmeri: Wittenar, abgeg. bei Warburg (Westfalen), Deutschl.
Witra → Veytra
Witsandum → Vicus portus
Wittenberga → Albiorium
Wittliacum → Vitelliacum
Wittovia: Wittow, Halbins. der Ins. Rügen (Pommern), Deutschl.
Witzenbrunno: Weißenborn (Thüringen), Deutschl.
Witzenburgum → Weissenburgum Noricorum
Wivulsum: Wibelsum (Hannover), Deutschl.
Wizinburgensis civ. → Alba
Wizla → Vistula
Wizzla → Vistula
Wlitava → Multavia
Wltava → Multavia
Wltawia → Multavia
Wodana: Wodna (Böhmen), Tschechoslow.
Wodehamum: Woodham (Buckinghamshire), Engl.
Wohemia → Bohemia
Wolada, Walodo: Wildenhirsenhof (Hessen), Deutschl.
Wolavia: Wohlau [Wołów] (N-Schlesien), Deutschl.
Woldemaria: Valmiera [Wolmar] (Lettland), UdSSR.
Wolfaha, Wolfvaha: Wolfach, Nfl. d. Donau (N-Bayern), Deutschl.
Wolfaha, Wolphaha: Wolfach (Baden), Deutschl.
Wolfeggi: Wolfegg (Württemberg), Deutschl.
Wolfenbuttela → Guelferbytum
Wolferbytum → Guelferbytum
Wolferdi agger: Wolfaartsdijk [Wolphaartsdijk, Wolfertsdijk] (Seeland), Niederl.
Wolferswilare: Wolfartsweiler (Württemberg), Deutschl.
Wolfertisruti, Wolfratisriuti: Wolfartsreute (Württemb.), Deutschl.
Wolfoldis: Wolfholz (Bayern, RB. Schwaben), Deutschl.
Wolfratisriuti → Wolfertisruti
Wolfvaha → Wolfaha
Wolmensis vicus: Wolmen (O-Preußen), Deutschl.
Wolmuotha: Wolnzach (O-Bayern), Deutschl.
Wolmuotinga: Wollmatingen (Baden), Deutschl.

Wolphaha → Wolfaha
Wolpotswendi: Wolpertswende (Württemberg), Deutschl.
Wolprandis: Wolfratz (Württemberg), Deutschl.
Wolrowa: Wollerau (Schwyz), Schweiz.
Wolsatorum pagus → Vetus terra
Wolvinwilare: Wolfenweiler (Baden), Deutschl.
Wonclava → Wanzeleva
Worcestria → Vigornia
Wormacensis pag. → Wormazfelda
Wormaciensis pag. → Wormazfelda
Wormacium → Vormatia
Wormaecinsis pag. → Wormazfelda
Wormatia → Vormatia
Wormatiensis civ. → Vormatia
Wormazfelda, Wormaciensis pag., Wormacensis pag., Wormaecinsis pag., Wangionum pag.: Wormsgau [Wormsfeldgau], eh. Gau in Rheinhessen u. d. Rheinpfalz, Deutschl.
Worminium: Wormhoudt (Nord), Frankr.
Wortha → Varta
Worthsati terra → Wursatia
Worzati terra → Wursatia
Wosagus → Vosegus
Wosega → Vosegus
Woyda → Weida
Wratislavi: Wratislaw (Böhmen), Tschechoslow.
Wratislavia, Brauslavia, Brathaslavia, Bretizlavensis civ., Brezlaensis, Brezlavia, Brezlawensis, Vraclaviensis episcopatus, Vratislavia, Vrescelavia, Wratiszia, Wratizlavia, Wrotizlavia, Fretislava, Wrotizia: Breslau [Wrocław] (N-Schlesien), Deutschl.
Wratiszia → Wratislavia
Wratizlavia → Wratislavia
Wrethum, Fredenna, Frethinna, Fretheni, Frethunensis civ.: Vreden (Westfalen), Deutschl.
Wrotizia → Wratislavia
Wrotizlavia → Wratislavia
Wuda → Buda
Wuelferbitum → Guelferbytum
Wulda → Fuldaha
Wuldensis eccl. → Fuldense coenob.
Wultawa → Multavia
Wulvena: Wulfen (Anhalt), Deutschl.
Wurcza terra → Barcia
Wuringensis civ.: Worringen [Köln-Worringen] (Rheinprov.), Deutschl.
Wurrena → Wurzena
Wursatia, Wursatorum terra, Worthsati terra, Worzati terra, Wersaci terra, Wurtzacia: Wursten [Wurstnerland, Land Wursten], Landschaft a. d. Mündung d. Weser (Hannover), Deutschl.
Wursatorum terra → Wursatia
Wurta → Varta
Wurtemberga (regnum), Wirtembergensis ducatus, Virimbergensis: Württemberg, Land, eh. Hgt. u. Kgr., Deutschl.
Wurtzacia → Wursatia
Wurzena, Wurrena: Wurzen (Sachsen), Deutschl.
Wyda → Weida
Wydenia → Widenia
Wyesela → Vesalia
Wyndelesora → Vindesorium
Wyndus → Winda
Wyrbina → Wirbina
Wyrdina → Werdena
Wyrum: Weringhof (Westfalen), Deutschl.
Wysala → Vistula
Wysla → Vistula
Wyslo → Wislo

X

Xancontium, Sanconium, Tinconcium: Sancoins (Cher), Frankr.
Xanctum → Xantae
Xantae, Xantis, Xantum, Xanctum, Sanctum, Sanctae, Santae, Sancti, Santena, Sanctensis civ., Zanctum, Ad Sanctos, Trajana colonia, Troja minor, Troja secunda: Xanten (Rheinprov.), Deutschl.
Xantis → Xantae
Xantum → Xantae
Xera equitum → Pax Bajoxus
Xeresium, Asta regia: Jerez de la Frontera (Cádiz), Span.
Xiphonia: abgeg. am Kap Santa Croce (Syrakus), Ital.
Xiphoniae promont.: Kap Santa Croce [Capo Santa Croce], Vorgeb. östl. Augusta (Syrakus), Ital.
Xiphonius portus: Porto Xifonio, Meeresbucht östl. Augusta (Syrakus), Ital.
Xuthia: Sutera (Caltanissetta), Ital.

Y

Yarmutum, Yermutha, Jarmuthum, Garianonum: Great Yarmouth (Co. Norfolk), Engl.
Ybernia → Scotia major
Ybrejum → Ibrejum
Ybsa → Ipsa
Ydruntum → Idrontum
Yermutha → Yarmutum
Ylarus → Ilara
Ylla → Ella
Ymera → Imera
s. Ymeri vallis: Sankt Immer [Saint-Imier] (Bern), Schweiz.
Yminiati castr. → s. Miniati ad Tedescum fan.
Ymula → Emula
Yoghalia, Jogalia: Youghal [Eochaill] (Co. Cork), Eire.
Ypera → Ipra
Ypinum: Picciano (Teramo), Ital.
Ypoliti fan. → Sampolitanum
Yposa, Ispinum: Yepes (Toledo), Span.
Ypra → Ipra
Ypretum → Ipra
Ysara → Isara
Ysenacum, Isenacum, Hysnacum: Eisenach (Thüringen), Deutschl.
Ysera → Isara
Yseum → Sebum
Yspera: Isper (N-Österr.), Österr.
Ysra: Iser [Jizera], Nfl. d. Elbe (Böhmen), Tschechoslow.
Yssche insula: Ischia [Isola d'Ischia], Ins. (Neapel), Ital.
Ystenses → Estonia
Ystria → Histria
Ytalia → Italia
Ytumna → Icauna
Yvodium → Cariniacum
Yvodium → Ivodium
s. Yvonis fanum → Cetobriga

Z

Zabarna → Tabernae Alsatiae
Zabatus major: Großer Sab [Zāb al-Khabīr], Nfl. d. Tigris, Irak.
Zabatus minor: Kleiner Sab [Zāb as-Saghīr], Nfl. d. Tigris, Irak.
Zaberna → Tabernae montanae
Zabernia → Tabernae Alsatiae
Zabesus, Sabesus: Sebeş [Mühlbach, Szászebes, Sebeşu Săsesc] (Hunedoara), Rumän.
Zabothus → Silentius mons
Zabrena → Tabernae Alsatiae
Zafusensis → Probatopolis
Zagrabia, Zagravia, Zagrabiensis montis civ., Graecensis montis civ., Agranum: Zagreb [Agram, Zágráb] (Kroatien), Jugoslaw.
Zagrabiensis montis civ. → Zagrabia
Zagravia → Zagrabia
Zahlburgum: Salberg bei Trondheim, Norweg.
Zaïrus → Congus
Zaladia → Zaladium
Zaladiensis comit., Saladiensis comit.: Zala, Komit. Ung.
Zaladium, Zaladia, Salada: Zalaegerszeg (Zala), Ung.
Zambia → Sambia
Zamoscium, Samoscium, Zamoseium: Zamość (Lublin), Polen.
Zamoseium → Zamoscium
Zanctum → Xantae
Zaphas → Joppa
Zara → Sora
Zarandiensis comit.: Zarand, eh. ung. Komit. (Hunedoara), Rumän.
Zarax, Hierax: Jerax [Hieraka] ndl. Monembasia (Peloponnes), Griechenl.
Zarensis → Zeringia
Zaringia → Zeringia
Zarmigethusa → Ulpia Trajana
Zaslavium: Iz'aslav [Sasslaw] (Ukrain. SSR), UdSSR.
Zaspi: Kampen [Kępino] (N-Schlesien), Deutschl.
Zatecensis, Lucensis: Žatec [Saaz] (Böhmen), Tschechoslow.
Zatensis mons → Silentius mons
Zathmariensis → Zathmarium
Zathmariensis comitatus, Szathmariensis comit.: Szatmár [Sathmar, Satu Mare], eh. ung. Komit. (Szabolcs-Szatmár, Marmarosch), Ung. u. Rumän.
Zathmarium, Sathmariensis, Zathmariensis: Satu Mare [Sathmar, Szatmárnémeti] (Marmarosch), Rumän.
Zazatum → Sosatium
Zazavensis → Sazawa
Zazaviensis → Sazawa
Zazoa → Sazawa
Zcewena → Kevena
Zcickara: Zickra (Thüringen), Deutschl.
Zcucha → Czucha
Zea, Julia: Gail, Nfl. d. Drau (Tirol u. Kärnten), Österr.
Zeacollis → Zeapolis
Zeapolis, Zeacollis, Tricollis, Dinckelspuhla, Dunkelspila: Dinkelsbühl (M-Franken), Deutschl.
Zedemundi villa: abgeg. bei Münster (Westfalen), Deutschl.
Zedlica, Zedlicensis civ.: Zettlitz bei Karlovy Vary [Karlsbad] (Böhmen), Tschechoslow.
Zedlicensis civ. → Zedlica
Zeelandia → Codanonia
Zeina → Seyna

Zeinna → Cinna

Zeizinmuri: Zeiselmauer (N-Österr.), Österr.

Zelandia Flandrensis → Quattuor officia

Zelasium promont.: Akroterion Stavros, Vorgeb. (Thessalien), Griechenl.

Zellia: Zalău [Zillenmarkt, Zilah] (Siebenbürgen), Rumän.

Zellinga: Zellingen (U-Franken), Deutschl.

Zelonia → Selonensis civ.

Zelza: Selz bei Litoměřice [Leitmeritz] (Böhmen), Tschechoslow.

Zelzia → Silesia

Zempliniensis comit.: Zemplén, Teil d. Komitats Borsod-Abauj-Zemplén, Ung.

Zenuva, Znuvia: Schney [Schnai] (O-Franken), Deutschl.

Zephyria, Acita, Acythus: Milos [Melos, Melo], Ins. (Ägäisches Meer), Griechenl.

Zerbis → Servesta

Zeringia, Zaringia, Saringia, Zarensis: Zähringen [Freiburg-Zähringen] (Baden), Deutschl.

Zernae → Statio Tsiernensis

Zernensium colonia → Statio Tsiernensis

Zernes → Statio Tsiernensis

Zeverinum → Drubetis

Zeymae: Sejny (Białystok), Polen.

Zibinum → Fundus regius Saxonicus

Zigardii villa: Siegersdorf [Zebrzydowa] (N-Schlesien), Deutschl.

Zigaris → Augusta Vindelica

Zimbera: Zimmern (Pr. Sachsen), Deutschl.

Zimbra, Ancencimbra: Herrenzimmern (Württemberg), Deutschl.

Zinnensis → Cinna

Zinzinwilare, Cincioneswilare: Zinswiller [Zinsweiler] (Bas-Rhin), Frankr.

Ziomici → Glomaci

Zionza: Schonz, Nfl. d. Kamp (O-Österr.), Österr.

Zirbia → Sorabi (terra)

Zirichaea → Sirixensis villa

Ziriczaea → Sirixensis villa

Ziridava: Szöreg (Csongrád), Ung.

Zirwisti → Servesta

Zittavia → Sitavia

Ziusla: Schwissel (Schleswig-Holstein), Deutschl.

Ziza → Siza

Zizani, Cziczani: Zitz (Brandenburg), Deutschl.

Zizaria, Cizuris, Ciceres: Zizers (Graubünden), Schweiz.

Zizi: Strahof bei Město Teplá [Tepl] (Böhmen), Tschechoslow.

Zlechoviensis urbs → Cechoviensis urbs

Zlesi mons → Silentius mons

Zlesia → Silesia

Zleznensis → Silesia

Zlus → Sclusa castr.

Znena: Żnin (Posen), Polen.

Znioclaustensis: Kláštor pod Znievom [Znió-Váralja, Kühhorn] (Slowakei), Tschechoslow.

Znoima → Snewnia

Znoyma → Snewnia

Znuvia → Zenuva

Zobtensis mons → Silentius mons

Zoliensis comit., Soltensis processus: Zólyom [Sohl], eh. ung. Komit. (Slowakei), Tschechoslow.

Zollinga: Zolling (O-Bayern), Deutschl.

Zolnerum castr., Zolre castr.: Hohenzollern, Schloß (Hohenzollern), Deutschl.

Zolre castr. → Zolnerum castr.

Zolvera: Soleuvre [Zolver], Luxemburg.
Zonchium → Epitalium
Zorbia → Sorbiga
Zorogeltinga: Zorneding (O-Bayern), Deutschl.
Zowengonia → Suencua
Zozatum → Sosatium
Zraphela → Scrapelo
Ztadici → Stadici
Ztadisci → Stadici
Zuarina → Spuirsina
Zuarinensis → Spuirsina
Zuencua → Suencua
Zuenkowa → Suencua
Zuercensis → Turicum Helvetiorum
Zuetla → Zwetla
Zuifaltilo → Zwifeltum
Zuifaltum → Zwifeltum
Zulichium, Zulichovium: Züllichau [Sulechów] (Brandenburg), Deutschl.
Zulichovium → Zulichium
Zulpiacum → Tolbiacum
Zulsbacum → Solisbacum
Zultzbacum → Solisbacum
Zumi → Thumum
Zurbici → Sorbiga
Zurza → Zurzacha
Zurzacha, Zurziaca, Zurziacum, Zurza, Certiacum: Zurzach (Aargau), Schweiz.
Zurziaca → Zurzacha
Zurziacum → Zurzacha
Zutfania → Sutfania
Zutphania → Sutfania
Zuwilare, Zuzwilare: Zuzwil (St. Gallen), Schweiz.
Zuzos: Zuoz [Zuz] (Graubünden), Schweiz.
Zuzwilare → Zuwilare
Zventina: Schwentine, Fl., Mü: Ostsee (Schleswig-Holstein), Deutschl.
Zvini → Svidnitium
Zvinum → Svidnitium
Zvivalta → Zwifeltum
Zwerais: Zuggers (N-Österr.), Österr.
Zwetla, Zwetlum, Zuetla, Czwettla, Swietla: Zwettl (N-Österr.), Österr.
Zwetlum → Zwetla
Zwickowa, Cygnea, Cygneum, Cynavia: Zwickau (Sachsen), Deutschl.
Zwifeltum, Zwivulda, Zwifulda, Zwivaltaha, Zuifaltum, Zuifaltilo, Zvivalta, Zwivildense coenobium, Zwiveldense coenobium, Duplex aquae: Zwiefalten (Württemberg), Deutschl.
Zwifulda → Zwifeltum
Zwinga: Schwinge, Nfl. d. Elbe (Hannover), Deutschl.
Zwini → Svidnitium
Zwivaltaha → Zwifeltum
Zwiveldense coenobium → Zwifeltum
Zwivildense coenobium → Zwifeltum
Zwivulda → Zwifeltum
Zwolla → Swollis
Zwollae → Swollis
Zylium: Chillon, Schloß (Waadt), Schweiz.

DEUTSCH—LATEINISCH

A

Aa, Fl.: Agino
Aa, Fl.: Alpha
Aa, Fl.: Eimeno
Aa (Westfälische Aa), Fl.: Alpha
Aa, Westfälische ~ → Aa, Fl.
Aabenraa → Åbenrå
Aachen: Aquisgranum
Aalborg: Aalburgum
Aalen: Ala
Aalst (Alost): Alostum
Aalter: Alstra
Aar, Fl.: Abrinca
Aar, Fl.: Arda
Aarau: Araugia
Aarburg: Arburgum
Aardenburg: Ardenburgum
Aargau, Kt.: Argogia
Aarhus: Aarhusium
Aarsele: Harselia
Aas, Fstg.: Aasa (munitio)
Aat → Ath
Aba-Ujvar, Grafsch.: Abavyvariensis comit.
Abancay: Abacantus
Abassabad (Abbass Abad): Abasci
Abauj-Torna, Komit.: Tornensis comit.
Abbach: Abacum
Abbans-Dessous: Abbatis villa
Abbass Abad → Abassabad
Abbaye du Val des Choues → Val des Choues, Le ~, Kl.
Abbeville: Abbatis villa
Abbily: Abiliacum
Abbotsford: Abbefortia
Abcoude: Abcudia
Åbenrå (Aabenraa, Apenrade): Oppenra
Abens, Fl.: Abia
Abensberg: Abensperga
Aberavon: Aberavonium
Aberdeen: Aberdona
Aberffraw: Gadiva
Abergavenny: Abergonium
Abernethy: Abrenothium
Abersee, der ~ (Sankt-Wolfgangsee): Abria lacus
Abjat: Abiacum
Abingdon: Abbentonia
Ableiges: Ablesia
Ablon: Ablonium
Åbo → Turku
Abrantes: Abrantium
Abrud (Groß Schlatten): Auraria Magna
Abruzzen (Abruzzi), Landsch.: Abrutium
Abruzzi → Abruzzen, Landsch.
Abtenschwend: Swendi
Abû Tîg: Abotis
Abusir: Busiris
Acca → Akko
Acerenza: Agerentia
Acerno: Acernum
Acerra: Acerrae
Ach, Bregenzer ~ → Bregenzer Ach, Fl.
Achaia, Fstm.: Achaiae principat.
Acheloos, Fl.: Achelous
Achern: Achera
Achery: Erchrecum
Achmim (Achmin, Akhmîn): Panopolis
Achmin → Achmim
Achtyrka: Achyrum
Acle: Aclea
Acquapendente: Aquula
Acqui: Stellatae aquae
Adda, Fl.: Abdua
Adelsreuthe: Adilsriuti
Adelwil: Adilwilare
Aderno: Adranum

Adige (Etsch), Fl.: Athesis
Adonco: Adoncum
Adony: Adonum
Adour, Fl.: Arus silvensis
Adra: Abdara
Aebeltoft: Ebeltoftia
Ägäisches Meer (Aigaion Pelagos, Aigaios Pontos): Archipelagus
Ägeri (Ober- u. Unterägeri): Aegri
Ägerisee: Aegerius lacus
Ägion → Aigion
Ägypten, Mittel ~ → Mittel-Ägypten
Ägypten, Ober ~ → Ober-Ägypten
Aelen (Aigle): Ala
Ärmelkanal → Kanal, der ~
Aernen: Aragnum
Aerö → Arröe, Ins.
Äschach: Ascha
Ätingen: Aetinga
Afflighem: Afflegemium
Affoldern: Affaltra
Affreville → Khemis
Agay: Aegitna
Agde, Cap d' ~**:** Setium promont.
Agen: Agensinatium civ.
Agenais, Landsch.: Agenensis pag.
Aghrim: Agrimum
Agly (Egly), Fl.: Eglis
Agnano-See: Anianus lacus
Agny: Aniacum
Agosta → Augusta
Agout, Fl.: Acutus
Agramunt: Agramontium
Agria Grambûsa, Ins.: Cimarus
Agro Pontino → Pontinische Sümpfe
Agropoli: Acropolis
Aguilar de Campóo: Agilara
Ahaus: Aarhusum
Ahausen-Sitter → Sitter
Ahden: Adana
Ahlden: Ascalingium
Ahlum: Odenum
Ahr, Fl.: Ara
Ahrgau, Landsch.: Arhaugia
Ahrweiler: Aerwilra
Ahse, Fl.: Ursna
Ahun: Accitodunum
Aibling: Albianum
Aich: Eicha
Aichach: Aecha
Aidlingen: Otilinga
Aidussina, Santa Croce di ~ → Vipavski križ
Aigaion Pelagos → Ägäisches Meer
Aigaios Pontos → Ägäisches Meer
Aigina, Ins.: Myrmidonia
Aigion (Ägion, Bostitsa, Vostitsa): Egea
Aigle → Aelen
Aignay-le-Duc: Aniacum
Aigremont-le-Duc: Agramontium
Aiguebelette-le-Lac: Bellae aquae Cameriorum
Aiguebelle: Aqua pulchra
Aigueperse: Petrocoriorum aquae
Aigues-Mortes: Mortuae aquae
Aigues-Vives: Vivae aquae
Aiguille, Pointe de l' ~**, Vorgeb.:** Pictonium promont.
Aiguille-d'Arves, Berg: Inaccessus mons
Aiguilles: Acus
Aiguillon: Acilio
Aimargues: Armasanicae
Aime: Axuna
Ain, Fl.: Addua
Ainadjik (Inecik): Theodosiopolis
Airdrie: Airdria
Aire: Julii vicus
Aire, Fl.: Arrosa
Aire-sur-la-Lys: Aria Atrebatum
Airolo: Ayrolum
Airy: Airiacum
Aisne, Fl.: Axona
Aitrach: Aitra
Aiud (Nagyenjed, Strassburg): Enyedinum

Aix-les-Bains: Gratianae aquae
Aix, Île d' ~ → Île d'Aix
Aizkraukle (Ascheraden): Ascradis
Ajaccio: Adiacium
Ajas (Ajasch): Adiacium
Ajello: Tilesium
Ajion Oros, Golf v. ~ → Hagion Oros, Golf v. ~
Ajoie (Ajoye, Elsgau), Landsch.: Alsgaugensis pag.
Ajoye → Ajoie, Landsch.
Ak-Serai (Aksarai, Kundus), Fl.: Garsaura
Akaba, Golf v. ~ (Kalîg el-'Aqaba): Aelaniticus sinus
Akanis → Erciş
Akçahisar → Krujë
Akčar → Arčar
Akdeniz → Mittelländisches Meer
Aken: Saxonicae aquae
Akershus: Acherhusia
Akersloot: Lis
Akhmîn → Achmim
Akkerman → Belgorod Dnjestrowskij
Akko (Acca, Accon, Akka, Akkon, St-Jean-d'Acre, San Giovanni d'Acri): Acco
Akra Derris → Drepanon, Kap ~
Akra Drépanon → Drepanon, Kap ~
Akroterion Kamélion → Kamilion, Kap ~
Akroterion Spatha → Spatha, Kap ~
Akroterion Stavros, Vorgeb.: Zelasium promont.
Aksarai → Ak-Serai
Aksum: Auxumum
Aktschar → Arčar
Al-Khedir → El-Chider
Al-Mosul → Mosul
Al Mukalla (Macula, Makalla): Emporium Arabiae
Alagón: Alabon
Alairac: Alarici castr.
Alais (Alès): Alesia
Ålands-Inseln (Ahvenanmaa): Aboenses insulae
Alarcón: Illarco
Alatri: Aletrium
Alb, Geb.: Jugum alba
Alba Julia (Karlsburg): Alba Carolina
Albanien (Shqiperia): Albania
Albano Laziale: Albania
Albarracin: Albaracinum
Albeck: Angulus Alpium
Albegno: Almiana
Albenga: Alba Ingaunorum
Albenque: Albencum
Alberswil: Albratiswilare
Albert: Albertum
Alberweiler: Adilberinwilare
Albgau, Gau: Albechowa
Albi: Albigensis urbs
Albiano: Appianum
Albigeois, Landsch.: Albiensis pag.
Albisheim: Albulfi palat.
Albon: Albonis castr.
Alboran, Ins.: Erroris ins.
Albrechtice → Eisenberg
Albula, Fl.: Albula
Alburquerque: Alba quercus
Alcácer do Sal: Alcasarium Salinarum
Alcalá-la-Real: Alcala regalis
Alcañiz: Alcanitium
Alcántara: Norba Caesarea
Alcántara, Fl.: Tauromenius
Alcaraz, Sierra de ~ → Sierra de Alcaraz, Geb., → Sierra de Alcaraz u. Sierra de Ronda, Geb.
Alcira: Saetabicula
Alcobaça: Eborobritum
Alcocer: Alcocerum
Alcoléa: Flavium Arvense
Alcoléa del Rio: Arva
Alcoy: Seterrae aquae
Aldborough: Isurium

Alderney (Aurigny), Ins.: Ebodia
Alderney, Race of ∼ → Race of Alderney, Meerenge
Aldingen: Aldinga
Alegria: Tullonium
Alemtejo, Prov.: Provincia Transtagana
Alençon: Alenconium
Alep → Haleb
Aleppo → Haleb
Alès → Alais
Ales → Lesa
Alessandria: Alexandria Statiellorum
Alessano: Alexani civ.
Alessio → Lezhë
Alet: Alecta
Alexandrowsk → Zaporožje
Alfeld: Alfelda
Algarve, Prov.: Algarbia
Alger → Algier
Algerien (Algérie): Algerium
Alghero: Algaria
Algier (Alger, El-Djezaïr): Icosium
Alhambra: Flavium Laminitanum
Alicante: Alicantium
Alise-Sainte-Reine: Alesia
Alixan: Alexianum
Alkmaar: Alcmaria
Allanche: Alantia
Allaro, Fl.: Sagra
Allen: Alna
Allenstein (Olsztyn): Allenstenium
Aller, Fl.: Alara
Allerheiligen, Kl.: Omnium Sanctorum monast.
Allerton: Caractonum
Allgäu, Landsch.: Algea
Allier, Fl.: Elauris
Allones, Fl.: Vir
Allonnes: Avolotium
Allstedt: Alstadium
Alluyes: Avallocium
Alm, Fl.: Albina
Alma, Fl.: Calamita
Almada: Alsena
Almagro: Mariana castr.
Almanza: Almantica
Almaraz: Almarazum
Alme: Alma
Alme, Fl.: Almana
Almería, Golf v. ∼ (Golfo de Almería): Urcitanus sinus
Almeirim: Almarinum
Almissa → Omiš
Aln, Fl.: Alenus
Alost (Aalst): Alostum
Alpe, Julijske ∼ → Julische Alpen
Alpen, Cottische ∼ → Cottische Alpen
Alpen, Graubündener ∼ → Graubündener Alpen
Alpen, Julische ∼ → Julische Alpen
Alpes Cottiennes → Cottische Alpen
Alpi Cozie → Cottische Alpen
Alpi Giulie → Julische Alpen
Als (Alsen), Ins.: Alsa
Als Fjord (Alsen Föhrde): Alsae fretum
Alsace (Elsaß), Landsch.: Alisatia
Alsen (Als), Ins.: Alsa
Alsen Föhrde: Als Fjord
Alsenz, Fl.: Alasenza
Alsfeld: Alsfelda
Alsófeher (Unterweißenburg), Komit.: Albensis comit.
Alster, Fl.: Alstra
Alsum: Aldesum
Alt → Olt, Fl.
Alt Ofen (Ó Buda): Buda
Alt Rapperswil, Ru.: Raprehteswillare
Altamura: Lupetia
Altbunzlau → Stará Boleslav
Altdorf: Altdorfium
Altdorf: Altendorfium
Altdorf → Altorf
Altdorf: Vetusta villa

Altefähr: Antiquum Passagium
Altena: Alcena
Altenahr: Ara
Altenau: Altona
Altenberg: Antiquus mons
Altenberg, Kl.: Vetus mons
Altenbergen: Berga
Altenbeuren: Altbura
Alten Biesen → Vieux-Joncs
Altenburg: Altenburgum
Altenfurt: Antiquum vadum
Altenhof, Brandenburg: Altena
Altenhof, O-Franken: Vetus curia
Altenhof, O-Österr.: Vetus curia
Altenrode: Aldenrotha
Altensteig: Aldunsteiga
Altenvoerde (Ennepetal-Altenvoerde): Fordi
Altes Land, Landsch.: Vetus terra
Altezzan, Schl.: Venatio regia
Althausen (Olszówka): Antiquum castr.
Althornbach: Gamundia
Alti Tauri → Hohe Tauern, Geb.
Altkastilien (Castilla la Vieja): Castilia vetus
Altkirchen: Altchiricha
Altlublau → Stará L'ubovňa
Altmetz → Mezzolombardo
Altmorschen: Mursenaha
Altmühl, Fl.: Alcmana
Altmühlmünster: Alemanni monast.
Alto Adige (Oberetsch, Tiroler Etschland), Landsch.: Athesia regio
Altötting: Oetinga
Altomünster: Altonis monast.
Altona: Altena
Altorf (Altdorf): Altendorfium
Alt-Orschowa → Orşova
Alt-Orsova → Orşova
Altrich: Alta regia
Altripp: Alta ripa
Alt-Rodna → Rodna
Altschweier: Alineswilare
Alt-Selburg → Sēlpils
Altslankamen → Slankamen
Altsohl → Zvolen
Altstätten: Alterpretum
Aluta → Olt, Fl.
Alvagne → Alveneu
Alveneu (Alvagne): Albinovum
Alverca: Alanorum fan.
Alvidona: Levidona
Alzate: Alciatum
Alzette, Fl.: Letia
Alzey: Alceja
Amager, Ins.: Amagria
Åmål: Amalia
Amalfi: Amalphia
Amance: Emaus
Amance: Esmantia
Amantea: Adamantia
Amarante: Amaranthus
Amasya: Amasea
Amato, Fl.: Lamecus
Amatrice: Amatrica
Amberg: Amberga
Ambérieux-en-Dombes: Amberiacum
Amberloup: Amberlacensis fiscus
Ambernac: Antebremacum
Ambert: Ambertum
Ambieteuse: Ambietosa
Ambleside: Dictis
Amblève, Fl.: Ambalva
Amboise: Ambacia
Ambras: Homeras castr.
Ambronay: Ambroniacum
Amden (Ammon): Amoenus mons
Amel: Ambalva
Ameland, Ins.: Ambal
Amelunxen: Amelunxia
Amersbury: Ambresburia
Amersfoort: Amersfordia
Amiens: Ambianum
Ammer, Fl.: Ambra
Ammern: Amaraha
Ammerschwihr (Ammerschweier): Amalrici villare

Ammersee, See: Ambriae lacus
Ammerswil: Amartswilare
Ammertal: Amardela
Ammon → Amden
Amorbach: Amerbacense monast.
Ampilly-le-Sec: Amphiacum
Amplepuis: Ampliputeum
Ampugnani: Ampuniana
Amselfeld → Kosovo polje, Landsch.
Amstel, Fl.: Amstela
Amsterdam: Amstelodamum
An Clár → Clare, Grafsch.
An Dún Mór → Dunmore
An Éirne → Erne, Fl.
An Laoi → Lee, Fl.
An Life → Liffey, Fl.
An Longphort → Longford
An Mhí → Meath, Grafsch.
An-Najaf (Nedjef, Meschhed Ali): Vologesia
An tSionna → Shannon, Fl.
Ancenis: Ancenesium
Anchin → Anzin
Ancona, Mark ~ → Marken, Landsch. u. Reg.
Ancône: Ancunum
Ancy-le-Franc: Anciacum
Andalucía → Andalusien
Andalusien (Andalucía), Landsch.: Vandalitia
Andelfingen: Antolvinga
Andelot: Andelocium
Andelys, Les ~: Andeleium
Andenne: Andennae
Anderlecht: Anderlacum
Andernach: Auturnacum
Andiesenhofen: Antesana
Andisleben: Asoltesleba
Andlau: Andela
Andorno: Andurnum
Andover: Andowera
Andreasberg: s. Andreae burgus
Andreasinsel (St. Andrä-Insel, Szent Endre oder Szentendre-Insel): s. Andreae ins.
Andres: Andria
Andrésy: Andresiacum
Andria: Andria
Andros, Ins.: Epagris
Andújar: Andusara
Anduze: Andusia
Anet: Anetum palat.
Angelmann: Angela
Angeln, Landsch.: Anglia
Angerapp (Angrapa, Wegorapa), Fl.: Wangrapia
Angeren: Angrina
Ångermanelf, Fl.: Angermannus fluv.
Angermanland, Landsch.: Angermannia
Angers: Andegabum
Anghiera, Grafsch.: Angleriae comit.
Anglesey, Ins.: Anglesaga
Anglia, East ~ → Ostanglien, Kgr.
Anglure: Angledura
Angoulême: Engolisma
Angoumois, Grafsch.: Engolismensis pag.
Angrapa → Angerapp, Fl.
Angus (Forfar), Grafsch.: Angus
Anhalt, Fstm.: Anhaltinum
Ani (Anisi): Abnicum
Aniane: Aniani eccl.
Anisi → Ani
Anizy-le-Château: Anisiacovicus
Anjou: Andegavensis ager
Ankenreute: Anchenruti
Anklam: Anclamium
Annaberg: Annaberga
Annaburg: Amoenaeburgum
Annagh: Anagelum
Annan: Annandi civ.
Annan, Fl.: Annandus
Annandale, Tal: Annandia
Annappes: Anapium
Annecy: Anecium

Annonay: Annonacum
Anraff: Anraffa
Anras: Anarasum
Ansbach (Onolzbach): Onoldinum
Anse: Ansa
Anstel: Ansela
Anster → Anstruther
Anstett: Austeti
Anstruther (Anster): Anstruttera
Antequera: Anticaria
Anthenay: Antennacum
Anthill: Antilia
Antigny: Antiniacum
Antigny-le-Château: Antiniacum
Antillen, Inselgruppe: Antillicae insulae
Antivari → Bar
Antoing: Anthonium
Antran: Hilarii eccl.
Antriff, Fl.: Antrafa
Antrim: Antrinum
Antwerpen (Anvers): Antwerpium
Anvers → Antwerpen
Anzi: Anxia
Anzin (Anchin): Aquiscinctum
Aoste: Augustum
Apenrade → Åbenrå
Apice: Apicium
Apolda: Apoldia
Appelhülsen: Abbenhulis
Appenweier: Abbenwilare
Appenweiler: Appenwilare
Appenzell: Abbatis cella
Appiano (Eppan): Piano castra
Appingedam (Den Dam): Dammona
Appleby: Aballaba
Aps: Rupes alba
Apt: Apta Vulgientium
Apuania → Massa
Aquila → Aquila, L' ~
Aquila → Aquila, L' ~, Prov.
Aquila, L' ~ (L' Aquila degli Abruzzi): Aquila in Vestinis
Aquila, L' ~ (Aquila), Prov.: Aquila prov.
Arabkir → Arapkír
Arad, Komit.: Aradiensis comit.
Aragón → Aragonien, Landsch.
Aragonien (Aragón), Landsch.: Aragonia
'Araich, El ~ → Larache
Aralsee (Aralskoje more): Chorasmias lacus
Aralskoje more → Aralsee
Aramon: Aramonoeum
Aranjuez: Aranguesia
Arapkír (Arabkir): Arabrace
Araquil → Huarte-Araquil
Arbois: Arbosia
Arbon: Arbona
Arbresle, L' ~: Episcopi villa
Arčar (Artschar, Akčar, Aktschar): Ratiaria
Arcey: Artiacum
Archangelsk (Nowo Cholmogory, Neu Cholmogor): Archangelopolis
Archena: Calidae aquae
Arcis-sur-Aube: Archiacum
Arcs, Les ~: De Arcibus castr.
Arctic Ocean → Nordpolarmeer
Arcueil: Arcolium
Ardagh: Ardaca
Ardead (Arded, Ardud, Erdöd): Erdodium
Ardèche, Fl.: Ardesca
Arded → Ardead
Ardennen (Ardenner Wald, Les Ardennes, Ösling): Ardennensis silva
Ardenner Wald → Ardennen
Ardennes, Les → Ardennen
Ardes (Ardes-sur-Couze): Ardea
Ardez (Steinsberg): Ardexis
Ardfert: Ardartum
Ardin: Aredunovicus
Ardres: Ardea
Ardschisch → Argeş

Ardud → Ardead
Are, Fl.: Arcius
Arenberg: Areburgium
Arenbögel: Armbuglia
Arensberg: Arensberga
Argengau, Landsch.: Aringovensis pag.
Argentan: Argentomum
Argentat: Argentacum
Argenteuil (Argenteuil-sur-Seine): Argentolum ad Sequanam
Argenteuil-sur-Armançon: Argentollum
Argentière-la-Bessée, L': Argentaria
Argenton-Château: Argento
Argenton-sur-Creuse: Argentomagus
Argeş (Argeşul, Ardschisch), Fl.: Ardiscus
Argeşul → Argeş
Argonne, L' → Argonnen
Argonnen (Argonner Wald, L'Argonne), Geb.: Argonna
Argonner Wald → Argonnen
Arguin, Ins.: Cerne
Argyllshire, Grafsch.: Argadia
Ariano: Ariani castr.
Ariège, Fl.: Alburacis
Arignano: Arinianum
Arisch, El ∼ → El-Arisch
Arivour, L' ∼ (Larrivour), Kl.: Ripatorium
Ariza: Aracosia
Arjona: Argaionense castr.
Arkona, Kap∼: Arcum
Arktiske Hav → Nordpolarmeer
Arlanc: Arlantum
Arles (Arles-sur-Rhône): Arelatensis colonia
Arles-sur-Tech: Arulae
Arleux: Arensium
Arlon: Arlunum
Armagh, Grafsch.: Ardimacha
Armagnac, Landsch.: Armeniacensis comit.
Armançon, Fl.: Armentio
Armenierstadt → Gherla
Armentières: Armentariae
Armorique, Landsch.: Letavia
Arnau → Hostinné
Arnay-le-Duc: Arnacum Ducum
Arnemuiden: Arnemuda
Arnheim: Arecanum
Árnissa (Ostrovo): Cellae
Arnoldshof: Arnolshova
Arnon, Fl.: Utrio
Arnstadt: Arnstadium
Arnswalde: Arenswaldensis civ.
Arolsen: Arothia
Aronde, Fl.: Oronna
Arone, Fl.: Larus
Arpajon: Arpajonum
Arqua: Arquata
Arques-la-Bataille: Arca
Arran, Ins.: Brandinos
Arras (Atrecht): Origiacum
Arröe (Aerö), Ins.: Arroa
Arronches: Aranum
Arrouaise: Arroasia
Arroux, Fl.: Arosius fluv.
Arsago: Ara Caesaris
Artas: Artajum
Artaschat: Artaxata
Artenay: Arthenaeum
Artern: Argelia
Arth: Arta
Artois, Landsch.: Artesia
Artschar → Arčar
Arundel: Aruntina
Arva, Komit.: Arvensis comit.
Arzberg, O-Franken: Metalicus mons
Arzberg, O-Österr.: Artobriga
Arzell: Apezella
Arzeu → Arzew
Arzew (Arzeu): Magnus portus
Arzignano: Arsignanum
Arzîla: Julia Zilis
Asbeck: Asboka
Asberg: Asciburgium

Aschach: Asca
Aschaffenburg: Schaffnaburgum
Ascheberg: Asschaberga
Ascheraden → Aizkraukle
Aschern: Aschera
Aschersleben: Ascania
Asi (Assi nehri, Nahr el Asi), Fl.: Orontes
Asin: Jassus
Asinaro, Fl.: Asinarus fluv.
Ašmena → Ošm'any
Asnan: Aanantum
Asow: Asovia
Aspe, Pr. Hannover: Asopus
Aspe, Pr. Alicante: Aspis
Aspel: Aspola
Asperen: Aspera
Aspremont: Asprimontium
Asse, Berg: Assa
Assens: Asnesum
Assi → Asi, Fl.
Assisi: Assisium
Aßweiler → Asswiller
Asswiller (Aßweiler): Actulfivillare
Assynt: Assinium
Astarac, Landsch.: Astarcensis ager
Astenbeck: Astenbechi
Astorga: Asturga
Astrabad → Gorgan
Ataïro, Berg: Atabyris mons
Atalante (Thalandonisi), Ins.: Atalanta
Ateca: Attacum
Atfih (Atfiyeh): Aphroditopolis
Atfiyeh → Atfih
Ath (Aat): Atha
Áth Truim → Trim
Átha Troim, Baile ~ → Trim
Athenry: Athenria
Athies-sous-Laon: Atellae villa
Athis (Athis-Mons): Artegia
Athis-Mons → Athis
Athole, Landsch.: Atholia
Atlantischer Ozean (Atlantic Ocean, Océan Atlantique, Oceano Atlantico): Externum mare
Atrecht → Arras
Atri: Matrinum
Atrop: Athorpa
Attel: Attila
Attendorf: Attendori
Attersee (Kammersee), See: Atarseo
Attichy: Attipiacum
Attigny: Attiniacus
Attuariergau → Chattuariergau, Gau
Atzenweiler: Azeluntwilare
Au, Baden: Auwa
Au, N-Bayern: Augia
Au, Kt. St. Gallen: Awia
Au, Kt. Zürich: Augia
Au, Obere ~ → Obere Au
Au, Untere ~ → Untere Au
Au am Leithaberge: Augia
Au a. d. Donau: Augia
Au im Bregenzerwald: Auwa
Au vorm Wald: Awa
Aubagne: Albania
Aube, Fl.: Alba
Aubenas: Albenacium
Aubenton: Alba Antonia
Aubepierre-sur-Aube: Alba petra
Aubeterre: Alba terra
Aubigny-sur-Nère: Albiniacum
Aubonne: Alba bona
Aubrac, Monts d' ~ → Monts d'Aubrac, Geb.
Aubusson: Albucio
Auch: Augusta Auscorum
Aude, Fl.: Adax
Audenarde → Oudenaarde
Audruicq: Alderwicum
Aue, Fl.: Chaldowa
Auer (Ora): Augea
Auerstedt: Auerstadium
Auffargis: Ulfrasiagas
Auge, Pays d' ~ → Vallée d'Auge, Landsch.

Auge, Vallée d' ~ → Vallée d'Auge, Landsch.
Augsburg: Augusta Vindelica
Augusta (Agosta): Augusta Leontinorum
Augustinusga → Augustini parochia
Augustusburg: Augustoburgum
Aula: Owelaha
Aula, Fl.: Owela
Auleben: Awanleiba
Aulnoy, Dép. Nord: Alniacum
Aulnoy, Dép. Seine-et-Marne: Clepiacum in pago Alnetensi
Aulnoye-Aymeries → Aymeries
Aumale: Alba mala
Aunac: Avedonaeum
Aunay-Bazois: Onacum
Aunay-sur-Odon: Alnetum
Auneau: Aunus
Aunis, Landsch.: Alanensis pag.
Aups: Alpes
Aura: Ura
Aurach, Fl.: Uraha
Aurana → Vrana
Aurana, Lago di ~ → Vransko jezero
Auras (Uraz): Aurasium
Auray: Auracium
Aure, Fl.: Aura
Aurès (Djebel Aures), Geb.: Audus saltus
Aures, Djebel ~ → Aurès, Geb.
Auriac-de-Bourzac: Auriacum
Aurich: Auriacum
Aurillac: Aureliacum
Aussière: Atacinus vicus
Aussig → Ústí nad Labem
Austerlitz → Slavkov u Brna
Austrasien, Landsch.: Austrasia
Authie: Altheia
Authie, Fl.: Aetilia
Autrey-lès-Gray: Altriacum
Autun: Augustodunum
Autunois, Landsch.: Augustodunensis pag.
Auvergne, Landsch.: Alvernia
Auweghem: Aldergemum
Auxerre: Antisidorum
Auxi-le-Château: Auclacum
Auxois, Landsch.: Alesiensis ager
Auxonne: Aussona
Auxy (Auxy-aux-Moines): Alciacum
Auxy (Auxy-le-Château): Alciacum
Avallon: Aballo
Avallonais, Landsch.: Avallensis pag.
Avaux (Avaux-le-Château): Avalles
Avaux-le-Château → Avaux
Ave, Fl.: Avus
Aveiro: Averium
Avella: Abella
Avellino: Abellinum
Avenay-Val-d'Or: Avenacum
Avenches (Wiflisburg): Aventicum
Aversa: Adversa
Avesnes-sur-Helpe: Avennae
Aveyron, Fl.: Avario
Avia: Via
Avigliana: Aviliana
Avigneau: Abinio
Avignon: Avenio
Avila: Albicella
Avilés: Avilla
Avio: Avium
Aviz: Avisium
Avon, Fl.: Aufona
Avranches: Abrincae
Avre, Fl.: Arva
Ax-les-Thermes: Aquae
Axbridge: Axa
Axel: Axella
Axiós → Vardar, Fl.
Ay: Ageium
Ayamonte: Aiamontinum
Ayen: Ayennum
Ayerbe: Ebillinum

Aylesbury: Aglesburgus
Aymeries (Aulnoye-Aymeries): Ameria
Ayr: Aera
Ayr, Fl.: Aereus
Aytona: Hitona
Azoren, Inseln: Accipitrum insulae
Azy-sur-Marne: Aciacum

B

Baasrode (Baesrode): Baceroda
Baba, Kap ~ → Baba Burun, Vorgeb.
Baba Burun, Vorgeb.: Lectum promont.
Babadag: Domitiana vallis
Bábaszék → Babiná
Babenhausen: Bebiana castra
Babiná (Frauenstuhl, Bábaszék): Babina
Bacharach: Bacaracum
Bács-Bodrog (Bačka, Batschka), Komit: Bacsiensis comit.
Bad Ems → Ems
Bad Harzburg → Harzburg
Bad Homburg v. d. Höhe → Homburg v. d. Höhe
Bad Königswart → Kynžvart
Bad Lippspringe → Lippspringe
Bad Mergentheim → Mergentheim
Bad Münder a. Deister → Münder a. Deister
Bad Muskau → Muskau
Bad Neustadt a. d. Saale → Neustadt a. d. Saale
Bad Oldesloe → Oldesloe
Bad Orb → Orb
Bad Ragaz → Ragaz
Bad Sachsa → Sachsa
Bad Salzig → Salzig a. Rhein
Bad Sulza → Sulza
Bad Tennstedt → Tennstedt
Bad Vilbel → Vilbel
Bad Wimpfen → Wimpfen
Badajoz: Pax Bajoxus
Baden: Pannonicae aquae
Baden a. d. Limmat: Aquae Helveticae
Baden-Baden: Badena
Baden-Oos → Oos
Badenweiler: Badenvilla
Badorf: Badua
Bäch: Bachis
Bælt, Lille ~ → Kleiner Belt
Bælt, Store ~ → Großer Belt
Baerendorf: Beronivilla
Baesrode → Baasrode
Baeza: Batia
Baga: Baganum
Bagdad (Baghdad): Bagdetia
Bagé-le-Châtel: Baugiacum
Baghdad → Bagdad
Bagnacavallo: Ad Caballos
Bagnères-de-Bigorre: Aquensis vicus
Bagnères-de-Luchon: Bagneriae
Bagnes, Val de ~ → Val de Bagnes, Tal
Bagni, Lago di ~: Albuneus lacus
Bagnolet: Balneoletum
Bagnolo Mella: Balneolum
Bagnols-les-Bains: Balneolum
Bagnols-sur-Cèze: Balnea
Bagnorea → Bagnoregio
Bagnoregio (Bagnorea): Balneum regis
Bagrationowsk → Preußisch Eylau
Baharije, Oase ~ → Oase Baharije
Bahia: Omnium Sanctorum portus
Bahlingen: Baldinga

Bahnasa, El ~ → Behneseh
Bahr el-Fars → Persischer Golf
Bahr el-Mutawassit → Mittelländisches Meer
Baia de Criş (Körösbánya): Chrysii Auraria
Baia Mare (Nagybánya): Rivulus dominorum
Baile Átha Cliath → Dublin
Baile Átha Troim → Trim
Bailen: Baecula
Baileux: Bailodium
Bailleul: Bailodium
Bailleul (Belle): Balliolum
Bailleul-Sir-Berthoult: Balleolum
Baindt: Bintensis abbatia
Baisieux: Bacium
Baix: Batiana
Bajmócz → Bojnice
Bakel: Bagalosum
Bakum: Bochorna
Balaklava: Baluclavia
Balaton (Plattensee), See: Peiso lacus
Balatonmáriafürdo: Bolonduarium
Balcanică, Peninsula ~ → Balkanhalbinsel, wstl. Teil
Baldegg: Baldecki
Baldensweiler: Baldericheswilare
Balga (Wessjoloje): Balga castr.
Balgach: Balga
Balge: Balga curtis
Balkan → Balkanhalbinsel, wstl. Teil
Balkan yarimadasi → Balkanhalbinsel, wstl. Teil
Balkanhalbinsel (Balkan, Balkan yarimadasi, Balkanski poluostrov, Balkanski poluotok, Peninsula Balcanică, Walkaniki Chersonisos), wstl. Teil, einschl. d. Peloponnes (Morea, Morias, Peloponnisos), Halbins.: Sclavinia
Balkanski poluostrov → Balkanhalbinsel, wstl. Teil
Balkanski poluotok → Balkanhalbinsel, wstl. Teil
Ballwil: Baltoswillare
Balsamer Land → Balsamgau, Landsch.
Balsamgau (Balsamer Land), Landsch.: Belxa
Baltijes Jura → Ostsee
Baltijos Jura → Ostsee
Baltijsk → Pillau
Baltimore: Baltimorensis
Baltiskoje more → Ostsee
Bałtyk → Ostsee
Balve: Ballova
Bamberg: Bamberga
Banasa, El ~ → Behneseh
Banff: Banfia
Banffshire (Banff), Grafsch.: Banfiensis comit.
Bangor: Bangertium
Banská Belá (Bélabánya, Dilln, Dillen): Dilna
Banská Bystrica (Neusohl, Beszterczebánya): Neosolium
Banská Štiavnica (Schemnitz, Selmecbanya): Schemnicium
Bapaume: Bapalma
Bar: Barium
Bar (Antivari): Antibarum
Bar-le-Duc: Barium Ducis
Bar-sur-Aube: Barium ad Albulam
Bar-sur-Seine: Barium ad Sequanam
Baranja (Baranya), Komit.: Baranyensis comit.
Baranya → Baranja, Komit.
Baranya-Udvard → Udvár
Barbados, Ins.: Barbata
Barbaros (Panizo): Panium
Barbastro: Barbastrum
Barbençon: Barbansonium
Barbezieux: Babecillum
Barby: Barbium
Barcaság → Burzenland, Landsch.
Barcellos: Barcelum

Barcelona: Barcinona
Barcelonnette: Barcinona
Barco: Barcum
Barco, El ~ → El Barco
Bardan-Gau (Bardengau), Landsch.: Bardongavensis pag.
Bardárēs → Vardar, Fl.
Bardejov (Bartfeld): Bartpha
Bardengau → Bardan-Gau, Landsch.
Bardo → Wartha
Bardowick: Bardenuvicum
Barenton: Barentonium
Barfleur: Barafletum
Bargemon: Bargemontium
Barghorn: Berghorna
Bari: Barium
Bari, Prov.: Barianus ager
Barletta: Barulum
Barlieu: Barologus
Barmen: Bermensis civ.
Barneville-sur-Mer: Crociotonorum portus
Baroncourt (Dommary-Baroncourt): Baronis curtis
Barr: Barga
Barrois, Landsch.: Barrensis pag.
Barrow: Berga
Barrow, Fl.: Barrojus
Bars (Tekov), Komit.: Barschiensis comit.
Barsac: Barsacum
Barten, Landsch.: Bartonia
Bartfeld → Bardejov
Barth: Barthum
Bartsch (Barycz), Fl.: Bartha
Barycz → Bartsch, Fl.
Basarabia → Bessarabien, Landsch.
Basel: Basilea Rauracorum
Basel, Kt.: Basalchowa
Basel, Klein ~ → Klein-Basel
Basento, Fl.: Basentinus
Basiluzzo, Ins.: Hicesia
Basing: Basinga
Bassac: Bassacum
Bassano del Grappa: Passanum
Bassigny, Landsch.: Bassiniacus pag.
Bassum: Bersensis eccl.
Bastenaken → Bastogne
Bastia Mondovi: Busta Gallorum
Bastille, Schl.: Parisiorum arx
Bastnach → Bastogne
Bastogne (Bastenaken, Bastnach): Bastonacum
Bát → Bátovce
Batenburg: Batavoburgium
Bath: Solis mons
Bátmonostor: Bathonia
Bátovce (Bát, Frauenmarkt): Bathensis villa
Batroûn (Batrun): Botrys
Batschka → Bács-Bodrog, Komit.
Baugé: Balgium
Baume-les-Dames: Balma Puellarum
Baumgarten: Paumgarta
Baumgarten → Verger, Le ~
Baumgartenberg: Pomarii montes
Bautzen: Budissa
Baux-de-Breteuil, Les ~**:** Balcium
Baux-en-Provence, Les ~**:** Baucium
Bavay: Bacacum
Bay of Bengal → Bengalen, Golf v. ~
Bayern, Land: Bavaria
Bayern, Nieder ~ → Niederbayern, Landsch.
Bayern, Ober ~ → Oberbayern, Landsch.
Bayersoien: Seum
Bayeux: Augustodurum
Bayon, Dép. Gironde: Baionium
Bayon, Dép. Meurthe-et-Moselle: Bagyona
Bayona, Islas de ~ → Cíes, Islas ~
Bayonne: Bajona
Bayreuth: Baruthum
Bayreuth, Mgft.: Culmbacensis marchion.
Bayrischzell (Margaretenzell): Helingeriswenga

Baza: Basti
Bazas: Vasatica
Bazin → Pezinok
Béarn, Landsch.: Bearnia
Beaucaire: Bellicadrum
Beauce, Landsch.: Belsia
Beaufort-en-Vallée: Bellum forte
Beaugency: Balgentiacum
Beaujeu: Baujovium
Beaujolais, Landsch.: Bellijocensis ager
Beaulieu, Dép. Cantal: Bellus locus
Beaulieu, Dép. Loiret : Bellus locus ad Ligerim
Beaulieu, Co. Louth: Bellus locus
Beaulieu (Bewley, King's Beaulieu): Bellus locus Regis
Beaulieu-en-Argonne: Beloacum
Beaulieu-les-Loches: Bellus locus iuxta Lochas
Beaulieu-sous-Bressuire: Bellus locus prope Barcorium
Beaumaris: Bellomariscus
Beaumont, Pr. Hennegau: Bellomontium
Beaumont, Dép. Haute-Loire: Bellomons
Beaumont-en-Argonne: Bellomontium in Argona
Beaumont-le-Roger: Bellomontium Rogerii
Beaumont-le-Vicomte → Beaumont-sur-Sarthe
Beaumont-sur-Sarthe (Beaumont-le-Vicomte): Bellomontium Vicecomitis
Beaune: Belna
Beaune-la-Rolande: Belna Rolandi
Beaupréau: Bellopratum
Beaurepaire: Bella Reparia
Beausset, Le ~: Bellicetum
Beauvais: Bellovacus
Beauval: Bella vallis
Beauvoisin: Bellovicinum
Bebenhausen: Bebenhusa
Bebra: Byvera
Bechin → Bechyně
Bechtheim: Bechtrum
Bechyně (Bechin): Bechina
Beckum: Confluentia Westphalica
Bedarrides: Bituritae
Bedford: Bedfordia
Bedfordshire, Grafsch.: Bedfordiensis comit.
Bédoin: Bedoinum
Beemster → De Beemster, Polder
Bégard: Begardum
Bégaszentmihály → Sînmihaiu Român
Behnesa → Behneseh
Behneseh (Behnesa, El Bahnasa, El Banasa): Oxyrrynchus
Behringen: Beringa
Beichlingen: Beichlinga arx
Beiden Gleichen, die ~ → Gleichen, Ru.
Beilstein: Bilestinum
Beinwil am See: Ossa villa
Beiroût → Beirut
Beirut (Beyrouth, Beiroût): Julia Felix
Beja: Begia
Bejaia (Bougie): Saldae
Bélabánya → Banská Belá
Belaja Zerkow: Bialoquerca
Belcastro: Belcastrum
Belchen, Berg: Beleus mons
Belecke: Badilicka
Belem: Belemum
Belfort: Befortium
Belgard (Białogarda): Belgradia
Belgard (Białogard): Belgrada
Belgern: Belgora
Belgorod: Belogradum
Belgorod-Dnjestrowskij (Akkerman, Cetatea Albă): Maurocastrum
Belgrad (Beograd): Alba Bulgarica

Beli Manastir, (Monosotr, Pélmonostor): Baranivarum civ.
Bell: Bella
Bellac: Belacum
Belle → Bailleul
Belle Île, Ins.: Bellinsula
Bellegarde: Bellegardia
Bellegarde-en-Forez: Belligardum
Bellelay: Bellelagium
Bellême: Bellismum
Belleray: Balleretum
Belleville-sur-Saône: Bella villa ad Sagonam
Belley: Belica
Bellino: Bellini fanum
Bellinzona: Baltiona
Belluno: Bellunum
Belmont, Dép. Rhône: Bellomons
Belmont, Kt. Waadt: Bonus mons
Belt, Großer ~ → Großer Belt
Belt, Kleiner ~ → Kleiner Belt
Bełz (Belz): Belza
Benasque (Venasque): Venasca
Bender Ereğli → Ereğli
Bendereğli → Ereğli
Benediktbeuern: Buria
Benešov (Deutsch-Beneschau): Beneschovium
Bengal, Bay of ~ → Bengalen, Golf v. ~
Bengalen, Golf v. ~ (Bay of Bengal): Gangeticus sinus
Benna: Bennensis
Bennweier → Bennwihr
Bennwihr (Bennweier): Babunewilare
Bensberg: Bensbura castra
Bentheim: Benthemia
Beograd → Belgrad
Beograd-Zemun → Semlin, Distr.
Beograd-Zemun → Zemun
Beraun (Beroun): Verona
Beraun (Beroun), Kr.: Veronensis circulus
Berberei (Land der Berber): Barbaria
Bereg, Komit.: Bereghiensis comit.
Beregovo (Beregszasz): Berechia
Beregszasz → Beregovo
Berethalom → Biertan
Berg, Rheinprov.: Berga
Berg, Kt. St. Gallen: Berga
Berg, Hgt.: Mons
„Berg Horeb" → Musa, Dschebel ~
Berg-lez-Vilvorde: Berga
„Berg Sinai" → Musa, Dschebel ~
Berg Tabor → Tabor, Berg
Berga: Berginium
Berga a. Kyffhäuser: Bergae
Bergamo: Bergamum
Berge, Pr. Hannover: Berga
Berge, Pr. Westfalen: Berga
Bergell (Val Bregaglia), Landsch.: Bergallia vallis
Bergen, O-Bayern: Bargensis civ.
Bergen, Pr. N-Holland: Berga
Bergen, Norweg.: Bergae
Bergen → Mons
Bergen-op-Zoom: Bercizoma
Berger: Berga
Bergerac: Bergeracum
Berghaus: Berichus
Bergheim: Tiberiacum
Bergstraße, Straße: Bergstrassia
Bergues (Bergues-Saint-Winoc, Sint Winoksberg): Bergae
Bergues-Saint-Winoc → Bergues
Bergzabern: Tabernae montanae
Beringhausen: Dei vallis
Berkach, Thüringen: Berka
Berkach, Württemberg: Berkaha
Berkshire (Berks), Grafsch.: Barcheria
Berlin: Berolinum
Berlin-Spandau → Spandau
Bermeja, Sierra ~ → Sierra Bermeja u. Sierra de Mijas, Geb.
Berméo: Vesperies

Bermont: Bellemons
Bern: Verona
Bern, Kt.: Bernensis pag.
Bernay (Bernay-de-l' Eure): Bernacum
Bernburg: Arctopolis
Berne: Borna castra
Berner Klause → Chiusa di Verona
Bernhardzell: Bernhardi cella
Bernkastel: Tabernae Mosellanicae
Bernried: Beronicum
Bernsdorf (Chudzowice): Bernhardi villa
Bernstadt: Bernstadium
Bernstadt (Bierutów): Beroldi villa
Bernweiler → Bernwiller
Bernwiller (Bernweiler): Beronivilla
Béroia → Weria
Beromünster: Berona
Beroun → Beraun
Beroun, Kr. → Beraun, Kr.
Berre, Étang de ~: Bibra lac.
Berrhoia → Weria
Berroia → Weria
Berry, Landsch.: Bitorinus pag.
Berschis: Persinis
Bertincourt: s. Bertini abbatia
Bertinoro: Petra Honorii
Berwick upon Tweed: Barcovicum
Berzekh Sîm → Sim, Kap ~
Besace, La~: Vosagus
Besalú: Bisaldunum
Besançon: Vesontio
Beşîré, El ~ → Qarqisija
Besós, Fl.: Betulus
Bessarabien (Bessarabija, Basarabia), Landsch.: Getarum desertum
Bessarabija → Bessarabien, Landsch.
Bessin, Landsch.: Bagisinus ager
Besztercze → Bistriţa
Besztercze Naszod (Nösnerland), Komit.: Bistriciensis distr.
Beszterczebánya → Banská Bystrica
Betanzós: Brigantia
Betheln: Betanum
Béthisy (Béthisy-Saint-Pierre): Bestisiacum
Béthune: Bethunia
Béthune, Fl.: Tellas fluv.
Bettenbourg: Bietbergis
Bettingen: Bettinga
Bettlern: Mendici
Bettona: Vetuna
Betuwe, Landsch.: Betuwa
Beuern: Burensis
Beuren: Marca Burensa
Beuron: Beuronensis
Beuthen (Bytom): Bethania
Beveland, Zuid ~ → Zuid-Beveland, Halbins.
Bever, Fl.: Biverna
Bevern: Bevernense castr.
Beverwijk: Beverovicum
Bewdley: Bellilocus
Bewley → Beaulieu
Bewley Castle: Bellus locus
Bex: Baccae
Beyrouth → Beirut
Bèze: Besua
Béziers: Biterrae
Bhaile Átha Gliath, Contae ~ → Dublin, Grafsch.
Bharuch (Broach): Barygaza
Biała → Zülz
Białogard → Belgard
Białogarda → Belgard
Białykamień: Bialikamia
Biberach a. d. Riß: Biberacum
Biberbach, RB. O-Pfalz: Bibacum
Biberbach, RB. Schwaben: Bibera
Biburg: Epinaburgum
Bicêtre, Hospiz: Bicestria
Bidasse → Bidassoa, Fl.
Bidassoa (Bidasse), Fl.: Bidossa
Bieber: Biberaha
Bieberbach, Fl.: Biberacha
Biel (Bienne): Biella

Biela, Fl. → Bílina (Biela), Fl.
Bielach, Fl.: Pila
Bielawa → Langenbielau
Bielefeld: Bilivelda
Bieler See (Lac de Bienne): Biellensis lac.
Biella: Bugella
Bielsk Podlaski (Bjelsk): Bielca
Bielsk Podlaski → Bjelsk, Woiw.
Bienne → Biel
Bienne, Lac de ~ → Bieler See
Bierbaum: Piribium
Biertan (Birthälm, Berethalom): Birthalbinum
Bierutów → Bernstadt
Biervliet: Birflitum
Biese, Fl.: Byssa
Biesen, Alten ~ → Vieux-Joncs
Biesen, Oude ~ → Vieux-Joncs
Biesingen: Bisariga
Bigorre, Landsch.: Bigorria
Bihać (Bihatsch): Bihacium
Bihar → Biharea
Bihar, Komit. → Biharea, Komit.
Biharea (Bihar): Biharium
Biharea (Bihar), Komit.: Bihariensis comit.
Bihatsch → Bihać
Bikschote (Bixschoote): Bekescotium
Bilbao: Bilbaum
Bilin → Bílina
Bílina (Biela), Fl.: Belina
Bílina (Bilin): Belina
Bille, Fl.: Bilena
Billeben: Beneleiba
Billehnen (Billenau): Pileno castr.
Billenau → Billehnen
Billom: Bilhomum
Bilsen → Bilzen
Bilzen (Bilsen): Bilisium
Bimmen: Binbinna
Binasco: Bacenae
Binche: Binchium
Binchester: Bimonium
Bingen, Hohenzollern: Binga
Bingen, Rheinhessen: Bingia
Binningen: Arialbinum
Biograd (Zaravecchia): Alba maris
Birecik: Birtha
Birkenau: Birkenowa
Birkenfeld: Bircofelda
Birrens: Blatobulgium
Birten: Biertana
Birthälm → Biertan
Birtlingen: Birtinga
Bisagno, Fl.: Bisamnis
Bisceglie: Buxiliae
Bischoflack → Škofja Loka
Bischofswerda: Episcopi insula
Bischofszell: Episcopalis cella
Bischweiler → Bischwiller
Bischwiller (Bischweiler): Episcopi villa
Bishops Castle: Episcopi castr.
Bisignano: Besidiae
Biskaya, Golf v. ~ (Golfe de Gascogne, Golfo de Vizcaya, Golfo de Gascuña, Kantabrisches Meer, Mar Cantábrico): Cantabricum mare
Bissingen: Bisinga
Bistonis → Wistonis, See
Bistriţa, Moldau: Bistricia
Bistriţa (Bistritz, Besztercze), Siebenbürgen: Bistricia
Bistriţa Bîrgăului (Kleinbistritz, Borgo-Besztercze): Bistricia ariada
Bistritsa → Vistritsa, Fl.
Bistritz → Bistriţa
Bitburg: Bedense castr.
Bitche (Bitsch): Bicina
Bitetto: Bitectum
Bitgau, Landsch.: Bedensis pag.
Bitola (Monastir): Octolophum
Bitonto: Bidruntum
Bitsch → Bitche
Bitterne: Clausentum

Bivio (Stalla): Bivium
Bixschoote → Bikschote
Bjelovar-Körös, Komit.: Krisiensis comit.
Bjelsk → Bielsk Podlaski
Bjelsk (Bielsk Podlaski), Woiw.: Bielcensis palatin.
Björkö: Birca
Björneborg → Pori
Bladel: Pladella villa
Blaichach: Bilaicha
Blair: Blara
Blamont: Alba Leucorum
Blanc, Le ~: Oblimum
Blandford Forum: Vindogladia
Blandin, Saint-Pierre-au-Mont ~ → Saint-Pierre-au-Mont-Blandin, Kl.
Blangy-sur-Ternoise: Blangejum
Blankenberge: Blancoberga
Blankenburg: Albimontium
Blankenhain: Blanconis fan.
Blatnica (Turčiansky Blatnicu, Blatnicza Szebeszlo): Blatnicensis villa
Blatnicza Szebeszlo → Blatnica
Blau, Fl.: Blavius
Blaubeuren: Blabira
Blauenstein → Kekkö
Blauvac: Blauvacus
Blavet, Fl.: Blabius
Blaye (Blaye-et-Sainte-Luce): Blabia
Blaye-et-Sainte-Luce → Blaye
Bleichheim: Plaicha
Blekinge, Landsch.: Blechingia
Blendecques: Blendeka
Blenio → Val Blenio, Tal
Blenio, Val ~ → Val Blenio, Tal
Bléré: Bliriacum
Bletterans: Bleterum
Blies (Blies-Ebersing od. -Guersviller): Blessa
Blies-Ebersing → Blies
Blies-Guersviller → Blies
Blija: Blita
Blois: Blesae
Bludesch: Pludassis
Blüchertal (Zawonia, Schawoine): Savonia
Blumenberg → Florimont
Bobbio: Bobium
Bober, Fl.: Bobrane fluv.
Bobingen: Pobinga
Bocche di Bonifacio → Bouches de Bonifacio
Bocholt, Pr. Westfalen: Bocholdia
Bocholt, Pr. Limburg: Bocholta
Bochum-Harpen → Harpen
Bochum-Stiepel → Stiepel
Bockenheim (Frankfurt-Bockenheim): Boconica
Bode, Fl.: Boda
Bodenrain: Potenreina
Bodensee (Schwäbisches Meer): Potamicus lacus
Bodfeld: Bothfeldinum
Bodman: Bodma
Bodnice → Bojnice
Bodoc (Bodok, Sepsibodok): Bodokium
Bodok → Bodoc
Bodok: Bodoxia
Bodrogköz (Hosszúret), Landsch.: Longus campus
Böblingen: Bibonium
Böhmen (Čechy), Land: Bohemia
Böhmerwald, Geb.: Gabreta silva
Böhmisch-Brod → Český Brod
Böhmisch-Budweis → České Budějovice
Böhmisch-Krumau → Český Krumlov
Böhmisch-Leipa → Česká Lípa
Böhmisch-Skalitz → Česká Skalice
Böhmisch-Trübau → Česká Třebová
Börcs: Ad Muros
Boertange (Bourtange): Burtanga
Bösing → Pezinok
Bösingen: Bosinga
Bötzberg, Berg: Vocetius mons

Bogenberg: Berga
Boh → Südlicher Bug, Fl.
Bois-Anzeray: Boscus Alzeraci
Bois-le-Duc → 's-Hertogenbosch
Boiscommun: Comeranum
Bojano: Bobianum
Bojanowo: Bojanova
Bojnic → Bojnice
Bojnice (Bajmócz, Bodnice, Bojnic): Baimocium
Bokel: Bocla
Bolanden: Bolandia
Boleścin → Eichendorf
Boleslav, Stará ~ → Stará Boleslav
Bolesławiec → Bunzlau
Bolkenhain (Bolków): Bolconis fan.
Bolków → Bolkenhain
Boll → Bulle
Bollendorf: Bollane villa
Bollendorf (Villa Bollona): Bollane villa
Bollène: Burgum bonae Genelae
Bollingen: Pauliniago
Bologna: Bononia
Bólos → Vólos
Bolos, Golf v. ~ → Wolos, Golf v. ~
Bolsena: Vulsinii
Bolsena, Lago di ~ (Bolsenasee): Vulsiniensis lacus
Bolsenasee → Bolsena, Lago di ~
Bolstern: Bolstara
Bolsward: Bolsverda
Bolton (Bolton-le-Moors): Boltonium
Bolton-le-Moors → Bolton
Bolzano (Bozen): Bauzanum
Bomarzo (Polimarzio): Polimartium
Bonaduz: Bonaedulcium
Bondeno: Padinum
Bondo: Bundium
Bondy, Forêt de ~ → Forêt de Bondy, Wald
Boneffe: Bonefa
Bonifacio: s. Bonifacii civ.
Bonifacio, Bocche di ~ → Bouches de Bonifacio
Bonlieu: Bonilii
Bonn, Rheinprov.: Bonna
Bonn, Kt. Freiburg: Bonae aquae
Bonn-Kessenich → Kessenich
Bonne-Fontaine: Bonus fons in Terascia
Bonnefontaine: Bonus fons
Bonneval: Bona vallis
Bonnevaux: Bona vallis
Bonneville: Bonnopolis
Bopfingen: Pophinga
Boppard: Babardia
Borås: Boerosia
Bordeaux: Burdigala
Borello: Bucellum
Borga → Porvoo
Borghetto, Pr. Verona: Burgetum ad Mincium
Borghetto, Pr. Viterbo: Ad Decimum
Borgo-Besztercze → Bistriţa Bîrgăului
Borgo di Valsugana: Ausugum
Borgo Panigale: Burgus Panicalis
Borgo San Dalmazzo: Burgus s. Dalmatii
Borgo San Donnino → Fidenza
Borgo San Lorenzo: s. Laurentii burgus
Borgo San Sepolcro → Sansepolcro
Borgoforte: Fortisburgus
Borgofranco → Suardi
Borgofranco d' Ivrea: Burgum francum
Borgolavezzaro: Libricorum forum
Borgomanero: Burgomanerum
Borgonovo Val Tidone: Novus burgus
Borkum, Ins.: Burcana
Bormes: Borma
Bormio: Barolum
Borna: Bornis

Bornefeld: Bernifelda
Bornholm, Ins.: Boringia
Borodino: Vorotunum
Borsod → Borsodszirák
Borsod, Komit.: Borsodiensis comit.
Borsodszirák (Borsod): Bazoarium
Bosau, Pr. Sachsen: Bosowa
Bosau, Schleswig-Holstein: Bosoviensis villa
Bosna, Fl.: Bosna
Bosnien, Land: Bosnia
Bosporus (Thrakischer Bosporus, Straße v. Konstantinopel, Istanbul Boğazi, Karadeniz Boğazi): Constantinopolitanum fretum
Bosporus, Thrakischer ∼ → Bosporus
Bostitsa → Aigion
Bothnia, Gulf of ∼ → Bottnischer Meerbusen
Bottenhavet → Bottnischer Meerbusen
Bottenviken → Bottnischer Meerbusen
Bottnischer Meerbusen (Bottenhavet, Bottenviken, Pohjanlahti, Gulf of Bothnia): Bothnicus sinus
Bouchain: Bochanium
Bouchard, L' Ile ∼ → Ile-Bouchard, L' ∼
Boucherasse, La∼: Brocariacum
Bouches de Bonifacio (Bocche di Bonifacio, Straße v. San Bonifacio): s. Bonifacii sinus
Boucle-Saint-Blaise → Sint-Blasius-Boekel
Boudry: Baudria
Bougie → Bejaia
Bouhy: Balgiacum
Bouillon: Bullio
Bouin: Bovinum
Boulogne-Billancourt → Boulogne-sur-Seine
Boulogne-sur-Mer: Bononia in Francia
Boulogne-sur-Seine (Boulogne-Billancourt): Roveritum forestis
Bouloire: Bolsverda
Boulonnais, Landsch.: Bononiensis ager
Boulou, Le ∼: Ad Stabulum
Bourbon-l'Archambault: Borboniae aquae
Bourbon-Lancy: Burbo Anselmi
Bourbonnais, Prov.: Burbonensis prov.
Bourbonne-les-Bains: Bormonis aquae
Bourbourg: Broburgum
Bourdeix, Le ∼: Burgus Agedum
Bourg, Le ∼, Ins. Jersey: Burgum
Bourg-Achard: Achardi burgus
Bourg-Archambault: Burgus Chabaldorum
Bourg-Argental: Argentalis burgus
Bourg-Charente: Burgus Carentoniae
Bourg-d'Oisans, Le ∼: Forcalquerium
Bourg-en-Bresse: Sebusianorum burgus
Bourg-l'Abbé: Abbatis burgus
Bourg-Lastic: Burgus
Bourg-Saint-Andéol: Andeolii burgus
Bourg-Sainte-Marie: Burgum s. Mariae
Bourges: Avaricum
Bourget-du-Lac, Le∼: Burgetum
Bourglinster: Lincerium
Bourgneuf: Burgum novum
Bourgneuf-en-Retz: Burgum novum ad Ligerim
Bourgogne (Burgund, Niederburgund), Landsch.: Burgundia (prov.)
Bourgoin: Birgusia

Bouriège: Polygium
Bourmont: Brunonis mons
Bourtange → Boertange
Boussu: Buxudis
Boutonne, Fl.: Vultonna
Bouvignies: Boviniacum
Bouvines: Bovines
Bouxwiller (Buchsweiler): Buxovilla
Bouzonville: Basonis villare
Bouzonville-aux-Bois: Bosani villa
Boverton: Bovium
Bovino: Vibinum
Boyne, Fl.: Boandus
Bozca Ada (Tenedos), Ins.: Calydria
Bozen → Bolzano
Boží Dar (Gottesgab): Theodosium
Bozók → Bzovík
Bozzolo: Bozolum
Brà: Braida
Brabant, Landsch.: Brabantia
Brač (Brazza), Ins.: Bracchia
Bracciano: Arcennum
Bracciano, Lago di ∼: Sabatinus lacus
Brackel: Bracla
Bräunlingen: Bragodurum
Bräunlings: Bruningis
Braga: Bracharaugusta
Bragança: Bragantia
Brăila: Peristhlaba
Braine: Brennacum
Braine-l' Alleud (Eigenbrakel): Brana Allodiensis
Braine-le-Comte ('s-Gravenbrakel): Brennia comitis
Brakel: Bracla
Bramans: Brammovicum
Brancaster: Brannodunum
Brandeis a. d. Elbe → Brandýs nad Labem
Brandenburg: Brandeburgum
Brandenburg (Mark Brandenburg, Mark), Landsch. u. Prov.: Marchia
Brandenburg, Mark ∼ → Brandenburg, Landsch. u. Prov.
Brandýs nad Labem (Brandeis a. d. Elbe): Brandesium
Braniewo → Braunsberg
Brantôme: Brantosomum
Brasil → Brasilien, Land
Brasilia: Brasiliapolis
Brasilien (Brasil), Land: Brasilia
Braşov (Kronstadt): Brassovia
Bratislava (Preßburg): Posonium
Braubach: Brubacum
Braunau → Broumov
Braunau: Prunowa
Braunau a. Inn: Braunodunum
Braunsberg (Braniewo): Brunsberga
Braunschweig: Brunsvicum
Brauweiler: Brunwilarium
Bray-sur-Seine: Braciacum ad Sequanam
Bray-sur-Somme: Braviarum ad Samaram
Brazlaw: Bratislavia
Brazza → Brač, Ins.
Brechin: Brechinium
Brecknock (Brecon): Brechinia
Brecknockshire, Grafsch.: Brechiniensis comit.
Brecon → Brecknock
Breda: Bredana civ.
Bredeney (Essen-Bredeney): Bredenaia
Bredevoort (Breedevoort, Breevoort): Bredefortia
Brée: Braea
Breedevoort → Bredevoort
Breevoort → Bredevoort
Breg, Fl.: Briga
Bregaglia, Val ∼ → Bergell, Landschaft
Brégançon, Cap de ∼: Pergantium
Bregenz: Brigantium
Bregenz, Grafsch.: Brigantinus comit.

Bregenzer Ach, Fl.: Pontus
Breisach: Brisacum
Breisgau, Landsch.: Brisgovia
Breitenbach: Prettenselida
Breitenstein: De Lato Lapide
Brembo, Fl.: Brembus
Breme: Bremetum
Bremen: Brema
Bremen-Walle → Walle
Bremervörde: Vorda
Bremgarten: Bremogartum
Brenner (Brennero), Paß: Pyrenaeus mons
Brennero → Brenner, Paß
Brenta, Fl.: Brentesia
Brescello: Brixellum
Brescia: Brixia
Breslau (Wrocław): Wratislavia
Breslau-Hundsfeld → Hundsfeld
Bresles: Episcopi villa
Bressanone (Brixen): Brixia
Bresse, Landsch.: Sebusianus ager
Bressuire: Bercorium
Brest: Brestum
Brest (Brest Litowsk, Brześć): Brescia
Brest (Brest Litowsk, Brześć), Woiw.: Brestiensis palatin.
Brest Litowsk → Brest
Brest Litowsk, Woiw. → Brest, Woiw.
Bretagne, Landsch.: Armorica
Bretenoux: Britannorum villa
Breteuil: Bretolium
Breteuil (Breteuil-sur-Iton): Bretolium
Breteuil-sur-Iton → Breteuil
Brétigny-sur-Orge: Bretiniacum
Bretonische Inseln: Veneticae insulae
Breusch (Breusch-Wickersheim): Brusca
Breusch-Wickersheim → Breusch
Breusch, Fl.: Brusca
Břevnov (Großbrewnow): Brevnovia
Brewitz: Brevis
Brézé: Brezeum
Brezno (Bries, Breznobanya): Britzna
Breznobanya → Brezno
Briançon: Brigantium
Briare: Bribodurum
Briatexte: Britexta
Bridgwater Bay, Meerbusen: Vexulla aestuarium
Brie, Landsch.: Briensis pag.
Brie-Comte-Robert: Bria Comitis Roberti
Brieg (Brzeg): Brega
Brielle: Briela
Brienne-le-Château: Brena
Brienz: Brienzola
Bries → Brezno
Brietzen (Brzyków): Brictium
Briey: Bricesum
Brig (Brigue): Bregalia
Brig (Brigue), Bez.: Brigianus conventus
Brigach, Fl.: Brichena
Brignais: Prisciniacum
Brignoles: Brinolia
Brigue → Brig
Brigue, Bez. → Brig, Bez.
Brigueuil: Brigolium
Brihuega: Briaca
Briis-sous-Forges: Bragium
Briones: Brionum
Brioude: Brivas
Brissac: Brisacum Andegavense
Bristol: Bristolium
Bristol Channel (Kanal v. Bristol): Bristoliensis manica
Brive-la-Gaillarde: Briva Curretia
Brivio: Bripium
Brixen → Bressanone
Brno (Brünn): Brunna
Broach → Bharuch
Brochenzell: Fracta cella
Brocken, Berg: Bructerus mons

Brod, Böhmisch ~ → Český Brod
Brod, Český → Český Brod
Brod, Deutsch ~ → Havlíčkův Brod
Brod, Německý ~ → Havlíčkův Brod
Brod, Uherský ~ → Uherský Brod
Brod, Ungarisch ~ → Uherský Brod
Brod, Vyšší ~ → Vyšší Brod
Brodnica (Strasburg): Strasburgum in Culmensi tractu
Brody → Pförten
Broglio: Broilum
Brokmerland, Landsch.: Brocmeria
Brokmerland u. Krummhörn, Landsch.: Federitga
Bromberg → Bydgoszcz
Brondolo: Brondulum
Broni: Blandenona
Bronnen: Brunnum
Bronzell: Promcella
Broos → Orăştie
Brosse-Montceaux, La~: Procia
Brouage (Hiers-Brouage): Broagium
Brough: Verterae
Broumov (Braunau): Brunovia
Brouwershaven: Brouwari portus
Bruchsal: Bruchsalium
Bruck, BA. Ebersberg: Brucca
Bruck, M-Franken: Brucca
Bruck, BA. Pfaffenhofen: Pruka
Bruck, BA. Rosenheim: Prucca
Bruck a. d. Leitha: Brucca
Bruck a. d. Mur: Murae pons
Brügge → Bruges
Brüggen: Mederiacum
Brühl: Bruolensis
Brüssel → Bruxelles
Brütten: Brittona
Brüx → Most
Bruges (Brügge, Brugge): Brugae
Brugg: Bruga
Brugge → Bruges
Brugnato: Brugnatum
Brumath: Brocomagus
Brummen: Brimnum
Bruneck → Brunico
Brunico (Bruneck): Brunopolis
Brunkensen: Brunonis domus
Brunnkirchen: Prunni
Brunsbüttel: Brunsbutta
Brussel → Bruxelles
Brustem: Brustemia
Brux: Bruccum
Bruxelles (Brüssel, Brussel): Bruxella
Bruyères: Brueriae
Brzeg → Brieg
Brzeg Dolny → Dyhernfurth
Brześć → Brest
Brześć, Woiw. → Brest, Woiw.
Brzeście → Liebethal
Brzezia Łąka → Kunersdorf
Brzyków → Brietzen
Bua → Čiovo, Ins.
Buccino: Volcei civ.
Bucellas: Bucellae
Buch: Poucha
Buch, Le~, Landsch.: Buchsium
Buchan, Landsch.: Buchania
Buchan Ness, Vorgeb.: Buchananum promont.
Buchau: Buochaugia
Buchengau, Landsch.: Buchonia
Buchenort: Andracium
Buchladen: Bocla
Buchs: Buchsa
Buchsweiler → Bouxwiller
Bucine: Biturgia
Bucken: Buccensis
Buckingham: Neomagus
Buckinghamshire (Bucks), Grafsch.: Neomagensis comit.
Bucks → Buckinghamshire, Grafsch.
Bucquoy: Bucquoium
Bucureşti (Bukarest): Bucaresta
Bucy-le-Long: Buciacum
Buda → Ofen
Budějovice, České ~ → České Budějovice
Budin → Budyně

Budrug, Grafsch.: Bodrogiensis comit.
Budua → Budva
Budva (Budua): Bulva
Budweis → České Budějovice
Budweis, Böhmisch ~ → České Budějovice
Budyně (Budin): Budina
Bückeburg: Bocensis civ.
Büderich: Budrichium
Büdingen: Butinga
Bühl: Buila
Bühl a. Alpsee: Puhila
Bünden → Graubünden, Landsch.
Buenos Aires: s. Trinitatis fan.
Buer (Gelsenkirchen-Buer): Bura
Büren: Pyreneschia
Buergeln: Birgila
Bürglen: Burgila
Buers: Puira
Bütow (Bytów): Butavia
Bütschwil: Buozwilare
Büttgen: Budica
Bützow: Beucinum
Büyüknefesköi: Tavium
Bufleben: Bufeleiba villa
Bug (Westlicher Bug), Fl.: Buga
Bug, Južnyj → Südlicher Bug, Fl.
Bug, Südlicher → Südlicher Bug, Fl.
Bug, Ukrainischer → Südlicher Bug, Fl.
Bug, Westlicher → Bug, Fl.
Bugey, Landsch.: Beugesia
Buhlen: Buochela
Buis-les-Baronnies: Busium
Buitrago: Blitabrum
Bujalance: Calpurniana civ.
Bukarest → București
Bulgarien (Bulgarija), Land: Bulgaria
Bulgarija → Bulgarien
Bullau: Buolaha
Bulle (Boll): Bulium
Bullerborn, Quelle: Resonus fons
Bulles: Bullaeum
Bunzlau (Bolesławiec): Boleslavia
Burg, Pr. Sachsen: Burgum
Burg, Kt. Schaffhausen: Gannodurum
Burg a. d. Wupper: Novum castr.
Burgas → Lüleburgaz
Burgau: Burgavia
Burgdorf, Pr. Hannover: Burgdorfium
Burgdorf, Kt. Bern: Burgdorfium
Burgebrach: Ebra
Burgeis → Burgusio
Burgh by Sands: Burgum super Sabulones
Burgh Gate: Berga
Burgh upon Bain: Burgus
Burghaslach: Avellana
Burghasungen: Hasunga
Burghausen → Bedacum
Burgmannshofen → Biriciana castra
Burgo de Osma, El ~ → El Burgo de Osma
Burgos: Burgi
Burgrain: Purckraina
Burgscheidungen: Schidinga
Burgstall: Purcstalla
Burgsteinfurt: Steinfurtum
Burgtonna: Tunna
Burgund → Bourgogne, Landsch.
Burgund, Kgr.: Burgundia (regnum)
Burgusio (Burgeis): Burgusium
Burgwerben: Vitirbenso
Burkheim: Buriciana urbs
Burriana: Brigiana
Burscheid: Porcetum
Bursfelde: Bursfelda
Burton upon Trent: Burtona
Buru Göl → Wistonis, See
Bury Saint Edmunds: Faustini villa
Burzenland (Țara Bîrsei, Barcaság), Landsch.: Barcia
Buschweiler → Buschwiller
Buschwiller (Buschweiler): Buxovilla

Buseire, El ~ → Qarqisiya
Busera, El ~ → Qarqisiya
Bussières: Boxum
Bussy-en-Othe: Bussiacum in Otha
Bussy-le-Grand: Bussiacum magnum
Bussy-Lettré: Bussiacum iuxta Stratam
Butera: Bucia
Butrint (Butrinto, Vutrinto): Botruntina urbs
Butrinto → Butrint
Butterberg: Butyri mons
Buttisholz: Buttensulza
Buxheim: Buxhemium
Buzançais: Busentiacum
Byczyna → Pitschen
Bydgoszcz (Bromberg): Bidgostia
Bystrzyca → Weistritz, Fl.
Bytom → Beuthen
Bytów → Bütow
Bzovík (Bozók): Bozokiensis

C

Cabanac (Cabanac-Cazeaux): Cabiomagum
Cabanac-Cazeaux → Cabanac
Cabezas Rubias: Rubrae
Cabo Carvoeiro → Carvoeiro, Cabo ~
Cabo Creus → Creus, Kap ~
Cabo Cruz → Cruz, Kap ~
Cabo da Roca → Roca, Cabo da ~
Cabo de Espichel → Espichel, Cabo de ~
Cabo de Finisterre → Finisterre, Kap ~
Cabo de Gata → Gata, Kap ~
Cabo de Hornos → Horn, Kap ~
Cabo de la Náo → Náo, Cabo de la ~
Cabo de Palos → Palos, Cabo de ~
Cabo de Salou → Salou, Cabo de ~
Cabo de Santa Maria → Santa Maria, Kap ~
Cabo de São Vicente → São Vicente, Cabo de ~
Cabo Delgado → Delgado, Kap ~
Cabo Higuer → Higuer, Kap ~
Cabo Silleiro → Silleiro, Cabo ~
Cabra: Agabra
Cabrières: Capraria
Cabriès: Cabreria
Cachan: Cachentum
Cadagues: Cadacherium
Caderousse: Caderossium
Cadillac: Cadillacum
Cadouin: Caduinum
Cadzand → Kadzand
Caen: Cadomus
Caerhun: Canovium
Caerleon: Isca Silurum
Caermarthenshire (Carmarthenshire), Grafsch.: Maridunensis comit.
Caernarvon (Carnarvon): Arvonia
Caernarvonshire, Grafsch.: Arvonia
Caerwent: Venta Silurum
Cagli: Calium
Cahors: Cadurcum
Cairlinn → Carlingford
Caiseal → Cashel
Caistor: Venta Icenorum
Caithness, Grafsch.: Cathanasia
Čakovec (Csakathurn): Cardonum
Calabria → Kalabrien
Calahorra: Calagurris
Calais: Calesium
Calais, Pas de ~ → Straße v. Dover

Calais, Straße v. ~ → Straße v. Dover
Călan → Kiskalán
Calatafimi: Longarium
Calatañazor: Voluce
Calatayud: Calatajuba
Calbe: Calba ad Salam
Calberlah: Calvela
Caldaro (Kaltern): Caldarium
Caldas de Montbuy: Calidae aquae
Caldas de Reyes: Cillinorum aquae
Calizzano: Canalicum
Calosso: Calix
Caltagirone: Calata Hieronis
Caltanissetta: Calloniana urbs
Calva Bay, Meerbusen: Volsas sinus
Calvatone: Bedriacum
Calvi: Calvium
Calvisano: Calvisii forum
Calw: Calewa
Calzada de Calatrava: Lippi
Camargue, Landsch.: Camaria
Cambay, Golf v. ~ (Khambhat ni Khadi): Barygazenus sinus
Cambois: Cambus
Cambrai: Camaracum
Cambrésis, Landsch.: Cameracensis ager
Cambridge: Cantabrigia
Camembert: Campus Mamberti
Cammin: Caminum
Campagna di Roma, Landsch.: Campania romana
Campen → Kampen
Campine → Kempenland, Landsch.
Campodolcino: Dulcinus campus
Campoli: Campus Pauli
Campoli Apennino: Camplum
Camposampiero: Campus s. Petri
Camprodon: Rotundus campus
Campsegret: Campus Secretus
Camptort (Ogenne-Camptort): Campus Tortus
Çanakkale Boğazi → Dardanellen
Canavese, Landsch.: Canapitium
Canche, Fl.: Quentia
Candé: Candea
Candes-Saint-Martin: Candacum
Canepa-Levà: Capena
Canet: Canetum
Canigou, Mont ~ → Mont Canigou, Berg
Çankiri (Kiangeri): Gangra
Cannes: Canoe
Cannet, Le~: Canetum
Canneto Pavese: Canetum
Cannobio: Canobium
Cannstatt: Cana
Canobbio: Canobium
Canosa di Puglia: Canosium
Canourgue, La~: Canorga
Canterbury: Cantuaria
Caorle: Caprulae
Caours: Cavortium
Cap Corse → Corse, Cap ~
Cap d'Agde → Agde, Cap d' ~
Cap de Brégançon → Brégancon, Cap de ~
Cap de la Hague → Hague, Cap de la ~
Cap Vert → Vert, Cap ~
Capaccio: Caput Aqueum
Capdenac: Caput Denaci
Cape of Good Hope → Kap der Guten Hoffnung
Capel: Capella
Capestang: Caprasium
Capo Corso → Corse, Cap ~
Capo delle Colonne → Colonne, Kap ~
Capo di Leuca → Santa Maria di Leuca, Capo ~
Capo Figari → Figaro, Kap ~
Capo Rizzuto, Isola di ~ → Isola di Capo Rizzuto
Capo Rosso → Rosso, Kap ~
Capo Santa Croce → Santa Croce, Kap ~

Capo Santa Maria di Leuca → Santa Maria di Leuca, Capo ~
Capo Testa → Testa, Kap ~
Capo Tindari → Tindari, Kap ~
Capo Trionto → Trionto, Kap ~
Capodistria → Koper
Capraia (Isola di Capraia), Ins.: Capraria
Capraia e Limite: Ad Capras
Capri (Isola di Capri), Ins.: Capria
Caramagna Ligure: Caramania
Caransebeş (Karánsebes): Tibiscum
Caravaggio: Caravacium
Cardaillac: Cardaliacum
Cardano al Campo: Cardanum
Cardigan: Ceretica
Careggi: Caregius
Carentan: Carento
Carhaix-Plouguer: Vorganium
Cariati: Paternum
Carignan: Cariniacum
Carignano: Cariniacum
Carini: Hyccara
Carinola, Pr. Caserta: Calinula
Carinola, Pr. Latina: s. Claudii forum
Carlingford (Cairlinn): Buvindum
Carlisle: Carleolum
Carlopago → Karlobag
Carlow (Ceatharlach): Caterlogum
Carmagnola: Carmaniola
Carmarthenshire → Caermarthenshire
Carmona: Charmona
Carnaro → Quarnero, Meerbusen
Carnarvon → Caernarvon
Carnoët: Carnoetum
Carnsore Point, Vorgeb.: Sacrum promont.
Caromb: Carumba
Carpaţi → Karpaten, Geb.
Carpentras: Carpentoracte
Carpi: Carpium
Carretto, Mgft.: Carrectanus marchion.
Carrick-on-Suir: Caricta
Carrickfergus: Rupes Fergusii
Carrión de los Condes: Cario comitum
Carso → Karst, Geb.
Cartagena: Spartaria
Carvoeiro, Cabo ~: Lunae promont.
Casale Monferrato: Casale s. Evasii
Casalmaggiore: Casale majus
Cascaes, Fstg.: Cascale
Cascante: Cascantum
Caselle Torinese: Casella
Cashel (Caiseal): Juernis
Časlau → Čáslav
Čáslav (Časlau, Tschaslau): Czasslawia
Caso → Kasos, Ins.
Casoli: Casulae
Cassano al Ionio: Cassanum
Cassel: Casletum
Cassino (San Germano): Casinum
Castagneto: Castagnedolum
Castel di Sangro: Sangrus
Castel Gandolfo: Gandulfi arx
Castel Guelfo: Ad Tarum
Castel Maggiore: Majus castell.
Castel Oudeburg ('s-Gravensteen), Schl.: Petra Comitis
Castel San Pietro Romano: s. Petri castell.
Castel San Vincenzo (San Vincenzo al Vulturno): Vulturnense monast.
Castel Sant'Angelo → Engelsburg
Castel Sardo (Castellaragonese): Emporiae
Castel Verrèz → Verrès
Castelbaldo: Baldum castell.
Castelbello (Kastelbell): Bellum castr.
Castelferrus: Ferrucius villa ad Garumnam

Castelfranco Veneto: Francorum castr.
Casteljaloux: Gelausum castr.
Castellammare di Stabia: Castellum maris
Castellane: Salina
Castellaneta: Castania
Castellaragonese → Castel Sardo
Castelleone: s. Leonis castr.
Castelleone di Suasa: s. Leonis castr.
Castello Branco: Albicastrum
Castello Novarese: Gamundium
Castello Tesino → Tesino, Castello~
Castellón de Ampurias: Emporiae
Castellón de la Plana: Castalia
Castelmagno: Majus castell.
Castelnaudary: Sostomagus
Castelnuovo Belbo: Novum castr.
Castelnuovo di Garfagnana: Garfinianum castell.
Castelrotto (Kastelruth): Ruptum castr.
Castelvecchio Subequo: Superaequana colonia
Castelvetere in Val Fortore: Caulonia
Castelvisconti: Vicecomitum castr.
Casti → Tiefencastel
Castiglion Fiorentino: Chastilium Florentinum
Castiglione, Lago di ~: Gabinus lacus
Castiglione Cosentino: Castilio Consentina
Castiglione d' Adda: Castellionum
Castiglione del Lago: Castellio Piscaria
Castiglione Mantovano: Castilio Mantuana
Castiglione Messer Marino: Castilio maritima
Castiglione Stiviere: Castilio Stiverorum
Castilla → Kastilien, Landsch.
Castilla la Nueva → Neukastilien, Landsch.
Castilla la Vieja → Altkastilien
Castillo de las Guardas, El ~ → El Castillo de las Guardas
Castillon-la-Bataille: Castellio Medulci
Castres (Castres-sur-l'Agout): Castra
Castres-sur-l'Agout → Castres
Castrich → Kästris
Castro dei Volsci: Castrum
Castro Porto Mucurune: Veneris portus
Castrogeriz: Caesaris burgus
Castrogiovanni → Enna
Castroreale: Regale castr.
Cataluña → Katalonien, Landsch.
Catalunya → Katalonien, Landsch.
Catania: Catina
Catanzaro: Cantacium
Cateau, Le ~ (Le Cateau-Cambrésis): Cameracense castr.
Cateau-Cambrésis, Le ~ → Cateau, Le ~
Catelet, Le~: Castelletum
Cathay, Kgr.: Cataya
Cattaro → Kotor
Caudebec-en-Caux: Calidobecum
Caudebec-lès-Elbeuf: Latomagus
Caudiès-de-Fenouillèdes: Cauderiae
Caumont: Calvus mons Vasconiae
Caumont-l'Eventé: Calvus mons Normanniae
Caumont-sur-Durance: Calvus mons Provinciae
Caumont-sur-Garonne: Calvomons
Caunes-Minervois: Caunae
Cauterets: Cauteriae
Caux, Landsch.: Caletensis ager
Cava de Tirreni: Marcina
Cava Manara: Cavea
Cavaillon: Caballio
Cavour: Cavortium

Cayeux-sur-Mer: Setuci
Cazalegas: Casalaqueum
Ceatharlach → Carlow
Čechy → Böhmen, Land
Cedynia → Zehden a. d. Oder
Ceglie del Campo: Celia
Celano: Caelanum
Celje (Cilli): Celeia
Celle: Cella
Celles: Cellae
Celles-lès-Condé: Cellae
Cenad (Szerb Csanád): Morisana eccl.
Ceneda: Acedes
Cénevières: Senapariae
Cento: Centum
Cerchiara di Calabria: Harponium
Cerda: Cerdania
Cerdagne, La ~ → Cerdaña, La ~
Cerdaña, La ~ (La Cerdagne), Landsch.: Ceredania
Cerenzia: Cerenthia
Ceresio → Luganer See
Céret: Ceretum
Cergy: Cergeium
Cerisana: Cyterium
Cerknica (Zirknitz): Circonium
Cerknica, Lago di ~ → Cerkniško Jezero
Cerkniško Jezero (Lago di Cerknica, Zirknitzer See): Circoniensis lacus
Cerlier → Erlach
Černá hora (Schwarzenberg), Berg: Niger mons
Černigov (Tschernigow): Czernichovia
Černo more → Schwarzes Meer
Cernobbio: Coenobium
Černoe more → Schwarzes Meer
Cérons: Sirio
Cerreto Sannita: Cenetum
Certaldo: Certaldum
Cervaro, Fl.: Cerbalus
Cerveteri: Agilla
Cesena: Cesina
Cesis (Wenden): Venedorum civ.
Česká Lípa (Böhmisch-Leipa): Lipa Bohemicalis
Česká Skalice (Böhmisch-Skalitz): Scalis
Česká Třebová (Böhmisch-Trübau): Tribovia Bohemicalis
České Budějovice (Budweis, Böhmisch-Budweis): Budovicium
Český Brod (Böhmisch-Brod): Broda Bohemica
Český Krumlov (Krumau, Böhmisch-Krumau): Cromena
Český Těšin (Teschen): Teschena
Cetatea Albă → Belgorod-Dnjestrowskij
Cette → Sète
Ceuta (Sebta): Septa
Ceva: Ceba
Cévennes, Les ~ (Cevennen): Cebenna mons
Ceylon (Langkā), Ins.: Ceylanum
Ceyreste: Cesarista
Chaâlis (Châlis): Caduliacum
Chabeuil: Chabellium
Chablais, Landsch.: Caballiacensis ager
Chablis: Cabelia
Chabrignac: Apriancum
Chaigny: Chaingiacum
Chaise-Dieu, La~: Casa Dei
Chalaronne, Fl.: Calarona
Châlis → Chaâlis
Chalon-sur-Saône: Cabalaunum
Châlonnais, Landsch.: Cabillonensis pag.
Châlons-sur-Marne: Catalaunum
Chalosse, Landsch.: Calossia
Chalus: Lucii castr.
Cham, O-Pfalz: Cambia
Cham, Kt. Zug: Chamo
Chamagne: Campus Agni

Chambérat (Nocq-Chambérat): Notovilla
Chambéry: Camberiacum
Chambly: Chambliacum
Chambon, Le∼: Campus Bonus
Chambord: Camborium
Chamesson: Cambisonum
Chammes: Scamnis
Chamonix (Chamonix-Mont-Blanc): Campimontium
Chamonix-Mont-Blanc → Chamonix
Champ-d'Oiseau: Cantus avium
Champagne, Landsch.: Campania Francica
Champaubert: Alberti campus
Champcervon: Campus Cervor
Champcevinel: Campus Savinelli
Champgillart: Campus Gillardi
Champhol: Champus Follis
Champigny-sur-Aube: Campiniacum
Champmol: Campus Mollis
Champrond-en-Gâtine: Campus Rotundus in Gastina
Champs-le-Duc: Campi
Champtoceaux (Château-Céaux): Celsum castr.
Chanad → Mako
Chancelay: Campus Celatus
Changy: Cangiacum
Channel, English ∼ → Kanal, der ∼
Chanonry: Chanoricum
Chanteloup-les-Vignes: Cantalupus
Chaource: Caduppa
Chapelle-d'Augillon, La∼: Capella Domini Gilonis
Chapelle-Gaudin, La∼: Capella Gaudini
Chapelle-la-Reine, La∼: Capella Reginae
Chapelle-Mouret, La∼: Capella de Moresio
Chapelle-Pommier, La∼: Capella Pomerii
Chapelle-Saint-Astier, La∼: Capella s. Asterii
Chapelle-Saint-Rémy, La∼: Capella s. Remigii
Chapelle-Saint-Sulpice, La∼: Capella s. Supplicii
Chapelle-Thireuil, La∼: Capella Tirolis
Chapelles sur Crecy Les∼: Capella iuxta Creciacum
Charente, Fl.: Carantonus
Charenton-le-Pont: Carantonum
Charga, Oase ∼ → Oase Charga
Charité-sur-Loire, La∼: Caritaeum
Charkow: Kharkovia
Charlemont: Carolomontium Hibernicum
Charlemont, Fstg.: Carolomontium
Charleroi: Carololesium
Charleville: Carolopolis
Charlieu: Carilocus
Charmé: Sermanicomagus
Carmentray: Carmen Tradi
Charolais (Charollais), Landsch.: Quadrigellensis pag.
Charollais → Charolais, Landsch.
Charolles: Caroliae
Charost: Carophium
Charpaigne, Landsch.: Scarpanensis comit.
Charroux, Dép. Vienne: Carrofum
Charroux-d'Allier, Dép. Allier: Carrofum
Chartrain, Landsch.: Carnutensis terra
Chartres: Carnotena urbs
Chartreuse de l'Escale-Dieu → Escaledieu, Kl.
Chasseneuil: Cassinogilum palat.
Chassenon: Casinomagus
Chastel-Marlhac: Meriolacense castr.
Château-Céaux → Chamtoceaux

Château de Spesbourg → Spesburg, Schl.
Château-d'If, Schl.: Iphia arx
Château-du-Loir: Ad Laedum castr.
Château-Landon: Vellaunodunum
Château-Porcien: Porcianum castr.
Château-Renault: Caramentum
Château-Salins (Salzburg): Salinarum castr.
Château-Thierry: Noeomagus Viducassiorum
Châteaubernard: Bernardi castr.
Châteaubriant: Brientii castr.
Châteaudun: Castellodunum
Châteaumeillant: Melliandi castr.
Chateauneuf-Val-de-Bargis: Novum castr.
Châteaurenard: Vulpense castr.
Châteauroux: Radulfi castr.
Châteauvillain: Villanum castr.
Châtelet: Casseletum
Châtellerault: Heraldi castell.
Châtenois (Kestenholz): Castinetum
Châtillon: Castellio Pedemontii
Châtillon-Coligny (Châtillon-sur-Loing): Castellio ad Luppiam
Châtillon-le-Bas → Niedergestelen
Châtillon-le-Haut → Obergestelen
Châtillon-sur-Chalaronne: Castellio Burgundiae
Châtillon-sur-Cher: Castellio ad Carim
Châtillon-sur-Indre: Castellio ad Ingerim
Châtillon-sur-Loing → Châtillon-Coligny
Châtillon-sur-Loire: Castellio ad Ligerim
Châtillon-sur-Marne: Castellio ad Matronam
Châtillon-sur-Seine: Castellio ad Sequanam
Châtillon-sur-Sèvre: Castellio Pictaviae
Chattuariergau (Attuariergau), Gau: Hatoariorum pag.
Chaudefontaine: De Calida Fontana
Chaudes-Aigues: Calentes aquae
Chaumes-en-Brie: Calami eccl.
Chaumont (Chaumont-en-Bassigny): Calmontium Bassiniae
Chaumont-en-Bassigny → Chaumont
Chaumousey: Calmosiacum
Chauny: Calniacum
Chauvigny: Calviniacum
Chaves: Flaviae aquae
Cheb (Eger): Egra
Cheikh Abadah (Schech Abadeh): Antinoupolis
Chelles: Cala
Chełm (Cholm): Chelma
Chełm (Cholm), Woiw.: Chelmensis comit.
Chełmno (Culm, Kulm): Culma
Chemnitz (Karl-Marx-Stadt): Chemnitium
Chemnitz, Fl.: Caminizi rivus
Cher, Fl.: Caris
Cherbourg: Caesaris burgus
Cherchell: Julia Caesarea
Cherso → Cres, Ins.
Cherson: Chersonium
Cheshire (Chester), Grafsch.: Cestria
Chesne, Le ~: Quercus populosa
Chester: Devana
Chester, Grafsch. → Cheshire
Chèvremont: Caprae mons
Chevreuse: Caprusium
Chevry-Cossigny: Apriancum
Chezdi-Oşorheiu → Tîrgu-Secuesc
Chézy-sur-Marne: Casiacum
Chiagio → Chiascio, Fl.
Chianni, Gebiet um ~: Clantius ager
Chiaramonte Gulfi: Claromons
Chiari: Clarium
Chiascio (Chiagio), Fl.: Asius fluv.
Chiavari: Clavarum

Chiavenna: Clavenna
Chiazza → Piazza Armerina
Chichester: Cicestria
Chider, El ~ → El-Chider
Chiemsee, See: Auva
Chieri: Carea
Chieti, Prov.: Teatina provincia
Chiètres → Kerzers
Chièvres: Cervia
Chill Chainnigh, Contae ~ → Kilkenny, Grafsch.
Chillon, Schl.: Zylium
Chimay: Chimacum
Chinon: Caino
Chiny: Chinejum
Chioggia: Claudia fossa
Chioggia, Kanal v. ~ → Kanal v. Chioggia
Chipiona: Caepionis turris
Chippenham: Chippenhamum
Chişineu-Criş (Kreisch): Keresdinum
Chiuro: Clurium
Chiusa (Klausen): Clausina
Chiusa di Verona (Etschklause, Berner Klause, Veroneser Klause): Clausa Veronensis
Chiusa Forte: Clausa
Chivasso: Clavasium
Chláir, Contae an ~ → Clare, Grafsch.
Chlum nad Ohří (Maria Kulm, Chlum Svaté Maří): Mariaechelmum
Chlum Svaté Maří → Chlum nad Ohří
Chobienia → Köben
Choiseul: Caseolum
Choisy-au-Bac: Cauciacum
Choisy-le-Roi: Cauciacum regium ad Sequanam
Chojnice (Konitz): Choinitia
Chojnów → Haynau
Cholm → Chełm
Cholm, Woiw. → Chełm, Woiw.
Cholmogor, Neu ~ → Archangelsk
Cholmogory, Nowo ~ → Archangelsk
Chomutov (Komotau): Helcipolis
Chorges: Caturicae
Chotin (Hotin): Chotinum
Chrast: Christa
Christiania → Oslo
Christianstadt (Krzystkowice): Christianostadium ad Boberam
Christmemel: Christi Memela
Chrudim: Chrudima
Chudzowice → Bernsdorf
Chur: Curia urbs
Churrätien → Graubünden, Landsch.
Churwalden: Corvantiana vallis
Churwalden, Kl.: Corvantiense monast.
Chust (Huszt): Hustum
Chutbe: Hypselis
Ciacova (Csákovár): Chactornia
Cicester → Cirencester
Cidlina (Szidlina), Fl.: Cydlina
Cierfs (Tschierv): Cervium
Cíes, Islas ~ **(Islas de Bayona), Inseln:** Deorum insulae
Cieszyn (Teschen): Teschena
Cigliano: Cilianum
Cill Bheagáin → Kilbeggan
Cill Chainnigh → Kilkenny
Cill Dalua → Killaloe
Cill Mocheallóg → Kilmallock
Cilli → Celje
Cimbrishamn (Simbrishamn): Cimbrorum portus
Cimino → Vico, Lago di ~
Ciney: Cennacum
Cinq-Mars-la-Pile: Quinque Martes
Cinuos-chel (Cinuskel): Scinum
Cinuskel → Cinuos-chel
Ciotat, La ~ **:** Carsici civ.
Čiovo (Bua), Ins.: Bubus
Ciran (Ciran-la-Latte): Siroialum
Ciran-la-Latte → Ciran

Cirencester (Cicester): Durocornovium
Ciriè: Ciriacum
Cismar: Cismaria
Cîteaux: Cistercium
Città della Pieve: Plebis civ.
Città di Castello: Castellana civ.
Cittadella: Tuta civ.
Cittaducale: Ducalis civ.
Cittanova: Nova civ.
Cittanova → Novigrad
Ciudad Real: Regia civ.
Ciudad Rodrigo: Rodericopolis
Ciudad Trujillo → Santo Domingo
Ciudadela: Jamno
Cividale del Friuli: Forojuliensis civ.
Cività Castellana: Castellana civ.
Cicitavecchia: Vetus civ.
Civitella del Tronto: Castilio
Civray: Severiacum
Clair → Clare, Grafsch.
Clairac: Clericum
Clairefontaine: Clarus fons
Clairets, Les∼: Claretum
Clairlieu: Clarus locus
Clairvaux: Clara vallis
Clamecy: Clameciacum
Clare (Clair, An Clár, Contae an Chláir), Grafsch.: Thuetmonia
Clarencefield: Clarentia
Claye-Souilly: Coja
Cleckheaton: Cambodunum
Clérac: Clariacum ad Oldam
Clermont: Claromontium
Clermont (Clermont-de-l'Oise, Clermont-en-Beauvaisis): Claromontium
Clermont-de-l'Oise → Clermont
Clermont-en-Argonne: Calmons
Clermont-en-Beauvaisis → Clermont
Clermont-Ferrand: Claromontium
Clermont-lez-Nandrin: Clarus mons
Clermont-l'Hérault: Claromontium Lutevense
Clermontois, Grafsch.: Claromontensis pag.
Cléry (Cléry-Saint-André): Clariacum ad Ligerim
Cléry-Saint-André → Cléry
Cley: Garreienus
Clichy (Clichy-la-Garenne): Clipiacum
Clichy-la-Garenne → Clichy
Clinchamps (Mesnil-Clinchamps): Agelli
Clissa → Klis
Clisson: Clissonium
Clonfert: Clonfertia
Clonmel: Clona
Cloyne: Cluanum
Cluj (Klausenburg, Kolozsvár): Claudiopolis
Cluj → Klausenburg, Komit.
Cluny: Cliniacum
Cluses: Clusa
Clusio (Schleis): Scludis
Clusone: Clusonia vallis
Clyde, Fl.: Cluda
Clydesdale (Vale of Clyde), Landsch.: Clidesdalia
Coa, Fl.: Cuda
Coburg: Coburgum
Coburg, Hgt.: Coburgicus ducat.
Coca: Cauca
Cochem (Kochem): Cochemium
Cockermouth: Cocermutium
Codogno: Catoneum
Cölbigk: Colbeca
Coesfeld: Cosfeldia
Coevorden → Koevorden
Coghinas, Fl.: Termus
Cognac: Cognacum
Cogne, Val di ∼ → Val di Cogne, Tal
Coimbra: Conimbriga
Col de Montgenèvre → Mont Genèvre, Paß

Col de Pertus (Collado del Perthus), Paß: Fauces Pertusae
Col du Grand Saint Bernard → Großer Sankt Bernhard, Paß
Col du Mont Cenis → Mont Cenis, Col du ~
Col du Petit Saint Bernard → Kleiner Sankt Bernhard, Paß
Colchester: Colcestria
Coldingham: Colania
Colditz: Colidici
Coligny: Coliniacum
Coll, Ins.: Cola
Collado del Perthus → Col de Pertus
Colle del Gran San Bernardo → Großer Sankt Bernhard, Paß
Colle del Moncenisio → Mont Cenis, Col du ~
Colle del Piccolo San Bernardo → Kleiner Sankt Bernhard, Paß
Colle di Monginevro → Mont Genèvre, Paß
Colle Umberto: Collis
Collinée: Colinaeum
Collioure: Caucoliberis
Collonge-la-Madeleine: Collum longum
Colmar: Colmaria
Colmars (Colmars-les-Alpes): Collis Martis
Colmars-les-Alpes → Colmars
Cologny: Coloniacum
Colonne, Kap~(Capo delle Colonne): Columnarum caput
Comacchio: Cilmaculum
Combeaux: Combelli villa
Combrailles, Landsch.: Convalles
Comburg, Kl.: Kampergense monast.
Comer See → Como, Lago di ~
Comines: Comineum
Comines (Komen): Comineum
Comino, Ins.: Cuminum
Commequiers: Quidmihiquaeris
Commercy: Commeniae
Comminges, Landsch.: Convenensis tractus
Como: Novocomum
Como, Lago di ~ (Comer See, Lario): Comensis lacus
Compiègne: Compendium
Compiègne, Forêt de ~ → Forêt de Compiègne, Wald
Comtat Venaissin, Landsch.: Venascinus comit.
Comté de Foix, Grafsch.: Fuxensis comit.
Conches → Goms, Bez.
Conches-en-Ouche: Castellio
Concordia Sagittaria: Julia concordia
Condé-sur-l'Escaut: Condaeum ad Scaldim
Condé-sur-Noireau: Condaeum ad Nerallum
Condom: Condomium
Condrieu: Condriacum
Conegliano: Conelianum
Confédération Suisse → Schweiz
Confederazione Svizzera → Schweiz
Conflans, Dép. Savoie: Confluentes
Conflans, Dép. Seine: Confluentes
Conflans (Conflans-Sainte-Honorine): Confluentes
Conflans-en-Jarnisy: Confluentes
Conflans-sur-Lanterne: Confluentes
Confolens: Confluentes
Congleton: Congletonum
Congo (Rio Zaïre), Fl.: Congus
Connacht → Connaught, Prov.
Connaught (Connacht, Cúige, Chonnacht), Prov.: Connacia
Conques: Concae
Conquet, Le~: Conquestus
Conserans, Landsch.: Conseranum
Constanţa (Konstanza, Constantza, Köstendsche, Küstendže, Kustendie): Constantiana
Constantine (Ksantina): Cirta

Constantza → Constanţa
Contae an Chláir → Clare, Grafsch.
Contae an Longphoirt → Longford, Grafsch.
Contae Bhaile Átha Gliath → Dublin, Grafsch.
Contae Chill Chainnigh → Kilkenny, Grafsch.
Contae Dhún na nGall → Donegal, Grafsch.
Contae Loch Garman → Wexford, Grafsch.
Contae Lu → Louth, Grafsch .
Contae Luimnigh → Limerick, Grafsch.
Contae na Gaillimhe → Galway, Grafsch.
Contae na Mí → Meath, Grafsch.
Contae Phort Láirge → Waterford, Grafsch.
Contae Shligigh → Sligo, Grafsch.
Contae Uíbh Fhailí → King's County
Conthey (Gundis): Contegium
Conty: Contiacum
Conversano: Conversanum
Conway: Conovium
Conway, Fl.: Connovius
Coppa, Fl.: Cupa
Coquet, Fl.: Coqueda
Corace, Fl.: Corax
Corbeil (Corbeil-Essonnes): Corbolium
Corbeny: Corbeniacum
Corbetta: Beata curia
Corbie: Corbeja vetus
Corbière, La∼: Corbaria
Corbières: Korbers
Corbigny: Corbiniacum Nivernense
Corbon: Corbo
Corbonais, Landsch.: Corbonensis pag.
Cordes: Corduae
Corese, Fl.: Curensis fluv.
Cória: Cauria
Corigliano Calabro: Coriolanum Calabriae
Cork: Corcagia
Cormeilles: Curmiliaca
Cormery: Cormaricum
Cormicy: Cormiciacum
Čorne more → Schwarzes Meer
Corneillan: Cornelianum
Corneto Tarquinia: Cornetum
Cornigliano Ligure: Cornilianum
Č'ornoje more → Schwarzes Meer
Cornwall, Landsch.: Cornubia
Correggio: Corregium
Corrèze, Fl.: Curetia
Corse (Korsica, Còrsica), Ins.: Terapne
Corse, Cap∼ (Capo Corso): Sacrum promont.
Corsept: Corbilo
Corseul: Martis fan.
Còrsica → Corse, Ins.
Corsignano: Corsilianum
Corso, Capo∼ → Corse, Cap ∼
Cortemaggiore: Maior curia
Cortemilia: Curtismilium
Corteolona: Olonna curtis
Cortona: Corythus
Coruña, La ∼: Flavium Brigantum
Corvey: Corbeja nova
Corvo, Ins.: Corvi ins.
Corzes (Kortsch): Kortis
Cosel (Kosel, Koźle): Coselia
Cosenza: Cusentia
Cosenza, Prov.: Consentina prov.
Cosnac: Cusacum
Cosne-sur-Loire: Cons
Côte-Saint-André, La ∼: Clivius s. Andreae
Cotentin, Halbins.: Constantinus pag.
Cottbus: Cotbusium
Cottische Alpen (Alpes Cottiennes, Alpi Cozie): Cottiae Alpes

Coucy-le-Château-Auffrique: Cociacum
Coudun: Cusdonum
Couesnon, Fl.: Coetnum
Coulaines: Colonia
Coulommiers: Colomeria
Coupar Angus: Cupra
Cour-Dieu, La∼: Dei curia
Courbe, La∼: Corba
Courbevoie: Curbavia
Courbouzon: Curtis Bosonis
Courpière: Curtipetra
Courtenay: Cortiniacum
Courtrai (Kortrijk): Cortracum
Coutras: Certeratae
Couvin: Covinum
Coventry: Conventria
Covolo (Kofel), Engpaß: Claustrum
Cowbridge: Bomium
Craon: Cratumnum
Crécy-en-Ponthieu: Cresiacum
Cree, Fl.: Carthus
Creil: Credilium
Crémieu: Cremiacum
Cremona, Gebiet um ∼: Cremonensis ager
Crépy (Crépy-en-Laonnais): Crepiacum in Lauduno
Crépy-en-Laonnais → Crépy
Crépy-en-Valois: Crispejum
Créquy: Crequium
Cres (Cherso): Absorus
Cres (Cherso, Čres), Ins.: Chrepsa
Čres → Cres, Ins.
Crespin: Crispinium
Cressy: Crisenaria
Crest: Crista
Creus, Kap∼ (Cabo Creus): s. Crucis promont.
Creuse, Fl.: Crosa
Creussen: Chrusna
Creuzburg: Cruciburgum ad Vierram
Crevant: Crevantium
Crèvecoeur-le-Grand: Crepicordium
Crèvecoeur-sur-l'Escaut: Crepicordium
Crillon-le-Brave: Credulio
Crissey: Crusinia
Crişul Repede (Sebes Körös, Schnelle Kreisch), Fl.: Chrysius
Crna Gora → Montenegro
Croia → Krujë
Croisic, Le∼: Crocilliacum
Croisille-sur-Briance, La∼: Crocilliaca
Croisilles: Crocilliaca
Croissy-sur-Seine: Crossiacum
Croix-Caluyaux: s. Crux oratorium
Cromarty: Cromartium
Cromarty, Grafsch.: Cromartinus comit.
Cronenberg (Wuppertal-Cronenberg): Cronberga
Crossen (Krosno Odrzańskie): Crosna
Crostolo, Fl.: Crustulus
Crotoy, Le∼: Corocotinum
Crouy: Croviacum
Croydon: Croydona
Cruz, Kap∼ (Cabo Cruz): s. Crucis promont.
Csakathurn → Čakovec
Csákovár → Ciacova
Csallóköz → Große Schütt Insel
Csanád → Makó
Csanád, Komit.: Cenadiensis comit.
Csepel (Csepel Sziget), Ins.: Cepelia
Csepel Sziget → Csepel, Ins.
Csepreg (Tschapring): Tzepreginum
Csötörtökhely → Spišský Štvrtok
Csongrád, Komit.: Czongradiensis comit.
Csütörtökhely → Spišský Štvrtok
Cuenca: Conca
Cuggiono: Cusionum
Cugnon: Casecongidunus

Cúige Chonnacht → Connaught, Prov.
Cúige Laighean → Leinster, Landsch.
Cúige Mumhan → Műnster, Landsch.
Cúige Uladh → Ulster, Prov.
Cuiseaux: Cuisellus Lincasiorum
Culemborg (Kuilenburg): Culenburgum
Culm → Chełmno
Culmore, Fl.: Vidua
Cumberland, Grafsch.: Cumbria
Cuneo: Coneum
Cunninghame, Landsch.: Cunigamia
Cuolm Lucmagn → Lukmanier, Paß
Ćuprija: Horrea Margi
Curtil-Vergy → Vergy
Curzola → Korčula, Ins.
Cusio → Orta, Lago d' ~
Cusset: Cussetum
Curtea de Argeş: Ardiscus
Cuxhaven: Cuxhavia
Czersk: Ciricium
Czerwony Kościół → Rothkirch
Czesławice → Zesselwitz
Częstochowa (Tschenstochau): Czenstochavia

D

Daalac Inseln → Dahlak Inseln
Dabetsweiler: Tagebrehtiswillare
Dachau: Tachovia
Dachstein: Dachstenium
Dachtel: Dahtela
Dänemark (Danmark): Dania
Däniken: Liliorum vallis
Dagestan, Landsch.: Albania
Daglan: Daglanium
Dagö → Hiiumaa, Ins.
Dahalak Inseln → Dahlak Inseln
Dahlak Inseln (Dahalak od. Daalac Inseln): Orine (insulae)
Daintree → Daventry
Dakhel, Oase ~ → Oase Dakhel
Dal (Dalsland), Landsch.: Dalia
Dalarna → Dalarne, Landsch.
Dalarne (Dalarna, Dalekarlien), Landsch.: Dalecarlia
Dalbke: Dellina
Dale: b. Virginis vallis
Dalekarlien → Dalarne, Landsch.
Dalelf, Fl.: Dalecarlius
Dalke, Fl.: Delchana
Dalkeith: Dalkethum
Dalmatinische Inseln, Nord ~ → Norddalmatinische Inseln
Dalmatinski otoci, Teil der ~ → Norddalmatinische Inseln
Dalsland → Dal, Landsch.
Dalum: Dalanium
Damgan → Damghan
Damghan (Damgan): Hecatompylos
Damiette → Dumyat
Dammarie: Domna Maria
Dammartin-en-Goële: Dammartinum
Damme: Damma
Dampierre: Dampetra
Dampierre (Dampierre-de-l'Aube): Domna Petra
Dampierre-de-l'Aube → Dampierre
Dampierre-et-Flée → Dampierre-sur-Vingeanne
Dampierre-sous-Brou: Donna Petra
Dampierre-sur-Auve: Dampetra super Alvam
Dampierre-sur-Bouhy: Dampetra subtus Boyacum
Dampierre-sur-Moivre: Dampetra super Meviam

Dampierre-sur-Salon: Dampetra
Dampierre-sur-Vingeanne (Dampierre-et-Flée): Domna Petra
Damville: Damovilla
Damvillers: Dampvillerium
Danevirke → Danewerk
Danewerk (Danevirke, Dannevirke), Befestig.: Danorum vallum
Dange, Fl.: Dagna
Dangeau: Dangellum
Danmark → Dänemark
Dannevirke → Danewerk
Danzig (Gdańsk): Gedanum
Daolatabad → Daulatabad, Fstg.
Daraçya yarimadasi, Halbins.: Cauda vulpis
Dardanellen (Çanakkale Boğazi, Straße bzw. Meerenge v. Gallipoli, Straße der Dardanellen, Hellespont): Hellespontus
Dardanellen, Festungswerke an den ~: Arces ad angustias Hellesponti
Dargun: Dargunensis villa
Darlington: Darlitonia
Darłowo → Rügenwalde
Darmstadt: Darmstadium
Darney: Darnacum
Dartmouth: Dermuta
Dassel: Dassela
Datteln: Datilo
Dattenried → Delle
Dauborn: Dabornaha
Daudleb → Doudleby
Daugava (Düna, Westliche Dwina, Sapadnaja Dwina, Zapadnaja Dvina), Fl.: Taruntus
Daugavgriva (Dünamünde): Dunae ostium
Daulatabad (Daolatabad, Deogiri, Dewagin), Fstg.: Tagara
Daumeray: Dalmeriacum
Daun: Dumno
Dauphiné, Landsch.: Delphinatus
Daventry (Daintree): Bennavenna
Dax: Tasta Datiorum
De Beemster, Polder: Bamestra
De Duffel, Landsch.: Dublensis pag.
De Veluwe → Veluwe, Gau
De Zevenwolden → Zevenwouden, Landsch.
Deal: Dola
Dean, East ~ → East Dean
Dean, Forest of~ → Forest of Dean
Debrecen (Debreczin): Debrecinum
Debreczin → Debrecen
Decan → Dekkan, Landsch.
Děčín (Tetschen): Tactschena
Dédestapolcsány (Dédes): Dedessa
Dee, Fl.: Dea
Deés → Dej
Degernau: Degernowa
Deilbach, Fl.: Thidela
Deinigen: Tininga
Deinze: Dinsa
Deister, Geb.: Deysterna mons
Dej (Dés, Deés): Darocinium
Dekhan → Dekkan, Landsch.
Dekkan (Decan, Dekhan), Landsch.: Dachinabades
Delbrück: Delbruggia
Delebio: Alebium
Delémont (Delsberg): Delemontium
Delft: Delfi
Delgado, Kap~ (Cabo Delgado): Prasum promont.
Delhi (Neu-Delhi, New Delhi): Dellium
Delitzsch: Delitium
Delle (Dattenried): Dela
Dellys: Rusucurru
Delme: Ad Duodecimum
Delmenhorst: Delmenhorstium
Delsberg → Delémont
Delsbo: Delisboa
Delvenau, Fl.: Delvunda
Demir Kapu → Vratnik, Paß
Demirkapi → Vratnik, Paß
Demmin: Demmium

Demona, Val di ~ → Val di Demona, Prov.
Demone, Val ~ Val di Demona, Prov.
Demotika → Didymotichon
Den Dam → Appingedam
Den Haag ('s-Gravenhage, La Haye, The Hague): Haga Comitis
Denain: Denonium ad Scaldim
Denbigh: Denbiga
Denbighshire, Grafsch.: Denbigensis comit.
Dender → Dendre, Fl.
Dendermonde (Termonde): Teneremunda
Dendre (Dender), Fl.: Dendera
Deneuvre: Danubrium
Denia: Hemeroscopium
Dentelin: Dentelinus ducat.
Deogiri → Daulatabad, Fstg.
Déols: Dolum
Derbent: Pylae Albanicae
Derby: Derventio
Derbyshire, Grafsch.: Derbiensis comit.
Derna: Darnis
Derris, Akra ~ → Drepanon, Kap ~
Derry → Londonderry
Derwent, Fl.: Darventus
Dés → Dej
Desenzano del Garda (Desenzano sul Lago): Decentianum
Desenzano sul Lago → Desenzano del Garda
Desmond (South Munster), Landsch.: Desmonia
Dessau: Dessavia
Dessau-Kochstedt → Kochstedt
Destelbergen: Thessela
Deti Mesdhe → Mittelländisches Meer
Detmold: Thiotmelli
Detzem: Decima
Deurne: Durninum
Deutekom (Doetinchem): Dotecum
Deutsch-Beneschau → Benešov
Deutsch Eylau (Iława): Gilavia Germanica
Deutsch Kreuz → Deutschkreutz
Deutsch-Orawitza → Oravița
Deutsches Reich (bis 1806) → Heiliges Römisches Reich Deutscher Nation
Deutschland: Teutonicorum terra
Deutschkreutz (Deutsch Kreuz, Németkeresztúr): Keresztúrinum
Deutschmatrei → Matrei a. Brenner
Deutschnofen → Nova Ponente
Deutz (Köln-Deutz): Diutia
Deva (Diemrich): Decidava
Deva, Fl.: Diva
Deventer: Daventria
Devín (Devény, Theben): Dowina
Devonshire, Grafsch.: Devonia
Dewagin → Daulatabad, Fstg.
Dezna: Jesna
Dhún na nGall, Contae ~ → Donegal, Grafsch.
Diadin → Diyadin
Diane, Étang de ~**:** Dianae lac.
Diano Castello: Dianae castell.
Dickweiler: Wilare
Didymotichon (Dimotika, Demotika, Dimetoka): Didymotichus
Die: Dea Vocontiorum
Diedenhofen → Thionville
Diemel, Fl.: Timella
Diémoz: Decimus
Diemrich → Deva
Dieppe: Deppa
Diesen (Diessen): Disena
Diessen → Diesen
Dießen (Dießen a. Ammersee): Disia
Dießen a. Ammersee → Dießen
Diessenhofen: Darnasia
Diest: Distemium
Dietersdorf: Theodorici villa

Dietfurt: Theodophorum
Dietramszell: Dietrammi cella
Dieue: Dycia
Dieulouard: Deslonardum
Dieuze: Decem pagi
Diez: Decia
Digne: Diniensium civ.
Dijon: Diviodunum
Dijonnais, Landsch.: Diviodunensis pag.
Diksmuide → Dixmuiden
Dilighem: Tilighemium
Dill, Fl.: Dillena
Dillen → Banská Belá
Dillingen: Dilinga
Dilln → Banská Belá
Dimetoka → Didymotichon
Dimotika → Didymotichon
Dinan: Dinellum
Dinant: Dinandum
Dingolfing: Dingolfinga
Dinkelsbühl: Zeapolis
Diois, Landsch.: Diensis tractus
Dirschau → Tczew
Disentis (Mustèr): Speluca
Disibodenberg: s. Disibodi monast.
Dissen: Disna
Dithmarschen, Landsch.: Thethmarchi
Ditzingen: Dizinga
Diu: Boeonus
Dives, Fl.: Deva
Dives-sur-Mer: Deva
Dixmude → Dixmuiden
Dixmuiden (Dixmude, Diksmuide): Dicimuda
Diyadin (Diadin): Daudyana
Dizimieu: Decimus
Djawa → Java, Ins.
Djebail → Dschebeil
Djebel Aures → Aurès, Geb.
Djebel Mousa → Musa, Dschebel ~
Djérach → Jarash
Djerasch → Jarash
Djerba (Djezîret Djerba, Dscherba), Ins.: Girba
Djezaïr, El ~ → Algier
Djezir Qoûriât (Îles Kuriate), Inselgruppe: Larunesiae insulae
Djezîret Djerba → Djerba, Ins.
Dnjepr, Fl.: Danapris
Dnjepropetrowsk (Jekaterinoslaw): Kudacum
Dnjestr (Nistru), Fl.: Danastris
Dobbeln: Debbenum
Doberan: Doberanum
Dobritz: Dobris
Dobroszyce → Juliusburg
Dobrzyń (Golub-Dobrzyń): Dobrinia
Dodewaard: Ad Duodecimum
Döbeln: Debelum
Döllach: Dola
Doemitz: Domitium
Doens: Thuna
Dörgelin: Dolgala
Dörpen: Teuderium
Does: Thosa
Doesburg: Doesburgum
Doetinchem → Deutekom
Dohren: Dornatta
Dokkum: Doccinga
Dol-de-Bretagne: Dola Britonum
Dolceacqua: Dulcis aqua
Dôle: Dola
Dolina, Spania ~ → Spania-Dolina
Doller (Dollern), Fl.: Olruna
Dollern → Doller, Fl.
Dołuje → Neuenkirchen
Domasław → Domslau
Domat → Ems
Domažlice (Taus): Tusta
Dombasle-sur-Meurthe: Domnus Baseolus
Dombes, Landsch.: Dombensis pag.
Domèvre-en-Haye: Domnus Aper
Domfront: Domnus Frons

Domleschg (Tumliasca), Landsch.: Domestica vallis
Dommartin, Dép. Ain: Domnus Martinus
Dommartin, Dép. Somme: Donum Martini
Dommartin-la-Planchette: Domnus Martinus ad Plancas
Dommartin-le-Franc: Domnus Martinus Francus
Dommartin-lès-Toul: Domnus Martinus supra fluvium Mosae
Dommartin-sur-Vraine: Domnus Martinus iuxta s. Paulum
Dommary-Baroncourt → Baroncourt
Dommel, Fl.: Dumella
Domodossola: Domoduscella
Dompierre: Templum Petri
Dompierre-en-Morvan: Domna Petra versus Sedelocum
Dompierre-sur-Authie: Domna Petra
Dompierre-sur-Besbre: Domnus Petrus
Domrémy-la-Pucelle: De domo Remigii
Domslau (Domasław): Domsla
Donau (Duna, Dunai, Dunaj, Dunărea, Dunav), Fl.: Danubius
Donaueschingen: Doneschinga
Donauwörth: Donaverda
Doncaster: Danum
Donchery: Doncheriacum
Donegal (Dún na nGall): Dungalia
Donegal (Dún na nGall, Contae Dhún na nGall), Grafsch.: Dungalensis comit.
Dong Hai → Ostchinesisches Meer
Dong Hai → Ost- u. Südchinesisches Meer
Donnemarie-en-Montois: Domna Maria in Montesio
Donnersmarkt → Spišský Štvrtok
Donzère: Durium
Donzy (Donzy-le-Pré): Domitiacum
Doornik → Tournai
Dorat, Le ~: Oratorium
Dorchester: Dorcestria
Dordogne, Fl.: Dordonia
Dordou, Fl.: Tortuus
Dordrecht: Dordracum
Dore, Mont ~ → Mont Dore, Berg
Dorfhagen: Hagena
Dormagen: Durnomagus
Dormelles: Doromellum
Dormois, Landsch.: Dulcomensis pag.
Dornach: Dornacum
Dornoch: Dornocum
Dornstetten: Acanthopolis
Dorpat → Tartu
Dorset, Grafsch.: Dorsetia
Dorst, Fl.: Dursta
Dorsten: Durstina
Dorteweil: Turchilawila
Dortmund: Tremonia
Dortmund-Huckarde → Huckarde
Dossena: Tusis
Douai: Duacum Catuacorum
Douarnenez: Dovarnena
Doubs, Fl.: Dova
Doudleby (Daudleb): Dudlebi urbs
Doué-la-Fontaine: Doadum
Douglas: Duglasium
Doullens: Donincum
Dour: Dura
Dourdan: Dordanum
Douriez: Adullia
Douze, Fl.: Dusa
Douzy: Diciacum
Dover: Dubri
Dover, Strait of ~ → Straße v. Dover
Dover, Straße v. ~ → Straße v. Dover
Down, Grafsch.: Dunensis comit.
Downpatrick: Dunum
Dra (Oued Dra), Fl.: Daradus

Drac, Fl.: Dracus
Dragučova (Tragutsch): Dragozla
Draguignan: Dracenae
Dragutinovo (Karlova): Clara
Drahotusch → Drahotuše
Drahotuše (Drahotusch): Drahaus castr.
Drama: Drabescus
Dransfeld: Thransfellensis eccl.
Drau (Drava), Fl.: Dravus
Drausensee (Jezioro Druzno), See: Drusis lacus
Drava → Drau, Fl.
Drechen: Trecni
Dreckenach: Dreckenacum
Dreingau, Landsch.: Dreini pag.
Dreisam, Fl.: Treisama
Drenowetz → Drjenovec
Drensteinfurt: Steinfordia
Drenthe, Prov.: Trenta
Drepanon, Kap∼ (Akra Derris, Akra Drépanon): Derrhis promont.
Dresden: Dresda
Dreux: Drocae
Dreux, Grafsch.: Drocensis comit.
Drewenz → Drwęca, Fl.
Drewergau, Gau: Threveresga
Drezdenko → Driesen
Driburg: Driburgum
Driel: Driela
Driesen (Drezdenko): Dressenium
Drim → Drin, Fl.
Drin (Drim), Fl.: Caradrina
Drispenstedt: Drispenstedium
Drivasto: Trivastum
Drjenovec (Drenowetz): Theranda
Drogheda (Droichead Átha): Drogeda
Droichead Átha → Drogheda
Drôme, Fl.: Druma
Dromore: Dromaria
Dronero: Draconerium
Drongen → Tronchiennes
Drontheim → Trondheim
Drübeck: Trobiki
Drütte: Tritidi
Drusus-Kanal: Drusiana fossa
Druzno, Jezioro ∼ → Drausensee, See
Drwęca (Drewenz), Fl.: Druentia
Drzewnow → Tachov
Dschamna → Yamunā, Fl.
Dschebeil (Djebail, Gebail, Ibail, Jebaïl, Jubeil): Byblus
Dschebel et-Tur → Tabor, Berg
Dschebel Musa → Musa, Dschebel∼
Dscherasch → Jarash
Dscherba → Djerba, Ins.
Dsherash → Jarash
Dublin (Baile Átha Cliath): Dublana
Dublin (Contae Bhaile Átha Gliath), Grafsch.: Dublinensis comit.
Dubrovnik (Ragusa): Rhaugia
Ducey: Ducium
Duchcov (Dux): Duxonum
Duclair: Duclarum
Düben: Duba
Duderstadt: Duderstadium
Dülmen: Dulmenni
Dümmer (Dümmersee), See: Dummera lacus
Dümmersee → Dümmer, See
Düna → Daugava, Fl.
Dünamünde → Daugavgriva
Dünkirchen → Dunkerque
Düren, Rheinprov.: Dura
Düren, Kr. Saarlouis: Durna
Dürenwald: Turestodelus
Dürkheim: Turingum
Dürrweiler: Turewilare
Duesme: Dusmium
Duesmois, Landsch.: Duesmensis pag.
Düssel: Dusla
Düsseldorf: Dusseldorpium
Düsseldorf-Kaiserswerth → Kaiserswerth
Duffel, De ∼ → De Duffel, Landsch.

Dugny-sur-Meuse: Dongei villa
Duino → Duino Aurisina
Duino Aurisina (Duino): Duinum
Duisburg, Rheinprov.: Dispargum
Duisburg, Pr. Brabant: Dispargum
Dulcigno → Ulcinj
Duleek: Dulecum
Dumbarton: Britannodunum
Dumfries: Dunfreia
Dumyat (Damiette): Damiata
Dún Dealgan → Dundalk
Dun-le-Roi → Dun-sur-Auron
Dún na nGall → Donegal
Dún na nGall → Donegal, Grafsch.
Dun-sur-Auron (Dun-le-Roi): Regiodunum
Dun-sur-Meuse: Dunum ad Mosam
Duna → Donau, Fl.
Dunaj → Donau, Fl.
Dunapentele → Dunaújváros
Dunărea → Donau, Fl.
Dunaújváros (Dunapentele, Sztálinváros): Intercisa
Dunav → Donau, Fl.
Dunbar: Dumbarum
Dunblane: Dumblanum
Dundalk (Dún Dealgan): Dunkeranum
Dundee: Allectum
Dunkeld: Caledonium castr.
Dunkerque (Dünkirchen): Dunkerca
Dunmore (An Dún Mór): Cathanasia
Dunnet Head, Vorgeb.: Viruedrum promont.
Dunningen: Dunum
Dunois, Landsch.: Dunensis tractus
Duns: Dusium
Dunstaffnage Castle: Evonium
Dunster: Dunestorium castr.
Durance, Fl.: Druentia
Duras, Belg.: Durachium
Duras, Frankr.: Duracium
Durbuy: Durbutum
Durham: Dunelmum
Durham, Grafsch.: Dunelmensis comit.
Durlach (Karlsruhe-Durlach): Durlacum
Durlas → Thurles
Durningen: Durninga
Durswolden: Silvae
Durtal: Durastellum
Duvno (Zupanjac): Dalmium
Dux → Duchcov
Dvina, Zapodnaja ∼ → Daugava, Fl.
Dvorce (Hof): Moravica curia
Dwina → Daugava, Fl.
Dwina, Sapadnaja ∼ → Daugava, Fl.
Dwina, Westliche ∼ → Daugava, Fl.
Dyhernfurth (Brzeg Dolny): Durenfurtum
Dyle, Fl.: Thilia
Dysart: Desertum
Dziadów Most → Ulbersdorf

E

East Anglia → Ostanglien, Kgr.
East Dean: Deanum
Eaubonne: Bonae aquae
Eaux-Bonnes: Bonae aquae
Eaux-Chaudes, Les ∼: Calidae aquae
Eauze: Elusa
Ebchester: Vindomora
Ebenweiler: Ebinwilare

Eberau (Monyorokerek): Monyorokerekinum
Ebernburg, Ru.: Ebernburgum (castr.)
Ebersberg: Ebersberga
Ebersberger Forst, Wald: Ebarespergensis forestis
Ebersheim: Aprimonasterium
Eberstallzell: Eberstacella
Eberstein: Eberstenium
Ebersteinburg, Ru.: Eberstenium
Ebikon: Planura
Eboli: Ebolum
Ebrach, RB. O-Bayern: Ebaraha
Ebrach, RB. O-Franken: Ebera
Ébreuil: Ebrolium
Écaussinnes-d'Enghien: Scancia
Écharlis, Les ~, Kl.: Escarliae (monast.)
Echelles, Les ~: Scalarum burgus
Echenbrunn: Echabrunna
Echte: Ethi
Echternach: Epternacum
Echzell: Echecilla
Écija: Astigis
Ecknachdorf: Ankinaha
Ecly: Ercuriacum
Écouen: Escovium
Ed-Dâkhla, Wâhât ~ → Oase Dakhel
Écrouves: Scropuli villa
Eden, Fl.: Ituna
Eder, Fl.: Adarna
Edfu → Idfû
Edinburgh: Alata castra
Edinburgh-Leith → Leith
Eelde: Elti
Eename → Ename
Eenrum: Ernerensis urbs
Eesen: Esna
Eesti → Estland
Effeltrich: Effeldera
Egelfing: Egolvinga
Eger → Cheb
Eger → Ohře, Fl.
Eger (Erlau): Agria
Egg: Egga
Egg a. d. Günz: Ekka
Eggenburg: Eggenburga
Eggenweiler, Kr. Tettnang: Eccenwilare
Eggenweiler, Kr. Überlingen: Eginwilare
Egling: Eglinga
Eglisau: Eglisawia
Egmond aan de Hoef: Egmonda
Egmond Binnen: Egmonda
Ehl: Elcebus
Ehn, Fl.: Argenza
Ehrenberg: Honoris mons
Ehrenbreitstein (Koblenz-Ehrenbreitstein): Ehrenberti saxum
Eibelsau: Ebilsawa
Eich, Kr. Burglengenfeld: Eicha
Eich, Kr. Worms: Eichana
Eich, KH. Zwickau: Quercus
Eichach: Eichaha
Eichen: Eichaha
Eichendorf (Pollentschine, Boleścin): Bolescino
Eicherscheid: Ekanscetha
Eichhalde: Eichalda
Eichham: Eicha
Eichsfeld, Landsch.: Eichsfeldia
Eichstädt: Aichstadium
Eickel (Wanne-Eickel): Ecla
Eider, Fl.: Aegidora
Eiderstedt, Halbins.: Epidorensis praefectura
Eifel, Geb.: Eifla
Eigenbrakel → Braine-l'Alleud
Eilau (Iława): Ilua
Eilenburg: Eilenburgum
Eilensen: Illisa
Eindhoven: Eindovia
Einsiedeln: Meginradicella
Éire → Irland, Ins.
Eisack → Isarco, Fl.

Eisdorf: Egisvila
Eisenach: Ysenacum
Eisenberg: Eiseoberga
Eisenberg (Albrechtice): Ferreus mons
Eisenburg (Vasvár), Komit.: Castriferrei comit.
Eisenburg → Vasvár
Eisenkappel: Capella villa
Eisenstadt (Kismarton): Ferreum castr.
Eisernes Tor (Porţile de Fier, Großes Eisernes Tor, Grozdena vrata, Železna vrata), Strompaß: Ferrea porta
Eisernes Tor (Porţile de Fier, Poarta de Fier a Transilvaniei, Vaskapu), Paß: Ferrea porta
Eisernes Tor → Vratnik, Paß
Eisleben: Islebia
Eismeer, Nördliches ~ → Nordpolarmeer
Eiteren: Eitthera
Eitra: Eittera
Ekenäs (Tammisaari): Quercuum peninsula
Eksjö: Eckesioea
El 'Aïn, Râs ~ → Râs el 'Aïn
El 'Araich → Larache
El-Aria: Saltus Bagatensis
El-Arisch (El-'Arîsh): Rhincolura
El-Bahariya, Wâhât ~ → Oase Baharije
El Bahnasa → Behneseh
El Banasa → Behneseh
El Barco: Barchonium
El Beşîré → Qarqisiya
El Burgo de Osma: Oxoma
El Buseire → Qarqisiya
El Busera → Qarqisiya
El Castillo de las Guardas: Herculis fanum
El-Chider (Al-Khedir): Orchoë
El-Djezaïr → Algier
El Escorial: Escuriacum monast.
El-Fars, Bahr ~ → Persischer Golf
El-Goléa, Oase: Rapida castra
El Kef: Sicca venerea
El-Khârga, Wâhât ~ → Oase Charga
El-Mutawassit, Bahr ~ → Mittelländisches Meer
Elbe (Labe), Fl.: Albis
Elberfeld (Wuppertal-Elberfeld): Elberfeldia
Elbeuf: Elbovium
Elbing (Elbląg): Elbinga
Elbing (Elbingfluß, Elbląg), Fl.: Elbingus
Elbląg → Elbing
Elbląg → Elbing, Fl.
Elbogen → Loket
Elbogen (Loket), Kreis: Cubitanus circulus
Elda: Adellum
Eldena (Greifswald-Eldena): Hilda
Elgg: Elgovia
Elgin: Elgina
Elginshire → Morayshire
Elice, Fontana ~ → Fontanelice
Ellenweiler: Ellinwilare
Ellrich: Elricum
Ellwangen: Elewanga
Elm (Elmbach), Fl.: Elmaha
Elne: Elna
Elsaß → Alsace
Elsau: Elnesowa
Elsenbach: Elsinpacensis vicus
Elsfleth: Alisnis
Elsgau → Ajoie, Landsch.
Elsloo: Ascloha
Elster, Schwarze ~ → Schwarze Elster, Fl.
Elster, Weiße ~ → Weiße Elster, Fl.
Eltsch → Jelšava
Eltville (Eltville a. Rhein): Alta villa
Elvas: Helvae
Elverich: Albriki
Elxleben: Albgozesleba

Ely: Elia
Elz: Eltzia
Elz, Fl. (Mü: Neckar): Elza
Elz, Fl. (Mü: Rhein): Alisontia
Elzach: Aelza
Elze: Aulica
Ema jögi (Embach), Fl.: Mater aquarum
Embach → Ema jögi, Fl.
Embiez, Île des ~ → Île des Embiez
Embrach: Imbriacum
Embrick: Ambriki
Embrun: Ebredunum
Emden: Emda
Emilia (Emilia-Romagna), Landsch.: Emilia
Emine, Kap~ (Nos Emine, Nos Emona, Emine-Burun, Kap Ermine): Haemi extrema
Emly: Emelia
Emmat → Emme, Fl.
Emme (Große Emme, Emmat, Emmen), Fl.: Emma
Emme, Große ~ → Emme, Fl.
Emme (Kleine Emme, Waldemme), Fl.: Amma
Emme, Kleine ~ → Emme, Fl.
Emmen → Emme, Fl.
Emmental, Landsch.: Ammae vallis
Emmer, Fl.: Ambra
Emmerich: Embrica
Emona, Nos ~ → Emine, Kap ~
Ems, Fl.: Amisus
Ems (Bad Ems): Embasis
Ems (Domat): Embrium
Emscher, Fl.: Amsara
Emsgau → Emsland, Landsch.
Emsland (Emsgau), Landsch.: Emesgoa
Ename (Eename): Imeckna
End: In Fine
Endingen: Endinga
Engadin (Engiadina), Landsch.: Endena vallis
Engelberg: Angelorum mons
Engelhartszell: Angelorum cella
Engelsburg (Castel Sant'Angelo, Torre dei Crescenzi), Bauwerk in Rom: Angeli castell.
Engen: Engi
Enger: Angaria
Enghien: Angia
Enghien-les-Bains: Angia
Engiadina → Engadin, Landsch.
England, Land: Anglia
English Channel → Kanal, der ~
Englisweiler: Engillinis willare
Enino → Kreuzburg
Enkhuizen: Enchusa
Enkirch: Enchiriacus vicus
Enköping: Enecopia
Enna (Castrogiovanni): Enna
Enneberg → Marebbe
Ennenda: Ennanta
Ennepetal-Altenvoerde → Altenvoerde
Enniskillen: Kellina arx
Enns: Anassianum
Enns, Fl.: Anesus
Ensdorf: Ensdorfium
Ensisheim: Ensishemium
Entraigues: Interaquae
Entrains-sur-Nohain: Interamnis
Entraygues-sur-Truyère: Interaquae
Entre Minho e Douro, Prov.: Portugallia interamnensis
Entremont: Intermontium
Entrevaux: Intervallium
Envermeu: Evremodium
Enzweihingen: Vaingia
Eochaill → Youghal
Eperies → Prešov
Eperjes → Prešov
Éperlecques: Sperleca
Épernay: Sparnacum
Épernon: Sparno
Epfig: Apsiacum
Epinal: Spinae

Épinay-sur-Duclair: Spinetum
Époisses: Spinsia
Épône: Spedonum
Eppan → Appiano, Landsch.
Epsom → Ebeshamum
Equense, Vico ~ → Vico Equense
Er-Riha → Jericho
Erbach: Erpachium
Erbenweiler: Erbenwilare
Erching: Erichinga
Erciş (Akanis): Arzes
Erdély → Siebenbürgen, Landsch.
Erding: Ariodunum
Erdöd → Ardead
Ereğli (Bender Ereğli, Bendereğli, Eregri, Erekli, Harakly): Eribolum
Eregri → Ereğli
Erei, Monti ~ → Monti Erei, Geb.
Erekli → Ereğli
Erewan → Jerevan
Erft, Fl.: Arnafa
Erfurt: Erfordia
Ergetsweiler: Erkenholteswilare
Eridio → Idro, Lago d' ~
Eriha → Jericho
Ering: Aeringa
Eriwan → Jerevan
Erkelenz: Herculum
Erla, PB. Amstetten: Erlae
Erla, PB. St. Pölten: Erla
Erlach: Elegium
Erlach (Cerlier): Erlacum
Erlangen: Erlanga
Erlau → Eger
Ermeland → Ermland, Landsch.
Erment: Hermonthis
Ermine, Kap ~ → Emine, Kap ~
Ermland (Ermeland), Landsch.: Varmia
Ermsleben: Ermslebia
Erndtebrück: Bruga ad Ederum
Erne (An Éirne), Fl.: Trovius
Erne, Lough ~ → Lough Erne
Ernée: Ereneum
Érsekújvár → Nové Zamky
Erwitte: Arvita
Erzgebirge (Sächs. Erzgebirge, Krušné hory, Krušnohoří): Miriquidni
Es-Sîwa, Wâhât ~ → Oase Siwa
Esbeck: Asbiki
Escaledieu (Chartreuse de l' Escale-Dieu), Kl.: Scalae Dei Carthusia
Escaut → Schelde, Fl.
Escautpont: Scaldis pons
Esced → Nagyesced
Esced, Nagy ~ → Nagyesced
Esch: Asci
Eschach: Ascaha
Eschach, Fl.: Achatius
Eschau: Aschowa
Eschborn: Asgabrunnum
Eschêne (Eschêne-Autrage): De Quercubus
Eschenz: Aschenza
Eschweiler: Ascowilare
Escorailles: Scoralia
Escorial, El ~ → El Escorial
Escurolles: Scoriolae
Esebeck: Aesebiki
Esens: Esena
Esfahan (Isfahan, Ispahan): Aspadana
Esk, Fl.: Esca
Eskdale, Landsch.: Escia
Esla, Fl.: Estola
Espagnac: Paradisi vallis
Española → Haiti, Ins.
Espejo: Claritas Julii
Espera: Spera
Espichel, Cabo de ~, Kap: Barbarum promont.
Espierres (Spiere): Spira
Essay: Axa
Esseg → Osijek
Esselborn: Ameslabrunno
Essen: Astnidensis civ.

Essen-Bredeney → Bredeney
Essen-Frintrop → Frintrop
Essen-Heisingen → Heisingen
Essen-Steele → Steele
Essen-Werden → Werden
Esseratsweiler: Echirichiswilare
Essex, Grafsch.: Ejecta
Essey: Axa
Essey-les-Ponts: Axa
Essingen: Ossinga
Eßleben: Egisleba
Eßlingen: Esselinga
Esslingen a. Neckar: Esilinga
Essonne, Fl.: Essona
Essonnes (Corbeil-Essonnes): Essona
Estagel: Stagellum
Estaing: Stagnum
Estaires: Stegra
Estavayer-le-Lac (Stäffis am See): Staviacum
Este: Ateste
Este, Fl.: Escheda
Este, Mgft.: Estensis marchion.
Estella: Stella Carnovium
Estivareilles: Stivaliculis villa
Estland (Eesti, Estonia), Land: Estonia
Estonia → Estland
Estoublon: Stuplo
Estrecho de Gibraltar → Straße v. Gibraltar
Estrées-Saint-Denis: Strata
Estrêla, Serra da ~ → Serra da Estrêla, Geb.
Estremadura → Extremadura, Landsch.
Estremadura, Prov.: Extrema Durii
Estremoz: Extrema
Eszék → Osijek
Esztergom (Gran): Strigonia
Étampes: Stampae
Étampois, Landsch.: Stampensis pag.
Étang de Berre → Berre, Étang de ~
Étang de Diane → Diane, Étang de ~
Étang de Leucate → Leucate, Étang de ~
Étang de Lindre (Linderweiher), See: Lindrensis lacus
Étang de Maguelone → Maguelone, Étang de ~
Étang de Salces → Leucate, Étang de ~
Étang de Sigean → Sigean, Étang de ~
Étaples: Stapulae
Étival (Étival-lès-Le Mans): Aestivalium in Carnia
Étival-Clairefontaine: Stivagiense monast.
Étival-lès-Le Mans → Étival
Eton: Aetonia
Étouvy: Ituvium
Étréchy: Estriacum
Étrépagny: Stirpiniacum
Étroeungt: Duronum
Étrun: Strum
Etsch → Adige
Etschklause → Chiusa di Verona
Ettal: Attalense coenob.
Ettenheim: Ettenhemium
Ettenheimmünster: Ettenheimense monast.
Ettersburg: Ettersburgum
Ettling, RB. N-Bayern: Etilinga
Ettling, RB. O-Bayern: Cellae domus
Ettlingen: Ettlinga
Ettlingenweier: Uneswilare
Eu: Auga
Eule → Jílové u Prahy
Eupen: Oepi
Eure, Fl.: Audura
Euren (Oeren, Trier-Euren): Horreum
Europäisches Mittelmeer → Mittelländisches Meer
Europäisches Nordmeer) Nordhavet,

Norwegian Sea, Norður-Ishaf, Norskehavet): Oceanus septentrionalis
Eußerthal: Uterina vallis
Eutin: Utina
Évaux-les-Bains: Evahonium
Eve: Insula
Évècquemont: Episcopi mons
Eversberg: Eversberga
Évian-les-Bains: Aquianum
Evola, Fl.: Ligula
Évora: Liberalitas Julia
Evoy-Petit-Bourg: Luriae castr.
Évrecy: Evessia
Evreux: Eborica
Évron: Aurio
Évry-Petit-Bourg: Luriae castr.
Ewenny: Bomium
Exe, Fl.: Isaca
Exeter: Exonia
Exideuil: Exidolium
Exmes: Oxima
Externsteine, Felsengruppe: Rupes picarum
Extremadura (Estremadura), Landsch.: Betonia
Eyb: Owa
Eygues, Fl.: Aygarus
Eymoutiers: Acuti monast.
Eythra: Iteri
Ézanville: Edcina
Ézy-sur-Eure: Eziacum

F

Fabriano: Fabrianum
Faenza: Faventia
Färöer, (Færøerne, Fóroyar): Faeroae insulae
Færøerne → Färöer
Fagne, Landsch.: Fania
Fagnes, Hautes ∼ → Hohes Venn, Geb.
Fains-la-Folie: Fanis
Falaise: Falasa
Falera → Fellers
Falerone: Falaria
Falken: Falchonaha
Falkenberg (Niemodlin): Falcomontium
Falkenburg (Złocieniec): Falcoburgum
Falkenstein, RB. Pfalz: Falconis petra
Falkenstein, Sachsen: Falcostenium
Falkirk: Davium sacellum
Falkland-Inseln (Falkland Islands, Islas Malvinas): Malvinae insulae
Falköping: Falcopia
Falmouth: Falmuthum
Falster, Ins.: Falstra
Famagusta: Fama Augusta
Famars: Martis fan.
Famenne, Landsch.: Falmiensis pag.
Fanano: Fananum
Fanas: Faenteium
Fanjeaux: Faniolum
Fano: Fortunae fan.
Farah (Ferrah): Parra
Faremoutiers: Faraemonasterium
Farmsum: Fermesum
Farnese: Farnesia
Farnham: Vindomis
Faro, Punta del ∼, Vorgeb.: Messanense promont.
Fars, Khalīj - e ∼ → Persischer Golf
Fassatal → Val di Fassa, Landsch.
Faucigny, Landsch.: Faciniacum
Faules Meer (Ozero Sivaš, Gniloje more, Siwasch-Bucht): Putridum mare

Fauquembergues: Falcobergum
Fauquemont → Valkenburg, Burg
Faurndau: Furnitowa
Faversham: Fevershamium
Favignana, Ins.: Aegusa
Favone: Favonii portus
Favugn → Felsberg
Fayence: Faventia
Fearn: Fearnum
Fécamp: Fescanum
Federsee, See: Plumarius lac.
Fehmarn: Femera
Fehmarnsund: Fimbriae fretum
Felda, Fl.: Feltchrucha
Feldkirch: Feldkircha
Feldkirchen: Veltkircha
Feldthurns → Velturno
Felenne: Felmia
Felgitsch: Veltkeis
Fellers (Falera): Falaria
Fellin → Viljandi
Felsberg (Favugn): Fagonium
Féltorony → Halbturn
Felvincz: Salina
Fénétrange (Finstingen): Vinstinga
Feodosia (Feodosija): Capha
Feodosija → Feodosia
Fère, La ~: Fara
Ferentino: Florentinum
Fermanagh, Grafsch.: Fermanagensis comit.
Fermo: Firma
Fermoselle: Ocelum Durii
Fernando Póo, Isla de ~: Ferdinandi ins.
Ferney (Ferney-Voltaire): Ferneium
Fernoël: Fornolis villa
Ferrah → Farah
Ferrara: Ferraria
Ferreira do Alentejo: Rarapia
Ferrette (Pfirt): Ferrata
Ferrière-Airoux, La ~: Ferrariae
Ferrières: Ferrera
Ferrières (Ferrières-en-Gâtinais): Ferrariae
Ferrières-en-Gâtinais → Ferrières
Ferro (Hierro), Ins.: Ferri ins.
Ferté-Alais, La~: Feritas Alesii
Ferté-Beauharnais, La ~: Feritas Aureni
Ferté-Bernard, La ~: Firmitas Bernhardi
Ferté-Gaucher, La ~: Firmitas Auculphi
Ferté-Milon, La ~: Feritas Milonis
Ferté-Saint-Aubin, La ~: Firmitas Naberti
Ferté-sur-Aube, La ~: Firmitas ad Albulam
Ferté-sur-Chiers, La ~: Firmitas
Fès (Fez): Fessa
Fès (Fez), Sultanat: Fessa
Festungswerke a. d. Dardanellen → Dardanellen, Festungswerke an den ~
Feuchtwangen: Hydropolis
Feuerinsel → Fogo, Ins.
Feuerland (Tierra del Fuego), Landsch.: Ignium terra
Feuillant, Kl.: Fulium
Feuillée, La ~: Folium
Feurs: Segusianorum forum
Fez → Fès
Fez → Fès, Sultanat
Fézenzaguet, Landsch.: Fidentiacum
Fiano Romano: Flavianum
Fichtelgebirge: Piniferus mons
Fidenza (Borgo San Donnino): s. Donnini burgus
Fiefbergen: Quinque montes
Fifeshire, Grafsch.: Othelima
Figari, Capo ~ → Figaro, Kap ~
Figaro, Kap ~ (Capo Figari): Columbarium promont.
Figino Serenza: Ad Figlinas
Fil'akovo (Fülek): Villecum

Fil'akovo (Fülek), Gebiet um ~: Filikiensis distr.
Fils, Fl.: Vilisa
Finalborgo → Finale Ligure
Finale Borgo → Finale Ligure
Finale Ligure (Finale Borgo, Finalborgo): Finarium
Finisterre, Kap ~ (Cabo de Finisterre): Finisterrae promont.
Finkenbach, Fl.: Ulvena
Finland → Finnland
Finnischer Meerbusen (Finska viken, Finskij zaliv, Soome laht, Suomenlahti): Finnicus sinus
Finnland (Finland, Suomi): Femingia
Finnmark (Norwegisch Lappland, Finnmarken, Finnmark fylke): Finmarchia
Finnmark fylke → Finnmark
Finnmarken → Finnmark
Finska viken → Finnischer Meerbusen
Finskij zaliv → Finnischer Meerbusen
Finstingen → Fénétrange
Fiora, Fl.: Flora
Firmiano: Firmanorum castell.
Firth of Clyde: Clota aestuarium
Firth of Forth: Bodotria aestuarium
Firth of Solway → Solway Firth
Firth of Tay: Tava aestuarium
Fischa, Fl.: Vischa
Fischau: Vischa
Fischau (Fszewo): Vischovia
Fischbach: Vischa
Fischbachau: Vischpachawa
Fischbeck: Visbecci
Fischen: Vischi
Fischingen: Piscina
Fismes: Fimae
Fitero: Fiterum
Fiume → Rijeka
Fivelgau, Landsch.: Fivilga
Fivelgau, Teil des ~: Snelgera
Fivizzano: Fivizanum
Fläsch: Falisca
Flaix → Fly
Flandern, Gau: Flandrensis pag.
Flandern, Grafsch.: Flandrensis comit.
Flandern (Flandre, Vlaanderen), Landsch.: Flandria
Flandern, Seeländisch- ~ → Quatre métiers, Landsch.
Flandersbach: Flatmarasbeki
Flandre → Flandern, Landsch.
Flandre maritime → Flandres, Prov.
Flandre wallonne → Flandres, Prov.
Flandres (Flandre maritime u. Flandre wallonne), Prov.: Flandrensis prov.
Flavacourt: Flavacuria
Flavigny-sur-Ozerain: Flaviniacum
Flay → Fly
Flèche, La ~: Fixa
Flehingen: Flahinga
Fleimstal → Val di Fiemme
Flein: Flina
Flem → Flims
Flensborg Fjord → Flensburger Förde
Flensburg: Flenopolis
Flensburger Förde (Flensborg Fjord): Fleni sinus
Fleurus: Floriacum monast.
Fleury-la-Vallée: Floriacum ad Oscarum
Fliede, Fl.: Flidena
Flieden: Flidena
Flims (Flem): Flemium
Flörchingen → Florange
Florange (Flörchingen): Florichingae
Floré: Floriacum
Floreffe: Floreffia
Florennes: Florinae
Florensac: Florentiacum
Flores, Ins.: Florum ins.

Florimont (Blumenberg): Florimontium
Floringhem: Florinkengas
Florival, Kl.: Florida vallis
Flumet: Flumetum
Flums: Flemma
Fluviá, Fl.: Cluvianus
Fly (Flaix, Flay): Flavia
Focşani (Fokschani): Tiasum
Föhr, Ins.: Fora
Foeil, Le ~: Folium
Foggia: Fovea
Fogo (Ilha do Fogo, Ilha do Fuego, Feuerinsel), Ins.: Ignium ins.
Foigny, Kl.: Fusciniacum
Foix: Foxum
Foix, Comté de ~ → Comté de Foix, Grafsch.
Fokschani → Focşani
Folembray: Follanebrajum
Folgaria: Fulgarida
Fontaine-de-Vaucluse (Vaucluse): Clausa vallis
Fontaine-Française: Francus fons
Fontaine-la-Guyon: Guidonis fons
Fontaine-le-Bourg: Burgi fons
Fontaine-l' Évêque: Episcopi fons
Fontainebleau: Bellaqueus fons
Fontaines: Fontanensis
Fontaines-Saint-Martin: Fontanensis ager
Fontana Elice → Fontanelice
Fontanelice (Fontana Elice): Ad Fonticulos
Fontanetto: Fontanetum
Fontenay-le-Comte: Fontenacum comitis
Fontenay-sous-Fouronnes: Fontanetum
Fontenelle: Fontanella
Fonteno: Fontana arx
Fontenoy: Fonteniacum
Fontevrault-l'Abbaye: Ebraldi fons
Fontgombault: Gombaldi fons
Fontiveres: Iberi fons
Forbach: Forbacum
Forcalquier: Forcalquerium
Forche Caudine (Kaudinische Pässe), Engpaß: Furculae Caudinae
Forchheim: Forchena
Forconi: Furcona
Fordongianus: Trajani forum
Fordoun: Fordunium
Forest of Dean, Landsch.: Deanensis silva
Forêt Charbonnière, La ~ (Kohlenwald), Landsch.: Carbonaria silva
Forêt de Bondy, Wald: Bungiacensis silva
Forêt de Compiègne, Wald: Coatia silva
Forez, Landsch.: Forensis pag.
Forfar: Orrea
Forfar → Angus, Grafsch.
Forges-les-Eaux: Forgiae
Forlì: Forlivium
Forlimpopoli: Pompilii forum
Formentera, Ins.: Frumentaria
Formigny: Forminiacum
Formoso, Kap ~: Raptum promont.
Fornovo di San Giovanni: Novum forum
Fornovo di Taro: Novum forum
Fóroyar → Färöer, Inseln
Forst, Ebersberger ~: Ebarespergensis forestis
Forsthövel: Vorsthuvila
Fort Dauphin: Delphini arx
Fort-Louis: Fortalitium Ludovici
Forza d'Agro: Fortalitium
Fos-sur-Mer: Fossae Maririanae
Fossano: Sanus fons
Fosse-lez-Stavelot: Fossae
Fossombrone: Sempronii forum
Foucarmont: Fulcardi mons
Foug: Fagus
Fougères: Filiceriae

Fouron-le-Comte ('s-Gravenvoeren): Furonis
Foville: Fovilla
Fränkische Alb → Fränkische und Schwäbische Alb
Fränkische Saale, Fl.: Sala
Fränkische u. Schwäbische Alb (Fränkischer Jura, Frankenalb, Schwäbischer Jura, Schwabenalb): Jurassus mons
Fränkischer Jura → Fränkische und Schwäbische Alb
Fränkischer Kreis: Franconiae circulus
Fränkisches Reich (Frankenreich): Regnum Francorum
Fraga: Flavia Gallica
Frakštat → Hlohovec
Franc Alleud, Landsch.: Liberum allodium
France → Frankreich
France, Île de ~ → Île de France, Prov.
Franche-Comté → Freigrafschaft Burgund
Francheville: Franca villa
Franeker: Franechera
Franken (Frankenland), Landsch.: Francia
Frankenalb → Fränkische u. Schwäbische Alb
Frankenhausen: Francohusa
Frankenland → Franken, Landsch.
Frankenmarkt: Laciacum
Frankenreich → Fränkisches Reich
Frankenstein (Ząbkowice Śląskie): Francostenium
Frankenthal: Francodalia
Frankfurt a. Main: Francofurtum ad Moenum
Frankfurt a. d. Oder (Słubice): Trajectum ad Oderam
Frankfurt-Bockenheim → Bockenheim
Frankfurt-Höchst → Höchst
Frankfurt-Rödelheim → Rödelheim
Frankreich (France): Francia
Franqueville: Adhelaides palatium
Franzburg-Neuenkamp → Neuenkamp
Französischer Jura → Jura, Geb.
Frascarolo: Frascarolum
Frastanz: Frastinas
Fratta, Monte ~ → Monte Fratta, Berg
Fraubrunnen: b. Virginis fons
Frauenalb: Alba Dominarum
Frauenberg → Hluboká nad Vltavou
Frauenberg, Berg: Episcopi mons
Frauenburg (Frombork): Drusiana urbs
Frauenfeld: Frauenfelda
Frauenmarkt → Bátovce
Frauenornau: Arnowa
Frauenstein: Frauenstenium
Frauenstuhl → Babiná
Frauental: Dominarum vallis
Frauenthal: Dominarum vallis
Frauenvils (Vils): Vilisa
Fraustadt (Wschowa): Fraustadium
Frechen: Vrechna
Fredane, Fl.: Frigidus
Freddo, Fl.: Frigidus
Fredericia: Friderici Oda
Frederiksborg: Fridericoburgum
Frederiksdahl: Fridericiana vallis
Fredrikshamn → Hamina
Fredrikstad: Fridericostadium
Freeltal → Valle di Fraele
Freiberg: Freiberga
Freiburg i. Breisgau: Friburgum
Freiburg-Haslach → Haslach
Freiburg-St. Georgen → Sankt Georgen
Freiburg-Zähringen → Zähringen
Freienwalde a. d. Oder: Frienwalda
Freigrafschaft Burgund (Franche-Comté): Burgundiae comit.

Freising: Frisinga
Freistadt: Libera civ.
Freistadt → Fryštát
Freistadtl → Hlohovec
Frémécourt: Fremicuria
Frémicourt: Fremicuria
Fresnay-sur-Sarthe: Fresnacum
Fresnes-en-Woëvre: Frasnidum
Freudenthal → Vrewnicz
Freudnitz → Vrewnicz
Freyburg a. d. Unstrut: Friburgum ad Windam
Freystadt (Kózuchów): Eleutheropolis
Freystadtl → Hlohovec
Frias: Frigida
Friaul (Friuli), Landsch.: Forojuliensis marca
Fribourg (Freiburg i. Üechtland): Friburgum
Fribourg (Freiburg), Kt.: Friburgense pag.
Frick: Fricca
Friedach: Fridehardewilare
Friedberg: Frewberga
Friedberg: Friedberga
Friedingen: Onfridinga
Friedland → Frýdlant
Friedrichshügel, Schl.: Friderici collis
Friedrichsort (Kiel-Friedrichsort): Christiani munitio
Friedrichstadt: Fridericopolis
Friesach: Frisacum
Friesland, Landsch.: Frisia
Friesland, Ost ~ → Ostfriesland, Landsch.
Friesoythe: Oita Frisica
Frigento: Frequentum
Frimmenweiler: Frimanniswilare
Frintrop (Essen-Frintrop): Vrillingtharpa
Frisches Haff (Zalew Wiślany, Kaliningradskiy Zaliv): Recens lacus
Fritzlar: Fritzlaria
Friuli → Friaul, Landsch.
Froberg, Grafsch.: Montis gaudium
Frohen-le-Grand: Fursaei domus
Frohse: Frasa
Frombork → Frauenburg
Fromentières: Frumentaria
Fronsac: Franciacum
Front: Frontensis
Frontignan: Domitii forum
Frýdlant (Friedland): Friedlandia
Fryštát (Freistadt, Frysztat): Eleutheropolis Tessinensis
Frysztat → Fryštát
Fszewo → Fischau
Fuego, Ilha do ~ → Fogo, Ins.
Fülek → Fil'akovo
Fünen (Fyn), Ins.: Fionia
Fünfkirchen → Pécs
Fuentarrabia → Fuenterrabia
Fuente Obejuna (Fuenteovejuna): Melaria
Fuenteovejuna → Fuente Obejuna
Fuenterrabia (Fuentarrabia): Fontarabia
Füramoos: Vurlimosa
Fürstenberg: Furstenberga
Fürstenberg, Grafsch.: Furstenbergensis comit.
Fürstenfeld: Principis cella
Fürth: Furtha
Füssen: Fauces
Fützen: Fauces
Fuglau: Vulkla
Fuhne, Fl.: Fona
Fulda: Fuldense coenob.
Fulda, Fl.: Fuldaha
Fumay: Fumacum
Fumel: Fumellum
Furka (Gabelberg): Bicornis
Furnes (Veurne): Furna
Furth a. d. Triesting: Vurta

Fuse, Fl.: Fusa
Fusha e Kosovës → Kosovo polje, Landsch.
Fußach: Fozzaha
Fyn → Fünen, Ins.
Fyne, Loch ~ → Loch Fyne

G

Gabarret: Gabarretum
Gabel → Jablonné nad Orlicí
Gabelberg → Furka
Gabès (Qâbes): Tacape
Gachbruck: Gowibrucca
Gadebusch: Dei lucus
Gaden: Gadmi
Gäbersdorf (Wojborz): Gebhardi villa
Gänsefeld, das ~**:** Gansaraveldi
Gästrikland, Landsch.: Gestricia
Gävle (Gefle): Gevalia
Gäwis: Segavis
Gafsa: Capsa
Gagliano Castelferrato: Galeria
Gail, Fl.: Zea
Gaillac: Galliacum
Gaillefontaine: s. Galli fons
Gaillimh → Galway
Gaillimhe, Contae na ~ → Galway, Grafsch.
Gaillon: Gallao
Gais: Casa
Gaisberg, Berg: Caprarius mons
Galaure, Fl.: Galaber
Galaxidion (Galaxidi): Euanthia
Galera: Galeria
Galeso, Fl.: Galesus
Galgenen: Galgennum
Galgóc → Hlohovec
Galič (Halicz): Gallicia
Galicia → Galicien, Landsch.
Galicien (Galicia), Landsch.: Galaecia
Galinden, Landsch.: Galindia
Gallese: Gallesium
Galliono: Gallianum
Gallipoli: Gallipolis
Gallipoli, Straße bzw. Meerenge v. ~ → Dardanellen
Galloway, Landsch.: Galveja
Gallwoschen (Galwoszen, Sandwalde): Walewona
Galteren: Galtera
Galway (Gaillimh): Duaca Gallica
Galway (Contae na Gaillimhe), Grafsch.: Gallivensis comit.
Galwoszen → Gallwoschen
Gamaches: Gamachium
Gaming: Gemnicum
Gamla Lödöse: Ludosia antiqua
Gamlakarleby → Kokkola
Gamp a. d. Salzach: Campa
Gams: Gampis
Gand (Gent): Gantum
Gandak, Fl.: Condochates
Gandersheim: Gandersum
Ganges: Gangae
Gannat: Gannatum
Gap: Vapincum
Gapençais, Landsch.: Vapincensis tractus
Garam → Hron, Fl.
Garamszentbenedek → Svätý Beňadik
Garamszentkereszt → Žiar nad Hronom
Garatshausen: Kararshusa
Gard (Gardon), Fl.: Vardo
Garde-Freine, La ~**:** Fraxinetum
Gardelegen: Gardelegia

Gardena, Val ~ → Val Gardena, Tal
Gardinas → Grodno
Garessio: Garetium
Garges-lès-Gonesse: Bigargium palat.
Garigliano, Fl.: Lyris
Garman, Loch ~ → Wexford
Garmerwolde: Germerwalda
Garmisch-Partenkirchen → Partenkirchen
Gartempe, Fl.: Vartempa
Garz: Garsa
Gascogne, Golfe de ~ → Biskaya, Golf v. ~
Gascuña, Golfo de ~ → Biskaya, Golf v. ~
Gasny: Vadiniacum
Gassicourt: Gassicuria
Gasteig: Gastegia
Gastein: Augusta Antonini
Gaster: Rhaetica castra
Gata, Kap ~ **(Cabo de Gata):** Charidemi promont.
Gâtinais (Gâtinois), Landsch.: Gatinensis pag.
Gattinara: Catuli ara
Gaubitsch: Gowates
Gauting: Gouttinga
Gave de Pau, Fl.: Gabarus Palensis
Gave d'Oloron, Fl.: Gabarus Oleronensis
Gavirate: Gaviratium
Gdingen-Oxhöft → Oxhöft
Gdynia-Oksywie → Oxhöft
Gebail → Dschebeil
Gebel Katerina → Katherin, Jebel ~
Gebiet der Szekler → Szeklerland, Landsch.
Gebize → Gebze
Gebweiler → Guebwiller
Gebze (Gebize): Libyssa
Gedern: Gewiridi
Geer (Jaar, Jeker), Fl.: Jecora
Gefle → Gävle
Gehren: Gerena
Geiersberg (Sępów): Vulturius mons
Geiersberg → Letohrad
Gein: Geini
Geira → Gevre
Geisa: Gesihaha
Geisa, Fl.: Gesihaha
Geiselmacherreute: Gilmarsruti
Geisenfeld: Gisonis castra
Geisenhausen: Gisinhusa
Geisleden: Geizlethi
Geismar, Pr. Hannover: Gesmaria
Geismar, Pr. Hessen-Nassau: Gesmaria
Geisseren: Gessera
Geist: Gesta
Geisthövel: Gesthuvilla
Geiswiller (Geisweiler): Gaizwilare
Geldenaken → Jodoigne
Gelderland → Geldern, Prov.
Geldern: Geldria
Geldern (Gelderland), Prov.: Geldria
Gellep (Gellep-Stratum): Gelduba
Gelmer: Galmeri
Gelsa: Celsa
Gelsenkirchen-Buer → Buer
Gelsenkirchen-Heßler → Heßler
Gelting: Nidikeltes auwa
Gelves: Vergentum
Gembloux: Gemblacum
Gemer (Sajo Gömör): Goemoria
Gemlik: Cius
Gemmerich: Gembrica
Gemona: Glemona
Genappe (Genepiën): Genapia
Genepiën → Genappe
Genève → Genf
Genève, Lac de ~ → Genfer See
Genevois, Landsch.: Gebennensis ducat.
Genèvre, Mont ~ → Mont Genèvre, Paß
Genf (Genève): Genava

Genfer See (Lac Léman, Lac de Genève): Lausanius lacus
Gengenbach: Gengenbacum
Genlis, Kl.: Genliacum
Gennaro, Monte ~ → Monte Gennaro, Berg
Gennep: Ganipa
Gent: Gannita
Gent → Gand
Gentilly: Gentiliacum
Genazno di Roma: Cyntianum
Georgenberg (Spišská Sobota, Szepesszombat): s. Georgii mons
Georgenburg (**Majewka**)**:** s. Georgii castr.
Georgental: s. Georgii vallis
Gera: Accerrae
Gera: Gera
Geraardsbergen → Grammont
Gerace: Hieracium
Geras: Geraus
Gerau: Geraha
Gerberoy: Gerberacum
Gerbini: Sergentium
Gerbstädt: Gerbizstidi
Gerden: Gerdinum
Gere → Gevre
Gerenstein: Garestei
Gerental, Landsch.: Agerana vallis
Gerlanden (Jerasselwitz, Jarosławice): Wirzba
Gerlenhofen: Gerilehova
Germersheim: Julius vicus
Germete: Garametti
Germigny-des-Prés: Germiniacum
Gernrode: Gerningeroda
Gernsheim: Gerineshemium
Geroldseck: Geroldsecos
Gerolzhofen: Gerlocuria
Gerotten: Gerates
Gerpinnes: Gerpinis
Gers, Fl.: Aegirtius
Gersau: Gersovia
Gersprenz, Fl.: Gaspentia
Gerstheim: Gerlaci villa
Gerstungen: Gerstengum
Gertenbach: Gardenebiki
Gertruidenberg: Bergae Divae Gertrudis
Gerze: Carusa
Gescher: Gasgeri
Geseke: Gesecena
Gessenay → Saanen
Gete, Fl.: Geta
Geul, Fl.: Gulia
Geusa: Gusua
Gevre (Geira, Gere): Stauropolis
Gex: Gesia
Gfenn: Gevendi
Ghaghara → Ghagra, Fl.
Ghagra (Ghaghara, Gogra, Sardschu), Fl.: Elgoranus
Gharapuri: Elephanta
Ghazni: Gauzaca
Gherla (Armenierstadt, Számos-Újvár): Armenopolis
Ghiera d'Adda, Landsch.: Addua glarea
Ghislain: s. Gisleni cella
Ghistelle: Gistella
Giannitsá (Jiannitsa, Janitza, Jenidže): Bunomia
Giannitsōn, Limnē ~ → Limni Jiannitson
Giannutri (Isola di Giannutri), Ins.: Dianium
Giaveno: Javennum
Gibraltar, Straße v. ~ → Straße v. Gibraltar
Gien: Gianum
Giengen: Ginga
Giens (Presqu'île de Giens), Halbins.: s. Genesii ins.
Giesel: Giselaha
Giesel, Fl.: Gisilahha
Gieselwerder: Gyselwerda
Gießen: Giessa
Gievenbeck: Gibbonbeki

Giffoni Valle Piana: Geofanum
Gigen: Escus
Giglio (Isola del Giglio), Ins.: Egilium
Gijón: Gigia
Gilbach, Fl.: Gilibecki
Gilowice: Gilovia
Gimont: Casinomagus
Gimont: Gimo
Ginnick: Gimmenica
Ginosa: Genusium
Ginzlas: Gunzines
Ginzo de Limia: Limicorum forum
Gioja del Colle: Joja
Giornico (Irnis): Jornacum
Giovinazzo: Juvenacia
Giromagny: Gramatum
Gironde, Fl.: Girundia
Gisors: Gisortium
Gitschin → Jičín
Giudecca, La ~, Ins.: Judeca
Giulie, Alpi ~ → Julische Alpen
Givarlais: Guierlaicovilla
Givet: Givetum
Gladbach (Mönchen-Gladbach): Gladbacense monast.
Gladbeck: Gladbeki
Gladebeck: Gledabiki
Gläserzell: Gleserecella
Glamorgan, Grafsch.: Clamorgania
Glane: Glana
Glarentsa → Kyllini
Glarenza, Kap ~: Chelonatas promont.
Glarus: Glaris
Glarus, Kt.: Glaronensis pag.
Glasgow: Glasgua
Glastonbury: Glasconia
Glatt, Fl.: Glatta
Glatz (Kłodzko): Glacium
Glatzer Neiße → Neiße, Fl.
Glauchau: Glaucha
Glavatičič: Jonnaria
Glavna Morava → Morava, Fl.
Glehn: Glena
Gleiberg: Glichberga
Gleichen: Gilicha
Gleichen (die Beiden Gleichen), Ru.: Duo montes (castra)
Gleichen, Grafsch.: Glicho
Gleink: Gluniacum
Glentorf: Glencdorpa
Glien (Glinna): Glyna
Glinna → Glien
Glogau (Głogów): Glogovia
Gloggnitz: Clocniza
Głogów → Glogau
Głogówek → Oberglogau
Glon, Fl.: Giana
Glonn: Giana
Glonn, Fl.: Giana
Glorenza → Glurns
Głotowo → Glottau
Glottau (Głotowo): Glottovia
Gloucester: Clanum
Glückstadt: Tychopolis
Glurns (Glorenza): Gelurnum
Gmünd, O-Pfalz: Germundes
Gmünd, Kärnten: Gemunda villacensis
Gmünd, N-Österr.: Gamundia
Gmunden: Gemunda ad Traunum
Gmundner See → Traunsee, See
Gnadenberg: Gratiae mons
Gnadenthal: Gratiarum vallis
Gnadenzell, Kl.: Gratiae cella
Gnesen → Gniezno
Gniezno (Gnesen): Gnesna
Gniloje more → Faules Meer
Gnissau: Nezenna
Gnoien: Coenoenum
Godavari, Fl.: Maesolus
Godern: Godera
Godmanchester: Durolipons
Göhren: Jarina
Gömör, Komit.: Goemoriensis comit.
Göppingen: Goppinga

Goeree-Overflakkee, Ins.: Goderea
Görlitz (Zgorzelec): Gorlicium
Görlitzer Neiße → Neiße, Fl.
Görz → Gorizia
Götaland, Landsch.: Gothia
Göteborg (Gotenburg, Gothenburg): Gothoburgum
Göttingen: Gotinga
Göttingen-Grone → Grone
Göttweig: Godewicum
Götzis: Cazzeses
Gözhane: Epiphanea
Gogra → Ghagra, Fl.
Goldach: Golda
Goldbeck: Goltbiki
Goldberg (Złotoryja): Aurimontium
Goldene Aue, Landsch.: Aurea Tempe
Goldenkron → Zlatá Koruna
Goldmarkt → Zlatna
Goléa, El ~ → El-Goléa, Oase
Goleniów → Gollnow
Golf v. Ajion Oros → Hagion Oros, Golf v. ~
Golf v. Akaba → Akaba, Golf v. ~
Golf v. Almería → Almería, Golf v. ~
Golf v. Bengalen → Bengalen, Golf v. ~
Golf v. Biskaya → Biskaya, Golf v. ~
Golf v. Bolos → Wolos, Golf v. ~
Golf v. Cambay → Cambay, Golf v. ~
Golf v. Hagion Oros → Hagion Oros, Golf v. ~
Golf v. Hammamet → Hammamet, Golf v. ~
Golf v. Kalamä → Messiniakos Kolpos
Golf v. Korinth → Korinth, Golf v. ~
Golf v. Lepanto → Korinth, Golf v. ~
Golf v. Messenien → Messiniakos Kolpos
Golf v. Messini → Messiniakos Kolpos
Golf v. Orfani → Strimonikos Kolpos
Golf v. Orphani → Strimonikos Kolpos
Golf v. Rendina → Strimonikos Kolpos
Golf v. Sant'Eufemia → Sant' Eufemia, Golf v. ~
Golf v. Saint-Tropez → Saint-Tropez, Golf v. ~
Golf v. Saros → Saros körfezi
Golf v. Suez → Suez, Golf v. ~
Golf v. Volo → Wolos, Golf v. ~
Golf v. Wolos → Wolos, Golf v. ~
Golf v. Xeros → Saros körfezi
Golfe de Gascogne → Biskaya, Golf v. ~
Golfe de Saint-Tropez → Saint-Tropez, Golf v. ~
Golfo de Almería → Almería, Golf v. ~
Golfo de Gascuña → Biskaya, Golf v. ~
Golfo de Vizcaya → Biskaya, Golf v. ~
Golfo di Palmas → Palmas, Golfo di ~
Golfo di Sant'Eufemia → Sant' Eufemia, Golf v. ~
Golina (Gollin): Galli castr.
Gollin → Golina
Gollnow (Goleniów): Golnovia
Gollub → Golub
Golmbach: Goldbiki
Golub (Gollub, Golub-Dobrzyń): Goluba
Golub-Dobrzyń → Dobrzyń
Golub-Dobrzyń → Golub
Gomelieu: Godonis villa
Gomera, La ~, Ins.: Capraria

Gomera, Vélez de la ~ → Vélez de la Gomera
Gommerville: Gomari villa
Goms (Conches), Bez: Gomesianorum conventus
Gondrecourt-le-Château: Gondrecurtium
Gondreville: Gundovilla
Gonesse: Gonessia
Gooi, Landsch.: Gulles
Gorgan (Gurgan, Astrabad): Tambrax
Gorinchem (Gorkum): Gorichemium
Gorizia (Görz): Goritia
Górka Sobocka → Gorkau
Gorkau (Górka Sobocka): Gorcka
Gorkij (Nischnij Nowgorod): Novogardia
Gorkum → Gorinchem
Gorsleben: Gorchesleba
Gorze: Gorcia
Gorzów Wielkopolski → Landsberg a. d. Warthe
Gościkowo → Paradies
Gose, Fl.: Gosa
Gosek: Gozeka
Goslar: Goslaria
Gossau: Gossowa
Gotenburg → Göteborg
Gotha: Gota
Gothenburg → Göteborg
Gothia, Landsch.: Gothia
Gotland, Ins.: Gothia
Gottesau: Gottesaugia
Gottesgab → Boží Dar
Gottesgnaden: Gratia dei
Gotteshausbund: Foedus cathedrale Dei
Gotteszell: Dei cella
Gotthard → Sankt Gotthard, Paß
Gottorf → Gottorp, Schl.
Gottorp (Gottorf), Schl.: Gottorpia
Gottsbüren: Buria
Gouda: Gaudanum
Goupillières, Dép. Eure: Goupilleres
Goupillières, Dép. Seine-et-Oise: Goupilleres
Goupillières, Dép. Seine-Maritime: Goupilleres
Gourdan (Gourdan-Polignan): Crodonum
Gourdon: Gordonium
Gournay-en-Bray: Gornacum
Goussainville: Gussanvilla
Governolo: Gubernium castell.
Gozzano: Cuncianum
Grabfeld, Gau: Graffelti pag.
Grabow: Grabovia
Grabs: Grabidis
Grachtrup: Graftharpa
Gradec: Gordenia
Gradec, Slovenj ~ → Slovenj Gradec
Gradisca d'Isonzo: Gradiscia
Gradişte → Sarmizegetusa
Grado: Gradatae aquae
Gräfenthal: Comitum vallis
Gräfentonna: Tunna
Grambûsa, Agria ~ → Agria Grambûsa, Ins.
Grammont (Geraardsbergen): Gerardi mons
Gramond: Grammontium
Grampian Highlands → Grampians, The ~
Grampian Mountains → Grampians, The ~
Grampians, The ~ (Grampian Mountains, Grampian Highlands): Grampius mons
Gran → Esztergom
Gran → Hron, Fl.
Gran San Bernardo, Colle del ~ → Großer Sankt Bernhard
Granada: Granata
Granada, Kgr.: Granatense regnum
Grancey-le-Château: Grancejum castr.

Grand: Grandis
Grand Duché de Luxembourg → Luxemburg
Grand-Quévilly, Le ~: Quevilliacum
Grand Saint Bernard, Col du ~ → Großer Sankt Bernhard
Grand-Serre, Le ~: Serris castr.
Grandchamp: Grandis campus
Grande-Chartreuse, La ~, Kl.: Carthusia grandis
Grandpré: Grandipratum
Grandpuits: Grandis
Grandsee → Grandson
Grandson (Grandsee): Grandisonium
Grandval → Granfelden
Grandville, Pr. Lüttich: Grandis villa
Grandville, Dép. Aube: Grandis villa
Grandvilliers: Magninovilla
Granfelden (Grandval): Grandivallis
Granville: Grandis villa
Grasse: Graca
Graubünden (Grischun, Grigioni, Grisons, Bünden, Churrätien), Landsch.: Grisonia
Graubündener Alpen: Curienses Alpes
Graudenz → Grudziądz
Graupen → Krupka
Grave: Carvo
Gravelines (Gravelingen): Gravelina
Gravelingen → Gravelines
Gravesend: Gravescenda
Gray: Gradicum
Graz: Graecium Styriae
Grazalema: Lacidulemium
Great Yarmouth: Yarmutum
Greatchesters: Aesica
Grebbe: Noda
Greenwich: Grenovicum
Gregorienmünster (St. Gregorien), Kl.: s. Gregorii monast.
Gregoriental (Münstertal, Vallée de Munster), Tal: s. Gregorii vallis
Greifensee: Gryphaeum
Greifenstein → Morit, Burg
Greiffenberg (Gryfów Śląski): Gryphiberga
Greifswald: Gripeswolda
Greifswald-Eldena → Eldena
Grenen → Skagens Horn
Grenoble: Gratianopolis
Grésivaudan (Graisivaudan), Landsch.: Gratianopolitanus pag.
Grésy-sur-Isère: Mantala
Greußen: Crozina
Grevenmacher: Machara comitis
Grevesmühlen: Comitis mola
Gréville (Gréville-Hague): Crollejum
Gréville-Hague → Gréville
Greyerz (Gruyères): Grueria
Griedel: Gritela
Griesmaier: Grieza
Grigioni → Graubünden, Landsch.
Grignan: Grigniacum
Grimaud: Sambracia
Grimma: Crema
Grimmen: Grimus
Grischun → Graubünden, Landsch.
Grisons → Graubünden, Landsch.
Grobe, Kl.: Grobensis eccl.
Grodno (Gardinas, Hrodna): Grodna
Grodzisko: Grodiacum
Gröbming: Gamarodurum
Gröden → Val Gardena, Tal
Grödental → Val Gardena, Tal
Gröditzberg, Berg: Grodis mons
Grödner Tal → Val Gardena, Tal
Groenendael (Le Val-Vert): Viridis vallis
Grönland: Gronia
Grohnde: Grandevium
Groitzsch: Groisca
Gronau: Gronowa

Grone (Göttingen-Grone): Grona
Grône (Grun): Grunum
Groningen: Groninga
Groningen, Prov.: Groniensis ager
Groothusen: Husum
Großaffoltern: Affoltera
Großbeeren: Berne Magna
Großbrewnow → Břevnov
Großbürglitz → Velké Vřeštóv
Groß Dietweil: Toutewilare
Großeichen: Eiloha
Großeislingen: Isinga
Großfahner: Fanari
Großfurra: Furari
Großgründlach: Grindela
Großhasepe: Hesapa
Großherzogtum Luxemburg → Luxemburg
Großhettingen → Hettange-Grande
Großjena: Geni
Großkanizsa → Nagykanizsa
Groß Kreidel (Krzydlina Wielka): Cridsina
Großkumanien (Nagykunság), Landsch.: Cumania major
Großlafferde: Loferdi
Großlengden: Lengidi
Groß Mochbern (Lohbrück, Muchobór Wielki): Mochbor major
Groß Örner: Ornari
Groß Ottersleben: Horterslewa
Großpösna: Passini
Großpolen (Wielkopolska): Polonia maior
Groß Raake (Raków Wielky): Rachova
Großraigern → Rajhrad
Groß Rohrheim: Rara
Groß Sankt Florian: s. Florianus in Marchia
Groß Schlatten → Abrud
Groß Stavern: Stavoron
Groß Strehlitz (Strzelce Opolskie): Strelicia major
Groß Tinz (Tyniec Legnicki): Thinchia
Großvargula: Vargila
Großwardein → Oradea
Großweil: Wilevilla
Groß Wesenberg: Wisbircon
Großwossek → Velký Osek
Große Emme → Emme, Fl.
Große Erlauf (Große Erlaf), Fl.: Erlaphus
Große Kapela → Kapela, Geb.
Große Kokel → Tîrnava Mare, Fl.
Große Michl → Mühl, Fl.
Große Morava → Morava, Fl.
Große Mühl → Mühl, Fl.
Große Schütt Insel (Ostrov, Csallóköz, Vel'ký Žitný Ostrov): Cituatum ins.
Großenhain: Haganoa
Großer Belt (Store Bælt): Balticum fretum maius
Großer Sab (Zāb al-Khabīr), Fl.: Zabatus maior
Großer Sankt Bernhard (Col du Saint Bernard, Colle del Gran San Bernardo): Jovis mons
Großes Eisernes Tor → Eisernes Tor, Strompaß
Grosseto: Rosetum
Grotenburg, Ringwall („Hünenwall„) am ~ → Ringwall („Hünenwall") am Grotenburg
Grotta: Crypta
Grottaglie: Crypta aurea
Grottarossa: Crypta rosaria
Grottkau (Grottków): Grotgavia
Grottków → Grottkau
Grozdena vrata → Eisernes Tor, Strompaß
Gruaro: Gruarii portus
Grub, RB. N-Bayern: Groupa
Grub, RB. M-Franken: Gurba

Grub, Steiermark: Fovea
Grudziądz (Graudenz): Graudentium
Grünberg (Zielona Góra): Prasia Elysiorum
Grünberg: Viridis mons
Grüningen: Grinario
Grüsch: Crucium
Grüßau (Krzeszów): Gratia s. Mariae
Grun → Grône
Grunberghen: Grenbergis
Grund: Grunti
Gruyères → Greyerz
Gryfów-Śląski → Greiffenberg
Gschwendt: Swenta
Guadajoz, Fl.: Salsum flumen
Guadalajara: Carraca
Guadalaviar → Turia, Fl.
Guadalupe: Aquaelupae
Guadiamar, Fl.: Menoba
Guadix: Guadicia
Guarda: Garda
Guardafui, Kap ~ : Aromata promont.
Guardamar del Segura: Alone Contestanorum
Guastalla: Guardistallum
Guastalla, Hgt.: Walestatensis ducat.
Gubbio: Augubium
Guben (Gubin): Gobya
Gubin → Guben
Guebwiller (Gebweiler): Gebwilera
Güglia, Pass dal ~ → Julier, Paß
Güls: Gulsa
Gümmenen: Guimina
Gündlkofen: Gundelinchowa
Güns → Köszeg
Günstedt: Gundakares villa
Günthersleben: Gunderichesleba
Günzburg: Guntia
Guérande: Quiriaca aula
Guerche, La ~: Guerica
Guéret: Garactum
Guernesey → Guernsey, Ins.
Guernsey (Guernesey), Ins.: Garneseja
Güssing (Németújvár): Gissinga
Güstrow: Gustrovium
Güttingen: Guttinninga
Gützkow: Gotzgaugia
Guiche, La ~: Guissunum
Guichen: Aletum
Guiers, Fl.: Guivia
Guildford: Gilfordia
Guimarães: Vimarinum
Guînes (Guînes-en-Calaisis): Ghisnae
Guipry: Wippericium
Guipúzcoa, Prov.: Vanduli prov.
Guise: Guisium castr.
Guitres: Guistrium
Gulf of Bothnia → Bottnischer Meerbusen
Gulpen: Galopia
Gumanj → Ulmanj
Gumperda: Umbredi
Gunde, Fl.: Ganda
Gundersleben: Gunzenleba
Gundis → Conthey
Gunsleben: Gunzenleba
Gunten: Contrum
Guntramsdorf: Gunderrames
Guntrup: Gumorodingtharpa
Guph: Gupha
Gurgan → Gorgan
Gurjewsk → Neuhausen
Gurk: Gurca
Gurten: Gurtina
Gutach u. Wutach, Fl.: Juliomagus
Gutenzell: Bona cella
Gwardeisk → Tapiau
Gwy → Wye, Fl.
Györ → Raab, Komit.
Györ (Raab): Gereorenum
Györszentmartón (Martinsberg, Pannonhalma): s. Martini fan.
Gyula: Julia

H

Haag, RB. N-Bayern: Haga
Haag, RB. O-Bayern: Haga
Haag, RB. U-Franken: Haga
Haag, Den ~ → Den Haag
Haapsalu (Hapsal): Hapselensis civ.
Haarlem: Harlemum
Habana, La ~ → Havanna
Habana, San Christóbal de la ~ → Havanna
Habratsweiler: Hadebretswilare
Habsburg, Burg: Osburgum
Hadamar: Hademarum
Haddington: Hadina
Hadeln (Land Hadeln), Landsch.: Hadelia
Hadersleben → Haderslev
Haderslev (Hadersleben): Hadersleba
Häger: Heigera
Hälsingborg → Helsingborg
Hälsingland (Helsingeland), Prov.: Helsingia
Härjedalen (Herjedalen), Prov.: Herdalia
Härnösand → Hernösand
Härtsfeld, Landsch.: Durus campus
Hagenau → Haguenau
Hagion Oros, Golf v. ~ **(Golf v. Ajion Oros, Kólpos Hagíu Órus, Singitikòs Kólpos, Singitischer Golf):** Singiticus sinus
Hagíu Órus, Kólpos ~ → Hagion Oros, Golf v. ~
Hague, Cap de la ~**:** Haga promont.
Hague, The ~ → Den Haag
Haguenau (Hagenau): Hagenoa
Hahn: Hana
Haid: Heida
Haidarabad (Haiderabad, Hyderabad): Hippocura
Hain, Sachsen: De Foresto
Hain, U-Franken: Haga
Haina: Hagenowa
Hainau → Haynau
Hainaut → Hennegau, Landsch. u. Prov.
Hainberg: Heimonis villa
Hainburg a. d. Donau: Haimburga
Haiti (Hispaniola, Española), Ins.: Hispaniola
Hal (Halle): Halla
Halab → Haleb
Halberstadt: Halberstadium
Halbthurm → Halbturn
Halbturn (Halbthurm, Féltorony): Hemipyrgum
Haleb (Aleppo, Alep, Halab): Chalybon
Halicz → Galič
Halifax: Halifacia
Halinghen: Dolucensis vicus
Hall a. Inn: Halla
Halle → Hal
Halle a. d. Saale: Halla
Hallein: Salina
Halmaal: Halmala
Halmstad: Halmostadium
Halver: Halvara
Halverscheid: Halverscetha
Ham: Hametum
Hama: Epiphania Syriae
Hamar: Hammaria
Hamburg: Hammonia
Hamburg-Harburg → Harburg
Hamburg-Wandsbek → Wandsbek
Hameln: Hamala
Hamersleben: Hamerslovensis urbs
Hamilton: Hamiltonium
Hamina (Fredrikshamn): Friderici portus
Hamm: Hama
Hammamet, Golf v. ~ **(Golfe de**

Hammamet, Khalidj el Hammamet): Neapolitanus sinus
Hammrich, Wybelsumer ~ → Wybelsumer Hammrich
Hamont: Hamons
Hampshire (Hants): Hanonia
Hamptoncourt: Hamptoni curia
Hanau: Hannovia
Hannover: Hannovera
Hannoversch Münden → Münden
Hannut: Hannutum
Hanonville-sous-les-Côtes: Ibliodurum
Hansell: Hahensili
Hansestädte, die ~: Hanseaticae urbes
Hants → Hampshire
Hantumhuizen: Hontummahusum
Hapert: Heopurdum
Hapsal → Haapsalu
Harakly → Erĕgli
Harburg: Harburgum
Harburg (Hamburg-Harburg): Harburgum
Harcourt: Harcurtium
Harcourt (Thury-Harcourt): Harcurtium
Harderwijk: Harderovicum
Harelbeke (Harlebeke): Herlebeca
Haren: Harna
Harfleur: Harflevium
Harg: Harga
Hargen: Horgana
Harjumaa (Harrien, Harnland), Landsch.: Harria
Harlebeke → Harelbeke
Harlingen: Harlinga
Harlinger Land, Landsch.: Harlingia
Harmerz: Harmundes
Harnland → Harjumaa, Landsch.
Haro: Bilium castr.
Háromszék (Trei Scaune), Komit.: Haromszekiensis sedes
Harpen (Bochum-Harpen): Harpunni
Harpstedt: Harpstadium
Harran (Karrhai): Carrhae
Harrien → Harjumaa, Landsch.
Harsefeld: Harsfeldum
Harste: Heristi
Hart: Harda
Hartenberg: Duroburgum
Hartfort: Hartfordium
Harthausen, RB. O-Bayern: Harthusa
Harthausen, Württemberg: Harthusa
Harville: Hairici villa
Harwich: Harviacum
Harz, Geb.: Harthici montes
Harzburg (Bad Harzburg): Hartsburgum
Harzgau, Landsch.: Harudorum pag.
Harzgerode: Venatorius saltus
Hasan Kef (Hasankeyf): Cepha castr.
Hasankeyf → Hasan Kef
Hasbengau → Hesbaye, Landsch.
Hase, Fl.: Hasa
Hasel: Hasela
Hasker Horne, Landsch.: Hura
Haslach (Freiburg-Haslach): Hasela
Haslach a. d. Mühl: Haselaha
Haslach a. d. Stiefing: Haselaha
Haslarn: Hasla
Hasle: Hasela
Haspe: Haspa
Haspengau → Hesbaye, Landsch.
Haspengouw → Hesbaye, Landsch.
Hasselt: Hasseletum ad Demeram
Hasselt: Hasseletum Transisalaniae
Haßloch: Hasalaha
Hastière (Hastière-Lavaux): Hasteria
Hastière-Lavaux → Hastière
Hattem: Hattemium
Hatten: Hatana
Hattonchâtel: Ettenhemium
Hatvan: Hatuanum
Hatzfeld: Hirutfelda

Hauderstett: Oudalhartessteti
Hausen, RB. O-Bayern: Domus
Hausen, RB. O-Franken: Husa
Hausen, RB. Schwaben: Husa
Hausen im Tal: Husa
Hausen vor Wald: Husa
Hautcret, Kl.: Alta crista (monast.)
Haute-Combe (Hautecombe), Kl.: Alta cumba (monast.)
Hauterive, Dép. Lot-et-Garonne: Ripae altae
Hauterive, Dép. Orne: Alta ripa
Hautes Fagnes → Hohes Venn, Geb.
Havana → Havanna
Havanna (La Habana, Havana, San Cristóbal de la Habana): s. Christophori fan.
Havel, Fl.: Habala
Havelberg: Havelberga
Havelland (Land der Heveller): Stoderania
Havlíčkův Brod (Německý Brod, Deutsch Brod): Broda Germanica
Havre, Le ~: Franciscopolis
Havré: Havrea
Hayange (Hayingen): Heicinga
Haye, La ~ → Den Haag
Haye-Descartes, La ~: Haga Aureliana
Hayingen → Hayange
Haynau (Hainau, Chojnów): Hainovia
Hebriden (Hebrides, Western Isles), Inseln: Aebudae insulae
Hebrides → Hebriden, Inseln
Hedel: Hedela
Heder, Fl.: Hedara
Hedertsweiler: Haiderichiswilare
Hedmark (Hedmarken), Prov.: Hedemarkia
Hedmarken → Hedmark, Prov.
Heeren-Werve → Werve
Heerewaarden (Herwerden): Herewardus villa
Heerlen: Huleri
Heers: Heerevilla
Heerse, Lippe: Hisi
Heerse, Pr. Westfalen: Heresa
Hegau, Landsch.: Hegovia
Heide: Heyda
Heidelberg: Heidelberga
Heilbronn: Hailprunna
Heiligenbaum: Sanctus arbor
Heiligenbeil (Mamonowo): Sancta civ.
Heiligenberg, Berg: Pirus mons
Heiligenberg, Berg: Sanctus mons
Heiligenberg, Baden: Sacer mons
Heiligenberg, O-Österr.: Sanctus mons
Heiligenkreuz, N-Österr.: s. Crucis fan.
Heiligenkreuz → Vipavski križ
Heiligenkreuz → Žiar nad Hronom
Heiligenkreuz im Lafnitztal: Sancta Crux
Heiligenstadt: Heiligenstadium
Heiliges Römisches Reich Deutscher Nation: Sacrum Romanum Imperium Nationis Germanicae
Heiligkreuz, Rheinprov.: s. Crucis villa
Heiligkreuz → Sainte-Croix-aux-Mines
Heiligkreuztal: s. Crucis vallis
Heilsbronn: Salutis fons
Heimertingen: Heimmortinga
„Heinrich"-Gau, Gau: Einrichi pag.
Heinzenberg, Bez.: Heinsilianus mons
Heisebeck: Haslbechi
Heisingen (Essen-Heisingen): Heisi
Heister: Heistra
Heisterbach: s. Petri vallis
Heitel: Hedela
Heldburg: Helidberga
Helfta: Helpithi
Helgoland, Ins.: Sacra insula

Hellbrunn, Schl.: Clarofontanum palat.
Helle: Heila
Hellespont → Dardanellen
Hellín: Ilunum
Helme, Fl.: Helmana
Helmern: Hilimari
Helmershausen: Elmeri civ.
Helmond: Helmontium
Helmstedt: Helmstadium
Helsen: Heliso
Helsingborg (Hälsingborg): Elsingburgum
Helsingeland → Hälsingland, Prov.
Helsingfors → Helsinki
Helsingør: Elsenora
Helsinki (Helsingfors): Helsingoforsa
Helvaux: Helvatium
Hembsen: Hemmamhus
Hemmerde: Hamerethi
Hemmerden: Hamarithi
Hempstead: Durocobrivae
Hendaye: Fontarabiae castr.
Henegouwen → Hennegau, Landsch.
Henglarn: Henghilari
Hénin-Liétard: Henniacum Litardi
Hennebont: Hannebotum
Hennegau (Hainaut, Henegouwen), Landsch.: Hannonia
Henrichemont: Henricomontium
Hentrup: Haringtharpa
Her, Île ~ → Île de Noirmoutier
Herace, Fl.: Heraclius
Hérault, Fl.: Arauraris
Herborn: Herborna
Herck-la-Ville (Herk-de-Stad): Herka
Herford: Herfordia
Hergla: Horrea Caelia
Héricourt: Hericuria
Heringen: Heringi
Herisau: Herginisowa
Herjedalen → Härjedalen, Prov.
Herk-de-Stad → Herck-la-Ville
Herlisheim → Herrlisheim-près-Colmar
Heřmanměstetz → Hěrmanův Městec
Hermannsburg: Arminii arx
Hermannstadt → Sibiu
Hěrmanův Městec (Heřmanměstetz): Miestecium Hermanni
Hernösand (Härnösand): Hernosandia
Herolz: Heroltes
Hérouville (Hérouville-Saint-Clair): Haraldi villa
Hérouville-Saint-Clair → Hérouville
Herpen: Herpina
Herpf: Erpha
Herrengrund → Spania-Dolina
Herrenzimmern: Zimbra
Herrera del Duque: Leuciana
Herrieden: Nazaruda
Herrlisheim-près-Colmar (Herlisheim): Hariolfes villa
Herrnhut: Custodia Dei
Herrnstadt (Wąsosz): Kyriopolis
Hersbruck: Hathersburgdi
Herscheid: Hirutscetha
Hersfeld: Heresfelda
Herstal: Herestallium
Herste: Heristi
Herstelle: Heristallium
Hertford: Herfordia
Hertfordshire (Herts), Grafsch.: Herfordiensis comit.
Herts → Hertfordshire
Herve: Harvia
Herwerden → Heerewaarden
Herzberg: Hertzberga
Herzegowina (Hercegovina), Land: Arcegovina (regio)
Herzogenaurach: Ura
Herzogenbuchsee: Herzogenbuhsa
Herzogenbusch → ’s-Hertogenbosch
Herzogenrath: Rhodia ducis

Herzogshufen (Ołtaszyn): Olthaschino
Herzynischer Wald: Hercynia silva
Hesbaye (Haspengau, Haspengouw, Hespengau, Hasbengau), Landsch.: Hasbania
Hesdin: Hesdinium
Hespengau → Hesbaye, Landsch.
Hesper, Fl.: Hesapa
Hesse (Hessen): Hessa
Hessen: Hesnum
Hessen → Hessen-Darmstadt, Großhgt.
Hessen, Land: Hassia
Hessen-Darmstadt (Hessen), Großhgt.: Hasso-Darmstadinus principat.
Hessen-Kassel (Kurhessen), Kurfstm.: Hasso-Casselanus principat.
Heßler (Gelsenkirchen-Heßler): Hasleri
Het Vlie (Vliestroom): Fossa Corbulonis
Hettange-Grande (Großhettingen): Hettinga
Hetterscheidt: Hetterscheyda
Heuburg: Huperga
Heusden: Heudena
Heveller, Land der ~ → Havelland
Heves: Hevezia
Hexham: Haugustaldium
Hidvég, Szabad ~ → Szabadhidvég
Hidvég, Város ~ → Szabadhidvég
Hièmes, Grafsch.: Oximensis comit.
Hien: Havinum
Hieraka: Ierax
Hierro → Ferro, Ins.
Hiers-Brouage → Brouage
Hieslum: Haslum
High Rochester: Bremenium
Higuer, Kap ~ (Cabo Higuer): Oeasro promont.
Hiiumaa (Dagö), Insel: Daghoa
Hijar: Ixarium
Hildburghausen: Hilpertohusa
Hildesheim: Hildesia
Hiltensweiler: Hiltiniswilare
Hilwartshausen: Hildewardensis eccl.
Himmelkron: Coeli corona
Himmelpfort: Coeli porta
Himmelpforten: Coeli porta
Himmelstädt (Mironice): Coeli locus
Himmerich: Claustrum
Hiniesta, La ~: Segestica
Hinte: Hundrensis villa
Hinterpommern (O-Pommern), Landsch.: Pomerania ulterior
Hirach (Irache, Iranzu, Yrache): Iracia
Hirchberg: Hiersperga
Hirsau: Hirsaugia
Hirschberg (Jelenia Góra): Cervimontium
Hirschberg: Cervimontium Westfaliae
Hirschberg a. d. Saale: Cervimontium ad Salam
Hirschegg: Hirzisegga
Hirschlanden: Hirslanda
Hispaniola → Haiti, Ins.
Histiaia → Istiaia
Hit: Is
Hittisweiler: Hicelineswillare
Hitzacker: Hitgera
Hjo: Hiovia
Hlohovec (Freistadtl, Freystadtl, Frakštat, Galgóc): Eleutheropolis ad Vagum
Hluboká nad Vltavou (Podhrad, Frauenberg): Hluboca
Hobro: Hobroa
Hochdorf: Escha
Hochelten: Eltnae
Hochemmerich: Embrikni
Hochfelden: Hocfeldis
Hochheim: Ostium Moeni

Hochkirch (Kościelec): Alta eccl.
Hochstaden, Grafsch.: Ostada
Höchst (Frankfurt-Höchst): Trajani monumentum
Höchstädt: Hodingae
Hoëdic (Île Hoëdic), Ins.: Hericus ins.
Hoegaarden (Hougaarden): Hughardis
Högersdorf: Cuzalina
Höhn (Höhn-Urdorf): Hana
Höhreute: Howeruti
Hoei → Huy
Höingen: Hoingi
Hölter: Hallithi
Hörsching: Herigisinga
Hörselberg, Berg: Horrisonus mons
Hörste, Kr. Buren: Hursti
Hörste, Kr. Halle: Hursti
Höxter: Hoxaria
Hof → Dvorce
Hof am Leithaberge: Pannoniae inferioris curia
Hof bei Salzburg: Norici curia
Hofgeismar: Geismari
Hofmarkt → Odorhei
Hohe Tauern (Alti Tauri), Geb.: Durus mons
Hohenberg: Altus mons
Hohenbourg → Hohenburg, Ru.
Hohenburg (Hohenbourg), Ru.: Altitona
Hohenburg → Odilienberg, Kl.
Hohenebra: Everha
Hohenems: Amidis
Hohenfels: Hoviles
Hohenfurth → Vyšší Brod
Hohenkrähen, Berg: Graea
Hohenlohe (Hohenloher Ebene), Landsch.: Holacheus comit.
Hohenloher Ebene → Hohenlohe, Landsch.
Hohensalza → Inowrocław
Hohenthann: Tanna
Hohentwiel, Berg: Duellium
Hohenwart: Alta specula
Hohenzollern, Schl.: Zolnerum castr.
Hohes Venn (Hautes Fagnes), Geb.: Faniae
Hohnsleben: Honesleva
Hohnstein, Ru.: Hoensteinium
Hohweiler → Hohwiller
Hohwiller (Hohweiler): Hohenwilari
Hólar: Hola
Holbæk: Holbeca
Hollach, Ru.: Hahenla
Hollain: Holinium
Holland, Grafsch.: Hollandia
Hollenstedt: Holdunesteti
Holm, Kl.: Dei insula in Fyonia
Holstebro: Holdstebroa
Holstein, Landsch.: Holsatia
Holt: Holta
Holtrup: Holttharpa
Holy Island (Lindisfarne): Sancta ins.
Holzelling: Olinga
Holzen, Baden: Holza
Holzen, RB. N-Bayern: Holza
Holzminden: Holtisminni
Homburg v. d. Höhe (Bad Homburg v. d. Höhe): Homburgum ad clivum
Honau (Hohenau), Kl.: Hohenaugia
Hondschoote: Hondescotum
Honfleur: Honflorium
Hongrie → Ungarn
Honnecourt-sur-Escaut: Hunnicuria
Hont (Honth), Komit: Hontensis comit.
Honth → Hont, Komit.
Hontheim: Honthemium
Hoorn: Horna
Hoorn, Kap ~ → Horn, Kap ~
Hopfau: Hophouwa
Hoppetenzell: Ranorum cella
Horatice (Horatitz): Horadna

Horatitz → Horatice
Horbourg (Horburg): Argentaria
Horburg → Horbourg
Horche: Ilarcuris
„Horeb", Berg ~ → Musa, Dschebel ~
Horloff (Trais-Horloff): Hurnuffa
Horloff, Fl.: Hurnuffa
Hormoz (Hormus, Hormuz, Ormuz): Harmozia
Hormoz (Hormus, Hormuz), Ins.: Harmozia
Hormus → Hormoz
Hormuz → Hormoz
Horn, Kap ~ (Kap Hoorn, Cabo de Hornos): Hornanum caput
Hornachos: Furnacis
Hornbeck: Horchenbici
Hornos, Cabo de ~ → Horn, Kap ~
Hořovice (Horowitz): Horzowiensis vicus
Horowitz → Hořovice
Horsens: Horsnesia
Horstmar: Horstmaria
Horten: Hortina
Horvátország → Kroatien
Hoßkirch: Oschilchi
Hosszúret → Bodrogköz, Landsch.
Hostinné (Arnau): Arnavia
Hotin → Chotin
Hotzenplotz (Osobłoga), Fl.: Ozobloga
Houat (Île Houat), Ins.: Horata ins.
Hougaarden → Hoegaarden
Houssaye-en-Brie, La ~: Aquifolietum
Hoya: Hoya
Hoyoux, Fl.: Hoius
Hradčany (Hradschan): Hradczzanum
Hradec Králové (Königgrätz): Grezium
Hradisch, Ungarisch ~ → Uherské Hradiště
Hradischt: Rhobodunum
Hradiště, Uherské ~ → Uherské Hradiště
Hradschan → Hradčany
Hranice (Mährisch Weißkirchen): Alba eccl.
Hrochowteinitz → Hrochův Týnec
Hrochův Týnec (Hrochowteinitz): Teynecium Rochi
Hrodna → Grodno
Hron (Gran, Garam), Fl.: Grana
Hronský Beňadik → Svätý Beňadik
Hrvatska Kostajnica → Kostajnica
Huarte Araquil: Aracilium
Hub: Huba
Hubertusburg, Schl.: Hubertiburgum
Huckarde (Dortmund-Huckarde): Hukretha
Hucmerki-Gau: Humarcha
Hude: Huda
Hudiksvall: Hudwicsowaldum
Hüfingen: Brigobane
Huelva: Accatuccis
Hümme: Hummi
„Hünenwall" (Ringwall) am Grotenburg → Ringwall („Hünenwall") am Grotenburg, Berg
Hüningen → Huningue
Huescar: Calicula
Hüsten (Neheim-Hüsten): Hustenni
Huete: Julia Opta
Hüttenberg: Candalicae
Hugshofen: Hugonis curia
Huîne → Huisne, Fl.
Huisne (Huîne), Fl.: Idonia
Huisseau-sur-Mauves: Ostiolum
Huissen: Hotseri
Huizen: Husuduna
Huizinge: Husdengum
Huizum: Husdengum
Hulsberg: Hulisberga
Hulsel: Hulsela

Hulst: Hulsta
Humber: Abus
Hummertsried: Hunbrehtisruti
Hundertbücheln (Százhalom): Centumcollis
Hundsfeld (Psie Pole, Breslau-Hundsfeld): Canum campus
Hunedoara → Hunyad, Komit.
Hungary → Ungarn
Hungen: Hohunga
Huningue (Hüningen): Huninga
Hunse, Fl.: Unsingis
Hunsingo → Hunzingo, Landsch.
Hunsrück, Geb.: Tergum caninum
Hunte, Fl.: Hunta
Huntingdon: Huntedonia
Huntingdonshire (Hunts), Grafsch.: Huntingdonia
Hunts → Huntingdonshire
Hunyad (Hunedoara), Komit.: Hunyadensis comit.
Hunzingo (Hunsingo), Landsch.: Hunusga
Huosi-Gau: Huosi pag.
Hurepoix, Landsch.: Hurepoesium
Huriel: Uriacum
Husum: Hosemum
Huszt → Chust
Huveaune, Fl.: Ubelca
Huy (Hoei): Hoium
Hven → Ven, Ins.
Hvratska → Kroatien
Hy → Jona, Ins.
Hydra → Idra, Ins.
Hyères: Areae

I

Ialomiţa, Fl.: Naparis
Iaşi (Jassy): Jassium
Ibail → Dschebeil
Iburg: Juborgo
Ichlingen: Ihilinga
Idanha-a-Nova: Equitania
Idanha-a-Velha: Igaeditanorum civ.
Idar-Oberstein → Oberstein
Idfû (Edfu): Apollinopolis magna
Idice, Fl.: Idex
Idra (Ydra, Hydra), Ins.: Hydrea
Idro: Idrinum
Idro, Lago d' ~ (Idrosee, Eridio): Edrinus lacus
Idrosee → Idro, Lago d' ~
Idstein: Idstena
Ieper → Ypern
Ierax (Hieraka): Zarax
Iesi: Aesium
Iferten → Yverdon
Ifferten → Yverdon
Igavere (Iggafer): Igeteveri
Igels: Higenae
Iggafer → Igavere
Iglau → Jihlava
Iglesias: Ecclesiae
Igualada: Ergavica
IJlst: Ilostum
IJselstein (IJsselstein): Iselstenium
IJsselmeer → Zuidersee
IJzendijke: Isendicum
IJzer → Yser, Fl.
Ilanz: Antium
Iława → Deutsch Eylau
Iława → Eilau
Ilchester: Iscalis
Île Belle → Belle, Ins.
Île-Bouchard, L'~(L'Isle-Bouchard): Bocardi ins.
Île d'Aix: Aquensis ins.
Île de France, Prov.: Franciae ins.

Île de Noirmoutier (Île Her): Nigrum monast. (ins.)
Île de Porquerolles: Porcariola
Île de Ré: Cracina ins.
Île de Sein: Sena
Île des Embiez: Aemines portus
Île d'Oléron: Oleroniana insula
Île d'Ouessant: Uxantis
Île d'Yeu: Oya
Île Her → Ile de Noirmoutier
Île Hoëdic → Hoedic, Ins.
Île Houat → Houat, Ins.
Îles Kuriate → Djezir Qoûriat, Inselgruppe
Îles Marquises → Marchesas-Inseln
Îles Sanguinaires → Sanguinaires, Îles ∼
Ilfeld: Ilfelda
Ilgenthal, Kloster ∼ → Klosterbuch
Ilha do Fogo → Fogo, Ins.
Ilha do Fuego → Fogo, Ins.
Ill, Fl.: Ella
Iller, Fl.: Ilara
Illergau, Gau: Illergovia
Illertissen: Tussa
Illzach: Ilchicha
Ilm, Fl.: Ilma
Ilm, Fl.: Ilmena
Ilmenau: Ilmena
Ilmmünster: Ilmi monast.
Ilok (Újlak): Bononia
Ilz, Fl.: Ilissus
Im Ostfelde → Ostfelde, Im ∼
Immau: Immenouwa
Imola: Emula
Impero, Fl.: Imperius
Imst: Umbista
Incisa Belbo: Ad Incisa saxa
Indre, Fl.: Anger
Inecik → Ainadjik
Ingelmunster: Anglomonasterium
Ingermanland (Ingrien, Ischorskaja Semlja, Ingermmaa), Landsch.: Ingermanlandia
Ingermmaa → Ingermanland, Landsch.
Ingolstadt: Ingolstadium
Ingrien → Ingermanland, Landsch.
Ingweiler → Ingwiller
Ingwiller (Ingweiler): Ingoniwilare
Inis Eoghain → Inishowen, Halbins.
Inishowen (Inis Eoghain), Halbins.: Eugenii ins.
Inn, Fl.: Oenus
Innach: Ilminaha
Innerste, Fl.: Indistra
Innichen (San Candido): Aguntum
Innsbruck: Oeni pons
Innstadt (Passau-Innstadt): Bojodurum
Inowrazlaw → Inowrocław
Inowrocław (Hohensalza, Inowrazlaw): Junonwladislavia
Inowrocław (Hohensalza, Inowrazlaw), Woiw.: Junonwladislaviensis palatin.
Insel Hormoz → Hormoz, Ins.
Inseln über dem Winde (Leeward Islands): Ad Ventum insulae
Inverness: Innervernium
Inverness-shire, Grafsch.: Innerverniensis comit.
Inzing: Incingas
Ioánnina (Janina, Yanya): Jamna
Iona (Hy), Ins.: Jona ins.
Ionion Pelagos → Ionisches Meer
Ionisches Meer (Mar Ionio, Jonion Pelagos, Deti Jonik): Ionium mare
Ipplis: Ibligo
Ipsitz → Ybbsitz
Ipswich: Gippevicum
Irache → Hirach
Iranzu → Hirach
Ireland → Irland, Ins.
Irland (Ireland, Éire), Ins.: Scotia major
Irminio, Fl.: Hirminius
Irnebol: Irenopolis

Irnis → Giornico
Irsee: Ursinum
Irsingen: Irsingum
Irslingen: Ursilinga
Isar, Fl.: Isara
Isarco (Eisack), Fl.: Atagis
Ischia (Isola d'Ischia), Ins.: Yssche insula
Ischl, Fl.: Isca
Ischorskaja Semlja → Ingermanland, Landsch.
Ise, Fl.: Isuna
Iseghem: Isengentum
Isel, Fl.: Insula
Isen: Isana
Isen, Fl.: Isana
Isenach, Fl.: Isana
Isenburg, Grafsch.: Isenburgensis comit.
Isendorf: Isingtharpa
Iseo: Sebum
Iseo, Lago d' ~ (Iseosee, Sebino): Sabinus lacus
Iseosee → Iseo, Lago d' ~
Iser (Jizera), Fl.: Ysra
Isère, Fl.: Isara
Iserlohn: Isarlohia
Isfahan (Esfahan, Ispahan): Aspadana
Ising: Usinga
Iskăr → Iskŭr, Fl.
Isker → Iskŭr, Fl.
İskodra → Shkodër
Iskŭr (Isker, Iskăr), Fl.: Escus
Isla → Islay, Ins.
Isla de Fernando Póo → Fernando Póo, Isla de ~
Island, Ins.: Gardari ins.
Islas Cíes → Cíes, Islas ~
Islas de Bayona → Cíes, Islas ~
Islas Malvinas → Falkland-Inseln
Islay (Isla), Ins.: Epidium
Isle, L' ~, Fl.: Insula
Isle-Adam, L' ~: Adami ins.
Isle-Bouchard, L' ~ → Île-Bouchard, L' ~
Isle-d'Albi, L' ~: Albigensis insula
Isle Jourdain, L' ~: Ictium castr.
Isle of Lewis → Lewis, Isle of ~
Isle of Lewis with Harris → Lewis, Isle of ~
Isle of Man: Monapia
Isle-sur-la-Sorgue, L' ~: Venetiae insulae
Isny: Isinna
Isola Basiluzzo → Basiluzzo, Ins.
Isola del Giglio → Giglio, Ins.
Isola di Capo Rizzuto, Ins.: Bruttiorum ins.
Isola di Capraia → Capraia, Ins.
Isola di Capri → Capri, Ins.
Isola di Giannutri → Giannutri, Ins.
Isola d'Ischia → Ischia, Ins.
Isola d'Istria → Izola
Isola di Levanzo → Levanzo, Ins.
Isola di Montecristo → Montecristo, Isola di ~
Isola di San Pietro → San Pietro, Ins.
Isola di Sant'Antioco → Sant'Antioco, Ins.
Isola Marettimo → Marettimo, Ins.
Isola Salina → Salina, Ins.
Isola Serpentara → Serpentara, Ins.
Isola Stromboli → Stromboli, Ins.
Isola Tavolara → Tavolara, Ins.
Isola Vulcano → Vulcano, Ins.
Isole Pontine → Ponziane, Isole ~
Isole Ponziane → Ponziane, Isole ~
Isole Sanguinarie → Sanguinaires, Îles ~
Isonzo, Fl.: Isontius
Ispahan (Esfahan, Isfahan): Aspadana
Isper: Yspera
Ispir: Hispiratis
Issing: Isinga
Issoire: Icciodurum

Issoudun: Exelodunum
Issy-les-Moulineaux: Fiscus Isiacensis
Istanbul Boğazi → Bosporus
Istiäa → Istiaia
Istiaia (Istiäa, Histiaia): Histiaea
Istra → Istrien, Halbins.
Istres: Ostrea
Istria → Istrien, Halbins.
Istrien (Istra, Istria), Halbins.: Histria
Istrien, Mark ~ → Mark Istrien, Mgft.
Itämeri → Ostsee
Italia → Italien
Italie → Italien
Italien (Italia, Italie, Italy): Italia
Italy → Italien
Itri: Itrium
Itter, Fl.: Jutraha
Ittling: Otilinga
Ituren: Iturisa
Itz, Fl.: Itessa
Itzing: Iciniacum
Ivano-Frankovsk (Stanisławów, Stanislau): Stanislavia
Ivoy-le-Pré: Ivodium
Ivrea: Iporegia
Ivry-la-Bataille: Huegium
Ivry-sur-Seine: Ibrejum
Iz'aslav (Sasslaw): Zaslavinum
Izola (Isola d' Istria): Alietum

J

Jaar → Geer, Fl.
Jabbeke: Jadbeca
Jablonné nad Orlicí (Gabel): Gablona
Jáchymov (St. Joachimsthal): Joachimica vallis
Jæderen → Jæren, Landsch.
Jägerndorf → Krnov
Jämtland, Prov.: Jemtia
Jaén: Aurgi
Jæren (Jæderen), Landsch.: Jadrensis regio
Järvamaa (Jerwen), Landsch.: Gerwa
Jaffa → Yafō
Jafo → Yafō
Jagst, Fl.: Jages
Jahna: Gana
Jahna, Fl.: Gana
Jaidschi: Gaita
Jajce: Jaitza
Jamagorod → Kingisepp
Jamal, Halbins. (Samojeden-Halbins.): Lytarmis promont.
Jamburg → Kingisepp
Jametz: Gemmacum
Jamma → Yamunā, Fl.
Janina → Ioánnina
Janitza → Giannitsá
Jankowka → Ober Johnsdorf
Jantra, Fl.: Jatrus
Janus, Mont ~ → Mont Janus, Berg
Janvilla: Jenvilla
Jarash (Djérach, Djerasch, Dscherasch, Dsherash, Yerash): Gerasa
Jargeau: Gargogilum
Jarnac: Jarniacum
Jaroměř: Jaromiersa
Jaroslau → Jarosław
Jarosław (Jaroslau): Jaroslavia
Jaroslaw → Jaroslawl
Jarosławice → Gerlanden
Jaroslawl (Jaroslaw): Jaroslavia
Jason, Kap ~ **(Jason Burnu, Kiremit burun, Yason burnu), Vorgeb.:** Jasonium promont.
Jason Burnu → Jason, Kap ~

Jassy → Iaşi
Jauche: Jacea castra
Jauer (Jawor): Jauravia
Jaunstein: Juenna
Jaux: Gellis
Java (Djawa), Ins: Jabadice ins.
Javols: Gabilitana civ.
Jawor → Jauer
Jebaïl → Dschebeil
Jebel et-Tor → Tabor, Berg
Jebel Katherin → Katherin, Jebel ~
Jechaburg: Indapolis
Jedburgh: Jedburgum
Jedenspeigen: Idunspeugensis vicus
Jeeben: Jebeo
Jekaterinoslaw → Dnjepropetrowsk
Jeker → Geer, Fl.
Jelenia Góra → Hirschberg
Jelgava (Mitau): Mitavia
Jelšava (Jolsva, Eltsch): Alnovia
Jelsum: Heilsum
Jemappes: Gemapia
Jena: Ihena
Jenidže → Giannitsá
Jenidže Göl → Limni Jiannitson
Jenino → Kreuzburg
Jenisej (Jenissei), Fl.: Jenisia
Jenissei → Jenisej, Fl.
Jerasselwitz → Gerlanden
Jerevan (Eriwan, Erewan): Eroanum
Jerez de la Frontera: Xeresium
Jericho (Eriha, Er-Riha): Palmarum civ.
Jersey, Ins.: Caesarea ins.
Jerwen → Järvamaa, Landsch.
Jerxheim: Jerichsum
Jesenice (Jesenitz): Jesnitzium
Jesenitz → Jesenice
Jesingen: Vosinga
Jettenburg: Utinbrucca
Jeufosse: Ginoldi fossa
Jeve → Jōhvi
Jezioro Druzno → Drausensee, See
Jiannitsa → Giannitsá
Jiannitson, Limni ~ → Limni Jiannitson
Jičín (Gitschin, Jitschin): Gitmiacinum
Jihlava (Iglau): Iglovia
Jílové u Prahy (Eule): Gilovia
Jilow: Gilavia
Jindřichův Hradec (Neuhaus): Henrici Hradecium
Jitschin → Jičín
Jizera → Iser, Fl.
Joachimsthal: Joachimica vallis
Joánnina → Ioánnina
Jochmaring: Jecmari
Jodoigne (Geldenaken): Gildonacum
Jönköping: Jenecopia
Johanngeorgenstadt: s. Joannis Georgii oppid.
Johannisburg (Pisz): s. Joannis castr.
Jōhvi (Jeve): Jevi
Joigny: Joviniacum
Joinville: Joanvilla
Jolsva → Jelšava
Joncs, Vieux ~ → Vieux-Joncs
Jossa: Jassaffa
Josselin: Josselina civ.
Jouac: Jocundiacum
Jouarre: Jodrum
Joué-lès-Tours: Jocundiacum
Jouquières: Juncaria
Jouy-le-Châtel: Gaudiacus
Jouy-le-Moutier: Joyacum
Jouy-le-Potier: Joyacum
Jouy-sur-Morin: Gaudiacus
Joyeuse: Gaudiosa
Jubeil → Dschebeil
Jubia: Ivia
Jublains: Diablintum
Judenau: Judinawa
Judenburg: Judenburgum
Jüchsen: Luchesa
Jülich: Juliacus
Jülich, Hgt.: Juliacensis ducat.

Jüterbog: Juterbockum
Jütische Halbins. (Kimbrische Halbins., Jysk Halvø): Chersonesus Cimbrica
Jütland (Jylland), Landsch.: Cimbria
Juilly: Julliacum
Juîne (Juisne), Fl.: Joina
Juisne → Juîne, Fl.
Julier (Julierpaß, Pass dal Güglia), Paß: Julius mons
Julierpaß → Julier, Paß
Julijske Alpe → Julische Alpen
Julische Alpen (Alpi Giulie, Julijske Alpe), Geb.: Juliae Alpes
Juliusburg (Dobroszyce): Julioburgum
Juliusburg (Radziejów): Julioburgum
Jumièges: Gemen
Jumilla: Gemellae
Jumna → Yamunā, Fl.
Jungbunzlau → Mladá Boleslav
Junquera, La ~: Juncaria
Jupille-sur-Meuse: s. Jobii villa
Jur pri Bratislave (Sankt Georgen bei Preßburg, Svätý Jur, Szentgyörgy): s. Georgii castra
Jura (Schweizer u. Französischer Jura): Jurassus mons
Jurbarkas (Jurburg): s. Georgii castr.
Jurburg → Jurbarkas
Jussy: Jussiacum
Juvisy-sur-Orge: Juveniacum
Južnyi Bug → Südlicher Bug, Fl.
Jylland → Jütland, Landsch.
Jysk Halvø → Jütische Halbins.

K

Kaap die Goeie Hoop → Kap der Guten Hoffnung
Kabala → Kavalla
Kaczawa → Katzbach, Fl.
Kadaň (Kaaden): Cadamum
Kadzand (Cadzand): Casandria
Käkisalmi → Prioz'orsk
Kärnten: Carantania
Käsmark → Kežmarok
Kästris (Castrich): Castrisis
Kafar Toût: Mororum castell.
Kagen: Chagina
Kahlenberg, Berg: Calvus mons
Kairo: Cairus
Kaiseraugst: Rauracense castr.
Kaiserebersdorf: Nova aula
Kaiserslautern: Caesarea lutra
Kaiserstuhl: Caesaris praetorium
Kaiserswerth (Düsseldorf-Kaiserswerth): Caesaris ins.
Kaisheim: Cesarea
Kalaat Karn (Montfort, Korain, Starchenberch), Burg: Fortis mons (castr.)
Kalaat Ras el-'Ain: Antipatris
Kalabrien (Calabria): Cantazarae prov.
Kalabscheh: Talmis
Kalamä, Golf v. ~ → Messiniakos Kolpos
Kalan → Kiskalán
Kalauria → Póros, Ins.
Kalbach: Chalbaha
Kaledonisches Meer (Schottisches Meer): Caledonius oceanus
Kalek (Kallich): Calix
Kalîg el-'Aqaba → Akaba, Golf v. ~
Kalinin (Twer): Tuera
Kaliningrad → Königsberg
Kaliningradskij zaliv → Frisches Haff
Kalisch → Kalisz
Kalisch, Woiw. → Kalisz, Woiw.

Kalisz (Kalisch): Calissia
Kalisz (Kalisch), Woiw.: Calisiensis palatin.
Kalkar: Calcaria
Kallich → Kalek
Kallmünz: Kalmunda
Kallundborg (Kalundborg): Callunda
Kalmar: Calmaria
Kaltenborn: Caldebornensis villa
Kaltenbrunn: Kaltebrunna
Kaltern → Caldaro
Kalundborg → Kallundborg
Kalwaria Zebrzydowska: Calvariae mons
Kamélion, Akroterion ~ → Kamilion, Kap ~
Kamenec-Podolskij: Camenecia
Kamenz: Camentia
Kamenz (Kamieniec Ząbkowicki): Camentia
Kamień → Stein
Kamień Krajeński (Kamin): Lapis castr.
Kamieniec Ząbkowicki → Kamenz
Kamienna Gora → Landishuta
Kamilion, Kap ~ **(Akroterion Kamélion):** Epidelium promont.
Kamin → Kamień Krajeński
Kamles: Chaembelius
Kamnik (Stein): Lithopolis
Kamp: Kastellere marca
Kamp, Fl.: Cambus
Kampen (Campen): Campi
Kampen: Campus
Kampen (Kępino): Zaspi
Kanal, der ~ **(Ärmelkanal, English Channel, La Manche):** Oceanus Britannicus
Kanal v. Chioggia: Fossa Clodia
Kandern: Candra
Kannenwald: Caminata
Kanobin: Coenobium
Kantabrisches Meer → Biskaya, Golf v. ~
Kanzach: Kantza
Kap Arkona → Arkona, Kap ~
Kap Baba → Baba Burun, Vorgeb.
Kap Carvoeiro → Carvoeiro, Cabo ~
Kap Colonne → Colonne, Kap ~
Kap Creus → Creus, Kap ~
Kap Cruz → Cruz, Kap ~
Kap Delgado → Delgado, Kap ~
Kap der Guten Hoffnung (Cape of Good Hope, Kaap die Goeie Hoop): Caput Bonae Spei
Kap Drepanon → Drepanon, Kap ~
Kap Emine → Emine, Kap ~
Kap Ermine → Emine, Kap ~
Kap Espichel → Espichel, Cabo de ~
Kap Figaro → Figaro, Kap ~
Kap Finisterre → Finisterre, Kap ~
Kap Formoso → Formoso, Kap ~
Kap Gata → Gata, Kap ~
Kap Glarenza → Glarenza, Kap ~
Kap Guardafui → Guardafui, Kap ~
Kap Hague → Hague, Cap de la ~
Kap Higuer → Higuer, Kap ~
Kap Hoorn → Horn, Kap ~
Kap Horn → Horn, Kap ~
Kap Jason → Jason, Kap ~
Kap Kamilion → Kamilion, Kap ~
Kap Monastir → Monastir, Kap ~
Kap Náo → Náo, Cabo de la ~
Kap Palos → Palos, Cabo de ~
Kap Roca → Roca, Cabo da ~
Kap Rosso → Rosso, Kap ~
Kap Salou → Salou, Cabo de ~
Kap Santa Croce → Santa Croce, Kap ~
Kap Santa Maria → Santa Maria, Kap ~
Kap São Vicente → São Vicente, Cabo de ~
Kap Sierra Leone → Sierra Leone, Kap ~
Kap Silleiro → Silleiro, Cabo ~
Kap Sim → Sim, Kap ~
Kap Spatha → Spatha, Kap ~

Kap Stavros → Akroterion Stavros
Kap Testa → Testa, Kap ~
Kap Tindari → Tindari, Kap ~
Kap Trionto → Trionto, Kap ~
Kap Verde → Vert, Cap ~
Kapela (Große u. Kleine Kapela, Velika u. Mala Kapela), Geb.: Capella (mons)
Kapela, Große ~ → Kapela, Geb.
Kapela, Kleine ~ → Kapela, Geb.
Kapela, Mala ~ → Kapela, Geb.
Kapela, Velika ~ → Kapela, Geb.
Kapelle aan de Ijssel: Capella prope insulam
Kapelln: Capella
Kapfenstein: Capedunum
Kapla (Ober Kappel): Chapella
Kappel, Kr. Freiburg: Capella
Kappel, Kr. Villingen: Capella
Kappel, Kt. St. Gallen: Capella
Kappel, Kt. Zürich: Capella
Kappel am Albis: Capella (monast.)
Kappel bei Buchau: Capella
Kappel, Ober ~ → Kapla
Kappelen: Capella
Kappeln: Chapella
Kappenberg, Schl.: Kappenbergense castr.
Kappl: Capella
Kaproncza → Koprivnica
Kaps: Chapfas
Kara Dagh → Montenegro
Kara Deniz → Schwarzes Meer
Kara su → Nestos, Fl.
Karacasu (Karadjasun): Stauropolis
Karadeniz Boğazi → Bosporus
Karadjasun → Karacasu
Karaferie → Weria
Karaman, Landsch.: Caramania
Karamürsel: Pronectus
Karden: Cardona
Kargopol: Cargapolis
Karkinit-Bucht (Karkinitskij Zaliv): Carcinites sinus
Karkinitskij Zaliv → Karkinit-Bucht
Karkuk → Kirkuk
Karkus: Karthus
Karl-Marx-Stadt → Chemnitz
Karlburg → Rusovce
Karlobag (Carlopago): Carolinus campus
Karlóca → Sremski Karlovci
Karlócza → Sremski Karlovci
Karlova → Dragutinovo
Karlovac (Karlstadt, Károlyváros): Carolostadium
Karlovci → Sremski Karlovci
Karlovci, Sremski ~ → Sremski Karlovci
Karlovci, Srijemski ~ → Sremski Karlovci
Karlovy Vary (Karlsbad): Carolinae aquae
Karlowitz → Sremski Karlovci
Karlsbad → Karlovy Vary
Karlsburg → Alba Julia
Karlskrona: Caroli corona
Karlsruhe: Caroli hesychium
Karlsruhe-Durlach → Durlach
Karlstad: Carolostadium Suevicum
Karlstadt → Karlovac
Karlstadt a. Main: Carolostadium
Karnburg: Corantana
Károlyváros → Karlovac
Karpaten (Carpati, Karpathen, Kárpátok, Karpaty), Geb.: Carpates
Karpathen → Karpaten, Geb.
Kárpátok → Karpaten, Geb.
Karpaty → Karpaten, Geb.
Karpfen → Krupina
Karrhai → Harran
Karst (Carso, Kras): Carusadius mons
Karthaus: Carthusia
Kasan (Kazan): Kazanum
Kaschau → Košice
Kaschmir, Land: Caspirus

Kaschuben, Land der ~ → Kaschubien, Landsch.
Kaschubien (Land der Kaschuben, Kaszuby), Landsch.: Cassubia
Kasos (Caso, Kaşot), Ins.: Casus
Kaşot → Kasos, Ins.
Kassa → Košice
Kassandra, Golf v. ~ (Kólpos Kassandras, Toronäos Kolpos, Toronaischer Golf): Toronaicus sinus
Kassel: Cassala
Kassel-Niederzwehren → Niederzwehren
Kastamonu (Kastamuni): Sora
Kastamuni → Kastamonu
Kastel (Mainz-Kastel): Castella
Kastelbell → Castelbello
Kastellaun: Hunnorum castell.
Kastéllion: Cysamus
Kastelruth → Castelrotto
Kastilien (Castilla), Landsch.: Castilia
Kastl: Castellum
Kaszuby → Kaschubien, Landsch.
Katakolon: Calloscopium
Katalonien (Cataluña, Catalunya), Landsch.: Catalaunia
Katerina, Deir ~ → Katharinenkloster
Katerina, Gebel ~ → Katherin, Jebel ~
Katharinenberg → Katherin, Jebel ~
Katharinenkloster (Deir Katerina, Sinaikloster): s. Catharinae monast.
Katherin, Jebel ~ (Gebel Katerina, Dschebel Katherin, Katharinenberg): s. Catherinae mons
Kato Fygalia: Phigalia
Kattegatt: Codanus sinus
Kattern (Święta Katarzyna): s. Katherinae villa
Katwijk aan de Maas: Cattorum vicus
Katzbach (Kaczawa), Fl.: Cattus
Katzenelnbogen: Cattimelibocum
Kau el Kebir: Antaeupolis
Kaub a. Rhein: Cuba
Kaudinische Pässe → Forche Caudine, Engpaß
Kaufbeuren: Kaufbura
Kaufing: Chavinga
Kaunitz: Choinitia
Kouřim → Kouřim
Kavalla (Kabala, Kawala): Christopolis
Kawala → Kavalla
Kaysersberg: Caesaris mons
Kazan → Kasan
Kazimierz: Casimirca
Kecskemét: Egopolis
Kėdainiai (Keïdany): Cajudunum
Kef, El ~ → El Kef
Kehl: Keula
Keïdany → Kėdainiai
Kékkö (Modrý Kameň, Blauenstein): Kekkojensis
Kellen: Ulpia castra
Kellmünz: Caelius mons
Kematen a. d. Krems: Caminata
Kemberg: Cameracum ad Albium
Kemnade: Caminata
Kemnat: Kemenatum
Kempen: Campinni
Kempen → Kempenland, Landsch.
Kempenland (Kempen, Campine), Landsch.: Campinia
Kempten: Campidona
Kempten: Caput Montis
Kendal: Kendalia
Kenn: Kannis
Kent, Grafsch.: Cantium
Kenzingen: Chensinga
Kępinka → Neuenkamp
Kępino → Kampen
Kerkuk → Kirkuk

Kerpen: Carpena
Kerteminde: Cartemunda
Kerzers (Chiètres): Ad Carceres
Késmárk → Kežmarok
Kessel: Menapiorum castell.
Kessenich (Bonn-Kessenich): Castenica
Keßlar: Kezzilari
Kestenholz → Châtenois
Keszthely: Mogentianae
Kexholm → Prioz'orsk
Kézdiszentlélek: s. Spiritus fan. Kesdiense
Kézdivásárhely → Tîrgu Secuesc
Kežmarok (Käsmark, Késmárk): Kesmarkinum
Khabur (Nahr Khabour), Fl.: Chaboras
Khalidj el Hammamet → Hammamet, Golf v. ~
Khalig es-Suweis → Suez, Golf v. ~
Khalīj-e Fars → Persischer Golf
Khambhat ni Khadi → Cambay, Golf v. ~
Khedir, Al ~ → El-Chider
Khemis (Affreville): Maliana
Khorrämabad: Corbiena
Khrabovo → Powunden
Kiangeri → Çankiri
Kiedrich: Kitercho
Kiefernwalde → Laskowitz
Kiel: Chilonium
Kiel-Friedrichsort → Friedrichsort
Kientzheim: Cunonis villa
Kiew → Kijev
Kiew, Woiw. → Kijev, Woiw.
Kijev (Kiew): Chiovia
Kijev (Kiew), Woiw.: Kioviensis palatin.
Kilbeggan (Cill Bheagáin): Calebachus
Kilia → Kilya
Kilkenny (Cill Chainnigh): s. Canici fanum
Kilkenny (Contae Chill Chainnigh), Grafsch.: Canicopolitanus comit.
Killaloe: Killaloa
Killini → Kyllini
Kilmallock (Cill Mocheallóg): Killocia
Kilmore, Co. Armagh: Chilmoria
Kilmore, Co. Tipperary: Chilmoria
Kilskeer (Kilskyre): Laberus
Kilskyre → Kilskeer
Kilya (Kilia): Achillae nova
Kimbolton: Cinnibantum
Kimbrische Halbins. → Jütische Halbins.
Kingisepp (Jamagorod, Jamburg): Jama
King's Beaulieu → Beaulieu
King's County (Offaly, Contae Uíbh Fhailí), Grafsch.: Regis comit.
King's Lynn (Lynn Regis): Lignum regis
Kingston upon Thames: Regiopolis
Kintschbach, Fl.: Merilaha
Kintyre, Halbins.: Cantiera
Kinzig, Fl.: Kincicha
Kirchau: Chirauwa
Kirchdorf: Varallium
Kirchdrauf → Spišské Podhradie
Kirchenrund: Ruoda
Kirchhasel: Hasalaha
Kirchheim: Kirchaina
Kirchheim am Ries: Clarenna
Kirchhof: Cimiterium
Kirchholm: Holmia
Kiremit burun → Jason, Kap ~
Kirk Kilissa → Kirklareli
Kirklareli (Kirk Kilissa): Urisium
Kirkuk (Karkuk, Kerkuk): Corcura
Kirkwall: Carcaviana
Kirov (Wjatka): Viatcia
Kirrwiller (Kirweiler): Chirichowilari
Kirschgarten (Mariengarten), Kl.: Hortus cerasorum
Kirweiler → Kirrwiller

Kis-Küküllö (Klein Kokel), Komit.: Kukoliensis comit.
Kischm (Tawilak), Ins.: Oaracta
Kisil Usen → Qezel Ouzän, Fl.
Kisil Usun → Qezel Ouzän, Fl.
Kiskalán (Kalan, Călan, Klein-Klandorf): Ad Aquas
Kiskunság → Kleinkumanien, Landsch.
Kismarton → Eisenstadt
Kissenbrück: Kissanbruggi
Kissingen: Chissinga
Kißlau, Schl.: Kiselowa
Kisszeben → Sabinov
Kistapolcsány → Topol'čianky
Kitros: Citrum
Kitzbühel: Hadopolis
Kitzingen a. Main: Chitzzinga
Kjøbenhavn → Kopenhagen
Kjøge (Køge): Coagium
Kjustendil (Köstendil): Ulpianum
Klaarkamp: Claricampensis vicus
Kladau (Kłodawa), Fl.: Clodava
Kladovo: Clodova
Kladrau → Kladruby
Kladruby (Kladrau): Claderanensis
Klätkow (Kłodkowo): Clodana
Klagenfurt: Querimoniae vadus
Klaipeda (Memel): Memela
Klandorf, Klein ~ → Kiskalán
Klarholz: Clarholtensis villa
Klášter Teplá → Město Teplá
Kláštor pod Znievom (Znió-Váralja, Kühhorn): Znioclaustensis
Klatovy (Klattau): Clattovia
Klattau → Klatovy
Klause, Berner ~ → Chiusa di Verona
Klause, Veroneser ~ → Chiusa di Verona
Klausen → Chiusa
Klausenburg → Cluj
Klausenburg (Cluj, Kolozsvár), Komit.: Colosvariensis comit.
Kleewiesen: Clewis
Klein-Basel: Basilea minor
Kleinbistritz → Bistrita Bîrgăului
Kleineislingen: Isinga
Kleinfahner: Fanari
Kleinhasepe: Hesapa
Klein-Klandorf → Kiskalán
Klein Kokel → Kis-Küküllö, Komit.
Klein Kreidel (Krzydlina Mała): Cridsina
Kleinkumanien (Kiskunság), Landsch.: Cumania minor
Kleinlengden: Lengidi
Kleinlüder: Ludera
Kleinmariazell: s. Mariae cella
Kleinöls (Olésnica Mała): Olesnicza
Klein Örner: Ornari
Kleinprüfening: Pruena
Klein Raake (Raków Mały): Rachova
Klein Rohrheim: Rara
Kleinschlatten → Zlatna
Klein Stavern: Stavoron
Klein Tinz (Tyńczyk): Thinchia
Kleinvargula: Vargila
Klein Wesenberg: Wisbircon
Klein-Zeben → Sabinov
Kleine Emme → Emme, Fl.
Kleine Kapela → Kapela, Geb.
Kleiner Belt (Lille Bælt): Balticum fretum minus
Kleiner Sab (Zāb as-Saghīr), Fl.: Zabatus minor
Kleiner Sankt Bernhard (Col du Petit Saint Bernard, Colle del Piccolo San Bernardo), Paß: Columnae Jovis mons
Klettgau, Landsch.: Catobrigius pag.
Kleve: Clivis
Kleve, Hgt.: Cliviensis ducat.
Klingenmünster: Clinga
Klis (Clissa): Andretium
Klissów: Klitsovia
Kłobuczyn → Klopschen

Kłodawa → Kladau, Fl.
Kłodkowo → Klätkow
Kłodzka, Nysa ~ → Neiße, Fl.
Kłodzko → Glatz
Kloostri (Padis Kloster): Pades
Klopschen (Kłobuczyn): Clobuschina
Kloster Ilgenthal → Klosterbuch
Klosterbuch (Kloster Ilgenthal): s. Egidii vallis
Klosterneuburg: Neuburga
Klosterrath: Rotha
Klosterveßra: Vescera
Klotten: Clottena
Kluczbork → Kreuzburg
Klus: Clusinus vicus
Knapdale, Landsch.: Cnapdalia
Knin: Arbuda
Kobelau (Kobyla Głowa): Cobylaglowa
Koblenz, Rheinprov.: Confluentes
Koblenz, Kt. Aargau: Confluentes
Koblenz-Ehrenbreitstein → Ehrenbreitstein, Fstg.
Kobyla Głowa → Kobelau
Kochel: Ascahi
Kochem → Cochem
Kocher, Fl.: Cochara
Kochstedt (Dessau-Kochstedt): Coxtidi
Kodor, Fl.: Corax
Köben (Chobienia): Cobena
København → Kopenhagen
Köckte: Ckockta
Køge → Kjøge
Köhalom → Rupea
Kölleda: Coleda
Kölln a. d. Spree: Colonia Brandenburgica
Köln: Agrippina colonia
Köln-Deutz → Deutz
Köln-Mülheim → Mülheim
Köln-Rodenkirchen → Rodenkirchen
Köln-Worringen → Worringen
König: Chunticha
Königgrätz → Hradec Králové
Königsaal → Zbraslav
Königsberg (Kaliningrad): Regiomontium
Königsberg → Nová Baňa
Königsegg, Schl.: Ekka
Königseggwald: Walda
Königsfelden: Regius campus
Königshof → Králův Dvůr
Königshofen i. Grabfeld: Regis curia
Königshofen a. d. Tauber: Regis curia Badensis
Königslutter: Luttera regalis
Königsmachern → Koenigsmacker
Koenigsmacker (Königsmachern): Machera regis
Königsstadtl → Městec Králové
Königsstuhl, der ~: Thronus regalis
Königstein: Drusi castell.
Königstein, Fstg.: Regis saxum
Königstetten: Comianus mons
Königsundergau, Gau: Cunigeshunderus
Königswart → Kynžvart
Königswinter: Hiberna regia
Könnern: Coniri
Köping: Copingi
Körmend: Curta
Körmöcbánya → Kremnica
Körös → Križevci
Körös, Sebes ~ → Crişul Repede, Fl.
Körösbánya → Baia de Criş
Kösching: Caesarea
Kösen: Cusne
Köslin (Koszalin): Coslinum
Kösten: Chuestina
Köstendil → Kjustendil
Köstendsche → Constanţa
Köszeg (Güns): Ginsium
Köszegszerdahely: Halicanum
Köthen: Cotha
Kövár: Covaria
Kövár, Gebiet um ~: Covariensis distr.

Koevorden (Coevorden): Covordia
Kofel → Covolo, Engpaß
Kohalmu → Rupea
Kohlstädt: Colstidi
Kohren (Kohren-Salis): Choriani villa
Kokel → Tîrnava, Fl.
Kokel, Große ~ → Tîrnava Mare, Fl.
Kokel, Klein ~ → Kis-Küküllö, Komit.
Kokkola (Gamlakarleby): Carolina antiqua
Kolberg (Kołobrzeg): Colmensis
Kolding: Coldinga
Kolin: Juxta Albim colonia
Kollam (Quilon): Caulum
Kołobrzeg → Kolberg
Kolokythia → Lankada
Kolomea → Kolomyja
Kolomyja (Kolomea): Colomia
Kolozsvár → Cluj
Kolozsvár → Klausenburg, Komit.
Kolpa → Kupa, Fl.
Kólpos Hagíu Órus → Hagion Oros, Golf v. ~
Kólpos Kassándras → Kassandra, Golf v. ~
Kólpos Orfanoũ → Strimonikos Kolpos
Kolpos Orfanu → Strimonikos Kolpos
Kom (Kum): Choama
Komárno (Komorn): Comara
Komárom (Komorn): Valcum
Komen → Comines
Komorn → Komárno
Komorn → Komárom
Komorn, Komit.: Comaromensis comit.
Komotau → Chomutov
Konggebirge: Deorum currus
Konice (Konitz): Chuenicensis villa
Konitz → Chojnice
Konitz → Konice
Konstadt (Wołczyn): Leucaristus
Konstantinopel, Straße v. ~ → Bosporus
Konstanz: Constantia
Konstanza → Constanţa
Kopar → Koper
Kopenhagen (København, Kjøbenhavn): Hafnia
Koper (Capodistria, Kopar): Justinopolis
Kopreinitz → Koprivnica
Koprivnica (Kopreinitz, Kaproncza): Caproniensis villa
Koprivnik (Nesselthal): Nezzeltala
Korain → Kalaat Karn, Burg
Korb: Corba
Korbach: Corbachium
Korbers (Corbières): Corbaria
Korbetha: Chruvati
Korčula (Curzola), Ins.: Curzula ins.
Korczyn, Nowy ~ → Nowy Korczyn
Kordestan (Kurdistan), Landsch.: Gordyene
Korinth, Golf v. ~ **(Korinthiakos Kolpos, Korinthischer Golf, Golf v. Lepanto):** Naupactinus sinus
Korinthiakos Kolpos → Korinth, Golf v. ~
Korinthischer Golf → Korinth, Golf v. ~
Kornelimünster: Cornelii monast.
Korneuburg: Neuburga forensis
Korpona → Krupina
Korsica → Corse, Ins.
Korsør: Corsora
Kortrijk → Courtrai
Kortsch → Corzes
Koschmin → Koźmin
Kościelec → Hochkirch
Kosel → Cosel
Kosi: Cossoagus
Košice (Kaschau, Kassa): Cassovia
Kosovë → Kosovo polje, Landsch.

Kosovo → Kosovo polje, Landsch.
Kosovo polje (Amselfeld, Kosovo, Kosovë, Fusha e Kosovës), Landsch.: Cossobus
Kostajnica (Hrvatska Kostajnica): Castanovitium
Kostheim (Mainz-Kostheim): Cuffinstanium
Kostolac: Viminiacum
Kostrzyn → Küstrin
Koszalin → Köslin
Kotor (Cattaro): Catharus
Kottes: Chotansriuti
Koudum: Colvidum
Kouřim (Kauřim): Caurzimensis
Kowalewo Pomorskie (Schönsee): Schonense castr.
Koźle → Cosel
Koźmin (Koschmin): Cosminecum
Kräzeren: Cratzania munitio
Krain (Krajnska), Landsch.: Carnia
Krainburg → Kranj
Krajnska → Krain, Landsch.
Krakau → Kraków
Kraków (Krakau): Cracovia
Krakow am See: Crocconis castr.
Kralice (Kralitz): Kralia
Kralitz → Kralice
Králův Dvůr (Königshof): Regis curia ad Albim
Kranenburg: Burcinalium
Kranj (Krainburg): Carnioburgum
Kras → Karst, Geb.
Krasnystaw: Crasnostavia
Krassó-Szöreny, Komit.: Krasznensis comit.
Kraubath: Sabatinca castra
Krefeld-Uerdingen → Uerdingen
Kreisch → Chişineu-Criş
Kreisch, Schnelle ~ → Crişul Repede, Fl.
Kreith: Giriuta
Kremnica (Kremnitz, Körmöcbánya): Cremnicium
Kremnitz → Kremnica
Krempe: Crempis
Krems: Cremisa
Kremsmünster: Cremisa
Kreutz → Križevci
Kreuz → Križevci
Kreuzburg (Kluczbork): Creutzberga
Kreuzburg (Enino, Jenino): Cruciburgum Venedicum
Kreuzlingen: Crutzelinum
Kreuznach: Crucenacum
Kriebstein, Schl.: Crybenstenium
Krim (Krym), Halbins.: Chersonesus Taurica
Krimla: Krymela
Kristiania → Oslo
Kristianopel: Christianopolis
Kristiansand: Christiani munitio
Kristianstad: Christianopolis
Kristinehamn: Christianae portus
Križ na Vipavskem → Vipavski križ
Križevci (Kreuz, Kreutz, Körös): Crisium
Krk (Veglia), Ins.: Curictum
Krkonoše → Riesengebirge
Krnov (Jägerndorf): Carnovia
Kroatien (Hvratska, Horvátország): Croatia
Kröftel: Cruftela
Kröv a. d. Mosel: Crovia
Kromau, Mährisch ~ → Moravský Krumlov
Kronach: Crana
Kronborg, Schl.: Coronaeburgum
Kronmetz → Mezzocorona
Kronstadt → Braşov
Krosno Odrzańskie → Crossen
Krossen a. d. Elster: Chrozna
Kroya → Krujë
Krückau, Fl.: Ciestra
Kruja → Krujë
Krujë (Kroya, Kruja, Croia, Akçahisar): Crua
Krumau → Český Krumlov

Krumau, Böhmisch ~ → Český Krumlov
Krumbach: Crumaha
Krumlov, Český ~ → Český Krumlov
Krumlov, Moravsky ~ → Moravský Krumlov
Krummhörn u. Brokmerland, Landsch.: Federitga
Krupina (Karpfen, Korpona): Carpona
Krupka (Graupen): Crupna
Kruschwitz → Kruszwica
Krušné hory → Erzgebirge
Krušnohoří → Erzgebirge
Kruszwica (Kruschwitz): Crusbicia
Krym → Krim, Halbins.
Krzeszów → Grüßau
Krzystkowice → Christianstadt
Ksantina → Constantine
Kuban, Fl.: Vardanes
Kuchl: Cucullus castr.
Küblis: Convalium
Kühhorn → Kláštor pod Znievom
Küküllö → Tîrnava, Fl.
Küküllö, Kis ~ → Kis-Küküllö, Komit.
Küküllö, Nagy ~ → Tîrnava Mare, Fl.
Künzell: Kindecella
Künzing: Quintiana castra
Kürnach: Kurnaha
Kues: Cusa
Küßnacht am Rigi: Chussenaho
Küstendže → Constanţa
Küstrin (Kostrzyn): Costrinum
Kuhlendahl: Cugolanda
Kuilenburg → Culemborg
Kuinder, Fl.: Cunra
Kujawien (Kujawy): Cujavia
Kujawy → Kujawien, Landsch.
Kukinia → Quetzin
Kulléne → Kyllini
Kulm → Chełmno
Kulm, Maria ~ → Chlum nad Ohří
Kulpa → Kupa, Fl.
Kum → Kom
Kumanien (Kunság), Landsch.: Cumania
Kumberg: Comianus mons
Kundl: Quantula
Kundus → Ak-Serai, Fl.
Kunersdorf (Brzezia Łąka): Bresalanza
Kunság → Kumanien, Landsch.
Kupa (Kulpa, Kolpa), Fl.: Culpa
Kupferberg (Měděnec): Cuprimontium
Kupferberg (Miedzianka): Cuprimontium
Kura, Fl.: Corius
Kurdistan → Kordestan, Landsch.
Kurhessen → Hessen-Kassel, Kurfstm.
Kuriate, Îles ~ → Djezir Qoûriât, Inselgruppe
Kurische Nehrung (Kuršių neringa): Curonensis peninsula
Kurisches Haff (Kuršių marės): Curonensis lacus
Kurland (Kurzeme), Landsch.: Curlandia
Kurrheinischer Kreis: Rhenanus circulus electoralis
Kuršių marės → Kurisches Haff
Kuršių neringa → Kurische Nehrung
Kurzeme → Kurland, Landsch.
Kusel: Cosla
Kustendie → Constanţa
Kutais → Kutaissi
Kutaissi (Kutais): Cotatis
Kutná Hora (Kuttenberg): Kutta
Kuttenberg → Kutná Hora
Kutzenhausen → Kutzenhouse
Kutzenhouse (Kutzenhausen): Chuzenhusa
Kutzleben: Gozzenleba
Kvarner → Quarnero, Meerbusen

Kwidzyn → Marienwerder
Kwisa → Queis, Fl.
Kyburg: Kyburgum
Kyffhäuser: Cuphese castr.
Kyle, Landsch.: Covalia
Kyll, Fl.: Kila
Kyllene → Kyllini
Kyllini (Kyllene, Killini, Kulléne, Glarentsa): Clarentia
Kynžvart (Königswart, Lázně Kynžvart, Bad Königswart): Marabodui castell.
Kyritz: Kiritium
Kyšperk → Letohrad

L

La Habana → Havanna
La Haye → Den Haag
La Manche → Kanal, der ~
Laa a. d. Thaya: Laha
Laag: Burgum Eugippius
Laaland (Lolland), Ins.: Lalandia
Laareind: Hlara
Labe → Elbe, Fl.
Labiau (Polessk): Labiavia
Labourd: Lapurdensis tractus
Labrit: Albretum
Lac de Bienne → Bieler See
Lac de Genève → Genfer See
Lac de Morat → Murtensee, See
Lac de Neuchâtel → Neuchâtel, Lac de ~
Lac d'Yverdon → Neuchâtel, Lac de ~
Lac Léman → Genfer See
Lacedonia: Laguedonia
Lachen-Speyerdorf: Lacha
Lądek Zdró → Landeck
Ladenburg: Labadunum
Ladenburger Gau: Lobodanensis pag.
Ladronen → Marianen, Inselgruppe
Laduer: Leitura
Läänemeri → Ostsee
Längsee, See: Lenginse lacus
Laffaux: Latofanum
Lagan, Fl.: Logia
Lagnieu: Latiniacus
Lagny: Latiniacum
Lago di Aurana → Vransko jezero, See
Lago di Bagni → Bagni, Lago di ~
Lago di Bolsena → Bolsena, Lago di ~
Lago di Bracciano → Bracciano, Lago di ~
Lago di Castiglione → Castiglione, Lago di ~
Lago di Cerknica → Cerknisko Jezero
Lago di Como → Como, Lago di ~
Lago d'Idro → Idro, Lago d' ~
Lago d'Iseo → Iseo, Lago d' ~
Lago di Lesina → Lesina, Lago di ~
Lago di Lugano → Luganer See
Lago di Nemi → Nemisee, See
Lago d'Orta → Orta, Lago d' ~
Lago di Piediluco → Piediluco, Lago di ~
Lago di Vico → Vico, Lago di ~
Lago di Vrana → Vransko jezero
Lago Maggiore (Langensee, Verbano), See: Maior lacus
Lagos: Lacobriga
Lagosta → Lastovo, Ins.
Laguna Veneta → Venedig, Lagunen v. ~
Lagunen v. Venedig → Venedig, Lagunen v. ~
Lahm im Itzgrund: Lama

Lahn, Fl.: Lagana
Lahngau, Landsch.: Logana
Laholm: Lagoholmia
Lahr, Baden: Larum
Lahr, Pr. Hessen-Nassau: Lara
Lahr, Rheinprov.: Lara
Laibach → Ljubljana
Laibach → Ljubljanica, Fl.
Laighean, Cúige ~ → Leinster, Landsch.
Laigle: Aquila
Lain: Lina
Láirge, Port ~ → Waterford
Láirge, Port ~ → Waterford, Grafsch.
Laisa: Liesci
Lajoux: Jovium
Lajta → Leitha, Fl.
Lakhnau (Lucknow): Gangia regis
Lallaing: Lalinum
Lambach: Lambacum
Lamballe: Lambalium
Lambesc: Lambesca
Lambèse: Lambaesis
Lambres-lès-Douai: Lambrae
Lamego: Lameca
Lamme: Lammari
Lamorteau: Mortario
Lampfriedsweiler: Lampherswilare
Lamu: Lamum
Lanage: Lanaticovilla
Lancashire, Grafsch.: Lancastriensis comit.
Lancaster: Lancastria
Lanciano: Lancianum
Land der Heveller → Havelland
Land der Kaschuben → Kaschubien, Landsch.
„Land der Sachsen“: Fundus regius Saxionicus
Land der Slawen → Slawenland
Land der Sorben → Sorbenland
Land der vier Ambachten → Quatre métiers
Land Hadeln → Hadeln, Landsch.
Land van Waas → Van Waes, Landsch.
Land Wursten → Wursten, Landsch.
Landau in der Pfalz: Landavia
Landeck: Landecca
Landeck (Lądek Zdró): Landecca
Landen: Landae
Landes, Les ~**, Landsch.:** Sabuleta Burdigalensia
Landeshut (Kamienna Góra): Landishuta
Landi, Stato di ~ → Stato di Landi, Landsch.
Landquart, Fl.: Langarus
Landquart, Tal der ~**:** Langorina vallis
Landrecies: Landrecium
Land's End, Kap: Antivestaeum promont.
Landsberg: Lantsberga
Landsberg a. d. Warthe (Gorzów Wielkopolski): Landsberga
Landser: Decus regionis
Landshut: Landeshuetta
Landskron → Lanskroun
Landskron, Berg: Lantzcrona
Landskrona: Coronia
Laneuville-à-Remy: Nova villa prope Vasseium
Langdorf: Erichinga
Langeac: Langiacum
Langeais: Langesia
Langel: Langela
Langeland, Ins.: Langelandia
Langeleben: Langelaua
Langemarck (Langemark): Longamarca
Langemark → Langemarck
Langen: Langena
Langenbielau (Bielawa): Bela
Langeneicken: Langaneka
Langenesch: Langonezca
Langenlois: Liubisa

Langensalza: Salca
Langenschemmern: Scammares
Langensee → Lago Maggiore
Langenwang: Lutwanga
Langenzenn: Cenna
Langerak: Langaraca
Langhe, Landsch.: Langae
Langheim: Lanckhemensis
Langkā → Ceylon, Ins.
Langkampfen: Lantschampha
Langon: Alengonis portus
Langres: Andematunum
Languedoc: Languedocia
Langwaden: Langwata
Langwaid: Longinqua pascua
Lankada (Kolokythia): Delphinium
Lanškroun (Landskron): Landescrona
Lanslebourg-Mont-Cenis: Lancioburgum
Lantenac: Lantenacum
Lantow (Łętowo): Landaua
Laon: Laodunum
Lapalisse: Palacia
Lapland → Lappland, Landsch.
Laplandija → Lappland, Landsch.
Lappi → Lappland, Landsch.
Lappland (Lapland, Laplandija, Lappi), Landsch.: Lappia
Lappland, Norwegisch ~ → Finnmark
Lapscheure: Lapscura
Larache (Laroche, El' Araich): Lixa
Laredo: Laredum
Laren: Hlara
Lario → Como, Lago di ~
Laroche → Larache
Larrelt: Hlarfliata
Larrivour → Arivour, L' ~, Kl.
Laskowice → Laskowitz
Laskowitz (Kiefernwalde, Laskowice): Lazcovichi
Lassahn: Laciburgium
Lastau: Lostatawa
Lastovo (Lagosta), Ins.: Ladesia

Łaszczów: Laszovia
Latgale → Lettgallen, Landsch.
Latiano: Scamnum
Lattari, Monti ~ → Monti Lattari, Geb.
Latvia → Lettland
Latvija → Lettland
Latvijskaja SSR → Lettland
Lauban a. Queis (Lubań): Lauba Lusatorum
Lauchstädt: Lauchstadium
Laudenau: Lutenhaha
Lauenburg: Lauenburgum
Lauenburg, Hgt.: Lauenburgicus comit.
Laufenburg → „Waldstädte" am Rhein
Lauffen, O-Österr.: Lauppa
Lauffen am Neckar: Laviacum
Lauingen, Bayern: Lauginga
Lauingen, Braunschweig: Lawingi
Laulne: Ladona
Launceston: s. Stephani fan.
Laupebach, Fl.: Lopina
Laupendahl: Lapanheldi
Laurach: Liuraha
Lauraguais, Grafsch.: Lauriacus ager
Lausanne: Losana
Lausitz, Landsch.: Lusatia
Lausitzer Neiße → Neiße, Fl.
Lausitzer Sechsstädtebund: Hexapolis Lusatica
Lautenbach: Luthebachum
Lauter, Fl.: Lutra
Lauterberg, Kl.: Lauterbergense monast.
Lauterbourg (Lauterburg): Lutraburgum
Lauterburg → Lauterbourg
Lautern: Lutera
Lautrach: Lutra
Lautrec: Lautricum
Lauwers, Fl.: Lavica

Lavagna: Lavania
Laval: Guidonis vallis
Lavaldens: Dentata vallis
Lavalette (Villebois-Lavalette): Valeta
Lavamünd: Laventi ostium
Lavant, Fl.: Laventus
Lavaur: Vaurium
Lavedan, Landsch.: Levitania
Lavello: Labellum
Lavoro, Terra di ~ → Terra di Lavoro, Prov.
Laye, Wald: Ledia silva
Lazfons: Latius fons
Lázně Kynžvart → Kynžvart
Le Havre → Havre, Le ~
Leal → Lihula
Léau (Zoutleeuw): Lewa
Leberau → Lièpvre
Lebertal, Tal: Leberia vallis
Lebus: Liubusna
Lecco: Leucum
Lech, Fl.: Licus
Lechenich: Legioniacum
Lèches, Les ~: Vologatis
Lechfeld, Landsch.: Lechfeldicus campus
Lechsend: Ostia Lici
Lechsgmünd: Lechesmundi
Lechtal, Tal: Licada vallis
Lectoure: Lactora
Łęczyca: Lancicia
Lederau: Leterauwa
Lederham → Leerdam
Lederzeele: Ledersela
Ledesma: Bletisa
Ledringhem: Leodrincas
Lee (An Laoi), Fl.: Lea
Leeds: Ledesia
Leer, Pr. Hannover: Leri
Leer, Kr. Steinfurt: Lieri
Leerdam (Lederham, Ter Lede): Laurum
Leeuw-Saint-Pierre (Sint-Pieters-Leeuw): Lewes
Leeuwarden: Leovardia
Leeward Islands → Inseln über dem Winde
Legnago: Leoniacum
Legnica → Liegnitz
Legrad: Legradinum
Lehmden: Limuda
Leibchel: Lubicholi
Leibitsch → Lubicz
Leibnitz: Laibnitzia
Leicester: Leicestria
Leicestershire, Grafsch.: Leicestriensis comit.
Leichlingen: Leichlinga
Leiden: Lugdunum Batavorum
Leie → Lys, Fl.
Leighlinbridge (Leithglinn an Droichid): Lechlinia
Leigné-les-Bois: Laigniacum
Leigné-sur-Usseau: Laigniacum
Leihgestern: Leicastro marca
Leina: Linaha
Leine, Fl.: Layna
Leinegau, Gau: Logingaha
Leinster (Cúige Laighean), Landsch.: Lagenia
Leinsweiler: Lantsindewilare
Leipa, Böhmisch ~ → Česká Lípa
Leipzig: Lipsia
Leisnig: Leisnicium
Leith (Edinburgh-Leith): Letha
Leitha (Lajta), Fl.: Lutaha
Leithglinn an Droichid → Leighlinbridge
Leitmeritz → Litoměřice
Leitomischl → Litomyšl
Leitzkau: Letzeka
Leiva: Libia
Lek, Fl.: Lecca
Lelbach: Lellebiki
Lelm: Lellum
Léman, Lac ~ → Genfer See
Lembeck: Limuda
Lembeck-lez-Hal: Lembeca

Lemberg → Lwów
Lemgo: Lemgovia
Lemsterland: Lenna
Lenart v Slovenskih goricah (Sankt Leonhard im Windischbüheln, Sveti Lenart v Slovenskih goricah): s. Leonardus in Collibus
Lencloître: Claustrum
Lendinara: Lendinaria
Lenham: Durolenum Cantiorum
Leningrad (St. Petersburg, Petrograd): Petropolis
Lenne, Fl.: Lena
Lennox, Landsch.: Levinia
Leno: s. Leonis monast.
Lens: Lentium
Lens-sur-Dendre: Helenae vicus
Lenz: Lentzis
Lenzen: Lunzini
León: Legio septima gemina
León, Prov.: Legionense regnum
Leonding: Liutmuntinga
Leopoldov (Leopoldstadt, Leopoldstadtl, Lipótvár): Leopoldinum
Leopoldsdorf: Liupoldi
Leopoldstadt → Leopoldov
Leopoldstadtl → Leopoldov
Lepanto, Golf v. ~ → Korinth, Golf v. ~
Lerici: Ericus portus
Lerigau, Gau: Laringi
Lers, Fl.: Ircius
Lès → Lez, Fl.
Leş → Lezhë
Lescar: Lascara Bearnensium
Lesghistan, Kirchenprov.: Lazica
Lesina, Lago di ~: Pontanus lacus
Lessines: Liphtinae
Lesum: Lesmonia
Lesum, Fl.: Lesmona
Leszno (Lissa): Lesna
Letmathe: Letmetti
Letohrad (Geiersberg, Kyšperk, Supý Hora): Episcopalis mons
Lętowo → Lantow
Lettere: Letteranum
Lettgallen (Latgale), Landsch.: Lettgallorum terra
Lettland (Latvia, Latvija, Latvijskaja SSR): Lettia
Leubus (Lubiąż): Leobusium
Leuca, Capo di ~ → Santa Maria di Leuca, Capo ~
Leucate: Leocata
Leucate, Étang de ~ (Étang de Salces): Sordice lac.
Leuk (Loèche-la-Ville): Leucia
Leukerbad (Loèche-les-Bains): Leucenses thermae
Leutkirch: Ectodurum
Leutschau → Levoča
Leuven→ Louvain
Leuze: Letusa
Léva → Lewice
Levante, Riviera di ~ → Riviera di Levante
Levanzo (Isola di Levanzo), Ins.: Buccina
Levoča (Leutschau, Löcse): Leuconium
Levroux: Leprosium
Lewentz → Lewice
Lewenz → Lewice
Lewes: Lesua
Lewes → Lewis, Isle of ~
Lewice (Lewenz, Lewentz, Léva): Leva
Lewis, Isle of ~ (Lewes, Lews, Isle of Lewis with Harris, Lewis and Harris), Ins.: Ebuda occidentalis
Lewis and Harris → Lewis, Isle of ~
Lewis with Harris, Isle of ~ → Lewis, Isle of ~
Lews → Lewis, Isle of ~
Leye → Lys, Fl.
Leyton: Durolitum
Lez (Lès), Fl.: Laedus
Lezhë (Alessio, Leş): Alesia

Liamone, Fl.: Cercidius
Liancourt: Ledonis curtis
Liane, Fl.: Elna
Libau → Liepaja
Libetbánya → L'ubietová
Libethen → L'ubietová
Libron, Fl.: Libria
Licenza: Digentia
Lich: Licha
Lichfield: Lichfeldum
Licht: Lichta
Lichtental: Lucida vallis
Liddesdale, Landsch.: Lidalia
Lidköping: Lidcopia
Liebau i. Schles. (Lubawka): Libawa
Liebenreute: Liebinruti
Liebethal (Brzeście): Leovallis
Liedingen: Lithingi
Liège (Lüttich, Luik): Leodium
Liège (Lüttich), Gau: Liuvensis pag.
Liegnitz (Legnica): Lignitium
Liel: Liela
Lieli: Liela
Lieng: Lindinis
Lienz: Lunzes
Liepaja (Libau): Liba
Liepe: Lypa
Lièpvre (Leberau): Leporacensis vallis
Lier → Lierre
Lierneux: Ladernachum
Lierre (Lier): Lyra
Lieser: Lisura
Liessies: Laetitiae
Liestal: Laucostabulum
Lietuva → Litauen
Lieuvin, Landsch.: Lixovinus pag.
Lievelde: Lefna
Liezen: Stirias
Life, An ∼ → Liffey, Fl.
Liffey (An Life), Fl.: Avenlifius
Ligne: Ligniacum
Lignières: Linarium
Ligny-en-Barrois: Lignium
Ligny-le-Châtel: Lincium
Ligueil: Ligolium
Lihula (Leal): Lealis
Lilienfeld: Campililium
Liliental: Liliorum vallis
Lille: Insula
Lille Bælt → Kleiner Belt
Lillebonne: Juliobona
Lillers: Lillerium
Lilloo: Liloa
Lima (Limia), Fl.: Belion
Limagne, Landsch.: Limania
Limbach: Lindua
Limbourg → Limburg
Limburg (Limbourg): Limburgum
Limburg, Prov.: Transmosana prov.
Limeray: Limariacus
Limerick (Luimneach): Limericum
Limerick (Contae Luimnigh), Grafsch.: Limericensis comit.
Limeuil: Limolium
Limfjord (Limfjorden), Fjord: Limicus sinus
Limfjorden → Limfjord, Fjord
Limmat, Fl.: Limaga
Límnē Giannitsōn → Limni Jiannitson
Límnē Mpouroũ → Wistonis, See
Limni Buru → Wistonis, See
Limni Jiannitson (Límnē Giannitsōn, Jenidže Göl): Ezerus lacus
Limni Vristóni → Wistonis, See
Limoges: Augustoritum
Limousin, Landsch.: Lemovicensis prov.
Limoux: Limosum
Linares: Hellanes
Lincoln: Lincolnium
Lincolnshire, Grafsch.: Lincolniensis comit.
Lindach, RB. O-Bayern: Lintahi
Lindach, RB. U-Franken: Lintaha

Lindau: Lindaugia
Linden, Braunschweig: Lindum
Linden, Westfalen: Lilia
Lindern: Lindduri
Linderweiher → Étang de Lindre, See
Lindesberg: Lindesberga
Lindisfarne → Holy Island, Ins.
Lindow: Lyndowensis villa
Lindre, Étang de ~ → Étang de Lindre, See
Linge, Fl.: Linga
Lingen: Lirigae
Lingreville: Legedia
Linköping: Lincopia
Linlithgow: Lindum
Linne: Lina
Linnhe, Loch ~ → Loch Linnhe, Bucht
Linse: Linesi
Lintorf: Lindthorpa
Linz: Lincia
Linz, Rheinprov.: Lentium
Linzgau, Landsch.: Linzgauvia
Lípa, Česká ~ → Česká Lípa
Lipljan: Lipenium
Lipótvár → Leopoldov
Lippe, Fl.: Lippia
Lippe, Grafsch.: Lippia
Lippertsreuthe: Liuprehsriuti
Lippoldsberg: Lippoldisbergense monast.
Lippspringe (Bad Lippspringe): Lippiae fontes
Lippstadt: Lipstadium
Liptau (Liptov, Liptó), Komit.: Liptaviensis comit.
Liptau-Sankt-Nikolaus → Liptovský Mikuláš
Liptó → Liptau, Komit.
Liptószentmiklós → Liptovský Mikuláš
Liptov → Liptau, Komit.
Liptovský Mikuláš (Liptau-Sankt-Nikolaus, Liptószentmiklós, Liptovský Svätý Mikuláš): Liptavia
Liptovský Svätý Mikuláš → Liptovský Mikuláš
Lisboa → Lissabon
Lisgau, Gau: Lisga
Lisieux: Lexovium
Lisle-sur-Tarn: Albigensis ins.
Lissa → Leszno
Lissa → Vis, Ins.
Lissabon (Lisboa): Lissabona
Lissewege: Liswega
Litauen (Lietuva, Lithuania, Litovskaja SSR): Lettovia
Litauen, Großhgt.: Lethonia
Lithuania → Litauen
Litoměřice (Leitmeritz): Litomerium
Litomyšl (Leitomischl): Litomislium
Litovskaja SSR → Litauen
Little Chester: Vindolana
Livenza, Fl.: Liquentia
Liverdun: Liberdunum
Livigno, Val di ~ **(Livignotal):** Lepontina vallis
Livignotal → Livigno, Val di ~
Livland (Livonija), Landsch.: Livonia
Livonija → Livland, Landsch.
Livorno: Herculis Labronis portus
Livry, Dép. Calvados: Liberiacum
Livry, Dép. Nièvre: Liberiacum
Livry-Gargan: Liberiacum
Lixhausen: Liutolteshusa
Lizard Point, Kap: Damnonium promont.
Ljubljana (Laibach, Lubiana): Corcoras
Ljubljanica (Laibach), Fl.: Libnitza
Ljutomer → Luttenberg
Llandaff: Landava
Llanelwy → Saint Asaph
Lloret de Mar: Loryma
Lobbes: Laubacum
Lobmachtersen: Machtersum

Locarno: Lucarnum
Loccum: Loccensis abbatia
Loch Fyne, Meeresbucht: Lemannonius sinus
Loch Garman → Wexford
Loch Garman → Wexford, Grafsch.
Loch Garman, Contae ~ → Wexford, Grafsch.
Loch Linnhe, Bucht: Longus
Lochaber, Landsch.: Locharia
Lochau: Lochavia
Loches: Lochia
Locmaria: Mariae locus
Locminé: Monomachorum locus
Locoal-Mendon: Guduali locus
Lodesano, Landsch.: Laudensis comit.
Lodève: Leuteva
Lodi, das Gebiet um ~ → Lodesano, Landsch.
Löbau: Lobavia
Löbau → Lubawa
Löbnitz: Liubanici urbs
Loèche-la-Ville → Leuk
Loèche-les-Bains → Leukerbad
Löcse → Levoča
Lödöse: Ludosia nova
Lödöse, Gamla ~ → Gamla Lödöse
Løgumkloster → Lügumkloster
Lösau: Loscana
Lötschental, Tal: Letschia vallis
Löwen → Louvain
Löwenberg (Lwówek Śląski): Leopolis
Löwenstein: Leostenium
Löwenstein, Grafsch.: Leostenii comit.
Loge: Lagi
Lognina: Ulyssis portus
Logroño: Lucronium
Lohbrück → Groß Mochbern
Lohe (Ślęza), Fl.: Lavus
Lohr: Locoritum
Loiching: Liuchinga
Loigny-la-Bataille: Lucaniacum
Loing, Fl.: Lupa
Loir, Fl.: Lidericus
Loire, Fl.: Ligara
Loiret, Fl.: Ligerula
Loisach, Fl.: Liubisaha
Loitz: Lutitia
Loket → Elbogen, Kreis
Loket (Elbogen): Cubitus
Lolland → Laaland, Ins.
Lom, Fl.: Almus
Lom (Lom-Palanka): Almus
Lom-Palanka → Lom
Lomagne, Landsch.: Leomania
Lombardei (Lombardia, Regione Lombardia), Landsch.: Langobardia
Lombardia → Lombardei, Landsch.
Lombardsijde: Longobardum Ida
Lombers: Lomberia
Lombez: Lombarium
Lomello: Laumellum
Lommatzsch: Glomaci
Lomme: Lomacia
Lommis: Lomes
London: Londinium
Londonderry (Derry): Londinoderia
Longchamp: Longus campus
Longchamp, Kl.: Longus campus
Longeville-en-Barrois: Longa villa
Longford (An Longphort): Longofordia
Longford (Contae an Longphoirt), Grafsch.: Longofordiensis comit.
Longjumeau: Longum Gemellum
Longlier: Longalara
Longphoirt, Contae an ~ → Longford, Grafsch.
Longphort, An ~ → Longford
Longwy: Longovicus
Lonigo: Leonicenum
Lonlay-le-Tesson: Longolatum
Lonrai: Longoretum
Lons-le-Saunier: Ledo Salinarius

Lopsen: Lopessum
Lora del Rio: Axalita
Lorca: Eliocrata
Lorch, Pr. Hessen-Nassau: Lorcha
Lorch, Württemberg: Laureacense monast.
Lorch, Österr.: Laureacum
Lordelo: Lordellum
Loreto: Lauretum
Lorgues: Leonicae
Lori: Lorium
Lorient: Oriens
Lorraine → Lothringen
Lorrez-le-Bocage: Lorriacum
Lorris: Lauriacum
Lorsch: Lorsacum
Losne: Latona
Losonc → Lučenec
Losontz → Lučenec
Lossie, Fl.: Loxa
Lot, Fl.: Olitis
Lothian, Landsch.: Laudania
Lothringen (Lorraine), Landsch. u. Hgt.: Lotharingia
Louatre: Lupus ater
Loudéac: Lodeacum
Loudun: Juliodunum
Loue, Fl.: Lupa
Lough Erne, See: Dernus lacus
Louin: Lopino
Loukos, Oued ~ → Oued Loukos, Fl.
Louth: Ludum
Louth (Contae Lú), Grafsch.: Ludensis comit.
Louvain (Löwen, Leuven): Lovania
Louvetot: Lotum
Louviers: Loverii oppid.
Louvres: Lupara
Lovrenc na Pohorju (Sankt Lorenzen in der Wüste, Sankt Lorenzen ob Marburg, Sveti Lovrenc na Pohorju, Sveti Lovrenc na Mariborom): s. Laurentius in Angulo
Łowicz (Lowitsch): Lovitium
Lowitsch → Łowicz
Loyes: Loja
Lú, Contae ~ → Louth, Grafsch.
Lubań → Lauban a. Queis
Lubawa (Löbau): Lubovia
Lubawka → Liebau i. Schles.
Lubczyna → Lübzin
Lubiana → Ljubljana
Lubiąż → Leubus
Lubicz (Leibitsch): Lubeca
L'ubietová (Libethen, Libetbánya): Libetha
Lubin: Lubinense monast.
Lublau, Alt ~ → Stara L'ubovňa
Lubló, Ó ~ → Stara L'ubovňa
L'ubovňa, Stara ~ → Stara L'ubovňa
Lubsko → Sommerfeld
Luc, Le ~**:** Vacontium
Luc-en-Diois: Luca ad flumen Dia
Lucca: Luca
Lucedio, Kl.: Mariae Lucediae abbatia
Lucelle (Lützel): Lucila
Lucena: Elisana
Lučenec (Losonc, Losontz): Losontium
Lucera: Luceria Paganorum
Luciensteig (Luziensteig, Luzisteig), Paß: Clivus s. Lucii
Luck (Łuck): Luceoria
Łuck → Luck
Luckau: Luccavia
Lucklum: Luckonum
Lucknow → Lakhnau
Lucmagn, Cuolm ~ → Lukmanier, Paß
Lucomagno, Passo del ~ → Lukmanier, Paß
Luçon: Lucio
Lucretili, Monti ~ → Monti Lucretili, Geb.
Ludenberg: Ludonberga

Ludwigshafen-Oppau → Oppau
Lübben: Lubena
Lübeck: Lubica vetus
Lübschütz: Liubicici
Lübzin (Lubczyna): Lubinum
Lüchtringen: Luchtringi
Lüdenscheid: Liudolvescetha
Lüder, Fl.: Ludera
Lüdinghausen: Liudenghusum
Lügde: Luda ad Ambram
„Lügenfeld" bei Colmar: Mendacii campus
Lügumkloster (Løgumkloster): Loeum
Lühe, Fl.: Lia
Lühnde: Lunda
Lüleburgaz (Burgas): Bergulae
Lüneburg: Luneburgum
Lüneburger Heide, Landsch.: Mirica
Lüsen → Luson
Lüttich → Liège
Lüttich → Liège, Gau
Lützel → Lucelle
Lützelflüh: Luetzelnflue
Lützelstein → Petite-Pierre, La ~
Lützen: Lucena
Luganer See (Lago di Lugano, Ceresio): Ceresius lacus
Lugano: Luganum
Lugano, Lago di ~ → Luganer See
Lugnez (Lumnezia, Lugnezertal), Landsch.: Legunicia
Lugnezertal → Lugnez, Landsch.
Lugny: Luniacum
Lugo: Lucus Augusti
Lugoj (Lugos, Lugosch): Lugosium
Lugos → Lugoj
Lugosch → Lugoj
Luhe, Fl.: Lia
Luik → Liège
Luimneach → Limerick
Luimnigh, Contae ~ → Limerick, Grafsch.
Lukmanier (Lukmanierpaß, Passo del Lucomagno, Cuolm Lucmagn): Lucomonis mons
Lukmanierpaß → Lukmanier
Luleå: Lula
Lumnezia → Lugnez, Landsch.
Lund: Londinium Gothorum
Lunel: Lunate
Luneray: Luneracus
Lunéville: Lunarensis eccl.
Luni: Luna
Lupara: Geronium
Lure: Lutera
Lury-sur-Arnon: Regius locus
Lusignan: Lusignanum
Luson (Lüsen): Lusino
Lustenau: Lustena
Luttenberg (Ljutomer): Lentudum
Luxemburg (Luxembourg): Lucilibургum
Luxemburg (Großhgt. Luxemburg, Grand Duché de Luxembourg): Luxemburgensis ducatus
Luxemweiler: Liecoswilare
Luxeuil (Luxeuil-les-Bains): Luxoium
Luxiol: Loposagium
Luyères: Luyera
Luynes: Lodena
Luz-Saint-Sauveur: Elusio
Luzarches: Lusaricas
Luzern: Luceria
Luzern, Kt.: Lucernensis pag.
Luzerner See → Vierwaldstätter See
Lužická Nisa → Neiße, Fl.
Luziensteig → Luciensteig, Paß
Luzisteig → Luciensteig, Paß
Luzon, Ins.: Lussonia ins.
Łużycka, Nysa ~ → Neiße, Fl.
Lvov → Lwów
Lwów (Lemberg, Lvov): Leopolis
Lwówek (Neustadt bei Pinne): Neapolis
Lwówek Śląski → Löwenberg

Lyme Regis → Lemanis portus
Lymne → Lympne
Lympne (Lymne): Lemanis portus
Lynn Regis → King's Lynn
Lyon: Leona
Lyonnais, Landsch.: Lugdunensis pag.
Lyons-la-Forêt: Leones
Lys (Leie, Leye), Fl.: Legia
Lyse, Kl.: Lysa in Norwegia

M

Maas (Meuse), Fl.: Mosa
Maaseik (Maeseyk): Echa
Maasgau (Maasland), Gau: Mosaus pag.
Maasland → Maasgau, Gau
Maastricht: Trajectum ad Mosam
Maberzell: Magebracella
Maçay-sur-Cher: Masciacum
Macé: Madisiacum
Macerata Feltria: Feretrus mons
Machecoul: Machicolium
Machelen-lez-Deinze: Maclinium
Machtlfing: Machtolvinga
Machy: Malchis
Mackenzell: Mackecella
Mackweiler → Mackwiller
Mackwiller (Mackweiler): Macchone vilare
Mâcon: Matisco Aeduorum
Macquigny: Virzinniacum
Macula → Al Mukalla
Madagascar (Malagasy), Ins.: Menuthias ins.
Maddaloni: Magdalona
Madeleine, La ∼: Madalliacum
Maden adasi (Moskonisi Inseln): Hecatonnesi insulae
Madiswil: Madiswilare
Madré: Madricum
Madrid: Madritum
Mähren (Morava), Land: Moravia
Mährisch-Kromau → Moravský Krumlov
Mährisch-Ostrau → Ostrava
Mährisch-Trübau → Moravská Třebová
Mährisch-Weißkirchen → Hranice
Märkisches Land → Mark, Grafsch.
Märkt: Matra
Maeseyk → Maaseik
Mästrup: Marastharpa
Magdala: Madala
Magdeburg: Parthenopolis
Magdenau: Augia Virginium
Maggia, Fl.: Madia
Maggia, Valle ∼ → Valle Maggia, Tal
Magh Luinge, Kl.: Campus Lungae
Maghrib el-Aksa → Marokko, Land
Magliano Sabina: Manliana castr.
Magny-en-Vexin: Magniacum
Maguélone (Maguélonne): Magalona
Maguelone, Étang de ∼: Latera stagnum
Maguélonne → Maguélone
Magyarország → Ungarn, Land
Magyaróvár (Ungarisch-Altenburg): Flexum
Mahé → Māhī
Māhī (Mahé): s. Matthias
Mahón: Magnus portus
Maia Alta → Obermais
Maia Bassa → Untermais
Maiach: Maya
Maidstone: Madus
Maienfeld: Lupinum
Maifeld → Meinvelt, Gau
Maihingen: Septemiaci

Mailand: Mediolanum
Maillanne: Madalicae
Maillé: Malliacum
Maillet: Malliacus
Maillezais: Malleacum
Mailly-la-ville: Maalis
Main, Fl.: Moenus
Main, Roter ~ → Roter Main, Fl.
Maine, Landsch.: Cenomannensis ager
Mainfranken (Ostfranken), Landsch.: Francia orientalis
Mainland, Ins.: Hethlandia
Mainland (Pomona), Ins.: Pomonia
Mainsat: Magensiacum
Maintenon: Mastramelus
Mainz: Moguntiacum
Mainz-Kastel → Kastel
Mainz-Kostheim → Kostheim
Maiori: Majorum
Maira → Mera, Fl.
Mairé-Lévescault: Mariacum episcopale
Maires: Myrsi
Maisach: Meisa
Maizières: Maceriae
Majewka → Georgenburg
Majorca → Mallorca, Ins.
Makalla → Al Mukalla
Makó (Chanad, Csanád, Tschanad): Cenadium
Mala Kapela → Kapela, Geb.
Malabār (Malabarküste, Malayalam, Malewar): Male ora
Málaga, Vélez ~ → Vélez-Málaga
Malagasy → Madagascar, Ins.
Malaiische Halbins. → Malakka
Málainn → Malin Head, Vorgeb.
Malakka (Malaiische Halbinsel): Malaga
Malakka, Straße v. ~ → Straße v. Malakka
Malans: Melances
Malay-le-Grand (Malay-le-Vicomte): Masolacum
Malay-le-Vicomte → Malay-le-Grand
Malayalam → Malabār
Malbork → Marienburg
Malchen (Melibocus, Melibokus), Berg: Malscus mons
Malchow: Malcha
Malewar → Malabār
Malgarten, Kl.: Hortus s. Mariae
Mali i Sharit → Šar planina, Geb.
Malin: Malina
Malin Head (Málainn), Vorgeb.: Vennicnium promont.
Malines → Mecheln
Malix: Umbilicum
Mallersdorf: Madelhardi
Malles Venosta (Mals): Malles
Mallorca (Majorca), Ins.: Maiorica ins.
Malmaison, La ~: Mala domus
Malmedy: Malmundaria
Malmesbury: Maldunense coenob.
Malmö: Malmogia
Maloggia → Maloja, Paß
Maloja (Malojapaß, Maloggia, Passo del Maloggia, Passo del Maloja): Malogia
Mals → Malles Venosta
Malsch: Malscha
Malta: Malentina
Malvinas, Islas ~ → Falkland-Inseln
Mamers: Memersium
Mamonowo → Heiligenbeil
Man, Isle of ~ → Isle of Man
Manastir, Beli ~ → Beli Manastir
Mancester → Mancetter
Mancetter (Mancester): Manduessedum
Manche, Landsch.: Nervicanus tractus
Manche, La ~ → Kanal, der ~

Manchester: Mancunium
Mandeure: Epamantadurum
Manfredonia: Manfredi civ.
Mangfall, Fl.: Manachfialta
Mangoldszell: Manoldescella
Mannheim: Manhemium
Manosque: Manesca
Manresa: Minorissa
Mans, Le ~: Cenomani civ.
Mansfeld: Mansfelda
Mantenay-Montlin: Mentuniacum
Mantes-la-Jolie: Medunta
Manthelan: Mantelanum
Mantilly: Mantilcium
Mantoche: Mentusca
Mantois, Landsch.: Meduntensis ager
Mantova (Mantua): Mantuana civ.
Mantua → Mantova
Mar Cantábrico → Biskaya, Golf v. ~
Mar Ionio → Ionisches Meer
Mar Mediterráneo → Mittelländisches Meer
Máramaros (Marmarosch, Maramureş), Komit.: Maramarusiensis comit.
Maramureş → Máramaros, Komit.
Marano: Maranum
Marans: Marantium
Maraş (Marasch): Germanicia
Marasch → Maraş
Marbach: Collis Peregrinorum
Marburg: Marburgum
March (Morava), Fl.: Morava
March, Landsch.: Terminus Helvetiorum
Marche → Marken, Land u. Reg.
Marche, Landsch.: Marchia
Marche-en-Famenne: Marca
Marchegg: Marchegga
Marchena: Marcia
Marchesas-Inseln (Îles Marquises), Inselgruppe: Marchesi insulae
Marchiennes: Marciana
Marcigny: Marciniacum
Marcillac-Vallon: Marcilliacum
Marck: Marci
Mare Mediterraneo → Mittelländisches Meer
Marea Mediterană → Mittelländisches Meer
Marea Neagră → Schwarzes Meer
Marebbe (Enneberg): Eneberges
Mareit → Mareta
Marengo: Maricus vicus
Mareta (Mareit): Marutta
Marettimo (Isola Marettimo), Ins.: Hiera Maritima
Mareuil: Mariolensis vicus
Margareteninsel (Margitsziget): d. Margarethae ins.
Margaretenzell → Bayrischzell
Margitsziget → Margareteninsel, Ins.
Maria delle Pertiche: Ad Perticas
Maria Kulm → Chlum nad Ohří
Maria Laach, Kl.: Lacensis abbatia
Maria-Theresiopel → Subotica
Mariager: s. Mariae ager
Marianen (Ladronen), Inselgruppe: Latronum insulae
Marianka (Marienthal, Mariavölgy): Mariana vallis
Mariánské Lázně (Marienbad): Balneum Mariae
Mariasaal, Kl.: s. Mariae aula
Mariavölgy → Marianka
Mariawald: Mariae silva
Mariazell, Württemberg: Maria cella
Mariazell, Steiermark: Maria cella
Maribo: Habitaculum Mariae
Mariefred: Pax Mariae
Marienbad → Mariánské Lázně
Marienberg: Mariae mons
Marienberg, Kl.: Mariae montis monast.

Marienborn: Mariae fons
Marienburg (Malbork): Mariaeburgum
Marienbusch (Wielka Bieda): Rubus
Marienfeld: Mariae ins.
Mariengaarde, Kl.: Mariae hortus
Mariengarten → Kirschgarten, Kl.
Marienrode: Bacrodensis vicus
Marienrode: Navalis b. Mariae Virginis
Mariensee: Mariae lacus
Marienthal → Marianka
Marienthal, Bayern: Mariae vallis
Marienthal (St. Marienthal), Kl.: Coenobium b. Virginis Mariae
Marienthal, Kl., Pr. Luxemburg: Mariae vallis
Marienwaard → Marienweerd, Kl.
Marienwald: Mariae silva
Marienweerd (Marienwaard), Kl.: Mariae ins.
Marienwerder (Kwidzyn): Mariae verda
Mariestad: Mariae stadium
Marigniano: Meriniacum
Marino: Castrimonium
Mariupol → Ždanov
Mark: Marka castra
Mark → Brandenburg, Landsch. u. Prov.
Mark (Märkisches Land), Grafsch.: Marchia
Mark Ancona → Marken, Landsch. u. Reg.
Mark Ancona, Landsch.: Anconitanus ager
Mark Brandenburg → Brandenburg, Landsch. u. Prov.
Mark Istrien, Mgft.: Istria marca
Mark Meißen, Mgft.: Misnia
Mark Treviso, Landsch.: Marchia Tarvisina
Markdorf: Marchtorfensis villa
Marken (Marche, Mark Ancona), Landsch. u. Reg.: Marchia Anconitana
Markirch → Sainte-Marie-aux-Mines
Markneukirchen: Neofanum
Marksuhl: Sula
Markt Sankt Florian → Sankt Florian
Marlenheim: Marilegium
Marlupp: Marhliuppa
Marlupp, Fl.: Marichluppa
Marly-la-Ville: Malliacum
Marmagen: Marcomagus
Marmande, Fl.: Milmandra
Marmaris: Physcus
Marmarosch → Máramaros, Komit.
Marmarossziget → Sighetul Marmaţiei
Marmels: Marmoraria
Marmolejo: Ucia
Marmoutier (Maursmünster): Aquilejense monast.
Marmoutier-lès-Tours: Majus monast.
Marnay: Matriniacum
Marne: Merna
Marne, Fl.: Materna
Maroc → Marokko, Land
Marokko (Morhreb, Maghrib el-Aksa, Maroc, Morocco): Maurocanum regnum
Marokko → Marrakech
Marolles-en-Brie: Marollae
Maros → Mureş, Fl.
Maros-Torda (Mureş-Turda, Marosch-Thorenburg), Komit.: Marosiensis comit.
Marosch → Mureş, Fl.
Marosch-Thorenburg → Maros-Torda, Komit.
Marosvásárhely → Tîrgu Mureş
Marquises, Îles ~ → Marchesas-Inseln
Marrakech (Marokko): Marochium
Marrum: Merum

Marsa Susa: Sozusa
Marsal: Marsallo
Marsico Vetere: Abellinum Marsicum
Marsivan → Merzifon
Marsleben: Meresleba
Marsweiler: Maierswilare
Martel: Martelli castr.
Martew → Marthe
Marthe (Martew): Martha
Martigny: Martiniacum
Martigny (Martinach): Martiniacum
Martigues: Maritima col.
Martin (Sankt Martin, Turčansky Svätý Martin, Turócszentmárton): Thurotziensis villa
Martinach → Martigny
Martinique, Ins.: Martinica
Martinsberg: s. Martini mons
Martinsberg → Bruiu
Martinsberg → Györszentmartón
Martinszell: s. Martini cella
Martonhegy → Bruiu
Martorano: Martoranum
Marvejols: Marengium
Marville: Marilliacum
Marville-Moutiers-Brulé: Mater villa
Mas-d'Azil, Le ~: Mansum Azilis
Mas-Grenier: Mansum Garnerii
Mascara: Victoria
Masevaux (Masmünster): Masonis monast.
Maskat (Muscat): Moscha
Masmünster → Masevaux
Masowien (Mazowsze), Landsch.: Masovia
Massa (Massa di Carrara, Massa di Lunigiana, Apuania): Herculis fanum
Massa di Carrara → Massa
Massa di Lunigiana → Massa
Massaciuccoli: Herculis fanum
Massais: Masciacum
Massalubrense: Massa Lubrensis
Massay: Massiacum
Massenhausen: Masingi
Masseube: Belsinum
Massy: Maciacum
Matejovce (Matzdorf, Matějovice, Mateócz): Matthaei villa
Matějovice → Matejovce
Mateócz → Matejovce
Matheis: Mathesowa
Matignon: Matignonium
Mating: Matingas
Matrei (Windischmatrei): Matreium
Matrei am Brenner (Deutschmatrei): Matreium
Matrûh (Matruk, Mersa Matruh): Paraetonium
Matruk → Matrûh
Matsch → Mázia
Matt, Kt. Aargau: Mata
Matt, Kt. Glarus: Mata
Mattarello: Macastellum
Mattich: Maticha
Mattig, Fl.: Maticha
Mattiggau, Landsch.: Matagawi
Mattighofen: Matichofa
Mattwil: Mattiwilri
Matzdorf → Matejovce
Matzen: Matholfingum
Maubeuge: Malbodium
Maudach: Maudacum
Maudre, Fl.: Maldra
Mauer bei Amstetten: Mura
Mauerbach: Omnium Sanctorum vallis
Mauerkirchen: Ad Maureim
Mauern: Mura
Mauguio: Mercorius
Maulbronn: Sculturbura
Maule: Mantola
Mauléon (Mauléon-Barousse): Malleo
Maulévrier: Malleorium
Maupas: Malopassus
Mauprévoir: Maloprobatorium

Maurienne, Landsch.: Garocelia
Maussac: Mausiacum
Mautern: Mutarensis civ.
Mauves-sur-Huisne: Malvae
Mauzac: Mausiacum
Mayen: Magniacum
Mayenfeld → Meinvelt, Gau
Mayenne: Meduanum
Mayenne, Fl.: Medana
Mayo (Contae Mhaig Eo), Grafsch.: Mayensis comit.
Mayrinhac-Lentour: Matriniacum
Mazara del Vallo: Masaris
Mazi Dağ, Berg: Masius mons
Mázia (Matsch): Arnasia
Mazowetzk → Wysokie Mazowieckie
Mazowieck → Wysokie Mazowieckie
Mazowsze → Masowien, Landsch.
Meath (An Mhí, Contae na Mí), Grafsch.: Media
Meaux: Meldae
Mechelen → Mecheln
Mecheln (Malines, Mechelen): Machlinium
Mechters: Mehtyris
Mecklenburg: Magnopolis
Mecklenburg, Hgt.: Megalopolitanus ducatus
Médéa: Lamida
Medelpad, Landsch.: Medelpadia
Medelsheim: Melcis
Medemblik: Medemelacum
Měděnec → Kupferberg
Medevibrunn: Medicorum villa
Medgyes → Mediaş
Mediaş (Mediasch, Medgyes): Medgyesinum
Mediasch → Mediaş
Medina de las Torres: Methymna turrium
Medina de Rioseco: Methymna sicca
Medina del Campo: Methymna campestris
Medina-Sidonia: Assidonia
Medinaceli: Methymna celia
Medininkai (Medninkai, Mjedniki): Medenicka
Mediterană, Marea ~ → Mittelländisches Meer
Mediterranean Sea → Mittelländisches Meer
Méditerranée, Mer ~ → Mittelländisches Meer
Mediterráneo, Mar ~ → Mittelländisches Meer
Medninkai → Medininkai
Médoc, Landsch.: Meduli
Meeffe: Meffia castr.
Meenen → Menin
Meer: Mare apud Novesiam
„Meer v. Zanguebar“: Barbaricus sinus
Meerane: Mare
Meerbeke: Mesrebecchi
Meerenge v. Gallipoli → Dardanellen
Meersen (Meerssen): Marsana
Meerssen → Meersen
Meesen → Messines
Megali Dilos, Ins.: Rhenaea
Mehadia: Meadia
Mehe, Fl.: Mola
Mehr: Meri
Mehrerau, Kl.: Augia Brigantia
Mehun-sur-Yèvre: Magdunum
Meilen: Mediolanum
Meine: Meynum
Meiningen: Mainingia
Meintrup: Meinbrahtingtharpa
Meinvelt (Maifeld, Mayenfeld), Gau: Maicampus
Meiringen: Hasela
Meißen: Misna
Meißen, Mark ~ → Mark Meißen, Mgft.
Melara: Melaria
Meldert-lez-Diest: Meldreges

Meldert-lez-Tirlemont: Meldreges
Meldois → Multien, Landsch.
Meldorf: Meldorpium
Melibocus → Malchen, Berg
Melibokus → Malchen, Berg
Melîlia → Melilla
Melilla (Melîlia): Rusadirum
Melk: Mellicum
Melle, Pr. O-Flandern: Mellusum
Melle, Dép. Deux-Sèvres: Mellusum
Mělnik: Melnicensis civ.
Melo → Milos, Ins.
Melos → Milos, Ins.
Melstrup: Meldesdorpa
Melun: Melodunum
Melunais, Landsch.: Meledunensis pag.
Melveren: Mergueles
Memel → Klaipeda
Memel (Njemen, Nemunas, Neman), Fl.: Memela
Memelland, ndl. Teil: Lamata
Memleben: Mimilevum
Memmingen: Memminga
Menai Strait, Meeresstraße: Menajum fretum
Mende: Memmate
Menden: Menedinna
Mendip Hills (The Mendips), Bergland: Minarii montes
Mendips, The ∼ → Mendip Hills
Mendrisio: Mendrisium
Menen → Menin
Mengeringhausen: Mengerinhousa
Menin (Menen, Meenen): Menena
Menne: Menni
Menorca (Minorca), Ins.: Minorica
Mentque-Nortbécourt: Mintechae
Menzingen: Mencinga
Meole Brook, Fl.: Mola
Meppen: Meppea
Mer du Nord → Nordsee
Mer Mediterranée → Mittelländisches Meer
Mera (Maira), Fl.: Meusa
Meran → Merano
Merano (Meran): Merona
Merching: Mandichinga
Mercia, Kgr.: Mercia (regnum)
Mercoeur: Mercorium
Mercogliano: Mercuriale
Mercon, Le ∼: Mercurium
Mercurea (Reußmarkt, Szerdahely): Mercurium
Méré: Matiriacus
Merendree: Merendra
Mérens-les-Vals: Merentium
Mergentheim (Bad Mergentheim): Magni magistri ordinis Teutonici aula
Merionethshire, Grafsch.: Mervinia
Merk-Saint-Liévin: Mercha
Merkentrup: Markiligtharpa
Mermuth: Merremum
Merpins: Melpinum
Mersa Matrûh → Matrûh
Merseburg: Marsipolis
Mersin (Mierzym): Mersina
Mertesdorf: Mars villa regia
Mertloch: Mertelacum
Mertzen: Oranza
Méru: Matrius
Merville: Mauronti villa
Merwede, Fl.: Merivido
Méry-sur-Seine: Mauriacus
Merzifon (Marsivan): Euchaites
Merzig: Marcerum
Meschede: Meschethi
Meschhed Ali → An-Najaf
Mesemvrija → Nesebăr
Meseritz (Międzyrzecz): Mezerici
Mesmont: Magnimontium
Mesnil-Clinchamps → Clinchamps
Mesnil-Eudes, Le ∼: Mansio Odonis
Mesocco (Misox): Mesaucum
Mesocco (Misox, Val Mesolcina), Landsch.: Mesaucina vallis

Mesógeios Thálassa → Mittelländisches Meer
Mesojios Thalassa → Mittelländisches Meer
Mesolcina, Val ~ → Mesocco, Landsch.
Mesolongion, See v. ~: Uria
Messenien, Golf v. ~ → Messiniakos Kolpos
Messenischer Golf → Messiniakos Kolpos
Messin, Pays ~ → Pays Messin, Gau
Messines (Meesen): Messina
Messini, Golf v. ~ → Messiniakos Kolpos
Messiniakos Kolpos (Messenischer Golf, Golf v. Messenien, Golf v. Messini, Golf v. Kalamä): Messeniacus sinus
Meßkirch: Messichilchi
Mesta → Nestos, Fl.
Městec Králové (Königsstadtl): Anaxipolis
Město Teplá (Tepl, Teplá, Tepl Kloster, Klášter Teplá): Toplensis civ.
Metelen: Metelensis vicus
Metingow → Pays Messin, Gau
Metlika (Möttling): Methullum
Metten: Methema
Mettlach: Mediolacum
Metz: Dividunum
Meudon: Modunum
Meulan: Medlindum
Meurthe, Fl.: Morta
Meuse → Maas, Fl.
Mexiko: Hispaniola nova
Mézériat: Miziriacus
Mézières: Maceriae
Mézin: Medicinum
Mezö-Panit: Panis
Mezzocorona (Kronmetz): Medium coronae
Mezzolombardo (Wälschmetz, Altmetz, Urmetz): Medium s. Petri
Mhaig Eo, Contae ~ → Mayo, Grafsch.
Mi, Contae na ~ → Meath, Grafsch.
Michaelerberg: s. Michaelis castr.
Michaelstein: s. Michaelis lapis
Michelsberg, Kl.: Monachorum mons
Michelstadt: Michilinstadium
Michl, Große ~ → Mühl, Fl.
Middelburg: Medioburgum
Middelfart: Middelfurtum
Middelstum: Midlestum
Midhurst: Midae
Midlaren: Ad Tres Lares
Midlum: Midlingi
Midwolda: Metensilva
Miedzanka → Kupferberg
Międzyrzecz → Meseritz
Mieresch → Mureş, Fl.
Mierzym → Mersin
Mies → Stříbro
Mietingen: Moitinga
Mihla: Mida
Mijas, Sierra de ~ → Sierra de Mijas u. Sierra Bermeja, Geb.
Mikkeli (Sankt Michel): s. Michaelis fan.
Mikuláš, Liptovský ~ → Liptovský Mikuláš
Milden → Moudon
Miletin: Milecia castr.
Milevsko (Mühlhausen): Milencensis vicus
Milhaud: Amilianum
Milicz → Militsch
Militärgrenze: Croatia militaris
Militsch (Milicz): Milicium
Millas: Millae
Millau: Aemilianum
Millingen, Rheinprov.: Millingi
Millingen, Pr. Geldern: Millinga

Millstatt: Milstatensis urbs
Milly-la-Forêt: Mauriliacum
Milos (Melos, Melo), Ins.: Zephyria
Milvische Brücke → Ponte Milvio
Milz: Milizi
Mindel, Fl.: Mintela
Mindelheim: Mindelhemium
Minden: Mimida
Mindszent: Mestriana
Mineo: Minae
Minervino Murge: Minervium
Mining: Muninga
Minorca → Menorca, Ins.
Minori: Minora
Minsk, Woiw.: Minscensis palatin.
Miossens (Miossens-Lanusse): Mille Sancti
Mirabeau: Mirabellum
Miranda de Ebro: Deobriga
Miranda do Corvo: Cambaetum Lusitanorum
Miranda do Douro: Miranda Durii
Mirande: Miranda
Mirecourt: Mercurii curtis
Mirepoix: Mirapicae
Mirepoix, Landsch.: Mirapensis pag.
Mirna (Quieto), Fl.: Quaetus
Mironice → Himmelstädt
Misis: Mopsuestia
Misox → Mesocco
Misox → Mesocco, Landsch.
Missivri → Nesebăr
Mistlau: Mistelouwa
Mistretta: Mystratum
Misuri → Nesebăr
Mitau → Jelgava
Mitrovica → Sremska Mitrovica
Mitrovica, Sremska ~ → Sremska Mitrovica
Mitrovicza → Sremska Mitrovica
Mitrowitz → Sremska Mitrovica
Mitteläaypten: Heptanomis
Mittelbrunn: Mittibrunna
Mittelitalien, Landsch.: Italia Propria
Mittelländisches Meer (Mittelmeer, Europäisches Mittelmeer, Mar Mediterráneo, Mediterranean Sea, Mer Méditerranée, Mare Mediterraneo, Sredozemsko morje, Sredozemno more, Deti Mesdhe, Mesógeios Thálassa, Mesojios Thalassa, Akdeniz, Bahr el-Mutawassit, Sredizemno more, Marea Mediterană, Seredzemne more, Sredisemnoje more): Internum mare
Mittelmark, Landsch.: Media marchia
Mittelmeer → Mittelländisches Meer
Mittelmeer, Europäisches ~ → Mittelländisches Meer
Mitteltrixen: Truxina
Mittenwald: Inutrium
Mittenwalde: Mittenwalda
Mitterburg → Pazin
Mizoën: Melloscenium
Mjedniki → Medininkai
Mladá Boleslav (Jungbunzlau): Boleslaium novum
Mlili: Gemellae
Mnichovice (Mnichowitz): Mnichowici
Mnichovo Hradiště (Münchengrätz): Gradis monachorum
Mnichowitz → Mnichovice
Mockrehna: Mucherini
Modena: Mutina
Moder (Motter), Fl.: Matra
Modrý Kameň → Kékkö
Mödingen: Mediana
Mödling: Medlicum
Möen → Møn, Ins.
Möggingen: Mecchinga
Möhn: Miena
Mömpelgard → Montbéliard
Møn (Möen), Ins.: Mona
Mönchen-Gladbach → Gladbach

Mönchsberg: Monachorum mons
Mönchsrot: Caelius mons
Mörlen, Pr. Hessen-Nassau: Morella
Mörlen, Kt. Zürich: Morla
Moers: Moersa
Mörsberg → Morimont, Burg
Mörsperg → Morimont, Burg
Mössingen: Messinga
Möttling → Metlika
Mötzing: Mocenia
Mözen: Moikigga
Mözs: Moschovia
Moguer: Lontici
Moissac: Musciacum
Moisselles: Muscella
Mola di Bari: Turris Juliana
Mold: Molti
Moldau → Vltava, Fl.
Molesmes: Molismus
Molfetta: Melfita
Molsheim: Moleshemium
Monaco: Herculis Monoeci portus
Monastir → Bitola
Monastir, Kap ∼: s. Dionysii promont.
Moncada: Catani mons
Moncalvo: Calvii montis castr.
Moncayo, Sierra del ∼ → Sierra del Moncayo, Geb.
Moncenisio, Colle del ∼ → Mont Cenis, Col du ∼
Monchiet: Moncella
Monchique: Monchicum
Monclair, Ru.: Skiva
Moncontour, Dép. Côtes-du-Nord: Monconturium
Moncontour, Dép. Vienne: Monconturium
Moncorvo, Torre de ∼ → Torre de Moncorvo
Mondoñedo: Mindonia
Mondovì: Regalis mons
Mondragon: Draconis mons
Mondsee, Ort u. See: Lunae lacus
Moneglia: Ad Monilia
Monein: Monesi
Monfelice: Silicis mons
Monferrato (Montferrat), Landsch. u. Mgft.: Ferratus mons
Monfort → Kalaat Karn
Monforte, Pr. Alicante: Fortis mons
Monforte, Pr. Alto Alemtejo: Fortis mons
Monginevro, Colle di ∼ → Mont Genèvre, Paß
Monheim: Budoris
Monmouth: Monumethia
Monnikendam: Monachodamum
Monopoli: Monopolis
Monostor → Beli Manastir
Monreale: Regalis mons
Mons (Bergen): Montes
Mons Janus, Berg: Janus mons
Mons-Louis: Ludovici mons
Monschau (Montjoie): Montisjovium
Monserrat → Montserrat, Berg
Mont-Blandin, Saint-Pierre-au ∼ → Saint-Pierre-au-Mont-Blandin, Kl.
Mont Canigou, Berg: Canigo mons
Mont Cantal → Plomb du Cantal, Berg
Mont Cenis, Col du ∼ (Colle del Moncenisio): Cinisius mons
Mont-de-Marsan: Martianum
Mont Dore, Berg: Duranius mons
Mont Genèvre (Col de Montgenèvre, Colle di Monginevro), Paß: Alpis Cottia
Mont-Notre-Dame: Sauriciacus mons
Mont Perdu → Monte Perdido
Mont-Saint-Michel: s. Michaelis mons
Mont-Sainte-Odile → Odilienberg, Berg
Mont Ventoux, Berg: Aeria
Montabaur: Montaborina

Montagne, Landsch.: Montanus tractus
Montaigu: Acutus mons
Montaigu → Scherpenheuvel
Montalbán: Albanus mons
Montalcino: Alcinoi
Montalto di Castro: Altus mons
Montalto Uffugo: Altomontium
Montánchez, Sierra de ~, Geb.: Anguis mons
Montargis: Montargium
Montauban: Albanus mons
Montbard: Monbarrum
Montbazon: Basonis mons
Montbéliard (Mömpelgard): Beliardi mons
Montberon: Beraldi mons
Montbrison: Brisonis mons
Montbron: Berulfi mons
Montceaux: Moncellae
Montdidier: s. Desiderii mons
Monte d'Oro, Berg: Aureus mons
Monte Fratta, Berg: Fractus mons
Monte Gennaro, Berg: Lucretilis mons
Monte Pellegrino, Berg: Ercta mons
Monte Perdido (Mont Perdu): Edulius mons
Monte Rotondo, Berg: Rotundus mons
Monte Tore, Berg: Aequana juga
Monte Vergine, Berg: Virginum mons
Monte Viso (Monviso), Berg: Alpis Vesula
Montecassino, Kl.: Casinus mons
Montecristo, Isola di ~: Christi Mons
Montecuccolo: Cuculli mons
Montefiascone: Faliscorum mons
Montefoscoli: Fosculus mons
Montefusco: Fosculus mons
Monteleone di Calabria → Vibo Valentia
Montélimar: Ademari mons
Montella: Montilaris
Montemarano: Eba
Montemor-o-Velho: Major vetus mons
Montemuolo: Maurelli mons
Montenegro (Crna Gora, Kara Dagh), Land: Cernagora
Montepeloso: Pelusius mons
Montepulciano: Politianus mons
Montereau-faut-Yonne: Monasteriolum Senonum
Monterotondo: Rotundus mons
Monterrey: Regalis mons
Montes Universales → Sierra del Moncayo bis zu den Montes Universales, Gebirgskette
Montescaglioso: Severiana
Montesilvano: Ad Salinas
Monteux: Montilium
Montfaucon: Falconis mons
Montferrand: Ferrandi mons
Montferrat → Monferrato, Landsch. u. Mgft.
Montfort, Dép. Ille-et-Vilaine: Fortis mons
Montfort (Montigny-Montfort): Fortis mons
Montfort (Neu-Montfort), Ru.: Fortis mons
Montfort-sur-Argens: Matavonium
Montfort-sur-Risle: Fortis mons
Montgenèvre, Col de ~ → Mont Genèvre, Paß
Montgomery: Gomericus mons
Monthey: Monteolum
Monti Erei, Geb.: Heraei montes
Monti Lattari, Geb.: Lactis mons
Monti Lucretili, Geb.: Lucretiles montes
Montier-en-Der: Menasterium
Montigny-le-Roi: Montiniacum regium
Montigny-Montfort → Montfort

Montilla: Montallia
Montivilliers: Villare monasterium
Montjoie → Monschau
Montjoux: Montisjovium
Montlhéry: Leherici montes
Montlingen: Monticulus
Montlouis-sur-Loire: Laudiacus mons
Montluel: Lupelli mons
Montmacq: Mamaceae
Montmartre: Martyrum mons
Montmédy: Maledictus mons
Montmélian: Mediolanus mons
Montmirail: Mirabilis mons
Montmorency: Maurenciacus mons
Montmorillon: Maurilionis mons
Montoir-de-Bretagne: Montorium
Montoire-sur-le-Loire: Montorium
Montolieu: Oliveus mons
Montoro: Epora
Montpellier: Pessulanus mons
Montpensier: Pacerii mons
Montpezat-de-Quercy: Pinsatus mons
Montpreis → Planina
Montpreveyres: Presbyteri mons
Montréal: Regalis mons
Montréjeau: Regalis mons
Montrésor: Thesauri mons
Montreuil: Monasteriolum
Montreuil-aux-Lions: Monasteriolum
Montreuil-sur-Mer: Monasteriolum in pago Pontivo
Montrevault: Revelli mons
Montrichard: Tricardi mons
Montrose: Rosarum mons
Monts d'Aubrac, Geb.: Altobracum
Montsaugeon: Salionis mons
Montserrat (Monserrat), Berg: Serratus mons
Montsoreau: Sorelli castr.
Monviso → Monte Viso, Berg
Monyorokerek → Eberau
Monza: Modoetia
Monzelfeld: Moncella
Mooltan → Multan
Moosach (München-Moosach): Mosa
Moosach, Fl.: Mosa
Moosach, Fl.: Mosaha
Moosburg a. d. Isar: Moseburga
Moosrain: Mosareina castr.
Morano Calabro: Muranum
Morat → Murten
Morat, Lac de ~ → Murtensee, See
Morava → Mähren, Land
Morava → March, Fl.
Morava (Große Morava, Velika Morava, Glavna Morava), Fl.: Margus
Morava, Glavna ~ → Morava, Fl.
Morava, Große ~ → Morava, Fl.
Morava, Velika ~ → Morava, Fl.
Moravská Ostrava → Ostrava
Moravská Třebová (Mährisch-Trübau): Tribovia Moravicalis
Moravský Krumlov (Mährisch-Kromau): Crumlavia
Moray → Morayshire
Moray Firth, Meerbusen: Varae aestuarium
Morayshire (Moray, Elginshire), Grafsch.: Moravia Scotiae
Morea → Balkanhalbinsel mit Peloponnes
Morecambe Bay, Meeresbucht: Moricambe aestuarium
Morena, Sierra ~ → Sierra Morena
Moresby: Morbium
Moret-sur-Loing: Moretum
Moreuil: Morellium
Morges: Morgia
Morhreb → Marokko, Land
Mori: Morium
Morias → Balkanhalbinsel mit Peloponnes
Morienne: Morinna
Morimond, Kl.: Morimundum

Morimont (Mörsberg, Mörsperg), Burg: Morimundum (castr.)
Moringen: Moranga curtis
Morit (Greifenstein), Burg: Maretum castr.
Morlaas: Morlacum
Morlaix → Relaxus
Mornas: Mornacium
Morocco → Marokko, Land
Morpeth: Motenum
Morschweiler → Morschwiller
Morschwiller (Morschweiler): Moraswilari
Morseti-Gau, Gau: Morseti
Morsleben: Meresleba
Mortagne-au-Perche: Moritania
Mortain: Moritonia
Morter: Mortario
Morthemer: Mortui maris monast.
Morvan, Landsch.: Morvinus pag.
Morville: Morvilla
Morville-sur-Nied: Morvilla
Moschwitz (Muszkowice): Miscowici
Mose: Mosum
Mosel (Moselle), Fl.: Mosella
Moselgau, Gau: Mosellanus pag.
Moselle → Mosel, Fl.
Moskau → Moskva
Moskonisi Inseln → Maden adasi
Moskva (Moskau): Moscovia
Moslavina, Podravska ~ → Podravska Moslavina
Mosnes: Mediconnus
Moson (Wieselburg): Motenum
Mosonmagyaróvár → Magyaróvár
Mosonmagyaróvár → Moson
Mossel, Fl.: Mosellus
Mossul → Mosul
Most (Brüx): Gneum
Mostaganem: Murostoga
Mosul (Al-Mosul, Mossul): Mausilium
Motlawa → Mottlau, Fl.
Motter → Moder, Fl.
Mottlau (Motlawa), Fl.: Motlawa
Motzenhaus: Odehus curia
Moudon (Milden): Meldunum
Moulineaux: Molignum
Moulins, Les ~**:** Farinaria in Heinoavio
Moulins: Molinae
Moulins-le-Carbonnel: Molinae
Moulins-lès-Metz: Modinum
Moura: Nova civ. Arrucitana
Mousa, Djebel ~ → Musa, Dschebel
Moustier-en-Faigne → Moustier-sur-Sambre
Moustier-sur-Sambre (Moustier-en-Faigne): Monasterium
Mouth of the Severn, Meeresbucht: Sabriana aestuarium
Moûtiers: Centronum civ.
Mouzon: Mosomagum
Moxhe: Moscha
Moyenmoutier: Medianum monast.
Moyenneville: Mediana villa
Moyenvic: Medius vicus
Mpouroũ, Límnē ~ → Wistonis, See
Mua, Sierra de la ~ → Sierra de la Mua, Berg
Muchobór Wielki → Groß Mochbern
Mügeln: Mogelina urbs
Mühl (Große Mühl, Große Michl), Fl.: Muhela
Mühl, Große ~ → Mühl, Fl.
Mühlbach → Sebeş
Mühlberg: Moliberga
Mühlhausen: Moulinhousa
Mühlhausen: Mulhusium Thuringorum
Mühlhausen → Milevsko
Mühlhausen → Mulhouse
Mülheim (Köln-Mülheim): Muhlhemium
Mülheim-Saarn → Saarn
Mülheim-Speldorf → Speldorf

Mümling, Fl.: Mimilingus
München: Monacum
München-Moosach → Moosach
Münchengrätz → Mnichovo Hradiště
Münchhausen → Munchhouse
Münden (Münden a. d. Werra, Hannoversch Münden): Gimundi
Münden a. d. Werra → Münden
Münder a. Deister: Munimeri
Mündling: Mudilinga
Münster: Mimigardefordum
Münster (Müstair), Kl.: Grandis vallis monast.
Münsterberg (Ziębice): Monsterberga
Münsterbilsen → Munsterbilzen, Kl.
Münsterdorf: Welanao
Münstereifel: Eiffaliae monast.
Münsterschwarzach: Suarizaha
Münstertal → Gregoriental, Tal
Münstertal → Val Müstair, Tal
Müstair → Münster
Müstair, Val ~ → Val Müstair
Mütte: Mittaha
Mugello, Landsch.: Muciallia
Muiden: Mouda
Muizen: Mosum
Mukalla, Al ~ → Al Mukalla
Mulcien → Multien, Landsch.
Mulde, Fl.: Milda
Mulehkewe, Gau: Moilla pag.
Mulfingen: Molfinga
Mulhouse (Mühlhausen): Mulhusium superioris Alsatiae
Mull, Ins.: Maleus ins.
Mull of Kintyre, The~: Epidium promont.
Multan (Mooltan): Mallorum metropolis
Multien (Mulcien, Meldois), Landsch.: Meldicum territor.
Mumhan, Cúige ~ → Munster, Landsch.
Munchouse (Münchhausen): Munihhusa
Mund: Oris mons
Munster (Münster im Münstertal, Münster im Gregoriental): Confluens
Munster (Cúige Mumhan), Landsch.: Momonia
Munster, South ~ → Desmond, Landsch.
Munster, Vallée de ~ → Gregoriental, Tal
Munsterbilzen (Münsterbilsen), Kl.: Belislae monast.
Muntigl: Monticulus
Mur (Mura), Fl.: Mura
Mura → Mur, Fl.
Murakeresztúr: Kereszturinum
Murano: Muranum
Murat: Muratum Alverniae
Murat-le-Quaire: Miroaaltum
Murat-sur-Vèbre: Miroaaltum
Murau: Ad Pontem
Murbach, Kl.: Muorbacum
Murcia: Vergilia
Mureş (Maros, Marosch, Mieresch), Fl.: Marisus
Mureş-Turda → Maros-Torda, Komit.
Murg, Fl.: Murga
Muri: Murense coenob.
Murillo del Rio de Leza: Verela
Muro Lucano: Murus Graeciae
Murr → Murra
Murr, Fl.: Murra
Murten (Morat): Muratum
Murtensee (Lac de Morat), See: Aventicensis lacus
Murviedro: Muri veteres
Musa, Dschebel ~ (Djebel Mousa, „Berg Sinai", Berg „Horeb"): Sina mons
Muscat → Maskat
Muskau: Muska

Musone, Fl.: Misius
Mussidan: Mulcedunum
Mussum: Mussa
Mussy-l'Évêque → Mussy-sur-Seine
Mussy-sur-Seine (Mussy-l'Évêque): Musejum episcopale
Mustèr → Disentis
Muszkowice → Moschwitz
Muttenz: Mittentia
Mutzschen: Mutina
Mynyw → Saint David's
Mývatn, See: Tabanorum lacus

N

Naab, Fl.: Naba
Naantali (Nådendal): Gratiae vallis
Nabburg: Napurga
Nachičevan (Nachitschewan): Naxuana
Nachitschewan → Nachičevan
Nådendal → Naantali
Nadrau (Nadrowo): Nadrovia
Nadrowo → Nadrau
Näfels: Navalia
Nägelstedt: Nechilstedi
Närke (Nerike), Landsch.: Nericia
Næstved: Nestueda
Nagold: Nagalda
Nagold, Fl.: Nagalda
Nagybánya → Baia Mare
Nagyecsed (Ecsed): Echedum
Nagyenjed → Aiud
Nagykanizsa (Großkanizsa): Canisia
Nagy-Küküllö → Tîrnava Mare, Fl.
Nagykunság → Großkumanien, Landsch.
Nagysáros → Şoarş
Nagyszeben → Sibiu
Nagyszombat → Trnava
Nagyvárad → Oradea
Nahe, Fl.: Naha
Nahegau, Gau: Nagawi
Nahr el Asi → Asi, Fl.
Nahr Khabour → Khabur, Fl.
Naila: Nella
Nailhac: Analiacum
Naix-aux-Forges: Nasium
Najd (Nedschd, Nedjed), Landsch.: Nagara
Nájera: Naderae
Nakel → Nako
Nako (Nakel): Nada
Nalles (Nals): Nallis
Namen → Namur
Namslau (Namysłów): Namsla
Namur (Namen): Namurcum
Namysłów → Namslau
Nan Hai → Ost- u. Südchinesisches Meer
Nan Hai → Südchinesisches Meer
Nancy (Nanzig): Nancejum
Nanterre: Namptodurum
Nantes: Namnetum civ.
Nanteuil-en-Vallée: Nantolium in valle
Nanteuil-le-Haudouin: Nantogilum
Nantua: Nantuacum
Nanzig → Nancy
Náo, Kap ~ (Cabo de la Náo): Tenebrium promont.
Napoule, La ~: Horrea
Narbonne: Decumanorum colonia
Nardò: Neritum
Naro: Motyum
Narowa → Narva, Fl.
Narva (Narowa, Narwa), Fl.: Turantus
Narwa → Narva, Fl.
Năsăud (Naszód): Nosa

Nassach: Nassaha
Nassau: Nassova
Nassenfels: Vetonia
Nassigny: Napsiniacus
Nassogne: Nasania
Naszód → Năsăud
Natangen, Landsch.: Nattangia
Natorp: Narhttarpa
Nauarīnon → Pylos
Nauendorf: Nova villa
Naumburg a. d. Saale: Naumburgum
Naunhof: Nova curia
Nauter, Fl.: Balga
Navarino → Pylos
Navarra, Landsch.: Navarra alta
Navarrete: Navarretum
Navia de Suarna (Puebla de Navia de Suarna): Timalinum
Nawarinon → Pylos
Nay: Novum oppid.
Nazareth: Nazareticus vicus
Neagră, Marea ~ → Schwarzes Meer
Neauphle-le-Château: Nealfa castell.
Neauphle-le-Vieux: Nealfa vetus
Nebra: Neberi
Neckar, Fl.: Neccarus
Neckarelz: Elinza
Neckargartach: Nekkergartha
Neckargemünd: Gemunda ad Nicrum
Nedelišće: Nedelischa
Nederhemert: Hamaritda
Nedjed → Najd, Landsch.
Nedjef → An-Najaf
Nedschd → Najd, Landsch.
Neerach: Nerracho
Neerijsche (Neeryssche, Neerijse): Sodeia
Neerijse → Neerijsche
Neers → Niers, Fl.
Neeryssche → Neerijsche
Negenborn: Nighunburni
Négrepelisse: Nigrum palat.
Négron: Nigronium
Neheim-Hüsten → Hüsten
Nehren: Nero
Neidingen: Neidinga
Neiße (Nysa): Nissa
Neiße (Glatzer Neiße, Schlesische Neiße, Nysa Kłodzka), Fl.: Nissa
Neiße (Lausitzer Neiße, Görlitzer Neiße, Lužická Nisa, Nysa Łużycka), Fl.: Nissa
Neiße, Glatzer ~ → Neiße, Fl.
Neiße, Görlitzer ~ → Neiße, Fl.
Neiße, Lausitzer ~ → Neiße, Fl.
Neiße, Schlesische ~ → Neiße, Fl.
Neman → Memel, Fl.
Neman → Ragnit
Německý Brod → Havlíčkův Brod
Nemet-Oravicza → Oravița
Németkeresztúr → Deutschkreutz
Németújvár → Güssing
Nemi, Lago di ~ → Nemisee, See
Nemisee (Lago di Nemi), See: Aricius lacus
Nemours: Nemorosium
Nemunas → Memel, Fl.
Nenzina: Nanzinga
Neograd (Nógrád), Komit.: Neogradiensis comit.
Neokastron → Pylos
Nepi: Nepe
Nérac: Neracum
Nerchau: Niriechna
Neresheim: Nerissania
Nerike → Närke, Landsch.
Nerikes Bo: Nericia
Neris → Vilija, Fl.
Néris-les-Bains: Nerae aquae
Néron: Nero
Nesebăr (Nessebŭr, Nessebar, Mesemvrija, Missivri, Misuri): Mesambria
Nesebŭr → Nesebăr
Nesle: Negella abscondita

Ness, Fl.: Nisa
Nessebar → Nesebăr
Nesselthal → Koprivnik
Nesterov (Zółkiew): Solcovia
Neštin: Cuccium
Néstos (Mesta, Kara su), Fl.: Nestus
Nesvič: Nieswiesium
Nete (Nethe), Fl.: Nitasa
Nethe → Nete, Fl.
Netolice (Netolitz): Netolici
Netolitz → Netolice
Nettuno: Neptunium
Netze: Nezzaha
Netze (Noteć), Fl.: Nacla
Neuberg: Novus mons
Neubrandenburg: Brandeburgum novum
Neu-Breisach → Neuf-Brisach
Neubrück: Novus pons
Neubrunn: Niunbrunno
Neuburg a. d. Donau: Neoburgum Cattorum
Neuburg a. Neckar: Novum castr.
Neuchâtel (Neuenburg): Neoburgum
Neuchâtel, Lac de ~ (Neuenburger See, Lac d'Yverdon): Ebrodunensis lacus
Neu Cholmogor → Archangelsk
Neu-Delhi → Delhi
Neu-Doberan → Pelplin
Neudorf, RB. M-Franken: Nova villa
Neudorf (Nowa Wieś Legnicka): Novavilla
Neudorf bei Döbeln: Nova villa
Neuenberg: Novus mons
Neuenburg (Schmulkehlen): Novum castr.
Neuenburg → Neuchâtel
Neuenburg a. Rhein: Nova civ.
Neuenburger See → Neuchâtel, Lac de ~
Neuenkamp (Franzburg-Neuenkamp): Novus campus
Neuenkamp (Kępinka): Novus campus
Neuenkirchen (Dołuje): Nova eccl.
Neuf-Brisach (Neu-Breisach): Brisacum novum
Neufchâteau: Nova castella
Neufchâtel-en-Bray: Novum castellum
Neufmarché: Novus mercatus ad Ittam
Neufvilles: Nova villa
Neuhäusel → Nové Zámky
Neuhaus: Nova domus
Neuhaus: Novum castr.
Neuhaus → Jindřichův Hradec
Neuhausen (Gurjewsk): Domus Schalovinorum
Neuhausen: Neuhusa
Neuhof: Nova curia
Neuhof (Radociny): Nova curia
Neuhofen a. d. Ybbs: Nuivanhova
Neuillé-Pont-Pierre: Noviliacum de Ponte Petroso
Neuilly-en-Thelle: Noviliacum
Neukastilien (Castilla la Nueva), Landsch.: Castilla nova
Neukirch: Nova eccl.
Neukirch (Nowy Kościół): Nova eccl.
Neukirchen: Nivachiricha
Neukirchen-Vluyn → Vluyn
Neuland, Landsch.: Nova terra
Neulobitz (Nowy Łowicz): Lobis
Neumagen: Numaga
Neumarkt → Nowy Targ
Neumarkt → Tîrgu Mureş
Neumarkt → Tîrgu-Secuesc
Neumarkt i. d. Opf.: Novum forum
Neumarkt in Steiermark: Novum forum
Neu-Montfort → Montfort, Ru.
Neumühl: Nova molendina
Neumünster, Pr. Schleswig-Holstein: Novum monast.

Neumünster, RB. Schwaben: Novum monast.
Neuorkney-Inseln → South Orkneys
Neuruppin: Ruppinum novum
Neusatz → Novi Sad
Neusiedl am See: Neosidlia
Neuslankamen → Slankamen
Neusling: Niuzilingas
Neusohl → Banská Bystrica
Neuß: Novensium
Neustadt a. d. Mettau → Nové Město nad Metují
Neustadt a. d. Orla: Neostadium ad Orlam
Neustadt a. d. Rheda → Wejherowo
Neustadt a. d. Saale: Neostadium ad Salam
Neustadt a. d. Warthe → Nowe Miasto nad Wartą
Neustadt a. d. Weinstraße (Neustadt a. d. Haardt): Neapolis Nemetum
Neustadt a. Harz (Neustadt unterm Hohnstein): Hechi
Neustadt bei Pinne → Lwówek
Neustadt i. Schwarzwald: Nova civ.
Neustadt in Westpr. → Wejherowo
Neustadt unterm Hohnstein → Neustadt a. Harz
Neustift: Nova cella
Neustrelitz: Strelicia nova
Neustrien, Landsch.: Neustria
Neutra → Nitra
Neuville-en-Verdunois: Novavilla in Virdunesto
Neuville-le-Chaudron: Novivillaris cella
Neuville-sur-Ornain: Nova villa ad Ornam
Neuville-sur-Saône: Neovilla
Neuvilles-les-Dames: Novavilla Monialium
Neuweiler → Neuwiller-lès-Saverne
Neuwerk, Ins.: Novum opus
Neuwiller-lès-Saverne (Neuweiler): Novum villare
Neuzell: Nova cella
Neuzelle: Nova cella
Nevers: Nivernum
Neviges: Navigisa
New Delhi → Delhi
New Sarum → Salisbury
New Windsor: Vindesorium
New York: Eboracensis nova civ.
Newbury: Spinae
Newcastle upon Tyne: Novum castr. super Tynam
Newland: Nova terra
Newport: Medena
Newton: Nova villa
Newton Abbot: Nova villa
Nézignan-l'Évêque: Nesinianum
Nicastro: Neocastrum
Nice (Nizza): Nicia
Nidaros → Trondheim
Nideggen: Niudex
Niederalteich: Altaha
Niederauroff: Auroffa
Niederbayern, Landsch.: Bavaria inferior
Niederbipp: Pipini castr.
Niederbüren: Puera minor
Niederburgund → Bourgogne, Landsch.
Niederdorla: Nemus Spinarum
Niederelsungen: Elisungi
Niederense: Anasia
Niedergestelen (Châtillon-le-Bas): Castellio inferior
Niedergründau: Grintaha
Niederhaslach: Hasela
Niederhasli: Hasela
Niederhessen, Landsch.: Hassia inferior
Nieder Ingelheim: Angulisamum
Niederkaufungen: Capungum
Niederkleen: Klea
Niederlustadt: Lustati

Niedermarsberg: Martis mons
Niedermühle: Nidermueli
Niederösterreich, Land: Anassianensis ager
Nieder Olm: Ulmenum
Niederrheinisch-Westfälischer Kreis: Rhenanus circulus inferior
Nieder Roden: Rodaha
Niedersachsen (Niedersächsischer Kreis): Saxonia inferior (circulus)
Niedersachsen, Landsch.: Saxonia inferior (regio)
Niedersächsischer Kreis → Niedersachsen
Niedersickte: Siculithi
Niederspier: Spiraha
Niedersteinach: Steinaha
Niedervellmar: Filumari
Niedervintl → Vandóies di Sotto
Niederwalluf: Waldaffa
Niederweiden: Wida
Niederwichtrach: Withera
Niederwiesen: Wisa
Niederwil: Wiprehteswilare
Niederzier: Cirenensis villa
Niederzwehren (Kassel-Niederzwehren): Duirium
Niel: Neoaelia
Niemcza → Nimptsch
Niemcza → Nimptschgau
Niemegk: Nemicensis
Niemodlin → Falkenberg
Nienbrügge: Novus pons
Nienburg a. d. Saale: Nova urbs
Niendorf: Nova villa
Nienhaus: Nyphus castr.
Nienstedt: Niustidi
Niepars: Nipris
Niers (Neers), Fl.: Nersa
Niese: Nisa
Niese, Fl.: Nisa
Niesig: Nusazi
Nieul: Neivallum
Nieuport (Nieuwpoort): Neoportus
Nieuwpoort → Nieuport
Nièvre, Fl.: Niveris
Niffer: Neofares
Nijmegen (Nimwegen, Nijmwegen): Noviomagus Rhenanus
Nijmwegen → Nijmegen
Nijvel → Nivelles
Nikla: s. Nicolai fan.
Nikolainkaupunki → Vaasa
Nikolaistad → Vaasa
Niksar: Neocaesarea
Nimburg → Nymburk
Nimptsch (Niemcza): Nemchi
Nimptsch → Nimptschgau
Nimptschgau, Gau: Silensi pag.
Nimwegen → Nijmegen
Ninove: Niniva
Niort: Niortum
Niš (Nisch): Naissus
Nisa, Lužická ~ → Neiße, Fl.
Nisch → Niš
Nischnij Nowgorod → Gorkij
Nistru → Dnjestr, Fl.
Nitra (Neutra, Nyitra): Nitrava
Nivelles (Nijvel): Niella
Njemen → Memel, Fl.
Noailles: Noaillium
Nocera de'Pagani → Nocera Inferiore
Nocera Inferiore (Nocera de'Pagani): Nuceria Paganorum
Nocq-Chambérat → Chambérat
Nördliches Eismeer → Nordpolarmeer
Nördlingen: Norlingiacum
Nösnerland → Bestercze Naszod, Komit.
Nogaro: Nugarolium
Nogat, Fl.: Nogadi
Nogent-l'Artaud: Novientum Artaldi
Nogent-le-Roi: Novientum Regis

Nogent-le-Rotrou: Novientum Retroci
Nogent-sur-Marne: Novientum ad Matronam
Nogent-sur-Oise: Novientum ad Oesiam
Nogent-sur-Seine: Novientum ad Sequanam
Nógrád → Neograd, Komit.
Noguera Pallaresa, Fl.: Nucaria
Noguera Ribagorzana, Fl.: Nucaria
Noinitz: Hnojnica
Noirmoutier, Ins. → Île de Noirmoutier
Noirmoutier-en-Île: Nigrum monast.
Noisy-le-Sec: Nocetum
Noli: Naulum
Nollingen: Lollinga
Non, Val di ~ → Val di Non, Tal
Nonancourt: Nonanticuria
Nonantola: Nonantula
Nonsberg → Val di Non, Tal
Nonstal → Val di Non, Tal
Noord-Beveland (Nordbeveland), Ins.: Bevelandia septentrionalis
Noordwijk: Nortga
Noordzee → Nordsee
Nordalbingien, Landsch.: Nordalbingia
Nordberg: Narthbergi
Nordbeveland → Noord-Beveland, Ins.
Norddalmatinische Inseln: Absyrtides insulae
Norden, Gau: Nordi pag.
Nordfriesische Inseln (Nordfrisiske Øer): Saxonum insulae
Nordfrisiske Øer → Nordfriesische Inseln
Nordgau, Gau: Nordgovia
Nordgermersleben: Germersleva
Nordhausen: Nordhusa
Nordhavet → Europäisches Nordmeer
Nordishavet → Nordpolarmeer
Norditalien → Oberitalien
Nordmark, Landsch.: Nortmarchia
Nordmeer, Europäisches ~ → Europäisches Nordmeer
Nordpolarmeer (Nördliches Eismeer, Arctic Ocean, North Polar Sea, Arktiske Hav, Nordishavet, Severny ledovity okean): Pigrum mare
Nordsee (North Sea, Vesterhavet, Nordsjøen, Noordzee, Mer du Nord): Germanicum mare
Nordsjøen → Nordsee
Nordsteimke: Stenbiki
Norður-Ishaf → Europäisches Nordmeer
Noreia (Sankt Margarethen bei Silberberg): Upellae
Norfolk, Grafsch.: Norfolcia
Norge → Norwegen
Normandie, Landsch.: Normannia
Norrköping: Norcopia
Norrtälje: Telga borealis
Norskehavet → Europäisches Nordmeer
North Esk, Fl.: Esca
North Polar Sea → Nordpolarmeer
North Sea → Nordsee
North Uist, Ins.: Vistus
Northallerton: Elfertunum
Northampton: Antona septentrionalis
Northumberland, Grafsch.: Northumbria
Northwich: Condate
Nortkerque: Northkerka
Norwegen (Norge): Nortvegia
Norwegian Sea → Europäisches Nordmeer
Norwegisch Lappland → Finnmark
Norwich: Nordovicum

Nos Emine → Emine, Kap ~
Nos Emona → Emine, Kap ~
Noss Head, Landspitze: Verubium promont.
Nouaillé (Nouaillé-Maupertuis): Nobiliacum
Nouâtre: Noiastrum
Nová Baňa (Königsberg, Újbánya): Regiomontium
Nova Ponente (Deutschnofen): Nova teutonica
Novalesa: Nova Alesia
Nové Město nad Metují (Neustadt a. d. Mettau): Neostadium
Nové Město nad Váhom (Waagneustadtl, Vágújhely): Vihelinum
Nové Zámky (Neuhäusel, Érsekújvár): Neoselium
Novegradi → Novigrad
Novgorod → Nowgorod
Novgorod-Severskij → Nowgorod-Sjewersk
Novi Grad → Novigrad
Novi Pazar (Yenipazar): Novobardum
Novi Sad (Neusatz, Újvidek): Neoplanta ad Petrovaradinum
Novi Slankamen → Slankamen
Novigrad (Novegradi): Nova civ.
Novigrad (Novi Grad, Cittanova): Aemonia nova
Novogrudok → Nowogrudok
Nowa Wieś Legnicka → Neudorf
Nowe Miasto nad Wartą (Neustadt a. d. Warthe): Neapolis ad Vartam
Nowgorod (Novgorod, Welikij Nowgorod): Novogardia magna
Nowgorod, Nischnij ~ → Gorkij
Nowgorod-Sjewersk (Novgorod-Severskij): Neapolis Severiae
Nowo Cholmogory → Archangelsk
Nowogrodek → Nowogrudok
Nowogrudok (Novogrudok, Nowogrodek): Novogrodia Magna
Nowy Korczyn: Neocorcinum
Nowy Kóscioł → Neukirch
Nowy Łowicz → Neulobitz
Nowy Targ (Neumarkt): Novum forum
Noyers: Nuceriae
Noyon: Noviomium
Nozeroy: Nucillum
Nozzano: Nozanum
Nürnberg: Noremberga
Nürtingen: Grinario
Nufenen: Novena
Nuits-Saint-Georges: Nutium
Nusco: Nusca
Nutting: Nithingas
Nyborg: Neoborgum Fioniae
Nyergesújfalu (Sattelneudorf): Salva
Nyitra → Nitra
Nykarleby (Uusikaarlepyy): Carolina nova
Nykjøbing → Nykøbing
Nykøbing (Nykøbing Sjælland, Nykjøbing): Neapolis Danica
Nykøbing Sjælland → Nykøbing
Nyköping: Nicopia
Nymburk (Nimburg): Nova urbs
Nyon: Neodunum
Nysa → Neiße
Nysa Kłodzka → Neiße, Fl.
Nysa Łużycka → Neiße, Fl.
Nyslott → Savonlinna
Nystad → Uusikaupunki

O

Ó Buda → Alt Ofen
Ó-Orsova → Orşova
Ó-Szlankamen → Slankamen
Oase Baharije (Wâhât el-Bahariya): Oasis parva
Oase Charga (Wâhât el-Khârga): Oasis magna
Oase Dakhel (Wâhât ed-Dâkhla): Oasis inferior
Oase el-Goléa → El-Goléa, Oase ~
Oase Siwa (Wâhât es-Sîwa): Oasis Ammonis
Oberägeri → Ägeri
Oberägypten, Landsch.: Thebais regio
Oberast: Owista
Oberauroff: Auroffa
Oberbayern, Landsch.: Bavaria superior
Oberbergen: Berga
Oberbirnbaum: Pirpoum
Oberdorla: Nemus Spinarum
Oberdrauburg: Dravoburgum
Obere Au: Augia superior
Oberebersol: Ebirsola
Oberehnheim → Obernai
Oberense: Anasia
Obereppach: Eptiacum
Obereschbach: Oberescha
Oberetsch → Alto Adige, Landsch.
Oberföhring: Veringa
Obergestelen (Châtillon-le-Haut): Castellio superior
Oberglogau (Głogówek): Glogovia minor
Oberglottertal: Glotyri vallis
Oberhalbstein (Sursés), Tal: Impatis ministerium
Oberhaslach: Hasela
Oberhasli: Hasela
Oberhausen i. Hunsrück: Husum
Oberhausen-Sterkrade → Sterkrade
Oberhessen, Landsch.: Hassia superior
Ober Ingelheim: Angulisamum
Oberitalien (N-Italien), Landsch.: Italia Subalpina
Ober Johnsdorf (Jankówka): Withostovici
Ober Kappel → Kapla
Oberkaufungen: Capungum
Oberkirch: Hypergraecia
Oberkirchberg: Chilichbergensis vicus
Oberkleen: Klea
Oberkochen: Cochara
Oberlegnau: Langenowa
Oberleinach: Lina
Oberleis: Lieza
Oberlustadt: Lustati
Obermais (Maia Alta): Magense castr.
Obermarchtal: Martula
Obermarsberg: Eresburgum
Obernai (Oberehnheim): Obernacum
Oberndorf: Oberndorfium
Obernheim: Gaviodorum
Oberofleiden: Ufeleida
Ober Olm: Ulmenum
Oberornau: Arnowa
Oberpfalz, Landsch.: Palatinatus Bavariae
Oberregau: Repagowi
Oberreitnau: Ritenowa
Oberreute: Riuti
Oberrhein, Fl.: Obrinca
Oberrheinischer Kreis: Rhenanus circulus superior
Ober Roden: Rodaha
Obersachsen (Obersächsischer Kreis): Saxonia superior (circulus)

Obersächsischer Kreis → Obersachsen
Oberschefflenz: Scaplanza
Obersickte: Siculithi
Obersöchering: Sehhiringa
Oberspier: Spiraha
Oberstedten: Steti
Oberstein (Idar-Oberstein): Lapis castr.
Obersülzen: Sulza
Obertheres: Theris
Oberthern: Terna
Oberthingau: Tinga
Obertreba: Dribura
Oberursel: Ursella
Obervaz: Vazes
Obervellmar: Filumari
Oberwalluf: Waldaffa
Oberwang: Wanghi
Oberweiden: Wida
Oberweiler: Oberenwilare
Oberwengern: Wenengeron
Oberwesel: Vesalia
Oberwichtrach: Withera
Oberzell: Dei cella superior
Oberzier: Cirenensis villa
Ocaña: Olcania
Ochsenfurt: Bosphorus
Ochte (Ochtum), Fl.: Ochmunda
Ochtum → Ochte, Fl.
Odenpäh → Otepää
Odense: Othania
Odenwald, Geb.: Ottenica silva
Oder (Odra), Fl.: Viadrus
Oderhellen → Odorhei
Odessa: Istrianorum portus
Odiel, Fl.: Luxia
Odilienberg (Ottilienberg, Mont-Sainte-Odile), Berg: s. Odiliae mons
Odilienberg (Sainte-Odile, Hohenburg), Kl.: Altitona (monast.)
Odorhei (Oderhellen, Hofmarkt, Szekelyudvarhely, Vámosudvarhely): Udvarhelyium
Odra → Oder, Fl.
Öchsen: Uhsino
Ödenburg → Sopron
Oefte: Oviti
Öhringen: Oeringa
Öland, Ins.: Olandia
Oels (Oleśnica): Oelsna
Ölsburg: Ala
Oelzschau: Olscuizi
Öre Sund, (Øre Sund, Öresund, Sund), Meerenge: Danicum fretum
Øre Sund → Öre Sund
Örebro: Orebrogia
Öresund → Öre Sund
Oeschenbach: Castiodum
Öse: Osidi
Oesede: Asithi
Ösel → Saaremaa, Ins.
Ösling → Ardennen
Östergötland, Prov.: Gothia orientalis
Österreich (Ostmark), Land: Austria
Österreich, Vorder ~ → Vorderösterreich
Östersjön → Ostsee
Østersø → Ostsee
Oettingen: Oumitinga
Oetz: Obitzi
Ofen (Buda): Buda
Ofena: Autina
Offenbach a. Main: Offenbachium
Offenbach a. Glan: Offenbaci
Offenburg: Offenburgum
Offleben: Offenleva
Ogenne-Camptort → Camptort
Oglio, Fl.: Olea
Ohlau (Oława): Olavia
Ohle (Oława), Fl.: Olavia
Ohm, Fl.: Amana
Ohmes: Omesa
Ohrdruf: Ordrusium
Ohře (Eger), Fl.: Agara

Ohre, Fl.: Ora
Oise, Fl.: Oesia
Oisemont: Avimons
Oissel: Oxellum
Oka, Fl.: Aucensis fluv.
Okatreute: Oggarteruti
Oker, Fl.: Obacra
Oksywie → Oxhöft
Oláh-Oravicza → Oraviţa
Oláh-Szentmihály → Sînmihaiu Român
Oława → Ohlau
Olbramkostel (Wolframitzkirchen): Olbrami eccl.
Old Carlisle: Olenacum
Old Castle → Old Sarum
Old Penrieth: Voreda
Old Sarum (Old Castle): Sorbiodunum
Old Verulam: Verolamium
Old Windsor: Vindesorium
Oldehove: Howerahusum
Oldenburg in Holstein: Antiquipolis
Oldenburg in Oldenburg: Oldenburgum
Oldenzaal: Salia vetus
Oldersum: Uldersum
Oldesloe: Adesla
Olenhusen: Olenhus
Oléron, Île d' ~ → Île d'Oléron
Oleśnica → Oels
Oleśnica Mała → Kleinoels
Olesno → Rosenberg
Olewig: Olevia
Olite: Olita
Oliva (Oliwa): Oliva
Oliva, Valencia: Ad Statuas
Oliwa → Oliva
Ollern: Alarum curtis
Ollheim: Olleimo
Olmedo: Olmedum
Olmütz → Olomouc
Olomouc (Olmütz): Olmuncia
Oloron-Sainte-Marie: Olerona
Olsa → Olša, Fl.
Olša (Olsa, Olza), Fl.: Olzara
Olszówka → Althausen
Olsztyn → Allenstein
Olt (Alt, Aluta), Fl.: Olta
Ołtaszyn → Herzogshufen
Olten: Olita
Oltingen: Oltudenges
Ólubló → Stará L'ubovňa
Olvenstedt: Olva
Olza → Olša, Fl.
Omagh: Regia
Omegna: Eumenia
Omignon, Fl.: Aumignona
Omiš (Almissa): Alminium
Ommoy: Ulmirus
Onda: Oronda
Onolzbach → Ansbach
Onstwedde: Uneswido
Onya, Fl.: Unda
Oos (Baden-Oos): Oza
Oostburg: Ostburgum
Oostkerke-lez-Bruges: Ostkerka
Oostwald: Astawalda
Opava (Troppau): Troppavia
Opava → Oppa, Fl.
Opawa → Oppau
Operhaide: Superhaida
Opheusden: Husuduna
Opole → Oppeln
Oporto → Porto
Oppa (Opava), Fl.: Upa
Oppau (Ludwigshafen-Oppau): Ophowa
Oppau (Opawa): Oppavia
Oppeln (Opole): Opila
Oppenheim: Bancona
Oppenreute: Openruti
Oppido Lucano: Opinum
Ora → Auer
Oradea (Oradea Mare, Großwardein, Nagyvárad): Varadinum
Oradea Mare → Oradea
Óradna → Rodna

Oran → Ouahran
Orange: Oragnia
Oranienburg: Arausionis castr.
Oraştie (Broos, Szászváros): Saxopolis
Oravicabánya → Oraviţa
Oravicafalu → Oraviţa
Oravicza, Német ∼ → Oraviţa
Oravicza, Oláh ∼ → Oraviţa
Oravicza, Román ∼ → Oraviţa
Oraviţa (Orawitza, Oravicabánya): Varia castra
Oraviţa Montană → Oraviţa
Oraviţa Română → Oraviţa
Orawitza → Oraviţa
Orawitza, Deutsch ∼ → Oraviţa
Orawitza, Rumänisch ∼ → Oraviţa
Orawitza, Walachisch ∼ → Oraviţa
Orb (Bad Orb): Orbacensis vicus
Orba, Fl.: Urbs
Orbach (Orbe): Urba villa
Orbais (Orbais-l'Abbaye): Orbatum
Orbe: Orba
Orbe → Orbach
Orbe, Bez.: Verbigenus tractus
Orbec: Orbeccum
Orbetello: Orbitellium
Orbo, Fl.: Sacer
Orchies: Orchesium
Orchimont: Ursimontium
Orco, Fl.: Morgus
Orechowo → Orjahovo
Orehovo → Orjahovo
Orenhofen: Ornava
Orense: Amphiochia
Orfani, Golf v. ∼ → Strimonikos Kolpos
Orfanoũ, Kólpos ∼ → Strimonikos Kolpos
Orfanu, Kolpos ∼ → Strimonikos Kolpos
Orgañá: Orcia
Orge, Fl.: Urgia
Oria: Uria
Origano: Aurelianum
Orihuela: Orcelis
Oriolo Romano: s. Claudii forum
Oristano: Arborea
Orjachowo → Orjahovo
Orjahovo (Orjachowo, Orehovo, Orechowo, Rahovo, Rachowo): Apiaria
Orlamünde: Orla
Orléanais, Landsch.: Aurelianensis ager
Orléans: Aurelianense palat.
Ormea: Ulmeta
Ormont: Aurimontanum
Ornacieux: Turecionnum
Orne, Fl.: Olina
Ornois, Landsch.: Odernensis pag.
Oro, Monte d' ∼ → Monte d'Oro, Berg
Oroszvár → Rusovce
Orphani, Golf v. ∼ → Strimonikos Kolpos
Orry-la-Ville: Audriaca villa
Orsay: Ursiacum
Orschowa → Orşova
Orschowa, Alt ∼ → Orşova
Orsenhausen: Onarhusa
Orşova (Orschowa, Orsova, Alt-Orschowa, Alt-Orsova, Ó-Orsova): Statio Tsiernensis
Orsova → Orşova
Orsova, Alt ∼ → Orşova
Orsova, Ó ∼ → Orşova
Orta, Lago d' ∼ **(Ortasee, Cusio):** Curius lacus
Ortasee → Orta, Lago d' ∼
Orte: Ortae
Ortenau, Landsch.: Mortingia
Orth a. d. Donau: Orta
Orthez: Orthesium
Ortona: Ortona maris
Orval: Aurea vallis
Orvieto: Orvietum
Oschatz: Ossitium

Oschiri: Luguido
Oschmjany → Ošm'any
Osek (Ossegg, Ossek): Osciacense monast.
Osek, Velký ~ → Velký Osek
Osiek → Osijek
Osijek (Esseg, Eszék, Osiek, Osjek): Mursa
Osilo: Ericinum
Osimo: Ausimi
Osjek → Osijek
Oslo (Kristiania, Christiania): Ansloa
Osloß: Odenhus
Ošm'any (Ašmena, Oschmjany): Osmiana
Osnabrück: Osnabrugga
Osning, Geb.: Osneggi montes
Osobłoga → Hotzenplotz, Fl.
Osoppo: Osopus
Osor (Ossero, Ossor): Absorus
Oşorhei → Tîrgu Mureş
Ossegg → Osek
Ossek → Osek
Ossero → Osor
Oßmannstedt: Azinestedi
Ossor → Osor
Ostanglien (East Anglia), Kgr.: Anglia orientalis
Ostbillmerich: Ostbilimerbi
Ostchinesisches Meer (Dong Hai): Orientale mare
Ost- u. Südchinesisches Meer (Dong Hai, Nan Hai): Sinarum mare
Oste, Fl.: Osta
Ostegau, Gau: Hostingabi pag.
Osterbant (Ostrebant), Landsch.: Austrebatium
Osterberg: Oriens mons
Osterburg, Gau: Osterburga
Ostergau, Gau: Osterga
Osterhofen: Austravia
Osterholz (Osterholz-Scharmbeck): Astanholteremarki
Osterholz-Scharmbeck → Scharmbeck
Osterhusen: Asterhusum
Osteria Nova: Novus vicus
Osterland, Landsch.: Orientalis plaga
Osternach: Osternaha
Osterode am Harz: Osteroda
Osterreide: Reidensis vicus
Osterspai: Speia
Osterstade, Landsch.: Stadingia orientalis
Osterstedt: Stetingia orientalis
Osterwick (Ostrowite): Hostirka
Osterwieck: Ostrenhova
Ostfelde, Im ~: Ostvelda
Ostfränkisches Reich: Francia Theutonica
Ostfranken → Mainfranken, Landsch.
Ostfriesland, Landsch.: Embdanus comit.
Ostindien: India orientalis
Ostmark → Österreich, Land
Ostpommern → Hinterpommern, Landsch.
Ostpreußen, Prov.: Prussia orientalis
Ostrach: Ostraha
Ostrau → Ostrava
Ostrava (Ostrau, Moravská Ostrava, Mährisch-Ostrau): Ostrawa
Ostrebant → Osterbant, Landsch.
Ostrog: Coenobium insulanum
Ostrov → Große Schütt Insel
Ostrovo → Árnissa
Ostrów Mazowiecka (Ostrów): Ostrovia
Ostsee (Baltijas Jura, Baltijos Jura, Baltiskoje more, Bałtyk, Itämeri, Läänemeri, Östersjön, Østersø): Balticum mare
Ostsee, Teil der ~: Oceanus sarmaticus
Ostuni: Hostunum

Osuna: Ursao
Osweiler: Oxinvillare
Otepää (Odenpäh): Ursae caput
Otranto: Idrontum
Otricoli: Otriculum
Ottenhofen: Otinhowa
Otter, Fl.: Uterna
Otterton: Othona
Ottilienberg → Odilienberg, Berg
Otting: Aenipons inferior
Ottobeuren: Ottenburanum
Ouahran (Oran): Deorum portus
Ouche, Fl.: Oscara
Ouche, Landsch.: Uticensis pag.
Oude Biesen → Vieux-Joncs
Oudenaarde (Audenarde): Aldenardum
Oudenburg: Aldenburgense monast.
Oudewater: Veteraquinum
Oued Dra → Dra, Fl.
Oued Loukos, Fl.: Lixus
Ouessant, Île d' ~ → Île d' Ouessant
Ouilly-le-Basset: Oilliacum
Oulx → Ulzio
Oulx, Val d' ~ → Val d'Oulx, Tal
Oumignon, Fl.: Dalmannio
Ourique: Ulricum
Ourouër: Oratorium
Ourt → Ourthe, Fl.
Ourthe (Ourt), Fl.: Urta
Ouse, Fl.: Urus
Ouzän, Qezel ~ → Qezel Ouzän, Fl.
Overijssel, Prov.: Transisalana prov.
Oviedo: Ovetum
Oxford: Oxonia
Oxhöft (Oksywie, Gdingen-Öxhöft, Gdynia-Oksywie): Oxivarum
Oyarzun: Oeaso
Oye (Oye-Plage): Anseria
Oyré: Odriacum
Oyten: Oytha
Ózalánkemén → Slankamen

P

Pacy-sur-Eure: Paciacum
Paczków → Patschkau
Paderborn: Paderbronna
Padergau, Gau: Patherga
Padis Kloster → Kloostri
Padova (Padua): Patavium
Padrón: Iria Flavia
Padua → Padova
Padula: Cosilinum
Pärnu (Pernau, Pernow, Pyarnu): Parnawa
Pag (Pago), Ins.: Pagus
Pagasäischer Golf → Wolos, Golf v. ~
Pagasetikos Kolpos → Wolos, Golf v. ~
Paglia, Fl.: Pablia
Pago → Pag, Ins.
Pahlen: Palmis
Pairis: Parisiense monast.
Paisley: Vandogara
Palagruža (Pelagosa, Palagruž), Ins.: Adriae scopulus
Palais, Le ~: s. Palatii fan.
Palaiseau: Palatiolum
Palanka (Smederevska Palanka): Ratiaria
Palanka, Smederevska ~ → Palanka
Palazzo: Ad Palatium
Palazzo Adriano: Palatium Adriani
Palazzolo Acreide: Acrae
Palazzolo sull'Oglio: Palatiolum
Palencia: Palantia
Paleoprébeza → Paleopreveza

Paleopreveza (Paleoprébeza): Nicopolis
Pallanti: Palatium
Pallatini, Kl.: Palatium Dominarum (monast.)
Palluau-sur-Indre: Paludellium
Palma (Palma de Mallorca): Pallentia
Palma Campania: Teglanum
Palma de Mallorca → Palma
Palma del Rio: Decuma
Palmas, Golfo di ~: Sulcitanus sinus
Palos, Cabo de ~, Kap: Saturni promont.
Palt: Palta
Pamiers: Apamia
Pamplona: Pampalona
Pang: Panga
Panizo → Barbaros
Pankraz: Pangrates
Pannonhalma → Györszentmarton
Papolcz: Papulum
Pappenheim: Papenhemium
Paradies (Góścikowo): Paradisus
Paradis, Kl.: Paradisus
Paray-le-Monial: Pareium moniale
Parc → Park, Kl.
Parçay-les-Pins: Parciacum
Parcey: Pareceyum
Pardubice (Pardubitz): Pardibus
Pardubitz → Pardubice
Parensen: Perranhus
Parenzo → Poreč
Paris: Parisii
Park (Parc), Kl.: Parchum
Parkan → Štúrovo
Párkány → Štúrovo
Parma: Julia Augusta
Paros, Ins.: Platea
Parroy: Pararitus
Partenkirchen (Garmisch-Partenkirchen): Patrodunum
Parthenay: Partiniacum
Pas de Calais → Straße v. Dover
Pasajes: Passagium
Pasardschik → Pazardžik
Pashāwar → Peschawar
Pass da Sett → Septimer, Paß
Pass del Güglia → Julier, Paß
Passais: Passagium
Passau: Batavia
Passau-Innstadt → Innstadt
Passo del Lucomagno → Lukmanier, Paß
Passo del Maloggia → Maloja, Paß
Passo del Maloja → Maloja, Paß
Passo del San Gottardo → Sankt Gotthard, Paß
Passo dello Spluga → Splügen, Paß
Passo di San Bernardino → Sankt-Berhardin-Paß
Passy: Passiacum ad Sequanam
Patay: Pataium
Paterno Calabro: Paternum
Paträ → Pátrai
Pátrai (Patras, Paträ): Arae-Patrenses
Patras → Pátrai
Patschkau (Paczków): Patschkovia
Pau: Epauna
Pauillac: Pauliacum
Paulinzella: s. Paulinae cella
Pavia: Papia
Payerne (Peterlingen): Paterniacum
Pays d'Auge → Vallée d'Auge, Landsch.
Pays de Rais → Retz, Landsch.
Pays de Waes → Van Waes, Landsch.
Pays Messin (Metingow), Gau: Metensis pag.
Pazardžik (Pasardschik, Tatar-Pazardžik, Tatar-Pasardschik, Tatarpazarciği): Bessapara
Pazin (Pisino, Mitterburg): Pisinum
Pecetto: Pecetum
Pecq, Le ~: Alpica

Pecquencourt: Pequicurtium
Pécs (Fünfkirchen): Quinque basilicae
Pedena → Pičan
Peene, Fl.: Penus
Peer: Pera
Peffingen: Peffinga
Pegau: Pegavia
Pegnitz, Fl.: Pagantia
Peiden: Lapidaria
Peine: Boynum
Peisern → Pyzdry
Peißen: Piscini
Pelagosa → Palagruža, Ins.
Pellegrino, Monte ~ → Monte Pellegrino, Berg
Pélmonostor → Beli Manastir
Peloponnes → Balkanhalbinsel mit Peloponnes
Peloponnisos → Balkanhalbinsel mit Peloponnes
Pelplin (Neu-Doberan, Samburg): Pelplinum (monast.)
Pendennis Castle: Pendinae
Penig: Penica
Peninsula Balcanică → Balkanhalbinsel, wstl. Teil
Penne: Pinna Vestina
Pentrup: Peingtharpa
Penzing: Pacinga
Penzing (Wien-Penzing): Pancinga
Perast (Perasto): Perastum
Perasto → Perast
Perche, Landsch.: Particus saltus
Perdido, Monte ~ → Monte Perdido, Berg
Perdu, Mont ~ → Monte Perdido, Berg
Perekop: Praecopia
Perelada: Petralata
Perg: Berga
Pergern: Pergiae
Périgny-sur-Loire: Procrinium
Périgord, Landsch.: Petricorius pag.
Périgueux: Petricorium
Perm: Permia
Pernambuco → Recife
Pernau → Pärnu
Pernes-les-Fontaines: Pernae
Pernow → Pärnu
Péronne: Peronna
Perosa Argentina: Perusia
Perpignan: Perpenianum
Perschling, Fl.: Persnicha
Persenbeug: Persinpinga castr.
Persischer Golf (Khalīj-e Fars, Bahr el-Fars): Viride mare
Perth: s. Joannis ad Tavum fan.
Perthus, Collado del ~ → Col de Pertus, Paß
Pertois, Landsch.: Pertensis pag.
Pertuis: Pertusium
Pertus, Col de ~ → Col de Pertus, Paß
Perugia: Perusia
Pesaro: Pesauria
Peschawar (Peshawar, Pashāwar, Pischawar): Peucelaotis
Peschiera del Garda: Piscaria
Pescia: Piscia
Peshawar → Peschawar
Pest: Pestinum
Peterborough: Petroburgum
Peterlingen → Payerne
Petersberg, Berg: Serenus mons
Petersberg in Erfurt: s. Petri mons
Petersdorf (Piechowice): s. Petri villa
Petersdorf (Piotrówek): s. Petri villa
Petershagen: Huculbi
Petershausen (Konstanz-Petershausen): Petershusium
Peterswahl: Walda
Pétervárad → Petrovaradin
Peterwardein → Petrovaradin
Peterzell: Petri cella
Petit Saint Bernard, Col du ~ → Kleiner Sankt Bernhard, Paß

Petite-Pierre, La ~ (Lützelstein): Parva petra
Petrikau → Piotrków Trybunalski
Petrograd → Leningrad
Petroków → Piotrków Trybunalski
Petronell: Celeia
Petrovaradin (Peterwardein, Pétervárad): Petrovaradinum
Pettau → Ptuj
Pettenbach: Vetoniana
Petterweil: Phetrewila
Peuplingues: Pepilinga
Peyrat-la-Nonière: Patriacus
Peyrehorade: Petra forata
Peyresq: Petriscum
Peyrus: Petrosium
Peyrusse-le-Roc: Petrucia
Pézenas: Pesenacum
Pezinok (Bösing, Bazin): Basinga
Pfäfers: Fabaria
Pfaffnau: Phaphena
Pfaffstädt: Papsteti
Pfalzburg → Phalsbourg
Pfalzel: Palatiolum prope Treviri
Pfalzgrafenweiler: Wilare
Pfirt → Ferrette
Pförring: Pferinga
Pförten (Brody): Pforta
Pfordt: Porta
Pforta (Schulpforta): Porta
Pforzheim: Phorca
Pfraumberg → Přimda
Pfullingen: Pulinga
Pfyn: Ad Fines
Phalsbourg (Pfalzburg): Phalseburgum
Phanari: Fanarum
Philippeville: Philippopolis
Philippsburg: Philippoburgum
Phort Láirge, Contae ~ → Waterford, Grafsch.
Piaam: Penghum
Piadena: Platena
Piantedo: Plantedium
Piave, Fl.: Plavis
Piazza Armerina (Chiazza): Piacus
Piben → Pičan
Pičan (Pedena, Piben): Petina
Picardie (Pikardie), Landsch.: Picardia
Picciano: Ypinum
Piccolo San Bernardo, Colle del ~ → Kleiner Sankt Bernhard, Paß
Pichl: Puhila
Picquigny: Pequiniacum
Piechowice → Petersdorf
Piediluco, Lago di ~: Velinus lacus
Piemont (Piemonte), Landsch. u. Reg.: Pedemontium
Pienzenau: Pienzenouwa
Pierbecke: Perricbecki
Pierre-Buffière: Petra Bufferia
Pierrefitte, Dép. Corrèze: Petra ficta
Pierrefitte, Dép. Creuse: Petra ficta
Pierrefitte-sur-Seine: Petra ficta
Pierrefonds: Petrae fons
Pierrelatte: Petralata
Pierrepont: Petrae pons
Pietrasanta: Feroniae fanum
Pieve di Cadore: Cadubrium
Pikardie → Picardie, Landsch.
Piktenwall, der ~: Murus Picticus
Pilatus, Berg: Pileatus mons
Pilgerzell: Bilgrinescella
Pillau (Baltijsk): Pilavia
Pilos → Pylos
Pilsen → Plzeň
Pilsen (Plzeň), Kr.: Pilonensis circulus
Pilten → Piltene
Piltene (Pilten): Apulia
Pinerolo: Pinarolium
Piney: Pigneium
Piombino: Plumbinum
Piotrków Trybunalski (Petrikau, Petroków): Petricovia
Piotrówek → Petersdorf
Piove di Sacco: Plebisacum

Pirawarth: Birchaa
Pircha: Piricha
Pirka: Pircha
Pirmasens: Pirminisensna
Pirna: Pirne
Pisa: Julia Pisana
Pischawar → Peschawar
Písek: Pieska
Pisino → Pazin
Pissy: Pisciacum
Pisuerga, Fl.: Pisoraca
Pisz → Johannisburg
Piteå: Pitovia
Pithiviers: Petuera castr.
Pitres: Pistae
Pitschen (Byczyna): Bichina
Pitten: Putina
Plaine, La ~: Plana
Plaine-de-Walsch, La ~: Plannia
Planina (Montpreis): Mondreis castr.
Plantlünne: Lunni
Plasencia: Ambratia
Platten: Platena
Plattensee → Balaton, See
Plaue: Plavia
Plauen: Plavia
Pleinting: Pliutmuntingas
Pleiße, Fl.: Plissa
Plement: Clementis castr.
Pleskau → Pskov
Pleß (Pszczyna): Plesna
Plessis-Dorin, Le ~: Plesseium
Plintenburg → Visegrád
Płock (Plozk): Plocensis urbs
Płock (Plozk), Woiw.: Ploccensis palatin.
Plön: Ploena
Ploërmel: Plebs Armagili
Plötzkau: Plozeka
Plomb du Cantal (Mont Cantal), Berg: Celtorum mons
Ploudiry: Plebs Desiderii
Plouégat-Guérand: Plebs Erdegati
Plozk → Płock
Plozk → Płock, Woiw.
Plymouth: Tamarae ostium
Plzeň (Pilsen): Pilona
Plzeň → Pilsen, Kr.
Po, Fl.: Bodincus
Po di Primaro, Fl.: Spineticum ostium
Poarta de Fier a Transilvaniei → Eisernes Tor, Paß
Pocking: Pochinga
Podgorica → Titograd
Podgorica (Titograd), Bez.: Podgoriensis distr.
Podgrodzie → Špišské Podhradie
Podhrad → Hluboká nad Vltavou
Podlachien (Podlesien, Podlasie), Landsch.: Polachia
Podlasie → Podlachien, Landsch.
Podlesien → Podlachien, Landsch.
Podolien, Landsch.: Podolia
Podravska Moslavina: s. Claudii mons
Pöchlarn: Ara lapidea
Pöhlde: Palidi
Pogesanien, Landsch.: Pogesania
Pogliano: Pollianum rus
Pohjanlahti → Bottnischer Meerbusen
Poigen: Piugum
Pointe de l'Aiguille → Aiguille, Pointe de l' ~, Vorgeb.
Pointe du Raz → Raz, Pointe du ~, Vorgeb.
Poissy: Pincianum
Poitiers: Pictavium
Poix: Pisae
Pojezierze → Pomesanien, Landsch.
Pokarben: Pokarwis
Polen: Polonia
Polen, Groß ~ → Großpolen
Polessk → Labiau
Poliero: Uranopolis
Polignac: Podemniacum

Polignano a Mare: Polinianum
Poligny: Poliniacum
Polimarzio → Bomarzo
Pollentschine → Eichendorf
Pollina, Fl.: Monalus
Polling: Pollinga
Polock (Polozk): Peltiscum
Polozk → Polock
Pomesanien (Pojezierze), Landsch.: Pomesania
Pomfret → Pontefract
Pommard: Polmarcum
Pommern, Landsch. u. Prov.: Pomerania
Pommern, Hinter ~ → Hinterpommern, Landsch.
Pommern, Ost ~ → Hinterpommern, Landsch.
Pommern, Vor ~ → Vorpommern, Landsch.
Pomona → Mainland, Ins.
Ponente, Riviera di ~ → Riviera di Ponente
Ponferrada: Flavium Interramnium
Pons: Santonum pontes
Pont-à-Mousson: Mussipons
Pont-Audemer: Alvemari pons
Pont-Aven: Aveni pons
Pont-de-l'Arche: Arcuatus pons
Pont-d'Ouilly → Ouilly-le-Basset
Pont-de-Vaux: Valensis pons
Pont-de-Veyle: Velae
Pont-l'Abbé: Abbatis pons
Pont-l'Évêque: Episcopi pons
Pont-Saint-Esprit: s. Spiritus pons
Pont-Sainte-Maxence: Maxentiae pons
Pont-sur-Seine: Ad Sequanam pons
Pont-sur-Yonne: Ad Icaunam pons
Pontafel: Fellae pons
Pontailler-sur-Saône: Pontiliacum palat.
Pontarlier: Pontarlium
Ponte Milvio (Ponte Molle, Milvische Brücke): Milvius pons
Ponte Molle → Ponte Milvio
Pontebba (Pontefella): Fellae pons
Pontecorvo: Corvi pons
Pontefella → Pontebba
Pontefract (Pomfret): Fractus pons
Pontelongo: Longus pons
Pontevedra: Pontus vetus
Pontgibaud: Ubimum
Ponthieu, Landsch.: Pontivus pag.
Ponthion: Ponteguni palat.
Pontigny: Podentiniacum
Pontine, Isole ~ → Ponziane, Isole ~
Pontine, Paludi ~ → Pontinische Sümpfe
Pontinische Inseln → Ponziane, Isole ~
Pontinische Sümpfe (Agro Pontino, Paludi Pontine): Paludes Pomptinae
Pontino, Agro ~ → Pontinische Sümpfe
Pontirol Nuove: Aureolus pons
Pontlevoy: Pontilevium
Pontoise: Pontisara
Pontorson: Ursonis pons
Pontpierre: Perrous pons
Pontremoli: Tremulus pons
Ponts-de-Cé, Les ~**:** Sabii pons
Ponza Inseln → Ponziane, Isole ~
Ponziane, Isole ~ **(Isole Pontine, Ponza Inseln, Pontinische Inseln):** Fontiae insulae
Poperinge: Poperingae
Pordenone: Naonis portus
Poreč (Parenzo): Parentium
Pori (Björneborg): Ursorum castr.
Póros (Kalauria), Ins.: Calabrea
Porquerolles, Île de ~ → Île de Porquerolles
Porrentruy (Pruntrut): Brundusia
Port' Ercole: Herculis Cusani portus

Port Láirge → Waterford
Port Láirge → Waterford, Grafsch.
Port-Louis: Blabia
Port-Royal-de-Champs, Kl.: Regius portus
Port-sur-Saône: Abucini portus
Port-Vendres: Veneris portus
Porta: Infra portum
Portalegre: Alacer portus
Portbail: Balliae portus
Porte Torres: Ad Turrem Libyssonis
Portese: Portesium
Portici: Suburbium Herculanense
Porţile de Fier → Eisernes Tor, Paß
Portile de Fier → Eisernes Tor, Strompaß
Portimão → Vila Nova da Portimão
Portimão, Vila Nova da ~ → Vila Nova da Portimão
Porto (Oporto): Cale
Porto Buffole: Buffoleti portus
Porto Chéllion → Portocheli
Porto Longone: Longus portus
Porto Torres: Libissis turris
Porto Xifonio, Meeresbucht: Xiphonius portus
Portocheli (Porto Chéllion): Halica
Portoferraio: Argous portus
Portofino: Delphini portus
Portovenere: Veneris portus
Portsmouth: Magnus portus
Porvoo (Borga): Burgum
Poschega → Požega, Komit.
Poschega → Slavonska Požega
Poschiavo (Puschlav): Pesclavium
Posen → Poznań
Posilge (Żuławka): Pusilia castra
Posillipo, Berg: Pausilippus
Postelberg → Postoloprty
Postoloprty (Postelberg): Porta
Potsdam: Bostanium
Pottenbrunn: Potinbrunno
Pottenstein: Lapis Botonis
Pouan-les-Vallées: Potentum
Pouancé: Pudentiacum
Pouget, Le ~: Puerinum
Pouilley-les-Vignes: Polliacum
Pouilly-sur-Loire: Polliacum
Poujol-sur-Orb, Le ~: Podiolum
Poulangy: Pauliniacensis abbatia
Pouligny-Saint-Pierre: Polemniacum
Pourrières: Putridi campi
Powunden (Khrabovo): Powundia
Požega → Slavonska Požega
Požega (Slavonska Požega, Poschega, Pozsega), Komit.: Posseganus comit.
Požega, Slavonska ~ → Požega, Komit.
Požega, Slavonska ~ → Slavonska Požega
Poznań (Posen): Posna
Pozsega → Požega, Komit.
Pozsega → Slavonska Požega
Prachatice (Prachatitz): Prachensis villa
Prachatitz → Prachatice
Prades-d'Aubrac: Ad Silanum
Præstø: Presbyteronesus
Prätigau (Prättigau), Tal: Rhaetica vallis
Prättigau → Prätigau, Tal
Prag → Praha
Praha (Prag): Praga
Pram: Prama
Prato: Pratum
Prébenoît, Le ~, Kl.: Pratum Benedictum
Précy-sous-Thil: Preciacum
Preetz: Porocensis civ.
Pregel (Pregolya), Fl.: Pregella
Pregolya → Pregel, Fl.
Prémery: Premeriacum
Prémol, Kl.: Pratum molle
Prémontré: Pratum monstratum
Prenzlau: Premislavia
Preschau → Prešov

Presles: Praellum
Prešov (Eperies, Eperjes, Preschau): Eperiae
Presqu'île de Giens → Giens, Halbinsel
Preßburg → Bratislava
Preßnitz → Přísečnice
Prettin: Pretimi
Preuilly: Periolum
Preuilly-sur-Claise: Prulliacum
Preußen, Land: Prussia
Preußisch Eylau (Bagrationowsk): Gilavia Borussica
Prezë (Prezija): Petrulla
Prezija → Prezë
Priebus (Przewóz): Prebus
Prievidza (Priwitz, Priewitz, Privigye): Prividia
Priewitz → Prievidza
Prignitz, Landsch.: Pignizi
Prim, Fl.: Primma
Přimda (Pfraumberg): Prymida
Primkenau (Przemków): Primislavia
Prioz'orsk (Käkisalmi, Kexholm): Kexholmia
Pripet (Pripjat, Prypec), Fl.: Pripetius
Pripjat → Pripet, Fl.
Přísečnice (Preßnitz): Bryszinitzum
Prishtinë → Priština
Prissey: Preciacum
Priština (Prishtinë, Priştine): Vicianum
Priştine → Priština
Pritzen: Pritzes castr.
Privas: Privatum
Privigye → Prievidza
Priwitz → Prievidza
Promasens → Promasing
Promasing (Promasens): Viromagus
Promentoux: Promontorium
Proßnitz → Prostějov
Prostějov (Proßnitz): Prostanna
Protzan (Zwrócona): Proczanum
Provence, Landsch.: Provincia
Provins: Provinum
Prüm: Pruma
Prüm, Fl.: Prumia
Pruntrut → Porrentruy
Prut (Pruth), Fl.: Hierasus
Pruth → Prut, Fl.
Prypec → Pripet, Fl.
Przemków → Primkenau
Przemyśl: Premislia
Przewóz → Priebus
Pseíra, Ins.: Ipsara
Psie Pole → Hundsfeld
Pskov (Pleskau): Pscovia
Psyra → Pseira, Ins.
Pszczyna → Pleß
Ptuj (Pettau): Petenas
Puch: Pucha
Púchov (Puhó): Puchovium
Puck → Putzig
Puebla de Alcocer: Mirobriga
Puebla de la Reina: Regiana
Puebla de Navia de Suarna → Navia de Suarna
Püchau: Bichini
Püllna: Pilna
Pürgen: Piringa
Puerto de Santa Maria, El ~: Menesthei portus
Puerto Real: Regius portus
Puhó → Púchov
Puigcerdá: Ceretanorum jugum
Puilaurens: Podium Laurentii
Puiseaux: Puteolus
Pula: Pupulum
Pulkau: Pulka
Pũlos → Pylos
Punta del Faro → Faro, Punta del ~, Vorgeb.
Pupping: Puppinga
Puschlav → Poschiavo
Pustertal (Val Pusteria), Tal: Pustriosa vallis

Putzig (Puck): Pucensis civ.
Puy, Le ~ → Puy-en-Velay, Le ~
Puy-en-Anjou, Le ~ → Puy-Notre-Dame, Le ~
Puy-en-Velay, Le ~ (Le Puy): Anicium Velavorum
Puy-l'Évêque: Podium Episcopi
Puy-Notre-Dame, Le ~ (Le Puy-en-Anjou): Podium Andegavense
Puycelci: Podium Celsum
Puyloubier: Podium Albarii
Pyarnu → Pärnu
Pylos (Pilos, Pũlos, Navarino, Nawarinon, Nauarĩnon, Neokastron): Neocastrum
Pyritz (Pyrzyce): Pirissa
Pyrzyce → Pyritz
Pyzdry (Peisern): Pisrensis civ.

Q

Qâbes → Gabès
Qarqisiya bei El Beşîré (El Buseire, El Busera): Circesium
Qezel Ouzän (Kisil Usen, Kisil Usun): Mardus
Qoûriât, Djezir ~ → Djezir Qoûriât, Inselgruppe
Quarnaro → Quarnero, Meerbusen
Quarnero (Kvarner, Carnaro, Quarnaro), Meerbusen: Carnivorus sinus
Quarten: Quarto
Quartes: Quarta super Sambram
Quatre métiers (Land der vier Ambachten, Zeeuwsch Vlaanderen, Seeländisch-Flandern), Landsch.: Quattuor officia
Queck: Quekkaha
Quedlinburg: Quedlinburgum
Queis (Kwisa), Fl.: Quisus
Quelmes: Kelmae
Quercy, Landsch.: Cadurcensis pag.
Querfurt: Quernofortum
Quesnoy-sur-Deûle: Quercetum
Quétigny: Cugtiniacum
Quetzin (Kukinia): Quidinum
Quévilly, Le Grand ~ → Grand Quévilly, Le ~
Quierzy: Cariciacum
Quieto → Mirna, Fl.
Quillebeuf-sur-Seine: Quilebovium
Quilon → Kollam
Quimper: Coriosopitum
Quimperlé: Quimperlacum
Quito: s. Francisci fan.

R

Raab → Györ
Raab (Rába), Fl.: Raba
Raab (Györ), Komit.: Arabonensis comit.
Raabs a. d. Thaya: Racza
Raake, Groß ~ → Groß Raake
Raake, Klein ~ → Klein Raake
Rába → Raab, Fl.
Rabastens: Rapistagnum
Rábca → Rabnitz, Fl.
Rabnitz (Répce, Rábca), Fl.: Rabanitza
Racconigi: Raconisium

Race of Alderney, Meerenge: Ebodiae fretum
Rachitova → Oravița
Rachowo → Orjahovo
Racibórz → Ratibor
Ráckeve: Intercisa
Radaune (Radunia), Fl.: Eridanus
Radenbeck: Radenbeki
Radepont: Ritumagum
Raderach: Raderai
Radkersburg: Racospurgum
Radl: Radili
Radna → Rodna
Radociny → Neuhof
Radolfzell: Radolphi cella
Radomierz (Radomitz): Radomia
Radomitz → Radomierz
Radomyśl nad Sanem: Radomia ad Sanum
Radomyśl Wielki: Radomia
Radstadt: Radstadium
Radunia → Radaune, Fl.
Radziejów → Juliusburg
Radzyń Chełmiński (Rehden): Redinum
Rästrup: Radistharpa
Ragaz: Ragates curtis
Ragnit (Neman): Ragnita
Ragusa → Dubrovnik
Rahlen: Herwigisriuti
Rahmel → Rumia
Rahovo → Orjahovo
Rain: Raina
Rais, Pays de ~ → Retz, Landsch.
Raitenbuch: Raitenbouchensis
Raitenhaslach: Raeitenhasta
Raithaslach: Reithasela
Rajhrad (Großraigern): Raygradense monast.
Rakitó → Oravița
Rakitova → Oravița
Rakonitz → Rakovnik
Rakovnik (Rakonitz): Racownicensis civ.
Raków: Racovia
Raków Mały → Klein Raake
Raków Wielky → Groß Raake
Rambervillers: Ramberti villare
Ramblach: Rampha
Rambouillet: Ramboletum
Rame: Ramae
Ramegnies-lez-Quevaucamps: Rumegnies
Ramelau: Ramla
Ramelsloh: Ramsola
Ramerupt: Ramerus
Rammingen: Rostrum Nemaviae
Ramosch (Remüs): Remusium
Ramsey: Ramesia
Ramshövel: Asthuvilla
Rancon: Andecamulum
Randan: Randanum
Randers: Randrusia
Rânes: Rasina
Ranica: Ranislum
Rank: Roniga
Rankweil: Rangvila
Rans: Rannes
Ransern (Rędzin): Randyno
Ranshofen: Ranshova
Raon-l'Étape: Rado
Rapperswil: s. Ruperti villa
Rappoltstein, Grafsch.: Rappolti petra
Rappoltsweiler → Ribeauvillé
Râs el 'Aïn: Resaina
Râs el-'Ain, Kalaat ~ → Kalaat Ras el-'Ain
Râs el Hadd, Vorgeb.: Didymi montes
Rastede: Rastedensis vicus
Rathen: Ratena
Rathhausen: Domus Consilii
Ratibor (Racibórz): Ratiboria
Ratingen: Hratuga
Ratnāgiri: Musopale
Ratzeburg: Ratzeburgum
Raudische Felder: Raudius campus

Raudten (Rudna Miasto): Rautena
Rauschenberg: Ruschiburgum
Ravensburg: Ravensburgum
Ravenstein: Ravenstenium
Ravières: Rabariae
Rawicz (Rawitsch): Ravicium
Rawis: Ravena
Rawitsch → Rawicz
Raz, Pointe du ∼ ,Vorgeb.: Calbium promont.
R'azan' (Rjasan): Rhezania
Ré, Île de ∼ → Île de Ré
Reading: Radinga
Réalville: Regalis villa
Reams (Riom): Reamnis
Réaumont: Regalis mons
Rebais: Rasbacis
Rebdorf: Rebdorfium
Rebecq-Rognon (Roosbeek): Rasbaci
Recanati: Recinetum
Recht: Refta
Recife (Pernambuco): Fernambocum
Recina Rovinata: Helvia Riccina
Recknitz, Fl.: Raxa
Redden: Redinum
Redez, Grafsch.: Reddensis comit.
Rednitz u. Regnitz, Fl.: Radantia
Redon: Roto
Rędzin → Ransern
Reen, Sächsisch ∼ → Reghin
Rees: Resa
Reest, Fl.: Resta
Regen, Fl.: Reganum
Regen, Sächsisch ∼ → Reghin
Regensburg: Ratisbona
Regensburg-Stadtamhof → Stadtamhof
Reggio Calabria (Reggio di Calabria): Regium Calabriae
Reggio Emilia (Reggio nell'Emilia): Regium Ligusticum
Reghin (Sächsisch-Reen, Sächsisch-Regen, Reghinul Săsesc, Szászrégen): Regna
Reghinul Săsesc → Reghin
Regi Lagni, Fl.: Clanius
Regione Lombardia → Lombardei, Landsch.
Regnitz, Fl.: Radantia
Rehden → Radzyń Chełmiński
Rehme: Remis
Reich, Deutsches ∼ (bis 1806) → Heiliges Römisches Reich Deutscher Nation
Reichenau: Rischinowa
Reichenau, Ins.: Augia insula
Reichenbach: s. Gregorii cella
Reichenhall: Halla
Reichenkirchen: Richinchircha
Reichenstein (Złoty Stok): Richenstenium
Reichenweier → Riquewihr
Reichersberg: Rechersbergensis
Reichstadt → Zákupy
Reif → Riva
Reiffelbach: Ripa
Reillanne: Rilhana
Reims: Remi
Rein: Runa
Rein → Rhein, Fl.
Reinach: Rinacha
Reisach: Rischga
Reit im Winkl: Riuti
Reith, RB. N-Bayern: Riuti
Reith, N-Österr.: Riuta
Reitnau: Reitnova
Reka → Rijeka
Remagen: Regimagium
Remetswil: Reimiswilare
Remich: Remicha
Rémilly: Rimilinga
Remiremont: s. Romarici mons
Remmerten: Rimbrahtes
Rémois, Landsch.: Remorum pag.
Remsede: Hramisitha
Remüs → Ramosch
Réndina, Golf v. ∼ → Strimoniakos Kolpos

Rendsburg: Rendesburgum
Renève: Rionava
Renfrew: Renfroana
Reningelst: Riningae
Rennes: Redones
Renon → Ritten
Renty: Rentica
Réole, La ~: Regula
Répce → Rabnitz, Fl.
Reps → Rupea
Requena: Lobetum
Resina: Resinum
Resmo → Réthymnon
Reszel → Rößel
Rethel: Regiteste
Rethelois, Landsch.: Regitestensis ager
Rethimnon → Réthymnon
Rethorn: Rethehorna
Réthumnon → Réthymnon
Réthymnon (Rethimnon, Réthumnon, Resmo): Rethymna
Rettenbach → Sölden
Retz: Recza
Retz (Pays de Rais), Landsch.: Ratiatensis pag.
Reuilly: Revilliacum
Reuß, Fl.: Reussia
Reußmarkt → Mercurea
Reute: Riuti
Reuthe: Riuti
Reutin: Rueti
Reutlingen: Ruotlinga
Reval → Tallinn
Revel: Rebellum
Revello, Pr. Cuneo: Rupellum
Revello, Pr. Salerno: Ravellum
Reviers: Radeverum
Revin: Revinum
Reykjavik: Reykranes
Rezé: Ratiatensis
Rhade: Radi
Rhäzüns: Rhaetium
Rheda: Rehei
Rhede: Hriada
Rhein (Rhin, Rijn, Rein), Fl.: Rhenus
Rheinau: Rhenaugia
Rheinau → Rhinau
Rheinberg: Rheniburgus
Rheineck: Ad Rhenum
Rheinfelden → „Waldstädte“ am Rhein
Rheinfranken (Westfranken), Landsch.: Francia occidentalis
Rheingau, Landsch.: Rhenensis pag.
Rheinpfalz, Landsch.: Palatinatus ad Rhenum
Rheinsberg: Rheniburgus
Rheinwaldhorn, Berg: Aduallas
Rheinzabern: Tabernae Rhenanae
Rhene: Hricon
Rhenen: Rhena
Rhens → Rhense
Rhense (Rhens): Rensa
Rhin → Rhein, Fl.
Rhinau (Rheinau): Rinowa
Rhinns of Galloway, The ~ (The Rhins, The Rinns of Galloway), Halbins.: Novantum Chersonesus
Rhins, The ~ → Rhinns of Galloway, The ~
Rhön, Geb.: Ronaha
Rhône, Fl.: Rodanus
Rhue, Fl.: Ruga
Ribagorza, Landsch.: Ripa curtia
Ribchester: Boeotonomacum
Ribe (Ripen): Ripae Cimbricae
Ribeauvillé (Rappoltsweiler): Rappolti villa
Ribemont: Ribodi mons
Ribnitz: Ribnitium
Richborough: Ritupae portus
Richebourg, Kl.: Burgum dives
Richelieu: Ricolocus
Richemont, Dép. Charente: Ricomons

Richemont, Dép. Seine-Maritime: Ricomons
Richlichsreute: Richilinsriuti
Richmond: Rhigodunum
Rickling: Rikeri vicus
Rieden: Rida
Riedlingen, Baden: Rudelikon
Riedlingen, Württemberg: Rietelinis villa
Riedmark, Landsch.: Riedmarcha
Riegel: Regalis
Rieka → Rijeka
Rieneck: Reneka
Ries, Landsch.: Retia
Riesa: Rezowiensis civ.
Riesengebirge: Asciburgi montes
Riesi: Rhybdus
Rieux: Rivi
Rieux-Minervois: Rivenae
Riez: Regium
Riga: Rigensis civ.
Rigaer Bucht (Rīgas Jūŗas Līcis, Rižskij zaliv, Rizhskiy zaliv): Livonicus sinus
Rīgas Jūŗas Līcis → Rigaer Bucht
Rigi, Berg: Regina
Rigton: Rhigodunum
Riha, Er ~ → Jericho
Rijeka (Reka, Rieka, Fiume, St. Veit am Pflaum): s. Viti flumen
Rijn → Rhein, Fl.
Rimbeck: Rimbechi
Rinchnach: Rancinga
Rindern: Rinera
Ringelheim: Ringelmi
Ringgenweiler: Ringiwilare
Ringkjøbing → Ringkøbing
Ringkøbing (Ringkjøbing): Rincopia
Ringsted: Ringstadium
Ringwall („Hünenwall") am Grotenburg, Berg: Teutoburgium
Ringwood: Regnum
Rinkenberg: Rincga
Rinns of Galloway, The ~ → Rhinns of Galloway, The ~, Halbins.
Rinteln: Rintelia
Rio Zaïre → Congo, Fl.
Riom: Ricomagus
Riom → Reams
Rioni, Fl.: Rheon
Rions: Reontium
Ripatransone: Ripa Transonis
Ripen → Ribe
Riquewihr (Reichenweier): Richovilla
Risan (Risano): Rhicinium
Risano → Risan
Ritten (Renon), Landsch.: Ritanensis urbs
Ritterstede: Ritterstidi
Riva (Riva di Trento, Reif): Ripa Tridenti
Riva di Chieri: Ripa
Riva di Trento → Riva
Rivesaltes: Ripae altae
Riviera di Levante: Ora orientalis
Riviera di Ponente: Ora occidentalis
Rivoli: Ad Octavum
Rivoltella : Ad Flexum
Rize: Rhizaeum
Rizhskiy zaliv → Rigaer Bucht
Rižskij zaliv → Rigaer Bucht
Rjasan → R'azan'
Roanne: Rodumna
Robertsau, La ~ (Ruprechtsau): s. Ruperti augia
Robin Hood's Bay, Ort: Dunum aestuarium
Roca, Cabo da ~: Magnum promont.
Rocca di Fluvione: Sestiae
Roccaforte Ligure: Rocca fortis
Roccalanzone: Lanzonis mons
Roche-Bernard, La ~: Rupes Bernardi
Roche-Derrien, La ~: Rupes Deriani

Roche-en-Ardennes, La ~: De Rupe
Roche-Guyon, La~: Rupes Guidonis
Roche-sur-Foron, La ~: Rochia Allobrogum
Roche-sur-Yon, La ~: Rupes ad Guidonem
Rochechouart: Rupes Cavardi
Rochefort: Rupifortium
Rochefoucauld, La ~: Rupes Fucaldi
Rochefoucauld, La ~, Grafsch.: Rupensis comit.
Rochelle, La ~: Rupella
Rochemaure: Rupemaurus
Rocher de Tombelaine → Tombelaine, Rocher de ~, Ins.
Rochester: Durobrivis
Rochlitz: Rotlizi
Rocroi: Rupes regia
Rodach, Fl.: Radaha
Rodberg: Rodberga
Rodemachern → Rodemack
Rodemack (Rodemachern): Rodemachra
Roden → Rodna
Rodenkirchen (Köln-Rodenkirchen): Roza
Rodez: Rotena urbs
Rodges: Rodegastes
Rodi Garganico: Urium
Rodna (Óradna, Rodna-Veche, Alt-Rodna, Roden, Radna): Rodna
Rodna-Veche → Rodna
Rodosto → Tekirdağ
Rødby: Erythropolis
Rödelheim (Frankfurt-Rödelheim): Rodelhemium
Rödgen: Roda
Röglitz: Rogalici
Römhild: Roemhilda
Römisches Reich Deutscher Nation, Heiliges ~ → Heiliges Römisches Reich Deutscher Nation
Roer (Rur, Ruhr), Fl.: Rura
Roermond: Ruremonda
Roeselare (Roulers, Rousselaere): Rollarium
Rößel (Reszel): Resela
Röthis: Retina
Rötschmund → Rougemont
Roeulx, Le ~: Rethia
Rofreit → Rovereto
Rogatin (Rohatyn): Moetonium
Roggenburg: Rokkenburgensis villa
Rogliano: Rublanum
Rohan: Roanium
Rohatyn → Rogatin
Rohrbach: Rohrbacum
Rohrbach → Rohrbach-lès-Bitche
Rohrbach-lès-Bitche (Rohrbach): Rohrbacum
Roia, Fl.: Rutuba
Rokitzan → Rokycany
Rokycan → Rokycany
Rokycany (Rokycan, Rokitzan): Rokyczana
Rokytna, Fl.: Rokitnika
Rolde: Roldensis civ.
Rollberg, Hügel: Glapponis mons
Rolleboise: Rosbacium
Rom: Rauranum
Romagna, Landsch.: Regio Aemilia
Romainmôtier: Romanis monast.
Roman: Semendrova
Román-Oravicza → Oravița
Romans-sur-Isère: Romanum
Romansweiler → Romanswiller
Romanswiller (Romansweiler): Romanovilla
Romillé: Romiliacum
Romont: Rotundus mons
Romorantin: Rivus Morentini
Ronciglione: Roncilio
Ronco: Ronchum
Ronda, Sierra de ~ → Sierra de Ronda u. Sierra de Alcaraz, Geb.
Ronneburg: Ronneburgum

Roode Clooster → Rouge-Cloître, Kl.
Roosbeek → Rebecq-Rognon
Root: Roto
Roozenkamp: Rosarum campus
Roquemaure: Rupes maura
Roquevaire: Rupes varia
Rorschach: Rosacum
Rosa: Rosaha
Rosas: Rhodopolis
Roscoff: Roscovia
Rosen, Kl.: Mariae de rosis abbatia
Rosenau → Rožňava
Rosenberg (Olesno): Rosarum mons
Rosengarten, Landsch.: Rosarum hortus
Rosental: Rosarum vallis
Rosenthal: Ros
Rosières-aux-Salines: Rosariae salinarum
Rosiers-d'Égletons: Rosarias
Rosignano Marittimo: Ad Fines
Roskilde: Roe fontes
Rosmalen: Rosmalla
Rosnay: Rosnacum
Rossano: Roscianum
Roßbach: Rosbacum
Rossel (Rosselle), Fl.: Russella
Rosselle → Rossel, Fl.
Rosso, Kap ~ (Capo Rosso): Viriballum promont.
Roßruti: Roholvesriuti
Roßwangen: Rossenwanga
Rostarzewo (Rothenburg a. d. Obra): Rotenburgum
Rostock: Rhodopolis
Rostrenen: Rostrenum
Rotenturm a. d. Pinka (Rothenthurm, Vörösvár): Rubra arx
Roter Main: Mogus rufus
Roth: Rota
Roth: Rotha
Roth am Sand: Aurisium
Roth a. d. Roth: Rota
Rothaargebirge, Siebengebirge u. Westerwald: Rhetico
Rothe: Hretha
Rothenburg, Pr. Sachsen: Spiutni urbs
Rothenburg, Kt. Luzern: Rubeus mons
Rothenburg a. d. Obra → Rostarzewo
Rothenburg ob der Tauber: Rotenburgum
Rothenthurm → Rotenturm a. d. Pinka
Rothkirch (Czerwony Kościół): Ruffa eccl.
Rotondo, Monte ~ → Monte Rotondo, Berg
Rott: Rota
Rott, Fl.: Rota
Rottelsheim: Radolfeshamomarca
Rottenburg: Sumelocenna
Rottenhof: Rothmundingtharpa
Rottenmünster: Rubrum monast.
Rotterdam: Roterodamum
Rotthalmünster: Rotensala
Rottmersleben: Retmerslevo curtis
Rottweil: Rotovilla
Roucy: Rauciacum
Roudoule, Fl.: Rodira
Rouen: Rothomagus
Rouergue, La ~, Landsch.: Ruthenicus pag.
Rouffach (Rufach): Rubeacum
Rouffignac: Roffiniacum
Rouge-Cloître (Roode Clooster), Kl.: Rubea vallis
Rougemont: Rubeus mons
Rougemont (Rötschmund): Rubeus mons
Rouillé: Rolliacum
Roulers → Roeselare
Rousselaere → Roeselare
Roussillon, Landsch.: Ruscellonum
Routot: Rufitotum

Rouvray-Saint-Denis: Rubridus
Rouvres-sous-Meilly: Rouro
Roveredo → Rovereto
Rovereto (Roveredo, Rofreit, Rovreit): Roboretum
Rovigno d'Istria → Rovinj
Rovigo: Rodigium
Rovinj (Rovigno d'Istria): Rivonium
Rovreit → Rovereto
Roxburgh: Rosburgum
Roxburghshire, Grafsch.: Deviotia
Roxheim: Roccheshelmero
Royan: Novioregum
Royaulieu, Kl.: Regalis locus
Royaumont: Regalis mons
Roye: Rauga
Rozay-en-Brie: Resetum
Rožmital (Rožmitál pod Třemšínem, Rosental): Rosarum vallis
Rožmitál pod Třemšínem → Rožmital
Rožňava (Rosenau, Rozsnyó): Rosnya
Rozsnyó → Rožňava
Rudau (Rudziska): Rudowia
Ruddershove (Velzeke-Ruddershove): Rotgeri curtis
Ruddervoorde: Ridevorda
Rudkjøbing → Rudkøbing
Rudkøbing (Rudkjøbing): Rutcopia
Rudna Miasto → Raudten
Rudolstadt: Rudolphopolis
Rudziska → Rudau
Rue: Ruga
Rübenach: Ribiniacum
Rück: Rugga castr.
Rüdiswil: Rondiswilare
Rügen, Ins.: Rugia
Rügenwalde (Darłowo): Rhugium
Rueil-Malmaison: Roiolum
Rümelingen → Rumelange
Rüningen: Riungi
Rüstringen → Rustringen, Landsch.
Rüthen: Rudino
Rüti, Kt. Bern: Riuti
Rüti, Kt. Luzern: Riuti
Rüti, Kt. Zürich: Ruetinensis vicus
Rueun → Ruis
Rufach → Rouffach
Ruffec: Ruffacum
Ruffiac: Ruffiacus villa
Rugles: Rugulae
Ruhr → Roer, Fl.
Ruhr, Fl.: Rura
Ruhrgau, Gau: Ruracgawa
Ruis (Rueun): Ruana
Rulle: Rulla
Rumänisch-Orawitza → Oravița
Rumänisch-Sankt-Michael → Sînmihaiu Român
Rumelange (Rümelingen): Rumelacha
Rûmeli → Rumelien, Landsch.
Rumelien (Rûmeli, Rumili), Landsch.: Romania
Rumeln: Rumulohon
Rumersleben: Rumerestleba
Rumia (Rahmel): Romna
Rumili → Rumelien, Landsch.
Rumilly: Romiliacum
Rummen: Rummiens castr.
Rumscheid: Rumenscetha
Rupea (Kohalmu, Köhalom, Reps): Rupes
Rupelmonde: Rupelmunda
Ruppersdorf (Wyszonowice): s. Ruperti villa
Ruprechtsau → Robertsau, La ~
Rur → Roer, Fl.
Ruschweiler: Rucinswilare
Rusçuk → Ruse
Rusčuk → Ruse
Ruse (Russe, Rusçuk, Rusčuk, Rustschuk): Scaidava
Rusovce (Oroszvár, Karlburg): Gerulata
Russe → Ruse
Rußland: Russia

Rustringen (Rüstringen), Landsch.: Rustingia
Rustschuk → Ruse
Ruvo di Puglia: Rubum
Ruwer, Fl.: Erubris
Rye: Rus regia

S

Saal: Sala
Saale (Sächsische Saale, Thüringische Saale), Fl.: Sala
Saale, Fränkische ~ → Fränkische Saale, Fl.
Saale, Sächsische ~ → Saale, Fl.
Saale, Thüringische ~ → Saale, Fl.
Saalegau, Gau: Saluensis pag.
Saalfeld: Salfelda
Saalhausen: Salhusium
Saane (Sarine), Fl.: Sanona
Saanen (Gessenay): Sana
Saar (Sarre), Fl.: Sangona
Saaralben → Sarralbe
Saarbrücken: Sarae pons
Saarbrücken-St. Johann → Sankt Johann
Saarburg: Saraburgum
Saarburg → Sarrebourg
Saaremaa (Ösel), Ins.: Osilia
Saargau, Gau: Saroinsis pag.
Saargemünd → Sarreguemines
Saarlautern → Saarlouis
Saarlouis (Saarlautern): Ludovici arx ad Saram
Saarn (Mülheim-Saarn): Sarnon
Saarwerden → Sarrewerden
Saas (Saas Fee): Saxium
Saas Fee → Saas
Saaz → Žatec
Sab, Großer ~ → Großer Sab, Fl.
Sab, Kleiner ~ → Kleiner Sab, Fl.
Sabandja gölü (Sapanca gölü), See: Gallus (lacus)
Sabarmati, Fl.: Mais
Sabbioneta: Sabulonetta
Sabinov (Zeben, Klein-Zeben, Kisszeben): Cibinium minus
Sabiona (Säben, Seben), Kl.: Sabana
Sablé-sur-Sarthe: Sabiolum
Sables-d'Olonne, Les ~**:** Arenae Olonenses
Sablonceaux: Sabloncella
Sacedón: Thermida
Sachsa: Sathsa
Sachsen: Saxonia
Sachsen, Hgt.: Saxonia
Sachsen-Coburg, Hgt.: Coburgicus ducat.
Sachsen-Lauenburg, Grafsch.: Lauenburgicus comit.
Sachsenhausen: Sachsenhusa
Sacile: Sacillum
Saclas: Sarclidae villa
Săcueni (Săcuieni, Székelyhid): Siculus pons
Săcuieni → Săcueni
Sacy-le-Grand: Saciacum
Sadag: Satala
Sado, Fl.: Calipus
Sadska: Sacska
Säben → Sabiona, Kl.
Sæby: Saeboium
Sächsisch-Reen → Reghin
Sächsisch-Regen → Reghin
Sächsische Saale → Saale, Fl.
Sächsisches Erzgebirge → Erzgebirge
Säckingen: Saconium
Säckingen → „Waldstädte" am Rhein
Säntis, Berg: Sambutinum jugum
Säusenstein: s. Laurentius

Safi: Rusupis
Sagan (Żagań): Saganum
Sahagún: s. Facundi coenob.
Saïdâ (Seida, Sidon): Sagitta
Saig: Seka
Saillans: Sailentes
Saint-Aignan, Dép. Morbihan: Aniani fan.
Saint-Aignan, Dép. Sarthe: Aniani fan.
Saint Albans: Albani villa
Saint-Amand: Santamandum
Saint-Amand-les-Eaux: Elno
Saint-Amand-lez-Puurs (Sint-Amands-bij-Puurs): Amandopolis
Saint-Amant-Tallende → Tallende
Saint-Amarin: Amarinum
Saint-Ambroix: Eruodunum
Saint-Amour: s. Amatoris fan.
Saint-André: s. Andreae fan.
Saint-André: s. Andreae monast.
Saint Andrews: Andreopolis
Saint-Antoine-de-Ficalba: s. Antonini villa
Saint-Arnoult-des-Bois: s. Arnulphi oppid.
Saint Asaph (Llanelwy): Asalpha
Saint-Aubin-des-Bois: s. Albini monast.
Saint-Aubin-du-Cormier: Cornutius
Saint-Avold (Sankt Avold): s. Naboris fanum
Saint-Béat: s. Beatus
Saint-Bertrand-de-Comminges: Lugdunum Convenarum
Saint-Bonnet: Sanbonetum
Saint-Brieuc: Briocae
Saint-Calais: s. Carilesi oppid.
Saint-Chamond: s. Anemundi castr.
Saint-Chartiers: Lucaniacus vicus
Saint-Claude: s. Augendi fan.
Saint-Cloud: Novientum
Saint Columb Major: Columbus
Saint-Cyr-du-Vaudreuil: Ruoli vallis
Saint-Dagobert, Kl.: s. Dagobertus in Satanaco (monast.)
Saint David's (Mynyw): Davidis fanum
Saint David's Head, Kap: Octapilarum promont.
Saint-Denis: Dionysianum fan.
Saint-Denis-le-Ferment: s. Dionysii palat.
Saint-Didier-en-Velay: s. Desiderius in Vallavia
Saint-Didier-sur-Doulon: s. Desiderii oppid.
Saint-Dié: s. Deodati fanum
Saint-Dizier: s. Desiderii fan.
Saint-Donat: s. Donatus
Saint-Dunstan: s. Dunstanus
Saint-Dyé-sur-Loire: s. Deodatus apud Blesas
Saint-Emilion: s. Aemiliani eccl.
Saint-Esprit: Spiritus Sancti oppid.
Saint-Étienne: s. Stephani fan.
Saint-Étienne, Ins.: s. Stephani Ins.
Saint-Étienne-du-Grès: s. Stephanus in Grisio
Saint-Évroult-Notre-Dame-du-Bois: Uticum
Saint-Fargeau: Fereoli oppid.
Saint-Florent (San Fiorenzo): s. Florentini oppid.
Saint-Florentin, Dép. Indre: s. Florentini castr.
Saint-Florentin, Dép. Yonne: Eburobriga
Saint-Flour: Augusta Nemetum
Saint-Flour: Floriopolis
Saint-Francois-Cuberien: Cuburia
Saint-Gabriel: Ernaginum
Saint-Galmier: Baldomeri villa
Saint-Galmier, Kl.: s. Garmerii monast.
Saint-Gaudens: Gaudentii oppid.
Saint-Gengoux-le-National (Saint-Gengoux-le-Royal): Gengulfinum

Saint-Gengoux-le-Royal → Saint-Gengoux-le-National
Saint-George's Channel (Sankt Georgs-Kanal): s. Georgii aestuarium
Saint-Georges-de-Noisne: Novionum
Saint-Georges-Nigremont: Nigromons villa
Saint-Germain-des-Prés, Kl.: s. Germani a pratis monast.
Saint-Germain-en-Laye: s. Germani fan.
Saint-Germain-Lembron: s. Germani vicus in Ambronio
Saint-Gervais-d'Auvergne: s. Gervasii fan.
Saint-Gervais-les-Bains: s. Gervasii burgus
Saint-Gervais-sur-Mare: s. Gervasii fan.
Saint-Gildas-de-Rhuis: Ruesium
Saint-Gilles (Saint-Gilles-du-Gard): s. Aegidii villa
Saint-Gilles-du-Gard → Saint-Gilles
Saint-Girons: s. Gironis castr.
Saint-Gobain: s. Gobanni villa
Saint-Héand: s. Eugenii vicus
Saint Helier (Saint-Hélier): s. Elerii fan.
Saint-Hippolyte (Saint-Hippolyte-Haut-Rhin, Sankt Pilt): s. Hippolyti eccl.
Saint-Hippolyte-du-Fort: s. Hippolyti fan.
Saint-Hippolyte-Haut-Rhin → Saint-Hippolyte
Saint-Honorat, Ins.: Vergoanum
Saint-Hubert: s. Hubertus
Saint-Imier → Sankt Immer
Saint-Inglevert: Sanctorum campus
Saint-Ives: Ivonis eccl.
Saint-Jean-d'Acre → Akko
Saint-Jean-d'Angély: Angeriaci fan.
Saint-Jean-de-Bournay: Turecionnum
Saint-Jean-de-Losne: s. Joannis Laudonensis fan.
Saint-Jean-de-Luz: s. Joannis Luisii fan.
Saint-Jean-de-Maurienne: Mauriana civ.
Saint-Jean-Pied-de-Port: s. Joannis Pedeportuensis fan.
Saint John's Point, Vorgeb.: Isamnium promont.
Saint-Josse: s. Jodoci cella
Saint-Léger, Dép. Pas-de-Calais: s. Leodegarius
Saint-Léger, Dép. Seine-et-Marne: s. Leodegarius
Saint-Léger-aux-Bois: s. Leodegarius in Bosco
Saint-Léger-lez-Pecq: s. Leodegarius
Saint-Léger-sous-Brienne (Requinicourt): s. Leodegarius subtus Brenam
Saint-Léonard-de-Noblat: s. Leonardi monast.
Saint-Lieu → Sept-Fonds, Kl.
Saint-Lizier: Licerium Conseranum
Saint-Lô: Briovera
Saint-Maixant: s. Maxentii fan.
Saint-Maixent-de-Beugné: s. Maxentii fan.
Saint-Marcellin: s. Marcellini fan.
Saint-Marcory: s. Mercorius
Saint-Martin-d'Arc: s. Martini castr.
Saint-Martin-de-Ré: s. Martini fan.
Saint-Martin-d'Uriage → Uriage
Saint-Martin-en-Vallespir, Kl.: Rivus ferrarius
Saint-Maur-des-Fossés: Bagaudarum castr.
Saint-Maurice (Sankt Moritz): Agaunum
Saint-Maurice: Vallensium civ.

Saint-Maurice-de-Rotherens: Tarnaca
Saint-Maurice-de-Rumilly: Bergintium
Saint-Maximin-la-Sainte-Baume: s. Maximini fan.
Saint-Mayme: s. Maximus prope Montem Cucum
Saint-Mayme-de-Pereyrol: s. Maximus
Saint-Mesmin, Dép. Aube: Miciacum
Saint-Mesmin, Dép. Dordogne: Miciacum
Saint-Michael's Island: s. Michaelis ins.
Saint-Mihiel: Samiltum
Saint-Nicolas-de-Port: s. Nicolai fan.
Saint-Omer: d. Audomari fan.
Saint-Ouen (Saint-Ouen-sur-Seine): Corobilium
Saint-Ouen-sur-Seine → Saint-Ouen
Saint-Oyen: s. Augendi fan.
Saint-Palais: s. Palatii fan.
Saint-Papoul: s. Papuli fan.
Saint-Paul, Dép. Haute-Garonne: s. Pauli civ.
Saint-Paul, Dép. Orne: s. Pauli civ.
Saint-Paul, Dép. Savoie: s. Pauli civ.
Saint-Paul-Trois-Châteaux: Tricastini civ.
Saint-Paulien: Revessio
Saint-Phal: s. Fidelis villa
Saint-Pierre-au-Mont-Blandin, Kl.: Blandinium
Saint-Pierre-Capelle-lez-Enghien (Sint-Pieters-Kapelle-bij-Edingen): s. Petri capella
Saint-Pierre-d'Entremont: Intermontium
Saint-Pierre-en-Ardenne: Petri villa in Arduenna
Saint-Pierre-Langers: Lagedia
Saint-Pierre-le-Moutier: s. Petri monast.
Saint-Pierre-sur-Dives: s. Petri monast. super Divam
Saint-Pol-de-Léon: s. Pauli Leonensis fan.
Saint-Pons-de-Thomières: s. Pontii Tomeriarum fan.
Saint-Pourçain-sur-Sioule: s. Portiani castra
Saint-Quentin: Quintinianum
Saint-Rambert-en-Bugey: Jurensis urbs
Saint-Rémy-de-Provence: s. Remigii fan.
Saint-Riquier: Centulum
Saint-Romans: Romanum
Saint-Saphorin: Sansaphorinum
Saint-Sauveur-le-Vicomte: s. Salvator Vicecomes
Saint-Sauveur-sur-Tinée: s. Salvatoris fan.
Saint-Servais: Silvacus
Saint-Servan-sur-Mer: s. Servani oppid.
Saint-Sever: s. Severini fan.
Saint-Trond (Sint-Truiden, Sint-Truyden): s. Trudonis coenob.
Saint-Tropez: s. Eutropii fan.
Saint Tropez, Golf v. ~ (Golfe de Saint-Tropez): Sambracitanus sinus
Saint-Ursanne → Sankt Ursitz
Saint-Vaast → Saint-Waast, Kl.
Saint-Valéry-sur-Somme: Leuconaus
Saint-Vallier: Sanvalerium
Saint-Venant: s. Venantii fan.
Saint-Viatre: Tremulivicus
Saint-Vincent, Dép. Cantal: s. Vincentii villa
Saint-Vincent, Dép. Tarn-et-Garonne: s. Vincentii villa
Saint-Waast, Kl.: s. Vedastus

Saint-Wandrille (Saint-Wandrille-Rançon): s. Vandregisili monast.
Saint-Yrieix-la-Perche: Atanus
Saint-Yzans-de-Médoc: s. Decentius
Sainte-Croix-aux-Mines (Heiligkreuz): s. Crucis oppid.
Sainte-Croix-Volvestre: Verno
Sainte-Foy-la-Grande: s. Fidei fan.
Sainte-Lucie-de-Tallano (Santa Lucia di Tallano): Cenestum
Sainte-Marie-aux-Mines (Markirch): s. Maria in fodinis
Sainte-Menehould: s. Menehildis fan.
Sainte-Odile (Odilienberg, Hohenberg): Altitona
Sainte-Odile → Odilienberg, Kl.
Saintes: Santonae
Saintes-Maries-de-la-Mer: Delphicum templum
Saintois, Landsch.: Santinsis pag.
Saintonge: Santonia
Saix: Suaedas villa
Sajo Gömör → Gemer
Sakskjøbing → Sakskøbing
Sakskøbing (Sakskjøbing): Saxcopia
Sal, Ins.: Ignium ins.
Salaca (Salis, Salace), Fl.: Salestra
Salace → Salaca, Fl.
Salado de Morón, Fl.: Salsus fluv.
Salagnac: Selaniacum
Salamanca: Salamantica
Salankemen → Slankamen
Salberg: Zahlburgum
Salbke: Salbozi
Saldaña: Eldana
Salé (Slâ'): Mansala
Salem: Salomonium
Salemi: Halicyae
Saléon: Seleuci mons
Salers: Salertium
Salina (Isola Salina), Ins.: Gemella
Salinello, Fl.: Helvinus
Salino, Fl.: Sannum
Salins-les-Bains: Salinis
Salis → Salaca, Fl.
Salisbury (New Sarum): Sarisberia
Sallanches: Salancia
Salland, Landsch.: Sallandia
Salling, Halbins.: Sallingicum
Salm: Salmana
Salmbach: Salmis castrum
Salmsach: Salmesa
Salon-de-Provence: Salo
Salop → Shropshire, Grafsch.
Salorno (Salurn): Salurnis
Salou, Cabo de ~, Kap: Salauri promont.
Salsadella: Ildum
Salt-en-Donzy: Saltus Donziaci
Saluces → Saluzzo
Saluggia: Salugri
Salurn → Salorno
Saluzzo (Saluces): Salucia
Salve-Plane: Silva plana
Salz: Salzaha
Salza: Salzaha
Salzach, Fl.: Salsa
Salzburg: Juvavum
Salzburg → Château-Salins
Salzdahlum: Salis vallis
Salzderhelden: Salis castr.
Salzig a. Rhein: Salisso
Salziger See: Salsum mare
Salzwedel: Salzwita
Samallut am Nil: Heracleopolis
Samarkand: Maracanda
Samber → Sambre, Fl.
Sambia → Samland, Landsch.
Sambor: Szamotulium
Sambre (Samber), Fl.: Sambra
Sambregau, Gau: Sambrensis pag.
Samburg → Pelplin
Samer (Saumer): Samerium
Samland (Sambia), Landsch.: Sambia
Sammarçolles: Samarcolium
Samogitien (Schamaiten, Žemaiten), Landsch.: Samogitiae ducat.

Sámogy: Simigium
Samois-sur-Seine: Samesium
Samojeden-Halbins. → Jamal, Halbins.
Šamorín (Sommerein, Somorja): Samaria
Samosch → Szamos, Fl.
Samothrake → Samothraki, Ins.
Samothraki (Samothrake, Semadirek), Ins.: Electria
Samoussy: Salmuntiacum
Sampigny: Sampiniacum
Samsø: Samsoa
San Bernardino, Passo di ~ → Sankt Bernhardin-Paß
San Bonifacio, Straße v. ~ → Bouches de Bonifacio
San Candido → Innichen
San Christóbal de la Habana → Havanna
San Colombano al Lambro: s. Columbani fan.
San Cugat del Vallés: s. Cucufati monast.
San Damiano d'Asti: s. Damianus
San Daniele Po: s. Daniel in Monte
San Donato: s. Donatus
San Donato, Kl.: s. Donati monast. de Podio
San Donato di Ninea: s. Donatus
San Donato Val Camino: s. Donatus in Comino
Sân el Hagar: Tanis
San Filippo del Mela: Aggrena
San Gavino Monreale: Libissis turris
San Germano → Cassino
San Germano Vercellese: s. Germani Vercellensis monast.
San Giovanni d'Acri → Akko
San Giovanni in Altura → San Giovanni Valdarno
San Giovanni Valdarno (San Giovanni in Altura): Ad Fines
San Gottardo, Passo del ~ → Sankt Gotthard, Paß
San Juan: s. Joannis portus divitis
San Lazzaro degli Armeni, Ins.: s. Lazari ins.
San Lorenzo in Pusteria → Sankt Lorenzen
San Lorenzo Nuovo: s. Laurentii eccl.
San Marco d' Alunzio: s. Marci fan.
San Marco in Lamis: Marcopolis
San Marino: s. Marini fan.
San Michele della Chiusa, Kl.: s. Michaelis monast. Clusini
San Miguel: s. Michaelis castr.
San Miniato (San Miniato al Tedesco): s. Miniati ad Tedescum fan.
San Miniato al Tedesco → San Miniato
San Nicolo → Tinos
San Pietro (Isola di San Pietro), Ins.: s. Petri ins.
San Pietro in Valle: Varianum
San Quirico d'Orcia: s. Clericus
San Remo: s. Remogii fan.
San Salvador: Soteropolis
San Sebastián: Sebastianopolis
San Sebastián de la Gomera: s. Sebastiani fan.
San Sepolcro → Sansepolcro
San Vincenzo al Vulturno → Castel San Vincenzo
Sancerre: Sacrocaesarinum
Sancoins: Xancontium
Sandau: Santowa
Sandebeck: Sannanabiki
Sandfort: Santforda
Sandomierz (Sandomir): Sandomiria
Sandomir → Sandomierz
Sandvig: Sandovicus
Sandwalde → Gallwoschen
Sandwich: Sandovicus

Sangerhausen: Sangerhusa
Sangro, Fl.: Sangrus
Sangüesa: Sangossa
Sanguinaires, Îles ~ (Isole Sanguinarie), Inseln: Beleridae insulae
Sanguinarie, Isole ~→ Sanguinaires, Îles ~
Sankt Andrä → Szentendre
Sankt Andrä-Insel → Andreasinsel
Sankt Avold → Saint-Avold
Sankt Beatenberg: s. Beati mons
Sankt-Bernhardin-Paß (Passo di San Bernardino): Culmen s. Bernhardini
Sankt Blasien: s. Blaesi monast. in Sylva nigra
Sankt Corona am Schöpfl: Corona
Sankt Dionysen: s. Dionysius
Sankt Donat: s. Donatus
Sankt Florenberg: s. Florae mons
Sankt Florian, Kärnten: s. Florianus
Sankt Florian (Markt Sankt Florian), O-Österr.: s. Florianus
Sankt Florian, O-Tirol: s. Florianus
Sankt Florian a. Inn: s. Florianus super Anesum
Sankt Florian, Groß ~ → Groß Sankt Florian
Sankt Gallen, Steiermark: s. Galli nova eccl.
Sankt Gallen: Sangallense coenobium
Sankt Georgen (Freiburg-St. Georgen): s. Georgii fan.
Sankt Georgen, Baden: s. Georgii cella
SanktGeorgen, O-Bayern: s. Georgii monast.
Sankt Georgen, Kärnten: s. Georii monast.
Sankt Georgen, O-Österr.: s. Georius
Sankt Georgen am Reith: s. Georii monast.
Sankt Georgen bei Birkfeld: s. Georius
Sankt Georgen bei Preßburg → Jur pri Bratislave
Sankt Georgen ob Murau: Viscellae
Sankt Georgenberg: s. Georgii mons
Sankt-Georgs-Kanal → Saint George's Channel
Sankt Goar: s. Goaris cella
Sankt Gotthard → Szentgotthárd
Sankt Gotthard (Gotthard, Passo del San Gottardo), Paß: Alpes summae
Sankt Gregorien → Gregorienmünster, Kl.
Sankt Immer (Saint-Imier): s. Ymeri vallis
Sankt Jakob → Siniob
Sankt Jakob, Kl.: Rosacis
Sankt Joachimsthal → Jáchymov
Sankt Johann (Saarbrücken - St. Johann): s. Joannis fan.
Sankt Leonhard im Lavanttal: s. Leonardus in Gaminare
Sankt Leonhard im Pitztal: s. Leonhardus
Sankt Leonhard in Passeier (San Leonardo in Passiria): s. Leonhardus
Sankt Leonhard in Windischbüheln → Lenart v Slovenskih goricah
Sankt Lorenzen (San Lorenzo in Pusteria): s. Laurentius Vallispustrisse
Sankt Lorenzen in der Wüste → Lovrenc na Pohorju
Sankt Lorenzen ob Marburg → Lovrenc na Pohorju
Sankt Märgen: s. Mariae cella
Sankt Margarethen im Burgenland: s. Margarethae fan.
Sankt Margarethen bei Silberberg → Noreia

Sankt Marienthal → Marienthal, Kl.
Sankt Martha: Martha
Sankt Martin → Martin
Sankt Mauritz: s. Mauritii eccl.
Sankt Maximin, Kl.: s. Maximini monast.
Sankt Michael, Kl.: s. Michaelis monast.
Sankt-Michael, Rumänisch ~ → Sînmihaiu Român
Sankt Michel → Mikkeli
Sankt Moritz → Saint-Maurice
Sankt Nikolaus, Liptau ~ → Liptovský Mikuláš
Sankt Peter: s. Petri cella
Sankt Peter in Holz: Tiburnia
Sankt Petersburg → Leningrad
Sankt Peterzell: Pes nucis
Sankt Pilt → Saint-Hippolyte
Sankt Pölten: Sampolitanum
Sankt Ruprecht → Sveti Rupert
Sankt Saphorin: Sansaphorinum
Sankt Trudpert, Kl.: s. Rupertus
Sankt Ulrich: Vilmaris cella
Sankt Ulrich am Pillersee: Ulrici fanum
Sankt Urban: s. Urbani monast.
Sankt Ursitz (Saint-Ursanne): s. Ursicenus
Sankt Veit: s. Viti mons
Sankt Veit a. d. Glan: s. Viti civ.
Sankt Veit am Pflaum → Rijeka
Sankt-Wolfgangsee → Abersee
Sanlúcar de Barrameda: s. Luciferi fan.
Sansepolcro (Borgo San Sepolcro, San Sepolcro): Tarivallis burgus
Sanssouci, Schl.: Pausilypum
Sant'Angelo, Castel ~ → Engelsburg, Bauwerk
Sant'Angelo dei Lombardi: Santangellium
Sant'Angelo Lodigiano: s. Angeli civ.
Sant'Antioco (Isola di Sant'Antioco), Ins.: Enosis
Sant'Eufemia, Golf v. ~ **(Golfo di Sant'Eufemia):** Hipponiates sinus
Sant'Eufemia d'Aspromonte: Lametini
Sant'Orso → Santorso
Santa Croce, Kap ~ **(Capo Santa Croce):** Xiphoniae promont.
Santa Croce di Aidussina → Vipavski križ
Santa Cruz de la Zarza: Cuminarius vicus
Santa Fe: s. Fidei fan.
Santa-Lucia-di-Tallano → Sainte-Lucie-de-Tallano
Santa Maria, Kap ~ **(Cabo de Santa Maria):** Cuneus
Santa Maria di Leuca, Capo ~ **(Capo di Leuca):** Japygium promont.
Santa Olalla: s. Eulaliae fan.
Santa Rosalia, Kl.: s. Rosaliae coenob.
Santa Severina: Sibaris
Santa Severina: Siberena
Santa Teresa Gallura: Tibula
Santafé: s. Fidei fan.
Santarém: Scalabis
Santerno, Fl.: Vatrenus
Santerre, Landsch.: Sanguitersa
Santersleben: Sonterslevo
Santiago de Compostela (Santiago de Galicia): Compostella
Santiago de Galicia → Santiago de Compostela
Santillana: Concana
Santo Domingo (Ciudad Trujillo): Dominicopolis
Santoña: Victoriae portus
Santorin → Thera, Ins.
Santorínē → Thera, Ins.
Santorso (Sant'Orso): s. Ursius

São Vicente, Cabo de ~: Sacrum promont.
Saône, Fl.: Sagonna
Saorge (Saorgio): Saurgium
Saorgio → Saorge
Sapadnaja Dwina → Daugava, Fl.
Sapanca gölü → Sabandja gölü, See
Saporoshje → Zaporožje
Sapri: Sipron
Şar daği → Šar planina, Geb.
Šar planina (Mali i Sharit, Şar daği), Geb.: Scardus mons
Saracena: Sestum
Sarajevo (Sarajewo): Bossena
Sarblingstein: Sapinicha
Sarcelles: Sarcellae
Sardschu → Ghagra, Fl.
Sare, Fl.: Scera
Sarentina, Valle ~ → Valle Sarentina, Tal
Sarentino (Sarnthein): Sarentinum
Sargans: Sana casa
Sargé-lès-LeMans: Sargeium
Sargé-sur-Braye: Simpliciacus
Sarine → Saane, Fl.
Sariñena: Lassira
Sark (Sercq), Ins.: Sargia
Sarlat: Sarlatum
Sarmizegetusa (Sarmizegetuza, Várhely, Grădişte): Ulpia Trajana
Sarmizegetuza → Sarmizegetusa
Sarnache → Sernache
Sarntal → Valle Sarentina, Tal
Sarnthein → Sarentino
Sáros → Şoarş
Saros körfezi (Golf v. Saros, Golf v. Xeros): Melanes sinus
Sarosch (Sáros), Komit.: Sarosiensis comit.
Sárospatak: Sarospatakinum
Sarralbe (Saaralben): Alba
Sarre → Saar, Fl.
Sarrebourg (Saarburg): Saraburgum
Sarreguemines (Saargemünd): Saragemunda
Sarrewerden (Saarwerden): Salverna
Sarsina: Bobium Umbriae
Sarsisk (Zarzyska): Sarischa
Sarthe, Fl.: Sartha
Sarum, New ~ → Salisbury
Sarvaš (Szarvas): Sarvarium
Sarzana: Serezana
Sas van Gent: Agger Gandavensis
Sassegnies: Sassegniacas
Sassel: Saisses
Sassenau → Sassupönen
Sasslaw → Iz'aslav
Sassoferrato: Juphicum
Sassoferrato: Saxoferratum
Sassupönen (Sassenau): Sassowia
Sathmar → Satu Mare
Sathmar, Komit. → Szatmár, Komit.
Satladsch → Satlaj, Fl.
Satlaj (Sutlej, Satladsch, Satledsch, Sutley), Fl.: Heydrius
Satledsch → Satlaj, Fl.
Sattelneudorf → Nyergesújfalu
Sattlern: Satalara
Satu Mare (Sathmar, Szatmárnémeti): Zathmarium
Satu Mare → Szatmár, Komit.
Sau → Save, Fl.
Saucourt-sur-Rognon: Sodalcurtum
Sauer (Sauerbach), Fl.: Sura
Sauer (Sûre), Fl.: Sura
Sauerbach → Sauer, Fl.
Sauerland, Landsch.: Surlandia
Sauldre, Fl.: Salera
Saulieu: Sedelaucum
Saulorn: Saula
Sault: Saltus
Saulx, Fl.: Saltus
Saulx-les-Chartreux: Salice in pago Parisiaco
Saulzais-le-Potier: Salicetanum
Saulzet: Salicetum
Saumer → Samer

Saumur: Salmurus
Saumurois, Landsch.: Salmuriacus pag.
Sausedlitz: Sultzi
Sauve: Salva
Sauve, La ~ (La Sauve-Majeure): Silva maior
Sauve-Majeure, La ~ → Sauve, La ~
Sauvetat, La ~: Salvitas
Sauveterre: Salva terra
Sauviat-sur-Vige: Salviacum
Sauvigny-le-Beuréal: Silviniacum
Sava → Save, Fl.
Save (Sawe, Sava, Száva, Sau), Fl.: Savus
Sávena, Fl.: Paala
Saverdun: Saverdunum
Saverne (Zabern): Tabernae Alsatiae
Savigliano: Savilianum
Savignac-les-Églises: Saviniacum
Savio: Sabis
Savio, Fl.: Sabis
Savoie → Savoyen, Landsch.
Savona: Sabbatorum vada
Savonlinna (Nyslott): Nova arx
Savonnières: Saponaria
Savoureuse, Fl.: Saporosa amnis
Savoyen (Savoie), Landsch.: Sabaudia
Savuto, Fl.: Ocinarus
Sawe → Save, Fl.
„Saxon Coast", Küste: Litus Saxonicum
Sayda: Susudata
Sayn: Seyna
Sayn, Grafsch.: Senensis comit.
Sazau → Sázava
Sázava (Sazau): Sazawa
Scala de Luz, Kl.: Scalae lucis monast.
Scance: Scancia
Scandiano: Scandianum
Scarpe, Fl.: Scarpus
Scarpone (Scarponne): Scarponna
Schäftlarn: Scheftlariensis vicus
Schänis: Schemis
Schärding: Scherdinga
Schäßburg → Sighişoara
Schaffhausen: Probatopolis
Schalauen, Landsch.: Scalowia
Schalben: Schalowini
Schallaburg: Scala
Schalladorf: Scala
Schalowis, Fstg.: Scalowitarum castr.
Schalunen: Schalleon
Schamaiten → Samogitien, Landsch.
Schambach, Kr. Eichstätt: Scammacha
Schambach, Kr. Straubing: Scammacha
Schambach, Kr. Wasserburg: Scammacha
Schams (Schons), Landsch.: Sexamnis
Schanfigg, Landsch.: Scanaves
Schankweiler: Creucchovilare
Scharesch → Şoarş
Scharlau: Scaralowa
Scharmbeck (Osterholz-Scharmbeck): Scirnbeki
Scharmer: Skeramera
Scharosch → Şoarş
Scharpau (Szkarpawa): Scarpovia
Scharrhof: Scara
Schaumburg: Specula Halcyonia
Schawoine → Blüchertal
Schech Abadeh → Cheikh Abadah
Scheda: Schetensis vicus
Scheemda: Senieda
Scheffau: Schefowa
Schelde (Escaut), Fl.: Scaldis
Schemnitz → Banská Štiavnica
Schenkendorf: Schenckendorfium
Schenkenzell: Pincerne cella
Scherpenheuvel (Montaigu): Acutus mons
Scherra: Serrae

Schettens: Sceddanvurthi
Scheyern: Schiria
Schickerwitz (Siekierowice): Sitkovichi
Schiedam: Schiedamum
Schieder: Scyderensis villa
Schiedwolde: Scelwalda
Schiffbek: Naupotamus
Schilfmeer → Suez, Golf v. ~
Schiltern: Sciltaha
Schintau → Šintava
Schipse, Fl.: Scebbasa
Schiria → Şiria
Schirwan, Landsch.: Albania
Schkeuditz: Scudici
Schladen: Sladum
Schlägl: Plagense coenob.
Schlan → Slaný
Schlanders → Silandro
Schlehdorf: Schledorfensis vicus
Schlei: Slia
Schleid: Sleitaha
Schleiden: Sleida
Schleins → Tschlin
Schleis → Clusio
Schlenzer: Sclancisvordi
Schlesien (Śląsk, Slezsko): Silesia
Schlesische Neiße → Neiße, Fl.
Schleswig: Slesvicum
Schleswig (Slesvig), Landsch.: Slesvicensis ducat.
Schlettstadt → Sélestat
Schleusingen: Silusia
Schlieren: Slierra
Schliers, Kl.: Silurnum
Schliersee: Slierensis lacus
Schlins: Celinum
Schlochtern: Slothra
Schlögen: Joviaco oppid.
Schloßhof: Teracatriarum curia
Schloßrund: Ruoda
Schmalkalden: Smalcaldia
Schmalnau: Smalenaha
Schmulkehlen → Neuenburg
Schmutter, Fl.: Smuttura
Schnai → Schney
Schneeberg, Berg: Nivemons
Schnelle Kreisch → Crişul Repede, Fl.
Schney (Schnai): Zenuva
Schnifis: Senovium
Schöftland: Scheftela
Schönau, Baden: Schonauvia
Schönau, RB. O-Bayern: Scoinawa
Schönau, Rheinprov.: Schonaugia
Schönau, Kt. Zürich: Sconenauwa
Schönbrunn, Schl.: Bellus fons Viennensis
Schönecken: Scolinare palat.
Schönenwerd: Clara Werda
Schönering: Sconheringa
Schöngeising: Tessemi pontes
Schöningen: Scahaningi
Schönrain: Sconinreina
Schönsee → Kowalewo Pomorskie
Schörfling: Scerolvinga
Schondra: Scuntra
Schondra, Fl.: Scuntra
Schonen (Skåne), Landsch.: Scania
Schongau: Sconga
Schons → Schams, Landsch.
Schonz, Fl.: Zionza
Schoonhoven: Schoonhovia
Schoorl: Scorla
Schottisches Meer → Kaledonisches Meer
Schottland (Scotland), Land: Scotia
Schottland (Scotland), Teil von ~: Britannia barbara
Schottland (Scotland), Teil von ~: Valentia
Schottwien: Schadwienna
Schouwen (Schouwen-Duiveland), Ins.: Scaldia
Schraplau: Scrapelo
Schreufa: Scruli
Schülp: Scullebi
Schüpfheim: Schiphon

Schütt Insel, Große ~ → Große Schütt Insel
Schüttenhofen → Sušice
Schulpforta → Pforta
Schuls → Scuol
Schunter, Fl.: Scuntra
Schussen, Fl.: Scuzina
Schussenried: Sorethum
Schuttern: Offonis cella
Schwaan: Suetana
Schwabach: Swabacum
Schwabegg: Swabegga
Schwaben, Landsch.: Suevia
Schwabenalb → Fränkische und Schwäbische Alb, Geb.
Schwabweiler → Schwabwiller
Schwabwiller (Schwabweiler): Suabwilare
Schwäbisch Gmünd: Gamundia
Schwäbisch Hall: Halla Suevorum
Schwäbische Alb → Fränkische u. Schwäbische Alb, Geb.
Schwäbischer Jura → Fränkische u. Schwäbische Alb, Geb.
Schwäbisches Meer → Bodensee
Schwalefeldgau, Gau: Sualafelda
Schwaming: Suammara
Schwarza → Schwarzawa
Schwarzach, Baden: Suarzaha
Schwarzach, RB. N-Bayern: Swartza
Schwarzach, Vorarlberg: Swartza
Schwarzau: Swarza
Schwarzawa (Schwarza, Svratka), Fl.: Swarza
Schwarze Elster, Fl.: Alstra
Schwarzenbach, Württemberg: Niger fluv.
Schwarzenbach, N-Österr.: Quartinaha
Schwarzenbach a. Wald: Niger fluv.
Schwarzenberg, Rheinprov.: Niger mons
Schwarzenberg, Vorarlberg: Niger mons
Schwarzenberg → Černá hora, Berg
Schwarzenberg i. Erzgeb.: Niger mons
Schwarzenburg: Nigrum castr.
Schwarzes Meer (Č'ornoje more, Tschornoje more, Černoe more, Kara Deniz, Tscherno more, Černo more, Marea Neagră): Nigrum mare
Schwarzwald, Geb.: Nigra silva
Schwaz: Sebatum
Schwechat: Svechanta
Schweden (Sverige, Sweden, Suède): Suecia
Schwedt: Suileiscare
Schweidnitz (Świdnica): Svidnitium
Schweinfurt: Suevofortum
Schweiz (Schweizerische Eidgenossenschaft, Suisse, Confédération Suisse, Svizzera, Confederazione Svizzera, Switzerland): Swicia
Schweizer Jura → Jura, Geb.
Schweizerische Eidgenossenschaft → Schweiz
Schwendi, Kt. Bern: Swendi
Schwentine, Fl.: Zventina
Schwentnig (Świątniki): Sanctuariorum villa
Schwerin: Spuirsina
Schwetz a. d. Weichsel → Świecie
Schwetzingen: Solicinium
Schwiebus (Świebodzin): Suebissena
Schwindegg: Suinda
Schwinge, Fl.: Zwinga
Schwissel: Ziusla
Schwusen (Wyszanów): Swusa
Schwyz, Kt.: Swicia
Sciacca: Thermae Selununtiae
Sciderno: Scidrus
Scilla: Scylla
Scilly Islands (Scilly Isles): Sillinae insulae
Ścinawa → Steinau a. d. Oder
Ścinawa Mała → Steinau

Scotland → Schottland, Land
Scotland → Schottland, Teil von ~
Scuol (Schuls): Scolium
Scurcola: Excubiae
Scutari → Shkodër
Sebastopol → Sewastopol
Seben → Sabiona, Kl.
Sebeş (Mühlbach, Szászebes, Sebeşu Săsesc): Zabesus
Sebes Körös → Crişul Repede, Fl.
Sebeşu Săsesc → Sebeş
Sebexen: Sekbiki
Sebid → Zebid
Sebino → Iseo, Lago d' ~
Sebta → Ceuta
Secchia, Fl.: Gabellus
Sechsstädtebund, Lausitzer ~ → Lausitzer Sechsstädtebund
Seckau: Seconium
Seclin: Sacilinum
Sedan: Sedanum
Sedde, Fl.: Imera
Sederlitz: Sadirliswilare
Seeburg: Hocseburcum
Seehausen i. d. Altmark: Sehuson
Seehausen, RB. O-Bayern: Walarium
Seeländisch-Flandern → Quatre métiers, Landsch.
Seeland → Sjælland, Ins.
Seeland → Zeeland, Landsch.
Seelburg → Sēlpils
Seeon: Seonense monast.
Sées: Sagium
Seesen: Sesa
Seewen: Sewa
Seffent: Septem fontes
Segesvár → Sighişoara
Segl → Sils im Engadin
Segna → Senj
Segni: Segnia
Segorbe: Etobema
Segovia: Segubia
Segura, Fl.: Sorabis
Segura de León: Secura
Segura, Sierra de ~ → Sierra de Segura, Geb.
Sehlen: Salaha
Seida → Saïdâ
Seignelay: Seilliniacum
Seille, Fl.: Salona
Seillegau, Gau: Salinagus
Sein, Île de ~ → Île de Sein
Seine, Fl.: Segona
Seitendorf (Sieroszów): Sibotonis villa
Seitenstetten: Sitanstense coenob.
Sejny: Zeymae
Selau, Kl.: Siluense monast.
Selburg → Sēlpils
Selby: Salebia
Sélestat (Schlettstadt): Selestadium
Seligenporten: Felix porta
Seligenstadt: Selingostadium
Selke, Fl.: Salica
Selkirk: Selaricum
Selmecbánya → Banská Štiavnica
Sēlpils (Selburg, Alt-Selburg, Seelburg): Selonensis civ.
Seltz (Selz): Elizatium
Selva de Mar: Constantiniana silva
Selva Greca: Sylva Greca
Selz: Zelza
Selz → Seltz
Selz, Fl.: Salussia
Selzach: Salis aqua
Semadirek → Samothraki, Ins.
Semandria → Smederevo
Semgallen (Zemgale), Landsch.: Semigalli
Semide: Sindunum
Semlin → Zemun
Semlin (Zemun, Zimony, Beograd-Zemun), Distr.: Selinensis processus
Semmering, Berg: Semininius mons
Semmerzake: Cimbarsaca
Semois (Semoy), Fl.: Sesomiris
Semond: Pseudunum

Semoy → Semois, Fl.
Sempach: Sempacum
Sempione → Simplon, Paß
Sempt, Fl.: Sempta
Sempte → Šintava
Semsales: Septem sales
Semur-en-Auxois: Sinemurum Briennense castr.
Senden: Sindinon
Senez: Sanitium
Senigallia: Senogallica
Senj (Segna, Zengg): Segnia
Senlis: Silvanectum
Senne (Zenne), Fl.: Sainna
Senne, Landsch.: Sinethi
Sennecey-le-Grand: Siliciacum
Senonais, Landsch.: Senones
Senones: Senona in Vosago
Senonges: Senones celsi
Sens: Senonica urbs
Sensbach, Fl.: Urdella
Sent (Sins): Cinum
Sentzich: Sentiacum
Seo de Urgel: Orgellum
Sepino: Sepinusa
Sępów → Geiersberg
Şepşi-Sîngeorz → Sfîntu Gheorghe
Sepsibodok → Bodoc
Sepsiszentgyörgy → Sfîntu Gheorghe
Sept-Fonds (Saint-Lieu), Kl.: Septem fontes
Sept-Fontaines (Sevenborn, Zeven-Borren, Siebenbrunn), Kl.: Septem Fontes
Sept-Meules: Septemolae
Septème: Septimus
Septfontaines: Septem fontes
Septimer (Septimerpaß, Pass da Sett), Paß: Septimus mons
Septimerpaß → Septimer, Paß
Sepúlveda: Confluentes
Serafschan → Zeravšan, Fl.
Serajewo → Sarajevo
Serans: Sigrancio
Serawschan → Zeravšan, Fl.
Sérbia → Serwia
Serchio, Fl.: Anser
Sercq → Sark, Ins.
Sère, La ∼, Fl.: Sara
Seredzemne more → Mittelländisches Meer
Seres → Sérrai
Serez → Sérrai
Serfidže → Serwia
Sermaise: Sarmesiae
Sermersheim: Sarmenza
Sermione → Sirmione
Sermoneta: Sulmo
Sermonne: Sermionense palat.
Sernache (Sernache dos Alhos, Sarnache): Sernache Alliorum
Sernache dos Alhos → Sernache
Serpa: Serpensis civ.
Serpentara (Isola Serpentara), Ins.: Beleris ins.
Serra da Estrêla, Geb.: Herminius mons
Serrä → Sérrai
Sérrai (Seres, Serrä, Serrhai, Serres, Serez, Sjar): Sintica
Serravalle (Serravalle Veneto, Serravalle Trevisano): Serravallis
Serravalle Scrivio: Serravallis
Serravalle Trevisano → Serravalle
Serravalle Veneto → Serravalle
Serres → Sérrai
Serrhai → Sérrai
Servia → Serwia
Serwest: Serwis
Serwia (Sérbia, Servia, Serfidže): Servia
Sesia, Fl.: Sessites
Seßlach: Sezalacha
Sète: Setiena
Sétif: Sitifis
Sett, Pass da ∼ → Septimer, Paß
Setúbal: Cetobriga

Seurre: Surrugium
Seuzach: Soeza
Sevastpol' → Sewastopol
Sevenborn → Sept-Fontaines, Kl.
Severn, Fl.: Sabrina
Severn, Mouth of the ~ → Mouth of the Severn, Meeresbucht
Severny ledovity okean → Nordpolarmeer
Séveux: Segobodium
Sevilla: Sevilia
Sèvre Nantaise, Fl.: Separa Namnetensis
Sèvre Niortaise, Fl.: Separa Niortensis
Sèvres: Suavedria
Sewastopol (Sevastopol', Sebastopol): Sebastopolis
Sewerien, Landsch.: Severinum
Seyches: Siccae aquae
Seyne-sur-Mer, La ~: Sedena
Seyssel, Dép. Ain: Sesselium
Seyssel, Dép. Haute-Savoie: Saxilis
Sézanne: Sezania
Sfântu Gheorghe → Sfîntu Gheorghe
Sfîntu Gheorghe (Sepsiszentgyörgy, Sfântu Gheorghe, Şepşi-Sîngeorz): Sepsiensis sedes
's-Gravenbrakel → Braine-le-Comte
's-Gravenhage → Den Haag
's-Gravensteen → Castel Oudeburg, Schl.
's-Gravenvoeren → Fouron-le-Comte
Shannon (An tSionna), Fl.: Senus
Sherborne: Sherborna
's-Hertogenbosch (Herzogenbusch, Bois-le-Duc): Buscoduca
Shetland Islands (Shetlandinseln): Hethlandicae insulae
Shetlandinseln → Shetland Islands
Shkodër (Scutari, Shkodra, Skutari, İskodra): Scutarium
Shkodra → Shkodër
Shligigh, Contae ~ → Sligo, Grafschaft
Shqiperia → Albanien
Shrewsbury: Salopia
Shropshire (Salop), Grafsch.: Salopiensis comit.
Sibari: Sibaris
Sibiu (Hermannstadt, Nagyszeben): Cibinium
Sidi el Hani: Augusti vicus
Sidon → Saïdâ
Siebenbrunn → Sept-Fontaines, Kl.
Siebenbürgen (Transilvania, Ardeal, Erdély), Landsch.: Septem castra
Siebengebirge: Sibenus mons
Siebengebirge, Westerwald u. Rothaargebirge: Rhetico
Sieberatsreute: Sigibrehtisruti
Sieg, Fl.: Sega
Siegburg: Sigeburgum
Siegen: Siga
Siegenburg: Victoriae mons
Siegersdorf (Zebrzydowa): Zigardii villa
Siekierowice → Schickerwitz
Siele: Syles
Siena: Senae
Sieradz: Siradia
Sieradz, Woiw.: Siradensis comit.
Sierck-les-Bains: Sericum
Sierning: Sirnicha
Sierning, Fl.: Sirnicha
Sieroszów → Seitendorf
Sierra Bermeja u. Sierra de Mijas, Geb.: Illipitanus mons
Sierra de Alcaraz, Geb.: Tagiensis saltus
Sierra de Alcaraz u. Sierra de Ronda, Geb.: Orospeda
Sierra de la Mua, Berg: Ladicus mons
Sierra de Mijas u. Sierra Bermeja, Geb.: Illiputanus mons

Sierra de Montánchez → Montánchez, Sierra de ~, Geb.
Sierra de Ronda u. Sierra de Alcaraz, Geb.: Orospeda
Sierra de Segura, Geb.: Argenteus mons
Sierra del Moncayo, Geb.: Caunus mons
Sierra del Moncayo bis zu d. Montes Universales, Gebirgskette: Idubeda mons
Sierra Leone, Kap ~: Noti cornu
Sierra Morena, Geb.: Mariani montes
Sießen: Siezzon
Siewierz: Sivor
Sifnos → Siphnos, Ins.
Sigean, Étang de ~: Rubrensis lac.
Sighet → Sighetul Marmaţiei
Sighetul Marmaţiei (Sighet, Mármarossziget, Sziget): Szigethum
Sighişoara (Schäßburg, Segesvár): Schasburgum
Signo → Sinj
Sigüenza: Seguntia
Sila, La ~ (Silagebirge), Geb.: Rheginorum saltus
Silagebirge → Sila, La ~, Geb.
Silandro (Schlanders): Curumens
Silchester: Calleva
Sile, Fl.: Silis
Silenen: Silennon
Silistra (Silistre): Dorostena
Silistre → Silistra
Sill, Fl.: Sila
Sillein → Žilina
Silleiro, Cabo ~: Orvium promont.
Silly-le-Long: Siliacum
Sils im Engadin (Segl): Silles
Silva Porto: Silva Portuensis
Silve-Bénite, La ~, Kl.: Silvae Benedictae monast.
Sim (Berzekh Sîm), Kap ~: Ussadium promont.
Simancas: Septimanca
Simbrishamn → Cimbrishamn
Simeto, Fl.: Simaethus
Simmental, Landsch.: Sepiana vallis
Simmern: Simmera
Simonswolde: Senedewalda
Simplon (Simplonpaß, Sempione), Paß: Scipionis mons
Simplonpaß → Simplon, Paß
Sinai, Berg ~ → Musa, Dschebel ~
Sinaikloster → Katharinenkloster
Sindeldorf: Sidilisdorfa
Sindelsdorf: Sindilisdorfa
Sindfeld, Landsch.: Sinotfeldum
Sindlingen: Suntiligna
Singapore → Singapur
Singapur (Singapore): Sageda
Singitikòs Kólpos → Hagion Oros, Golf v. ~
Singitischer Golf → Hagion Oros, Golf v. ~
Siniob (Szent Jobb, Sankt Jakob): s. Jobi fan.
Sinj (Signo): Singum
Sînmihaiu Român (Rumänisch-Sankt-Michael, Bégaszentmihály, Románszentmihály, Oláh-Szentmihály, Szent-Mihály): s. Michaelis castr.
Sinn, Fl.: Sinna
Sinningen: Senego
Sint-Amands-bij-Puurs → Saint-Amand-lez-Puurs
Sint-Blasius-Boekel (Boucle-Saint-Blaise): s. Bavonis Bocla
Sint-Maartensdijk: s. Martini monast.
Sint-Odilienberg: Berga
Sint Pancras: Fronta
Sint-Pieters-Kapelle-bij-Edingen → Saint-Pierre-Capelle-lez-Enghien
Sint-Pieters-Leeuw → Leeuw-Saint-Pierre
Sint-Truiden → Saint-Trond

Sint-Truyden → Saint-Trond
Sint Winoksberg → Bergues
Šintava (Sempte, Schintau): Semptavia
Sinzig: Sentiaca
Sion (Sitten): Sedunum
Sionna, An t ~ → Shannon, Fl.
Siphnos (Sifnos), Ins.: Meropia
Şiria (Világos, Schiria): Vilagosvaria
Sirmione (Sermione): Sirmio
Sisak (Sissek, Sziszek): Siscia
Siselen: Sisilli
Sissek → Sisak
Sisteron: Segesterica
Sitten → Sion
Sitter (Ahausen-Sitter): Sitnia
Sitter, Fl.: Sintria
Sittich → Zatičina
Sitzenkirch: Sicinchilcha
Sitzmannes: Sizmannes
Sivaš, ozero ~ → Faules Meer
Siwa, Oase ~ → Oase Siwa
Siwasch-Bucht → Faules Meer
Sjælland (Seeland), Ins.: Codanonia
Sjar → Sérrai
Skagens Horn (Grenen): Cimbrorum promont.
Skálholt: Schalotum
Skalica (Skalitz, Szakolca, Uhorská Skalica): Skalicium Hungariae
Skalica (Skalitz, Szakolca, Uhorská Skalica), Bez.: Szekoltzensis processus
Skalice, Česká ~ → Česká Skalice
Skalitz → Skalica
Skalitz → Skalica, Bez.
Skalitz, Böhmisch ~ → Česká Skalice
Skåne → Schonen, Landsch.
Skara: Scara
Skive: Schevia
Sköfde → Skövde
Skövde (Sköfde): Schedvia
Škofja Loka (Bischoflack): Locopolis
Skopje (Skoplje, Üsküb, Üsküp): Scopi
Skoplje → Skopje
Skutari → Shkodër
Skye, Ins.: Ebuda orientalis
Slâ' → Salé
Slagelse: Slagosia
Slankamen (Salankemen, Szalankamen); Novi Slankamen (Neuslankamen, Újzalánkemén, Új-Szlankamen); Stari Slankamen (Altslankamen, Ózalánkemén, Ó-Szlankamen): Acimincum
Slankamen, Novi ~ → Slankamen
Slankamen, Stari ~ → Slankamen
Slaný (Schlan): Slana
Śląsk → Schlesien
Slavkov u Brna (Austerlitz): Slaukovia
Slavonija → Slawonien, Landsch.
Slavonska Požega (Pozsega, Požega, Poschega): Basiana
Slavonska Požega → Požega, Komit.
Slawen, Land der ~ → Slawenland
Slawenland (Land der Slawen, Wendenland): Sclavania
Slawonien (Slavonija, Szlavonia), Landsch.: Savia Pannonica
Slesvig → Schleswig, Landsch.
Ślęza → Zobten, Berg
Ślęza → Lohe, Fl.
Slezsko → Schlesien
Sligeach → Sligo
Sligeach, Grafsch. → Sligo, Grafsch.
Sligo (Sligeach): Slegum
Sligo (Sligeach, Contae Shligigh), Grafsch.: Slegensis comit.
Slovenj Gradec (Windischgraz, Slovenji Gradec): Slavograecium
Slovenji Gradec → Slovenj Gradec
Słubice → Frankfurt a. d. Oder
Sluck (Sluzk): Sluca

Sluck → Sluzk, Hgt.
Sluis: Sclusa castr.
Słupsk → Stolp
Sluzk → Sluck
Sluzk (Sluck), Hgt.: Slucensis ducat.
Smallingerland: Smalena
Smečno: Stebecna
Smederevo (Semendria): Senderovia
Smederevska Palanka → Palanka
Smolensk: Smolska
Snamensk → Wehlau
Şoarş (Sáros, Nagysáros, Scharosch, Scharesch): Sarosium
Sobótka → Zobten am Berge
Socotra (Sokotra), Ins.: Dioscoridis ins.
Södel: Sodila
Söderköping: Sudercopia
Södermanland (Sörmland), Prov.: Sudermannia
Södertälje (Södertelje): Telga australis
Södertelje → Södertälje
Sölden (Rettenbach): Seldon
Söll: Salina
Sønderborg (Sonderburg): Synderburgum
Soeren: Suornum
Sörmland → Södermanland, Prov.
Soest: Sosatium
Sofia → Sofija
Sofija (Sofia): Sardica
Sohl → Zólyom, Komit.
Sohlingen: Sulligi
Soignies (Zinnik): Sogniacum
Soignies (Zinnik), Landsch. um ∼: Senonagus pag.
Soissons: Suessonae
Sokotra → Socotra, Ins.
Solaise: Solatium
Solesmes: Solemio villa
Soleuvre (Zolver): Zolvera
Solfatara, Krater: Sulphureus mons
Solferino: Sulphurinum
Solignac-sur-Loire: Solemniacum
Solingen: Salingiacum
Solling, Geb.: Sollingus mons
Solms, Grafsch.: Solma
Solnhofen: Sola cella
Sologne, Landsch.: Secalaunia
Solothurn: Solodurum
Solsona: Celsona
Solway Firth: Solvaeum aestuarium
Somali-Halbinsel: Barbaria
Someş → Szamos, Fl.
Somesch → Szamos, Fl.
Sommaisne: Ad Summum Axonam
Sommariva del Bosco: Summa riva silvae
Somme, Fl.: Somena
Somme-Arn: Ad Summum Arnam
Somme-Bionne: Ad Summum Bionam
Somme-Sarthe: Ad Summum Sartham
Somme-Suippe: Ad Summum Suppiam
Somme-Tourbe: Ad Summum Turbam
Somme-Vesle: Ad Summum Vidulam
Sommedieue: Summa Deuvia
Sommepy (Sommepy-Tahure): Ad Summum Pidum
Sommerein → Šamorín
Sommerfeld (Lubsko): Aesticampium
Sommeri: Sumbri
Sommevoire: Summa Vera
Sommière: Sumerium
Somogy (Sümeg), Komit.: Simeghiensis comit.
Somorja → Šamorín
Sompuis: Ad Summos Puteos
Sonderburg → Sønderborg
Sondernach: Sunderunha
Sondrio: Tiranum
Sonnenthal: Solis vallis

Sonnino: Somnium
Soome laht → Finnischer Meerbusen
Sopron (Ödenburg): Sempronium
Sora: Sora
Sorau (Żary): Sora
Sorben, Land der ~ → Sorbenland
Sorbenland (Land der Sorben): Sorabi (terra)
Sorbon: Sorbo
Sorèze: Solliacum
Sorgue, Fl.: Vindalicus fluv.
Sorgues: Sorgiae pons
Soria: Sora
Soriano nel Cimino: Sorianum
Sornzig: Monialium vallis
Sorø: Sora
Sorrent (Sorrento): Sorrentum
Sorrento → Sorrent
Sospel: Sospitellum
Sottrum: Sotterum
Soubise: Sobisaeum
Souesmes: Sesemovicus
Soule, Landsch.: Subola vallis
Souligné-sous-Ballon: Subluniacum
Soulom: Tolanium
Soulossois, Landsch.: Solocensis pag.
Soultz → Soultz-Haut-Rhin
Soultz-Haut-Rhin (Soultz, Sulz): Sulza
South Esk, Fl.: Esca
South Munster → Desmond, Landschaft
South Orkneys (Südorkney-Inseln, Neuorkney-Inseln): Orcades australes
South Uist, Ins.: Vistus
Southampton: Antona meridionalis
Sovetsk → Tilsit
Sowjetsk → Tilsit
Soye (lès-Namur): Sodeia
Spa: Spandanae aquae
Spahl: Spanelo
Spahn: Spana
Spalato → Split
Spalding: Spaldinga
Spalt: Spalticus vicus
Spandau (Berlin-Spandau): Spandavia
Spania-Dolina (Herrengrund, Urvölgy): Dominorum vallis
Spatha, Kap ~ (Akroterion Spatha): Cimarum promont.
Speen: Spinae
Speldorf (Mülheim-Speldorf): Spelthorpa
Spello: Flavia Constans
Spergau: Sperga
Spesbourg, Château de ~ → Spesburg, Schl.
Spesburg (Château de Spesbourg), Schl.: Species
Speyer: Nemetis
Speyergau, Gau: Spirensis pag.
Spezia, La ~: Lunae portus
Sphagia (Sphakteria), Ins.: Prodonia
Sphakteria → Sphagia, Ins.
Spiegler: Haimminwilare
Spielberg: Spiliberga
Spiere → Espierres
Spilimbergo: Spirembergium
Spinazzola: Spinaciolum
Spiš → Szepes, Komit.
Spiš (Zips, Szepes), Landsch.: Cepusiensis comit.
Spišská Sobota → Georgenberg
Spišské Podhradie (Kirchdrauf, Szepesváralja, Podgrodzie): Cepusium
Spišské Vlachy (Wallendorf, Szepesolaszi): Olaszium
Spišský Štvrtok (Donnersmarkt, Csütörtökhely, Csötörtökhely): Quintoforum
Spital am Pyhrn: Ernolatia
Spitsbergen (Spitzbergen), Inselgruppe: Acuti montes

Spitzbergen → Spitsbergen, Inselgruppe
Split (Spalato): Spalatrum
Splügen (Spluga): Cuneus aureus
Splügen (Splügenpaß, Passo dello Spluga), Paß: Speluca
Splügenpaß → Splügen, Paß
Spluga → Splügen
Spluga, Passo dello ∼ → Splügen, Paß
Sponheim: Sponhemium
Sponsheim: Spanesheum
Spork, Lippe: Spurco
Spork, Westfalen: Spurko
Spree, Fl.: Spreha
Sprenzel, Fl.: Sprenzala
Sprockhövel: Spurghusila
Sprottau (Szprotawa): Sprottavia
Sredisemnoje more → Mittelländisches Meer
Sredizemno more → Mittelländisches Meer
Sredozemno more → Mittelländisches Meer
Sredozemsko morje → Mittelländisches Meer
Sremska Mitrovica (Mitrovicza, Mitrovica, Mitrowitz): Sirma
Sremski Karlovci (Karlowitz, Srijemski Karlovci, Karlovci, Karlócza, Karlóca): Carolovicia
Srijemski Karlovci → Sremski Karlovci
Staatz: Stauditza
Stablo → Stavelot
Stade: Stadae
Staditz: Stadici
Stadland, Landsch.: Stadtlandia
Stadtamhof (Regensburg-Stadtamhof): Bavarica curia
Stadthagen: Haga Schauenburgi
Stadtilm: Ilma
Stadtschwarzach: Suarizaha
Stäfa: Steveia
Stäffis am See -
Staffelsee, Kl.: St
Staffelsee, See: St
Stafford: Statefurtı
Stagno → Ston
Stahle: Stehla
Staig: Stiga
Štajersko → Steiermar
Stalin → Varna
Stalla → Bivio
Stampfen → Stupava
Stanislau → Ivano-Frank
Stanisławów → Ivano-Fra
Stans: Stannis
Stanwix: Congavata
Stará Boleslav (Altbunzlau): laium vetus
Stará L'ubovňa (Altlublau, Ól Lublavia
Starchenberch → Kalaat Karn
Stargard i. Pom. (Stargard Szcz ciński): Stargardia
Stargard Szczeciński → Stargar i. Pom.
Stari Nicub: Nicopolis
Stari Slankamen → Slankamen
Starnberger See (Würmsee), See: Vermis lacus
Stato di Landi, Landsch.: Landorum status
Staudach, RB. O-Bayern: Studa
Staudach, O-Österr.: Studa
Stavelot (Stablo): Stabelaco
Staveren (Stavoren): Stauria
Stavern → Groß bzw. Klein Stavern
Stavoren → Staveren
Stavros, Akroterion ∼ → Akroterion Stavros
Stavros, Kap ∼ → Akroterion Stavros
Steckborn: Stechilboron
Stedingen (Stedinger Land): Stegingi
Stedinger Land → Stedingen
Steele (Essen-Steele): Stela

eenkerque-lez-Enghien: Steinkirka
eenvoorde: Steenverda
teenwijk: Stenovicum
teiermark (Štajersko), Landsch.: Stiria
Stein → Kamnik
Stein (Kamień): Scalizci
Stein, O-Österr.: Stanacum
Stein a. d. Donau: Steina
Steinach: Stenacum
Steinach, Fl., O-Franken: Steinaha
Steinach, Fl., Thüringen / O-Franken: Steinaha
Steinach, Fl., Kt. St. Gallen: Steinaha
Steinach a. d. Ens: Steinaha
Steinamanger → Szombathely
Steinau (Ścinawa Mała): Stoyno
Steinau a. d. Kinzig: Steinaha
Steinau a. d. Oder (Ścinawa): Steinavia
Steinbach: Lapideus rivulus
Steinbach, Fl.: Stagnebachus
Steinbrück: Steinbruga
Steinen, Pr. Westfalen: Steini
Steinen (Schwyz): Staina
Steinfurt: Steinvortova
Steingaden: Steingabnensis eccl.
Steinsberg → Ardez
Steinwald, Berg: Estionum mons
Steinwiesen: Wisa
Stenay: Satanacum
Stendal: Stendalia
Sterkrade (Oberhausen-Sterkrade): Sterkenrotha
Sterzing: Stiriacum
Stetten: Stetiaha
Stettin (Szczecin): Sedinum
Stettlen: Stetelon
Steyr: Stira
Stična → Zatičina
Stiddien: Stideum
Stiepel (Bochum-Stiepel): Stiplaga
Stilo: Stilida
Stirling: Stirlinga
Stirone, Fl.: Sesterio
Stockach, Baden: Stocka
Stockach, Württemberg: Stoccha
Stockheim → Stokkem
Stockholm: Stockholmia
Stöben: Stuvi
Stör, Fl.: Stora
Störmede: Sturmethi
Stokken (Stockheim): Stoquemium
Stolp (Słupsk): Stolpensis civ.
Stolpen: Stolpa
Stomfa → Stupava
Ston (Stagno): Tittuntum
Store Bælt → Großer Belt
Stormarn, Landsch.: Stormaria
Storzel: Starzila
Stoßweier → Stosswihr
Stosswihr (Stoßweier): Stozzeswilari
Stotel: Stotlo
Stradella: Jelia
Strängnäs (Strengnäs): Stregnesia
Strahof: Zizi
Strait of Dover → Straße v. Dover
Strait of Gibraltar → Straße v. Gibraltar
Stralsund: Stralsunda
Strasbourg (Straßburg): Argentoratum
Strasburg → Brodnica
Straß, Salzburg: Strazza
Straß, Steiermark: Straza
Straß im Straßertale: Straza
Strassburg → Aiud
Straßburg → Strasbourg
Straße der Dardanellen → Dardanellen, Meeresstraße
Straße v. Calais → Straße v. Dover
Straße v. Dover (Straße v. Calais, Strait of Dover, Pas de Calais): Caletanum fretum
Straße v. Gallipoli → Dardanellen, Meeresstraße
Straße v. Gibraltar (Estrecho de

Szásváros → Orăştie
Szászebes → Sebeş
Szászrégen → Reghin
Szatmár (Sathmar, Satu Mare), Komit.: Zathmariensis comit.
Szatmárnémeti → Satu Mare
Száva → Save, Fl.
Százhalom → Hundertbücheln
Szczecin → Stettin
Szeged (Szegedin): Segedunum
Szegedin → Szeged
Székelyföld → Szeklerland, Landsch.
Szekelyhid → Săcueni
Székelyudvarhely → Odorhei
Székesfehérvár (Stuhlweißenburg): Alba regalis
Szekler, Gebiet der ~ → Szeklerland, Landsch.
Szeklerland („Gebiet der Szekler", Székelyföld): Sicilia
Szent Benedek → Svätý Beňadik
Szent Gotthárd → Szentgotthárd
Szent Jobb → Siniob
Szent Márton, Turócz ~ → Martin
Szent-Mihály → Sînmihaiu Român
Szentendre (Sankt Andrä): Ulcisca castra
Szentendre-Insel → Andreasinsel
Szentgotthárd (Szent Gotthárd, Sankt Gotthard): s. Gotthardi fan.
Szentgyörgy → Jur pri Bratislave
Szentmihály, Oláh ~ → Sînmihaiu Român
Szentmihály, Român ~ → Sînmihaiu Român
Szentmiklós, Liptó ~ → Liptovský Mikuláš
Szepesolaszi → Spišské Vlachy
Szepesszombat → Georgenberg
Szepesváralja → Spišské Podhradie
Szerb Csanád → Cenad
Szerdahely → Mercurea
Szidlina → Cidlina, Fl.
Sziget → Sighetul Marmaţiei
Szin: Csikiensis sedes
Sziszek → Sisak
Szkarpawa → Scharpau
Szklabinya, Bez.: Szklabinyensis processus
Szlankamen, Ó ~ → Slankamen
Szlankamen, Új ~ → Slankamen
Szlavonia → Slawonien, Landsch.
Szöny: Bregaetium
Szöreg: Ziridava
Szolnok-Doboka, Komit.: Dobocensis comit.
Szombathely (Steinamanger): Sabaria
Szprotawa → Sprottau
Sztálinváros → Dunaújváros

T

Taasinge → Tåsinge, Ins.
Tabor (Jebel et-Tor, Dschebel et-Tur), Berg: Itabyrius mons
Tachau → Tachov
Tacherting: Tagahartinga
Tachov (Tachau, Drzewnow): Tachovia
Tadcaster: Calcaria
Täbris → Täbriz
Täbriz (Täbris): Tauris
Tägerwilen: Tegirwillare
Tafalla: Tubalia
Tafern: Taverna
Tafertsweiler: Tagebrehtiswilaere
Tafilalt (Tafilelt): Darae Gaetulia
Tafilelt → Tafilalt
Tafna, Fl.: Siga
Tagliamento, Fl.: Tilavemptus

Taillebourg: Talleburgum
Talant: Talentum
Talavera la Real: Dippo
Talavo → Taravo, Fl.
Talcino: Talcinum
Talgarth: Trevecka
Tallard: Alarantes
Tallende (Saint-Amant-Tallende): Telemate
Tallinn (Reval): Revalia
Talmay: Talamarus
Talou, Gau: Tellaus pagus
Talvera (Talfer Bach), Fl.: Talaverna
Tamar, Fl.: Tamarus fluv.
Tambach (Tambach-Dietharz): Tambracum
Tamerton: Tamara
Tamins: Taminium
Tamiš (Timiş, Temes, Temesch), Fl.: Temessus
Tammaro, Fl.: Tamarus fluv.
Tammisaari → Ekenäs
Tamsweg: Graviacae
Tandja → Tanger
Tanger (Tanja, Tandja): Tingis
Tangermünde: Tongeremuthi
Tanja → Tanger
Tāpī (Taptī), Fl.: Goaris
Tapiau (Gwardeisk): Surgurbi
Taptī → Tāpī, Fl.
Ţara Bîrsei → Burzenland, Landsch.
Ţara Românească → Walachei, Landsch.
Tarascon-sur-Rhône: Tarasco
Tarasp: Taraspo
Taravo (Talavo), Fl.: Locra
Tarazona de Aragón: Turiasso
Tarbes: Bigorrense castr.
Târgovişte → Tîrgovişte
Tărgul-Săcuesc → Tîrgu-Secuesc
Tarifa: Traducta
Tarnau (Tarnawa): Tarnawa
Tarnawa → Tarnau
Tărnovo (Turnovo, Tarnowo, Tirnowo): Ternobum
Tarnów: Tarnovia
Tarnowo → Tărnovo
Tartaro, Fl.: Atrianus
Tartoûs (Tartūs): Antaradus
Tartu (Dorpat): Dorostolus Livanorum
Tartūs → Tartoûs
Tasmania (Tasmanien, Vandiemensland), Ins.: Diemeni ins.
Tasmanien → Tasmania, Ins.
Tata (Totis): Theodota
Tatar-Pasardschik → Pazardžik
Tatar-Pazardžik → Pazardžik
Tatarpazarciği → Pazardžik
Tauber, Fl.: Tuberus
Tauern, Hohe ~ → Hohe Tauern, Geb.
Taurasi: Taurasia
Tauri, Alti ~ → Hohe Tauern, Geb.
Taus → Domažlice
Taverna: Taberna
Taverny: Taverniacus
Tavetsch (Tujetsch, Val Tavetsch bzw. Tūjetsch), Landsch.: Aetuaticus vicus
Tavolara (Isola Tavolara), Ins.: Mercurii ins.
Tawern: Tavena
Tawilak → Kischm, Ins.
Tay, Fl.: Tavus
Tay, Firth of ~ → Firth of Tay
Tczew (Dirschau): Dirsovia
Teba: Teba
Tech, Fl.: Tecus
Tegernau: Tegerinowa
Tegernsee: Tigurina sedes
Teglingen: Techtlingi
Teglio: Tilium
Teichstädt: Tisteti
Teisterbant (Testerbant), Gau: Teisterbandia
Tejar la Oliva: Oliva

Tekembrit: Siga
Tekirdağ (Rodosto): Rhaedestus
Tekov → Bars, Komit.
Telese: Thelesini
Tellmer: Telmeri
Temes → Tamiš, Fl.
Temesch → Tamiš, Fl.
Temeschburg → Timişoara
Temeschwar → Timişoara
Temesvár → Timişoara
Temeswar → Timişoara
Temo, Fl.: Termus
Tempel (Templewo): Templum
Templeuve: Templovium
Templewo → Tempel
Tenedos → Bozca Ada, Ins.
Tenerife → Teneriffa, Ins.
Teneriffa (Tenerife), Ins.: Nivaria
Tengen: Thenga
Teningen: Deninga
Tenniken: Liliorum vallis
Tennstedt: Tennstada
Tenos → Tinos
Tenos → Tinos, Ins.
Tentrup: Tettingtharpa
Tepl → Město Teplá
Tepl Kloster → Mesto Teplá
Teplá → Město Teplá
Teplice (Teplitz): Teplicia
Teplitz → Teplice
Ter, Fl.: Thiceris
Ter Lede → Leerdam
Teramo: Teramum
Terlizzi: Turricium
Termonde → Dendermonde
Ternsche: Ternezca
Terra di Lavoro, Prov.: Laboriae terra
Terrasson: Terrassonum
Terschelling, Ins.: Actania
Tertry: Textricium
Tervueren: Fura ducis
Teschen → Český Těšin
Teschen → Cieszyn
Těšín, Český ~ → Český Těšin
Tesino, Castello ~**:** Tesana
Testa, Kap ~ **(Capo Testa):** Erebantium promont.
Testerbant → Teisterbant, Gau
Têt, Fl.: Telis
Tetschen → Děčín
Teuchern: Tuchurini
Teuchira → Tokra
Teufstetten: Tiufstada
Teutleben: Tetileiba
Teutschenthal: Dusnensis
Tewkesbury: Teukesburia
Texel, Ins.: Texalia
Thaining: Teuginga
Thal, RB. O-Bayern: Tala
Thal, Thüringen: Tala
Thal, Tirol: Tala
Thalandonisi → Atalante, Ins.
Thamsbrück: Aggeripontum
Thann: Thannae
Thaya: Tya
Thaya (Dyje), Fl.: Tya
The Hague → Den Haag
The Mendips → Mendip Hills, Bergland
Theil-sur-Vanne: Tillum
Thein: Tetina
Theiß (Tisa, Tissa, Tysa, Tisza), Fl.: Parthiscus
Theißholz → Tisovec
Thélus: Telodium
Themar: Tagamari
Thénezay: Tinitiacum
Thera (Thira, Santorin, Santorínē), Ins.: Calliste
Thérouanne: Tarvenna
Thetford: Hierapolis
Thézée: Tasciaca
Thézey-Saint-Martin: Theodalciaga
Thiais: Theodaxium
Thiede: Thidi
Thièle → Thielle
Thielle (Thièle, Zihl): Tela

Thielt (Tielt): Tiletum
Thiembronne: Timbonia
Thiérache, Landsch.: Terrascea silva
Thiers: Thiernum
Thimerais, Landsch.: Theodomirensis pag.
Thionville (Diedenhofen): Theodonis villa
Thira → Thera, Ins.
Thiré: Teodericia
Thivernay: Theodebercia
Thoissey: Togissium
Thoisy-la-Berchère: Octasiacum
Tholey: Theologia
Thonon-les-Bains: Tunonium
Thoré-la-Rochette: Tauriacus
Thorhout → Torhout
Thorigné-sur-Dué: Tauriacus
Thorn (Toruń): Thorunium
Thorn: Tornensis vicus
Thorshavn → Tórshavn
Thouars: Thoarcum
Thourout → Torhout
Thrakischer Bosporus → Bosporus
Thrybergh: Trimontium
Thüle: Tiuhili
Thüngen: Tungidi
Thüringen: Turinga
Thüringen, Landsch.: Thuringia
Thüringer Wald: Semanus mons
Thüringische Saale → Saale, Fl.
Thüste: Tuistai
Thuin: Thudinum
Thulba: Tulba
Thulin: Tusciacum
Thum: Thumum
Thun: Thuna
Thun-l'Évêque: Timium
Thur, Fl.: Dura
Thurau: Thurunum
Thurgau, Kt.: Turgovia
Thurles (Durlas): Durlus
Thurnau: Thurnavia
Thury-Harcourt → Harcourt
Thusey (Tusey): Tussiacum villa super Mosam
Thusis (Tusaun, Tosana): Tuscia
Tiefencastel (Casti): Imum castr.
Tiefenroth: Rothaha
Tiel: Tiela
Tielt → Thielt
Tienen → Tirlemont
Tierra del Fuego → Feuerland, Landsch.
Til-Châtel: Tilena
Tilburg: Tilliburgis
Tilly: Atiliacum
Tilly-sur-Meuse: Tilliacum
Tilly-sur-Seulles: Tellaus vicus
Tilsit (Sowjetsk, Sovetsk): Chronopolis
Timiş → Tamiš, Fl.
Timişoara (Temesvár, Temeswar, Temeschwar, Temeschburg): Temena
Tindari, Kap ~ (Capo Tindari): Tyndarium promont.
Tinos (Tenos, San Nicolo): Tenus
Tinos (Tenos), Ins.: Tenus
Tinténiac: Tenetiacum
Tire (Tireh): Metropolis ad castr.
Tîrgovişte (Târgovişte): Targovitza
Tîrgu Mureş (Marosvásárhely, Neumarkt, Oşorhei): Agropolis
Tîrgu-Sacuiesc → Tîrgu-Secuesc
Tîrgu-Secuesc (Tîrgu-Secuiesc, Tîrgu-Săcuiesc, Tărgul-Săcuesc, Chezdi-Oşorheiu, Kezdivasarhely, Neumarkt): Kisdemum
Tîrgu-Secuiesc → Tîrgu-Secuesc
Tirikunāmalaya (Trincomalee): Spatana
Tirlemont (Tienen): Thenae mons
Tîrnava (Kokel, Küküllö), Fl.: Covaliacus
Tîrnava Mare (Große Kokel, Nagy-Küküllö), Fl.: Covaliacus

Tirnowo → Tărnovo
Tirol (Tirolo), Landsch.: Tirolis
Tiroler Etschland → Alto Adige, Landsch.
Tirolo → Tirol, Landsch.
Tisa → Theiß, Fl.
Tisovec (Theißholz, Tiszolc): Taxovia
Tissa → Theiß, Fl.
Tisza → Theiß, Fl.
Tiszolc → Tisovec
Titograd (Podgorica): Podgoriensis urbs
Titograd → Podgorica, Bez.
Tittingdorf: Thiedinningtharpa
Tivoli: Tyberia
Tobarra: Turbula
Tobolsk: Tobolium
Toce, Fl.: Athiso
Tochheim: Tuchgum
Tocra → Tokra
Todi: Tudertum
Tönisberg: Antonii mons
Töß: Toesa
Töß, Fl.: Toesa
Toggenburg, Landsch.: Toggenburgum
Tokra (Tocra, Teuchira): Tauchira
Tolentino: Tolentinum
Tolna (Tolnau): Alta ripa
Tolna, Komit.: Tolnensis comit.
Tolnau → Tolna
Tombelaine, Rocher de ∼, Ins.: Tumbella
Tongeren → Tongern
Tongern (Tongeren, Tongres): Tongrum
Tongres → Tongern
Tonnerre: Ternodorum
Topol'čianky (Kistapolcsány): Kistopoltanensis villa
Tor, Jebel et ∼ → Tabor, Berg
Torcé-en-Charnie: Torciacum
Torcé-en-Vallée: Torciacum
Torda-Aranyos, Komit.: Thordensis comit.
Tordesillas: Turris sillae
Tore, Monte ∼ → Monte Tore, Berg
Torgau: Torgavia
Torhout (Thourout, Thorhout, Tourout, Turholt): Thoroltum
Torino → Turin
Torkenweiler: Dorchenwilare
Torna, Komit. → Abauj-Torna, Komit.
Tornau: Turnuwa
Toro: Taurinum
Toronäos Kolpos → Kassandra, Golf v. ∼
Toronaischer Golf → Kassandra, Golf v. ∼
Torquemada: Turris cremata
Torre de Moncorvo: Roboretum
Torre dei Crescenzi → Engelsburg, Bauwerk
Torredonjimeno: Tosibia
Torres Vedras: Turres veteres
Torshälla: Torsilia
Tórshavn (Thorshavn): Thori portus
Tortona: Dertona
Tortosa: Dertosa
Toruń → Thorn
Tosana → Thusis
Toscanella → Tuscania
Toscolano Maderno: Tusculanum lacus Benaci
Toskana, Großhgt.: Hetruriae magnus ducat.
Tosya: Docea
Totis → Tata
Tottleben: Tutelceba
Toucques, Fl.: Tolca
Toucy: Tociacum
Toul: Tullum Luscorum
Toulon: Telo Martius
Toulon-sur-Arroux: Telonnum
Toulouse: Tolosatium civ.
Toûnis → Tunis

Tour-de-Peilz, La ∼: Turris Peliana
Tour-du-Pin, La ∼: Turris pinus
Tourcoing: Turconium
Tourlaville: Toriallum
Tourly: Turiliacus vilare
Tournai (Doornik): Tornacum
Tournehem: Tornehecenses
Tournon: Tornomagensis vicus
Tournus: Tinurtium
Tourout → Torhout
Tours: Turoni civ.
Tourves: Ad Turrem
Toury: Ad Turres
Towcester: Lactodurum
Towy, Fl.: Tobius
Trachenberg (Żmigród): Dracomontium
Trälleborg (Trelleborg): Trellenburgum
Tragutsch → Dragučova
Trais (Trais-Münzenberg): Treisa
Trais-Horloff → Horloff
Traisen: Traisma
Traisen, Fl.: Treisma
Traismauer: Trigisamum
Trajetto: Trajectum
Trakai (Troki), Woiw.: Trocensis palatin.
Trakatia: Melantias
Tramolé: Trans moles
Tramonti: Tramontum
Trani: Tranum
Transilvania → Siebenbürgen, Landsch.
Transkulpanischer Bez.: Transcolapianus processus
Trás-os-Montes e Alto Douro, Prov.: Transmontana prov.
Trattenbach: Dratinaha
Traubing: Trupinga
Traubitz: Thrubizi
Traun: Truna
Traun, Fl.: Traunus
Traunsee (Gmundner See), See: Gemundanus lacus
Trautenau → Trutnov
Trave, Fl.: Trabena
Travemünde: Dragamuntina
Travenort: Travena silva
Trebbus: Tribus
Treben: Tribeni
Třebíč (Trebitsch): Trebicensis vicus
Trebinje: Trebunium
Trebitsch → Třebíč
Trebnitz (Trzebnica): Trebnitium
Třebová, Česká ∼ → Česká Trebová
Třebová, Moravská ∼ → Moravská Třebová
Trebra: Tribur
Trebur (Tribur): Triburia
Treene, Fl.: Treya
Treffurt: Driffordia
Tregony: Treguena
Tréguier: Trecora
Trei Scaune → Háromszek, Komit.
Treis: Tris castra
Trelleborg → Trälleborg
Trenčín: Trencinopolis
Trenčín (Trentschin, Trencśen): Trenchinium
Trenčín, Komit. → Trencśen, Komit.
Trencśen (Trentschin, Trenčín), Komit.: Trentschiniensis comit.
Trencśen → Trenčín
Trento (Trient): Tridentina civ.
Trentschin → Trenčín
Trentschin, Komit. → Trencśen, Komit.
Tréport, Le ∼: Ulterior portus
Treuenbrietzen: Brieza fida
Treviso: Tarvesium
Treviso, Mark ∼ → Mark Treviso
Trévoux: Trivium
Treyden → Turaida, Ort u. Landsch.
Tribsees: Tribuses
Tribur → Trebur
Triebsche, Fl.: Tribisa

Triel-sur-Seine: Triellum
Trient → Trento
Trieux, Fl.: Tetus
Trigueros: Triguerae
Trim (Áth Truim, Baile Átha Troim): Truma
Trimmis: Trimontium
Trimouille, La ~: Tremulium
Trincomalee → Tirikunāmalaya
Trino: Tridinum
Trinum: Drymum
Trionto, Kap ~ (Capo Trionto): Saettae caput
Tripi: Abacaenum
Trivento: Triventum
Trnava (Tyrnau, Nagyszombat): Tirna
Tröchtelborn: Truhitilibrunno
Trogen: Troyga
Troia: Aequulanum
Troim, Baile Átha ~ → Trim
Troissy: Truccia
Troki → Trakai, Woiw.
Trompette, Schl.: Buccinae arx
Tromsø: Tromsonda
Tronchiennes (Drongen): Trunchinium
Trondheim (Drontheim, Trondhjem, Nidaros): Tronthemium
Trondhjem → Trondheim
Tronto, Fl.: Juvantius
Tropea: Tropaea
Troppau → Opava
Trosly-Breuil: Trosleium palat.
Trostadt: Trossessteti
Troyes: Trecae
Trub: Truba
Trübau, Böhmisch ~ → Česká Třebová
Trübau, Mährisch ~ → Moravská Třebová
Truim, Áth ~ → Trim
Trujillo: Julia castra
Trun → Truns
Truns (Trun): Trunnis
Trupe: Trupa
Trutnov (Trautenau): Trutina
Trutzenweiler: Dronswilare
Trzebnica → Trebnitz
Tschanad → Makó
Tschapring → Csepreg
Tschaslau → Čáslav
Tschenstochau → Częstochowa
Tschernigow → Černigov
Tscherno more → Schwarzes Meer
Tschernoje more → Schwarzes Meer
Tschierv → Cierfs
Tschlin (Schleins): Celinum
Tudela: Tutela Navarrorum
Tübingen: Tubinga
Tüllingen: Tullichon
Tümpling: Tumplinga
Türkei (Türkiye, Turkey, Turquie), Land: Turcia
Türkheim: Caelius mons
Türkiye → Türkei, Land
Tuggen: Tuccinia
Tujetsch → Tavetsch, Landsch.
Tulle: Tutela Lemovicum
Tulln: Tullina
Tumliasca → Domleschg, Landsch.
Tundersleben: Tunderzlevo
Tunis (Toûnis, Tunus): Tunesium
Tunus → Tunis
Tur, Dschebel et ~ → Tabor, Berg
Turaida (Treyden), Ort u. Landsch.: Thoredensis pag.
Turbenthal: Turbatuon
Turbie, La ~: Tropaea Augusti
Turčiansky Blatnicu → Blatnica
Turčiansky Svätý Martin → Martin
Turenne: Turena
Tures: Turai
Turholt → Torhout
Turia (Guadalaviar), Fl.: Durias
Turiec → Turócz, Komit.
Turin (Torino): Taurinum
Turkey → Türkei, Land

Turku (Åbo): Aboa
Turnau: Turna minor
Turnau → Turnov
Turnhout: Taxandria
Turnov (Turnau): Turnovia
Tŭrnovo → Tărnovo
Turnu Severin: Drubetis
Turóc → Turócz, Komit.
Turócszentmárton → Martin
Turócz (Turóc, Turiec), Komit.: Thurotziensis comit.
Turócz-Szent Márton → Martin
Turquie → Türkei, Land
Tursi: Tursium
Tusaun → Thusis
Tuscania (Toscanella): Salumbrona
Tusey → Thusey
Tutschfelden: Tutesvelda
Tuttlingen: Dutlinga
Túy: Tudae ad fines
Tweed, Fl.: Tueda
Twente (Twenthe), Landsch.: Twenta
Twenthe → Twente, Landsch.
Twer → Kalinin
Twieflingen: Twifflinga
Twijzel: Twislum
Twiste: Tuistina
Twiste, Fl.: Quistirna
Twiste, Fl.: Tuistina
Tyńczyk → Klein Tinz
Tynemouth: Tinae ostium
Tyniec Legnicki → Groß Tinz
Tyrnau: Tirna
Tyrnau → Trnava
Tysa → Theiß, Fl.
t'Zandt: Sondensis civ.

U

Ubrique: Ogurris
Uchizy: Ulcaciacum
Uckermark, Landsch.: Ucri marchia
Uclés: Uclesia
Udine: Vedinum
Udvár (Baranya-Udvard): Antiana
Udvard, Baranya ~ → Udvár
Udvarhely, Komit.: Udvarhelyensis comit.
Überlingen: Ueberlinga
Übersaxen: Super saxa
Üchtland (Üechtland), Landsch.: Oehtlandia
Uehrde: Uoerda
Uelsen: Ulyssaea
Uerdingen (Krefeld-Uerdingen): Hordeani castra
Uerikon: Uringhova
Uerkheim: Uerikon
Ürzig: Ursiacus
Üsküb → Skopje
Üsküp → Skopje
Üttingen: Uotingo
Ufenau, Ins.: Ufnowa
Uffeln: Medofuldi
Uffing: Ufinga
Uftrungen: Ufturunga
Ugaunien (Ungannien), Landsch.: Ungannia
Ugocsa, Komit.: Ugotgensis comit.
Uherské Hradiště (Ungarisch-Hradisch): Hradisca
Uherský Brod (Ungarisch-Brod): Hunnobroda
Uhorská Skalica → Skalica
Uhorská Skalica → Skalica, Bez.
Uíbh Fhailí, Contae ~ → King's County
Uithuizen: Uthusensis vicus
Uitkerke: Utkerka

Gibraltar, Strait of Gibraltar): Herculum fretum
Straße v. Konstantinopel → Bosporus
Straße v. Malakka: Malacense fretum
Straße v. San Bonifacio → Bouches de Bonifacio
Strassen: Straza
Straßwalchen: Strazwalaha
Straubing: Straubinga
Straußfurt: Stuhesfurti
Strehlen (Strzelin): Strela
Strehlitz (Strzelce): Strelovo
Strengnäs → Strängnäs
Streu, Fl.: Strewa
Stříbro (Mies): Misa
Striegau (Strzegom): Strega
Strimonikos Kolpos (Strymonikòs Kólpos, Strumonikòs Kólpos, Strymonischer Golf, Kólpos Orfanoũ, Kolpos Orfanu, Golf v. Orfani, Golf v. Orphani, Golf v. Réndina): Strymonicus sinus
Stromboli (Isola Stromboli), Ins.: Strongyle
Strumonikòs Kólpos → Strimonikos Kolpos
Strymonikòs Kólpos → Strimonikos Kolpos
Strymonischer Golf → Strimonikos Kolpos
Strzegom → Striegau
Strzelce → Strehlitz
Strzelce Opolskie → Groß Strehlitz
Strzelin → Strehlen
Stühlingen: Targetium
Stuhlweißenburg → Székesfehérvár
Stupava (Stampfen, Stomfa): Stampha
Sturmi-Gau: Sturmi
Stuttgart: Stutgardia
Štvrtok, Spišský ~ → Spišský Štvrtok
Suardi (Borgofranco): Burgus francus Laumellinorum
Suben: Subonensis villa
Subiaco: Subiacum
Subotica (Maria-Theresiopel, Szabadka): Maria Theresianopolis
Substantion: Sextantio
Sucha → Zauche
Suckels: Sibigeldes
Suckow: Sucovia
Sudauen, Landsch.: Sudowita
Sudergau, Gau: Sutrachi
Südbeveland → Zuid-Beveland, Halbins.
Südchinesisches Meer (Nan Hai): Magnus sinus
Südchinesisches Meer → Ost- u. Südchinesisches Meer
Süd- u. Ostchinesisches Meer → Ost- u. Südchinesisches Meer
Suède → Schweden
Südlicher Bug (Ukrainischer Bug, Boh, Južnyj Bug), Fl.: Bohus
Südorkney-Inseln → South Orkneys
Sülchen: Samulocenae
Sülsen: Solisum
Sülte: Sulta
Sülze, Pr. Hannover: Sulta
Sülze, Rheinprov.: Sulsa
Sümeg → Somogy, Komit.
Sümpfe, Pontinische ~ → Pontinische Sümpfe
Süntel, Geb.: Wededonis mons
Süster, Fl.: Suestra
Süsteren: Suestra
Suez, Golf v. ~ **(Khalig es-Suweis, Schilfmeer):** Heroopolites sinus
Sugana, Val ~ → Valsugana, Tal
Suilbergegau, Gau: Suilbergi
Suisse → Schweiz
Sulb: Sulba
Sulechów → Züllichau
Sully: Solliacum
Sulmingen: Sunnemotinga

Sulmona: Sulmo
Sulz, Pr. Hannover: Sulza
Sulz, Württemberg: Sulza
Sulz, Vorarlberg: Sultes
Sulz, Kt. Zürich: Sulzo
Sulz → Soultz-Haut-Rhin
Sulza (Bad Sulza): Sultza
Sulzau: Sulzouwa
Sulzbach (Sulzbach-Rosenberg): Solisbacum
Sulzberg: Solis vallis
Sund → Öre Sund
Sundgau, Landsch.: Suentensis pag.
Sundhausen → Sundhouse
Sundhouse (Sundhausen): Sunthus
Sunthausen: Sunthusa
Suomenlahti → Finnischer Meerbusen
Suomi → Finnland
Supraśl: Supraslium
Supý Hora → Letohrad
Sur, Fl.: Sura
Sûre → Sauer, Fl.
Surgères: Surgeriae
Surheim: Sura
Surhuizum: Sutherhusum
Suriyga: Sura
Surr: Sura
Surrey, Grafsch.: Surregia
Sursee: Suria
Sursés → Oberhalbstein, Tal
Sus-Saint-Léger: Silva s. Leodegarii
Susa: Segusio
Suschow: Susudata
Sušice (Schüttenhofen): Sicca
Sutera: Xuthia
Sutley → Satlaj, Fl.
Suzannecourt: Segessera
Svätý Beňadik (Hronský Beňadik, Garamszentbenedek, Szent Benedek): s. Benedicti fan.
Svätý Jur → Jur pri Bratislave
Svätý Kríž nad Hronom → Žiar nad Hronom
Svätý Martin, Turčiansky ~ → Martin
Svätý Mikuláš, Liptovský ~ → Liptovský Mikuláš
Svaté Maří, Chlum ~ → Chlum nad Ohří
Svendborg: Suineburgum
Sverige → Schweden
Sveti Križ → Vipavski Križ
Sveti Lenart v Slovenskih goricah → Lenart v Slovenskih goricah
Sveti Lovrenc na Mariborom → Lovrenc na Pohorju
Sveti Lovrenc na Pohorju → Lovrenc na Pohorju
Sveti Rupert (Sankt Ruprecht): s. Rupertus
Svitava → Zwittawa
Svizzera → Schweiz
Svratka → Schwarzawa, Fl.
Sweden → Schweden
Świątniki → Schwentnig
Świdnica → Schweidnitz
Swiebodzin → Schwiebus
Świecie (Schwetz a. d. Weichsel): Swetense castr.
Święta Katarzyna → Kattern
Swieten: Sweta
Switzerland → Schweiz
Sylvéréal: Silva regis
Szabadhidvég (Város-Hidvég): s. Joannis pons
Szabadka → Subotica
Szabadszállás: Libera mansio
Szabolcs, Komit.: Szaboltensis comit.
Szakolca → Skalica
Szakolca → Skalica, Bez.
Szalankamen → Slankamen
Szamos (Someş, Samosch, Somesch), Fl.: Samosius
Szamos-Újvár → Gherla
Szamotuły (Samter): Szamotulium
Szarvas → Sarvaš

Usellus: Usellis
Usen, Kisil ~ → Qezel Ouzän, Fl.
Usingen: Osinga
Usk: Oscae castr.
Usk, Fl.: Osca
Uslar: Uslaria
Usson: Uxus
Ussy-sur-Marne: Ultiacum ad Matronam
Uster: Ustera
Ústí nad Labem (Aussig): Austa
Usun, Kisil ~ → Qezel Ouzän, Fl.
Utrecht: Trajectum ad Rhenum
Utrechtse Vecht (Utrechtsche Vechte), Fl.: Fetna
Utrera: Utraria
Uttlau: Utelauwa
Uttum: Huttum
Uttwil: Utinwilare
Utzing: Uttinhus
Uusikaarlepyy → Nykarleby
Uusikaupunki (Nystad): Neostadium
Uxbridge: Uxbriga
Uzerche: Userca
Uzès: Ucecense castr.
Uzès-le-Duc: Fronta
Uznach: Uzena

V

Vaasa (Vasa, Wasa, Nikolainkaupunki, Nikolaistad): Vasa
Vaasen: Fasna
Vác (Waitzen): Vacia
Vadrup: Varetharpa
Vadsø: Wardhusia
Vadstena (Wadstena): Vadstenium
Vaduz: Dulcis vallis
Vänersborg (Venersborg, Wenersborg): Weneriburgum
Värmland (Wermland), Landsch.: Wermelandia
Västerås (Westeras): Arosia
Västerbotten (Westerbotten), Landsch.: Westrobotnia
Västergötland (Westergotland, Westgotland), Landsch.: Westrogothia
Västervik (Westervik): Vestrovicum
Västmanland (Wästmanland, Westmanland), Landsch.: Westmania
Växjö (Vexiö, Wexjö): Wexionia
Vág → Waag, Fl.
Vagujhely → Nové Mesto nad Váhom
Váh → Waag, Fl.
Vahlefeld: Falufelda
Vailly-sur-Aisne: Valliacum
Vaison-la-Romaine: Vasio nova Vocontiorum
Vaivre, La ~**:** Vabrae
Vajka: Vajkensis
Vake: Facum
Val Blenio (Blenio), Tal: Brennia vallis
Val Bregaglia → Bergell, Landsch.
Val de Bagnes, Tal: Banea vallis
Val Demone → Val di Demona, Prov.
Val des Choues, Le ~ **(Abbaye du Val des Choues), Kl.:** Caulium vallis
Val di Cogne, Tal: Coniae vallis
Val di Demona (Val Demone), Prov.: Demeniae vallis
Val di Fassa (Fassatal), Landsch.: Fascia vallis
Val di Fiemme (Fleimstal): Flemarum vallis
Val di Livigno → Livigno, Val di ~

Új-Szlankamen → Slankamen
Újbánya → Nova Baňa
Újlak → Ilok
Ujście (Usch): Uzda castr.
Újvidek → Novi Sad
Újzalánkemén → Slankamen
Ukmerge (Wilkomir): Wilkomeria
Ukrainischer Bug → Südlicher Bug, Fl.
Ulbersdorf (Dziadów Most): Alberti villa
Ulcinj (Dulcigno): Ulcinium
Ulm: Ulma Suevorum
Ulster (Cúige Uladh), Prov.: Ulidia
Ulten → Ultimo
Ultimo (Ulten): Ultimi
Ulzio (Oulx): Ad Malum
Ulzio, Valle d' ~ → Val d'Oulx, Tal
Uman (Gumanj): Umana
Umbriatico: Umbriaticum
Unering: Uneringa
Ung (Ungvár), Komit.: Unghensis comit.
Ungannien → Ugaunien, Landsch.
Ungarisch-Altenburg → Magyaróvár
Ungarisch-Brod → Uherský Brod
Ungarisch-Hradisch → Uherské Hradiště
Ungarn (Magyarország, Hungary, Hongrie), Land: Ungaria
Ungstein: Unchesstagni
Unken: Unca
Unstrut, Fl.: Unstroda
Unterägeri → Ägeri
Unterast: Owista
Unterbaldingen: Baldinga
Unterbirnbaum: Pirpoum
Untere Au: Augia inferior
Untereppach: Eptiacum
Unterföhring: Veringa
Unterkatz: Kazaha
Unterkirchberg: Chilichbergensis vicus
Unterlegnau: Langenowa
Unterleinach: Lina
Untermais (Maia Bassa): Magense castr.
Unterregau: Repagowi
Unterreitnau: Ritenowa
Unterreute: Riuti
Untersee u. Zeller See: Inferior lacus
Unterseen: Interlacus
Untersöchering: Sehhiringa
Untersteinach: Steina
Untertheres: Theris
Unterthern: Terna
Unterthingau: Tinga
Unteruhldingen: Oweltinga
Untervaz: Vazes
Unterwalden, Kt.: Subsilvania
Unterweißenburg → Alsófeher, Komit.
Uphusen: Uphuson
Uppsala (Upsala): Upsalia
Upsala → Uppsala
Upstedt: Upstedi
Urach, Baden: Uraha
Urach, Württemberg: Ura
Uraniborg (Uranienburg): Uraniburgum
Uranienburg → Uraniborg
Uri, Kt.: Urania
Uriage (Saint-Martin-d'Uriage): Uriaticum
Urk, Ins.: Flevo ins.
Url, Fl.: Urla
Urlau: Urlon
Urmetz → Mezzolombardo
Urmezö: Dominorum campus
Urnäsch: Urnacum
Urnäsch, Fl.: Urnaska
Ursprung: Urspringi
Urvölgy → Spania-Dolina
Usch → Ujście
Usedom, Ins.: Usedum
Useldange (Useldingen): Uolseldinga
Useldingen → Useldange

Spitzbergen → Spitsbergen, Inselgruppe
Split (Spalato): Spalatrum
Splügen (Spluga): Cuneus aureus
Splügen (Splügenpaß, Passo dello Spluga), Paß: Speluca
Splügenpaß → Splügen, Paß
Spluga → Splügen
Spluga, Passo dello ~ → Splügen, Paß
Sponheim: Sponhemium
Sponsheim: Spanesheum
Spork, Lippe: Spurco
Spork, Westfalen: Spurko
Spree, Fl.: Spreha
Sprenzel, Fl.: Sprenzala
Sprockhövel: Spurghusila
Sprottau (Szprotawa): Sprottavia
Sredisemnoje more → Mittelländisches Meer
Sredizemno more → Mittelländisches Meer
Sredozemno more → Mittelländisches Meer
Sredozemsko morje → Mittelländisches Meer
Sremska Mitrovica (Mitrovicza, Mitrovica, Mitrowitz): Sirma
Sremski Karlovci (Karlowitz, Srijemski Karlovci, Karlovci, Karlócza, Karlóca): Carolovicia
Srijemski Karlovci → Sremski Karlovci
Staatz: Stauditza
Stablo → Stavelot
Stade: Stadae
Staditz: Stadici
Stadland, Landsch.: Stadtlandia
Stadtamhof (Regensburg-Stadtamhof): Bavarica curia
Stadthagen: Haga Schauenburgi
Stadtilm: Ilma
Stadtschwarzach: Suarizaha
Stäfa: Steveia
Stäffis am See → Estavayer-le-Lac
Staffelsee, Kl.: Staphense monast.
Staffelsee, See: Staphala stagna
Stafford: Statefurtum
Stagno → Ston
Stahle: Stehla
Staig: Stiga
Štajersko → Steiermark, Landsch.
Stalin → Varna
Stalla → Bivio
Stampfen → Stupava
Stanislau → Ivano-Frankovsk
Stanisławów → Ivano-Frankovsk
Stans: Stannis
Stanwix: Congavata
Stará Boleslav (Altbunzlau): Boleslaium vetus
Stará L'ubovňa (Altlublau, Ólubló): Lublavia
Starchenberch → Kalaat Karn
Stargard i. Pom. (Stargard Szczeciński): Stargardia
Stargard Szczeciński → Stargard i. Pom.
Stari Nicub: Nicopolis
Stari Slankamen → Slankamen
Starnberger See (Würmsee), See: Vermis lacus
Stato di Landi, Landsch.: Landorum status
Staudach, RB. O-Bayern: Studa
Staudach, O-Österr.: Studa
Stavelot (Stablo): Stabelaco
Staveren (Stavoren): Stauria
Stavern → Groß bzw. Klein Stavern
Stavoren → Staveren
Stavros, Akroterion ~ → Akroterion Stavros
Stavros, Kap ~ → Akroterion Stavros
Steckborn: Stechilboron
Stedingen (Stedinger Land): Stegingi
Stedinger Land → Stedingen
Steele (Essen-Steele): Stela

Steenkerque-lez-Enghien: Steinkirka
Steenvoorde: Steenverda
Steenwijk: Stenovicum
Steiermark (Štajersko), Landsch.: Stiria
Stein → Kamnik
Stein (Kamień): Scalizci
Stein, O-Österr.: Stanacum
Stein a. d. Donau: Steina
Steinach: Stenacum
Steinach, Fl., O-Franken: Steinaha
Steinach, Fl., Thüringen / O-Franken: Steinaha
Steinach, Fl., Kt. St. Gallen: Steinaha
Steinach a. d. Ens: Steinaha
Steinamanger → Szombathely
Steinau (Ścinawa Mała): Stoyno
Steinau a. d. Kinzig: Steinaha
Steinau a. d. Oder (Ścinawa): Steinavia
Steinbach: Lapideus rivulus
Steinbach, Fl.: Stagnebachus
Steinbrück: Steinbruga
Steinen, Pr. Westfalen: Steini
Steinen (Schwyz): Staina
Steinfurt: Steinvortova
Steingaden: Steingabnensis eccl.
Steinsberg → Ardez
Steinwald, Berg: Estionum mons
Steinwiesen: Wisa
Stenay: Satanacum
Stendal: Stendalia
Sterkrade (Oberhausen-Sterkrade): Sterkenrotha
Sterzing: Stiriacum
Stetten: Stetiaha
Stettin (Szczecin): Sedinum
Stettlen: Stetelon
Steyr: Stira
Stična → Zatičina
Stiddien: Stideum
Stiepel (Bochum-Stiepel): Stiplaga
Stilo: Stilida
Stirling: Stirlinga
Stirone, Fl.: Sesterio
Stockach, Baden: Stocka
Stockach, Württemberg: Stoccha
Stockheim → Stokkem
Stockholm: Stockholmia
Stöben: Stuvi
Stör, Fl.: Stora
Störmede: Sturmethi
Stokken (Stockheim): Stoquemium
Stolp (Słupsk): Stolpensis civ.
Stolpen: Stolpa
Stomfa → Stupava
Ston (Stagno): Tittuntum
Store Bælt → Großer Belt
Stormarn, Landsch.: Stormaria
Storzel: Starzila
Stoßweier → Stosswihr
Stosswihr (Stoßweier): Stozzeswilari
Stotel: Stotlo
Stradella: Jelia
Strängnäs (Strengnäs): Stregnesia
Strahof: Zizi
Strait of Dover → Straße v. Dover
Strait of Gibraltar → Straße v. Gibraltar
Stralsund: Stralsunda
Strasbourg (Straßburg): Argentoratum
Strasburg → Brodnica
Straß, Salzburg: Strazza
Straß, Steiermark: Straza
Straß im Straßertale: Straza
Strassburg → Aiud
Straßburg → Strasbourg
Straße der Dardanellen → Dardanellen, Meeresstraße
Straße v. Calais → Straße v. Dover
Straße v. Dover (Straße v. Calais, Strait of Dover, Pas de Calais): Caletanum fretum
Straße v. Gallipoli → Dardanellen, Meeresstraße
Straße v. Gibraltar (Estrecho de

Val di Non (Nonsberg, Nonstal): Anania
Val d'Oulx (Valle d'Ulzio), Tal: Ocellana vallis
Val Gardena (Gröden, Grödental, Grödner Tal): Gardena vallis
Val Mesolcina → Mesocco, Landsch.
Val Müstair (Münstertal), Tal: Venusta vallis
Val Pusteria → Pustertal, Landsch.
Val Sarentina (Sarntal), Tal: Sarentina vallis
Val Sugana → Valsugana, Tal
Val Tavetsch → Tavetsch, Landsch.
Val Tujetsch → Tavetsch, Landsch.
Val Venosta (Vintschgau, Vinschgau), Tal: Venusta vallis
Val-Vert, Le ~ → Gronendael
Val Vipitena → Wipptal
Valaffes, Les ~ → Waleffes, Les ~
Valahia → Walachei, Landsch.
Valais → Wallis, Kt.
Valangin (Valendis): Vallendis
Valbenoîte, Kl.: Benedicta vallis
Valbonnais: Bonna vallis
Valdobbiadene: Duplavilis
Valence: Julia Valencia
Valenciennes: Valentiana
Valendas: Anna
Valendis → Valangin
Valentano: Verendum
Valentine: Valentina
Valenza: Valentinorum forum
Valera de Arriba: Valeria
Valff (Walf): Valva
Valfroicourt: Frigida vallis
Valga (Walk): Valkena in Livonia
Valkenburg (Fauquemont), Burg: Tectensis pag.
Valladolid: Pintia
Valle di Fraele (Freeltal), Landsch.: Fera vallis
Valle d'Ulzio → Val d'Oulx, Tal
Valle Maggia, Tal: Madiae vallis
Valle Sarentina (Sarntal), Tal: Sarentina vallis
Vallée d'Auge (Pays d'Auge), Landsch.: Algiae saltus
Vallée de Munster → Gregoriental, Tal
Vallespir, Landsch.: Aspera vallis
Valley: Valeia
Vallières: Vallariviacus
Vallombrosa, Kl.: Umbrosa vallis
Vallon-sur-Gée: Vatilonnum
Valmiera (Wolmar): Woldemaria
Valmont: Vallimons
Valognes: Valonia
Valois, Landsch.: Vadicassii pag.
Valparaiso: Paradisi vallis
Valpó → Valpovo
Valpovo (Valpó): Jovallium
Valréas: Valriacum
Valromey, Landsch.: Romana vallis
Vals-les-Bains: Valles
Valsugana (Val Sugana): Ausugii vallis
Valtelina Landsch.: Tellina vallis
Valtorta: Torta vallis
Vámosudvarhely → Odorhei
Van (Wan): Thospia
Van gölü (Van See, Wan See), See: Thospitis lacus
Van See → Van gölü, See
Van Waas, Land ~ → Van Waes, Landsch.
Van Waes (Waasland, Land van Waas, Pays de Waes), Landsch.: Wasensis pag.
Vandes: Vanda
Vandiemensland → Tasmania, Ins.
Vandières: Venderae
Vandóies di Sotto (Niedervintl): Albinum
Vannes: Dariorigum
Vara, Fl.: Boactes
Varais, Gau: Wirasci
Varaita, Fl.: Fevus

Varalja, Znió ~ → Kláštor pod Znievom
Varallo: Varallum
Varasd → Varaždin
Varaždin (Warasdin, Varasd): Varasdinum
Varaždin (Warasdin), Komit.: Varasdinensis processus
Varazze: Voragina
Varberg (Warberg): Varburgum
Vardar (Axiós, Bardárēs, Wardaris), Fl.: Vardarius
Varde: Varinia
Vardø: Wardhusia
Varennes-en-Argonnes: Varennae
Varennes-sur-Allier: Varennae
Varese: Varesium
Várhely → Sarmizegetusa
Varilhes: Varillium
Varl: Varlarensis vicus
Varna (Warna, Stalin): Barne
Város-Hidvég → Szabadhidvég
Vasa → Vaasa
Vaskapu → Eisernes Tor, Paß
Vasto: Giastum
Vasvár (Eisenburg): Castriferrense oppid.
Vasvár → Eisenburg, Komit.
Vatan: Vatanium
Vauchelles-lès-Authies: Valcellae
Vaucluse → Fontaine-de-Vaucluse
Vaucouleurs: Color vallis
Vaud → Waadt, Kt.
Vaudémont: Vadanus mons
Vaugirard: Bostroniae vallis
Vautorte: Torta vallis
Vaux: Plumbata eccl.
Vaux-sur-Crosne: Vallovilla
Vecht → Vechte, Fl.
Vecht, Overijsselsche ~ → Vechte, Fl.
Vecht, Utrechtse ~ → Utrechtse Vecht, Fl.
Vechte (Vecht, Overijsselsche Vecht), Fl.: Vaconna
Vechte, Utrechtsche ~ → Utrechtse Vecht, Fl.
Vechtrup: Fiehttarpa
Vectimolo: Ictimuli
Veere (Vere): Campoveria
Veglia → Krk, Ins.
Vègre, Fl.: Vigera
Vehne, Fl.: Finola
Vejle: Vedelia
Velaine-sur-Sambre: Villarium
Velay, Landsch.: Vellavum
Veldenz, Fstm.: Valdentia
Vélez de la Gomera: Parietina
Vélez-Málaga: Exitanorum oppid.
Vélez Rubio: Ad Morum
Velika Kapela → Kapela, Geb.
Velika Morava → Morava, Fl.
Velké Vřeštóv (Großbürglitz): Burgalis
Velký Osek (Großwossek): Oseka
Vel'ky Žitný Ostrov → Große Schütt Insel
Vellereille-le-Sec: Villa Relia
Velp: Vellepo
Velsen: Velisena
Veltheim: Velthus
Veltlin → Valtelina, Landsch.
Velturno (Feldthurns): Velturnum
Veluve → Veluwe
Veluwe (Veluve, De Veluwe), Gau: Velua
Velvary (Welwarn): Wetia
Velye: Viduliacum
Velzeke (Velzeke-Ruddershove): Felsica
Velzeke-Ruddershove → Ruddershove
Velzeke-Ruddershove → Velzeke
Ven (Hven), Ins.: Huena
Venaissin, Comtat ~ → Comtat Venaissin
Venasca: Vindansia
Vénasque: Vindansia
Venasque → Benasque

Vence: Ventia
Vendel: Vindellovicus
Vendeuvre-du-Poitou: Vandopera
Vendeuvre-sur-Barse: Vendopera
Vendôme: Vendocinum
Vendsyssel, Landsch.: Vandalia
Venedig (Venezia): Venetiae
Venedig, Lagunen v. ~ (Laguna Veneta): Venetae paludes
Venersborg → Vänersborg
Veneta, Laguna ~ → Venedig, Lagunen v. ~
Venette: Venitta
Venezia → Venedig
Venlo: Venloa
Venn, Hohes ~ → Hohes Venn, Geb.
Venne: Huvinni
Venosta, Val ~ → Val Venosta
Venta (Windau), Fl.: Winda
Ventadour, Schl.: Ventadorum
Ventoux, Mont ~ → Mont Ventoux, Berg
Ventspils (Windau): Winda
Venzone: Vannia
Vera: Vergi
Verbano → Lago Maggiore
Verbász → Vrbas
Verberie: Verberiacum
Verde, Kap ~ → Vert, Cap ~
Verden a. d. Aller: Fardium
Verdey: Viridiacum
Verdon, Fl.: Dila
Verdun: Verodunum
Vere → Veere
Verebély → Vráble
Véretz: Veretus
Verger, Le ~ (Baumgarten): Pomarium
Vergine, Monte ~ → Monte Vergine, Berg
Vergy (Curtil-Vergy): Virgejum
Vermand: Vermandum
Vermandois, Landsch.: Veromanduensis ager
Verna: Ferena
Verne: Vernethi
Verneix: Vernidovilla
Verneuil-sur-Avre: Vernogilum
Vernon: Vernonum palat.
Vernouillet: Vernetulum
Veröce → Virovitica
Veröcze (Virovitica, Virovititz), Komit.: Veroczensis comit.
Veroli: Verulae
Verona, Chiusa di ~ → Chiusa di Verona
Veroneser Klause → Chiusa di Verona
Verrès (Castel Verrèz): Utricium
Verrèz, Castel ~ → Verrès
Verrières-le-Buisson: Vendrariae
Verrua Savoia: Verruca Casalentium
Versa, Fl.: Varusa
Versailles: Versaliae
Versecz → Vršac
Versiglia, Fl.: Vesidia
Vert, Cap ~ (Kap Verde): Arsinarium promont.
Vertain: Vertinus in Hainoavio
Vertault: Vertilium
Verth: Variti
Vertus: Virtusium castell.
Vertus, Grafsch.: Virtusius ager
Verviers: Vervia
Vervins: Verbinum
Verzuolo: Verciolum
Vescovato: Vescovatum
Vesle, Fl.: Vidula
Vesoul: Vesolum
Vesterhavet → Nordsee
Vesuv (Vesuvio), Berg: Vesevus
Vesuvio → Vesuv
Veszprém (Veszprim): Vesprimia
Veszprém (Veszprim), Komit.: Vesprimiensis comit.
Veszprim → Veszprém

Veszprim → Veszprém, Komit.
Veude, Fl.: Voda
Veurne → Furnes
Vevey (Vivis): Vibiscum
Vexin, Landsch.: Valcassinus pag.
Vexiö → Växjö
Veynes: Davianum
Vézelay: Vezeliacum
Vézeronce: Veserontia
Vezzano: Vitianum
Vianden: Viana
Vianen: Vienna
Viareggio: Fossae Papirianae
Vibo Valentia (Monteleone di Calabria): s. Leonis mons
Viborg: Viburgus
Viborg → Vyborg
Vic: Vicus
Vic (Vic-le-Fesq): Vicus
Vic-en-Bigorre: Bigorrensis vicus
Vic-sur-Cère: Ad Cerem vicus
Vic-sur-Seille: Vici salinarum
Vicenza: Vincentia
Vich: Ausa
Vichy: Vichium
Vico, Lago di ~ (Cimino), See: Ciminius lacus
Vico Equense: Aequensis vicus
Vico nel Lazio: Elbii vicus
Vicosoprano: Viceprevanum
Vicovaro: Valeria
Vidin (Widin): Bidinum
Viège → Visp
Vienne: Vienna Allobrogum
Vienne, Fl.: Vigenna
Vienne-en-Val: Viennavicus
Vienne-le-Château: Viennavicus
Viennois, Landsch.: Viennensis prov.
Vier Ambachten, Land der ~ → Quatre métiers, Landsch.
Vierraden: Quattuor rotae
Vierwaldstätter See (Luzerner See): Helveticus lacus
Vierzon: Virsio
Vieste: Vesta
Vieux: Viducasses
Vieux-Joncs (Oude Biesen, Alten Biesen): Domus Juncetana
Vieux-Manoir: Vetus domus
Vieux-Waleffe: Vetus Walevia
Vigan, Le ~: Vindomagus
Vigano: Serninus vicus
Vigevano: Vigebanum
Vigne: Vinea montana
Vigo: Spacorum vicus
Vigy: Vidiacus
Vihiers: Vierium
Viipuri → Vyborg
Viktring: Victoria
Vila Nova da Portimão (Portimão): Annibalis portus
Vila Verde de Ficalho: Viridis villa
Vila Viçosa: Vitiosa villa
Világos → Şiria
Vilaine, Fl.: Vicenomia
Vilbel: Vilwila
Vilich: Vilice
Vilija (Wilija, Wilja, Neris), Fl.: Nara
Viljandi (Fellin): Vellinum
Villa Bollona → Bollendorf
Villabon: Avella Vaccaeorum
Villabragima: Braxima villa
Villach: Vaconium
Villadiego: Diegi villa
Villafranca del Panadés: Franca villa
Villagarcía: Gracia villa
Villahermosa: Formosa vallis
Villaines-les-Rochers: Vitlena
Villanueva de los Infantes: Infantum villa
Villard-de-Lans: Ardua villa
Villard-Eymont: Ardua ex monte
Villard-Reymond: Ardua retro montem
Villarluengo: Leonica
Villé (Weiler): Vilerium
Ville, Höhenzug: Vela

Ville-le-Sec: Vitiliacus
Villebois-Lavalette → Lavalette
Villedieu: Dei villa
Villedieu-les-Poëles: Dei villa
Villefranche: Olivula portus
Villefranche-de-Lauragais: Franca villa in pago Lauriacensi
Villefranche-de-Rouergue: Franca villa in pago Rutenensi
Villefranche-du-Conflent: Franca villa Confluentium
Villejuif: Judana villa
Villemaur-sur-Vanne: Mauri villa
Villemur-sur-Tarn: Muri villa
Villena: Arbacala
Villenauxe-la-Grande: Noxia villa
Villeneuve: Penni locus
Villeneuve-au-Châtelot: Novavilla iuxta Castelletum
Villeneuve-la-Guyard: Guiardi villa nova
Villeneuve-l'Archevêque: Nova villa Archiepiscopi
Villeneuve-le-Roi: Nova villa Regis
Villepinte: Peditonis villa
Villepreux: Pirosa
Villeret: Villarium
Villers-Cotterêts: Villare cauda Resti
Villette, Dép. Ain: Villeta
Villette, Kt. Waadt: Villeta
Villeurbanne: Urbana villa
Villiers, Dép. Indre: Villare
Villiers, Dép. Vienne: Villare
Villorbaine: Orbana villa
Vilnius (Wilna): Vilna
Vils → Frauenvils
Vils, Fl.: Vilisa
Vilsen: Vilisi
Vilshofen: Philshofa
Vilters: Filtris
Vimeu, Gau: Vinemaus pag.
Vimmerby: Wemmaria
Vimoutiers: Monasterii vicus
Vimperk (Winterberg): Vinterberga
Vinantes: Nanensis vicus
Vinay: Ventia
Vincennes: Vicenarum nemus
Vincey: Vinciacus
Vinchy: Vinciacus locus in pago Cameracensi
Vingeanne, Fl.: Vingenna
Vinn: Fenni
Vinnum: Finnum
Vinschgau → Val Venosta, Tal
Vinsebeck: Winesbiki
Vintrup: Winikingtharpa
Vintschgau → Val Venosta, Tal
Vinuesca: Visontium
Vipacco → Vipava
Vipava (Wippach, Vipacco): Vipacum
Vipavski križ (Heiligenkreuz, Santa Croce di Aidussina, Križ na Vipavskem, Sveti Križ): Sancta Crux
Vipitena, Val ~ → Wipptal
Vipiteno → Sterzing
Virchow (Wierzchowo): Veriko
Vire: Viria
Virey-sous-Bar: Villariacum
Virgen: Virginia
Virieu: Virejum
Virovitica (Veröcze, Veröce, Virovititz, Werowitz): Serota
Virovitica → Veröcze, Komit.
Virovititz → Virovitica
Virovititz → Veröcze, Komit.
Viry: Virriacovicus
Viry-Noureuil: Vidriacum
Vis (Lissa), Ins.: Hissa
Visby (Wisby): Visbia
Visé (Wezet): Visetum
Višegrad (Wischegrad): Alta arx
Visegrád (Plintenburg): Wissegradum
Viseu (Vizeu): Verurium
Visingsborg (Wisingsborg), Schl.: Wisingsburgum
Visingsö, Ins.: Wisingia

Viso, Monte ~ → Monte Viso, Berg
Visp (Viège): Vespia
Vissenaeken → Vissenaken
Vissenaken (Vissenaeken): Wasnacha
Vistritsa (Bistritsa), Fl.: Astraeus
Viterbo: Viterbium
Vitkow → Witkow
Vitoria: Camarica
Vitrac (Vitrac-Saint-Vincent): Vitracum
Vitré: Vitrejum
Vitry-aux-Loges: Victoriacum
Vitry-le-François: Victoriacum Francisci
Vivarais, Landsch.: Vivariensis prov.
Vivel del Rio Martin: Belsinum
Viviers: Vivarium
Vivis → Vevey
Vivoin: Vivonium
Vivonne: Vicavedona
Vivy: Vibiscum
Viza → Vize
Vizcaya, Golfo de ~ → Biskaya, Golf v. ~
Vize (Viza, Wiza): Bizya
Vizeu → Viseu
Vizsoly: Visolnium
Vlaanderen → Flandern, Landsch.
Vlaanderen, Zeeuwsch ~→ Quatre métiers, Landsch.
Vlaardingen: Flardinga
Vlachy, Spišské ~ → Spišské Vlachy
Vladimir Volynskij → Władimir Wolynskij
Vladsloo: Froverdesflo
Vleuten: Fluetum
Vlie, Het ~ → Het Vlie
Vlieland, Ins.: Flevolandia
Vlierden: Fleodrodum
Vliestroom → Het Vlie
Vlissingen: Flesinga
Vlotho: Benedictionis vallis
Vltava (Moldau), Fl.: Multavia
Vluyn (Neukirchen-Vluyn): Fliunnia
Vöcklabruck: Veclae pontum
Völkermarkt: Volmarchia
Vörösvár → Rotenturm a. d. Pinka
Vogesen (Vosges, Wasgau, Wasgenwald), Geb.: Vosegus
Voghenza: Vicohabentia
Voghera: Vigueria
Vogtland, Landsch.: Vocatorum terra
Void: Noniantus
Voiron: Virea
Voitsau: Vogitisawa
Voitsberg: Weides
Volano: Volenes
Vollore-Montagne: Lovolautrium
Volo → Vólos
Volo, Golf v. ~ → Wolos, Golf v. ~
Vólos (Bólos, Volo, Wolos): Jolcus
Voltaggio: Vultabium
Volterra: Othoniana
Volturno, Fl.: Athurnus
Volvic: Vialoscensis vicus
Vomano, Fl.: Vomanus
Voncq: Vongisus
Vongeois, Landsch.: Vongensis pag.
Vonnas: Vulniacus
Voormezele: Formesela
Vorarlberg, Landsch.: Albergica prov.
Vorau: Vorowensis vicus
Vorderösterreich: Suevia Austriaca
Vordingborg: Orthunga
Voreppe: Voragina Alpium
Vorhelm: Furelmi
Vorpommern, Landsch.: Pomerania citerior
Vorst: Forestum
Vosges → Vogesen, Geb.
Vosselaar: Fursicium
Vostitsa → Aigion
Voudenay: Vaudiligetum
Vráble (Verebély): Verebelyensis
Vrana (Aurana): Auranana
Vrana, Lago di ~ → Vransko jezero

Vranasee → Vransko jezero
Vransko jezero (Vranasee, Lago di Vrana, Lago di Aurana), See: Auranensis lacus
Vratnik (Wratnik, Železni vrata, Železna vrata, Demirkapi, Demir Kapu, Eisernes Tor), Paß: Succi angustiae
Vrbas (Verbász, Werbaß): Verbovia
Vreden: Wrethum
Vredewold: Frodowalda
Vřeštóv, Velké ~ → Velké Vřeštóv
Vrewnicz (Freudenthal, Freudnitz): Jocosa vallis
Vristóni, Limni ~ → Wistonis, See
Vršac (Versecz, Werschetz): Verska
Vukovar: Cornacum
Vulcano (Isola Vulcano), Ins.: Vulcania ins.
Vuorz → Waltensburg
Vurste: Forestum
Vutrinto → Butrint
Vyborg (Viipuri, Viborg): Viburgus
Vyšehrad → Wyschehrad
Vyšší Brod (Hohenfurth): Vadum altum

W

Waadt (Vaud, Waadtland), Kt.: Valdensis pag.
Waadtland → Waadt, Kt.
Waag (Váh, Vág), Fl.: Vagus
Waagneustadtl → Nové Město nad Váhom
Waal, Fl.: Vahalis
Waalre: Waderlo
Waasland → Van Waes, Landsch.
Waasten → Warneton
Waben: Wabbanium
Wachau: Waechaeum
Wachenbuchen: Bucha
Wackersleben: Wakereslevo
Wadgassen: Wagasatia
Wadstena → Vadstena
Wälschmetz → Mezzolombardo
Waes, Pays de ~ → Van Waes, Landsch.
Wästmanland → Västmanland, Landsch.
Wagenhalden: Wagenhaldum
Wageningen: Vagenum
Wagien, Landsch.: Wagia
Wagrain: Vocarium
Wagrien, Landsch.: Wagiri
Wâhât ed-Dakhla → Oase Dakhel
Wâhât el-Bahariya → Oase Baharije
Wâhât el-Khârga → Oase Charga
Wâhât es-Sîwa → Oase Siwa
Wahlenheim: Walaum
Wahlern: Waleron
Wahlwies: Walewis
Waiblingen: Weibilinga
Waidhofen: Niuwinhova
Waitzen → Vác
Waizenkirchen: Wazzinchilcha
Wakken: Wackinium
Walachei (Ţara Românească, Valahia), Landsch.: Valachia
Walachisch-Orawitza → Oraviţa
Walbeck: Walbeka
Walbourg (Walburg): s. Walpurgis
Walburg → Walbourg
Walchensee (Wallersee), See: Vallensis lacus
Walcheren, Ins.: Valacria
Walchersreute: Walchersriuti
Walchsing: Waltkisingas
Walcourt: Vallocuria

Wald: Walda
Waldaschach: Ascaha
Waldau: Walada
Waldemme → Emme, Fl.
Waldenser Täler, die ~: Valles Pedemontanae
Walding: Waldolvinga
Waldkirch, Baden: Waltchirecha
Waldkirch, Kt. St. Gallen: Waltchincha
Waldsassen: Valdosassonia
Waldshut → „Waldstädte" am Rhein
„Waldstädte" am Rhein, die ~: Silvaticae urbes
Waleffe, Vieux ~ → Vieux-Waleffe
Waleffes, Les ~ (Les Valaffes): Walevia
Walensee (Wallensee), See: Rivarius lacus
Walenstadt (Wallenstadt): Statio Rhaetorum
Wales, Landsch.: Vallesia
Walf → Valff
Walgau, Landsch.: Drusiana vallis
Walhorn: Harna
Walk → Valga
Walkaniki Chersonisos → Balkanhalbinsel, westl. Teil
Walle (Bremen-Walle): Gualnensis villa
Wallendorf → Spišské Vlachy
Wallensee → Walensee, See
Wallenstadt → Walenstadt
Wallersee → Walchensee, See
Wallhausen: Walahuson
Wallis (Valais), Kt.: Pennina vallis
Walliswil: Wallichwilare
Wallsend: Finisvallis
Walpertsweiler: Wanhartiswilare
Walsleben: Wallislevi
Waltensburg (Vuorz): Vorea
Waltersweier: Walewilare
Walterswil: Gualteriana villa
Walzenhausen: Cervimontium
Wan → Van
Wan See → Van gölü, See
Wandlhausen: Wanilihousa
Wandsbek (Hamburg-Wandsbek): Wandesburgum
Wange: Wanga
Wangen im Allgäu: Vemania
Wangenheim: Wangia
Wangerland, Landsch.: Wangia
Wanne-Eickel → Eickel
Wannenhäusern: Wanhus
Wantage: Corinium
Wantzenau, La ~ (Wanzenau): Vendelini augia
Wanzenau → Wantzenau, La ~
Wanzleben: Wanzeleva
Wapel, Fl.: Vaplinga
Warasdin → Varaždin
Warasdin → Varaždin, Komit.
Warburg: Warburgum
Wardaris → Vardar, Fl.
Waremme (Borgworm): Waremia
Waren: Varenum
Wargnies-le-Petit: Wariniacum
Warna → Varna
Warneton (Waasten): Warnestonia
Warschau → Warszawa
Warsleben: Waldgereslevo
Warszawa (Warschau): Varsovia
Warta → Warthe, Fl.
Wartha (Bardo): Barda
Warthe (Warta), Fl.: Varta
Warwich → Wervik
Warwick: Viroviacum
Wasa → Vaasa
Wasgau → Vogesen, Geb.
Wasgenwald → Vogesen, Geb.
Wasosz → Herrnstadt
Wasseiges: Wasegga
Wasserburg: Aquaeburgum
Wasserlosen: Wazcerlosa
Wassigny: Vuassoniacus
Wassy: Vadicassium
Waterford (Port Láirge): Amellana

Waterford (Contae Phort Láirge, Port Láirge), Grafsch.: Amellanensis comit.
Watten: Watenes
Waudrez: Vodgoriacum
Waver → Wavre
Wavre (Waver): Waverensis civ.
Wavrin: Waveviacum
Wear, Fl.: Vedra
Wechselburg: Cillensis villa
Wechte: Wissitha
Wederau (Wiadrów): Wedra
Weende: Winnithi
Weerselo: Werslo
Wegeleben: Wigelovo
Weggis: Wattavis
Wegorapa → Angerapp, Fl.
Węgrów: Wengrovia
Wegscheid: Wegisceda
Wehingen: Waeinga
Wehl: Weldi
Wehlau (Snamensk, Znamensk): Velavia
Wehr: Werra
Wehringen: Weringa
Weiching: Wikinka
Weichsel (Wisła), Fl.: Vistula
Weichselmünde (Wisłoujście): Weisselmunda
Weida: Weida
Weide (Widawa): Widawia
Weide (Widawa), Fl.: Widawia
Weiden, O-Pfalz: Vaida
Weiden, Rheinprov.: Salix
Weil der Stadt: Wila
Weiler: Vilarium
Weiler → Villé
Weilheim an der Teck: Wiloa
Weimar: Wimaria
Weimerskirchen: Wimari eccl.
Weingarten, RB. O-Franken: Wingardi
Weingarten (Württemberg): Vimania
Weinstetten: Viana
Weinzierl am Walde: Vineae
Weischer: Wedisseara
Weißach: Wissaha
Weiße Elster, Fl.: Elstra
Weißenau: Augia insula
Weißenborn: Witzenbrunno
Weißenburg → Wissembourg
Weißenburg i. Bay.: Weissenburgum
Weißenfels: Leucopetra
Weißenohe: Alba augia Naviscorum
Weißensee: Albus lacus
Weißeritz, Fl.: Albula
Weißkirchen, Mährisch ~→ Hranice
Weistritz (Bystrzyca), Fl.: Lissa
Weisweil: Wiswila
Weitra: Veytra
Wejherowo (Neustadt in Westpr., Neustadt a. d. Rheda): Neostadium
Welden: Walidi
Welfesholz: Welponis silva
Welikij Nowgorod → Nowgorod
Wells: Theodorodunum
Wels: Ovilaba
Welschbillig: Velsbillicum
Weltenburg: Attobriga
Welwarn → Velvary
Wenden → Cesis
Wendenland → Slawenland
Wenersborg → Vänersborg
Weng, Kr. Griesbach: Wenga
Weng, Kr. Landshut: Wenga
Weng, O-Österr.: Wenga
Wengen: s. Michaelis ins.
Wenigenlupnitz: Luteraha
Wenkul: Wendecula
Wentrup: Vilomaringtharpa
Werbaß → Vrbas
Werben a. d. Elbe: Wirbina
Werd: Verdea
Werden (Essen-Werden): Werdena
Werder: Insula

Werfen: Pervia
Weria (Béroia, Berrhoia, Berroia, Karaferie, Werria): Irenopolis
Weringhof: Wyrum
Werl: Werla
Werla: Werlaon
Werle: Werlo
Wermland → Värmland, Landsch.
Werne: Werina
Wernigerode: Werningroda
Wernsreute: Wernsriuti
Werowitz → Virovitica
Werra, Fl.: Weraha
Werria → Weria
Werschetz → Vršac
Wertach, Fl.: Wertaha
Wertheim: Vertemium
Werther: Wartera
Werve (Heeren-Werve): Hwervi
Wervicq → Wervik
Wervik (Warwich, Werwick, Wervicq): Viroviacum
Werwick → Wervik
Wesel: Vesalia
Wesen: Guesta
Weser, Fl.: Visurgia
Wesloe: Wislo
Wessobrunn: Vassobrunensis abbatia
Wester Kwartier, Landsch.: Tractus occidentalis
Westeras → Västerås
Westerbotten → Västerbotten, Landsch.
Westeremden: Emda
Westerfeld: Westonvelda
Westergo, Landsch.: Wistriamchi
Westergotland → Västergötland, Landsch.
Western Isles → Hebriden, Inseln
Westerreide → Reidensis vicus
Westerwald, Rothaargebirge und Siebengebirge: Rhetico
Westervik → Västervik
Westfälische Aa → Aa, Fl.
Westfalen: Westfalia
Westfalengau, Gau: Westfala pag.
Westfränkisches Reich: Francia
Westfranken → Rheinfranken, Landsch.
Westfriesland, Landsch.: Frisia occidentalis
Westgotland → Västergötland, Landsch.
Westindien: India occidentalis
Westliche Dwina → Daugava, Fl.
Westlicher Bug → Bug, Fl.
Westmanland → Västmanland, Landsch.
Westminster: Westmonasterium
Westpreußen, Prov.: Prussia Occidentalis
Westroozebeke: Rotubium
Wetterau, Landsch.: Wedereiba
Wettesingen: Witisunga
Wettingen: Maris stella
Wettswil: Wettiswilare
Wetzisreute: Wazelinsruthi
Wetzlar: Wetzlaria
Wetzles: Bezelines
Wewer: Waweri
Wexford (Loch Garman): Manapia
Wexford (Contae Loch Garman, Loch Garman), Grafsch.: Manapiensis comit.
Wexjö → Växjö
Weymouth: Vimutium
Wezet → Visé
Whitehaven: Albus portus
Wiadrów → Wederau
Wibelsum: Wivulsum
Wick: Wichia
Wick, Fl.: Ilea
Wickede: Wikki
Widawa → Weide
Widawa → Weide, Fl.
Widdeshoven: Widugiseshova
Widelah: Widenia

Widen, Kt. Aargau: Wida
Widen, Kt. Bern: Widon
Widin → Vidin
Wied: Weda
Wied, Grafsch.: Vidensis comit.
Wieden: Salix
Wiefelstede: Wirelunstidi
Wiegleben: Wigileiba
Wiehe: Wihia
Wielen: Willion
Wieliczka: Wislicia
Wielka Bieda → Marienbusch
Wielkopolska → Großpolen
Wieluń: Velumensis villa
Wien: Vindobona
Wien-Penzing → Penzing
Wiener Neustadt: Neapolis Viennensis
Wienerwald, Geb.: Cetius mons
Wieringen, Ins.: Wirona
Wierischau (Wieruszów): Wiri
Wierland, Landsch.: Wironia
Wierum: Werum
Wierumgau, Gau: Wierensis pag.
Wieruszów → Wierischau
Wierzchowo → Virchow
Wies: Pratum
Wiesbaden: Visbada
Wiese (Wieża): Wezna
Wieselburg → Moson
Wieselburg-Ungarisch-Altenburg → Magyaróvár
Wiesen: De Pratis
Wieserode: Wiserodi
Wiesertsweiler: Wiserichenswilare
Wieste, Fl.: Bicina
Wieża → Wiese
Wiflisburg → Avenches
Wiggern: Wiggron
Wigmodigau, Gau: Wigmodia
Wigtown Bay, Meeresbucht: Creae aestuarium
Wijk-bij-Duurstede: Dorestadum
Wijnegem: Winchina
Wijnendaal → Wijnendale, Schl.
Wijnendale (Wijnendaal, Wynendaele, Winendale), Schl.: Winendala
Wil: Wilaha
Wildbad: Thermae ferinae
Wildenhirsenhof: Wolada
Wildenloh: Amrinus
Wildon: Wildonia
Wildpoltsweiler: Willeholteswilare
Wilhelmsdorf: Wilhelmersdorfium
Wilhering: Hilaria
Wilija → Vilija, Fl.
Wilja → Vilija, Fl.
Wilkau (Wilków): Wilkii villa
Wilkomir → Ukmerge
Wilków → Wilkau
Willeman: Wiellemanus
Willemstad: Guilielmostadium
Willerbach, Fl.: Villerbici
Willing: Willingon
Willisau: Willisowo
Willoughby: Verometum
Wilna → Vilnius
Wilten: Veldidena
Wilton: Viltonia
Wilts → Wiltshire, Grafsch.
Wiltshire (Wilts), Grafsch.: Viltonia
Wimmis: Windomia
Wimpfen: Wimpina
Wimy: Wimiacum
Winchester: Venta Belgarum
Windau → Venta, Fl.
Windau → Ventspils
Windberg: Venetidunus mons
Windisch: Vindonissa
Windischgraz → Slovenj Gradec
Windischmatrei → Matrei
Winendale → Wijnendale, Schl.
Winhöring: Winiheringa
Winikon: Wininchon
Winkel, Hessen-Nassau: Winkela
Winkel, Westfalen: Winkila

Winklsaß: Winchilsazzon
Winnenden: Winoda
Winschoten: Winsewida
Wińsko → Winzig
Winsum: Winchium
Winterberg → Vimperk
Wintershoven: Wentreshovium
Winterspüren: Wintersburrion
Winterthur: Vitodurium
Winterthur-Wülflingen → Wülflingen
Winzeln: Wirzila
Winzenweiler: Winicenwilare
Winzig (Wińsko): Wincium
Winzingen: Wincingas
Wippach → Vipava
Wipper, Fl.: Wippera
Wippra: Wippera
Wipptal (Val Vipitena), Tal: Vipitena vallis
Wisby → Visby
Wischegrad → Višegrad
Wisingsborg → Visingsborg, Schl.
Wisła → Weichsel, Fl.
Wislikofen: Wisselikon
Wisłok, Fl.: Viscia
Wisłoujscie → Weichselmünde
Wismar: Wismaria
Wissant: Vicus portus
Wissembourg (Weißenburg): Alba
Wißmar: Wisumera
Wistonis (Bistonis, Buru Göl, Límnē Mpouroũ, Limni Buru, Limni Vristóni), See: Bistonis palus
Withorn: Candida casa
Witkow (Vitkow): Witkowa
Wittekindsberg, Berg: Wedekindimons
Wittenar: Witmeri
Wittenberg: Albiorium
Wittenborn: Witenburna
Wittenweiler: Witenwilare
Wittingen: Witinga
Wittlensweiler: Witelineswilare
Wittlich: Vitelliacum
Wittlingen: Witelichon
Wittmund: Widmundi
Wittnau: Witenowa
Wittow, Halbins.: Wittovia
Witzling: Witegislinga
Wiza → Vize
Wjatka → Kirov
Władimir-Wolynskij (Vladimir Volynskij): Volomidericium
Wodna: Wodana
Wöbbel: Wegballidi
Wölpe: Welpia
Wölpe, Fl.: Alapa
Wörnitz, Fl.: Werenza
Wörth a. d. Donau: Werida
Woëvre, Landsch.: Vabrensis pag.
Wohlau (Wołów): Wolavia
Wohmbrechts: Wainbrechtis
Wojborz → Gäbersdorf
Wołczyn → Konstadt
Wolfaartsdijk (Wolphaartsdijk, Wolfertsdijk): Wolferdi agger
Wolfach: Wolfaha
Wolfach, Fl.: Wolfaha
Wolfartsreute: Wolfertisruti
Wolfartsweiler: Wolferswilare
Wolfegg: Wolfeggi
Wolfenbüttel: Guelferbytum
Wolfenweiler: Wolvinwilare
Wolfertsdijk → Wolfaartsdijk
Wolfhalden: Lupiclivium
Wolfholz: Wolfoldis
Wolframitzkirchen → Olbramkostel
Wolfratshausen: Veliphoratusium
Wolfratz: Wolprandis
Wolfsburg: Vulfeburgum
Wolgast: Hologasta
Wolhynien, Landsch.: Voliniae palatin.
Wolin → Wollin, Ins.
Wolkersdorf: Medoslanium
Wollerau: Wolrowa
Wollin (Wolin), Ins.: Julina ins.
Wollmatingen: Wolmuotinga

Wolmen: Wolmensis vicus
Wolnzach: Wolmuotha
Wolos → Vólos
Wolos, Golf v. ∼ (Pagasetikos Kolpos, Pagasäischer Golf, Golf v. Bolos, Golf v. Volo): Pelasgicus sinus
Wołów → Wohlau
Wolpertswende: Wolpotswendi
Wolphaartsdijk → Wolfaartsdijk
Woodham: Wodehamum
Worcester: Vigornia
Wormhoudt: Worminium
Worms: Vormatia
Worms → Wurm, Fl.
Wormsgau (Wormsfeldgau), Gau: Wormazfelda
Worringen (Köln-Worringen): Wuringensis civ.
Wratislaw: Wratislavi
Wratnik → Vratnik, Paß
Wriezen: Viritium
Wrocław → Breslau
Wroxeter: Urixonium
Wschowa → Fraustadt
Wülflingen (Winterthur-Wülflingen): Ulfilinginum
Wümme, Fl.: Wemma
Würgassen: Wirgisi
Würgau: Widergis
Würmla: Wirmilaha
Würmsee → Starnberger See
Württemberg, Land: Wurtemberga (regnum)
Würzburg: Herbipolis
Wulfen: Wulvena
Wunsiedel: Bonsidelia
Wunstorf: Amoenitatis villa
Wupper, Fl.: Wippera
Wuppertal-Cronenberg → Cronenberg
Wuppertal-Elberfeld → Elberfeld
Wurm (Worms), Fl.: Vurmicus
Wursten (Wurstnerland, Land Wursten), Landsch.: Wursatia
Wurstnerland → Wursten, Landsch.
Wurzen: Wurzena
Wutach u. Gutach, Fl.: Juliomagus
Wybelsumer Hammrich: Hamricka
Wye: Vaga
Wye (Gwy), Fl.: Ratostathybius
Wyhra, Fl.: Wira
Wynendaele → Wijnendale, Schl.
Wyschehrad (Vyšehrad): Wisegrada
Wysokie Mazowieckie (Mazowetzk, Mazowieck): Masovia
Wyszanów → Schwusen
Wyszonowice → Ruppersdorf

X

Xanten: Xantae
Xeros, Golf v. ∼ → Saros Körfezi
Xifonio, Porto ∼ → Porto Xifonio, Meeresbucht

Y

Yafō (Jafo, Jaffa): Joppa
Yamunā (Dschamna, Jamna, Jumna), Fl.: Jomanes
Yanya → Ioánnina
Yar → Yare, Fl.
Yare (Yar), Fl.: Gariensis

Yarmouth, Great ~ → Great Yarmouth
Yason burnu → Jason, Kap ~
Ybbs: Ipsa
Ybbs, Fl.: Ipsa
Ybbsitz (Ipsitz): Ibsici
Ydra → Idra, Ins.
Yenipazar → Novi Pazar
Yenne: Eauna
Yepes: Yposa
Yerash → Jarash
Yeşilirmak, Fl.: Iris
Yeu, Île d' ~ → Île d'Yeu
Yèvre-le-Chatel: Eurae castr.
Yonne, Fl.: Icauna
York: Eboracum
Yorkshire, Grafsch.: Eboracensis comit.
Youghal (Eochaill): Yoghalia
Ypern (Jeper, Ypres): Ipra
Ypres → Ypern
Yrache → Hirach
Yser (IJzer), Fl.: Isara
Yssingeaux: Ensigausium
Ystad: Ustadium
Yverdon (Iferten, Ifferten): Ebrodunum
Yverdon, Lac d'~ → Neuchâtel, Lac de ~
Yvetot: Ivetotum

Z

Zāb al-Khabīr → Großer Sab, Fl.
Zāb as-Saghir → Kleiner Sab, Fl.
Zabern → Saverne
Zabīd → Zebid
Zadar (Zara): Jader
Zähringen (Freiburg-Zähringen): Zeringia
Zafra: Julia Restituta
Żagań → Sagan
Zágráb → Zagreb
Zagreb (Agram, Zágráb): Zagrabia
Zaïre, Rio ~ → Congo, Fl.
Zákupy (Reichstadt): Reichstadium
Zala, Komit.: Zaladiensis comit.
Zalaegerszeg: Zaladium
Zalamea de la Serena: Julipa
Zalatna → Zlatna
Zalău (Zillenmarkt, Zilah): Zellia
Zalew Wiślany → Frisches Haff
Zaltbommel: Bomlo
Zamora: Ocellodurum
Zamość: Zamoscium
Zana: Diana
't Zandt: Sondensis civ.
Zanguebar, Meer v. ~ → „Meer v. Zanguebar"
Zapadnaja Dvina → Daugava, Fl.
Zaporožje (Saporoshje, Alexandrowsk): Alexandrovium
Zara → Zadar
Zarand, Komit.: Zarandiensis comit.
Zaravecchia → Biograd
Zarten: Tarodunum
Żary → Sorau
Zarzyska → Sarsisk
Žatec (Saaz): Zatecensis
Zatičina (Stična, Sittich): Sitticium
Zauche (Sucha): Czucha
Zauche, Landsch.: Czucha
Zawonia → Blüchertal
Zbraslav (Königsaal): Regia aula
Ždanov (Mariupol): Cremnae
Zeben → Sabinov
Zebid (Zabīd, Sebid): Sabea regia
Zebrzydowa → Siegersdorf
Zeeland (Seeland), Prov.: Selandia
Zeeuwsch Vlaanderen → Quatre métiers, Landsch.

Zehden a. d. Oder (Cedynia): Cidini
Zehngerichtebund: Foedus decem jurisdictionum
Zeickhorn: Cicorni
Zeila: Emporium Avalites
Zeiselmauer: Zeizinmuri
Zeitz: Siza
Zele: Cothusa
Želechovice (Zlechau): Cechoviensis urbs
Zelezna vrata → Eisernes Tor, Strompaß
Zelezna vrata → Vratnik, Paß
Železni vrata → Vratnik, Paß
Zell, RB. U-Franken: Cella
Zell, Kt. Luzern: Cella
Zell, Kt. Zürich: Cella
Zell am Harmersbach: Cella
Zell am See: Cella
Zell am Ziller: Tirolensis cella
Zell a. d. Mosel: Ad Mosellam cella
Zell im Wiesental: Cella
Zella (Zella-Mehlis): Cella
Zella-Mehlis → Zella
Zeller See u. Untersee: Inferior lacus
Zellingen: Zellinga
Žemaiten → Samogitien, Landsch.
Zemgale → Semgallen, Landsch.
Zemplén, Komit.: Zempliniensis comit.
Zemun (Semlin, Zimony, Beograd-Zemun): Taurunum
Zemun → Semlin, Distr.
Zengg → Senj
Zenne → Senne, Fl.
Zepperen: Septemburius
Zeravšan (Serafschan, Serawschan), Fl.: Polytimetus
Zerbst: Servesta
Zesselwitz (Czesławice): Czeslawizi
Zettlitz: Zedlica
Zeven: Kevena
Zeven-Borren → Sept-Fontaines, Kl.
Zevenwolden, De ~ → Zevenwouden, Landsch.
Zevenwouden (De Zevenwolden), Landsch.: Septem saltus
Zêzere, Fl.: Ozecarus
Zgorzelec → Görlitz
Žiar nad Hronom (Heiligenkreuz, Garamszentkereszt, Svätý Kríž nad Hronom): Sancta Crux
Zichem: Sichemium
Zickra: Zcickara
Ziębice → Münsterberg
Ziegenrück: Caprae dorsum
Zierikzee: Sirixensis villa
Zihl → Thielle
Zihlkanal: Tela
Zilah → Zalău
Žilina (Sillein, Zsolna): Solna
Zillenmarkt → Zalău
Zillertal, Tal: Cilavina vallis
Zimmern: Zimbera
Zimony → Semlin, Distr.
Zimony → Zemun
Zinna (Kloster Zinna): Cinna
Zinnik → Soignies
Zinnik → Soignies, Landsch. um ~
Zinnitz: Ciani urbs
Zinsel, Fl.: Gunsinus
Zinsweiler → Zinswiller
Zinswiller (Zinsweiler): Zinzinwilare
Zips → Spiš, Landsch.
Zips → Szepes, Komit.
Zirknitz → Cerknica
Zirknitzer See → Cerknisko Jezero
Zirl: Cireola
Zisinder, Fl.: Cisindria
Zittau: Sitavia
Zitz: Zizani
Zizers: Zizaria
Zlatá Koruna (Goldenkron): Corona
Zlatna (Kleinschlatten, Goldmarkt, Zalatna): Auraria Parva
Zlechau → Želechovice

Złocieniec → Falkenburg
Zlotoryja, Fstg.: Slotoria castra
Złoty Stok → Reichenstein
Żmigród → Trachenberg
Znaim → Znojmo
Znamensk → Wehlau
Żnin: Znena
Znió-Váralja → Kláštor pod Znievom
Znojmo (Znaim): Snewnia
Zobten (Ślęza), Berg: Silentius mons
Zobten am Berge (Sobotka): Czobotha
Zörbig: Sorbiga
Zofingen: Tobinium
Zołkiew → Nesterov
Zollfeld: Flavium
Zollfeld, Landsch.: Soliensis campus
Zolling: Zollinga
Zolver → Soleuvre
Zólyom → Zvolen
Zólyom (Sohl), Komit.: Zoliensis comit.
Zorn, Fl.: Sorna
Zorneding: Zorogeltinga
Zorngau, Landsch.: Sornagaugiensis pag.
Zouafques: Suawakes
Zoutkamp: Manarmanis portus
Zoutleeuw → Léau
Zscherben: Cirmini
Zsolna → Žilina
Zudkerque: Sutkercae
Züllichau (Sulechów): Zulichium
Zülpich: Tolbiacum
Zülz (Biała): Cilicia
Zürich: Turicum
Zürichberg, Berg: Thuricensis mons
Zürichsee, See: Turicinus lacus
Züschen: Tuischinum
Zug: Tugium
Zug, Kt.: Tugensis pag.
Zuggers: Zwerais
Zuglio: Julium Carnicum
Zuid-Beveland (Südbeveland), Halbins.: Bevelandia australis
Zuidersee (IJsselmeer): Fleus lacus
Żuławka → Posilge
Zumaya: Menosca
Zuoz (Zuz): Zuzos
Zupanjac → Duvno
Zurzach: Zurzacha
Zutphen: Sutfania
Zuz → Zuoz
Zuzwil: Zuwilare
Zvolen (Altsohl, Zólyom): Vetus solium
Zvornik: Argentina
Zweibrücken: Bipontium
Zwenkau: Suencua
Zwettl: Zwetla
Zwickau: Zwickowa
Zwiefalten: Zwifeltum
Zwischenahn: Twischena
Zwitta → Zwittawa, Fl.
Zwittawa (Zwitta, Svitava), Fl.: Svitava
Zwolle: Swollis
Zwrócona → Protzan

Wüstungen:*)

*) Abgeg. Orte, ferner Orte, die in anderen aufgegangen sind, ehem. Landschaftsnamen (Wälder, Fluren usw.), für die moderne Namen unbekannt sind.